여러분의 … 하는

해커스공무 … 별 혜택

FREE 공무원 한국사 **특강**

해커스공무원(gosi.Hackers.com) 접속 후 로그인 ▶ 상단의 [무료강좌] 클릭 ▶
[교재 무료특강] 클릭하여 이용

회독용 답안지(PDF)

해커스공무원(gosi.Hackers.com) 접속 후 로그인 ▶ 상단의 [교재 · 서점 → 무료 학습 자료] 클릭 ▶
본 교재의 [자료받기] 클릭

해커스공무원 온라인 단과강의 **20% 할인쿠폰**

AE343777F55389XT

해커스공무원(gosi.Hackers.com) 접속 후 로그인 ▶ 상단의 [나의 강의실] 클릭 ▶
좌측의 [쿠폰등록] 클릭 ▶ 위 쿠폰번호 입력 후 이용

* 등록 후 7일간 사용 가능(ID당 1회에 한해 등록 가능)

쿠폰 이용 관련 문의 **1588-4055**

단기 합격을 위한
해커스공무원 커리큘럼

입문

탄탄한 기본기와 핵심 개념 완성!

누구나 이해하기 쉬운 개념 설명과 풍부한 예시로 부담없이 쌩기초 다지기

TIP 베이스가 있다면 **기본 단계**부터!

기본+심화

필수 개념 학습으로 이론 완성!

반드시 알아야 할 기본 개념과 문제풀이 전략을 학습하고
심화 개념 학습으로 고득점을 위한 응용력 다지기

기출+예상 문제풀이

문제풀이로 집중 학습하고 실력 업그레이드!

기출문제의 유형과 출제 의도를 이해하고 최신 출제 경향을 반영한
예상문제를 풀어보며 본인의 취약영역을 파악 및 보완하기

동형문제풀이

동형모의고사로 실전력 강화!

실제 시험과 같은 형태의 실전모의고사를 풀어보며 실전감각 극대화

최종 마무리

시험 직전 실전 시뮬레이션!

각 과목별 시험에 출제되는 내용들을 최종 점검하며 실전 완성

* 커리큘럼 및 세부 일정은 상이할 수 있으며,
자세한 사항은 해커스공무원 사이트에서 확인하세요.

단계별 교재 확인 및
수강신청은 여기서!

gosi.Hackers.com

해커스공무원

단원별 기출문제집

한국사

1권 | 전근대사

해커스공무원

gosi.Hackers.com

"기출문제" 그냥 풀어 보기만 하면 될까?

—

합격자들이 모두 강조하니까 풀어봐야 할 것 같긴 한데
문제를 풀고 채점한 후 무엇을 더 해야 할지 모르겠어요.
틀린 문제를 다시 풀어보면 또 틀리기까지 해요…

기출문제, 그냥 풀어보기만 하면 되나요?

해커스는 자신 있게 대답합니다.
기출문제는 반복 학습을 통해 눈에 익히고 출제된 개념을 암기해야 합니다! 또한, 문제 풀이 후 취약한 부분은 개념을 확실하게 보완해야 실전에 대비할 수 있는 진짜 실력을 얻을 수 있습니다.

「해커스공무원 단원별 기출문제집 한국사」는
한 문제를 풀더라도 완벽하게 내 것으로 만들 수 있도록 꼼꼼한 해설을 제공합니다.
'출제 포인트 + 정답 해설 + 오답 분석 + 이것도 알면 합격!'의 해설 구성으로 한 문제를 풀더라도 여러 문제를 푼 것 같은 효과를 얻을 수 있으며, 부족한 개념을 바로 채울 수 있습니다.

회독 학습에 최적화된 학습 장치를 제공합니다!
적어도 세 번은 기출문제집을 풀어보는 수험생들을 위해 '회독용 답안지'를 제공하고, 스스로 회독 학습을 점검할 수 있도록 '회독 학습 점검표'를 제공하여 공무원 한국사에 최적화된 회독 학습을 할 수 있습니다.

합격이 보이는 기출문제 풀이,
해커스가 여러분과 함께 합니다.

차례

기출문제집도 해커스가 만들면 다릅니다! 6
공무원 한국사, 이렇게 출제된다! 8
만점이 보이는 회독 학습 가이드 10

1권 전근대사

I. 우리 역사의 형성

01 한국사의 이해
1 역사의 의미와 한국사 14

02 선사 시대의 전개
1 구석기·신석기 시대 18
2 청동기·철기 시대 28

03 고조선과 여러 나라의 성장
1 고조선의 성장 36
2 여러 나라의 성장 42

최빈출 다지선다 문제로 단원 마무리 54

II. 고대의 발전

01 고대의 정치
1 고대의 성립 58
2 삼국의 발전과 통치 체제 66
3 대외 항쟁과 신라의 삼국 통일 100
4 남북국의 발전과 변화 108

02 고대의 경제·사회
1 고대의 경제 130
2 고대의 사회 138

03 고대의 문화
1 학문의 발달 144
2 사상과 과학 기술의 발달 148
3 고분과 예술의 발달 156

최빈출 다지선다 문제로 단원 마무리 168

III. 고려의 발전

01 고려의 정치
1 고려의 성립과 성장 172
2 문벌 귀족 사회의 성립과 동요 198
3 대외 관계의 전개 214
4 고려 후기의 정치 변동과 개혁 222

02 고려의 경제·사회
1 고려의 경제 234
2 고려의 사회 246

03 고려의 문화
1 유학의 발달과 역사서의 편찬 256
2 불교 사상과 신앙의 발전 266
3 과학 기술과 문학의 발달 276
4 귀족 문화의 발달 280

최빈출 다지선다 문제로 단원 마무리 288

IV. 조선의 발전

01 조선 전기의 정치
1 조선의 건국과 발전 292
2 통치 체제의 정비 304
3 사림의 대두와 붕당 정치의 전개 312
4 대외 관계의 전개와 양난의 극복 320

02 조선 전기의 경제·사회
1 조선 전기의 경제 330
2 조선 전기의 사회 338

03 조선 전기의 문화
1 민족 문화의 융성 344
2 성리학의 발달 354
3 신앙·과학·예술의 발달 360

최빈출 다지선다 문제로 단원 마무리 372

V. 조선의 변화

01 조선 후기의 정치
1 통치 체제의 변화 376
2 정쟁의 격화와 탕평·세도 정치 382
3 대외 관계의 변화 402

02 조선 후기의 경제
1 수취 체제의 개편 404
2 서민 경제의 발전 414
3 상품 화폐 경제의 발달 416

03 조선 후기의 사회
1 사회 구조와 향촌 질서의 변화 422
2 사회 변혁의 움직임 430

04 조선 후기의 문화
1 성리학의 변화와 실학의 발달 438
2 문화의 새 경향 458

최빈출 다지선다 문제로 단원 마무리 466

회독용 답안지 469

다회독에 최적화된 **회독용 답안지**
해커스공무원(gosi.Hackers.com) ▶ 교재·서점 ▶ 무료학습자료

2권 근현대사

Ⅵ. 근대 사회의 전개

01 외세의 침략적 접근과 개항
1 흥선 대원군의 개혁 정치 10
2 개항과 불평등 조약 체제 20

02 개화 운동의 추진과 반발
1 개화를 둘러싼 갈등 28
2 임오군란과 갑신정변 34

03 구국 민족 운동과 근대적 개혁의 추진
1 동학 농민 운동 40
2 갑오·을미개혁 46
3 독립 협회와 대한 제국 52
4 항일 의병 운동과 애국 계몽 운동 64
5 일제의 국권 피탈 72

04 개항 이후의 변화 모습
1 개항 이후의 경제와 사회 80
2 근대 문물의 수용과 근대 문화의 형성 86

최빈출 다지선다 문제로 단원 마무리 94

Ⅶ. 민족 독립운동의 전개

01 일제의 식민 통치와 민족의 수난
1 일제의 식민 통치와 민족 경제의 변화 98

02 3·1 운동과 대한민국 임시 정부
1 3·1 운동 112
2 대한민국 임시 정부 122

03 무장 독립 전쟁의 전개
1 국내 무장 항일 투쟁과 의열 투쟁 128
2 독립군의 무장 독립 전쟁 132

04 사회·경제적 민족 운동
1 민족의 저항 운동 148
2 민족 유일당 운동과 국외 이주 동포 154

05 민족 문화 수호 운동
1 일제의 식민지 문화 정책 160
2 민족 문화의 발전 162

최빈출 다지선다 문제로 단원 마무리 170

Ⅷ. 현대 사회의 발전

01 광복과 대한민국 수립
1 대한민국 건국 준비 과정 174
2 대한민국의 수립 178
3 6·25 전쟁 194

02 민주주의의 시련과 발전
1 4·19 혁명 198
2 5·16 군사 정변과 유신 체제 202
3 민주주의의 발전 210

03 평화 통일의 과제
1 북한 사회의 변화 218
2 평화 통일을 위한 노력 220

04 경제 발전과 사회·문화의 변화
1 현대의 경제 발전 228
2 현대 사회와 문화의 변화 234

최빈출 다지선다 문제로 단원 마무리 236

회독용 답안지 239

기출문제집도 해커스가 만들면 다릅니다!

01 한 문제를 풀어도 진짜 실력이 되는 **꼼꼼한 해설**을 제공합니다!

> 출제 포인트 및 난이도, 핵심 키워드를 짚어주는 자료 분석, 정답 선택지뿐만 아니라 오답 선택지까지 꼼꼼하게 분석하여 한 문제를 풀더라도 여러 문제를 푼 것과 같은 효과를 얻을 수 있습니다.

> '이것도 알면 합격!'을 통해 문제와 관련된 개념까지 깊이 있게 학습할 수 있습니다.

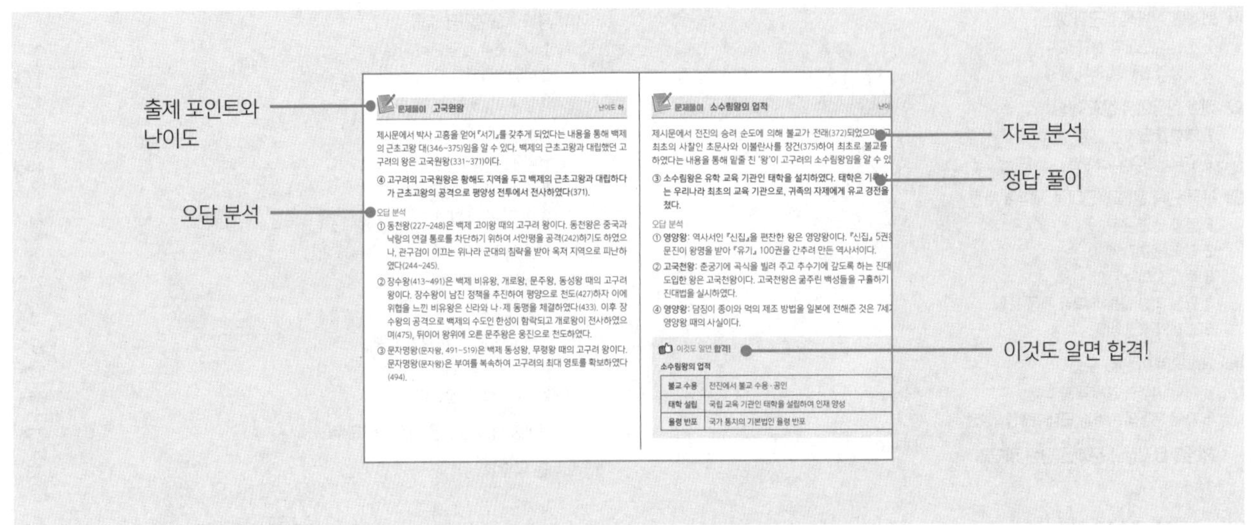

02 최신 출제 경향을 완벽하게 분석하여 **전략적 학습**이 가능합니다!

> 매년 달라지는 시대별 출제 경향을 주요 직렬별로 완벽하게 분석한 '출제 비중 분석자료'를 통해 최신 출제 경향을 파악할 수 있습니다.

> 주요 직렬별 출제 경향에 따라 직렬별로 제시된 맞춤 학습 방법을 통해 취약한 부분을 효율적으로 보완하고 전략적으로 시험에 대비할수 있습니다.

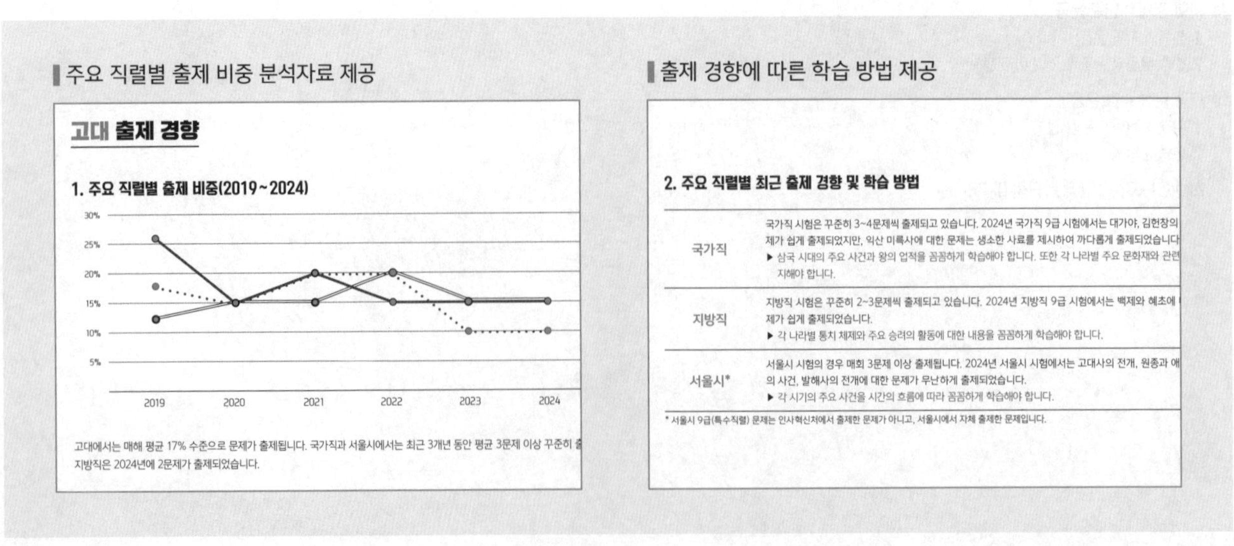

03 기출 개념 암기 및 만점 달성을 위한 **회독 학습 플랜**을 제공합니다!

> 단원별 난이도와 문항 수 등을 고려하여 수립된 30일 맞춤 회독 학습 플랜을 제공하여 효율적으로 공무원 한국사 기출문제의 회독 학습을 진행할 수 있습니다.

> 해커스공무원 한국사 기본서와 연계된 회독 학습 점검표를 제공하여 스스로 회독 계획을 세우고, 점검하며 학습을 진행할 수 있습니다.

30일 맞춤 회독 학습 플랜

> 30일 맞춤 회독 학습 플랜

- 단원별 난이도와 문항 수 등을 고려하여 수립된 해커스의 30일 맞춤 회독 학습 플랜과 회독별 학습 방법을 활용하여 효과적으로 학습하세요.
- 기출 문제를 풀이하고 대단원마다 수록된 최빈출 다지선다 문제를 통해 출제 가능성이 높은 기출개념을 확실하게 복습하여 실력을 다지세요.

1일	2일	3일	4일	5일	6일	7일	8일	9일	10일
I 선사 01 ~ 03	I 선사 - 복습	II 고대 - 01		II 고대 - 02	II 고대 - 03	II 고대 - 복습	III 고려 - 01		III 고려 - 02
11일	**12일**	**13일**	**14일**	**15일**	**16일**	**17일**	**18일**	**19일**	**20일**
III 고려 - 03	III 고려 - 복습	IV 조선 전기 - 01	IV 조선 전기 - 02	IV 조선 전기 - 03	IV 조선 전기 - 복습	IV 조선 후기 - 01	IV 조선 후기 - 02	IV 조선 후기 - 03	IV 조선 후기 - 04
21일	**22일**	**23일**	**24일**	**25일**	**26일**	**27일**	**28일**	**29일**	**30일**
V 조선 후기 - 복습	VI 근대 - 01 ~ 02	VI 근대 - 03 ~ 04	VI 근대 - 복습	VII 일제 강점기 - 01 ~ 02	VII 일제 강점기 - 03 ~ 05	VII 일제 강점기 - 복습	VIII 현대 - 01 ~ 02	VIII 현대 - 03 ~ 04	VIII 현대 - 복습

• 학습 플랜은 '대단원(I, II, III) - 중단원(01, 02, 03)'의 순서로 표시하였습니다.

회독 학습 점검표

> 회독 학습 점검표

※ 기출문제를 풀면서 개념이 부족한 부분이 있다면 해커스공무원 한국사 기본서의 페이지를 참고해 꼭 보충하셔야 합니다.
※ 회독 후 학습일을 기록하면 전체적인 학습 상황을 확인할 수 있습니다.

단원	기본서	1회독	2회독	3회독
I 우리 역사의 형성				
01 한국사의 이해	1권 20p ~ 23p	월 일	월 일	월 일
02 선사 시대의 전개	1권 24p ~ 37p	월 일	월 일	월 일
03 고조선과 여러 나라의 성장	1권 38p ~ 53p	월 일	월 일	월 일
II 고대의 발전				
01 고대의 정치	1권 60p ~ 105p	월 일	월 일	월 일
02 고대의 경제·사회	1권 106p ~ 123p	월 일	월 일	월 일
03 고대의 문화	1권 124p ~ 149p	월 일	월 일	월 일
III 고려의 발전				
01 고려의 정치	1권 156p ~ 197p	월 일	월 일	월 일
02 고려의 경제·사회	1권 198p ~ 215p	월 일	월 일	월 일
03 고려의 문화	1권 216p ~ 247p	월 일	월 일	월 일
IV 조선의 발전				
01 조선 전기의 정치	1권 254p ~ 291p	월 일	월 일	월 일
02 조선 전기의 경제·사회	1권 292p ~ 309p	월 일	월 일	월 일
03 조선 전기의 문화	1권 310p ~ 335p	월 일	월 일	월 일
V 조선의 변화				
01 조선 후기의 정치	1권 342p ~ 365p			
02 조선 후기의 경제	1권 366p ~ 385p	월 일	월 일	월 일
03 조선 후기의 사회	1권 386p ~ 399p	월 일	월 일	월 일

04 출제 가능성이 높은 기출 개념을 복습할 수 있는 **최빈출 다지선다 문제**를 제공합니다.

> 대단원마다 수록된 최빈출 다지선다 문제를 통해 다시 출제될 가능성이 높은 주요 기출 개념을 복습할 수 있습니다.

> 핵심 키워드를 통해 빠르게 자료를 분석하고, 한 눈에 정답과 오답을 파악할 수 있습니다.

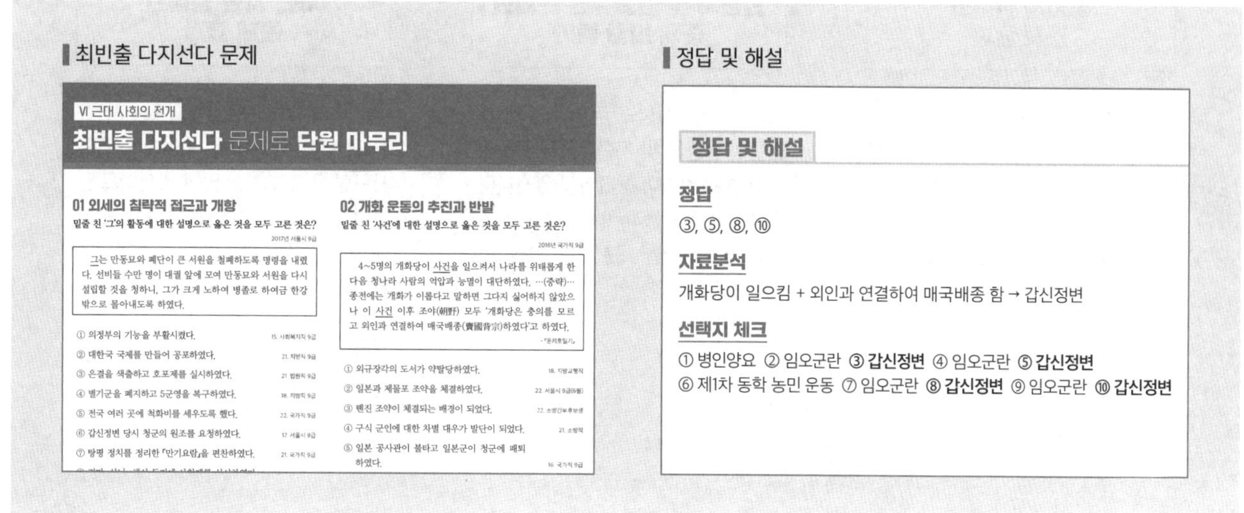

최빈출 다지선다 문제

VI 근대 사회의 전개

최빈출 다지선다 문제로 **단원 마무리**

01 외세의 침략적 접근과 개항

밑줄 친 '그'의 활동에 대한 설명으로 옳은 것을 모두 고른 것은? 2017년 서울시 9급

그는 만동묘와 폐단이 큰 서원을 철폐하도록 명령을 내렸다. 선비들 수만 명이 대궐 앞에 모여 만동묘와 서원을 다시 설립할 것을 청하니, 그가 크게 노하여 병졸로 하여금 한강 밖으로 몰아내도록 하였다.

① 의정부의 기능을 부활시켰다. 15. 사회복지직 9급
② 대한국 국제를 만들어 공포하였다. 21. 지방직 9급
③ 은결을 색출하고 호포제를 실시하였다. 21. 법원직 9급
④ 별기군을 폐지하고 5군영을 복구하였다. 18. 지방직 9급
⑤ 전국 여러 곳에 척화비를 세우도록 했다. 22. 국가직 9급
⑥ 갑신정변 당시 청군의 원조를 요청하였다. 17. 서울시 9급
⑦ 탕평 정치를 정리한 『만기요람』을 편찬하였다. 21. 국가직 9급

02 개화 운동의 추진과 반발

밑줄 친 '사건'에 대한 설명으로 옳은 것을 모두 고른 것은? 2016년 국가직 9급

4~5명의 개화당이 사건을 일으켜서 나라를 위태롭게 한 다음 청나라 사람의 억압과 능멸이 대단하였다. …(중략)… 종전에는 개화가 이롭다고 말하면 그다지 싫어하지 않았으나 이 사건 이후 조야(朝野) 모두 '개화당은 충의를 모르고 외인과 연결하여 매국배종(賣國背宗)하였다'고 하였다. - 『윤치호일기』

① 외규장각의 도서가 약탈당하였다. 18. 지방교행직
② 일본과 제물포 조약을 체결하였다. 22. 서울시 9급(6월)
③ 톈진 조약이 체결되는 배경이 되었다. 22. 소방간부후보생
④ 구식 군인에 대한 차별 대우가 발단이 되었다. 21. 소방직
⑤ 일본 공사관이 불타고 일본군이 청군에 패퇴하였다. 16. 국가직 9급

정답 및 해설

정답 및 해설

정답
③, ⑤, ⑧, ⑩

자료분석
개화당이 일으킴 + 외인과 연결하여 매국배종 함 → 갑신정변

선택지 체크
① 병인양요 ② 임오군란 ③ **갑신정변** ④ 임오군란 ⑤ **갑신정변**
⑥ 제1차 동학 농민 운동 ⑦ 임오군란 ⑧ **갑신정변** ⑨ 임오군란 ⑩ **갑신정변**

공무원 한국사 이렇게 출제된다!

01 공무원 한국사 시험 **시대별 출제 비율**

공무원 한국사 시험은 보통 총 20문항으로 구성됩니다. 최근 6개년 공무원 한국사 시험을 분석한 결과 전근대사가 전체의 52%로, 근현대사(41%), 시대 통합(7%)보다 출제 비율이 높았습니다. 그러나 대부분 모든 시대에서 큰 편차 없이 골고루 출제되고 있습니다.

시험 구분	시대별 평균 출제 문항 수									합계
	전근대사					근현대사			시대 통합	
	선사	고대	고려	조선 전기	조선 후기	근대	일제 강점기	현대		
국가직	0	3	4	3	0	3	5	1	1	20
지방직	2	2	3	1	1	4	3	1	3	20
서울시	1	3	4	0	4	3	2	3	0	20
출제 비율	5%	14%	18%	7%	8%	18%	15%	8%	7%	100%

02 최근 6개년 **공무원 한국사 출제 경향**

정치사 위주의 문제 출제

각 시대별 출제 비중에 큰 차이가 없는 반면, 분류사별로 살펴보면 **정치사가 평균 73% 수준으로 출제**되고 있어서 경제사, 사회사, 문화사에 비해 출제 비중이 매우 높은 편임을 알 수 있습니다.
따라서 **정치사를 최우선적으로 학습**해야 하며, 각 시대별로 정치 상황과 사건의 인과 관계 및 발생 순서 등을 정확하게 암기해야 합니다.

인물사 및 문화유산 문제의 출제 비중 증가

최근 공무원 시험의 주요 직렬에서는 **인물의 활동과 및 문화유산을 묻는 문제의 출제 비중이 증가하고 있습니다.** 주요 인물의 활동과 각 시대의 대표 문화유산의 특징을 구분하여 학습하는 것이 중요합니다.

사료·자료 중심의 문제 출제

공무원 시험의 문제 유형으로는 사료·자료를 제시하고 이를 분석하는 **사료·자료형 문제가 가장 많이 출제되고 있습니다.** 따라서, **기출 문제 풀이를 통해 자주 출제된 사료와 자료는 무엇인지 파악해야 하며,** 생소한 사료와 자료가 제시되어도 **핵심 키워드를 찾아 정답을 찾는 능력을 키우는 학습이 필요합니다.**

03 공무원 한국사 **분류사별 출제 경향 및 수험 대책**

정치

출제 경향

가장 출제 비중이 높은 정치사는 왕의 업적 또는 재위 시기의 사실을 묻는 문제가 높은 비중을 차지하고 있습니다. 또한, 각 시대별로 실시하였던 정책과 사건의 순서를 묻는 문제도 자주 출제됩니다.

수험 대책

① 정치사에서 고난도로 출제되는 부분은 바로 사건의 순서를 고르는 문제입니다. 따라서 흐름을 이해하는 것 뿐만 아니라 사건의 발생 연도를 암기하고, 근현대사의 경우 사건의 월 단위까지 꼼꼼하게 학습해야 합니다.
② 각 시대별로 시행된 제도와 정책들의 시행 시기와 특징을 꼼꼼하게 정리해야 합니다.

경제

출제 경향

시대별 토지 제도와 수취 제도의 특징을 묻는 문제가 높은 비중을 차지하고 있으며, 수취 제도에 대한 문제가 어렵게 출제되기도 합니다. 또한 특정 시대의 화폐나 경제 상황을 묻는 문제도 꾸준히 출제되고 있습니다.

수험 대책

① 토지 제도와 수취 제도별로 시기에 따라서 제도의 시행 배경, 지급 및 수취 기준 등을 관련 사료와 함께 한번에 정리해야 합니다.
② 조선 후기의 경제 상황은 당시의 정치 상황과 연계되어 자주 출제되므로, 조선 후기의 정치 상황과 농업·상업·수공업 등 다양한 경제 상황들을 유기적으로 연결시켜 학습해야 합니다.

사회

출제 경향

주로 특정 시대의 전반적인 사회상에 대해 묻는 문제가 출제됩니다. 특히 원 간섭기의 사회 동요와 조선 후기의 사회 모습에 대해 정리해 두어야 하며, 각 시대별 신분 제도에 대해서도 학습해야 합니다.

수험 대책

① 사회사의 경우 정치·경제사와 함께 통합하여 물어보기도 하므로, 각 시대별로 전체적인 사회의 모습을 파악하고 정치·경제와 연결시키는 학습이 필요합니다.
② 근대 시기의 애국 계몽 운동과 여성 운동, 근대와 일제 강점기의 건축, 생활 모습 등을 꼼꼼히 암기해야 만점을 받을 수 있습니다.

문화

출제 경향

승려와 유학자에 대한 문제와 각 시기별 서적 중에서도 역사서에 대해 묻는 문제는 꾸준히 출제되고 있습니다. 또한, 조선 후기의 실학자에 대한 문제가 높은 난이도로 출제될 수 있으니 꼼꼼하게 학습해야 합니다.

수험 대책

① 승려 및 유학자의 업적을 꼼꼼히 암기하고, 각 시대별로 성격이 비슷한 역사서를 비교하여 학습해야 합니다.
② 조선 후기 실학자들의 토지 개혁론을 비롯한 사상, 주요 저술 등을 꼼꼼하게 학습해야 합니다.

만점이 보이는 회독 학습 가이드

> 30일 맞춤 회독 학습 플랜

- 단원별 난이도와 문항 수 등을 고려하여 수립된 해커스의 30일 맞춤 회독 학습 플랜과 회독별 학습 방법을 활용하여 효과적으로 학습하세요.
- 기출 문제를 풀이하고 대단원마다 수록된 최빈출 다지선다 문제를 통해 출제 가능성이 높은 기출개념을 확실하게 복습하여 실력을 다지세요.

1일	2일	3일	4일	5일	6일	7일	8일	9일	10일
I 선사 01 ~ 03	I 선사 - 복습	II 고대 - 01		II 고대 - 02	II 고대 - 03	II 고대 - 복습	III 고려 - 01		III 고려 - 02
11일	**12일**	**13일**	**14일**	**15일**	**16일**	**17일**	**18일**	**19일**	**20일**
III 고려 - 03	III 고려 - 복습	IV 조선 전기 - 01	IV 조선 전기 - 02	IV 조선 전기 - 03	IV 조선 전기 - 복습	IV 조선 후기 - 01	IV 조선 후기 - 02	IV 조선 후기 - 03	IV 조선 후기 - 04
21일	**22일**	**23일**	**24일**	**25일**	**26일**	**27일**	**28일**	**29일**	**30일**
V 조선 후기 - 복습	VI 근대 - 01 ~ 02	VI 근대 - 03 ~ 04	VI 근대 - 복습	VII 일제 강점기 - 01 ~ 02	VII 일제 강점기 - 03 ~ 05	VII 일제 강점기 - 복습	VIII 현대 - 01 ~ 02	VIII 현대 - 03 ~ 04	VIII 현대 - 복습

* 학습 플랜은 '대단원(I, II, III) - 중단원(01, 02, 03)'의 순서로 표시하였습니다.

> 회독별 학습 방법

1회독 기출 개념 정리 단계

- 상단의 30일 맞춤 회독 학습 플랜에 맞춰 **회독용 답안지에 기출 문제 풀이를 진행**합니다.
- 기출문제를 풀어보며 단원별로 **어떤 개념과 사료들이 출제**되었는지 확인합니다.
- 다지선다 문제 풀이 후 **해커스공무원 한국사 기본서와 함께 개념 학습을 진행**하고자 할 경우 회독 학습 점검표의 기본서 페이지를 참고하여 학습합니다.

2회독 지엽 개념 암기 단계

- 상단의 30일 맞춤 회독 학습 플랜을 활용하되, **1회독 때보다 학습 시간을 단축**하여 학습합니다.
- '난이도 상' 문제를 중점적으로 풀어보고, 자주 출제되지 않았던 **지엽적인 개념들을 암기**합니다.
- 문제 풀이 후 기본서와 함께 개념 학습을 진행하고자 할 경우 회독 학습 점검표의 기본서 페이지를 참고하여 학습합니다.

3회독 약점 극복 단계

- 1, 2회독 때 **틀렸거나 애매하게 맞춘 문제**를 위주로 학습을 진행합니다.
- **헷갈렸던 개념·어려웠던 문제**의 '이것도 알면 합격!'을 빠르게 복습합니다.
- 회독 학습 점검표에 학습한 단원의 회독일을 기입하여 학습 상황을 확인합니다.

> 회독 학습 점검표

※ 기출문제를 풀면서 개념이 부족한 부분이 있다면 해커스공무원 한국사 기본서의 페이지를 참고해 꼭 보충하셔야 합니다.
※ 회독 후 학습일을 기록하면 전체적인 학습 상황을 확인할 수 있습니다.

단원	기본서	1회독	2회독	3회독
I 우리 역사의 형성				
01 한국사의 이해	1권 20p ~ 23p	월 일	월 일	월 일
02 선사 시대의 전개	1권 24p ~ 37p	월 일	월 일	월 일
03 고조선과 여러 나라의 성장	1권 38p ~ 53p	월 일	월 일	월 일
II 고대의 발전				
01 고대의 정치	1권 60p ~ 105p	월 일	월 일	월 일
02 고대의 경제·사회	1권 106p ~ 123p	월 일	월 일	월 일
03 고대의 문화	1권 124p ~ 149p	월 일	월 일	월 일
III 고려의 발전				
01 고려의 정치	1권 156p ~ 197p	월 일	월 일	월 일
02 고려의 경제·사회	1권 198p ~ 215p	월 일	월 일	월 일
03 고려의 문화	1권 216p ~ 247p	월 일	월 일	월 일
IV 조선의 발전				
01 조선 전기의 정치	1권 254p ~ 291p	월 일	월 일	월 일
02 조선 전기의 경제·사회	1권 292p ~ 309p	월 일	월 일	월 일
03 조선 전기의 문화	1권 310p ~ 335p	월 일	월 일	월 일
V 조선의 변화				
01 조선 후기의 정치	1권 342p ~ 365p			
02 조선 후기의 경제	1권 366p ~ 385p	월 일	월 일	월 일
03 조선 후기의 사회	1권 386p ~ 399p	월 일	월 일	월 일
04 조선 후기의 문화	1권 400p ~ 423p	월 일	월 일	월 일
VI 근대 사회의 전개				
01 외세의 침략적 접근과 개항	2권 10p ~ 23p			
02 개화 운동의 추진과 반발	2권 24p ~ 39p	월 일	월 일	월 일
03 구국 민족 운동과 근대적 개혁의 추진	2권 40p ~ 75p	월 일	월 일	월 일
04 개항 이후의 변화 모습	2권 76p ~ 93p	월 일	월 일	월 일
VII 민족 독립운동의 전개				
01 일제의 식민 통치와 민족의 수난	2권 100p ~ 111p			
02 3·1 운동과 대한민국 임시 정부	2권 112p ~ 127p			
03 무장 독립 전쟁의 전개	2권 128p ~ 141p	월 일	월 일	월 일
04 사회·경제적 민족 운동	2권 142p ~ 161p	월 일	월 일	월 일
05 민족 문화 수호 운동	2권 162p ~ 175p	월 일	월 일	월 일
VIII 현대 사회의 발전				
01 광복과 대한민국 수립	2권 182p ~ 205p			
02 민주주의의 시련과 발전	2권 206p ~ 229p	월 일	월 일	월 일
03 평화 통일의 과제	2권 230p ~ 241p	월 일	월 일	월 일
04 경제 발전과 사회·문화의 변화	2권 242p ~ 255p	월 일	월 일	월 일

공무원시험전문 해커스공무원
gosi.Hackers.com

우리 역사의 형성 출제 경향

1. 주요 직렬별 출제 비중(2019 ~ 2024)

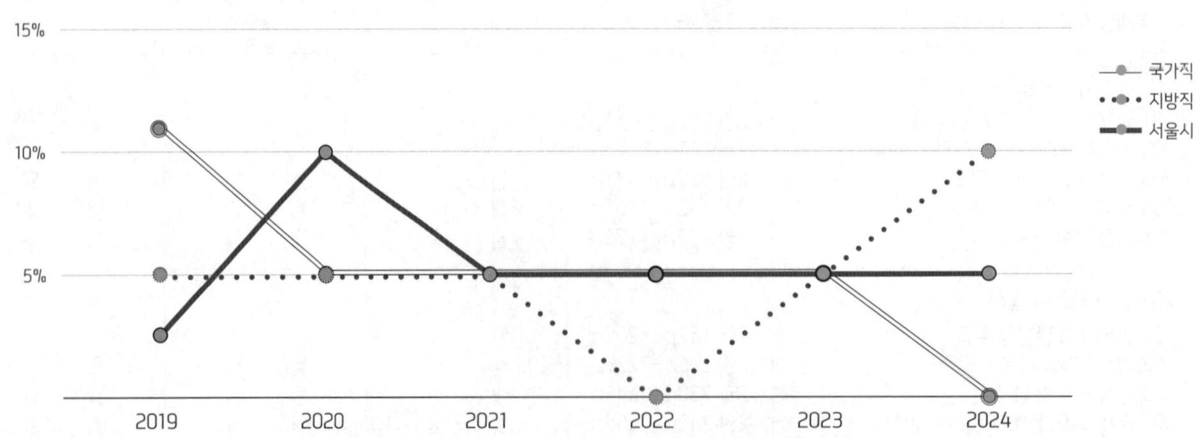

우리 역사의 형성에서는 선사 시대의 전개, 고조선과 여러 나라의 성장에 대한 문제가 주로 출제됩니다. 대체로 매해 평균 1~2문제 수준으로 문제가 출제되고 있습니다.

우리 역사의 형성

01 한국사의 이해
02 선사 시대의 전개
03 고조선과 여러 나라의 성장

2. 주요 직렬별 최근 출제 경향 및 학습 방법

국가직	국가직 시험의 경우 매회 평균 1문제씩 출제되었으나, 2024년 국가직 9급 시험에서는 1문제도 출제되지 않았습니다. ▶ 선사 시대는 비교적 쉬운 난이도로 출제되기 때문에 각 시대별 생활 모습과 주요 유물들을 중심으로 암기하는 것이 효율적입니다.
지방직	지방직 시험의 경우 주로 선사 시대보다는 고조선과 여러 나라의 성장에 대한 문제가 자주 출제됩니다. 2024년 지방직 9급 시험에서는 신석기 시대와 고조선에 대한 문제가 쉽게 출제되었습니다. ▶ 선사 시대는 각 시대의 특징을 구별해야 하며, 여러 나라의 성장 부분은 각 국가의 정치적 특징과 사회 풍습을 정확히 연결시켜야 합니다.
서울시*	서울시 시험에서는 꾸준히 1문제씩 출제되고 있으며, 2024년 서울시 9급 시험에서는 부여에 대한 문제가 쉽게 출제되었습니다. ▶ 고조선과 여러 나라의 성장은 사료와 함께 출제되는 경우가 많기 때문에 자주 출제되는 사료를 꼼꼼하게 학습해야 합니다.

* 서울시 9급(특수직렬) 문제는 인사혁신처에서 출제한 문제가 아니고, 서울시에서 자체 출제한 문제입니다.

1 | 역사의 의미와 한국사

01

2019년 경찰직(1차)

다음 내용에 대한 설명으로 틀린 것은?

> 역사가와 역사적 사실은 상호 불가분의 관계이다. 사실을 갖추지 못한 역사가는 뿌리가 없기 때문에 열매를 맺을 수 없다. 반면에 역사가가 없다면 사실은 생명이 없는 무의미한 존재일 뿐이다. 역사란 무엇일까? 이 질문에 대한 나의 궁극적인 답변은 다음과 같다. 역사는 역사가와 사실이 끊임없이 겪는 상호 작용의 과정이며, 이는 현재와 과거의 끊임없는 대화인 셈이다.

① 사실로서의 역사를 강조하는 실증주의적 역사관을 잘 드러내고 있다.

② 역사는 사실과 기록이라는 두 가지 측면으로 구성되어 있다.

③ 카(E. H. Carr)가 쓴 『역사란 무엇인가?』에 나오는 문구이다.

④ 역사가의 주관적인 해석 과정은 객관적인 과거 사실만큼이나 역사를 형성하는 데 중요하다.

문제풀이 역사의 의미(E. H. 카) 난이도 중

제시문에서 역사는 역사가와 사실이 끊임없이 겪는 상호 작용의 과정이며, 이는 현재와 과거의 끊임없는 대화라는 내용을 통해 E. H. 카의 주장임을 알 수 있다.

① 사실로서의 역사를 강조하는 실증주의적 역사관을 제시한 대표적인 역사학자는 랑케이다. 랑케는 '역사학의 임무는 과거의 사실을 있는 그대로 밝히는 것이다'라고 주장하며 역사 서술의 객관성을 강조하였다.

오답 분석

②, ③, ④ 카(E. H. Carr)는 그의 저술인 『역사란 무엇인가?』에서 역사를 '현재와 과거의 끊임없는 대화'라고 정의하였고, 이를 통해 역사를 구성하는 사실과 기록의 두 가지 측면을 모두 강조하며 실증주의 사관과 상대주의 사관의 절충적 견해를 제시하였다. 또한 그는 객관적인 과거의 사실만큼 역사가의 주관적인 해석 과정이 역사를 형성하고 이해하는 데 중요한 것임을 강조하였다.

02

2010년 지방직 9급

역사에 대한 설명으로 옳지 않은 것은?

① '기록으로서의 역사'에는 역사가의 주관이 개입되면 안 된다.

② 역사를 통하여 현재를 살아가는 데 필요한 삶의 지혜와 교훈을 얻을 수 있다.

③ 사료와 역사적 진실이 반드시 일치하는 것은 아니므로 사료 비판이 필요하다.

④ '사실로서의 역사'란 과거에 존재했던 모든 사실과 사건을 의미한다.

문제풀이 역사의 의미 난이도 하

① '기록으로서의 역사'는 주관적 의미의 역사로 과거에 일어난 사실들을 역사가의 사관, 가치관에 따라 재해석하는 것이다. 따라서 역사가의 주관이 개입된다. 역사를 객관적 사실 그 자체로 보며 역사가의 주관이 개입되는 것을 경계하는 것은 사실로서의 역사(객관적 의미의 역사)이다.

오답 분석

② 인간은 역사를 통해 과거에 있었던 사실들을 배움으로써 현재를 살아가는 데 필요한 삶의 지혜와 교훈을 얻을 수 있다.

③ 사료란 과거의 사실이 담겨있는 문헌 등을 의미하는데, 사료에는 이것을 작성한 사람들의 가치관이나 시대적 흐름이 반영된다. 따라서 사료와 과거에 일어났던 역사적 진실이 반드시 일치하는 것은 아니기 때문에 사료 비판은 반드시 필요하다.

④ '사실로서의 역사'는 과거에 있었던 모든 사실과 사건을 의미한다.

03

2010년 서울시 9급

역사의 의미에 대한 설명 중 옳지 않은 것은?

① 과거였던 사실(사실로서의 역사), 조사되어 기록된 과거(기록으로서의 역사)라는 두 가지 의미가 있다.

② 사실로서의 역사는 시간적으로 현재까지 일어난 모든 과거의 사건을 말한다.

③ 기록으로서의 역사는 과거의 사실을 토대로 역사가가 이를 조사·연구해 주관적으로 재구성한 것이다.

④ 역사를 배운다는 것은 역사가가 선정하고 연구한 기록으로서의 역사를 배우는 것이다.

⑤ 사실로서의 역사는 주관적 의미의 역사이다.

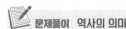

문제풀이 역사의 의미 난이도 중

역사는 '사실로서의 역사'와 '기록으로서의 역사'라는 두 측면이 있다. 사실로서의 역사는 객관적 사실, 즉 시간적으로 과거부터 현재에 이르기까지 있었던 모든 사실을 의미한다. 기록으로서의 역사는 과거의 사실을 토대로 역사가가 이를 조사하고 연구하여 주관적으로 재구성한 것을 의미한다.

⑤ 사실로서의 역사는 과거에 일어났던 사실 그 자체를 의미하기 때문에 객관적 의미의 역사이다. 주관적인 의미의 역사는 기록으로서의 역사이다.

오답 분석

① 역사는 과거에 있었던 모든 사실의 집합체인 사실로서의 역사와 조사되어 기록된 과거인 기록으로서의 역사라는 두 가지 의미가 있다.

② 사실로서의 역사는 과거부터 현재까지 일어난 모든 사건을 말한다. 따라서 사실로서의 역사는 객관적인 의미의 역사이다.

③ 기록으로서의 역사는 역사가가 과거의 사실을 조사·연구하여 주관적으로 재구성한 것이다.

④ 우리가 역사를 배운다는 것은 역사가의 주관이 개입되어 재구성된 기록으로서의 역사를 배운다는 것이다. 따라서 우리가 배우는 역사는 과거에 일어난 사실들 중 역사가들이 특별히 의미가 있다고 선정한 사실에 한정되어 있다.

04

2008년 국가직 9급

다음 주장을 고려할 때 가장 적절한 태도는?

> 역사에 대한 서로 다른 관점을 사관(史觀)이라고 한다. 역사가가 어떤 사관을 가지고 책을 저술 또는 편찬하는가에 따라서 역사의 내용이 달라질 수 있다.

① 과거 사실을 밝히는 일을 지상 과제로 삼는다.

② 대중을 위한 역사를 만들고자 적당한 윤색을 가한다.

③ 역사 서술에는 반드시 현재의 요구를 반영해야 한다.

④ 역사서를 읽을 때 독자는 저자의 사관을 염두에 둔다.

문제풀이 사관(史觀) 난이도 하

제시문에서 역사가가 어떤 사관을 가지고 책을 저술하는가에 따라 역사의 내용이 달라질 수 있다는 것을 통해 상대주의 사관에 대한 내용임을 알 수 있다.

④ 역사서는 역사가들의 사관이 반영되었으므로 이를 읽을 때 독자는 저자의 사관을 염두에 두어야 한다는 것은 상대주의 사관과 일맥상통한다.

오답 분석

① 과거의 사실을 밝히는 일을 지상 과제로 삼는 것은 실증주의 사관의 특징이다.

② 역사는 사실에 입각하여 서술해야 하며, 윤색을 가하면 안 된다.

③ 역사 서술에 반드시 현재의 요구를 반영해야 하는 것은 아니다.

이것도 알면 **합격!**

사관

관점	실증주의 사관	상대주의 사관
내용	객관적인 방법을 통해 과거 사실을 재구성하려는 입장으로, 역사가의 주관적 해석을 배제한 객관적인 역사 서술을 지향	역사를 고정된 실체로 보지 않고, 역사가의 주관적·현대적인 해석을 통해 역사적 진실을 추구
대표 학자	랑케, 앨버트 비버리지, 엘튼 등	베커, 크로체, 콜링우드, 카 등

정답 01 ① 02 ① 03 ⑤ 04 ④

05

2011년 지방직 9급

다음과 같은 주장에 가장 적합한 역사 서술은?

> 역사가는 자기 자신을 숨기고 과거가 본래 어떠한 상태에 있었는가를 밝히는 것을 자신의 지상 과제로 삼아야 하며, 이때 오직 역사적 사실로 하여금 말하게 하여야 한다.

① 궁예와 견훤의 흉악한 사람됨이 어찌 우리 태조와 서로 겨룰 수 있겠는가.

② 건국 초에 향리의 자제를 뽑아 서울에 머물게 하여 출신지의 일에 대하여 자문하였는데, 이를 기인이라고 한다.

③ 묘청 등이 승리하였다면 조선사가 독립적, 진취적으로 진전하였을 것이니, 이 사건을 어찌 일천년래 제일대사건이라 하지 아니하랴.

④ 토문 이북과 압록 이서의 땅이 누구의 것인지 알지 못하게 하였으니 … (중략) … 고려가 약해진 것은 발해를 차지하지 못하였기 때문이다.

문제풀이 사실로서의 역사

난이도 중

제시문에서 '역사가는 자신을 숨겨야 한다는 것'과 '역사적 사실로 하여금 말하게 하여야 한다'는 내용을 통해 사실로서의 역사를 주장하고 있음을 알 수 있다. 사실로서의 역사는 과거에 있었던 사실을 역사가의 주관을 배제한 채 객관적으로 서술하는 것을 의미한다.

② 기인 제도에 대한 역사가의 주관적인 평가나 생각 등이 들어가 있지 않고 기인 제도의 의미만을 객관적으로 서술하고 있으므로 사실로서의 역사이다.

오답 분석

모두 역사가들에 의해 주관적인 의미가 부여되었기 때문에 기록으로서의 역사에 해당한다.

① **기록으로서의 역사**: 궁예와 견훤에 대해 '흉악한 사람'이라고 평가하고 있으므로 역사가의 주관적인 생각이 반영된 기록으로서의 역사이다.

③ **기록으로서의 역사**: 묘청의 서경 천도 운동을 일천년래 제일대사건이라 표현하는 등 역사가의 주관적인 해석과 평가가 반영되어 있으므로 기록으로서의 역사이다.

④ **기록으로서의 역사**: 고려가 약해진 이유가 발해를 차지하지 못하였기 때문이라는 역사가의 주관적인 관점이 반영되어 있으므로 기록으로서의 역사이다.

06

2009년 국가직 9급

다음 사료를 통해 추론할 수 있는 역사 서술의 특징과 맥락을 같이 하는 사례를 〈보기〉에서 고른 것은?

> 부여는 장성의 북쪽에 있으며 현도에서 천 리쯤 떨어져 있다. …… 사람들의 체격은 매우 크고 성품이 강직 용맹하며 근엄 후덕해서 다른 나라를 노략질하지 않았다. 고구려는 요동의 동쪽 천리에 있다. …… 좋은 밭이 없어서 힘들여 일구어도 배를 채우기에는 부족하였다. 사람들의 성품은 흉악하고 급해서 노략질하기를 좋아했다.
>
> – 『삼국지』 동이전

보기

㉠ 김부식의 『삼국사기』는 불교 관련 기사가 거의 없다.
㉡ 『고려사』는 우왕을 부정적으로 기록하였다.
㉢ 한백겸의 『동국지리지』는 문헌 고증에 입각한 객관적인 역사 연구를 추구하였다.
㉣ 사마천의 『사기』는 기전체로서 역사를 본기, 세가, 지, 열전, 연표 등으로 나누어 설명하였다.

① ㉠, ㉡　　② ㉠, ㉢

③ ㉡, ㉢　　④ ㉢, ㉣

문제풀이 기록으로서의 역사

난이도 중

제시문에서 부여의 사람들은 성품이 강직하고 용맹하며 근엄후덕하고, 고구려 사람들은 성품이 흉악하고 급하다는 역사가의 주관적인 평가가 개입되어 있으므로 기록으로서의 역사에 해당한다.

① 같은 맥락의 사례를 모두 고르면 ㉠, ㉡이다.

㉠ 『삼국사기』에 불교 관련 기사가 거의 없는 것은 유학자인 김부식이 유교적 합리주의 사관에 맞춰 역사를 선택하여 기록하였기 때문이다. 따라서 역사가의 주관적인 가치관이 개입되어 있으므로 기록으로서의 역사이다.

㉡ 『고려사』는 조선 건국 초 김종서 등에 의해 편찬된 역사서로, 조선 건국을 정당화하기 위해 우왕 등 고려 말의 역사를 부정적으로 기록하였으므로, 역사가의 주관적인 가치관이 개입되어 있는 기록으로서의 역사이다.

오답 분석

㉢ **사실로서의 역사**: 한백겸의 『동국지리지』는 고대 지명을 새롭게 연구하여 이론적으로 밝혔으며, 고구려의 발상지가 만주 지방이라는 사실을 처음으로 고증하는 등 문헌 고증을 통한 객관적인 역사 연구를 추구하였으므로, 사실로서의 역사에 해당한다.

㉣ **사실로서의 역사**: 사마천의 『사기』는 기전체로 서술된 역사서로, 군주와 관련된 것들을 연대순으로 기록한 본기, 신하들의 전기인 열전, 통치 제도·관직·문물·경제·지리·자연 현상 등을 정리한 지와 연표 등으로 나누어 최대한 객관적으로 사실을 기록하였다.

07

2016년 국가직 9급

다음 글을 근거로 할 때, 사료를 탐구하는 자세로 옳지 않은 것은?

> 역사라는 말은 사람에 따라 다양한 뜻으로 사용되고 있지만, 일반적으로 '과거에 있었던 사실'과 '조사되어 기록된 과거'라는 두 가지 뜻을 지니고 있다. 즉, 역사는 '사실로서의 역사'와 '기록으로서의 역사'라는 두 측면이 있다. 전자가 객관적 의미의 역사라면, 후자는 주관적 의미의 역사라 할 수 있다. 우리가 역사를 배운다고 할 때, 이것은 역사가들이 선정하여 연구한 '기록으로서의 역사'를 배우는 것이다.

① 사료는 '과거에 있었던 사실'이므로 그대로 '사실로서의 역사'라고 판단한다.

② 사료를 이해하기 위해 그 사료가 기록된 당시의 전반적인 시대 상황을 살펴본다.

③ 사료 또한 사람에 의해 '기록된 과거'이므로, 기록한 역사가의 가치관을 분석한다.

④ 동일한 사건 또는 같은 시대를 다루고 있는 여러 다른 사료와 비교·검토해 본다.

문제풀이 사료와 사료 비판 난이도 하

제시문은 역사의 두 가지 측면인 '사실로서의 역사'와 '기록으로서의 역사'에 대한 설명으로, 우리가 배우는 역사는 기록으로서의 역사임을 주장하고 있다. 따라서 우리가 배우는 역사에 해당하는 사료는 과거 연구에 사용되는 모든 역사적 자료를 의미하지만, 왜곡과 오류의 가능성이 있기 때문에 있는 그대로 받아들여서는 안되며, 외적 비판과 내적 비판의 사료 비판 과정을 거쳐야만 한다.

① 사료는 과거에 있었던 사실을 토대로 당대 사람들의 주관에 의해 재구성된 것이기 때문에 있는 그대로 받아들여서는 안되며 사료 비판의 과정을 반드시 거쳐야 한다.

오답 분석

② 사료를 이해하기 위해서는 단순히 사료 자체의 내용 뿐 아니라 사료가 기록된 당시의 전반적인 시대 상황을 함께 살펴보아야 한다.

③ 사료에는 그것을 기록하는 역사가의 가치관이 개입될 수 있으므로, 사료를 기록한 역사가의 가치관을 분석해야 한다.

④ 사료를 비판할 때에는 동일한 사건 또는 같은 시대를 다루고 있는 다른 사료와 비교·검토하는 과정을 통해 각각의 사료가 어떠한 관점과 의도를 지니고 있는지 해석해야하며, 그 안에 나타나 있는 역사적 의미 등을 파악하여야 한다.

08

2014년 사회복지직 9급

한국사의 올바른 이해에 대한 설명으로 적절하지 않은 것은?

① 조선이 일본의 식민지로 전락하였던 것은 분권적인 봉건 제도가 없었기 때문이다.

② 한국사는 한국인의 주체적인 역사이며 사회 구성원들의 총체적인 삶의 역사이다.

③ 한국사의 보편성과 특수성의 문제는 세계사 안에서 한국사를 올바르게 보는 관점을 제공한다.

④ 다양한 기준에 의거해 시대 구분을 하더라도 한국사의 발전 양상에 주목할 필요가 있다.

문제풀이 한국사에 대한 올바른 이해 난이도 중

① 조선이 일본의 식민지로 전락하였던 원인이 조선에 분권적인 봉건 제도가 없었기 때문이라고 주장하는 것은 일본의 침략을 정당화하기 위해 만들어진 식민 사관 중 정체성론에 대한 내용이다. 일본은 한국사에 봉건 제도가 결여되어 있으므로 봉건 사회를 경험한 일본이 더 우월하다는 관점으로 조선에 대한 식민 지배를 합리화하고자 하였다. 일본의 정체성론은 우리 역사에 대한 올바른 이해가 아니다.

오답 분석

② 한국사는 한국인의 주체적인 역사이며 우리 사회 구성원들의 총체적인 삶의 모습이 깃들어 있는 역사이다. 따라서 한국사를 우리 민족의 주체적인 역사로 인식하고 한국사를 이해한다면 우리 역사에 대한 올바른 인식을 지닐 수 있다.

③ 한국사의 보편성과 특수성을 균형 있게 고려하여 이해하는 관점은 우리가 세계사 안에서 한국사를 올바르게 바라보는 시각을 가질 수 있도록 한다.

④ 다양한 기준에 의거하여 시대 구분을 하더라도 세계사적 공통성 외에 우리 민족만의 특수한 발전 양상이 있으므로 이러한 특수성을 고려하여 한국사를 이해할 필요가 있다.

정답 05 ② 06 ① 07 ① 08 ①

02 선사 시대의 전개

1 | 구석기·신석기 시대

01

2023년 지방직 9급

밑줄 친 '주먹 도끼'가 사용된 시대에 대한 설명으로 옳은 것은?

> 이 유적은 경기도 연천군 한탄강 언저리에 넓게 위치하고 있다. 이곳에서 아슐리안 계통의 주먹 도끼가 다량으로 출토되어 더욱 많은 관심이 집중되었다. 이곳에서 발견된 주먹 도끼는 그 존재 유무로 유럽과 동아시아 문화가 나뉘어진다고 한 모비우스의 학설을 무너뜨리는 결정적 증거가 되었다.

① 동굴이나 바위 그늘, 강가의 막집 등에서 살았다.

② 내부에 화덕이 있는 움집이 일반적인 주거 형태였다.

③ 토기를 만들어 음식을 조리하거나 식량을 저장하였다.

④ 구릉에 마을을 형성하고 그 주변에 도랑을 파고 목책을 둘렀다.

문제풀이 구석기 시대 난이도 하

제시문에서 경기도 연천군 한탄강 언저리에 넓게 위치하고 있다는 것과 모비우스 학설을 무너뜨리는 결정적 증거가 되었다는 내용을 통해 밑줄 친 '주먹 도끼'는 연천 전곡리 유적에서 발견된 아슐리안형 주먹 도끼임을 알 수 있다. 아슐리안형 주먹 도끼가 사용된 시대는 구석기 시대이다.

① 구석기 시대에는 식량을 찾아 다니며 이동 생활을 하였기 때문에 동굴이나 바위 그늘, 강가의 막집 등에서 살았다.

오답 분석

② **신석기 시대**: 내부에 화덕이 있는 움집이 일반적인 주거 형태였던 시대는 신석기 시대이다. 신석기 시대의 움집은 바닥이 원형 또는 모서리가 둥근 사각형이었으며, 내부의 중앙에는 불씨를 보관하거나 취사와 난방을 위한 화덕이 위치하였다.

③ 구석기 시대에는 토기를 사용하지 않았다. 한편, 신석기 시대부터 흙을 빚어 불에 구워 만든 용기인 토기를 만들어 음식을 조리하거나 식량을 저장하였다.

④ **청동기 시대**: 구릉에 마을을 형성하고, 그 주변에 도랑을 파고 목책을 둘렀던 시대는 청동기 시대이다. 잉여 생산물과 농경지를 둘러싼 대립이 빈번해지자 청동기 시대의 사람들은 방어에 유리한 구릉에 마을을 형성하고, 그 주변에 도랑(환호)과 목책을 둘렀다.

02

2022년 국회직 9급

㉠ 유물이 등장한 시대에 대한 설명으로 옳은 것은?

> 1978년 연천의 전곡리에서 ㉠이/가 처음 발견되었다. ㉠은/는 손에 쥐고 사용하기 때문에 붙여진 이름이다.

① 갈돌과 갈판을 이용하였다.

② 빗살무늬 토기를 사용하였다.

③ 반달 돌칼을 이용하여 벼를 수확하였다.

④ 동굴, 바위 그늘, 강가의 막집에서 생활하였다.

⑤ 다른 씨족과의 혼인을 통해 부족 사회를 형성하였다.

문제풀이 구석기 시대 난이도 하

제시문에서 연천의 전곡리에서 처음 발견되었다는 것과 손에 쥐고 사용하기 때문에 이름이 붙여졌다는 내용을 통해 ㉠ 유물은 아슐리안형 주먹 도끼임을 알 수 있다. 아슐리안형 주먹 도끼가 등장한 시대는 구석기 시대이다.

④ 구석기 시대에는 식량을 찾아 다니며 이동 생활을 하였기 때문에 동굴이나 바위 그늘, 강가의 막집에서 생활하였다.

오답 분석

① **신석기 시대**: 갈돌과 갈판을 이용한 시대는 신석기 시대이다. 한편, 구석기 시대에는 돌에 타격을 가하거나 다른 물체에 부딪혀서 떼어내는 방법으로 만든 석기인 뗀석기를 사용하였다.

② **신석기 시대**: 빗살무늬 토기를 사용한 시대는 신석기 시대이다. 빗살무늬 토기는 신석기 시대의 대표적인 토기로 음식물을 조리하거나 저장하는 데 사용되었다.

③ **청동기 시대**: 반달 돌칼을 이용하여 벼를 수확한 시대는 청동기 시대이다. 청동기 시대에는 벼농사가 시작되었으며, 반달 돌칼을 이용하여 벼를 수확하였다.

⑤ **신석기 시대**: 다른 씨족과의 혼인을 통해 부족 사회를 형성한 시대는 신석기 시대이다. 신석기 시대는 가족 공동체를 기본으로 하는 혈연 중심의 씨족 사회가 구성되었으며 다른 씨족과의 혼인을 통해 부족 사회를 형성하였다.

03

2020년 국가직 9급

(가) 시기의 생활상에 대한 설명으로 옳은 것은?

> 1935년 두만강 가의 함경북도 종성군 동관진에서 한반도 최초로 (가) 시대 유물인 석기와 골각기 등이 발견되었다. 발견 당시 일본에서는 (가) 시대 유물이 출토되지 않은 상황이었다.

① 반달 돌칼을 이용하여 벼를 수확하였다.
② 넓적한 돌 갈판에 옥수수를 갈아서 먹었다.
③ 사냥이나 물고기 잡이 등을 통해 식량을 얻었다.
④ 영혼 숭배 사상이 있어 사람이 죽으면 흙 그릇 안에 매장하였다.

문제풀이 구석기 시대의 생활상 난이도 중

제시문에서 함경북도 종성군 동관진에서 한반도 최초로 유물이 발견됐다는 내용을 통해 구석기 시대임을 알 수 있다. 1933년 함경북도 종성군 동관진 유적에서 철도 공사 중 한반도 최초로 석기와 골각기(뼈와 뿔로 만든 도구)가 발견되었다. 한편 이때 일본에서는 구석기 시대의 유물이 출토되지 않은 상황이었기 때문에 일본인 학자들에 의해 구석기 시대의 유적이 아니라는 주장이 제기되기도 하였으나, 지층의 층위와 출토된 유물들을 종합해 볼 때 구석기 시대의 유적으로 인정되고 있다.

③ 구석기 시대에는 뼈 도구와 뗀석기를 이용하여 짐승(수렵)이나 물고기(어로)를 사냥하거나 나무 열매와 뿌리를 채집하였다.

오답 분석

① **청동기 시대**: 반달 돌칼을 이용하여 벼를 수확한 시기는 청동기 시대이다. 청동기 시대에는 반달 돌칼, 홈자귀 등의 돌로 만들어진 농기구를 사용하였다.
② **신석기 시대**: 나무 열매 등의 곡물 껍질을 벗기는 데 갈돌과 갈판과 같은 조리 도구를 사용한 시기는 신석기 시대이다. 한편 옥수수는 조선 후기 때 우리나라에 처음 유입되어 재배된 것으로 추정된다.
④ 영혼 숭배 사상은 사람은 죽어 없어져도 영혼은 없어지지 않는다는 신앙으로, 이러한 영혼 숭배 사상을 비롯한 애니미즘, 샤머니즘, 토테미즘 등의 원시적인 형태의 신앙은 신석기 시대에 발생하였다. 한편, 사람이 죽으면 흙 그릇 안에 매장한 것은 독무덤의 형태로, 우리나라에서는 청동기 시대에 등장하여 이후 철기 시대의 대표적인 무덤 양식으로 자리 잡았다.

04

2014년 국가직 9급

1960년대 전반 남북한에서 각기 조사 발굴되어 한국사에서 구석기 시대의 존재를 확인시켜 준 유적들을 바르게 짝지은 것은?

	남한	북한
①	제주 빌레못 유적	상원 검은모루 유적
②	공주 석장리 유적	웅기 굴포리 유적
③	단양 상시리 유적	덕천 승리산 유적
④	연천 전곡리 유적	평양 만달리 유적

문제풀이 구석기 시대의 유적 난이도 중

② 공주 석장리 유적은 1964년에 광복 이후 남한에서 최초로 발굴되어 구석기 시대의 존재를 확인시켜 준 유적이다. 한편, 웅기 굴포리 유적은 1960~1964년 5차례에 걸쳐 진행된 발굴 조사를 통해 유물과 유구가 드러났으며, 박편 석기를 비롯하여 포유 동물의 화석 등이 발굴되었다.

오답 분석

① 제주 빌레못 유적은 1973년에 발굴된 유적으로, 동물 뼈 화석과 석기 등이 출토되었다. 상원 검은모루 유적은 1966년부터 1970년까지 발굴이 진행된 유적이다.
③ 단양 상시리 유적은 1981년에 발굴된 유적으로 남한 최초의 인골이 출토되었고, 덕천 승리산 유적은 1972~1973년에 발굴된 유적으로, 덕천인과 승리산인이라 불리는 인골들이 출토되었다.
④ 연천 전곡리 유적은 1979~2009년에 발굴된 유적으로 아슐리안형 주먹 도끼가 출토되었고, 평양 만달리 유적은 1979~1980년에 발굴된 유적으로 인골(만달인)이 출토되었다.

이것도 알면 **합격!**

구석기 시대의 유적

전기	평남 상원 검은모루 동굴, 충북 단양 금굴, 경기 연천 전곡리
중기	함북 웅기 굴포리, 충북 제천 점말 동굴, 제주 빌레못 동굴
후기	함북 종성 동관진, 충북 단양 수양개, 충북 청원 두루봉 동굴

정답 01 ① 02 ④ 03 ③ 04 ②

05

2018년 서울시 9급(6월 시행)

구석기 시대 사람들의 생활상에 대한 설명으로 가장 옳은 것은?

① 대체로 동굴이나 바위 그늘에서 생활하였으며 불을 사용할 줄 알았다.

② 단양 수양개, 연천 전곡리, 공주 석장리 등 강가에 살던 사람들은 주로 고기 잡이와 밭농사를 하며 생활하였다.

③ 이 시기의 대표적인 무덤 형식은 고인돌과 돌널무덤이다.

④ 주먹 도끼, 가로날 도끼, 민무늬 토기 등의 도구를 사용했다.

문제풀이 구석기 시대 사람들의 생활상 난이도 하

① 구석기 시대 사람들은 대체로 동굴이나 바위 그늘에 거주하였으며 강가에 막집을 짓고 살기도 하였다. 또한 구석기 시대 사람들은 불을 이용해 짐승이나 물고기를 조리해 먹기도 하였다.

오답 분석

② 단양 수양개, 연천 전곡리, 공주 석장리는 구석기 시대의 유적지가 맞지만, 밭농사가 시작된 것은 신석기 시대이다.

③ **청동기 시대**: 고인돌과 돌널무덤은 청동기 시대의 대표적인 무덤 양식이다. 고인돌 제작에는 많은 노동력을 필요로 했기 때문에 지배층의 무덤으로 추정된다.

④ 주먹 도끼와 가로날 도끼는 구석기 시대의 도구이지만, 민무늬 토기는 청동기 시대에 사용된 도구이다.

이것도 알면 **합격!**

구석기 시대

시기	약 70만 년 전부터 시작
도구	뗀석기(사냥: 주먹 도끼, 찍개 / 조리: 긁개, 밀개 등), 뼈도구
경제 생활	사냥, 채집, 어로
사회	평등 생활, 무리 생활, 이동 생활
주거	동굴, 바위 그늘, 막집

06

2024년 지방직 9급

신석기 시대에 대한 설명으로 옳지 않은 것은?

① 가락바퀴와 뼈바늘로 옷이나 그물을 만들었다.

② 군장이 죽으면 그의 권력을 상징하는 고인돌을 만들었다.

③ 동물 뼈나 조개껍데기로 된 목걸이나 팔찌를 만들어 착용하였다.

④ 일부 지역에서는 농경이 시작되어 조, 피, 수수 등을 재배하였다.

문제풀이 신석기 시대 난이도 하

② 군장이 죽으면 그의 권력을 상징하는 고인돌을 만든 것은 청동기 시대이다. 고인돌은 청동기 시대의 대표적인 무덤 양식으로, 고인돌 제작에는 많은 노동력이 필요로 했기 때문에 당시 군장이 가진 정치 권력과 경제력을 상징한다.

오답 분석

① 신석기 시대에는 실을 뽑는 도구인 가락바퀴와 뼈바늘을 사용하여 옷이나 그물을 제작하는 원시 수공업이 발달하였다.

③ 신석기 시대에는 동물 뼈나 조개껍데기로 된 목걸이나 팔찌를 만들어 장신구로 착용하였다.

④ 신석기 시대에는 일부 지역에서 농경이 시작되어 조, 피, 수수 등의 잡곡류를 재배하는 초보적인 농경이 이루어졌다.

이것도 알면 **합격!**

신석기 시대의 사회상

경제	농경 시작, 원시적인 수공업 시작(가락바퀴, 뼈바늘)
사회	혈연을 바탕으로 한 씨족 사회, 평등 사회
생활	움집 거주, 원시 신앙 및 영혼 숭배 등

07

2023년 국회직 9급

B.C. 5000년경 한반도에서 볼 수 있는 장면으로 옳은 것만을 〈보기〉에서 모두 고르면?

> **보기**
> ㉠ 조개 껍질을 이용하여 장식을 만들고 있다.
> ㉡ 고인돌 무덤을 만들기 위해 돌을 나르고 있다.
> ㉢ 모양을 낸 진흙을 불에 구워 그릇을 만들고 있다.
> ㉣ 도둑질한 자를 노비로 삼으라는 판결이 내려졌다.

① ㉠, ㉡
② ㉠, ㉢
③ ㉡, ㉢
④ ㉡, ㉣
⑤ ㉢, ㉣

08

2021년 국가직 9급

신석기 시대 유적과 유물을 바르게 연결한 것만을 모두 고르면?

> ㉠ 양양 오산리 유적 – 덧무늬 토기
> ㉡ 서울 암사동 유적 – 빗살무늬 토기
> ㉢ 공주 석장리 유적 – 미송리식 토기
> ㉣ 부산 동삼동 유적 – 아슐리안형 주먹 도끼

① ㉠, ㉡
② ㉠, ㉣
③ ㉡, ㉢
④ ㉢, ㉣

문제풀이 B.C. 5000년경(신석기 시대)의 모습

난이도 하

② 옳은 것을 모두 고르면 ㉠, ㉢이다.

㉠ 신석기 시대인 B.C. 5000년경에는 조개 껍질을 이용하여 장식이나 가면을 만드는 등 예술 활동을 하였다.

㉢ 신석기 시대인 B.C. 5000년경에는 모양을 낸 진흙을 불에 구워 그릇을 만들어 사용하였다. 신석기 시대에 만들어진 대표적인 그릇으로는 빗살무늬 토기, 덧무늬 토기 등이 있다.

오답 분석

모두 B.C. 5000년경에는 볼 수 없는 모습이다.

㉡ 고인돌 무덤을 만들기 시작한 것은 청동기 시대로, 한반도의 청동기 시대는 B.C. 2000년경부터 본격적으로 시작된 것으로 추정된다.

㉣ 도둑질한 자를 노비로 삼으라는 것은 고조선의 8조법의 내용이다. 『삼국유사』에 따르면 고조선은 기원전 2333년경에 건국된 것으로 전해지며, 청동기 문화를 바탕으로 성장하였다. 한편, 고조선의 법인 8조법은 일부 내용만 『한서』 「지리지」에 기록되어 전해지는데, 이를 통해 인간의 생명과 노동력을 중시하고, 사유 재산을 인정하였던 당시 고조선의 사회상을 유추할 수 있다.

문제풀이 신석기 시대 유적과 유물

난이도 하

① 바르게 연결한 것을 모두 고르면 ㉠, ㉡이다.

㉠ 양양 오산리 유적은 신석기 시대 유적으로, 덧무늬 토기와 이른 민무늬 토기 등이 출토되었으며, 신석기 시대의 집터가 발견되었다.

㉡ 서울 암사동 유적은 신석기 시대 유적으로, 곡물을 담는 데 이용된 빗살무늬 토기가 발견되었으며, 신석기 시대 집터가 발견되었다.

오답 분석

㉢ 공주 석장리 유적은 광복 이후 남한에서 최초로 발견된 구석기 시대 유적이며, 미송리식 토기는 청동기 시대의 유물이다.

㉣ 부산 동삼동 유적은 신석기 시대의 유적이 맞으나, 아슐리안형 주먹 도끼는 연천 전곡리 유적에서 발굴된 구석기 시대의 유물이다.

이것도 알면 **합격!**

신석기 시대의 유적지

유적지	내용
강원 양양 오산리	덧무늬 토기, 이른 민무늬 토기 등 출토
황해 봉산 지탑리, 평양 남경	탄화된 좁쌀이 발견되어 신석기 시대에 농경이 시작되었음을 보여 줌
부산 동삼동	• 패총 유적, 조개 껍데기 가면, 빗살무늬 토기 등 출토 • 일본산 흑요석 화살촉 등이 출토되어 일본과 교류 사실을 보여 줌
서울 암사동	신석기 시대의 집터와 빗살무늬 토기 등 출토

정답 05 ① 06 ② 07 ② 08 ①

09

2021년 서울시 9급(특수 직렬)

〈보기〉에서 설명하는 시대의 문화유산으로 옳은 것은?

> **보기**
> - 주로 움집에서 거주하였다.
> - 유적은 주로 큰 강이나 해안 지역에서 발견된다.
> - 농경 생활을 시작하였고, 조·피 등을 재배하였다.

① 고인돌 ② 세형동검

③ 거친무늬 거울 ④ 빗살무늬 토기

문제풀이 **신석기 시대의 문화유산** 난이도 하

제시문에서 주로 움집에 거주하였으며 농경 생활을 시작하였고, 조·피 등을 재배하였다는 내용을 통해 신석기 시대에 대한 설명임을 알 수 있다.

④ 빗살무늬 토기는 신석기 시대의 대표적인 문화유산이다. 신석기 시대에는 농경이 시작되어 곡식을 조리하거나 저장하기 위해 빗살무늬 토기 등을 만들어 사용하였다.

오답 분석

① **청동기 시대**: 고인돌은 청동기 시대의 문화유산이다. 고인돌은 청동기 시대에 잉여 생산물의 분배 과정에서 사유 재산과 계급이 발생함에 따라 지배층의 무덤으로 만들어졌다.

② **청동기 시대 후반 ~ 초기 철기 시대**: 세형동검은 청동기 시대 후반 ~ 초기 철기 시대에 이르러 한반도에서 비파형 동검이 독자적인 형태로 발전한 것이다.

③ **청동기 시대**: 거친무늬 거울은 청동기 시대의 문화유산이다. 청동기 시대에는 거친무늬 거울을 이용하여 하늘에 제사를 지내거나 의식을 거행하였던 것으로 추정된다.

10

2021년 법원직 9급

다음 유물들이 대표하는 시기의 사회 모습으로 가장 옳은 것은?

① 처음으로 농경이 시작되었다.

② 권력을 가진 지배자가 등장하였다.

③ 뗀석기를 주로 이용하였다.

④ 주로 동굴에 거주하거나 막집에 살았다.

문제풀이 **신석기 시대의 사회 모습** 난이도 하

제시된 유물은 가락바퀴(왼쪽)와 갈돌과 갈판(오른쪽)으로, 모두 신석기 시대의 대표적인 유물이다. 가락바퀴는 식물에서 뽑은 가느다란 섬유를 꼬아서 실을 만드는 도구로, 이렇게 만들어진 실은 뼈바늘을 이용해 옷이나 그물로 제작되었다. 갈돌과 갈판은 열매나 씨앗의 껍질을 벗기거나 가루를 만드는데 사용되었다.

① 신석기 시대에는 처음으로 농경과 목축이 시작되어 식량을 생산하였고, 사람들이 강가나 바닷가에 움집을 지어 거주하는 정착 생활을 하였다.

오답 분석

② **청동기 시대**: 권력을 가진 지배자가 등장한 시대는 청동기 시대이다. 청동기 시대에는 잉여 생산물의 분배 과정에서 사유 재산과 계급이 발생하면서 권력을 가진 지배자가 등장하였다.

③ **구석기 시대**: 뗀석기를 주로 이용한 시대는 구석기 시대이다. 구석기 시대에는 돌에 타격을 가하거나 다른 물체에 부딪혀서 떼어내는 방법으로 만든 석기인 뗀석기를 사용하였다.

④ **구석기 시대**: 주로 동굴에 거주하거나 막집에 살았던 시대는 구석기 시대이다. 구석기 시대에는 채집과 사냥을 하며 이동 생활을 하였기 때문에 주로 동굴에서 생활하거나 지상 혹은 강가에 막집을 지어 생활하였다.

11

2020년 서울시 9급(특수 직렬)

〈보기〉의 유물들이 발견되는 시대에 대한 설명으로 가장 옳은 것은?

> **보기**
> • 이른 민무늬 토기　　• 덧무늬 토기
> • 눌러찍기무늬 토기　　• 빗살무늬 토기

① 세형 동검, 잔무늬 거울 등을 사용하였다.

② 고인돌과 돌널무덤을 사용하였다.

③ 공주 석장리 유적과 청원 두루봉 동굴 유적이 대표적인 유적지이다.

④ 갈돌과 갈판 등 간석기를 사용하였다.

12

2015년 국가직 9급

밑줄 친 '이 시대'의 사회 모습으로 옳은 것은?

> 이 시대의 황해도 봉산 지탑리와 평양 남경 유적에서 탄화된 좁쌀이 발견되는 것으로 보아 잡곡류 경작이 이루어졌음을 알 수 있다. 농경의 발달로 수렵과 어로가 경제 생활에서 차지하는 비중이 줄어들기 시작하였지만, 여전히 식량을 얻는 중요한 수단이었다. 한편 가락바퀴나 뼈바늘을 이용하여 옷이나 그물을 만드는 등 원시적인 수공업 생산이 이루어지기 시작하였다.

① 생산물의 분배 과정에서 사유 재산 제도가 등장하였다.

② 마을 주변에 방어 및 의례 목적으로 환호(도랑)를 두르기도 하였다.

③ 흑요석의 출토 사례로 보아 원거리 교류나 교역이 있었음을 알 수 있다.

④ 집자리는 주거용 외에 창고, 작업장, 집회소, 공공 의식 장소 등도 확인되었다.

문제풀이 신석기 시대

난이도 하

제시된 이른 민무늬 토기, 덧무늬 토기, 눌러찍기무늬 토기, 빗살무늬 토기는 모두 신석기 시대의 유물이다.

④ 신석기 시대에는 갈돌과 갈판 등 간석기를 사용하였다.

오답 분석

① **청동기 시대 후반~초기 철기 시대:** 세형동검과 잔무늬 거울 등을 사용한 것은 청동기 시대 후반에서 초기 철기 시대이다. 세형동검은 비파형동검이 한반도에서 독자적으로 발전한 것이며, 청동기 시대의 대표적인 청동 유물인 거친무늬 거울도 청동기 시대 후반~초기 철기 시대에 이르러 잔무늬 거울로 발전하였다.

② **청동기 시대:** 고인돌과 돌널무덤은 청동기 시대의 대표적인 무덤 양식이다.

③ **구석기 시대:** 공주 석장리 유적과 청원 두루봉 동굴 유적은 구석기 시대의 대표적인 유적지이다.

이것도 알면 **합격!**

신석기 시대의 유물

도구	• 농기구: 돌괭이, 돌보습, 돌낫, 돌삽 등 • 조리 도구: 갈돌, 갈판 등 • 수공업 도구: 가락바퀴, 뼈바늘 등
토기	빗살무늬 토기, 덧무늬 토기, 이른 민무늬 토기 등

문제풀이 신석기 시대의 사회 모습

난이도 중

제시문에서 황해도 봉산 지탑리와 평양 남경 유적에서 탄화된 좁쌀이 발견된 것과 가락바퀴와 뼈바늘을 이용하여 옷·그물을 만들었다는 내용을 통해 밑줄 친 '이 시대'가 신석기 시대임을 알 수 있다.

③ 신석기 시대에는 흑요석 출토 사례로 원거리 교류나 교역이 이루어졌음을 알 수 있다. 신석기 시대의 유적인 부산 동삼동 유적에서 출토된 흑요석이 일본 규슈 지역의 흑요석과 성분이 동일한 것으로 밝혀졌다. 이를 통해 신석기 시대에 일본 등과 교류나 교역하였음을 확인할 수 있다.

오답 분석

① **청동기 시대:** 생산물의 분배 과정에서 사유 재산 제도가 등장하였던 시대는 청동기 시대이다. 청동기 시대에는 이전 시기에 비해 농업 생산량이 증가하면서 잉여 생산물이 발생하였고, 이 생산물의 분배 과정에서 사람들 사이의 재산 차이가 나타나면서 계급이 발생하였다.

② **청동기 시대:** 정복 활동이 활발히 전개되었던 청동기 시대에는 다른 부족의 침입이 잦았고, 이를 방어하기 위해 마을 주변에 환호(도랑)를 둘렀다.

④ **청동기·초기 철기 시대:** 청동기·초기 철기 시대의 집터는 다양한 크기의 형태로 발견되어 주거용 이외에도 창고, 작업장, 집회소, 공공 의식 장소 등이 있었을 것이라 추측된다.

정답 09 ④ 10 ① 11 ④ 12 ③

13

2018년 서울시 9급(3월 시행)

〈보기〉의 유적들이 등장한 시대의 사회상에 대한 설명으로 가장 옳은 것은?

> **보기**
> • 서울 암사동 유적 • 제주 고산리 유적
> • 양양 오산리 유적 • 부산 동삼동 유적

① 움집을 청산하고 지상 가옥에서 거주하기 시작하였다.

② 벼농사를 위하여 각종 수리 시설이 축조되었다.

③ 조개무지(패총)를 많이 남겼다.

④ 마을을 보호하기 위한 방어 시설이 발전하였다.

문제풀이 신석기 시대의 사회상 난이도 하

보기에 제시된 유적은 모두 신석기 시대의 유적이다.

③ **신석기 시대의 유적지에서는 조개무지(패총) 유적이 많이 나타나는데, 이는 신석기 시대에 강가나 바닷가에서 어로 생활을 병행하였기 때문이다.**

오답 분석

① **철기 시대:** 움집을 청산하고 지상 가옥에서 거주하기 시작한 것은 철기 시대이다. 초기 철기 시대까지는 움집이 지어졌으나, 부뚜막 시설(온돌) 등이 등장하며 움집이 점차 사라졌고 지상 가옥에서 거주하는 것이 일반화되었다.

② **철기 시대:** 벼농사를 위하여 수리 시설이 축조된 것은 철기 시대이다.

④ **청동기 시대:** 마을을 보호하기 위한 목책, 환호 등의 방어 시설이 발전한 것은 청동기 시대이다.

14

2015년 기상직 9급

밑줄 친 '이 시기 집터'에서 출토된 유물로 올바른 것은?

> <u>이 시기 집터</u>는 대개 움집 자리로, 바닥은 원형이나 모서리가 둥근 사각형이다. 움집의 중앙에는 불씨를 보관하거나 취사와 난방을 위한 화덕이 위치하였다. 햇빛을 많이 받는 남쪽으로 출입문을 내었으며, 화덕이나 출입문 옆에는 저장 구덩을 만들어 식량이나 도구를 저장하였다.

①

②
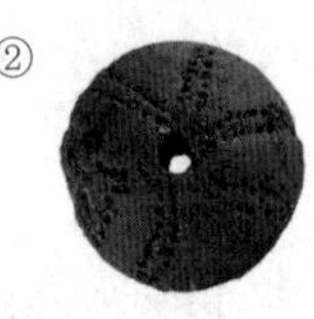

③

④

문제풀이 신석기 시대의 유물 난이도 중

제시문에서 움집의 바닥은 원형이나 모서리가 둥근 사각형이며, 중앙에는 화덕이 위치하였다는 내용이 언급되어 있으므로 신석기 시대와 관련된 내용임을 알 수 있다.

② **가락바퀴는 실을 뽑는 도구로, 신석기 시대에는 가락바퀴와 뼈바늘을 가지고 옷과 그물을 제작하는 원시적인 수공업 활동이 전개되었다.**

오답 분석

① **청동기 시대:** 미송리식 토기는 평북 의주 미송리 동굴에서 발견된 청동기 시대의 토기이다. 특히 이 토기는 청동기 문화를 기반으로 성장한 고조선의 세력 범위를 알게 해주는 유물이다.

③ **청동기 시대:** 반달 돌칼은 청동기 시대의 대표적인 석제 농기구로, 곡식의 이삭을 자르는 데 사용되었다.

④ **청동기 시대 후반~초기 철기 시대:** 세형동검은 청동기 시대 후반~초기 철기 시대에 이르러 한반도에서 독자적인 형태로 발전한 것이다.

15

2014년 지방직 9급

다음 유물이 만들어진 시대의 사회상으로 옳은 것은?

> • 충북 청주 산성동 출토 가락바퀴
> • 경남 통영 연대도 출토 치레 걸이
> • 인천 옹진 소야도 출토 조개껍데기 가면
> • 강원 양양 오산리 출토 사람 얼굴 조각상

① 한자의 전래로 붓이 사용되었다.
② 무덤은 일반적으로 고인돌이 사용되었다.
③ 조, 피 등을 재배하는 농경이 시작되었다.
④ 반량전, 오수전 등의 중국 화폐가 사용되었다.

문제풀이 신석기 시대의 사회상 난이도 중

제시된 자료의 가락바퀴, 치레 걸이, 조개껍데기 가면, 사람 얼굴 조각상은 모두 신석기 시대의 유물이다.

③ 신석기 시대에는 조, 피, 수수 등의 잡곡류를 재배하는 초보적인 농경이 시작되었다.

오답 분석

① **철기 시대:** 붓은 철기 시대의 유적인 경남 창원 다호리 유적에서 출토되었다. 이를 통해 철기 시대에 중국과의 교류를 통해 한자를 사용하였음을 확인할 수 있다.

② **청동기 시대:** 일반적인 무덤으로 고인돌이 제작된 시대는 청동기 시대이다. 고인돌은 지배 계층의 무덤으로, 당시 지배층이 가진 정치 권력과 경제력을 반영하고 있다.

④ **철기 시대:** 중국의 화폐인 반량전, 오수전, 명도전 등은 우리나라 철기 시대의 유적에서 출토되었다. 이를 통해 우리나라가 철기 시대에 중국과 교류하였음을 확인할 수 있다.

16

2014년 서울시 9급

다음 유물이 등장한 시기의 생활 모습에 관한 설명으로 옳은 것은?

> • 팽이처럼 밑이 뾰족하거나 둥글고, 표면에 빗살처럼 생긴 무늬가 새겨져 있다.
> • 곡식을 담는 데 많이 이용되었다.

① 철제 농기구로 농사를 지었다.
② 비파형동검을 의식에 사용하였다.
③ 취사와 난방이 가능한 움집에 살았다.
④ 죽은 자를 위한 고인돌 무덤을 만들었다.
⑤ 정복 전쟁을 거치며 지배 계급이 등장하였다.

문제풀이 신석기 시대의 생활 모습 난이도 중

제시된 자료에서 팽이처럼 밑이 뾰족하거나 둥글고 표면에 빗살처럼 생긴 무늬가 새겨져 있으며, 곡식을 담는 데 이용된 것은 빗살무늬 토기이다. 빗살무늬 토기가 등장한 시기는 신석기 시대이다.

③ 신석기 시대의 사람들은 강가나 바닷가에 움집을 지어 거주하였는데, 움집 중앙에 불씨를 보관하거나 취사와 난방을 위한 화덕을 설치하였다.

오답 분석

① **철기 시대:** 철제 농기구로 농사를 지었던 시대는 철기 시대이다. 철기 시대에는 철제 농기구를 사용하면서 농업 생산력이 비약적으로 증대되었다.

② **청동기 시대:** 비파형동검을 제사 의식에 사용하였던 시대는 청동기 시대이다. 청동기 시대의 지배자는 비파형동검과 청동 거울 등을 제사 의식에 사용하였다.

④ **청동기 시대:** 고인돌 무덤을 만들었던 시대는 청동기 시대이다. 고인돌의 종류로는 탁자식(북방식) 고인돌, 바둑판식(남방식) 고인돌, 개석식 고인돌이 있으며, 고인돌은 당시 지배층이 가진 정치 권력과 경제력을 잘 반영하고 있는 무덤이다.

⑤ **청동기 시대:** 정복 전쟁을 거치며 지배 계급이 등장하였던 시대는 청동기 시대이다. 청동기 시대에는 경제력이나 정치 권력이 우세한 부족이 주변의 약한 부족을 통합하거나 정복하였다.

정답 13 ③ 14 ② 15 ③ 16 ③

17 2014년 경찰직(2차)

아래의 유물들이 만들어졌던 시대에 대한 설명으로 가장 적절한 것은?

조개껍데기 가면 덧무늬 토기 갈돌과 갈판

① 동굴이나 바위 그늘에서 살거나 강가에 막집을 짓고 살았다.
② 사유 재산과 계급이 나타나면서 사회 전반에 걸쳐 큰 변화가 일어났다.
③ 밭농사가 중심이었지만, 일부 저습지에서는 벼농사를 지었다.
④ 혈연에 바탕을 둔 씨족을 사회의 기본 구성 단위로 하였다.

문제풀이 신석기 시대 난이도 중

제시된 자료의 조개껍데기 가면과 덧무늬 토기, 갈돌과 갈판은 모두 신석기 시대의 대표적인 유물이다. 조개껍데기 가면은 신석기 시대의 예술 활동을 보여주는 유물이며, 덧무늬 토기는 음식물을 저장·조리하기 위해 제작된 신석기 시대의 토기로, 토기 표면에 덧띠를 따로 덧붙인 것이 특징이다. 갈돌과 갈판은 열매나 씨앗의 껍질을 벗기거나 곡물의 가루를 만드는 용도로 사용된 간석기이다.

④ 신석기 시대는 부족 사회로, 혈연에 바탕을 둔 씨족을 사회의 기본 구성 단위로 삼았다.

오답 분석
① **구석기 시대**: 동굴이나 바위 그늘에서 살거나 강가에 막집을 짓고 살았던 시대는 구석기 시대이다.
② **청동기 시대**: 사유 재산 제도가 생기고 계급이 발생하여 사회 전반에 큰 변화가 일어났던 시대는 청동기 시대이다. 청동기 시대에는 경제적·정치적으로 우세한 집단이 스스로 하늘의 자손이라고 믿는 선민사상을 바탕으로 주변의 약한 부족을 통합하거나 정복하였다.
③ **청동기 시대**: 밭농사가 중심이었지만 일부 저습지에서 벼농사를 하였던 시대는 청동기 시대이다. 청동기 시대에는 신석기 시대에 비해 발달된 석제 농기구를 이용하여 농사를 지어 농업 생산력이 이전 시기보다 증대되었다.

18 2017년 법원직 9급

다음 도구들이 사용되었던 시기에 새롭게 볼 수 있었던 장면으로 가장 적절한 것은?

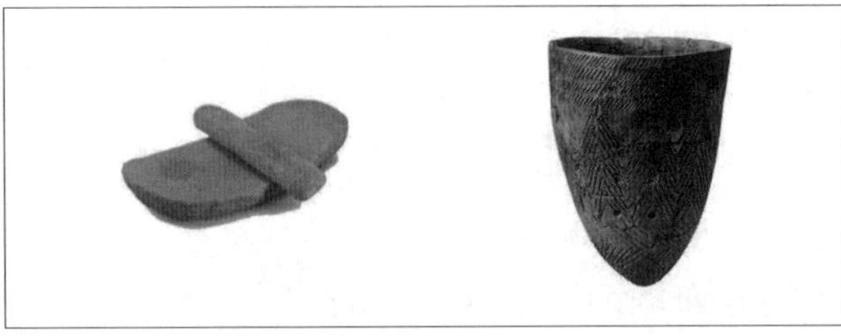

① 주먹 도끼를 제작하는 사람들
② 고인돌의 굄돌을 끌고 가는 사람들
③ 가락바퀴로 실을 뽑고 있는 사람들
④ 반달 돌칼을 농사에 이용하는 사람들

문제풀이 신석기 시대의 생활 모습 난이도 하

제시된 유물은 갈돌과 갈판, 빗살무늬 토기로, 모두 신석기 시대에 사용되었던 도구들이다. 갈돌과 갈판은 열매나 씨앗의 껍질을 벗기거나 가루를 만드는 데 사용되었으며, 빗살무늬 토기는 음식물을 조리하거나 저장하는 데 사용되었다.

③ 신석기 시대에는 실을 뽑는 도구인 가락바퀴와 실을 꿰매는 도구인 뼈바늘을 이용하여 옷과 그물을 만들었다(원시적 수공업).

오답 분석
① **구석기 시대**: 주먹 도끼를 제작하였던 시기는 구석기 시대이다. 구석기 시대 사람들은 주먹 도끼를 이용해 짐승을 사냥하는 것은 물론 사냥한 짐승의 가죽을 벗기고 땅을 팠다.
② **청동기 시대**: 고인돌은 청동기 시대 지배층의 무덤으로, 고인돌을 만들기 위해서는 무게가 수십 톤 이상인 덮개 돌을 채석·운반하고 설치하는 등 많은 노동력이 필요하였다. 따라서 고인돌을 통해 청동기 시대에 계급이 발생하였다는 것과 당시 지배층의 정치 권력과 경제력이 상당히 높았다는 것을 알 수 있다.
④ **청동기 시대**: 반달 돌칼을 농사에 이용하던 시기는 청동기 시대이다. 청동기 시대에는 돌도끼, 홈자귀, 괭이나 나무로 만든 농기구를 통해 땅을 개간하여 곡식을 심었고, 가을에는 반달 돌칼로 이삭을 잘라 추수하였다.

19

2013년 지방직 9급

밑줄 친 '이 시기'에 있었던 사실로 가장 적절한 것은?

> 이 시기에는 도구가 발달하고 농경이 시작되면서 주거 생활도 개선되어 갔다. 집터는 대개 움집 자리로, 바닥은 원형이거나 모서리가 둥근 사각형이었다. 움집의 중앙에는 불씨를 보관하거나 취사와 난방을 하기 위한 화덕이 위치하였다. 집터의 규모는 4~5명 정도의 한 가족이 살기에 알맞은 크기였다.

① 소를 이용한 밭갈이 농사를 하였다.
② 고인돌과 돌널무덤이 많이 만들어졌다.
③ 빗살무늬 토기와 가락바퀴가 제작되었다.
④ 한국식 동검이라 일컫는 세형동검을 사용하였다.

문제풀이 신석기 시대 난이도 중

제시문에서 농경이 시작되었으며 바닥이 원형이거나 모서리가 둥근 사각형의 움집에서 생활하였다는 내용이 언급되어 있으므로 밑줄 친 '이 시기'가 신석기 시대임을 알 수 있다.

③ 신석기 시대에는 농경이 시작되어 곡식을 저장하기 위해 토기를 만들었는데 대표적인 토기가 빗살무늬 토기이다. 또한 신석기 시대에는 가락바퀴와 뼈바늘 등을 이용하여 옷을 만들어 입는 등 원시적인 수공업 활동을 하였다.

오답 분석

① **철기 시대:** 소를 이용한 밭갈이 농사가 시작된 것은 철기 시대로 추측되는데, 『삼국사기』에는 신라 지증왕 때 소를 이용한 농사(우경)가 보급되었다는 기록이 있다.

② **청동기 시대:** 고인돌과 돌널무덤은 청동기 시대의 무덤이다. 고인돌은 다른 말로 지석묘, 돌널무덤은 석관묘라고 부른다.

④ **청동기 시대 후반~초기 철기 시대:** 한국식 동검이라 일컫는 세형동검은 청동기 시대 후반~초기 철기 시대에 제작되었다. 세형동검은 비파형동검이 한반도에서 독자적으로 발전한 것이며, 비파형동검과 함께 청동기 시대의 대표적인 청동 유물인 거친무늬 거울도 청동기 시대 후반~초기 철기 시대에 이르러 잔무늬 거울로 발전하였다.

20

2016년 지방직 9급

밑줄 친 '이 토기'가 주로 사용되었던 시대에 대한 설명으로 옳은 것은?

> 이 토기는 팽이처럼 밑이 뾰족하거나 둥글고 표면에 빗살처럼 생긴 무늬가 새겨져 있다. 곡식을 담는 데 많이 이용된 이 토기는 전국 각지에서 출토되고 있는데 대표적 유적지는 서울 암사동, 봉산 지탑리 등이다.

① 농경과 정착 생활이 이루어졌다.
② 고인돌이나 돌널무덤을 만들었다.
③ 빈부의 격차가 나타나고 계급이 발생하였다.
④ 군장이 부족의 풍요와 안녕을 기원하는 제사를 지냈다.

문제풀이 신석기 시대 난이도 중

제시문에서 밑이 뾰족한 형태(V형)이거나 둥근 형태이고 표면에 빗살처럼 생긴 무늬가 새겨져 있다는 내용이 언급되었으므로 밑줄 친 '이 토기'는 빗살무늬 토기이며, 빗살무늬 토기는 신석기 시대의 대표적인 토기이다. 빗살무늬 토기는 황해도 봉산 지탑리, 평남 온천 궁산리, 평양 남경, 서울 암사동 등에서 출토되었다.

① 신석기 시대에는 농경과 목축이 시작되면서 정착 생활이 이루어졌다.

오답 분석

② **청동기 시대:** 고인돌이나 돌널무덤이 제작된 시대는 청동기 시대이다. 고인돌은 계급 사회의 발생을 보여주는 무덤으로, 고인돌을 축조하기 위해서는 많은 인력이 필요하였기 때문에 당시 지배층이 우세한 정치 권력과 경제력을 가지고 있었다는 것을 보여준다.

③ **청동기 시대:** 빈부의 격차가 나타나고 계급이 발생했던 시대는 청동기 시대이다. 청동기 시대에는 생산물의 분배와 사유화로 인해 빈부 격차가 나타나면서 계급 분화가 촉진되었다.

④ **청동기 시대:** 군장이 부족의 풍요와 안녕을 기원하는 제사를 지낸 것은 청동기 시대이다. 청동기 시대에는 권력과 경제력을 가진 지배자가 나타났는데, 이 지배자를 군장(족장)이라 하였다.

정답 17 ④ 18 ③ 19 ③ 20 ①

2 | 청동기·철기 시대

01

2024년 서울시 9급(2월 시행)

〈보기〉에서 청동기 시대에 대한 설명으로 옳은 것을 모두 고른 것은?

보기
- ㉠ 청동기가 보급된 이후에도 농기구는 주로 돌이나 나무로 만들었다.
- ㉡ 명도전, 오수전 등이 출토되어 우리나라와 중국의 교역이 활발했음을 알 수 있다.
- ㉢ 비파형동검과 미송리형 토기를 만들었다.
- ㉣ 청동기 시대에는 마을 주변에 방어를 위해 목책이나 환호를 둘렀다.

① ㉠, ㉡, ㉢
② ㉠, ㉡, ㉣
③ ㉠, ㉢, ㉣
④ ㉡, ㉢, ㉣

문제풀이 청동기 시대 난이도 하

③ 옳은 것을 모두 고르면 ㉠, ㉢, ㉣이다.

㉠ 청동기 시대에 청동기가 보급된 이후에도 농기구는 주로 돌이나 나무로 만든 보습과 괭이, 반달 돌칼 등을 사용하였다. 한편, 청동은 귀하고 무른 성질 때문에 농기구로 사용되지 못하고 제사용 도구나 장신구 등으로 사용되었다.

㉢ 청동기 시대에는 비파(악기) 모양의 비파형동검을 만들어 무기 또는 제사용 도구로 사용하였으며, 밑바닥이 납작하고 둥근 몸통 양쪽에 손잡이가 하나씩 달려 있는 미송리형 토기를 만들었다.

㉣ 청동기 시대에는 잉여 생산물을 둘러싸고 집단 간의 정복 활동이 전개되어 마을 주변에 방어를 위한 목책(울타리)이나 환호(마을을 둘러싼 도랑) 등을 조성하였다.

오답 분석

㉡ **철기 시대**: 중국 화폐인 명도전, 오수전 등이 출토되어 우리나라와 중국의 교역이 활발했음을 알 수 있는 시대는 철기 시대이다.

02

2023년 국가직 9급

다음 유물이 사용된 시대에 대한 설명으로 옳은 것은?

미송리식 토기, 팽이형 토기, 붉은 간 토기

① 비파형동검이 사용되었다.
② 오수전 등의 화폐가 사용되었다.
③ 아슐리안형 주먹 도끼가 사용되었다.
④ 철이 많이 생산되어 낙랑과 왜에 수출되었다.

문제풀이 청동기 시대 난이도 하

제시된 미송리식 토기, 팽이형 토기, 붉은 간 토기는 모두 청동기 시대의 유물이다.

① 청동기 시대에는 비파형동검이 무기 또는 제기로 사용되었다. 비파형동검은 중국 요령 지방에 주로 분포하기 때문에 '요령식 동검'이라고도 한다.

오답 분석

② **철기 시대**: 오수전 등의 중국 화폐가 사용된 시대는 철기 시대이다. 철기 시대에는 중국과의 교류를 통해 명도전, 오수전, 반량전 등의 중국 화폐가 사용되었다.

③ **구석기 시대**: 아슐리안형 주먹 도끼가 사용된 시대는 구석기 시대이다. 한편, 아슐리안형 주먹 도끼는 전기 구석기 시대의 대표적인 유물로 연천 전곡리 유적에서 출토되었다.

④ **철기 시대**: 철이 많이 생산되어 낙랑과 왜에 수출된 시대는 철기 시대이다. 철기 시대에 성장한 삼한 중 변한과 가야에서는 철이 많이 생산되어 낙랑과 왜에 수출되었고, 교역할 때 철을 화폐처럼 사용하기도 하였다.

이것도 알면 **합격!**

비파형동검

- 청동기 시대의 대표적인 유물
- 중국의 요령 지방에 주로 분포하여 '요령식 동검'이라고도 불림
- 탁자식 고인돌, 미송리식 토기 등과 함께 고조선의 세력 범위를 짐작하게 하는 유물

03

2023년 서울시 9급

청동기 시대에 대한 설명으로 가장 옳지 않은 것은?

① 금속 도구가 만들어지면서 석기 농기구는 사라지고 농업이 발전하였다.

② 동검, 청동 거울, 청동 방울 등을 제작하였다.

③ 생산력이 발전하면서 사유 재산제와 계급이 발생하였다.

④ 일상 생활에서 민무늬 토기가 이용되었다.

문제풀이 청동기 시대 난이도 하

① 청동기 시대에 금속 도구가 만들어진 것은 맞지만, 석기 농기구가 사라지진 않았다. 청동기 시대에는 청동은 귀하고 무르기 때문에 농기구로 사용되지 못하였고, 여전히 돌보습, 돌괭이, 반달 돌칼 등의 석기 농기구나 나무로 제작한 농기구를 사용하였다.

오답 분석

② 청동기 시대에는 동검과 같은 무기나 지배층의 권위를 드러내는 청동 거울·청동 방울과 같은 제사용 도구, 장신구 등을 제작하였다.

③ 청동기 시대에는 이전 시기에 비해 농업 생산력이 발전함에 따라 잉여 생산물이 발생하면서 사유 재산이 생겨났고, 이에 따라 빈부의 격차가 나타나 지배자·피지배자와 같은 계급이 발생하였다.

④ 청동기 시대에는 일상 생활에서 민무늬 토기가 이용되었다. 이 외에도 청동기 시대에는 미송리식 토기, 송국리식 토기 등도 사용되었다.

이것도 알면 **합격!**

청동기 시대의 주요 토기

민무늬 토기	신석기 시대의 빗살무늬 토기에 비하여 문양이 없거나 적음
미송리식 토기	• 의주 미송리 유적에서 처음 발견됨 • 밑바닥이 납작하고 둥근 몸통 양쪽에 손잡이가 하나씩 달려 있음
송국리식 토기	• 부여 송국리 유적에서 처음 발견됨 • 몸통에 비해 바닥면이 매우 좁음

04

2022년 서울시 9급(6월 시행)

〈보기〉의 밑줄 친 '이 시대'와 가장 관련이 없는 것은?

> **보기**
>
> 이 시대에는 농경이 더욱 발달하여 조, 기장, 수수 등 다양한 잡곡이 재배되었다. 한반도 남부 지역에는 벼농사도 보급되었다. 한편 돼지와 같은 가축을 우리에 가두고 기르는 일도 흔해졌다. 사람들은 농경이 이루어지는 강가나 완만한 구릉에 마을을 이루어 살았다. 농경의 발달로 생산력이 늘어나자 인구가 늘어나고 빈부 차이와 계급이 발생하였다. 또한 식량을 둘러싼 집단 간의 싸움이 자주 일어나면서 마을에는 방어 시설이 만들어지기도 하였다.

① 고인돌　　② 반달 돌칼

③ 민무늬 토기　　④ 슴베찌르개

문제풀이 청동기 시대 난이도 하

제시문에서 한반도 남부 지역에는 벼농사가 보급되었다는 것과 농경의 발달로 생산력이 늘어나자 인구가 늘어나고 빈부 차이와 계급이 발생하였다는 내용을 통해 밑줄 친 '이 시대'는 청동기 시대임을 알 수 있다.

④ 슴베찌르개는 주로 구석기 시대 후기에 사용된 도구로, 나무나 뼈에 꽂아서 창처럼 사용하였다.

오답 분석

① 고인돌은 청동기 시대의 대표적인 무덤 양식이다. 고인돌은 계급 사회의 발생을 보여주는 무덤으로, 고인돌을 축조하기 위해서는 많은 인력이 필요하였기 때문에 당시 지배층이 우세한 정치 권력과 경제력을 가지고 있었다는 것을 보여준다.

② 반달 돌칼은 청동기 시대의 대표적인 유물로, 벼와 같은 곡식의 이삭을 자를 때 사용되었다.

③ 민무늬 토기는 청동기 시대의 대표적인 토기이다. 이 외에도 청동기 시대에는 미송리식 토기, 송국리식 토기 등이 사용되었다. 미송리식 토기는 밑이 납작한 항아리의 양쪽 옆으로 손잡이가 하나씩 달려 있으며, 송국리식 토기는 바닥은 납작하고 배의 중간 부분이 약간 부푼 형태가 특징이다.

정답 01 ③ 02 ① 03 ① 04 ④

05

2019년 국가직 9급

청동기 시대의 유적과 유물에 대한 설명으로 옳은 것은?

① 연천 전곡리에서는 사냥 도구인 주먹 도끼가 출토되었다.

② 창원 다호리에서는 문자를 적는 붓이 출토되었다.

③ 강화 부근리에서는 탁자식 고인돌이 발견되었다.

④ 서울 암사동에서는 곡물을 담는 빗살무늬 토기가 나왔다.

문제풀이 청동기 시대 난이도 중

③ 청동기 시대의 유적지인 강화 부근리 유적에서는 청동기 시대의 대표적 무덤 양식인 탁자식(북방식) 고인돌이 발견되었다. 한편 강화의 고인돌 유적은 2000년에 유네스코 세계 문화유산으로 등재되었다.

오답 분석

① **구석기 시대**: 연천 전곡리 유적은 구석기 시대의 유적이다. 연천 전곡리에서는 돌의 양쪽 면을 가공해 날을 세우는 방법으로 제작된 아슐리안형 주먹 도끼가 아시아 최초로 출토되었는데, 이를 통해 아슐리안형 주먹 도끼가 유럽·아프리카 대륙에서만 사용되었고 아시아에서는 사용되지 않았다는 모비우스 학설이 폐기되었다.

② **철기 시대**: 창원 다호리 유적은 철기 시대의 유적이다. 창원 다호리 유적에서는 문자를 적는 붓이 출토되어 당시에 중국과 교류를 통해 한자를 사용하고 있었음을 알 수 있다.

④ **신석기 시대**: 서울 암사동 유적은 신석기 시대의 유적이다. 서울 암사동 유적에서는 곡물을 담는 데 이용된 빗살무늬 토기가 발견되었으며, 신석기 시대의 집터가 다수 발굴되었다.

06

2019년 국회직 9급

청동기 시대에 대한 설명으로 옳은 것은?

① 우경이 보급되면서 농업 생산력이 급증하였다.

② 지배층의 무덤으로 돌무지덧널무덤이 축조되었다.

③ 저장 및 조리 도구로 빗살무늬 토기가 널리 사용되었다.

④ 마을 주위에 목책이나 환호 등의 방어 시설이 조성되었다.

⑤ 찍개와 주먹 도끼 등이 사냥과 채집에 주로 활용되었다.

문제풀이 청동기 시대 난이도 하

④ 청동기 시대에는 잉여 생산물을 둘러싸고 집단 간의 정복 활동이 전개되어 마을 주위에 목책(울타리)이나 환호(마을을 둘러싼 도랑) 등의 방어 시설이 조성되었다.

오답 분석

① 우경이 보급되면서 농업 생산력이 급증한 것은 삼국 시대이다. 신라 지증왕은 농업 생산력을 높이기 위해 우경을 보급하고 장려하였다.

② 지배층의 무덤으로 돌무지덧널무덤이 축조된 것은 통일 이전의 신라이다. 돌무지덧널무덤은 나무 널에 시신을 안치하고 그 위에 냇돌을 쌓은 후 흙을 덮는 구조로 조성된 무덤이다.

③ **신석기 시대**: 저장 및 조리 도구로 빗살무늬 토기가 널리 사용된 시대는 신석기 시대이다.

⑤ **구석기 시대**: 찍개와 주먹 도끼와 같은 뗀석기를 사냥과 채집에 주로 활용한 시대는 구석기 시대이다.

07

2019년 법원직 9급

다음 유물이 대표하는 시기의 사회 모습으로 가장 옳은 것은?

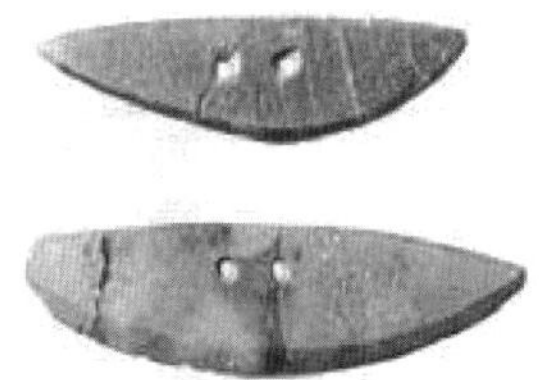

① 농경이 시작되었다.
② 불교를 받아들였다.
③ 계급 사회가 성립되었다.
④ 주로 동굴이나 막집에서 살았다.

문제풀이 청동기 시대 난이도 하

제시된 유물은 반달 돌칼로, 청동기 시대의 대표적인 유물이다. 반달 돌칼은 벼와 같은 곡식의 이삭을 자를 때 사용되었다.

③ 청동기 시대에는 농기구의 발달로 농업 생산력이 증가함에 따라 잉여 생산물이 발생하였고, 힘이 센 자가 이것을 개인적으로 소유하면서 사유 재산과 빈부의 격차가 나타나며 계급 사회가 성립되었다.

오답 분석

① **신석기 시대**: 농경이 시작되어 조·피·수수 등을 재배한 시대는 신석기 시대이다. 청동기 시대에는 농경이 본격화되었으며, 일부 저습지에서는 벼농사를 짓기 시작하였다.
② **삼국 시대**: 불교를 받아들인 시대는 삼국 시대이다. 고구려는 소수림왕 때, 백제는 침류왕 때, 신라는 눌지왕 때 불교를 받아들였으며 신라에서는 법흥왕 때 불교가 공인되었다.
④ **구석기 시대**: 주로 동굴이나 바위 그늘에서 생활하거나 강가의 막집에서 살았던 시대는 구석기 시대이다.

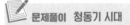

08

2018년 법원직 9급

다음 유적이 형성된 시기에 대한 설명으로 가장 옳은 것은?

① 최초의 예술품이 나타났다.
② 처음으로 농경이 시작되었다.
③ 사유 재산과 계급이 발생하였다.
④ 씨족들이 모여서 부족 사회를 이루었다.

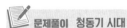

문제풀이 청동기 시대 난이도 중

제시된 유적은 청동기 시대에 제작된 것으로 추정되는 고령 장기리 바위그림(양전동 알터 바위그림)으로, 동심원·십자형·삼각형 등의 기하학 무늬가 새겨져 있다. 한편 이 바위그림 유적은 농업의 풍요를 비는 제사 터였을 것으로 추정된다.

③ 청동기 시대에는 잉여 생산물의 분배 과정에서 사유 재산이 발생하고 빈부의 격차가 나타나면서 계급이 분화되었다.

오답 분석

① **구석기 시대**: 최초로 예술품이 나타난 것은 구석기 시대이다. 구석기 시대 유적인 공주 석장리와 단양 수양개에서는 고래와 물고기가 새겨진 조각이 발견되어, 구석기 시대에 사냥의 성공을 기원하는 염원이 반영된 예술품이 만들어졌음을 보여준다.
② **신석기 시대**: 처음으로 농경이 시작된 것은 신석기 시대이다.
④ **신석기 시대**: 씨족들이 모여서 부족 사회를 이룬 것은 신석기 시대이다.

정답 05 ③ 06 ④ 07 ③ 08 ③

09

2021년 국회직 9급

우리나라 청동기 문화에 대한 설명으로 옳지 않은 것은?

① 청동기로 의례용 도구를 만들었다.

② 비파형동검과 민무늬 토기를 제작하였다.

③ 반달 돌칼을 사용하여 벼를 수확하였다.

④ 철제 무기와 공구를 청동기와 함께 사용하였다.

⑤ 청동제 농기구가 보급되어 농업이 발전하였다.

문제풀이 청동기 문화

난이도 하

⑤ 청동기 시대에 청동제 농기구는 보급되지 않았다. 청동기는 제작이 어렵고 재료가 귀해 지배자의 장신구나 무기 등에만 제한적으로 사용되었으며, 농기구는 여전히 돌이나 나무로 제작되었다.

오답 분석

① 청동기 시대에는 거친무늬 거울 등의 청동기를 만들어 의례용 도구로 사용하였다.

② 청동기 시대에는 비파형동검과 민무늬 토기가 제작되었다. 한편, 청동기 시대의 대표적인 유물로는 비파형동검, 거친무늬 거울 등의 청동기와 민무늬 토기, 미송리식 토기, 송국리식 토기 등의 토기가 있다.

③ 청동기 시대에는 벼농사가 시작되었으며, 반달 돌칼을 사용하여 벼를 수확하였다.

④ 철기 시대에 이르러 철제 무기와 공구를 청동기와 함께 사용하였는데, 이때 청동기는 의례용 도구로만 사용되었다.

10

2015년 법원직 9급

다음 중 한반도에서 청동기 문화가 독자적으로 발전했음을 보여 주는 유물은?

①

②

③

④
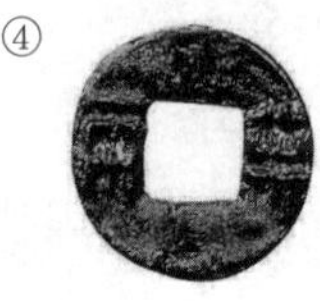

문제풀이 청동기 문화의 독자적 발전

난이도 중

② 거푸집은 청동 제품을 제작하던 틀로, 한반도에서 거푸집이 출토되었다는 것은 독자적으로 청동기를 만들 수 있었다는 것을 의미한다. 따라서 거푸집의 출토를 통해 청동기 문화가 한반도에서 독자적으로 발전했음을 알 수 있다.

오답 분석

모두 한반도에서 청동기 문화가 독자적으로 발전한 것과 관련이 없다.

① 명도전은 철기 시대에 사용된 중국 화폐로 중국과 우리나라가 교류하였음을 보여 주는 유물이다.

③ 비파형동검은 비파(악기) 모양의 청동기 유물이다. 비파형동검은 미송리식 토기와 함께 요령 지방과 남만주, 한반도 전역에 이르는 넓은 지역에서 출토되고 있으므로, 한반도의 독자적 청동기 문화를 보여주는 유물이라고 할 수 없다.

④ 반량전은 철기 시대에 사용된 중국 화폐로, 명도전과 함께 중국과 우리나라가 교류하였음을 보여 주는 유물이다.

11

2015년 법원직 9급

(가) ~ (라)에 들어갈 내용으로 가장 옳은 것은?

〈당시 사람들의 생활 방식 체험 활동〉

유적지	유적 개요	체험 활동
연천 전곡리	아슐리안 석기 형태를 갖춘 주먹 도끼와 박편 도끼가 동아시아에서 처음 발견됨	(가)
서울 암사동	한강변에 위치하며, 원형 혹은 귀퉁이를 없앤 사각형의 움집이 다수 발굴됨	(나)
여주 흔암리	구릉 경사지에 반움집 형태의 주거지를 형성하였으며 탄화된 쌀이 발견됨	(다)
강화 부근리	높이 2.6m, 덮개돌의 추정 무게 약 50톤 이상의 탁자식 고인돌을 비롯한 여러 기의 고인돌이 있음	(라)

① (가) – 돌을 갈아서 돌도끼 만들기
② (나) – 반달 돌칼로 벼 이삭 따기
③ (다) – 흙을 빚어 그릇 만들기
④ (라) – 쇠쟁기로 밭 갈기

12

2018년 지방직 9급

다음은 각 유물과 그것이 사용되던 시기의 사회 모습에 대한 설명이다. 옳은 것만을 모두 고르면?

> ㉠ 슴베찌르개 – 벼농사를 짓기 시작하였고 나무로 만든 농기구를 사용하였다.
> ㉡ 붉은 간 토기 – 거친무늬 거울을 사용하여 제사를 지내거나 의식을 거행하였다.
> ㉢ 반달 돌칼 – 농사를 짓기 시작했지만 아직 지배와 피지배 관계는 발생하지 않았다.
> ㉣ 눌러찍기무늬 토기 – 가락바퀴와 뼈바늘을 이용하여 옷이나 그물을 만들어 사용하였다.

① ㉠, ㉡
② ㉠, ㉢
③ ㉡, ㉣
④ ㉢, ㉣

문제풀이 선사 시대 사람들의 생활 방식

난이도 중

제시된 자료의 (가)에는 연천 전곡리에서 발견된 아슐리안형 주먹 도끼를 통해 구석기 시대의 활동, (나)에는 서울 암사동 유적에서 발굴된 움집을 통해 신석기 시대의 활동이 들어가야 함을 알 수 있다. (다)에는 여주 흔암리에서 탄화된 쌀이 발견된 것을 통해, (라)에는 강화 부근리에서 발견된 고인돌을 통해 청동기 시대의 활동이 들어가야 함을 알 수 있다.

③ 청동기 시대 사람들은 흙을 빚어 만든 그릇인 토기를 사용하였다. 청동기 시대의 대표적인 토기로는 민무늬 토기, 덧띠새김무늬 토기 등이 있다.

오답 분석

① **신석기 시대**: 돌을 갈아서 돌도끼를 만든 것은 신석기 시대이다. 구석기 시대에는 돌을 깨뜨려 만든 뗀석기를 사용하였는데, 대표적인 뗀석기로는 주먹도끼, 찍개, 찌르개 등이 있다.

② **청동기 시대**: 반달 돌칼로 벼 이삭을 추수한 것은 청동기 시대이다. 신석기 시대에는 돌괭이, 돌삽, 돌낫 등의 농기구를 이용하여 조·피·수수 등의 잡곡류를 경작하였다.

④ **철기 시대**: 쇠쟁기 등의 철제 농기구는 철기 시대에 이르러 사용되었다. 청동기 시대에는 홈자귀, 괭이 등 돌로 만든 농기구를 이용해 경작하였으며, 반달 돌칼로 이삭을 잘라 추수하였다.

문제풀이 선사 시대의 유물과 사회 모습

난이도 하

③ 옳은 것을 모두 고르면 ㉡, ㉣이다.
㉡ 붉은 간 토기를 사용한 청동기 시대에는 거친무늬 거울을 사용하여 제사 등의 의식을 거행하였다.
㉣ 눌러찍기무늬 토기를 사용한 신석기 시대에는 가락바퀴와 뼈바늘을 이용하여 옷이나 그물을 만들어 사용하는 원시 수공업이 발달하였다.

오답 분석

㉠ 슴베찌르개는 후기 구석기 시대에 주로 사용되었던 도구이고, 벼농사를 짓기 시작한 것은 청동기 시대이다. 구석기 시대에 사용된 슴베찌르개는 사냥 도구로, 나무 막대와 연결하여 창으로 사용하거나 가죽에 구멍을 뚫는데 사용하였다. 한편 청동기 시대에는 벼농사가 시작되었으며, 농경에는 반달 돌칼·홈자귀와 같은 석제 농기구나 나무로 만들어진 농기구를 사용하였다.

㉢ 반달 돌칼이 주로 사용되던 것은 청동기 시대이고, 농경이 시작되었으나 지배와 피지배 관계가 발생하지 않은 것은 신석기 시대이다. 청동기 시대에는 농경이 발달함에 따라 일부 저습지에서 벼농사가 실시되었고, 반달 돌칼과 같은 석제 농기구를 이용하여 곡물의 이삭을 잘라 추수하였다. 또한 청동기 시대에는 농업 생산량이 늘어남에 따라 잉여 생산물이 발생하면서 사유 재산이 생겨났고, 이에 따라 빈부의 격차가 나타나 지배자·피지배자와 같은 계급이 발생하였다.

정답 09 ⑤ 10 ② 11 ③ 12 ③

13

2017년 지방직 9급(6월 시행)

한반도 선사 시대에 대한 설명으로 옳지 않은 것은?

① 구석기 시대 전기에는 주먹 도끼와 슴베찌르개 등이 사용되었다.

② 신석기 시대 집터는 대부분 움집으로 바닥은 원형이나 모서리가 둥근 사각형이다.

③ 신석기 시대 사람들은 조개류를 많이 먹었으며, 때로는 장식으로 이용하기도 하였다.

④ 청동기 시대의 전형적인 유물로는 비파형동검·붉은 간 토기·반달 돌칼·홈자귀 등이 있다.

문제풀이 선사 시대 난이도 하

① 슴베찌르개는 주로 구석기 시대 후기에 쓰인 도구로, 뼈나 나무에 꽂아 창처럼 사용되었다. 구석기 시대 전기에 사용된 도구로는 주먹 도끼, 찍개 등이 있다.

오답 분석

② 신석기 시대의 집터는 대부분 반지하 형태의 움집으로, 바닥은 원형이나 모서리가 둥근 사각형(방형)이다.

③ 신석기 시대의 유적인 부산 동삼동 패총(조개 무덤)에서 발견된 조개껍데기 가면은 조개를 식용뿐만 아니라 장식으로 사용하기도 하였음을 보여 준다.

④ 청동기 시대의 전형적인 유물로는 비파형동검, 거친무늬 거울 등의 청동기와 반달 돌칼, 홈자귀, 돌도끼 등의 석기가 있다. 또한 청동기 시대에는 미송리식 토기, 송국리식 토기, 덧띠새김무늬 토기, 붉은 간 토기 등의 토기도 제작되었다.

이것도 알면 **합격!**

선사 시대의 유물

구석기 시대	뗀석기(주먹 도끼, 찍개, 찌르개 등)
신석기 시대	간석기(돌괭이, 돌보습, 돌삽 등), 가락바퀴·뼈바늘 등
청동기 시대	간석기(반달 돌칼, 바퀴날 도끼, 홈자귀 등) 청동기(비파형동검, 거친무늬 거울) 등

14

2017년 사회복지직 9급

다음의 유적지에 대한 설명으로 가장 옳은 것은?

① 사천 늑도 유적에서 반량이라는 글자가 새겨진 청동 화폐가 출토되었다.

② 부산 동삼동 패총에서는 주춧돌을 사용한 지상 가옥이 발견되었다.

③ 단양 수양개에서 발견된 아이의 뼈를 '흥수 아이'라 부른다.

④ 울주 반구대에는 사각형 또는 방패 모양의 그림이 주로 새겨져 있다.

문제풀이 선사 시대의 유적지 난이도 중

① 사천 늑도 유적에서 출토된 반량이라는 글자가 새겨진 반량전은 중국 진(秦)나라의 청동 화폐로, 이를 통해 청동기 시대 후기 및 초기 철기 시대에 우리나라가 중국과 활발하게 교류하였음을 알 수 있다.

오답 분석

② 주춧돌을 사용한 지상 가옥은 청동기 시대에 등장한 움집 형태로, 신석기 시대의 유적지인 부산 동삼동 패총에서는 발견될 수 없다. 부산 동삼동 (패총) 유적에서는 조와 기장, 조개껍데기 가면, 빗살무늬 토기 등이 출토되었으며, 일본산 흑요석 화살촉이 출토되어 당시 일본과 원거리 교역이 있었음을 알 수 있다.

③ 흥수 아이라고 불리는 인골은 충북 청원 두루봉 동굴 유적에서 발견되었다. 단양 수양개 유적에서는 주거 유적, 석기 제작지, 물고기 조각품 등이 발견되었다.

④ 사각형 또는 방패 모양의 그림이 주로 새겨져 있는 유적은 고령 양전동 알터 바위(고령 장기리 바위)이다. 울주 대곡리 반구대에는 거북, 사슴, 새 등의 동물과 고래 등이 새겨져 있다.

15

2014년 법원직 9급

다음 유물들을 통해 알 수 있는 사실로 가장 옳은 것은?

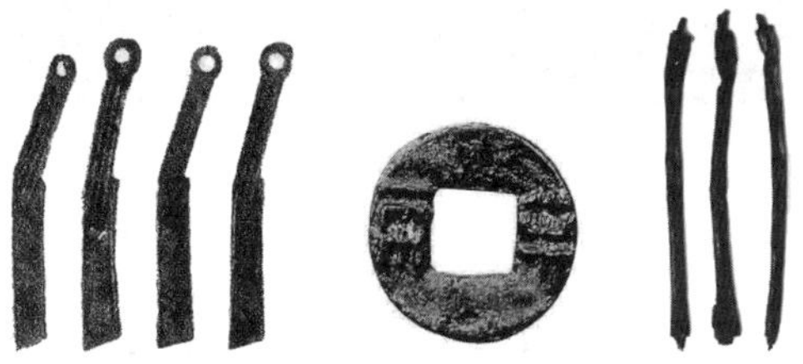

① 계급의 분화가 시작되었다.
② 농경을 처음으로 시작하였다.
③ 중국과 활발하게 교류하였다.
④ 철제 농기구의 사용이 보편화되었다.

16

2011년 지방직 9급

한국 철기 시대의 주거 양상에 대한 설명으로 옳지 않은 것은?

① 부뚜막이 등장하였다.
② 지상식 주거가 등장하였다.
③ 원형의 송국리형 주거가 등장하였다.
④ 출입구 시설이 붙은 '여(呂)'자형 주거가 등장하였다.

문제풀이 철기 시대 중국과의 교류 난이도 중

제시된 유물들은 순서대로 명도전, 반량전, 붓이며 이 유물들은 모두 철기 시대의 유물이다.

③ 중국 화폐인 명도전과 반량전이 우리나라에서 출토된 것을 통해 철기 시대에 우리나라가 중국과 활발하게 교류하였음을 알 수 있다. 또한 경남 창원 다호리 유적에서 출토된 붓을 통해 우리나라가 당시 중국과의 교류를 통해 한자를 사용하고 있었음을 알 수 있다.

오답 분석

① **청동기 시대**: 계급의 분화가 시작된 것은 청동기 시대부터이다. 청동기 시대에는 농기구의 발달로 농업 생산력이 향상되어 잉여 생산물이 생겨났고, 이로 인해 사유 재산 제도와 빈부 격차가 발생하여 계급이 분화되기 시작하였다.

② **신석기 시대**: 농경을 처음 시작하였던 시대는 신석기 시대이다. 신석기 시대에는 조·피·수수 등의 잡곡류를 경작하기 시작하였다.

④ 철제 농기구는 철기 시대에 처음으로 사용되었는데, 자료에 제시된 명도전, 반량전, 붓은 중국과의 교류를 보여주는 유물이므로 철제 농기구의 사용과는 관련이 없다.

이것도 알면 **합격!**

철기 시대 중국과의 교류 증거

화폐 출토	명도전, 반량전, 오수전 등 중국 화폐 출토
붓 출토	경남 창원 다호리 유적에서 붓 출토 → 한자 사용

문제풀이 철기 시대의 주거 양상 난이도 중

③ 원형의 송국리형 주거는 청동기 시대의 대표적인 유적지인 부여 송국리 유적에서 발견된 집터 유적이다. 부여 송국리 유적에서 발견된 움집은 평면 장방형의 얕은 움집과 평면 원형의 깊은 움집으로 나누어지며, 목책이나 도랑으로 둘러싸여 있는 것이 특징이다. 한편 철기 시대의 대표적인 마을 유적으로는 제주 삼양동 유적이 있는데, 이 유적의 내부에서는 수많은 토기류와 돌도끼·갈돌 등의 석기류와 철제 도끼 등의 철기류, 동검 등의 청동기류, 탄화 곡물 등 다양한 유물이 출토되었다.

오답 분석

① 철기 시대의 대표적인 유적지인 춘천 율문리 유적에서 아궁이와 부뚜막이 발굴되어 철기 시대에 부뚜막이 등장하였다는 사실이 확인되었다.

② 청동기·철기 시대부터 움집이 점차 지상 가옥으로 변화하였다.

④ 철기 시대에는 바닥이 여(呂)자형, 철(凸)자형 모양인 가옥의 형태가 등장하였다. 이는 초기 철기 국가인 동예의 집터 유적에서 확인된다.

정답 13 ① 14 ① 15 ③ 16 ③

1 | 고조선의 성장

01

2021년 법원직 9급

밑줄 친 ㉠~㉣에 대한 해석으로 적절하지 않은 것은?

> 옛날 ㉠환인의 아들 환웅이 천부인 3개와 3,000명의 무리를 이끌고 태백산 신단수 밑에 내려왔는데, 이 곳을 신시라 하였다. 그는 ㉡풍백, 우사, 운사로 하여금 인간의 360여 가지의 일을 주관하게 하였는데 그 중에서 곡식, 생명, 질병, 형벌, 선악 등 다섯 가지 일이 가장 중요한 것이었다. 이로써 인간 세상을 교화시키고 인간을 널리 이롭게 하였다. 이 때 ㉢곰과 호랑이가 사람이 되기를 원하므로 환웅은 쑥과 마늘을 주고 …… 곰은 금기를 지켜 21일 만에 여자로 태어났고 환웅과 혼인하여 아들을 낳았다. 이가 곧 ㉣단군왕검이었다.

① ㉠ – 천손 사상으로 부족의 우월성을 과시했다.
② ㉡ – 고조선의 농경 사회 모습이 반영되어 있다.
③ ㉢ – 특정 동물을 수호신으로 여기는 샤머니즘이 존재했다.
④ ㉣ – 정치적 지배자와 제사장이 일치된 사회였음을 알 수 있다.

문제풀이 단군 신화 난이도 하

③ 단군 신화에서 사람이 되기를 원하는 곰과 호랑이에게 환웅이 쑥과 마늘을 주었다는 내용은 샤머니즘이 아닌 토테미즘과 관련된 내용이다. 곰과 호랑이가 사람이 되기를 원하였다는 것을 통해 곰을 숭배하는 부족과 호랑이를 숭배하는 부족이 환웅의 부족과 연합하기 위해 경쟁을 벌였음을 알 수 있다. 또한, 곰이 여자가 되어 환웅과 혼인하고 단군왕검을 낳았다는 것을 통해 곰을 숭배하는 부족이 환웅 부족과 연합하여 고조선을 형성하였다는 것을 알 수 있다.

오답 분석

① 단군 신화에서 환웅을 하늘의 신 환인의 아들이라고 한 것을 통해, 환웅 부족이 천손 사상을 가지고 부족의 우월성을 과시하였다는 것을 알 수 있다.
② 단군 신화의 풍백, 우사, 운사를 통해 고조선이 바람, 비, 구름 등 농경에 관계되는 일을 주관하는 관리를 두었으며, 날씨를 중요시하는 농경 사회였다는 것을 알 수 있다.
④ 단군 신화에서 단군왕검은 제사장인 단군과 정치적 지배자인 왕검의 의미를 가지고 있어, 고조선이 제정일치 사회였음을 알 수 있다.

02

2024년 지방직 9급

다음과 같은 법이 있었던 국가에 대한 설명으로 옳지 않은 것은?

> ○ 사람을 죽이면 즉시 사형에 처한다.
> ○ 남에게 상처를 입히면 곡식으로 배상한다.
> ○ 남의 물건을 훔친 자는 그 집의 노비로 삼는데, 스스로 죄를 면제받고자 하는 자는 50만을 내야 한다.

① 동맹이라는 제천 행사가 있었다.
② 상, 대부, 장군 등의 관직을 두었다.
③ 위만이 준왕을 몰아내고 왕이 되었다.
④ 중국의 한과 한반도 남부 사이에서 중계 무역을 하였다.

문제풀이 고조선 난이도 하

제시문에서 사람을 죽이면 즉시 사형에 처하고, 남에게 상처를 입히면 곡식으로 배상하며, 남의 물건을 훔친 자는 노비로 삼고, 죄를 면제받고자 하면 50만을 내야 한다는 내용을 통해 고조선의 8조법임을 알 수 있다.

① 동맹이라는 제천 행사가 있었던 나라는 고구려이다. 고구려에서는 매년 10월에 동맹을 개최하고, 왕과 신하들이 국동대혈에서 모여 제사를 지냈다.

오답 분석

② 고조선은 왕 아래에 상, 대부, 장군, 박사, 대신 등의 관직을 두었다.
③ 기원전 2세기 초에 위만이 준왕을 몰아내고 고조선의 왕이 되었다. 고조선으로 망명해 온 위만은 준왕의 신임을 받아 서쪽 변경을 수비하는 임무를 맡았으나, 세력을 확대한 위만은 준왕을 몰아내고 왕위에 올랐다.
④ 고조선은 지리적 이점을 이용하여 중국의 한(漢)과 한반도 남부의 진(辰) 사이에서 중계 무역을 전개하여 경제적 이익을 독점하였다.

이것도 알면 **합격!**

단군 조선(고조선)

건국	기원전 2333년에 단군왕검이 건국
발전	• 기원전 4세기경: 요서 지방을 경계로 연나라와 대립 • 기원전 3세기 초: 연나라 장수 진개의 침략으로 중심지가 이동(요동 → 대동강 유역)한 것으로 추정됨 • 기원전 3세기경: 부왕, 준왕과 같은 강력한 왕이 등장하여 일시적으로 왕위 세습, 왕 밑에 상, 경, 대부, 대신, 장군, 박사 등의 관직이 있었음

03

2022년 법원직 9급

(가) 나라에 대한 설명으로 가장 옳은 것은?

(가) 의 문화 및 세력 범위를 추정할 수 있는 유물들

① 상, 대부, 장군 등의 관직을 두었다.
② 읍군, 삼로 등이 하호를 통치하였다.
③ 계루부 출신의 왕이 5부의 대가들과 함께 통치하였다.
④ 사람이 죽으면 가매장한 다음 뼈만 추려 목곽에 안치하였다.

문제풀이 고조선 난이도 하

제시된 자료에서 왼쪽 사진은 비파형동검이고, 오른쪽 사진은 북방식 고인돌이다. 이를 통해 (가) 나라는 고조선임을 알 수 있다. 고조선의 세력 범위는 비파형동검과 북방식 고인돌, 미송리식 토기, 거친무늬 거울의 출토 지역을 통해 짐작할 수 있다.

① 고조선은 단군 조선 후기와 위만 조선 때 왕 아래에 상, 대부, 장군, 박사, 대신 등의 관직을 두었다.

오답 분석
② **동예·옥저**: 읍군, 삼로 등의 군장이 피지배층인 하호를 통치한 나라는 동예와 옥저이다.
③ **고구려**: 계루부 출신의 왕이 5부(계루부·소노부·절노부·순노부·관노부)의 대가들과 함께 통치한 나라는 고구려이다.
④ **옥저**: 사람이 죽으면 가매장한 다음 뼈만 추려 목곽에 안치하는 골장제의 풍습이 있었던 나라는 옥저이다.

이것도 알면 **합격!**

고조선의 위치와 세력 범위

위치	랴오닝(요령) 지방을 중심으로 성장하여 점차 세력을 확대하면서 한반도까지 발전
세력 범위	비파형동검과 북방식 고인돌, 미송리식 토기, 거친무늬 거울의 출토 지역을 통해 고조선의 세력 범위를 짐작

04

2020년 법원직 9급

다음 자료와 관련된 나라에 대한 설명으로 가장 옳은 것은?

> 대개 사람을 죽인 자는 즉시 죽이고, 남에게 상처를 입힌 자는 곡식으로 배상한다. 도둑질한 자가 남자면 그 집의 노, 여자면 비로 삼는다. 단, 스스로 용서받고자 하는 자는 1인당 50만 전을 내야 한다.

① 10월에 무천이라는 제천 행사를 개최하였다.
② 형이 죽으면 형수를 아내로 삼는 풍습이 있었다.
③ 중대한 범죄자는 제가 회의를 열어 사형에 처했다.
④ 왕 밑에서 국무를 관장하던 상이라는 관직이 있었다.

문제풀이 고조선 난이도 하

제시된 자료에서 사람을 죽인 자는 즉시 죽이고, 상해는 곡식으로 배상하며, 도둑질한 자는 노비로 삼고, 용서받으려면 1인당 50만 전을 내야한다는 내용을 통해 고조선의 8조법임을 알 수 있다.

④ 고조선에는 왕 밑에 국무를 관장하던 상이라는 관직이 있었으며, 상 이외에도 경, 대부 등의 관직이 있었다.

오답 분석
① **동예**: 10월에 무천이라는 제천 행사를 개최한 나라는 동예이다.
② **부여, 고구려**: 형이 죽으면 형수를 아내로 삼는 풍습인 형사취수제가 있었던 나라는 부여와 고구려이다.
③ **고구려**: 중대한 범죄자는 제가 회의를 열어 사형에 처하고 그 가족은 노비로 삼았던 나라는 고구려이다.

정답 01 ③ 02 ① 03 ① 04 ④

05

2019년 서울시 9급(6월 시행)

고조선을 주제로 한 학술 대회를 개최할 경우, 언급될 내용으로 가장 적절하지 않은 것은?

① 위만의 이동과 집권 과정

② 진대법과 빈민 구제

③ 범금 8조(8조법)에 나타난 사회상

④ 비파형동검 문화권과 국가의 성립

06

2023년 법원직 9급

밑줄 친 '법'을 시행한 나라에 대한 설명으로 가장 옳은 것은?

> 백성들에게 금하는 법 8조를 만들었다. 사람을 죽인 자는 즉시 죽이고, 남에게 상처를 입힌 자는 곡식으로 갚는다. 도둑질한 자는 노비로 삼는다. 용서받고자 하는 자는 한 사람마다 50만 전을 내야 한다. …… 여자들은 모두 정숙하여 음란하고 편벽된 짓을 하지 않았다.
>
> -『한서』

① 서옥제라는 혼인 풍습이 있었다.

② 해마다 영고라는 제천 행사를 열었다.

③ 목지국의 지배자가 왕으로 추대되었다.

④ 한 무제가 보낸 군대의 침공으로 멸망하였다.

문제풀이 고조선 (05)

난이도 하

② 진대법은 고구려에서 실시된 빈민 구제 정책으로 고조선과는 관련이 없다. 진대법은 고구려 고국천왕이 시행한 빈민 구제 정책으로, 춘궁기에 백성들에게 곡식을 빌려주고 추수기에 갚도록 하였다.

오답 분석

① 위만은 중국의 진·한 교체기에 고조선으로 망명해 온 뒤 준왕의 신임을 받아 서쪽 변경을 수비하는 임무를 맡았고, 이후 세력을 확대하여 준왕을 축출하고 스스로 왕위에 올랐다(위만 조선 성립).

③『한서』「지리지」에 고조선의 법인 범금 8조(8조법)의 내용이 일부 기록되어 있는데, 이를 통해 인간의 생명과 노동력을 중시하고, 사유 재산을 인정하였던 당시 고조선의 사회상을 유추할 수 있다.

④ 고조선은 청동기 문화를 바탕으로 성장한 나라로, 고조선의 세력 범위는 비파형동검, 거친무늬 거울, 미송리식 토기, 북방식 고인돌의 분포를 통해 짐작할 수 있다.

문제풀이 고조선 (06)

난이도 중

제시문에서 백성들에게 금하는 법 8조를 만들어 사람을 죽인 자는 즉시 죽이고, 남에게 상처를 입힌 자는 곡식으로 갚게 하였다는 내용 등을 통해 밑줄 친 '법'이 고조선에서 시행된 8조법임을 알 수 있다.

④ 고조선은 기원전 108년에 한 무제가 보낸 군대의 침공으로 수도인 왕검성이 함락되면서 멸망하였다. 고조선이 위만 집권 이후 철기 문화를 본격적으로 수용하면서 빠르게 발전하자 위기감을 느낀 한 무제는 대규모 군대를 동원하여 고조선을 침공하였고, 이에 고조선은 1년여 동안 끈질기게 저항했으나 지배층의 내분으로 멸망하였다.

오답 분석

① **고구려**: 서옥제의 혼인 풍습이 있었던 나라는 고구려이다. 고구려는 결혼을 하면 남자가 여자 집 한 켠에 서옥이라는 작은 집을 짓고 살다가, 자식을 낳아 장성하면 가족을 데리고 남자 집으로 돌아가는 서옥제의 풍습이 있었다.

② **부여**: 해마다 12월에 영고라는 제천 행사를 열었던 나라는 부여이다.

③ **삼한**: 목지국의 지배자가 왕으로 추대된 나라는 삼한이다. 삼한 중에서 마한의 세력이 가장 컸으며, 마한의 소국 중 하나인 목지국의 지배자가 마한왕 또는 진왕으로 추대되어 삼한 연맹체를 주도하였다.

07

2017년 경찰직(2차)

다음 역사적 사건을 발생한 순서대로 가장 적절하게 나열한 것은?

> ㉠ 우거왕이 살해되고, 왕검성이 함락되었다.
> ㉡ 위만이 고조선의 준왕을 축출하고 스스로 왕이 되었다.
> ㉢ 한(漢)은 고조선 영토에 네 개의 군현을 설치하였다.
> ㉣ 예(濊)의 남려가 28만여 명의 주민을 이끌고 한(漢)에 투항하였다.
> ㉤ 고조선이 군대를 보내 요동도위 섭하를 살해하였다.

① ㉡ → ㉠ → ㉤ → ㉣ → ㉢
② ㉡ → ㉣ → ㉤ → ㉠ → ㉢
③ ㉡ → ㉤ → ㉣ → ㉠ → ㉢
④ ㉤ → ㉡ → ㉢ → ㉠ → ㉣

문제풀이 고조선 난이도 상

② 시기 순으로 나열하면 ㉡ **위만의 준왕 축출**(위만 조선 성립, 기원전 194) → ㉣ **남려의 투항**(기원전 128) → ㉤ **섭하 피살**(기원전 109) → ㉠ **우거왕 피살·왕검성 함락**(고조선 멸망, 기원전 108) → ㉢ **한 군현 설치**(고조선 멸망 이후)**가 된다.**

㉡ **위만의 준왕 축출**: 기원전 2세기 초에 고조선으로 망명해 온 위만은 준왕의 신임을 받아 서쪽 변경을 수비하는 임무를 맡았고, 이곳에 거주하는 이주민 세력을 통솔하면서 자신의 세력을 점차 확대하였다. 이후 위만은 수도인 왕검성으로 들어가 준왕을 축출하고 스스로 왕위에 올랐다(위만 조선 성립, 기원전 194).

㉣ **남려의 투항**: 고조선에 복속해 있던 예(濊)의 군장 남려가 우거왕에게 반기를 들고 한나라에 투항하였다(기원전 128).

㉤ **섭하 피살**: 고조선에 왔던 한나라 사신 섭하가 한나라로 돌아가는 길에 국경 부근의 패수에서 섭하의 송별을 맡은 조선비왕(朝鮮裨王) 장(長)을 살해하였고, 이를 계기로 요동 동부도위에 임명되었다. 이에 격분한 고조선의 우거왕은 군대를 보내 섭하를 살해하였고(기원전 109), 이에 대한 보복을 구실로 한나라가 고조선을 침략하였다.

㉠ **우거왕 피살·왕검성 함락**: 장기화된 한나라와의 전쟁으로 지배층 간의 내분이 발생하여 이계상 삼(參)에 의해 고조선의 우거왕이 살해되고, 왕검성이 함락되면서 고조선은 멸망하였다(기원전 108).

㉢ **한 군현 설치**: 고조선 멸망 이후 한은 고조선의 영토 안에 4개의 군현(낙랑, 진번, 임둔, 현도)을 설치하였다.

08

2013년 서울시 9급

고조선의 사회와 문화에 대한 설명으로 옳은 것은?

① 단군은 제정일치(祭政一致)의 지배자로 주변 부족을 통합하고 지배하기 위해 자신의 조상을 곰, 호랑이와 연결시켰다.
② 위만 왕조의 고조선은 철기 문화를 본격적으로 수용해 상업과 무역도 발달하게 되었다.
③ 고조선의 사회상은 현재 전하는 8조 법금 법조문 전체로 파악이 가능하다.
④ 고조선은 중계 무역을 통해 중국의 한과 우호 관계를 유지하려 하였다.
⑤ 고조선 시대의 사회는 계급 분화가 이루어지지 못했다.

문제풀이 고조선의 사회와 문화 난이도 하

② 위만 조선은 철기 문화를 본격적으로 수용하여 철제 농기구를 사용함으로써 농업이 발달하고, 철제 무기 생산을 중심으로 한 수공업이 더욱 발전하였으며, 그에 따라 상업과 무역도 발달하였다.

오답 분석

① 단군왕검은 제사장(단군)과 정치적 수장(왕검)의 의미를 가지고 있기 때문에 단군이 제정일치의 지배자인 것은 맞지만, 자신의 조상을 곰과 호랑이와 연결시킨 것은 아니다. 태백산 신시를 중심으로 세력을 형성하고 있었던 환웅 부족은 단군이 하늘의 자손임을 강조하고, 자기 부족이 하늘의 선택을 받았다는 선민사상을 가지고 있었다. 한편, 곰과 호랑이는 단군의 부족과 결합하려 하였던 부족을 의미한다. 이때 곰을 숭배하였던 부족은 단군 부족과 결합하였으나 호랑이를 숭배하는 부족은 결합 과정에서 탈락하였다.
③ 고조선의 8조법 중 현재까지 전해 오는 것은 3개 조항뿐이다. 8조법 중 현재 전해지는 3개의 조항은 후한 때 반고가 쓴 『한서』 「지리지」에 기록되어있다.
④ 위만 조선은 지리적인 이점을 이용하여 동방의 예(濊)나 남방의 진(辰)이 중국의 한(漢)과 직접 교류하는 것을 막고, 이들 사이에서 중계 무역을 주도하여 경제적 이익을 독점하였기 때문에 한나라와 대립하게 되었다.
⑤ 고조선 사회는 청동기 문화를 기반으로 성립된 계급 사회로, 군장을 비롯한 지배층이 피지배층을 다스리는 사회였다.

정답 05 ② 06 ④ 07 ② 08 ②

09

2016년 국가직 9급

(가)와 (나) 시기 고조선에 대한 〈보기〉의 설명으로 옳은 것만을 고른 것은?

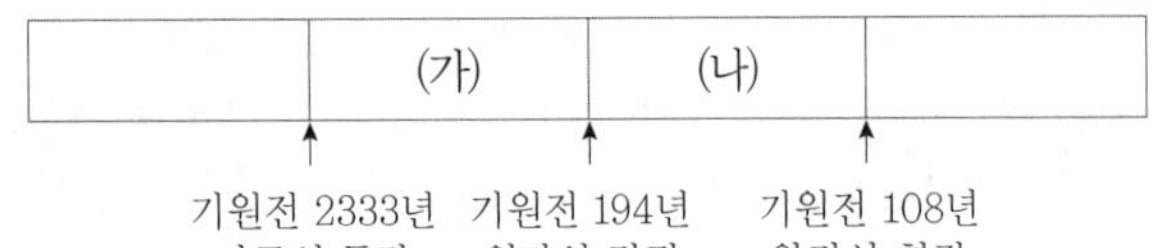

보기

㉠ (가) – 왕 아래 대부, 박사 등의 직책이 있었다.
㉡ (가) – 고조선 지역에 한(漢)의 창해군이 설치되었다.
㉢ (나) – 철기 문화를 본격적으로 수용하며, 중계 무역의 이득을 취하였다.
㉣ (나) – 비파형동검과 고인돌의 분포를 통하여 통치 지역을 알 수 있다.

① ㉠, ㉢　② ㉠, ㉣
③ ㉡, ㉢　④ ㉡, ㉣

10

2012년 기상직 9급

다음은 8조법의 일부이다. 이를 토대로 당시 사회의 모습에 대한 설명으로 바른 것을 보기에서 고르면?

'사람을 죽인 자는 즉시 죽이고, 남에게 상처를 입힌 자는 곡식으로 갚는다. 도둑질을 한 자는 노비로 삼는다. 용서를 받고자 하는 자는 한 사람마다 50만 전을 내야 한다. …… 여자는 모두 정조를 지키고 신용이 있어 음란하고 편벽된 짓을 하지 않았다.' –『한서』

보기

㉠ 인간의 생명을 경시하였다.
㉡ 형벌과 노비가 발생하였다.
㉢ 가부장적 사회의 특성이 있었다.
㉣ 재산의 사유가 이루어지지 못하였다.

① ㉠, ㉡　② ㉠, ㉢
③ ㉡, ㉢　④ ㉡, ㉣

문제풀이 고조선 난이도 상

제시된 자료의 (가) 시기는 단군의 등장부터 위만이 집권하기 이전까지의 시기이므로 단군 조선 시기, (나) 시기는 위만의 집권 이후부터 왕검성이 함락되기 전까지의 시기로 위만 조선 시기이다.

① 옳은 것을 모두 고르면 ㉠, ㉢이다.

㉠ 고조선은 단군 조선 시기에 왕 밑에 상(相), 경(卿), 대부(大夫), 박사(博士) 등의 관직을 마련하였다.

㉢ 고조선은 위만이 집권한 이후 철기 문화를 본격적으로 수용하였다. 또한 지리적 이점을 이용하여 동방의 예(濊)나 남방의 진(辰)이 중국의 한(漢)과 직접 교역하는 것을 막고, 중계 무역으로 이익을 독점하였다.

오답 분석

㉡ 창해군은 한이 위만 조선 진출의 발판을 마련하기 위해 기원전 128년 고조선 지역에 설치한 군현으로, (나) 시기의 사실이다. 기원전 128년 고조선에 복속해 있던 예(濊)의 군장 남려가 위만 조선의 우거왕에 반기를 들고 한에 투항하자, 한은 이곳에 창해군을 설치하여 위만 조선 진출의 발판으로 삼고자 하였다.

㉣ 비파형동검과 북방형 고인돌의 분포를 통하여 통치 지역을 알 수 있는 것은 청동기 문화를 토대로 성장한 단군 조선 시기의 세력 범위이므로, (가) 시기의 사실이다.

문제풀이 고조선의 사회 모습 난이도 하

③ 옳은 것을 모두 고르면 ㉡, ㉢이다.

㉡ '사람을 죽인 자는 즉시 죽이고 도둑질을 한 자는 노비로 삼는다'는 8조법의 내용을 통해 고조선 사회에 형벌과 노비가 존재하였다는 것을 알 수 있다.

㉢ '여자는 모두 정조를 지키고, 음란하고 편벽된 짓을 하지 않았다'는 8조법의 내용을 통해 고조선 사회가 가부장적인 사회였다는 것을 알 수 있다.

오답 분석

㉠ '사람을 죽인 자는 즉시 죽인다'는 8조법의 내용을 통해 고조선 사회가 인간의 생명(노동력)을 존중하였다는 것을 알 수 있다.

㉣ 도둑질한 자를 처벌하는 8조법의 내용을 통해 고조선 사회가 재산의 사유화가 이루어진 사회였다는 것을 알 수 있다.

 이것도 알면 **합격!**

고조선의 8조법

기록	후한 때 반고가 지은『한서』「지리지」에 3개의 조항만이 기록됨
내용	살인죄·상해죄·절도죄, 여자의 정절 중시(간음죄)
의미	형벌과 노비 제도가 발생, 생명·노동력을 중시, 재산의 사유가 이루어짐, 가부장적 가족 제도가 확립됨
성격	지배층이 사회 질서를 유지하면서 지배력을 강화하기 위한 수단으로 작용

11

2019년 국가직 9급

단군에 대한 인식을 설명한 것으로 옳지 않은 것은?

① 이승휴의 『제왕운기』에서는 우리 역사를 단군부터 서술하였다.

② 홍만종의 『동국역대총목』은 단군 정통론의 입장에서 기술하였다.

③ 이규보의 『동명왕편』은 단군의 건국 과정을 다루고 있다.

④ 「기미 독립 선언서」에는 '조선 건국 4252년'으로 연도를 표기하였다.

문제풀이 단군에 대한 인식 난이도 중

③ 이규보의 『동명왕편』은 고려 명종 때 편찬된 역사서로, 고구려 건국 시조인 동명왕의 업적을 칭송한 일종의 영웅 서사시이다. 한편, 단군 이야기가 수록된 고려 시대 역사서로는 일연의 『삼국유사』, 이승휴의 『제왕운기』가 있다.

오답 분석

① 이승휴의 『제왕운기』는 고려 충렬왕 때 편찬된 역사서로, 우리의 역사를 단군부터 서술하였다.

② 홍만종의 『동국역대총목』은 조선 후기 숙종 때 편찬된 역사서로, 단군 정통론의 입장에서 단군 조선이 정통 국가의 시작이며, 단군 - 기자 - 마한 - 통일 신라로 정통성이 이어진다고 보았다.

④ 「기미 독립 선언서」에는 단군이 고조선을 세웠다고 전해지는 해(기원전 2333년)를 원년으로 삼는 단군 기년을 사용하여 '조선 건국 4252년'으로 당시 연도(1919)를 표기하였고, 이를 통해 우리나라의 역사가 단군부터 시작됨을 명시하였다.

12

2017년 서울시 9급

다음 중 단군 조선의 역사를 다룬 책으로 옳은 것은?

① 『삼국사기』

② 『표제음주동국사략』

③ 『연려실기술』

④ 『고려사절요』

문제풀이 단군 조선의 역사를 기록한 사서 난이도 중

② 『표제음주동국사략』은 조선 중종 때 유희령이 단군 조선부터 고려 시대까지의 역사를 정리한 사서이다. 『표제음주동국사략』은 『동국통감』을 간략하게 정리한 역사서이다.

오답 분석

① 『삼국사기』는 고려 인종 대에 김부식이 유교적 합리주의적 사관에 의해 서술한 역사서로, 단군 신화와 고조선의 역사를 다루지 않았다.

③ 『연려실기술』은 조선 후기에 이긍익이 조선의 정치·문화사를 객관적·실증적으로 서술한 역사서로, 기사본말체로 쓰여졌다. 그러나 『연려실기술』의 부록인 「별집」에 단군 조선 관련 내용이 있어, 해당 문제는 오류의 여지가 있다.

④ 『고려사절요』는 조선 문종 때 김종서 등이 고려의 역사를 편년체로 서술한 역사서이다.

이것도 알면 **합격!**

단군 조선 관련 기록

『삼국유사』(일연), 『제왕운기』(이승휴)	고려 충렬왕
『세종실록』 「지리지」	조선 단종
『응제시주』(권람)	조선 세조
『동국여지승람』(노사신), 『동국통감』(서거정)	조선 성종
『표제음주동국사략』(유희령)	조선 중종

정답 09 ① 10 ③ 11 ③ 12 ②

2 | 여러 나라의 성장

01

2024년 서울시 9급

〈보기〉의 사료에 해당하는 국가에 대한 설명으로 가장 옳은 것은?

> **보기**
> 12월에 지내는 제천 행사는 국중 대회로 날마다 마시고 먹고 노래하고 춤춘다. 이름을 '영고'라 하였다. 이때는 형옥을 중단하고 죄수를 풀어주었다. 형이 죽으면 형수를 아내로 삼는다. 여름에 사람이 죽으면 모두 얼음을 넣어 장사 지낸다. 사람을 죽여서 순장하는데 많을 때는 백 명 가량이나 된다.
> – 『삼국지』 「위서」 동이전

① 국읍에 천군을 두어 천신에 대한 제사를 주관하였다.

② 국왕을 중심으로 가장 유력한 대가인 우가, 마가, 저가, 구가 등이 주요 국가 정책을 논의하였다.

③ 혼인 풍속으로 민며느리제가 있었다.

④ 왕 아래 상가, 대로, 패자, 고추가 등의 관료 조직이 있었다.

문제풀이 부여 난이도 하

제시문에서 12월에 지내는 제천 행사의 이름을 '영고'라 하였다는 내용을 통해 부여에 대한 설명임을 알 수 있다.

② 부여에서는 국왕을 중심으로 가장 유력한 대가인 우가, 마가, 저가, 구가 등이 주요 국가 정책을 논의하고 별도의 행정 구획인 사출도를 통치하였다.

오답 분석

① **삼한**: 국읍에 천군을 두어 천신에 대한 제사를 주관한 국가는 삼한이다. 삼한은 정치적 지배자인 군장 외에 제사장인 천군이 있어 소도에서 종교와 농경에 대한 의례를 주관하였다.

③ **옥저**: 혼인 풍속으로 민며느리제가 있었던 국가는 옥저이다. 민며느리제는 남자 집에서 어린 여자 아이를 데려다가 키운 뒤 장성하면 여자 집에 예물을 치르고 혼인시키는 풍속이다.

④ **고구려**: 왕 아래 상가, 대로, 패자, 고추가 등의 관료 조직이 있었던 나라는 고구려이다. 한편, 상가, 고추가 등의 대가들은 각자 사자, 조의, 선인 등의 관리를 거느렸다.

02

2023년 계리직 9급

다음 풍속이 있었던 나라의 사회상으로 옳은 것은?

> 은나라 달력으로 정월이 되면 하늘에 제사를 지낸다. 온 나라 사람들이 모여서 연일 먹고 마시고 노래하고 춤을 춘다. … (중략)… 이때는 형옥을 판단하고, 가두었던 죄수들을 풀어준다.
> – 『삼국지』

① 무덤은 돌을 쌓아 만들고, 소나무나 잣나무로 둘러쳤다.

② 남녀가 간음하거나 부인이 투기가 심하면 사형에 처하였다.

③ 국읍마다 천군이 있었고, 별읍에는 소도라는 신성 구역이 설치되었다.

④ 산천의 경계를 중시하여, 함부로 침범하면 우마 등으로 배상하게 하였다.

문제풀이 부여의 사회상 난이도 중

제시문에 은나라 달력으로 정월이 되면 하늘에 제사를 지낸다는 것을 통해 매년 12월 영고를 행하던 부여에 대한 설명임을 알 수 있다.

② 부여는 형벌이 매우 엄하여 남녀가 간음하거나 부인이 투기가 심하면 사형에 처하였다.

오답 분석

① **고구려**: 무덤은 돌을 쌓아 봉분(돌무지무덤)을 만들고, 주변을 소나무나 잣나무로 둘러쳤던 나라는 고구려이다.

③ **삼한**: 국읍마다 천군이 있었고, 별읍에는 소도라는 신성 구역이 설치되었던 나라는 삼한이다. 삼한은 제정 분리 사회로, 정치적 지배자인 군장 외에 제사장인 천군이 종교와 농경에 대한 의례를 주관하였고, 별읍에는 천군이 주관하는 소도라는 신성 구역이 설치되었다.

④ **동예**: 산천의 경계를 중시하여, 함부로 침범하면 우마(소와 말), 노비 등으로 배상하게 하는 책화의 풍습이 있었던 나라는 동예이다.

이것도 알면 **합격!**

부여

건국	쑹화(송화) 강 유역의 평야 지대에서 건국
정치 구조	왕 아래에 가축의 이름을 딴 마가, 우가, 저가, 구가라는 가(加)들이 존재, 가(加)들은 사출도라는 행정 구역을 통치
쇠퇴	3세기 말부터 선비족의 침입을 받아 국력이 쇠퇴함
멸망	5세기 말 고구려 문자왕 때 고구려에 복속됨

03

2021년 국회직 9급

다음 국가에 대한 설명으로 옳은 것은?

> 나라에는 왕이 있다. 가축 이름을 관명으로 삼았다. 관명에는 마가·우가·저가·구가 등이 있다. …(중략)… 제가들은 별도로 사출도를 주관하는데, 큰 곳은 수천 가이며, 작은 곳은 수백 가였다.

① 서옥제의 풍습이 있었다.
② 민며느리제의 풍속이 있었다.
③ 도둑질하면 12배를 배상하게 하였다.
④ 신지, 읍차 등의 지배자가 다스렸다.
⑤ 다른 읍락 영역을 침범하면 배상금을 내는 책화 제도가 있었다.

문제풀이 부여 난이도 하

제시문에서 관명에는 마가·우가·저가·구가 등이 있고, 제가들은 별도로 사출도를 주관하였다는 내용을 통해 부여에 대한 설명임을 알 수 있다.

③ 부여에서는 남의 물건을 훔쳤을 때 12배로 배상하게 하는 1책 12법의 풍습이 있었다. 한편, 1책 12법은 고구려에서도 실시되었다.

오답 분석

① **고구려**: 서옥제의 풍습이 있었던 국가는 고구려이다. 고구려에서는 결혼을 하면 남자가 여자 집 한 켠에 서옥이라는 작은 집을 짓고 살다가, 자식을 낳아 장성하면 가족을 데리고 남자 집으로 돌아가는 서옥제가 행해졌다.
② **옥저**: 민며느리제의 풍속이 있었던 국가는 옥저이다. 옥저에서는 남자 집에서 어린 여자 아이를 데려다가 키운 뒤 장성하면 여자 집에 예물을 치르고 혼인시키는 민며느리제가 행해졌다.
④ **삼한**: 신지, 읍차 등의 지배자가 다스린 국가는 삼한이다. 삼한의 지배자 중 세력이 큰 자는 신지·견지, 세력이 작은 자는 부례·읍차 등으로 불렸다.
⑤ **동예**: 다른 읍락의 영역을 침범하면 노비나 소, 말 등으로 배상금을 내는 책화 제도가 있었던 국가는 동예이다.

04

2021년 지방직 9급

다음에 해당하는 나라에 대한 설명으로 옳은 것은?

> ○ 은력(殷曆) 정월에 지내는 제천 행사는 나라에서 여는 대회로 날마다 먹고 마시고 노래하고 춤추는데, 이를 영고라 하였다. 이때 형옥을 중단하고 죄수를 풀어주었다.
> ○ 국내에 있을 때의 의복은 흰색을 숭상하며, 흰 베로 만든 큰 소매 달린 도포와 바지를 입고 가죽신을 신는다. 외국에 나갈 때는 비단 옷·수 놓은 옷·모직 옷을 즐겨입는다.
>
> - 『삼국지』 「위서」 동이전

① 사람이 죽으면 뼈만 추려 가족 공동 무덤인 목곽에 안치하였다.
② 읍군이나 삼로라고 불린 군장이 자기 영역을 다스렸다.
③ 가축 이름을 딴 마가, 우가, 저가, 구가 등이 있었다.
④ 천신을 섬기는 제사장인 천군이 있었다.

문제풀이 부여 난이도 하

제시문에서 은력(殷曆) 정월에 영고라는 제천 행사를 거행하였다는 내용과 흰색을 숭상하고 흰 베로 만든 옷을 입는다는 내용을 통해 부여에 대한 설명임을 알 수 있다.

③ 부여에는 왕 아래에 가축 이름을 딴 부족장인 마가, 우가, 저가, 구가 등의 가(加)들이 있었다. 이들은 저마다 사출도라는 별도의 행정 구획을 통치하였다.

오답 분석

① **옥저**: 사람이 죽으면 가매장한 다음 뼈만 추려 가족 공동 무덤인 목곽에 안치하는 골장제의 풍습이 있었던 나라는 옥저이다.
② **동예·옥저**: 읍군이나 삼로라고 불린 군장이 자기 영역을 다스린 나라는 동예와 옥저이다.
④ **삼한**: 천신을 섬기는 제사장인 천군이 있었던 나라는 삼한이다. 삼한은 정치적 지배자인 군장 외에 제사장인 천군이 있어 소도에서 종교와 농경에 대한 의례를 주관하였다.

정답 01 ② 02 ② 03 ③ 04 ③

05

2020년 법원직 9급

(가)에 대한 다음 설명으로 가장 옳은 것은?

> (가) 은/는 쑹화 강 상류의 넓은 평야 지대에서 성장하여, 농경과 목축이 발달하였으며, 서쪽으로는 북방 유목 민족인 선비족과, 남쪽으로는 고구려와 대립하였다. 1세기 경에 이르면 왕권이 안정되고 영역도 사방 2000여 리에 달하였다.

① 매년 12월에 영고라는 제천 행사를 열었다.
② 서옥제라는 혼인 풍습이 있었다.
③ 특산물로 단궁, 과하마, 반어피가 유명하였다.
④ 신지, 읍차라고 불리는 지배자들이 다스렸다.

06

2020년 서울시 9급(특수 직렬)

〈보기〉에서 설명하는 나라의 법률로 가장 옳지 않은 것은?

> **보기**
> 은력(殷曆) 정월에 하늘에 제사를 지내며 나라에서 대회를 열어 연일 마시고 먹고 노래하고 춤추는데, 영고(迎鼓)라고 한다. 이때 형옥(刑獄)을 중단하여 죄수를 풀어 주었다.
>
> – 『삼국지』 권30, 「위서」 30 오환선비동이전

① 남에게 상처를 입힌 자는 곡식으로 갚게 했다.
② 도둑질을 하면 그 물건의 12배를 변상케 했다.
③ 형벌이 매우 엄하여 사람을 죽인 사람은 사형에 처하고 그 집안 사람은 노비로 삼았다.
④ 남녀 간에 간음을 하거나 투기하는 부인은 모두 죽였다.

문제풀이 부여

난이도 하

제시문에서 쑹화 강 상류의 넓은 평야 지대에서 성장하였고, 농경과 목축이 발달하였으며, 서쪽으로 선비족, 남쪽으로 고구려와 대립하였다는 사실을 통해 (가)가 부여임을 알 수 있다.

① 부여는 매년 12월에 영고라는 제천 행사를 열었다.

오답 분석

② **고구려**: 서옥제라는 혼인 풍습이 있었던 나라는 고구려이다. 서옥제는 혼인을 정한 뒤 신부집 뒤꼍에 조그만 집(서옥)을 짓고, 거기서 자식을 낳아 장성하면 아내를 데리고 신랑 집으로 돌아가는 제도이다.
③ **동예**: 특산물로 단궁, 과하마, 반어피가 유명했던 나라는 동예이다.
④ **삼한**: 신지, 읍차라고 불리는 지배자들이 다스린 나라는 삼한이다. 삼한의 지배자 중 세력이 큰 자는 신지·견지, 세력이 작은 자는 부례·읍차라고 불렸다.

이것도 알면 **합격!**

부여의 사회와 문화

제천 행사	영고: 사냥철인 12월에 행해짐 → 수렵 사회의 전통을 보여줌
법률	• 1책 12법: '남의 물건을 훔치면 12배를 배상하게 한다.' • 노동력 중시, 연좌제 적용
풍습	순장(장례), 형사취수제(혼인)

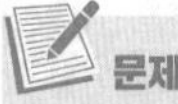

문제풀이 부여

난이도 하

제시문에서 은력 정월에 영고라고 하는 제천 행사를 시행한다는 것을 통해 부여에 대한 설명임을 알 수 있다.

① 남에게 상처 입힌 자를 곡식으로 갚게 한 국가는 고조선이다. 고조선의 8조법의 내용이다.

오답 분석

②, ③, ④ 부여에서는 도둑질을 하면 그 물건 값의 12배를 변상하게 했다(1책 12법). 또한 형벌이 매우 엄하여 사람을 죽인 사람은 사형에 처하고 그 집안 사람은 노비로 삼았으며, 남녀 간에 간음을 하거나 투기하는 부인은 모두 죽였다.

이것도 알면 **합격!**

부여의 법률

살인죄	살인자는 사형에 처하고, 그 가족은 노비로 삼음
절도죄	남의 물건을 훔치면 물건 값의 12배를 배상(1책 12법)
간음죄	간음한 자는 사형
투기죄	질투가 심한 부인은 사형

07

2024년 서울시 9급(2월 시행)

〈보기〉의 나라에 대한 설명으로 가장 옳은 것은?

> **보기**
> 10월에 지내는 제천 행사는 국중 대회로서 동맹이라 부른다. 그 나라의 풍속에 혼인을 할 때에는 말로 미리 정한 다음, 여자 집에서 본채 뒤에 작은 집을 짓는데 그 집을 서옥이라 부른다.

① 함경도 동해안 지역에 위치하였으며, 민며느리제, 가족 공동 무덤이 있었다.

② 5부족 연맹체로, 왕 아래 대가들이 사자, 조의, 선인 등을 거느렸다.

③ 단궁, 과하마, 반어피가 유명하였고, 제천 행사로는 무천이 있었으며, 족외혼, 책화 등의 풍습이 있었다.

④ 왕 아래 마가, 우가, 저가, 구가 등이 사출도를 다스렸다.

08

2022년 법원직 9급

(가) 국가에 대한 설명으로 가장 옳은 것은?

> (가) 에서는 본래 소노부에서 왕이 나왔으나 점점 미약해져서 지금은 계루부에서 왕위를 차지하고 있다. 절노부는 대대로 왕실과 혼인을 하였으므로 그 대인은 고추가(古鄒加)의 칭호를 더하였다. 모든 대가(大加)들은 스스로 사자·조의·선인을 두었는데, 그 명단을 모두 왕에게 보고하여야 한다. …… 감옥은 없고 범죄자가 있으면 제가들이 모여서 평의하여 사형에 처하고 처자는 몰수하여 노비로 삼는다. -『삼국지』「위서」 동이전

① 혼인 풍속으로 서옥제가 있었다.

② 신성 지역인 소도가 존재하였다.

③ 영고라고 하는 제천 행사를 개최하였다.

④ 읍락의 경계를 중시하여 책화라는 풍습이 있었다.

문제풀이 고구려

난이도 하

제시문에서 10월에 지내는 제천행사는 국중 대회로서 동맹이라 부른다는 내용과 혼인을 할 때에는 여자 집에서 본채 뒤에 작은 집을 짓는데 그 집을 서옥이라 부른다는 내용을 통해 고구려에 대한 설명임을 알 수 있다.

② 고구려는 계루부·절노부·소노부·순노부·관노부로 구성된 5부족 연맹체로, 왕 아래에 상가, 고추가 등의 대가들이 각자 사자, 조의, 선인 등의 관리를 거느렸다.

오답 분석

① **옥저**: 함경도 동해안 지역에 위치하였으며, 민며느리제와 가족 공동 무덤이 있었던 나라는 옥저이다. 옥저에서는 여자가 어렸을 때 남자 집에 살다가 성장한 후 남자가 여자 집에 예물을 치르고 혼인을 하는 민며느리제와 사람이 죽으면 가매장한 다음 뼈만 추려 가족 공동 무덤인 목곽에 안치하는 골장제의 풍습이 있었다.

③ **동예**: 특산물로 단궁, 과하마, 반어피가 유명하였고, 제천 행사로는 무천이 있었으며, 족외혼과 책화의 풍습이 있었던 나라는 동예이다. 동예에서는 씨족 사회의 전통으로 다른 씨족의 상대와 혼인하는 족외혼과 다른 부족의 영역을 침범하면 노비나 소, 말 등으로 변상하는 책화의 풍습을 엄격하게 지켰다.

④ **부여**: 왕 아래 마가, 우가, 저가, 구가 등이 별도의 행정 구역인 사출도를 다스렸던 나라는 부여이다.

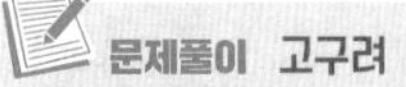

문제풀이 고구려

난이도 하

제시문에서 계루부가 왕위를 차지하고 있다는 것과 대가들이 스스로 사자·조의·선인을 두었다는 것을 통해 (가) 국가가 고구려임을 알 수 있다.

① 고구려에는 혼인을 정한 뒤 남자가 여자 집 뒤꼍에 지은 조그만 집(서옥)에 들어가 살다가, 아이가 장성하면 가족을 데리고 남자 집으로 돌아가는 풍속인 서옥제가 있었다.

오답 분석

② **삼한**: 신성 지역인 소도가 있었던 국가는 삼한이다. 삼한에는 정치적 지배자인 신지, 읍차 등의 군장 외에 제사장인 천군이 존재하여 신성 지역인 소도를 다스렸는데, 이를 통해 삼한이 제정 분리 사회였음을 알 수 있다.

③ **부여**: 매년 12월에 영고라는 제천 행사를 개최하였던 국가는 부여이다. 한편, 고구려는 10월에 일종의 추수 감사제인 동맹이라는 제천 행사를 개최하고, 왕과 신하들이 국동대혈에 모여 함께 제사를 지냈다.

④ **동예**: 읍락의 경계를 중시하여 다른 부족의 생활권을 함부로 침범하면 노비와 소, 말로 변상하게 하는 책화라는 풍습이 있었던 국가는 동예이다.

정답 05 ① 06 ① 07 ② 08 ①

09

2017년 법원직 9급

다음 자료의 나라에 대한 설명으로 가장 옳은 것은?

> 그 나라 안의 대가들은 농사를 짓지 않으며 좌식자(坐食者)가 만여 명이나 된다. 하호는 식량과 고기와 소금을 멀리서 져다 이들에게 공급하고 있다. 10월에 하늘에 제사 지내는데, 온 나라가 대회를 가지므로 이를 동맹(同盟)이라 한다.
>
> – 『삼국지』 「위서」 동이전

① 여러 가(加)들이 사출도를 다스렸다.

② 철이 많이 생산되어 왜에 수출하였다.

③ 집집마다 부경이라는 작은 창고가 있었다.

④ 사회 질서 유지를 위해 법금 8조를 만들었다.

문제풀이 고구려 난이도 하

제시된 자료에서 하호가 좌식자에게 식량을 공급한다는 내용과 10월에 동맹이라는 제천 행사를 지낸다는 내용을 통해 고구려에 대한 설명임을 알 수 있다. 대가 등 고구려의 지배 계층은 전쟁에 참여하는 대신 농사 등의 생산 활동을 하지 않았기 때문에 '앉아서 먹는 자'라는 뜻의 좌식자(坐食者)라고 불리기도 하였으며, 피지배 세력인 하호(下戶)는 좌식자에게 식량과 고기, 소금 등의 식량을 바쳤다.

③ 고구려는 대부분 큰 산과 깊은 계곡으로 이루어진 산악 지대였기 때문에 식량이 부족하여 정복 활동을 통해 식량을 조달하였다. 고구려의 지배층들은 집집마다 부경이라는 창고를 두고, 여기에 약탈해온 식량을 저장하였다.

오답 분석

① **부여**: 여러 가(加)들이 사출도라는 행정 구획을 다스린 나라는 부여이다. 부여에는 왕 아래에 부족장인 마가, 우가, 저가, 구가의 여러 가(加)들이 있었고, 이 가(加)들이 통치하는 사출도와 왕이 직접 통치하는 중앙을 합쳐 5부를 형성하였다.

② **변한**: 철이 많이 생산되어 왜에 수출한 나라는 삼한 중 변한이다. 변한에서는 철이 많이 생산되어 낙랑, 왜 등으로 수출하였고, 교역할 때 철을 화폐처럼 사용하였다.

④ **고조선**: 사회 질서 유지를 위해 법금 8조를 만든 국가는 고조선이다.

10

2012년 국가직 9급

다음과 같은 혼인 풍습이 있었던 나라의 사회상으로 옳지 않은 것은?

> 혼인하는 풍속을 보면, 구두로 약속이 정해지면 신부집에서 본채 뒤에 작은 별채를 짓는데, 이를 서옥(婿屋)이라 한다. 해가 저물 무렵, 신랑이 신부집 문 밖에 와서 이름을 밝히고 꿇어앉아 절하며 안에 들어가 신부와 잘 수 있도록 요청한다. 이렇게 두세 번 청하면 신부의 부모가 별채에 들어가 자도록 허락한다. …… 자식을 낳아 장성하면 신부를 데리고 자기 집으로 간다.
>
> – 『삼국지』 「위서」 동이전

① 건국 시조인 주몽과 그 어머니 유화 부인을 조상신으로 섬겨 제사를 지냈다.

② 남의 부족의 영역을 침범하면 소나 말 등으로 변상하는 책화라는 풍습이 있었다.

③ 왕 아래에 상가, 고추가 등의 대가들이 있었으며, 각기 사자, 조의, 선인 등 관리를 거느렸다.

④ 10월에 동맹이라는 제천 행사를 치르고, 아울러 왕과 신하들이 국동대혈에 모여 함께 제사를 지냈다.

문제풀이 고구려의 혼인 풍습 난이도 중

제시문에서 설명하는 혼인 풍습은 고구려의 서옥제이다. 서옥제는 일종의 데릴사위제로 혼인이 정해지면 신부 집 뒤꼍에 작은 집(서옥)을 짓고 자식을 낳아 장성하면 아내를 데리고 신랑 집으로 돌아가는 제도였다.

② 다른 부족의 영역을 침범했을 때 소나 말 등으로 변상하게 하는 책화는 동예의 풍습이다. 동예에서는 산천을 중시하여 각 부족의 영역을 함부로 침범하지 못하도록 하였다.

오답 분석

① 고구려에서는 건국 시조인 주몽과 그의 어머니인 유화 부인을 조상신으로 섬겨 제사를 지냈다.

③ 고구려에는 왕 아래의 상가, 고추가 등의 대가들이 각자 사자, 조의, 선인 등의 관리를 거느렸다.

④ 고구려에서는 10월에 동맹이라는 제천 행사를 치렀는데, 이때 왕과 신하들은 동쪽에 있는 큰 동굴인 국동대혈에 함께 모여 제사를 지냈다.

이것도 알면 **합격!**

고구려의 풍속

구분	내용
혼인	• 서옥제: 일종의 데릴사위제, 노동력 중시, 지배층의 혼인 풍습 • 형사취수제(부여의 영향)
장례	돌을 쌓아 봉분(돌무지무덤)을 만들고, 봉분 주변에 송백을 심음
법률	1책 12법, 투기가 심한 부인은 사형에 처함(부여의 영향)

11

2017년 지방직 9급(6월 시행)

(가), (나)의 특징을 가진 국가에 대한 설명으로 옳은 것은?

> (가) 옷은 흰색을 숭상하며, 흰 베로 만든 큰 소매 달린 도포와 바지를 입고 가죽신을 신는다.
> (나) 부여의 별종(別種)이라 하는데, 말이나 풍속 따위는 부여와 많이 같지만 기질이나 옷차림이 다르다.
>
> – 「삼국지」 「위서」 동이전

① (가) – 혼인 풍속으로 민며느리제가 있었다.
② (나) – 제사장인 천군이 다스리는 소도가 있었다.
③ (가) – 남의 물건을 훔쳤을 때는 12배로 배상하게 하였다.
④ (나) – 단궁이라는 활과 과하마·반어피 등이 유명하였다.

문제풀이 부여와 고구려 난이도 하

(가)는 흰색을 숭상하고, 흰 베로 만든 옷을 입는다는 내용을 통해 부여에 대한 설명임을 알 수 있다.

(나)는 부여의 별종이며, 말과 풍속이 부여와 비슷하다는 내용을 통해 고구려에 대한 설명임을 알 수 있다.

③ 부여에서는 남의 물건을 훔쳤을 때 12배로 배상하게 하는 1책 12법의 풍습이 있었다. 한편 1책 12법은 고구려에서도 실시되었다.

오답 분석

① **옥저**: 혼인 풍속으로 어린 신부를 남자 집에 데려와서 키우다가 장성하면 남자가 여자 집에 예물을 치르고 혼인하는 풍습인 민며느리제가 실시된 국가는 옥저이다.

② **삼한**: 제사장인 천군이 다스리는 신성 지역인 소도가 있었던 국가는 삼한이다. 삼한에는 정치적 지배자인 신지, 견지, 부례, 읍차 등의 군장 세력 외에 제사장인 천군이 존재하였는데, 이를 통해 삼한이 제정 분리 사회였음을 알 수 있다.

④ **동예**: 단궁이라는 활과 작은 말인 과하마, 바다표범 가죽인 반어피 등의 특산물이 유명하였던 국가는 동예이다.

12

2019년 지방직 9급

(가), (나) 국가에 대한 설명으로 옳은 것은?

> (가) 그 나라의 혼인 풍속에 여자의 나이가 열 살이 되면 서로 혼인을 약속하고, 신랑 집에서는 (그 여자를) 맞이하여 장성하도록 길러 아내로 삼는다. (여자가) 성인이 되면 다시 친정으로 돌아가게 한다. 여자의 친정에서는 돈을 요구하는데, (신랑 집에서) 돈을 지불한 후 다시 신랑 집으로 돌아온다.
> (나) 은력(殷曆) 정월에 하늘에 제사를 지내며 나라에서 대회를 열어 연일 마시고 먹고 노래하고 춤추는데, 영고(迎鼓)라고 한다. 이때 형옥(刑獄)을 중단하여 죄수를 풀어 주었다.

① (가) – 무천이라는 제천 행사가 있었다.
② (가) – 계루부 집단이 권력을 장악하였다.
③ (나) – 사출도라는 구역이 있었다.
④ (나) – 철이 많이 생산되어 낙랑과 왜에 수출하였다.

문제풀이 옥저와 부여 난이도 하

(가)는 여자의 나이가 열 살이 되면 서로 혼인을 약속하고, 신랑 집에서는 그 여자를 장성하도록 길러 아내로 삼는 민며느리제의 혼인 풍속이 있었다는 내용을 통해 옥저임을 알 수 있다.

(나)는 은력(殷曆) 정월에 영고라는 제천 행사를 거행하였다는 내용을 통해 부여임을 알 수 있다.

③ 부여는 왕 아래에 마가, 우가, 구가, 저가라는 가(加)들이 있었고, 이들이 저마다 다스리는 별도의 행정 구획인 사출도가 있었다.

오답 분석

① **동예**: 10월에 무천이라는 제천 행사가 있었던 국가는 동예이다.

② **고구려**: 계루부 집단이 권력을 장악한 국가는 고구려이다. 고구려에는 소노부(연노부), 계루부 등의 5부가 있었으며, 처음에는 소노부가 왕위를 계승하였으나, 태조왕 때부터 계루부가 왕위를 세습하였다.

④ **변한**: 철이 많이 생산되어 낙랑과 왜에 수출한 국가는 삼한 중 변한이다.

정답 09 ③ 10 ② 11 ③ 12 ③

13

2023년 국회직 9급

다음 자료에서 설명하는 나라의 모습으로 옳은 것은?

> ○ 산과 하천을 경계로 구역을 정하여 함부로 들어갈 수 없다. 읍락의 경계를 침범하면 노비와 소, 말을 내도록 벌을 주니 이를 책화라고 한다. 대군장이 없고 예로부터 후, 읍군, 삼로가 하호를 다스렸다.
> ○ 큰 나라 사이에서 시달리다가 마침내 고구려에 복속되었다. 고구려는 이 나라 사람 가운데 세력이 큰 사람을 사자(使者)로 삼아 다스리게 하고, 고구려의 대가로 하여금 조세 수취를 책임지도록 했다. – 『삼국지』 위서 동이전

① 읍락 사회의 공동체적 결속력이 강하였다.
② 해마다 영고라는 제천 행사를 거행하였다.
③ 천군이라 불리는 종교 지도자가 따로 있었다.
④ 사회 분화가 미숙하여 천민층은 나타나지 않았다.
⑤ 중앙에서 지방관을 파견하여 주민들에게 조세를 걷었다.

문제풀이 동예 난이도 하

제시문에서 읍락의 경계를 침범하면 노비와 소, 말을 내도록 벌을 주는 책화가 있었다는 내용과 후, 읍군, 삼로가 하호를 다스렸다는 내용을 통해 동예에 대한 설명임을 알 수 있다.

① 동예는 읍락 사회의 공동체적 결속력이 강하여 공동체 사회의 풍속인 책화를 엄격하게 지켰다.

오답 분석

② **부여**: 해마다 12월에 영고라는 제천 행사를 거행한 나라는 부여이다. 한편, 동예에서는 10월에 무천이라는 제천 행사를 거행하였다.
③ **삼한**: 천군이라 불리는 종교 지도자가 따로 있었던 나라는 삼한이다. 삼한은 제정 분리 사회로, 정치적 지도자인 군장 외에 종교 지도자인 천군이 있어 신성 지역인 소도에서 종교와 농경에 대한 의례를 주관하였다.
④ 동예에서는 사회 분화가 이루어져 노비와 같은 천민층이 있었다. 동예는 후·읍군·삼로라는 지배층과 일반 백성으로 추정되는 하호, 천민인 노비가 있는 계급 사회였다.
⑤ 동예는 왕이 없고 후·읍군·삼로가 자신의 부족을 다스렸던 군장 국가였기 때문에, 중앙에서 지방관을 파견하여 주민들에게 조세를 걷지 않았다.

14

2022년 서울시 9급(2월 시행)

〈보기〉의 밑줄 친 '이 나라'에 대한 설명으로 가장 옳은 것은?

> **보기**
> 이 나라에서는 해마다 10월이면 하늘에 제사를 지내는데, 주야로 술을 마시며 노래를 부르고 춤추니 이를 무천이라 한다. 또 호랑이를 신으로 여겨 제사지낸다.

① 마가, 우가, 저가 등 관직을 두었다.
② 철이 많이 생산되어 왜, 낙랑 등에 수출하였다.
③ 소노부를 비롯한 5부가 정치적 자치력을 갖고 있었다.
④ 다른 읍락을 함부로 침범하면 노비, 소 등으로 변상하는 책화가 있었다.

문제풀이 동예 난이도 하

제시문에서 해마다 10월에 하늘에 제사를 지내는 무천이 있었다는 것과 호랑이를 신으로 여겨 제사를 지낸다는 내용을 통해 밑줄 친 '이 나라'가 동예임을 알 수 있다.

④ 동예에는 다른 읍락의 경계를 함부로 침범하면 노비나 소 등으로 변상하게 하는 책화의 풍습이 있었다.

오답 분석

① **부여**: 마가, 우가, 저가 등의 관직을 둔 나라는 부여이다. 부여에는 왕 아래에 가축의 이름을 딴 가(加)들이 존재하였으며, 이들은 저마다 별도의 행정 구획인 사출도를 다스렸다.
② **변한**: 철이 많이 생산되어 왜, 낙랑 등에 수출한 나라는 삼한 중 변한이다. 변한에서는 철이 많이 생산되어 왜, 낙랑 등으로 수출하였고, 교역할 때 철을 화폐처럼 사용하였다.
③ **고구려**: 소노부를 비롯한 5부가 정치적 자치력을 갖고 있었던 나라는 고구려이다. 고구려 초기에는 정치적 자치력을 가진 소노부(연노부), 계루부, 절노부, 순노부, 관노부의 5부가 있었다. 이후 고국천왕 때 부족적 성격의 5부가 행정적 성격의 5부로 개편되었다.

15

2021년 법원직 9급

밑줄 친 '나라'에 대한 설명으로 가장 옳은 것은?

> 이 나라는 남쪽으로는 진한과 북쪽으로는 고구려, 옥저와 맞닿아 있고, 동쪽으로는 큰 바다에 닿았으니 오늘날 조선 동쪽이 모두 그 지역이다. 호수는 2만이다. …… 대군장이 없고 한 시대 이래로 후, 읍군, 삼로라는 관직이 있어 하호를 다스렸다.
>
> – 『삼국지』 「위서」 동이전

① 1세기 초 왕호를 사용하였다.
② 민며느리제라는 혼인 풍습이 있었다.
③ 목지국의 지배자가 왕으로 추대되었다.
④ 해마다 무천이라는 제천 행사를 열었다.

16

2018년 지방교행직

다음 나라의 사회 모습으로 옳은 것은?

> 꺼리는 것이 많아 사람이 병들어 죽으면 집을 버리고 새 집을 짓는다. … (중략) … 낙랑단궁이라는 활, 바다표범 가죽[班魚皮], 무늬 있는 표범, 그리고 키가 작은 과하마가 난다.
>
> – 『삼국지』 「위서」 동이전

① 신랑이 처가에서 지은 서옥에 머물렀다.
② 은력 정월에 영고라는 국중 대회가 열렸다.
③ 범금팔조가 시행되어 살인, 상해, 절도 등을 처벌하였다.
④ 다른 읍락을 침범하면 책화라 하여 노비, 소, 말로 배상하였다.

문제풀이 동예

난이도 하

제시문에서 남쪽으로는 진한, 북쪽으로는 고구려, 옥저와 맞닿아 있다는 것과 대군장이 없고 한 시대 이래로 후, 읍군, 삼로라는 관직이 있어 하호를 다스린다는 내용을 통해 밑줄 친 '나라'가 동예임을 알 수 있다. 동예는 '후, 읍군, 삼로'라는 군장이 자기 부족을 통치하는 군장 국가였다.

④ 동예는 해마다 10월에 무천이라는 제천 행사를 열었다. 이를 통해 하늘에 풍년을 빌고 추수를 감사하는 일종의 종교적 의식을 치르고, 동시에 부족 간의 친목도 꾀하였다.

오답 분석

① **부여, 고구려**: 1세기 초에 왕호를 사용한 나라는 부여와 고구려이다.
② **옥저**: 여자가 어렸을 때 남자 집에 살다가 성장한 후 남자가 여자 집에 예물을 치르고 혼인을 하는 민며느리제라는 혼인 풍습이 있었던 나라는 옥저이다.
③ **삼한**: 목지국의 지배자가 왕으로 추대된 나라는 삼한이다. 삼한 중에서 마한의 세력이 가장 컸으며, 마한의 소국 중 하나인 목지국의 지배자가 마한왕 또는 진왕으로 추대되어 삼한 연맹체를 주도하였다.

문제풀이 동예의 사회 모습

난이도 하

제시문에서 낙랑단궁이라는 활, 바다표범 가죽(반어피), 키가 작은 과하마가 난다는 내용을 통해 동예에 대한 설명임을 알 수 있다. 동예에는 사람이 병들어 죽으면 그 사람이 살던 집을 버리고 새 집을 짓는 풍습이 있었다.

④ 동예에는 다른 읍락의 경계를 침범하면 노비나 소, 말로 배상하게 하는 책화의 풍습이 있었다.

오답 분석

① **고구려**: 혼인을 한 후 신랑이 처가 뒤에 지은 서옥에서 살다가, 훗날 자녀가 태어나 성장하면 아내와 함께 신랑 집으로 돌아가는 서옥제의 풍습이 있었던 나라는 고구려이다.
② **부여**: 은력 정월인 12월에 영고라는 국중 대회가 열렸던 나라는 부여이다. 동예에서는 10월에 무천이라는 제천 행사가 열렸다.
③ **고조선**: 범금팔조(8조법)를 시행하여 살인, 상해, 절도죄 등을 처벌한 나라는 고조선이다.

이것도 알면 **합격!**

동예의 사회 모습

족외혼	씨족 사회의 전통으로 다른 씨족의 상대와 혼인
책화	각 부족이 산천의 경계를 중시하여 다른 부족의 영역을 침범할 경우에 소나 말, 노비로 배상하는 풍속
기타	질병으로 사람이 죽으면 그 사람이 살던 집을 버리고 새 집을 지음

정답 13 ① 14 ④ 15 ④ 16 ④

17

2017년 국가직 9급(4월 시행)

다음 자료에 나타난 나라에 대한 설명으로 옳은 것은?

> 해마다 10월이면 하늘에 제사를 지내는데, 밤낮으로 술을 마시고 노래 부르며 춤을 추니 이를 무천이라 한다. 또 호랑이를 신(神)으로 여겨 제사 지낸다. 읍락을 함부로 침범하면 노비와 소, 말로 변상하는데, 이를 책화라 한다.

① 후·읍군·삼로 등이 하호를 통치하였다.

② 국읍마다 천신에 대한 제사를 주관하는 천군이 있었다.

③ 사람이 죽으면 가매장한 다음 뼈만 추려 목곽에 안치하였다.

④ 아이가 출생하면 돌로 머리를 눌러 납작하게 하는 풍습이 있었다.

문제풀이 동예 난이도 하

제시문에서 해마다 10월에 하늘에 제사를 지내는 무천이 있었다는 내용과 읍락을 함부로 침범하면 노비와 소, 말로 변상하는 책화의 풍습이 있었다는 내용을 통해 자료의 나라가 동예임을 알 수 있다.

① 동예는 후·읍군·삼로 등의 군장이 피지배층인 하호를 통치하는 군장 국가였으며, 고구려의 압력으로 인해 연맹 왕국으로 성장하지 못하고 군장 국가 단계에서 멸망하였다.

오답 분석

② **삼한**: 국읍마다 천신에 대한 제사를 주관하는 제사장인 천군이 있었던 나라는 삼한이다.

③ **옥저**: 사람이 죽으면 가매장한 다음 뼈만 추려 목곽에 안치하는 골장제의 풍습이 있었던 나라는 옥저이다.

④ **변한·진한**: 아이가 출생하면 돌로 머리를 눌러 납작하게 하는 편두의 풍습이 있었던 나라는 삼한 중 변한과 진한이다.

이것도 알면 **합격!**

옥저와 동예

구분	옥저	동예
정치	왕이 없고 군장(읍군, 삼로, 후)이 다스림	
경제	소금, 해산물 등 풍부	특산물(단궁·과하마·반어피) 생산
풍속	민며느리제, 골장제	제천 행사(무천, 10월), 족외혼, 책화

18

2019년 국가직 9급

(가), (나)의 나라에 대한 설명으로 옳은 것은?

> (가) 음력 12월에 지내는 제천 행사가 있는데, 이를 영고라고 한다. 이때에는 형옥을 중단하고 죄수를 풀어 주었다.
> (나) 해마다 10월 하늘에 제사를 지내는데, 밤낮으로 술마시며 노래부르고 춤추니 이를 무천이라고 한다.
>
> –「삼국지」

① (가) – 5부가 있었으며, 계루부에서 왕위를 차지하였다.

② (가) – 정치적 지배자로 신지, 읍차 등이 있었다.

③ (나) – 죄를 지은 사람이 소도에 들어가면 잡아가지 못하였다.

④ (나) – 다른 부족의 영역을 침범하면 책화라 하여 노비나 소, 말로 변상하였다.

문제풀이 부여와 동예 난이도 하

(가)는 음력 12월에 영고라는 제천 행사를 지낸다는 내용을 통해 부여임을 알 수 있다.

(나)는 해마다 10월에 무천이라는 제사를 지낸다는 내용을 통해 동예임을 알 수 있다.

④ 동예에는 다른 부족의 영역을 침범하면 노비나 소, 말 등으로 변상하는 책화의 풍습이 있었다.

오답 분석

① **고구려**: 5부(계루부·소노부·절노부·순노부·관노부)가 있었으며, 계루부에서 왕위를 차지하였던 나라는 고구려이다. 고구려는 태조왕 때부터 계루부 고씨의 왕위 세습권이 확립되었다.

② **삼한**: 정치적 지배자로 신지, 읍차 등이 있었던 나라는 삼한이다. 삼한의 지배자 중 세력이 큰 것은 신지라 하였고, 세력이 작은 것은 읍차 등으로 불렸다.

③ **삼한**: 죄를 지은 사람이 소도에 들어가면 잡아가지 못하였던 나라는 삼한이다. 삼한은 제정 분리 사회로, 정치적 지배자인 군장 외에 제사장인 천군이 있어 소도에서 종교와 농경에 대한 의례를 주관하였다. 소도는 천군이 주관하는 별읍(別邑)이며 군장의 세력이 미치지 못하는 신성 지역으로, 죄인이 도망하여 이곳에 오면 잡아가지 못하였다.

19

2021년 소방직

(가) 나라에 대한 설명으로 옳은 것은?

> (가) 의 혼인하는 풍속은 여자의 나이가 10살이 되기 전에 혼인을 약속하고, 신랑 집에서는 (그 여자를) 맞이하여 장성하도록 길러 아내로 삼는다. (여자가) 성인이 되면 다시 친정으로 돌아가게 한다. 여자의 친정에서는 돈을 요구하는데, (신랑 집에서) 돈을 지불한 후 다시 신랑 집으로 돌아온다.
>
> – 「삼국지」 위서 동이전

① 농경과 관련하여 동맹이라고 하는 제천 행사가 있었다.

② 대가들의 호칭에 말, 소, 돼지, 개 등의 가축 이름을 붙였다.

③ 단궁, 반어피(바다표범 가죽), 과하마 등의 특산물로 중국과 교역하였다.

④ 시체를 가매장하였다가 뼈만 추려 가족 공동 무덤인 큰 나무 덧널에 넣었다.

문제풀이 옥저 난이도 하

제시문에서 여자의 나이 10살이 되기 전에 혼인을 약속한 신랑 집에서 데려와 키우다가, 성인이 되면 신랑이 여자의 집에 돈을 지불하고 혼인을 한다는 내용을 통해 (가) 나라는 민며느리제가 실시되었던 옥저임을 알 수 있다.

④ 옥저에는 가족이 죽으면 시체를 가매장하였다가 나중에 뼈만 추려서 가족 공동 무덤인 큰 나무 덧널(목곽)에 안치하는 골장제의 풍습이 있었다.

오답 분석

① **고구려**: 동맹이라고 하는 제천 행사가 있었던 나라는 고구려이다. 고구려는 10월에 농경과 관련한 동맹이라는 제천 행사를 치렀다.

② **부여**: 왕 아래 대가들의 호칭에 말(마가), 소(우가), 돼지(저가), 개(구가) 등의 가축 이름을 붙였던 나라는 부여이다.

③ **동예**: 단궁이라는 활, 바다표범 가죽인 반어피, 작은 말인 과하마 등의 특산물로 중국과 교역하였던 나라는 동예이다.

이것도 알면 **합격!**

옥저의 풍속

민며느리제 (예부제)	일종의 매매혼으로, 여자가 어렸을 때 혼인을 약속한 남자 집에 가서 살다가 성장한 후에 남자가 여자 집에 예물을 치르고 혼인하는 제도
골장제(두벌 묻기, 세골장, 가족 공동묘)	뼈만 추려 나무 곽에 안치하는 가족 공동 무덤 → 목곽 입구에 쌀을 담은 항아리를 매달아 놓았음

20

2022년 국가직 9급

다음 풍습이 있었던 나라에 대한 설명으로 옳은 것은?

> ○ 가족이 죽으면 시체를 가매장하였다가 나중에 그 뼈를 추려서 가족 공동 무덤인 커다란 목곽에 안치하였다.
> ○ 목곽 입구에는 죽은 자가 먹을 양식으로 쌀을 담은 항아리를 매달아 놓기도 하였다.
>
> – 「삼국지」 「위서」 동이전

① 민며느리제라는 혼인 풍습이 있었다.

② 제가가 별도로 사출도를 다스렸다.

③ 소도라는 신성 구역이 존재하였다.

④ 무천이라는 제천 행사를 열었다.

문제풀이 옥저 난이도 하

제시문에서 가족이 죽으면 시체를 가매장하였다가 나중에 그 뼈를 추려서 가족 공동 무덤인 커다란 목곽에 안치하고, 목곽 입구에는 쌀을 담은 항아리를 매달아 놓기도 하였다는 내용을 통해 골장제의 풍습이 있었던 옥저임을 알 수 있다.

① 옥저에는 여자가 어렸을 때 남자 집에 살다가 성장한 후 남자가 여자 집에 예물을 치르고 혼인을 하는 민며느리제라는 혼인 풍습이 있었다.

오답 분석

② **부여**: 제가가 별도로 사출도를 다스린 나라는 부여이다. 부여는 왕 아래에 마가, 우가, 구가, 저가라는 가(加)들이 있었고, 이들은 저마다 별도의 행정 구획인 사출도를 다스렸다.

③ **삼한**: 소도라는 신성 구역이 존재한 나라는 삼한이다. 삼한은 정치적 지배자인 군장 이외에도 제사장인 천군이 있어 소도에서 종교와 농경에 대한 의례를 주관하였다. 소도는 천군이 주관하는 별읍(別邑)이며 군장의 세력이 미치지 못하는 신성 구역으로, 죄인이 도망하여 이곳에 오면 잡아가지 못하였다.

④ **동예**: 매년 10월에 무천이라는 제천 행사를 열었던 나라는 동예이다.

정답 17 ① 18 ④ 19 ④ 20 ①

21

2020년 지방직 9급

밑줄 친 '이 나라'에서 볼 수 있는 모습으로 적절한 것은?

> 이 나라는 대군왕이 없으며, 읍락에는 각각 대를 잇는 장수(長帥)가 있다. …… 이 나라의 토질은 비옥하며, 산을 등지고 바다를 향해 있어 오곡이 잘 자라며 농사짓기에 적합하다. 사람들의 성질은 질박하고, 정직하며 굳세고 용감하다. 소나 말이 적고, 창을 잘 다루며 보전(步戰)을 잘한다. 음식, 주거, 의복, 예절은 고구려와 흡사하다. 그들은 장사를 지낼 적에는 큰 나무 곽(槨)을 만드는데 길이가 십여 장(丈)이나 되며 한쪽 머리를 열어 놓아 문을 만든다.
>
> –「삼국지」 위서 동이전

① 민며느리를 받아들이는 읍군

② 위만에게 한나라의 침입을 알리는 장군

③ 5월에 씨를 뿌리고 하늘에 제사를 지내는 천군

④ 국가의 중요한 일을 논의하고 있는 마가와 우가

22

2024년 법원직 9급

(가) 국가에 대한 설명으로 가장 옳은 것은?

> (가) 에는 각각 우두머리가 있어서 세력이 강대한 사람은 스스로 신지라 하고, 그 다음은 읍차라 하였다. …… 귀신을 믿기 때문에 국읍에 각각 한 사람씩 세워 천신의 제사를 주관하게 하는데, 이를 천군이라 부른다.
>
> –「삼국지」「위서동이전」

① 무천이라는 제천 행사가 있었다.

② 화백 회의에서 중요한 일을 결정하였다.

③ 여러 개의 소국으로 구성된 연맹체였다.

④ 사출도라 불리는 독자적인 영역이 있었다.

문제풀이 옥저의 모습

난이도 중

제시문에서 대군왕이 없고, 장사 지낼 적에 큰 나무 곽을 만드는데 길이가 십여 장이나 된다는 것을 통해 밑줄 친 '이 나라'가 옥저임을 알 수 있다. 옥저는 왕이 없었고, 후, 읍군, 삼로가 자기 부족을 통치하는 군장 국가였다. 또한 옥저에는 가족이 죽으면 시체를 가매장하였다가 나중에 그 뼈를 추려서 가족 공동 무덤인 커다란 목곽에 안치하는 골장제의 풍습이 있었다.

① 옥저에는 여자가 어렸을 때에 남자 집에 가서 살다가 성장한 후에 남자가 여자 집에 예물을 치르고 혼인을 하는 민며느리제가 있었다.

오답 분석

② **고조선**: 위만은 고조선(위만 조선)의 왕이며, 고조선과 한나라가 전쟁을 치른 것은 위만 때가 아니라 위만의 손자 우거왕 때이다. 우거왕이 한나라의 공격에 맞서 약 1년에 걸쳐 항전하였으나, 고조선은 지배층의 분열로 왕검성이 함락되고 멸망하였다. 한편 고조선은 왕 밑에 상, 경, 대부, 장군, 박사 등의 관직 체계를 가지고 있었다.

③ **삼한**: 5월에 수릿날, 10월에 계절제라는 제천 행사를 지내며, 제정이 분리되어 제사장인 천군이 존재했던 나라는 삼한이다. 한편 삼한의 정치적 지배자는 세력이 크면 신지·견지, 세력이 작으면 부례·읍차 등으로 불렸다.

④ **부여**: 왕 아래에 마가, 우가, 구가, 저가라는 여러 가들이 있었고, 이들이 국가 중대사를 처리한 나라는 부여이다. 또한 마가, 우가, 구가, 저가들은 저마다 사출도라는 행정 구획을 통치하였다.

문제풀이 삼한

난이도 하

제시문에서 세력이 강대한 사람은 스스로 신지라 하고, 그 다음은 읍차라 하였다는 내용과 국읍에 한 사람씩 천신의 제사를 주관하게 하는데 이를 천군이라 불렀다는 내용을 통해 (가) 국가가 삼한임을 알 수 있다.

③ 삼한은 여러 개의 소국으로 구성된 연맹체 국가로 마한에는 50여 개의 소국이 있었고, 진한과 변한에는 각각 12개국이 있었다.

오답 분석

① **동예**: 매년 10월에 무천이라는 제천 행사를 거행하였던 국가는 동예이다. 한편, 삼한에서는 해마다 씨를 뿌리고 난 뒤인 5월에 수릿날과 곡식을 수확하는 10월에 계절제를 열어 하늘에 제사를 지냈다.

② **신라**: 화백 회의에서 중요한 일을 결정하였던 국가는 신라이다. 신라의 귀족 회의인 화백 회의에서는 만장일치제로 국가 중대사를 결정하였으며, 회의의 의장은 상대등이었다.

④ **부여**: 사출도라 불리는 독자적인 영역이 있었던 국가는 부여이다. 부여에는 왕 아래에 가축 이름을 딴 부족장인 마가, 우가, 저가, 구가의 가(加)들이 있었으며, 이들은 저마다 사출도라는 별도의 행정 구획을 통치하였다.

23

2022년 간호직 8급

다음에 해당하는 나라에 대한 설명으로 옳은 것은?

> ㅇ 천군이 있어 소도라 불리는 신성한 지역을 다스렸다.
> ㅇ 씨를 뿌리고 난 5월과 농사를 마친 10월에는 하늘에 제사를 지냈다.

① 도읍을 국내성으로 옮겼다.

② 과하마라는 특산물이 있었다.

③ 영고라는 제천 행사가 있었다.

④ 신지, 읍차 등으로 불리는 지배자들이 다스렸다.

문제풀이 삼한 난이도 하

제시된 자료에서 천군이 소도를 다스렸다는 것과, 5월과 10월에 하늘에 제사를 지냈다는 것을 통해 삼한에 대한 내용임을 알 수 있다.

④ 삼한은 신지, 읍차 등으로 불리는 지배자들이 다스렸다. 삼한에서는 지배자 중 세력이 큰 자는 신지·견지, 세력이 작은 자는 부례·읍차라고 불렀다.

오답 분석

① **고구려**: 도읍을 국내성으로 옮긴 나라는 고구려이다. 고구려는 주몽이 압록강 유역의 졸본에서 건국하였으며, 유리왕 때 졸본에서 국내성으로 천도하였다.

② **동예**: 과하마(키가 작은 말)라는 특산물이 있었던 나라는 동예이다. 동예에는 과하마 외에도 단궁(활), 반어피(바다표범 가죽) 등의 특산물이 있었다.

③ **부여**: 12월에 영고라는 제천 행사를 거행한 나라는 부여이다.

이것도 알면 **합격!**

삼한의 정치

연맹체 형성	• 78개의 소국 연맹체로 형성(한반도 남부 지방) • 마한의 소국 중 하나인 목지국의 지배자가 마한왕(진왕)으로 추대되어 삼한 연맹체를 주도
지배 세력	신지, 견지 등의 대군장과 부례, 읍차 등의 소군장이 있었음

24

2022년 국회직 9급

삼한에 대한 설명으로 옳은 것만을 모두 고르면?

> ㉠ 신성 지역인 소도가 있었다.
> ㉡ 제사 의식을 주관하는 천군이 있었다.
> ㉢ 해마다 10월에 무천이라는 제천 행사를 열었다.
> ㉣ 소국의 지배자는 신지, 읍차 등으로 불렸다.
> ㉤ 천군과 소도는 제정 일치 사회임을 알려준다.

① ㉠, ㉡, ㉢

② ㉠, ㉡, ㉣

③ ㉠, ㉢, ㉤

④ ㉡, ㉣, ㉤

⑤ ㉢, ㉣, ㉤

문제풀이 삼한 난이도 하

② 옳은 것을 모두 고르면 ㉠, ㉡, ㉣이다.

㉠, ㉡ 삼한에는 제사 의식을 주관하는 천군이 있었다. 또한, 군장의 세력이 미치지 못하는 신성 지역으로 소도가 있었는데, 죄인이 도망하여 이곳에 오면 잡아가지 못하였다.

㉣ 삼한은 여러 개의 소국으로 구성된 연맹체 국가로 마한에는 50여 개의 소국이 있었고, 진한과 변한에는 각각 12개국이 있었다. 소국의 지배자 중 세력이 큰 것은 신지라 하였고, 세력이 작은 것은 읍차 등으로 불렸다.

오답 분석

㉢ **동예**: 해마다 10월에 무천이라는 제천 행사를 열었던 나라는 동예이다.

㉤ 삼한은 제정 분리 사회로, 정치적 지배자인 군장 외에 제사장인 천군이 있어 소도에서 종교와 농경에 대한 의례를 주관하였다.

이것도 알면 **합격!**

삼한의 풍속과 문화

제천 행사	5월에 수릿날, 10월에 계절제를 열어 하늘에 제사를 지냄
풍속	• 두레(공동 노동 조직), 편두(돌로 머리를 납작하게 하는 풍습) • 장례에 소와 말을 합장·큰 새의 깃털을 사용
주거지	초가 지붕의 반움집이나 귀틀집에서 거주
무덤	주구묘(해자 모양의 고랑이 있음)·옹관묘(독무덤)

정답 21 ① 22 ③ 23 ④ 24 ②

최빈출 다지선다 문제로 단원 마무리

02 선사 시대의 전개 (1)

다음 토기가 사용된 시기의 생활상으로 옳지 않은 것을 모두 고른 것은? 2019년 국가직 7급

> 이 토기는 그릇의 표면에 점토 띠를 덧붙여 각종 문양 효과를 내었으며, 바닥은 평저 또는 원저로 이루어져 있다. 대표적인 예로 부산 동삼동, 울주 신암리, 양양 오산리 유적 등에서 출토된 것이 있다.

① 뗀석기를 주로 이용하였다. 21. 법원직 9급

② 고인돌에 간돌검을 부장하였다. 19. 지방직 7급

③ 취사와 난방이 가능한 움집에 살았다. 14. 서울시 9급

④ 가락바퀴를 이용하여 옷감을 만들었다. 19. 지방직 7급

⑤ 명도전, 반량전 등의 화폐를 사용하였다. 19. 지방직 7급

⑥ 반달 돌칼을 사용하여 이삭을 수확하였다. 19. 지방직 7급

⑦ 빗살무늬 토기에 도토리 등을 저장하였다. 16. 국가직 7급

⑧ 청동 무기의 보급으로 정복 활동이 활발해졌다. 13. 법원직 9급

⑨ 일부 지역에서는 농경이 시작되어 조, 피, 수수 등을 재배하였다. 24. 지방직 9급

⑩ 마을 주변에 방어 및 의례 목적으로 환호(도랑)를 두르기도 하였다. 15. 국가직 9급

정답 및 해설

정답

①, ②, ⑤, ⑥, ⑧, ⑩

자료분석

그릇의 표면에 점토 띠를 덧붙임 + 바닥은 평저(납작 바닥) 또는 원저(둥근 바닥) + 부산 동삼동 유적 등에서 출토 → 덧무늬 토기 → 신석기 시대

선택지 체크

① 구석기 시대 ② 청동기 시대 ③ 신석기 시대 ④ 신석기 시대 **⑤ 철기 시대**
⑥ 청동기 시대 ⑦ 신석기 시대 **⑧ 청동기 시대** ⑨ 신석기 시대 **⑩ 청동기 시대**

02 선사 시대의 전개 (2)

밑줄 친 '이 시기'에 해당하는 사실로 옳은 것을 모두 고른 것은? 2017년 국가직 9급(10월 시행)

> <u>이 시기</u>에는 반달 돌칼 등 다양한 간석기가 사용되었고 민무늬 토기를 비롯한 토기의 종류도 다양해졌으며, 고인돌과 돌널무덤이 만들어졌다.

① 농경과 목축이 시작되었다. 17. 국가직 9급(10월)

② 한자의 전래로 붓이 사용되었다. 14. 지방직 9급

③ 철제 무기로 주변 나라를 정복하였다. 20. 국가직 7급

④ 계급이 발생하고 부족장이 출현하였다. 20. 국가직 7급

⑤ 정교하고 날카로운 간돌검을 사용하였다. 16. 국가직 7급

⑥ 주로 동굴이나 강가의 막집에 거주하였다. 17. 국가직 9급(10월)

⑦ 목을 길게 단 미송리식 토기가 사용되었다. 17. 국가직 9급(10월)

⑧ 군장이 부족의 풍요와 안녕을 기원하는 제사를 지냈다. 16. 지방직 9급

⑨ 밭농사가 중심이었지만, 일부 저습지에서는 벼농사를 지었다. 14. 경찰직(2차)

⑩ 공주 석장리 유적과 청원 두루봉 동굴 유적이 대표적인 유적지이다. 20. 서울시 9급(특수)

정답 및 해설

정답

④, ⑤, ⑦, ⑧, ⑨

자료분석

반달 돌칼 + 민무늬 토기 + 고인돌과 돌널무덤이 만들어짐 → 청동기 시대

선택지 체크

① 신석기 시대 ② 철기 시대 ③ 철기 시대 **④ 청동기 시대 ⑤ 청동기 시대**
⑥ 구석기 시대 **⑦ 청동기 시대 ⑧ 청동기 시대 ⑨ 청동기 시대** ⑩ 구석기 시대

03 고조선과 여러 나라의 성장 (1)

㉠ 나라에 대한 설명으로 옳은 것을 모두 고른 것은?

2018년 국가직 7급

> 주나라가 쇠약해지자 연나라가 스스로 왕을 칭하고 동쪽으로 침략하려 하였다. [㉠]의 후(侯) 역시 스스로 왕을 칭하고 군사를 일으켜 연나라를 공격하려 하였는데, 대부인 예(禮)가 간하여 중지하였다.

① 상, 대부, 장군 등의 관직을 두었다. 22. 법원직 9급

② 박·석·김씨가 왕위를 교대로 계승하였다. 18. 국가직 7급

③ 10월에 무천이라는 제천 행사를 개최하였다. 20. 법원직 9급

④ 한 무제가 보낸 군대의 침공으로 멸망하였다. 23. 법원직 9급

⑤ 형이 죽으면 형수를 아내로 삼는 풍습이 있었다. 20. 법원직 9급

⑥ 8조법을 만들어 사회 질서를 유지하였다. 22. 소방직

⑦ 계루부 출신의 왕이 5부의 대가들과 함께 통치하였다. 22. 법원직 9급

⑧ 신지, 읍차로 불리는 군장들이 70여 개의 소국을 다스렸다. 17. 국가직 7급(10월)

⑨ 가축 이름을 딴 마가, 우가, 저가, 구가가 사출도를 다스렸다. 17. 국가직 7급(10월)

⑩ 상가, 고추가 등의 대가가 있었으며, 국가의 중요한 일은 제가 회의를 통해 결정하였다. 17. 국가직 7급(10월)

정답 및 해설

정답

①, ④, ⑥

자료분석

연나라가 왕을 칭하고 침략하려 함 + ㉠의 후(侯) 역시 스스로 왕을 칭함 + 연나라를 공격하려 함 → ㉠ 고조선

선택지 체크

① **고조선** ② 신라 ③ 동예 ④ **고조선** ⑤ 부여, 고구려 ⑥ **고조선** ⑦ 고구려 ⑧ 삼한 ⑨ 부여 ⑩ 고구려

03 고조선과 여러 나라의 성장 (2)

다음 자료와 관련된 나라에 대한 설명으로 옳지 않은 것을 모두 고른 것은?

2016년 서울시 9급

> • 풍속에 장마와 가뭄이 연이어 오곡이 익지 않을 때, 그때마다 왕에게 허물을 돌려 '왕을 마땅히 바꾸어야 한다.' 라거나 혹은 '왕은 마땅히 죽어야 한다.'라고 하였다.
> • 정월에 지내는 제천 행사는 국중 대회로 날마다 마시고 먹고 노래하고 춤추는데 그 이름은 영고라 한다.
>
> – 『삼국지』 「위서」 동이전

① 사람이 죽으면 뼈만 추려 가족 공동 무덤인 목곽에 안치하였다. 19. 국가직 7급

② 민며느리제라는 혼인 풍속이 있었다. 19. 국가직 7급

③ 목지국의 지배자가 왕으로 추대되었다. 21. 법원직 9급

④ 서옥제의 풍습이 있었다. 21. 국회직 9급

⑤ 단궁, 과하마, 반어피가 많이 생산되었다. 19. 국가직 7급

⑥ 쑹화 강 유역의 평야 지대에서 성장하였다. 16. 서울시 9급

⑦ 철이 많이 생산되어 낙랑과 왜에 수출하였다. 19. 지방직 9급

⑧ 중대한 범죄자는 제가(諸加) 회의를 통해 처벌하였다. 19. 국가직 7급

⑨ 도둑질하면 12배를 배상하게 하였다. 19. 국회직 9급

⑩ 국읍마다 천신에 대한 제사를 주관하는 천군이 있었다. 17. 국가직 9급(4월)

정답 및 해설

정답

①, ②, ③, ④, ⑤, ⑦, ⑧, ⑩

자료분석

정월에 지내는 제천 행사는 영고라 함 → 부여

선택지 체크

① **옥저** ② **옥저** ③ **삼한** ④ **고구려** ⑤ **동예** ⑥ 부여 ⑦ **삼한 중 변한** ⑧ **고구려** ⑨ 부여 ⑩ **삼한**

공무원시험전문 해커스공무원
gosi.Hackers.com

고대 출제 경향

1. 주요 직렬별 출제 비중(2019~2024)

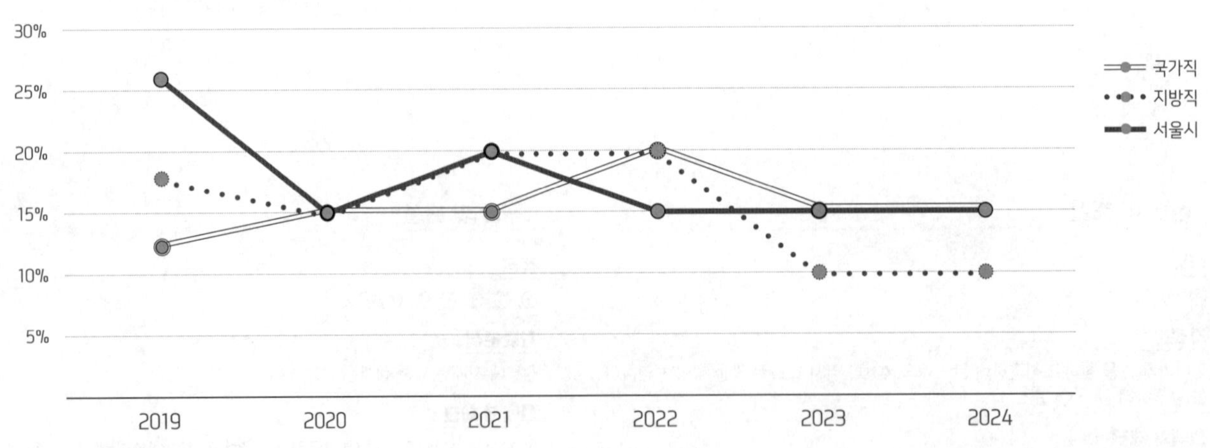

고대에서는 매해 평균 17% 수준으로 문제가 출제됩니다. 국가직과 서울시에서는 최근 3개년 동안 평균 3문제 이상 꾸준히 출제되고 있으며, 지방직은 2024년에 2문제가 출제되었습니다.

해커스공무원 단원별 기출문제집
한국사

II. 고대의 발전

01 고대의 정치
02 고대의 경제·사회
03 고대의 문화

2. 주요 직렬별 최근 출제 경향 및 학습 방법

국가직	국가직 시험은 꾸준히 3~4문제씩 출제되고 있습니다. 2024년 국가직 9급 시험에서는 대가야, 김헌창의 난을 묻는 문제가 쉽게 출제되었지만, 익산 미륵사에 대한 문제는 생소한 사료를 제시하여 까다롭게 출제되었습니다. ▶ 삼국 시대의 주요 사건과 왕의 업적을 꼼꼼하게 학습해야 합니다. 또한 각 나라별 주요 문화재와 관련된 내용을 숙지해야 합니다.
지방직	지방직 시험은 꾸준히 2~3문제씩 출제되고 있습니다. 2024년 지방직 9급 시험에서는 백제와 혜초에 대해 묻는 문제가 쉽게 출제되었습니다. ▶ 각 나라별 통치 체제와 주요 승려의 활동에 대한 내용을 꼼꼼하게 학습해야 합니다.
서울시*	서울시 시험의 경우 매회 3문제 이상 출제됩니다. 2024년 서울시 시험에서는 고대사의 전개, 원종과 애노의 난 이후의 사건, 발해사의 전개에 대한 문제가 무난하게 출제되었습니다. ▶ 각 시기의 주요 사건을 시간의 흐름에 따라 꼼꼼하게 학습해야 합니다.

* 서울시 9급(특수직렬) 문제는 인사혁신처에서 출제한 문제가 아니고, 서울시에서 자체 출제한 문제입니다.

01 고대의 정치

1 | 고대의 성립

01

2021년 국가직 9급

다음 시가를 지은 왕의 재위 기간에 있었던 사실은?

> 펄펄 나는 저 꾀꼬리
> 암수 서로 정답구나
> 외로울사 이 내 몸은
> 뉘와 더불어 돌아가랴

① 진대법을 시행하였다.

② 낙랑군을 축출하였다.

③ 졸본에서 국내성으로 천도하였다.

④ 율령을 반포하여 중앙 집권 체제를 강화하였다.

문제풀이 유리왕 재위 기간의 사실 난이도 중

제시문은 고구려 제2대 유리왕이 지은 황조가이다.

③ **고구려 유리왕 재위 기간에 졸본에서 국내성으로 천도하였다. 고구려는 초기에 졸본을 수도로 삼았지만, 졸본은 산악 지대로 식량 공급이 어려웠기 때문에 유리왕 때 평야 지대인 국내성으로 수도를 옮겼다.**

오답 분석

① **고국천왕**: 진대법을 시행한 것은 고국천왕 재위 기간의 사실이다. 진대법은 흉년과 고리대로 몰락한 농민(빈민)을 구제하기 위해 춘궁기에 곡식을 빌려주고 추수기에 갚도록 한 제도이다.

② **미천왕**: 낙랑군을 축출한 것은 미천왕 재위 기간의 사실이다. 미천왕은 낙랑군을 축출(313)하고 대방군을 차지(314)하여 대동강 유역을 확보함으로써, 남쪽으로 진출할 수 있는 발판을 마련하였다.

④ **소수림왕**: 율령을 반포하여 중앙 집권 체제를 강화한 것은 소수림왕 재위 기간의 사실이다. 소수림왕은 율령 반포, 태학 설립, 불교 수용 등을 통해 고구려의 중앙 집권 체제를 강화하였다.

02

2023년 국가직 9급

밑줄 친 '왕'에 대한 설명으로 옳은 것은?

> 16년 겨울 10월, 왕이 질양(質陽)으로 사냥을 갔다가 길에 앉아 우는 자를 보았다. 왕이 말하기를 "아! 내가 백성의 부모가 되어 백성들이 이 지경에 이르게 하였으니 나의 죄로다." …(중략)… 그리고 관리들에게 명하여 매년 봄 3월부터 가을 7월까지 관청의 곡식을 내어 백성들의 식구 수에 따라 차등 있게 빌려주었다가, 10월에 이르러 상환하게 하는 것을 법규로 정하였다.
>
> - 『삼국사기』

① 낙랑군을 축출하였다.

② 진대법을 시행하였다.

③ 백제의 침입으로 전사하였다.

④ 영락이라는 독자적인 연호를 사용하였다.

문제풀이 고국천왕 난이도 하

제시문에서 매년 봄 3월부터 가을 7월까지 곡식을 차등 있게 빌려주었다가, 10월에 이르러 상환하게 한다는 내용을 통해 밑줄 친 '왕'이 진대법을 시행한 고국천왕(179~197)임을 알 수 있다.

② **고국천왕은 흉년과 고리대로 인하여 몰락한 빈민을 구휼하기 위해 춘궁기인 봄 3월부터 가을 7월까지 곡식을 빌려주고 추수기인 10월에 상환하게 하는 제도인 진대법을 시행하였다.**

오답 분석

① **미천왕**: 낙랑군을 축출한 왕은 미천왕이다. 미천왕은 낙랑군을 축출(313)하고 이듬해 대방군을 차지(314)함으로써, 대동강 유역을 확보하고 한반도에서 한 군현 세력을 몰아냈다.

③ **고국원왕**: 백제의 침입으로 전사한 왕은 고국원왕이다. 고국원왕은 황해도 지역을 놓고 백제의 근초고왕과 대립하다가, 백제군의 침입을 막던 도중 평양성 전투에서 전사하였다(371).

④ **광개토 대왕**: 영락이라는 독자적인 연호를 사용한 왕은 광개토 대왕이다.

 이것도 알면 **합격!**

고국천왕

왕권 강화	• 왕위의 부자 상속제 확립 • 부족적 성격의 5부를 행정적 성격의 5부로 개편
사회 정책	빈민을 구제하기 위해 진대법 실시

03

2018년 법원직 9급

(가) ~ (다)를 일어난 순서대로 옳게 나열한 것은?

> (가) 낙랑군을 축출하여 대동강 유역을 확보하였다.
> (나) 요동 지역으로 진출을 도모하고, 동옥저를 복속하였다.
> (다) 순노부, 소노부 등의 5부를 행정 단위 성격의 5부로 개편하였다.

① (가) - (나) - (다)
② (가) - (다) - (나)
③ (나) - (다) - (가)
④ (다) - (나) - (가)

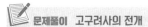

문제풀이 고구려사의 전개 난이도 중

③ 일어난 순서대로 나열하면 (나) 동옥저 복속과 요동 진출(태조왕, 1세기 후반 ~ 2세기 초) → (다) 5부 개편(고국천왕, 2세기 후반) → (가) 낙랑군 축출(미천왕, 313)이다.

(나) **동옥저 복속과 요동 진출(태조왕)**: 태조왕은 동옥저를 복속(56)하고, 2세기 초에는 현도군을 공격하는 등 요동 지역으로의 진출을 도모하였다.

(다) **5부 개편(고국천왕)**: 고국천왕(179 ~ 197)은 순노부, 소노부, 절노부 등 부족적 전통을 지닌 5부를 동·서·남·북·중의 방위명으로 표기한 행정적 성격의 5부로 개편하여 고구려의 중앙 집권화를 진전시켰다.

(가) **낙랑군 축출(미천왕)**: 미천왕은 5호 16국 시대의 등장으로 중국이 혼란스러운 틈을 타 요동 지역의 서안평을 점령(311)하였으며, 낙랑군을 축출(313)하고 대방군을 축출하여 대동강 유역을 확보하였다(314).

이것도 알면 **합격!**

1세기~4세기의 고구려 왕

태조왕	• 요동 지역으로 진출 도모, 동옥저 복속 • 계루부 고씨의 왕위 세습
고국천왕	• 부족적 5부 → 행정 단위 성격의 5부로 개편 • 을파소를 국상으로 기용, 진대법 실시
동천왕	서안평 공격, 위나라 관구검의 침입을 받음
미천왕	서안평 점령, 낙랑군과 대방군 축출

04

2018년 기상직 9급

다음과 같은 업적을 남긴 왕의 재위 기간에 있었던 사실로 옳은 것은?

> 내신좌평을 두어 왕명 출납을, 내두좌평은 물자와 창고를, 내법좌평은 예법과 의식을, 위사좌평은 숙위 병사를, 조정좌평은 형벌과 송사를, 병관좌평은 지방의 군사에 관한 일을 각각 맡게 하였다.
> -「삼국사기」

① 한강 유역을 장악하고 한 군현과 대립하였다.
② 동진과 국교를 맺고 요서 지방에 진출하였다.
③ 광개토 대왕의 도움을 받아 가야와 왜의 연합군을 물리쳤다.
④ 낙랑군을 공격하여 중국 세력을 영토에서 완전히 쫓아냈다.

문제풀이 고이왕 재위 시기의 사실 난이도 하

제시문의 6좌평(내신·내두·내법·위사·조정·병관)을 두어 각각 일을 맡게 하였다는 내용을 통해 백제의 고이왕(234~286)임을 알 수 있다.

① **고이왕은 목지국을 몰아내어 한강 유역을 완전히 장악하였고, 한 군현(낙랑군과 대방군)을 적극적으로 공격하며 대립하였다.**

오답 분석

② 동진과 국교를 맺고 요서 지방에 진출한 왕은 백제 근초고왕이다. 근초고왕은 중국의 동진과 국교를 맺고, 중국의 요서와 산둥, 일본의 규슈 지역까지 진출하였다.
③ 광개토 대왕의 도움을 받아 가야와 왜의 연합군을 물리친 것은 내물 마립간 때의 신라로, 이 시기의 백제 왕은 아신왕이다.
④ 낙랑군을 공격하여 중국 세력을 영토에서 완전히 쫓아낸 것은 미천왕 때의 고구려로, 이 시기의 백제 왕은 비류왕이다.

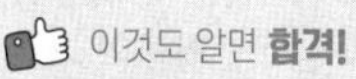

고이왕

구분	내용
왕권 강화 및 체제 정비	• 왕위의 형제 상속제 확립 • 관등제(6좌평, 16관등), 관복제(자색, 비색, 청색) 정비 • 삼국 중 최초로 율령 반포 • 왕과 귀족들이 모여서 정사를 보는 남당 설치
영토 확장	목지국을 병합하여 한강 유역 장악

정답 01 ③ 02 ② 03 ③ 04 ①

05

2020년 국회직 9급

다음과 같은 변화가 나타난 시기의 사실로 옳은 것은?

> 건국과 발전 과정에서 신라의 왕호는 여러 번 바뀐 것으로 알려져 있다. 특히, 4세기 무렵에는 이사금이라는 칭호가 마립간으로 바뀌었다.

① 율령을 반포하고 불교를 공인하였다.
② 국호를 신라로 바꾸고 주군제를 도입하였다.
③ 백제와 연합하여 고구려에게 빼앗긴 한강 유역을 되찾았다.
④ 독자적인 연호를 사용하여 자주 국가로서의 위상을 높였다.
⑤ 3성이 권력을 주고받던 시대가 끝나고 김씨 세습이 이루어졌다.

06

2022년 계리직 9급

밑줄 친 (　　)의 재위 기간에 있었던 사실로 옳은 것은?

> (　　) 9년 3월에 사방(四方)의 우역(郵驛)을 비로소 설치하고, 담당 관리에게 명하여 관도(官道)를 수리하게 하였다.
>
> -『삼국사기』

① 처음으로 수도에 시장을 열어 사방의 물자를 유통시켰다.
② 중앙 관서를 22부로 정비하고 수도를 5부로 편제하였다.
③ 우산국으로 불리던 울릉도를 정복하여 영토로 편입하였다.
④ 9주와 5소경을 설치하여 지방 행정을 새롭게 정비하였다.

문제풀이 내물 마립간 시기의 사실 난이도 중

제시문에서 이사금이라는 칭호가 마립간으로 바뀌었다는 것을 통해 내물 마립간(356~402) 때임을 알 수 있다. 신라의 왕호는 내물 마립간 때 연장자의 의미를 가지는 '이사금'에서 우두머리(대군장)를 뜻하는 '마립간'으로 변경되었다.

⑤ 내물 마립간 때부터 신라는 왕위를 김씨가 독점적으로 세습하기 시작하였다. 내물 마립간에 의해 김씨가 독점적으로 왕위를 계승하기 전까지 신라는 박·석·김씨가 교대로 왕위를 계승하며 권력을 주고받았다.

오답 분석

① **법흥왕**: 율령을 반포하여 통치 체제를 정비하고, 이차돈의 순교를 계기로 불교를 공인한 것은 법흥왕 때이다.
② **지증왕**: 국호를 '신라'로 바꾸었으며, 주군제를 도입하고 주에 군주를 파견함으로써 지방 제도를 정비한 것은 지증왕 때이다.
③ **진흥왕**: 백제의 성왕과 연합하여 고구려에게 빼앗긴 한강 유역을 되찾은 것은 진흥왕 때이다. 진흥왕 때는 백제 성왕과 함께 연합하여 고구려가 차지하고 있던 한강 유역을 확보하였으며, 이후 백제와의 연합을 깨고 한강 하류까지 차지하였다.
④ 신라에서 독자적인 연호를 사용한 것은 법흥왕 때부터이다. 법흥왕 때는 자주 국가로서의 위상을 높이기 위해 '건원'이라는 독자적인 연호를 사용하였다.

문제풀이 소지 마립간 재위 기간에 있었던 사실 난이도 중

제시문에서 사방의 우역을 설치하였다는 내용을 통해 괄호에 들어갈 왕은 신라 소지 마립간임을 알 수 있다.

① 신라 소지 마립간 재위 기간(479~500)에는 처음으로 수도인 경주에 시장(시사)을 열어 사방의 물자를 유통시켰다.

오답 분석

모두 신라 소지 마립간 이후의 사실이다.

② **백제 성왕**: 중앙 관서를 22부로 정비하고 수도를 5부(상부·전부·중부·하부·후부)로 편제한 것은 백제 성왕 때(523~554)이다.
③ **신라 지증왕**: 이사부를 파견하여 우산국으로 불리던 울릉도를 정복하고 영토로 편입한 것은 신라 지증왕 때(500~514)이다.
④ **통일 신라 신문왕**: 9주와 5소경을 설치하여 지방 행정을 새롭게 정비한 것은 통일 신라 신문왕 때(681~692)이다. 신문왕은 전국을 9주로 나누고, 수도인 경주가 동쪽으로 치우친 것을 보완하기 위해 군사·행정상의 요충지에 5소경을 설치하였다.

이것도 알면 **합격!**

소지 마립간의 업적

우역 설치	공문서 전달 등을 위해 사방에 우역(역참) 설치
시사 개설	물화의 유통을 위해 경주에 시사(시장) 개설
결혼 동맹 체결	백제 동성왕과 결혼 동맹 체결(493)

07

2014년 법원직 9급

신라 왕호의 변천 과정에서 (가), (나)에 해당하는 설명으로 가장 옳은 것은?

거서간 → 차차웅 → (가) → (나) → 왕

① (가)가 왕호였던 시기에 이르러 독자적 세력을 유지해 오던 6부가 행정 구역으로 재편되었다.
② (가)가 왕호였던 시기에 신라는 낙동강 유역의 가야 세력을 정복하고 영토를 확장하였다.
③ (나)는 대군장의 뜻을 지니며 왕권의 성장이 그 이름에 반영되어 있다.
④ (나)가 왕호였던 시기에 신라 왕위는 박·석·김의 3성이 교대로 차지하였다.

08

2021년 지방직 9급

(가) 나라에 대한 설명으로 옳은 것은?

> 북쪽 구지에서 이상한 소리로 부르는 것이 있었다. … (중략) … 구간(九干)들은 이 말을 따라 모두 기뻐하면서 노래하고 춤을 추었다. 자줏빛 줄이 하늘에서 드리워져서 땅에 닿았다. 그 줄이 내려온 곳을 따라가 붉은 보자기에 싸인 금으로 만든 상자를 발견하고 열어보니, 해처럼 둥근 황금알 여섯 개가 있었다. 알 여섯이 모두 변하여 어린아이가 되었다. … (중략) … 가장 큰 알에서 태어난 수로(首露)가 왕위에 올라 (가) 를/을 세웠다.
>
> -『삼국유사』

① 해상 교역을 통해 우수한 철을 수출하였다.
② 박, 석, 김씨가 교대로 왕위를 계승하였다.
③ 경당을 설치하여 학문과 무예를 가르쳤다.
④ 정사암 회의를 통해 재상을 선발하였다.

문제풀이 신라의 왕호 변천

난이도 중

신라 왕호는 거서간 → 차차웅 → 이사금 → 마립간 → 왕으로 변화하였으므로, (가)는 이사금, (나)는 마립간이다.

③ 마립간은 통치자·대군장을 뜻하며 신라 왕권의 강화를 반영하고 있다.

오답 분석

① 독자적 세력을 유지하던 6부가 행정적인 6부로 개편된 것은 마립간이 왕호였던 소지 마립간 시기의 일이다.
② 신라가 가야 세력을 정복한 것은 '왕'의 호칭을 사용한 법흥왕(금관가야 정복)과 진흥왕(대가야 정복) 때이다.
④ 신라의 왕위를 박·석·김의 3성이 교대로 차지한 것은 이사금이 왕호였던 시기의 일이다.

이것도 알면 **합격!**

신라 왕호의 변천

구분	시기	의미
거서간	1대 박혁거세	대인, 군장
차차웅	2대 남해	제사장, 무당
이사금	3대 유리 ~	연장자, 계승자
마립간	17대 내물 ~	대군장, 통치자
왕	22대 지증 ~	중국식 왕호(한화 정책)

문제풀이 금관가야

난이도 하

제시문에서 구지에서 금으로 만든 상자를 열었더니 황금알 여섯 개가 있었고, 가장 큰 알에서 태어난 수로가 왕위에 올라 나라를 세웠다는 내용을 통해 (가) 나라가 금관가야임을 알 수 있다.

① 금관가야는 철이 풍부하게 생산되었고, 해상 교역을 통해 낙랑, 일본 규슈에 우수한 철을 수출하였다.

오답 분석

② **신라**: 박, 석, 김씨가 교대로 왕위를 계승한 나라는 신라이다. 신라는 4세기 내물 마립간에 의해 김씨가 독점적으로 왕위를 계승하기 전까지 박, 석, 김씨가 교대로 왕위를 계승하였다.
③ **고구려**: 경당을 설치하여 학문과 무예를 가르친 나라는 고구려이다. 경당은 고구려 장수왕 때 평양으로 천도한 이후 설립된 사립 교육 기관이다.
④ **백제**: 정사암 회의를 통해 재상을 선발한 나라는 백제이다.

이것도 알면 **합격!**

금관가야(전기 가야 연맹 주도)

건국	김수로왕이 김해 지역에서 건국
발전	덩이쇠(철)를 화폐와 같은 교환 수단으로 이용, 중계 무역 발달
멸망	• 광개토 대왕의 공격으로 쇠퇴(5세기 초) → 전기 가야 연맹 몰락 • 구해왕(구형왕)이 신라 법흥왕에게 항복(532)

정답 05 ⑤ 06 ① 07 ③ 08 ①

09

2019년 서울시 9급(6월 시행)

〈보기〉에서 밑줄 친 '이 나라'에 대한 설명으로 가장 옳은 것은?

> **보기**
>
> 천지가 개벽한 뒤로 이곳에는 아직 나라가 없고 또한 왕과 신하도 없었다. 단지 아홉 추장이 각기 백성을 거느리고 농사를 지으며 살았다. …… 아홉 추장과 사람들이 노래하고 춤추면서 하늘을 보니 얼마 뒤 자주색 줄이 하늘로부터 내려와서 땅에 닿았다. 줄 끝을 찾아보니 붉은 보자기에 금빛 상자가 싸여 있었다. 상자를 열어 보니 황금색 알 여섯 개가 있었다. …… 열 사흘째 날 아침에 다시 모여 상자를 열어 보니 여섯 알이 어린 아이가 되어 있었다. 용모가 뛰어나고 바로 앉았다. 아이들이 나날이 자라 십수 일이 지나니 키가 9척이나 되었다. 얼굴은 한 고조, 눈썹은 당의 요 임금, 눈동자는 우의 순 임금과 같았다. 그달 보름에 맏이를 왕위에 추대하였는데, 그가 곧 이 나라의 왕이다.
>
> -『삼국유사』

① 중국 동진으로부터 불교를 받아들여 왕실의 권위를 높였다.

② 재상을 뽑을 때 정사암에 후보 이름을 써서 넣은 상자를 봉해 두었다.

③ 큰일이 있을 때에는 반드시 화백 제도를 통해 여러 사람의 의견을 따랐다.

④ 철기를 만들 때 사용하는 덩이쇠를 화폐와 같은 교환 수단으로 이용하기도 하였다.

문제풀이 금관가야 난이도 중

제시된 자료는『삼국유사』에 기록된 가야의 건국 설화로, 하늘에서 내려온 여섯 개의 알에서 태어난 아이들이 자라 6개의 가야를 세웠으며, 그 중 첫째인 김수로왕은 금관가야를 세웠다고 전해진다.

④ 금관가야는 해상 교통에 유리한 입지 조건과 풍부한 철 생산을 바탕으로 낙랑·대방, 일본 규슈 지방을 연결하는 원거리 교역을 전개하였으며, 이때 철로 만든 덩이쇠를 화폐와 같은 교환 수단으로 이용하기도 하였다.

오답 분석

① **백제**: 중국 동진으로부터 불교를 받아들여 왕실의 권위를 높인 나라는 백제이다. 백제는 침류왕 때 중국 동진에서 온 인도 승려 마라난타를 통해 불교를 수용하였다.

② **백제**: 재상을 뽑을 때 정사암에 모여 후보 이름을 써서 넣은 상자를 봉해두었던 나라는 백제이다. 백제에서는 재상 선출 등의 국가 중대사를 귀족 회의인 정사암 회의에서 결정하였다.

③ **신라**: 큰일이 있을 때에는 화백 제도를 통해 여러 사람의 의견을 따랐던 나라는 신라이다. 신라의 귀족 회의인 화백 회의에서는 만장일치제로 국가 중대사를 결정하였으며, 회의의 의장은 상대등이었다.

10

2019년 기상직 9급

다음 자료와 관련된 국가에 대한 설명으로 옳은 것은?

> "저는 아유타국의 공주로 성은 허이고 이름은 황옥이며 나이는 16살입니다. 본국에 있을 때 금년 5월에 부왕과 모후께서 저에게 말씀하시기를, '우리가 어젯밤 꿈에 함께 황천을 뵈었는데, 황천은 가락국의 왕 수로라는 자는 하늘이 내려보내서 왕위에 오르게 하였으니 곧 신령스럽고 성스러운 것이 이 사람이다. 또 나라를 새로 다스림에 있어 아직 배필을 정하지 못했으니 경들은 공주를 보내서 그 배필을 삼게 하라 하고, 말을 마치자 하늘로 올라갔다. 꿈을 깬 뒤에도 황천의 말이 아직도 귓가에 그대로 남아 있으니, 너는 이 자리에서 곧 부모를 작별하고 그곳을 향해 떠나라'라고 하였습니다. 저는 배를 타고 멀리 증조를 찾고, 하늘로 가서 반도를 찾아 이제 아름다운 모습으로 용안을 가까이하게 되었습니다."

① 신라 진흥왕의 공격으로 멸망하였다.

② 국동대혈에서 하늘에 제사를 지냈다.

③ 22담로에 왕족을 파견하여 지방을 통제하였다.

④ 낙랑과 왜를 연결하는 중계 무역이 발달하였다.

문제풀이 금관가야 난이도 하

제시문에서 아유타국의 공주 허황옥이 가락국의 왕 수로에게 배필로 보내졌다는 것을 통해 금관가야와 관련된 내용임을 알 수 있다.

④ 금관가야는 풍부한 철의 생산과 해상 교통에 유리한 입지 조건을 이용하여 낙랑과 왜를 연결하는 중계 무역을 전개하였다.

오답 분석

① **대가야**: 신라 진흥왕의 공격으로 멸망한 국가는 대가야이다. 금관가야는 신라 법흥왕의 공격으로 멸망하였다.

② **고구려**: 국동대혈에서 하늘에 제사를 지낸 국가는 고구려이다. 국동대혈은 '나라의 동쪽에 있는 큰 동굴'이라는 뜻으로 국내성 동쪽에 위치하였으며, 수혈이라고도 불렸다.

③ **백제**: 22담로에 왕족을 파견하여 지방을 통제한 국가는 백제이다. 백제는 무령왕 때 지방에 담로를 설치하고 왕족을 파견하여 지방에 대한 통제를 강화하였다.

11

2015년 기상직 9급

다음 설화와 관련된 나라에 대한 설명으로 적절하지 않은 것은?

> 이 나라에는 왕이 없어서 아홉 명의 족장이 백성을 다스리고 있었다. 어느 날, 김해에 있는 구지봉에서 소리가 들려 왔다. 족장들은 백성들을 구지봉에 모아 놓고 신이 하라는 대로 흙을 파헤치고 춤을 추며 노래를 불렀다. "구하구하(龜何龜何) 수기현야(首其現也) 약불현야(若不現也) 번작이끽야(燔灼而喫也)" 그러자 하늘에서 금으로 만들어진 상자가 내려왔고, 그 상자에는 붉은 보자기로 싼 여섯 개의 황금알이 들어 있었다.
>
> -『삼국유사』

① 덩이쇠를 화폐로 사용하였다.

② 중앙 집권 국가로 발전하지 못하였다.

③ 낙동강 유역인 변한 지역에서 성립되었다.

④ 5세기에 한강 유역을 차지하여 전성기를 이룩하였다.

문제풀이 금관가야 난이도 중

제시문에서 여섯 개의 황금알이 김해의 구지봉에서 발견되었다는 내용을 통해 가야의 건국 설화임을 알 수 있다. 일연의 『삼국유사』를 통해 구지봉에서 하늘의 소리에 따라 구지가(거북이 노래)를 부르자 6개의 황금알이 내려왔고, 그 알에서 가장 먼저 태어난 수로가 금관가야를 세우고(김수로왕) 나머지 다섯이 다른 가야 왕국을 세웠다는 건국 설화가 전해진다.

④ 5세기에 한강 유역을 차지하여 전성기를 이룩한 나라는 고구려이다. 고구려의 장수왕은 남진 정책을 전개하여 한강 유역을 차지하고 있던 백제를 몰아내고 죽령 일대에서 남양만에 이르는 영토를 확보하였다. 한편, 5세기 초에 고구려 광개토 대왕의 고구려군이 신라에 침입한 왜구를 추격하며 낙동강 하류의 가야 지방까지 내려오면서 금관가야 중심의 전기 가야 연맹이 해체되었고, 5세기 후반에 고령 지방의 대가야를 새로운 맹주로 하여 후기 가야 연맹이 형성되었다.

오답 분석

① 금관가야에서는 철이 풍부하게 생산되었기 때문에 대외 교역에 철로 만들어진 덩이쇠를 화폐처럼 사용하기도 하였다.

② 금관가야는 신라 법흥왕에 의해 멸망하면서, 중앙 집권 국가로 발전하지 못하고 연맹 왕국 단계에서 멸망하였다. 가야는 연맹체 국가로, 각 소국들이 독자적인 정치 기반을 유지하고 있는 연맹 왕국이었다.

③ 금관가야는 낙동강 하류의 변한 지역에서 성장하였다.

12

2024년 국가직 9급

밑줄 친 '이 나라'에 대한 설명으로 옳은 것은?

> 5세기 후반 가야의 주도 세력으로 성장한 <u>이 나라</u>는 낙동강 유역이라는 지리적 이점과 풍부한 철을 활용하여 후기 가야 연맹의 맹주가 되었다.

① 진흥왕에 의해 멸망하였다.

② 사비로 천도하고 국호를 남부여로 하였다.

③ 지방 행정 구역을 5경 15부 62주로 나누었다.

④ 평양으로 수도를 옮기고 남진 정책을 추진하였다.

문제풀이 대가야 난이도 하

제시문에서 5세기 후반 가야의 주도 세력으로 성장하였으며, 후기 가야 연맹의 맹주가 되었다는 내용을 통해 밑줄 친 '이 나라'가 대가야임을 알 수 있다.

① 대가야는 진흥왕에 의해 멸망하였다. 대가야는 지리적 이점과 풍부한 철을 활용하여 낙랑과 대방, 규슈 지방을 연결하는 중계 무역을 전개하였다. 이를 통해 5세기 후반 후기 가야 연맹의 맹주로 급성장하였으나, 6세기에 이르러 진흥왕이 파견한 이사부와 사다함에 의해 멸망하였다.

오답 분석

② **백제**: 사비로 천도하고 국호를 남부여로 한 나라는 백제이다. 백제는 성왕 때 수도를 웅진(공주)에서 사비(부여)로 옮기고 백제의 중흥을 꾀하며 국호를 남부여로 바꾸었다.

③ **발해**: 지방 행정 구역을 5경 15부 62주로 나누었던 나라는 발해이다. 발해는 전략적 요충지에 5경과 지방 행정 중심지에 15부를 설치하였고, 부 아래에 62주와 현, 촌을 두었다.

④ **고구려**: 평양으로 수도를 옮기고 남진 정책을 추진한 나라는 고구려이다. 고구려는 장수왕 때 국내성에서 평양으로 수도를 옮기고, 남진 정책을 추진하여 백제의 수도 한성을 함락시키고 한강 유역을 차지하였다.

정답 09 ④ 10 ④ 11 ④ 12 ①

13

2020년 지방직 9급

밑줄 친 '이 나라'에 대한 설명으로 옳은 것은?

> <u>이 나라</u>는 삼한의 종족이며, 지금의 고령에 있었다. 건원 원년(479)에 그 국왕 하지(荷知)는 사신을 보내 남제에 공물을 바쳤다. 남제에서는 국왕 하지에게 "보국장군 본국왕"을 제수하였다.

① 관산성 전투에서 국왕이 전사하였다.

② 울릉도를 정복해서 영토로 편입하였다.

③ 호남 동부 지역까지 세력을 확장하였다.

④ 신라를 도와 낙동강 유역에 진출한 왜를 격파하였다.

문제풀이 대가야 난이도 중

제시문에서 고령에 있었고, 남제에 사신을 파견했다는 기록을 통해 밑줄 친 '이 나라'가 대가야임을 알 수 있다. 대가야는 후기 가야 연맹의 맹주로 고령 지방을 중심으로 발전하였고, 5세기 후반에는 중국 남제에 독자적으로 사신을 파견하여 관직을 제수받을 만큼 성장하였다.

③ 대가야는 6세기 초에 소백산맥을 너머 호남 동부 지역까지 세력을 확장하고, 백제, 신라와 대등하게 경쟁할 만큼 성장하였다.

오답 분석

① **백제**: 관산성 전투에서 국왕(성왕)이 전사한 나라는 백제이다. 대가야도 관산성 전투에 참전한 것은 맞으나, 국왕이 전사하지는 않았다.

② **신라**: 울릉도를 정복해서 영토로 편입한 나라는 신라이다. 신라는 지증왕 때인 512년 이사부를 파견하여 우산국(울릉도)를 복속하였다.

④ **고구려**: 신라를 도와 낙동강 유역에 진출한 왜를 격파한 나라는 고구려이다. 고구려는 광개토 대왕 때 백제·가야·왜의 연합군이 신라를 공격하자, 신라를 지원하여 왜를 격퇴하고 금관가야를 공격함으로써 한반도 남부까지 영향력을 확대하였다.

14

2017년 국가직 7급(8월 시행)

밑줄 친 '이 나라'에 대한 설명으로 옳지 않은 것은?

> 시조는 이진아시왕이다. 그로부터 도설지왕까지 대략 16대 520년이다. 최치원이 지은 「석이정전」을 살펴보면, 가야산신 정견모주가 천신 이비가지에게 감응되어 <u>이 나라</u> 왕 뇌질주일과 금관국왕 뇌질청예 두 사람을 낳았는데, 뇌질주일은 곧 이진아시왕의 별칭이고 뇌질청예는 수로왕의 별칭이라고 한다.
>
> – 「신증동국여지승람」

① 5세기 후반부터 급성장해 가야의 주도 세력이 되었다.

② 고령의 지산동 고분군을 대표적 문화유산으로 남겼다.

③ 시조는 아유타국에서 온 공주와 혼인을 하였다고 전한다.

④ 전성기에는 지금의 전라북도 일부 지역까지 세력을 확장하였다.

문제풀이 대가야 난이도 상

제시문에서 시조가 이진아시왕이며 가야산신 정견모주가 '이 나라' 왕인 뇌질주일(이진아시왕)과 금관국왕인 뇌질청예(김수로왕)를 낳았다는 내용을 통해 밑줄 친 '이 나라'가 대가야임을 알 수 있다.

③ 인도의 아유타국에서 온 공주 허황옥과 혼인하였다고 전해지는 인물은 금관가야의 시조인 김수로왕이다.

오답 분석

① 대가야는 5세기 후반부터 급성장하여 후기 가야 연맹의 주도 세력이 되었다. 후기 가야 연맹의 새로운 맹주로 성장한 대가야는 5세기 후반 중국의 남제와 수교하는 한편, 백제·신라와 동맹하여 고구려에 대항하였다. 또한 6세기 초에는 백제, 신라와 대등하게 세력을 다툴 만큼 성장하였고, 국제적 고립에서 벗어나고자 신라와 결혼 동맹을 체결하기도 하였다(522).

② 대가야의 대표적 문화유산으로는 고령의 지산동 고분군이 있다. 고령 지산동 고분군의 무덤에서는 많은 양의 토기와 함께 금동관·갑옷 및 투구·칼 및 꾸미개 등이 출토되었다.

④ 고령의 대가야는 5세기 말에서 6세기 초 무렵에 서쪽으로의 영토 개척을 추진하여 소백 산맥을 넘어 지금의 전라북도 남원 지역까지 세력을 확장하였다.

15

2017년 지방직 7급

밑줄 친 '가라(가야)국'에 대한 설명으로 옳은 것은?

> 진흥왕이 이찬 이사부에게 명하여 가라(가야라고도 한다)국을 공격하도록 하였다. 이때 사다함은 나이 15, 6세였음에도 종군하기를 청하였다. 왕이 나이가 아직 어리다 하여 허락하지 않았으나, 여러 번 진심으로 청하고 뜻이 확고하였으므로 드디어 귀당 비장으로 삼았다. … 그 나라 사람들이 뜻밖에 군사가 쳐들어오는 것을 보고 놀라 막지 못하였으므로 대군이 승세를 타고 마침내 그 나라를 멸망시켰다.
>
> -『삼국사기』

① 시조는 수로왕이며 구지봉 전설이 있다.

② 나라가 망할 즈음 우륵이 가야금을 가지고 신라로 들어갔다.

③ 낙동강 하류에 도읍하고 해상 교역을 중계하였다.

④ 국주(國主) 김구해가 항복하자 신라왕이 본국을 식읍으로 주었다.

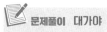

문제풀이 대가야 난이도 상

제시문에서 진흥왕 때 이사부가 공격하였다는 내용을 통해 밑줄 친 '가라(가야)국'이 대가야임을 알 수 있다. 대가야는 신라 진흥왕이 파견한 장군 이사부에 의해 멸망하였다(562).

② 대가야가 망할 즈음인 신라 진흥왕 때 우륵이 가야금을 가지고 신라에 투항하였다. 이후 우륵은 국원소경(지금의 충주)에 머물며 신라의 음악 발전에 기여하였다.

오답 분석

① **금관가야**: 시조가 수로왕인 가야국은 금관가야이다. 구지봉 전설은 김해의 구지봉에서 발견된 여섯 개의 황금알에서 태어난 인물들이 나라를 세웠다는 가야의 건국 설화이다. 한편, 대가야의 시조는 이진아시왕이다.

③ **금관가야**: 낙동강 하류(김해)에 도읍하고 해상 교역을 중계한 가야국은 금관가야이다. 금관가야는 풍부한 철의 생산과 해상 교통을 이용하여 낙랑과 대방, 규슈 지방을 연결하는 중계 무역을 전개하였다.

④ **금관가야**: 김구해는 금관가야의 왕(구해왕 또는 구형왕)으로, 신라 법흥왕의 지속적인 압박으로 신라에 항복하였다(532).

16

2024년 법원직 9급

(가) 국가에 대한 설명으로 가장 옳지 않은 것은?

> 김해·고령 등 (가) 고분군 7곳, 유네스코 세계 문화유산 됐다.
>
> 유네스코 "고대 문명의 주요 증거"
>
> 한반도 남부에 남아있는 유적 7곳을 묶은 고분군이 유네스코 세계 문화유산 됐다. …… (가) 은/는 기원 전후부터 562년까지 주로 낙동강 유역을 중심으로 번성한 작은 나라들의 총칭이다.
>
> – 2023. 9. 18. □□ 일보

① 낙동강 하류의 변한 지역에서 성장하였다.

② 철기를 활발히 생산하여 주변국에 수출하였다.

③ 골품에 따라 관등이나 관직 승진에 제한이 있었다.

④ 금관가야를 중심으로 전기 가야 연맹이 결성되었다.

문제풀이 가야 난이도 하

제시문에서 김해·고령 등 고분군 7곳이 유네스코 세계 문화유산이 됐다는 내용과 기원 전후부터 562년까지 주로 낙동강 유역을 중심으로 번성한 작은 나라들의 총칭이라는 내용을 통해 (가) 국가가 가야임을 알 수 있다.

③ 골품에 따라 관등이나 관직 승진에 제한이 있었던 나라는 신라이다. 신라는 골품제를 시행하여 각 골품마다 승진할 수 있는 관등의 상한선을 제한하였으며, 가옥의 크기, 수레의 크기 등 일상 생활까지 제한하였다.

오답 분석

①, ② 가야는 철이 많이 생산되는 낙동강 하류의 변한 지역에서 철기 문화를 바탕으로 성장하였다. 또한 가야는 생산한 철기를 해상 교역을 통해 주변국인 낙랑, 일본 규슈 등에 수출하였다.

④ 3세기경에 김해 지역의 금관가야를 중심으로 전기 가야 연맹이 결성되었다. 이후 광개토 대왕의 남하로 인해 전기 가야 연맹이 해체되었고, 5세기 후반에 고령 지방의 대가야를 중심으로 후기 가야 연맹이 결성되었다.

정답 13 ③ 14 ③ 15 ② 16 ③

2 | 삼국의 발전과 통치 체제

01

2022년 서울시 9급(2월 시행)

〈보기〉는 백제 어느 왕대의 사실이다. 백제의 이 왕과 대립하였던 고구려의 왕은?

> **보기**
> 겨울 11월에 왕이 돌아가셨다. 옛 기록[古記]에 다음과 같이 전한다. "백제는 나라를 연 이래 문자로 일을 기록한 적이 없는데 이때에 이르러 박사(博士) 고흥(高興)을 얻어 『서기(書記)』를 갖추게 되었다."

① 동천왕 ② 장수왕
③ 문자명왕 ④ 고국원왕

02

2016년 국가직 9급

밑줄 친 '왕' 때의 사실로 옳은 것은?

> • 왕 재위 2년에 전진 국왕 부견이 사신과 승려 순도를 보내며 불상과 경문을 전해왔다. (이에 우리)왕께서 사신을 보내 사례하며 토산물을 보냈다.
> • 왕 재위 5년에 비로소 초문사를 창건하고 순도를 머물게 하였다. 또 이불란사를 창건하고 아도를 머물게 하였다. 이것이 해동 불법(佛法)의 시작이었다. – 『삼국사기』

① 역사서인 『신집』을 편찬하였다.
② 진휼 제도로 진대법을 도입하였다.
③ 유학 교육 기관인 태학을 설치하였다.
④ 왜에 종이와 먹의 제작 방법을 전해 주었다.

문제풀이 고국원왕 난이도 하

제시문에서 박사 고흥을 얻어 『서기』를 갖추게 되었다는 내용을 통해 백제의 근초고왕 대(346~375)임을 알 수 있다. 백제의 근초고왕과 대립했던 고구려의 왕은 고국원왕(331~371)이다.

④ 고구려의 고국원왕은 황해도 지역을 두고 백제의 근초고왕과 대립하다가 근초고왕의 공격으로 평양성 전투에서 전사하였다(371).

오답 분석

① 동천왕(227~248)은 백제 고이왕 때의 고구려 왕이다. 동천왕은 중국과 낙랑의 연결 통로를 차단하기 위하여 서안평을 공격(242)하기도 하였으나, 관구검이 이끄는 위나라 군대의 침략을 받아 옥저 지역으로 피난하였다(244~245).

② 장수왕(413~491)은 백제 비유왕, 개로왕, 문주왕, 동성왕 때의 고구려 왕이다. 장수왕이 남진 정책을 추진하여 평양으로 천도(427)하자 이에 위협을 느낀 비유왕은 신라와 나·제 동맹을 체결하였다(433). 이후 장수왕의 공격으로 백제의 수도인 한성이 함락되고 개로왕이 전사하였으며(475), 뒤이어 왕위에 오른 문주왕은 웅진으로 천도하였다.

③ 문자명왕(문자왕, 491~519)은 백제 동성왕, 무령왕 때의 고구려 왕이다. 문자명왕(문자왕)은 부여를 복속하여 고구려의 최대 영토를 확보하였다(494).

문제풀이 소수림왕의 업적 난이도 중

제시문에서 전진의 승려 순도에 의해 불교가 전래(372)되었으며, 고구려 최초의 사찰인 초문사와 이불란사를 창건(375)하여 최초로 불교를 수용하였다는 내용을 통해 밑줄 친 '왕'이 고구려의 소수림왕임을 알 수 있다.

③ 소수림왕은 유학 교육 기관인 태학을 설치하였다. 태학은 기록상 전하는 우리나라 최초의 교육 기관으로, 귀족의 자제에게 유교 경전을 가르쳤다.

오답 분석

① **영양왕**: 역사서인 『신집』을 편찬한 왕은 영양왕이다. 『신집』 5권은 이문진이 왕명을 받아 『유기』 100권을 간추려 만든 역사서이다.

② **고국천왕**: 춘궁기에 곡식을 빌려 주고 추수기에 갚도록 하는 진대법을 도입한 왕은 고국천왕이다. 고국천왕은 굶주린 백성들을 구휼하기 위해 진대법을 실시하였다.

④ **영양왕**: 담징이 종이와 먹의 제조 방법을 일본에 전해준 것은 7세기 초 영양왕 때의 사실이다.

 이것도 알면 **합격!**

소수림왕의 업적

불교 수용	전진에서 불교 수용·공인
태학 설립	국립 교육 기관인 태학을 설립하여 인재 양성
율령 반포	국가 통치의 기본법인 율령 반포

03

2022년 소방간부후보생

(가), (나) 시기 사이에 있었던 사실로 옳은 것을 〈보기〉에서 고른 것은?

> (가) 진나라의 부견이 사신과 승려 순도를 파견하여 불상과 경문을 보내왔다. 이에 왕은 사신을 보내 답례하고 토산물을 바치도록 하였다.
> (나) 대업 9년에 양제가 친정을 단행하였다. 이때 모든 군대에게 상황에 맞게 적절히 대응하라고 지시하였다. 이에 여러 장수들이 각자 길을 나누어 성들을 공격하니 적의 군세는 날로 위축되었다.

보기
- ㉠ 단양 적성비가 건립되었다.
- ㉡ 무령왕이 22담로에 왕족을 파견하였다.
- ㉢ 관구검의 공격으로 수도가 함락되었다.
- ㉣ 연개소문이 정변을 일으켜 권력을 장악하였다.

① ㉠, ㉡ ② ㉠, ㉢
③ ㉡, ㉢ ④ ㉡, ㉣
⑤ ㉢, ㉣

04

2022년 소방간부후보생

(가) 시기에 들어갈 역사적 사건으로 가장 적절한 것은?

> 고구려가 군사를 일으켜 오니, 왕이 듣고 패하 강변에 군사를 매복시켰다가 오는 것을 기다려 갑자기 쳐서 격퇴하였다. 겨울에 왕이 태자와 함께 정예병을 거느리고 평양성을 공격하였다. 고구려의 왕이 이들의 공격을 막다가 화살에 맞아 사망하였다.

↓

↓

> 호태왕(好太王)은 친히 수군을 이끌고 백제를 토벌하였다. …(중략)… 백제의 왕은 남녀 포로 천여 명과 세포 천 필을 바치고, 무릎을 꿇고 스스로 맹세하기를 "지금부터 영원히 노객(奴客)이 되겠습니다."라고 하였다.

① 나·제 동맹이 체결되었다.
② 백제가 국호를 남부여로 고쳤다.
③ 고구려는 낙랑군을 완전히 몰아내었다.
④ 고구려는 불교를 공인하고 율령을 반포하였다.
⑤ 백제는 관등제를 도입하고 관리의 복색을 정하였다.

문제풀이 고구려의 불교 수용과 수 양제의 침입 사이의 사실 난이도 중

(가)는 진나라의 부견이 순도를 파견하여 불상과 경문을 보냈다는 것을 통해 소수림왕 때인 372년의 사실임을 알 수 있다.

(나)는 대업(수나라의 연호) 9년에 수나라의 양제가 친정을 단행하였다는 내용을 통해 영양왕 때인 613년의 사실임을 알 수 있다.

① 옳은 것을 모두 고르면 ㉠, ㉡이다.

㉠ 단양 적성비는 진흥왕(540~576)이 고구려의 영토였던 단양의 적성을 점령하고 건립한 비석으로, 점령에 도움을 준 주민 야이차를 포상하였다는 내용 등이 기록되어 있다.

㉡ 백제 무령왕(501~523)은 지방의 22담로에 왕족을 파견하여 지방에 대한 통제를 강화하였다.

오답 분석

㉢ **(가) 이전**: 위나라 장수 관구검의 공격으로 고구려의 수도인 환도성이 함락된 것은 동천왕 때인 244~245년으로, (가) 이전의 사실이다.

㉣ **(나) 이후**: 연개소문이 정변을 일으켜 권력을 장악한 것은 영류왕 때인 642년으로, (나) 이후의 사실이다. 연개소문은 정변을 일으켜 영류왕을 제거하고, 보장왕을 왕으로 옹립하였으며 스스로 대막리지가 되어 권력을 장악하였다.

문제풀이 고국원왕 전사와 광개토 대왕의 백제 토벌 사이의 사실 난이도 중

제시된 자료에서 백제 왕(근초고왕)이 평양성을 공격하여, 고구려 왕(고국원왕)이 사망한 것은 371년이고, 호태왕(광개토 대왕)이 백제를 토벌하자 백제왕(아신왕)이 영원히 노객이 되겠다고 한 것은 396년의 사실이다. 따라서, (가) 시기는 371년~396년의 사실이다.

④ 고구려는 (가) 시기인 소수림왕 때 삼국 중 최초로 불교를 공인(372)하고, 국가 통치의 기본법인 율령을 반포(373)하였다.

오답 분석

① **(가) 이후**: 나·제 동맹이 체결된 것은 433년으로, (가) 시기 이후의 사실이다. 장수왕의 남하 정책에 위협을 느낀 백제 비유왕과 신라 눌지 마립간은 나·제 동맹을 체결하였다.

② **(가) 이후**: 백제가 국호를 남부여로 고친 것은 성왕 때인 538년으로, (가) 시기 이후의 사실이다.

③ **(가) 이전**: 고구려가 낙랑군을 완전히 몰아낸 것은 미천왕 때인 313년으로, (가) 시기 이전의 사실이다. 고구려 미천왕은 중국이 5호 16국 시대로 혼란한 틈을 타 낙랑군을 몰아내고 대동강 유역을 차지하였다.

⑤ **(가) 이전**: 백제가 관등제를 도입하고, 관리의 복색을 자색, 비색, 청색으로 정한 것은 3세기 고이왕 때로, (가) 시기 이전의 사실이다.

정답 01 ④ 02 ③ 03 ① 04 ④

05

2021년 서울시 9급(특수 직렬)

〈보기〉의 (가), (나) 시기 사이에 있었던 사실로 가장 옳은 것은?

> **보기**
> (가) 고구려는 백제를 선제 공격하였다가 패하고 고국원왕이 전사하는 위기를 맞았다.
> (나) 왜의 침입을 받은 신라를 구원하기 위해 원병을 보내고 낙동강 하류까지 진출하였다.

① 수도를 평양성으로 천도하였다.
② 낙랑군을 축출하고 대동강 유역을 차지하였다.
③ 요서 지역에 대해 선제공격을 감행하였다.
④ 태학을 설립하고 율령을 반포하여 체제 안정화 정책을 실시하였다.

문제풀이 고국원왕 ~ 광개토 대왕 사이의 사실 난이도 하

(가) 고구려 고국원왕이 전사하였다는 내용을 통해 371년임을 알 수 있다.
(나) 왜의 침입을 받은 신라를 구원하기 위해 원병을 보내고 낙동강 하류까지 진출하였다는 내용을 통해 광개토 대왕 때인 400년임을 알 수 있다.

④ (가)와 (나) 시기 사이에, 고구려 소수림왕은 태학을 설립(372)하고 율령을 반포(373)하는 등 국가의 위기 상황을 극복하기 위한 체제 안정화 정책을 실시하였다.

오답 분석

① **(나) 이후**: 고구려가 수도를 평양성으로 옮긴 것(427)은 장수왕 때로, (나) 이후의 사실이다. 장수왕은 국내성에 기반을 둔 5부 귀족 세력을 약화시키기 위해 평양으로 천도하고 적극적인 남하 정책을 추진하였다.
② **(가) 이전**: 고구려가 낙랑군을 축출하고 대동강 유역을 차지(313)한 것은 미천왕 때로, (가) 이전의 사실이다. 미천왕은 중국이 5호 16국 시대로 인해 혼란스러운 틈을 타 한반도에서 낙랑군과 대방군을 축출하여 대동강 유역을 차지하였다.
③ **(나) 이후**: 고구려가 요서 지역에 대해 선제 공격을 감행(598)한 것은 영양왕 때로, (나) 이후의 사실이다. 수에 의해 중국이 통일되자, 영양왕은 이를 견제하기 위해 말갈의 군사를 이끌고 요서 지역을 선제 공격하였다.

06

2019년 지방직 9급

(나) 시기에 발생한 사건으로 옳은 것은?

> (가) 백제 왕이 병력 3만 명을 거느리고 평양성을 공격해 왔다. 왕이 출병하여 막다가 날아오는 화살에 맞아 서거하였다.
>
> ↓
>
> (나)
>
> ↓
>
> (다) 왕이 보병과 기병 5만 명을 보내 신라를 구원하게 하였다. (고구려 군이) 남거성을 통해 신라성에 이르렀는데 그곳에 왜가 가득하였다. 관군이 도착하자 왜적이 퇴각하였다.

① 태학을 설립하고 율령을 반포하였다.
② 평양으로 도읍을 옮기고 한성을 함락하였다.
③ 관구검이 이끄는 위나라 군대의 침략을 받았다.
④ 왕이 직접 말갈 병사를 거느리고 요서 지방을 공격하였다.

문제풀이 고국원왕~광개토 대왕 사이의 사건 난이도 중

(가)는 백제 왕(근초고왕)이 고구려 평양성을 공격하여 왕(고국원왕)이 서거하였다는 내용을 통해 고구려 고국원왕이 전사한 371년의 사실이다.
(다)는 왕(광개토 대왕)이 보병과 기병을 보내 신라를 구원하였다는 내용을 통해 고구려 광개토 대왕이 신라를 구원한 400년의 사실이다.
따라서 (나)에는 371년~400년 사이에 일어난 사건이 들어갈 수 있다.

① (나) 시기에 고구려 소수림왕은 태학을 설립(372)하고, 율령을 반포(373)하여 중앙 집권적 국가 체제를 강화하였다.

오답 분석

② **(다) 이후**: 고구려가 평양으로 도읍을 옮기고(427), 백제의 수도인 한성을 함락시킨 것(475)은 고구려 장수왕 때로, (다) 이후의 사실이다.
③ **(가) 이전**: 고구려가 관구검이 이끄는 위나라 군대의 침략을 받은 것은 동천왕 때로, (가) 이전의 사실이다.
④ **(다) 이후**: 고구려 왕이 직접 말갈 병사를 거느리고 요서 지방을 공격(598)한 것은 고구려 영양왕 때로, (다) 이후의 사실이다.

07

2024년 법원직 9급

밑줄 친 '왕'에 대한 설명으로 가장 옳은 것은?

> 신라가 사신을 보내 왕에게 말하기를 "왜인이 그 국경에 가득 차 성을 부수었으니, 노객은 백성된 자로서 왕에게 귀의하여 분부를 청합니다." 라고 하였다. …… 10년(400)에 보병과 기병 5만을 보내(신라를) 구원하게 하였다.

① 태학을 설립하고 율령을 반포하였다.
② 마한을 병합하고 평양을 공격하였다.
③ 마립간이라는 왕호를 처음 사용하였다.
④ 요동을 포함한 만주 일대를 장악하였다.

08

2021년 소방직

밑줄 친 '왕'에 대한 설명으로 옳은 것은?

> 신라가 사신을 보내 왕에게 말하기를, "왜인이 그 국경에 가득 차 성을 부수었으니, 노객은 백성 된 자로서 왕에게 귀의하여 분부를 청한다."고 하였다. …… 10년 경자(庚子)에 보병과 기병 5만을 보내 신라를 구원하게 하였다. …… 관군이 이르자 왜적이 물러가므로, 뒤를 급히 추격하여 임나가라(任那加羅)의 종발성에 이르렀다. 성이 곧 귀순하여 복종하므로, 순라병을 두어 지키게 하였다.

① 태학을 설립하였다.
② 대가야를 정복하였다.
③ 관산성에서 전사하였다.
④ 독자적인 연호를 사용하였다.

문제풀이 광개토 대왕 난이도 중

제시문에서 신라가 사신을 보내자 왕이 보병과 기병 5만을 보내 신라를 구원하게 하였다는 내용을 통해 밑줄 친 '왕'이 광개토 대왕임을 알 수 있다.

④ 고구려의 광개토 대왕은 활발한 정복 사업을 전개하여 숙신과 비려를 정벌하고, 후연을 공격하여 요동 지역을 포함한 만주 일대를 장악하였다.

오답 분석

① **소수림왕**: 국립 교육 기관인 태학을 설립하고 율령을 반포한 왕은 고구려의 소수림왕이다.

② **근초고왕**: 남쪽으로는 마한을 병합하고 북쪽으로는 고구려의 평양을 공격한 왕은 백제의 근초고왕이다. 근초고왕은 활발한 정복 활동을 통해 남쪽으로는 마한을 병합하여 전라도 지역까지 진출하였으며, 황해도 지역을 놓고 대결하였던 고구려의 평양성을 공격하여 고국원왕을 전사하게 하였다.

③ **내물 마립간**: 대군장을 뜻하는 마립간이라는 왕호를 처음 사용한 왕은 신라의 내물 마립간이다. 내물 마립간은 김씨의 독점적인 왕위 세습권을 확립하고, 왕호를 이사금에서 마립간으로 바꾸었다.

문제풀이 광개토 대왕 난이도 중

제시문에서 신라에 군사를 보내 왜적을 물리치고 신라를 구원하였다는 내용을 통해 밑줄 친 '왕'이 고구려 광개토 대왕임을 알 수 있다. 광개토 대왕은 신라 내물 마립간의 요청에 따라 군사를 파견하여 신라에 침입한 왜군을 물리쳤다(400). 이후 고구려는 신라에 군대를 주둔시키는 등 신라에 대한 내정 간섭을 강화하고 한반도 남부까지 영향력을 확대하였다.

④ 광개토 대왕은 '영락'이라는 독자적인 연호를 사용하였다.

오답 분석

① **소수림왕**: 국립 교육 기관인 태학을 설립한 왕은 고구려 소수림왕이다.

② **진흥왕(신라)**: 대가야를 정복한 왕은 신라 진흥왕이다. 진흥왕은 이사부를 보내 대가야를 정복하여 신라의 영토를 확장하였다.

③ **성왕(백제)**: 관산성 전투에서 전사한 왕은 백제 성왕이다. 성왕은 신라 진흥왕과 연합하여 고구려가 차지하고 있던 한강 유역을 일시적으로 확보하였으나, 진흥왕의 배신으로 이를 신라에게 빼앗겼다. 이에 분노한 성왕은 신라를 공격하였으나 관산성 전투에서 전사하였다.

이것도 알면 **합격!**

광개토 대왕의 업적
- 영락 연호 사용
- 정복 활동: 백제(아신왕)의 한성을 공격하여 한강 이북 지역을 차지, 숙신·비려 정복, 후연 공격(랴오둥 진출)
- 신라 구원: 내물 마립간의 요청으로 신라에 침입한 왜구 격퇴

정답 05 ④ 06 ① 07 ④ 08 ④

09

2018년 국가직 9급

밑줄 친 ㉠의 결과에 해당하는 사실로 옳은 것은?

> (영락) 6년 병신(丙申)에 왕이 직접 수군을 이끌고 백제를 토벌하였다. (백제왕이) 우리 왕에게 항복하면서 "지금 이후로는 영원히 노객(奴客)이 되겠습니다."라고 맹세하였다. … (중략) … ㉠ 10년 경자(庚子)에 왕이 보병과 기병 5만 명을 보내어 신라를 구원하게 하였다.

① 고구려가 신라 내정 간섭을 강화하였다.

② 백제가 고구려의 평양성을 공격하였다.

③ 신라가 관산성 전투에서 백제 성왕을 살해하였다.

④ 금관가야가 가야 지역의 중심 세력으로 대두하였다.

문제풀이 광개토 대왕의 신라 구원 난이도 중

제시된 자료에서 영락이라는 연호가 사용된 것과 백제 왕(아신왕)이 항복하였다는 내용을 통해 고구려의 광개토 대왕 시기의 사실임을 알 수 있으며, 왕이 병사를 보내 신라를 구원하게 하였다는 ㉠의 내용은 광개토 대왕이 군사를 보내 신라를 구원한 사건임을 알 수 있다.

① 광개토 대왕이 신라 내물 마립간의 요청에 따라 군사를 파견(400)하여 신라에 침입한 왜군을 물리친 이후 고구려는 신라에 군대를 주둔시키는 등 신라에 대한 내정 간섭을 강화하였고, 한반도 남부까지 영향력을 확대하였다.

오답 분석

② 황해도 지역을 놓고 고구려와 대립하던 백제의 근초고왕이 고구려의 평양성을 공격하여 고국원왕을 전사시킨 것(371)은 광개토 대왕의 신라 구원 이전의 사실이다.

③ 신라군이 관산성 전투에서 백제 성왕을 살해한 것은 광개토 대왕의 신라 구원과 관련이 없다. 백제 성왕과 신라 진흥왕은 연합하여 고구려가 차지하고 있던 한강 유역을 확보하였으며, 이후 신라 진흥왕은 백제와의 연합을 깨고 한강 하류까지 차지하였다(553). 이에 분노한 성왕은 신라를 공격하였으나 관산성 전투에서 전사하였다(554).

④ 금관가야가 가야 지역의 중심 세력으로 대두한 것은 2~3세기의 사실이다. 이후 4~5세기경에 신라를 구원하기 위해 출병한 광개토 대왕의 고구려군이 낙동강 유역까지 남하하면서 금관가야가 타격을 입고 전기 가야 연맹이 해체되었다.

10

2022년 간호직 8급

밑줄 친 '왕'의 업적을 기록한 문화유산은?

> 왕의 이름은 담덕이며, 장수왕의 아버지이다. 후연과 거란을 격파하였다. 영토를 크게 확장한 정복 군주이다. 재위 시에 '영락'이라는 연호를 사용하였다.

① 칠지도

② 사택지적비

③ 광개토 대왕릉비

④ 창녕 신라 진흥왕 척경비

문제풀이 광개토 대왕릉비 난이도 하

제시문에서 장수왕의 아버지이며, '영락'이라는 연호를 사용하였다는 것을 통해 밑줄 친 '왕'이 고구려 광개토 대왕임을 알 수 있다.

③ 광개토 대왕릉비는 장수왕이 아버지인 광개토 대왕의 업적을 기념하기 위해 세운 비석으로, '호태왕비'라고도 불린다. 비문에는 고구려 건국 신화, 광개토 대왕의 정복 활동, 수묘인의 숫자와 관리 규정 등이 기록되어 있다.

오답 분석

① 칠지도는 백제 근초고왕 때 왜왕에게 하사한 것으로 추정되는 유물이며, 당시 백제와 일본이 긴밀한 관계를 유지하고 있었음을 알 수 있다.

② 사택지적비는 백제 귀족인 사택지적이 남긴 비석으로, 사택지적이 불교에 귀의해 불당을 세운 내력이 기록되어 있다. 또한 인생의 무상함을 한탄하는 비문의 내용을 통해 노장 사상의 영향을 받았음을 알 수 있다.

④ 창녕 신라 진흥왕 척경비는 신라 진흥왕이 창녕의 비화가야를 정복하고 세운 비석이다.

이것도 알면 **합격!**

광개토 대왕릉비

위치	중국 지린성 지안시
비문 내용	고구려 건국 신화, 광개토 대왕의 정복 활동, 수묘인의 숫자와 관리 규정 등
기타	일본이 신묘년 기사를 임나일본부설의 근거로 활용함

11

2023년 법원직 9급

(가), (나) 시기 사이에 있었던 사실로 가장 옳은 것은?

> (가) 영락 5년 왕은 패려(稗麗)가 …… 하지 않는다고 생각하고 친히 군사를 이끌고 가서 토벌하였다. 부산(富山)·부산(負山)을 지나 염수(鹽水) 가에 이르렀다. 600~700영(營)을 격파하니, 노획한 소·말·양의 수가 헤아릴 수 없이 많았다.
>
> (나) 고구려왕 거련(巨璉)이 병사 3만 명을 거느리고 한성을 포위하였다. 고구려 사람들이 병사를 네 방면의 길로 나누어 협공하고 또 바람을 이용해서 불을 질러 성문을 태우니, 성 밖으로 나가 항복하려는 자도 있었다. 임금은 기병 수십 명을 거느리고 성문을 나가 서쪽으로 달아났는데, 고구려 병사에게 살해되었다.

① 신라에 병부가 설치되었다.
② 고구려가 평양으로 천도하였다.
③ 고이왕이 좌평과 관등제의 기본 골격을 마련하였다.
④ 백제군의 공격으로 고국원왕이 전사하였다.

문제풀이 고구려의 거란 정벌과 한성 함락 사이의 사실 난이도 중

(가)는 영락 5년에 패려를 친히 군사를 이끌고 가서 토벌하였다는 내용을 통해 395년에 광개토 대왕이 거란족의 일부로 추정되는 패려를 정벌한 상황임을 알 수 있다.

(나)는 고구려왕 거련(장수왕)이 병사를 거느리고 한성을 포위하고, 임금(백제 개로왕)이 고구려 병사에게 살해되었다는 내용을 통해 475년에 장수왕이 백제의 수도인 한성을 함락한 상황임을 알 수 있다.

② (가)와 (나) 사이 시기인 427년에 고구려가 평양으로 천도하였다. 고구려는 장수왕 때 왕권 강화와 적극적인 남하 정책을 추진하기 위하여 국내성에서 평양으로 천도하였다.

오답 분석

① **(나) 이후**: 신라에 병부가 설치된 것은 법흥왕(514~540) 때로, (나) 이후의 사실이다. 법흥왕은 군사권을 장악하기 위해 중앙 부서로 병부를 설치하였다.

③ **(가) 이전**: 백제 고이왕이 좌평과 관등제의 기본 골격을 마련한 것은 3세기로, (가) 이전의 사실이다. 고이왕은 6좌평제와 16관등제로 정비하고, 관복제(자색·비색·청색)를 도입하였다.

④ **(가) 이전**: 백제군의 공격으로 고국원왕이 전사한 것은 371년으로 (가) 이전의 사실이다. 백제의 근초고왕은 황해도 지역을 놓고 대립하던 고구려의 평양성을 공격하였고, 이 전투에서 고구려 고국원왕이 전사하였다.

12

2022년 국가직 9급

밑줄 친 '이 왕'에 대한 설명으로 옳은 것은?

> 백제 개로왕은 장기와 바둑을 좋아하였는데, 도림이 고하기를 "제가 젊어서부터 바둑을 배워 꽤 묘한 수를 알게 되었으니 개로왕께 알려드리기를 원합니다."라고 하였다. …(중략)… 개로왕이 (도림의 말을 듣고) 나라 사람을 징발하여 흙을 쪄서 성(城)을 쌓고 그 안에는 궁실, 누각, 정자를 지으니 모두가 웅장하고 화려하였다. 이로 말미암아 창고가 비고 백성이 곤궁하니, 나라의 위태로움이 알을 쌓아 놓은 것보다 더 심하게 되었다. 그제야 도림이 도망을 쳐 와서 그 실정을 고하니 <u>이 왕</u>이 기뻐하여 백제를 치려고 장수에게 군사를 나누어 주었다.
>
> -『삼국사기』

① 평양으로 도읍을 천도하였다.
② 진대법을 처음으로 시행하였다.
③ 낙랑군을 점령하고 한 군현 세력을 몰아내었다.
④ 신라에 침입한 왜군을 낙동강 유역에서 물리쳤다.

문제풀이 장수왕 난이도 중

제시문에서 백제 개로왕이 도림의 말을 듣고 사람들을 징발하여 성을 쌓자 창고가 비고 백성이 곤궁해졌으며, 그제야 도림이 도망을 쳐 실정을 고하자 백제를 치기 위해 장수에게 군사를 나누어 주었다는 내용을 통해 밑줄 친 '이 왕'이 장수왕임을 알 수 있다. 고구려 장수왕의 밀사인 도림은 백제로 들어가 바둑으로 개로왕의 신임을 얻었고, 이후 개로왕은 도림의 권유에 따라 대규모 토목 공사를 벌였다. 이로 인해 백제의 국력이 소진되었으며 이는 백제의 한성이 함락되는 주요 요인으로 작용하였다.

① 장수왕은 국내성에 기반을 둔 5부 귀족 세력을 약화시키고, 적극적인 남하 정책을 추진하기 위해 평양으로 천도하였다.

오답 분석

② **고국천왕**: 춘궁기에 곡식을 빌려주고 추수기에 갚도록 하는 진대법을 처음으로 시행한 왕은 고국천왕이다.

③ **미천왕**: 낙랑군을 점령하고 한 군현 세력을 몰아낸 왕은 미천왕이다. 미천왕은 중국이 5호 16국 시대로 인해 혼란스러운 틈을 타 한반도에서 낙랑군과 대방군을 축출하여 대동강 유역을 차지하였다.

④ **광개토 대왕**: 신라에 침입한 왜군을 낙동강 유역에서 물리친 왕은 광개토 대왕이다. 광개토 대왕은 신라 내물 마립간의 요청에 따라 군사를 파견하여 신라에 침입한 왜군을 물리쳤다.

정답 09 ① 10 ③ 11 ② 12 ①

13

2021년 서울시 9급(특수 직렬)

〈보기〉의 사건이 있었던 시기의 사실로 가장 옳은 것은?

> **보기**
> 가을 9월에 고구려 왕 거련(巨璉)이 군사 3만 명을 이끌고 왕도(王都) 한성을 포위하였다. 왕은 성문을 닫고 나가 싸우지 않았다. …… 왕은 곤궁하여 어찌할 바를 모르다가, 기병 수십을 거느리고 성문을 나가 서쪽으로 도망쳤다. 고구려인이 쫓아가 그를 살해하였다.
> – 『삼국사기』

① 성왕이 신라군에게 살해되었다.

② 신라가 건원이라는 연호를 사용하였다.

③ 을지문덕이 살수에서 수의 군대를 물리쳤다.

④ 고구려가 중국의 남·북조와 동시에 교류하였다.

문제풀이 장수왕의 한성 함락 시기(5세기)의 사실 난이도 중

제시문에서 고구려 왕 거련(장수왕)이 한성을 포위하였고, 왕(백제 개로왕)이 살해되었다는 내용을 통해 5세기 고구려 장수왕이 백제 한성을 함락한 사건임을 알 수 있다. 장수왕은 남하 정책을 전개하여 백제의 수도인 한성을 함락시키고 백제 개로왕을 살해(475)한 후, 죽령 일대로부터 남양만에 이르는 영토를 확보하였다.

④ 5세기에 고구려 장수왕은 서쪽 국경을 안정시키기 위해 중국의 남·북조와 동시에 교류하는 한편, 두 나라가 서로 견제하도록 유도하는 등 다면적인 외교 정책을 추진하였다.

오답 분석

① **6세기:** 백제 성왕이 신라군에게 살해된 것은 6세기의 일이다. 성왕은 신라 진흥왕과 연합하여 한강 하류 지역을 수복하였으나, 진흥왕의 배신으로 한강 하류 지역을 신라에게 빼앗겼다(553). 이에 백제 성왕은 신라의 관산성을 공격하던 도중 신라군의 기습을 받아 전사하였다(관산성 전투, 554).

② **6세기:** 신라 법흥왕이 건원이라는 독자적인 연호를 사용(536)한 것은 6세기의 일이다.

③ **7세기:** 고구려 을지문덕이 살수에서 수의 군대를 물리친 것은 7세기의 일이다. 을지문덕은 수 양제가 대군을 이끌고 고구려를 침략하자, 살수에서 수의 군대를 크게 격파하였다(살수 대첩, 612).

14

2018년 법원직 9급

다음 자료의 시기에 해당하는 상황으로 옳은 것을 〈보기〉에서 모두 고른 것은?

> 고려 대왕 상왕공과 신라 매금은 세세토록 형제같이 지내기를 원하며 수천(守天)하기 위해 동으로 …… 동이 매금의 옷을 내려 주었다.

> **보기**
> ㉠ 중국에서 남북조가 대립하였다.
> ㉡ 고구려는 남하 정책을 추진하였다.
> ㉢ 백제는 수도를 사비로 천도하였다.
> ㉣ 신라는 왕호를 중국식으로 바꾸었다.

① ㉠, ㉡

② ㉡, ㉢

③ ㉢, ㉣

④ ㉠, ㉢

문제풀이 장수왕 재위 시기의 상황 난이도 중

제시문에서 고구려의 왕을 고려 대왕이라 하고, 신라의 왕을 동이(東夷, 동쪽의 오랑캐) 매금이라고 칭한 것을 통해 충주(중원) 고구려비의 내용임을 알 수 있다. 기존에는 이 비석이 장수왕이 남진 정책을 기념하기 위해 건립하였다는 학설이 지배적이었으나, 2019년에 광개토 대왕 때 건립되었을 가능성이 제기되며 현재 연구가 진행 중이다.

① 장수왕 재위 시기(413~491)의 사실로 옳은 것을 모두 고르면 ㉠, ㉡이다.

㉠ 장수왕이 재위한 5세기에 중국은 남조와 북조가 대립하던 남북조 시대였다. 장수왕은 서로 대립하고 있던 남북조(남조의 송, 북조의 북연·북위 등)와 각각 교류하는 다면적 외교 정책을 통해 중국을 견제하고 세력을 확대하였다.

㉡ 장수왕은 수도를 국내성에서 평양으로 옮기고 강력한 남하 정책을 추진하였다.

오답 분석

㉢ 백제가 사비로 천도한 것(538)은 성왕 대의 사실로, 이는 고구려 안원왕(531~545) 재위 시기에 해당한다.

㉣ 신라가 왕호를 마립간에서 중국식인 왕으로 바꾼 것(503)은 지증왕 대의 사실로, 이는 고구려 문자왕(491~519) 재위 시기에 해당한다.

15

2015년 서울시 9급

다음 글의 밑줄 친 '왕'이 재위할 때의 사실로 옳은 것을 〈보기〉에서 모두 고른 것은?

> 왕이 군사 3만을 이끌고 백제에 침입하여, 백제왕의 도읍 한성을 함락시키고 백제왕 부여경을 죽이고, 남녀 8천명을 사로잡아 돌아왔다.
>
> -『삼국사기』

보기

㉠ 백제가 국호를 남부여로 고쳤다.
㉡ 고구려가 도읍을 평양으로 옮겼다.
㉢ 금관가야가 가야 연맹을 주도하였다.
㉣ 신라가 백제와 친선 정책을 추진하였다.

① ㉠, ㉡ ② ㉠, ㉢
③ ㉡, ㉣ ④ ㉢, ㉣

16

2022년 법원직 9급

(가), (나) 시기 사이에 있었던 사실로 가장 옳은 것은?

> (가) 왕 41년 겨울 10월, 백제 왕이 군사 3만 명을 거느리고 평양성을 공격하였다. 왕이 군사를 이끌고 방어하다가 화살에 맞았다. 23일에 왕이 죽었다. 고국 언덕에 장사 지냈다.
>
> -『삼국사기』, 고구려본기
>
> (나) 왕 32년 가을 7월, 왕이 신라를 습격하기 위하여 직접 보병과 기병 50명을 거느리고 밤에 구천에 이르렀는데, 신라의 복병이 나타나 그들과 싸우다가 왕이 난병들에게 살해되었다. 시호를 성이라 하였다.
>
> -『삼국사기』, 백제본기

① 수가 고구려를 침입하였다.
② 고구려가 평양으로 천도하였다.
③ 백제가 나·당 연합군의 공격을 받았다.
④ 당이 매소성 전투에서 신라에 패하였다.

문제풀이 장수왕 재위 시기의 사실

난이도 중

제시문에서 한성을 함락시키고 백제왕 부여경(개로왕)을 죽였다는 내용을 통해 밑줄 친 '왕'이 장수왕(413~491)임을 알 수 있다.

③ 옳은 것을 모두 고르면 ㉡, ㉣이다.

㉡ 장수왕은 국내성에 기반을 둔 귀족 세력을 약화시키고, 남하 정책을 추진하기 위해 평양으로 천도하였다(427).

㉣ 장수왕의 남하 정책에 위협을 느낀 신라의 눌지 마립간과 백제의 비유왕은 나·제 동맹을 체결하였다(433).

오답 분석

㉠ **6세기**: 백제가 국호를 남부여로 고친 것은 백제 성왕 때의 일로(538), 장수왕 재위 시기 이후이다.

㉢ **3세기**: 금관가야가 전기 가야 연맹을 주도한 것은 3세기경의 일로, 장수왕 재위 시기 이전이다.

이것도 알면 **합격!**

장수왕의 업적

평양 천도	적극적인 남하 정책을 추진하기 위해 국내성에서 평양으로 천도함
영토 확장	• 지두우 지역을 분할 점령하여 흥안령 일대의 초원 지대 장악 • 백제의 수도 한성을 함락하고, 남한강 지역(죽령 일대~남양만)까지 차지
비석 건립	광개토 대왕릉비: 아버지인 광개토 대왕의 업적을 기리기 위해 건립

문제풀이 평양성 전투와 관산성 전투 사이의 사실

난이도 하

(가)는 백제 왕(근초고왕)이 고구려 평양성을 공격하여 왕(고국원왕)이 서거하였다는 내용을 통해 고구려 고국원왕이 전사한 평양성 전투(371)임을 알 수 있다.

(나)는 왕(성왕)이 구천에 이르렀는데 신라의 복병이 나타나 그들과 싸우다가 살해되었다는 내용을 통해 백제 성왕이 전사한 관산성 전투(554)임을 알 수 있다.

② (가)와 (나) 사이 시기인 427년에 고구려의 장수왕이 국내성에 기반을 둔 5부 귀족 세력을 약화시키기 위해 평양으로 천도하고 적극적인 남하 정책을 추진하였다.

오답 분석

모두 (나) 이후의 사실이다.

① 수는 고구려 영양왕(590~618) 때 4차례에 걸쳐 고구려를 침입(598, 612, 613, 614)하였으나 실패하였다.

③ 백제가 나·당 연합군의 공격을 받은 것은 660년이다. 백제는 나·당 연합군의 공격을 받아 수도인 사비성이 함락되었고, 곧이어 웅진에 있던 의자왕이 항복하면서 멸망하였다.

④ 당이 매소성 전투에서 신라에 패한 것은 675년이다. 나·당 전쟁 과정에서 신라는 당의 이근행이 이끄는 대군을 매소성에서 격파하여 나·당 전쟁의 주도권을 장악하였다.

정답 13 ④ 14 ① 15 ③ 16 ②

17

2022년 소방직

(가)와 (나) 사건 사이에 있었던 사실로 옳은 것은?

> (가) 고구려 왕 거련이 군사 3만 명을 이끌고 와서 왕도인 한성을 포위하였다. 고구려 군대가 군사를 네 방향으로 나누어 협공하였고, 바람을 타고 불을 놓아 성문을 불태웠다.
>
> –『삼국사기』
>
> (나) 왕이 신라를 습격하기 위하여 직접 보병과 기병 50명을 거느리고 밤에 구천에 이르렀는데, 신라의 복병이 나타나 그들과 싸우다가 난병들에게 살해되었다. 시호를 성(聖)이라 하였다.
>
> –『삼국사기』

① 신라가 대가야를 병합하였다.

② 백제가 22담로에 왕족을 파견하였다.

③ 고구려가 국내성으로 수도를 옮겼다.

④ 백제가 마한의 잔여 세력을 복속하였다.

문제풀이 장수왕의 한성 함락과 성왕 전사 사이의 사실 난이도 중

(가)는 고구려 왕 거련이 왕도인 한성을 포위하였다는 것을 통해 고구려의 장수왕이 백제의 수도인 한성을 함락(475)하는 내용임을 알 수 있다. (나)는 왕이 신라의 복병에게 살해되었으며, 시호를 성(聖)이라 하였다는 것을 통해 관산성 전투에서 백제의 성왕이 전사(554)한 내용임을 알 수 있다.

② (가)와 (나) 사이 시기인 무령왕(501~523) **때는 지방에 22담로를 설치하고 왕족을 파견하여 지방에 대한 통제를 강화하였다.**

오답 분석

① **(나) 이후**: 신라가 대가야를 병합한 것은 562년인 진흥왕 때로, (나) 이후의 사실이다. 신라의 진흥왕은 이사부와 사다함을 파견하여 대가야를 병합하고 낙동강 유역까지 영토를 넓혔다.

③ **(가) 이전**: 고구려가 국내성으로 수도를 옮긴 것은 서기 3년인 유리왕 때로, (가) 이전의 사실이다. 고구려는 초기에 졸본을 수도로 삼았지만, 졸본은 산악 지대로 식량 공급이 어려웠기 때문에 유리왕 때 평야 지대인 국내성으로 수도를 옮겼다.

④ **(가) 이전**: 백제가 마한의 잔여 세력을 복속한 것은 4세기 근초고왕 때로, (가) 이전의 사실이다. 근초고왕(346~375)은 활발한 정복 활동을 전개하여 마한의 잔여 세력을 복속시키고 전라도 남해안까지 진출하였다.

18

2022년 서울시 9급(6월 시행)

〈보기〉의 사건을 시간순으로 바르게 나열한 것은?

> **보기**
>
> ㉠ 고구려의 평양 천도
>
> ㉡ 백제군의 평양성 공격
>
> ㉢ 고구려의 낙랑군·대방군 축출
>
> ㉣ 위군의 침략으로 환도성 함락

① ㉠ → ㉡ → ㉢ → ㉣

② ㉡ → ㉠ → ㉣ → ㉢

③ ㉢ → ㉣ → ㉠ → ㉡

④ ㉣ → ㉢ → ㉡ → ㉠

문제풀이 고구려사의 전개 난이도 중

④ 시간순으로 바르게 나열하면 ㉣ 위군의 침략으로 환도성 함락(동천왕, 244~245) → **㉢ 고구려의 낙랑군·대방군 축출**(미천왕, 313~314) → **㉡ 백제군의 평양성 공격**(고국원왕, 371) → **㉠ 고구려의 평양 천도**(장수왕, 427)**가 된다.**

㉣ **위군의 침략으로 환도성 함락**(동천왕): 고구려 동천왕은 위의 장수 관구검의 침입으로 환도성이 함락되자, 옥저 지역으로 피난하였다(244~245).

㉢ **고구려의 낙랑군·대방군 축출**(미천왕): 고구려 미천왕은 중국이 5호 16국 시대로 혼란한 틈을 타 낙랑군을 축출(313)하고, 이후 대방군까지 축출(314)함으로써 대동강 유역을 확보하여 남쪽으로 진출할 수 있는 발판을 마련하였다.

㉡ **백제군의 평양성 공격**(고국원왕): 고구려 고국원왕은 황해도 지역을 놓고 백제 근초고왕과 대립하다가 백제군의 평양성 공격으로 전사하였다(371).

㉠ **고구려의 평양 천도**(장수왕): 고구려 장수왕은 왕권 강화와 적극적인 남하 정책을 추진하기 위해 국내성에서 평양으로 천도하였다(427).

19

2018년 서울시 9급(3월 시행)

고구려와 관련된 〈보기〉의 사건을 시간 순으로 바르게 나열한 것은?

> **보기**
> ㉠ 평양 천도
> ㉡ 관구검과의 전쟁
> ㉢ 고국원왕의 전사
> ㉣ 광개토 왕릉비 건립

① ㉢ – ㉠ – ㉣ – ㉡
② ㉠ – ㉢ – ㉡ – ㉣
③ ㉡ – ㉢ – ㉣ – ㉠
④ ㉣ – ㉡ – ㉠ – ㉢

문제풀이 고구려사의 전개

난이도 중

③ 시간 순으로 나열하면 ㉡ **관구검과의 전쟁**(동천왕, 244 ~ 245) → ㉢ **고국원왕의 전사**(371) → ㉣ **광개토 왕릉비 건립**(장수왕, 414) → ㉠ **평양 천도**(427)이다.

㉡ **관구검과의 전쟁**: 고구려 동천왕은 위나라를 견제하기 위해 오나라와 외교 관계를 맺고 서안평을 공격(242)하기도 하였다. 그러나 위나라 장수 관구검의 반격을 받아, 수도 국내성의 배후 산성인 환도성이 함락당하자 동천왕은 옥저 지역으로 피난하였다(244 ~ 245).

㉢ **고국원왕의 전사**: 황해도 지역을 두고 백제 근초고왕과 대립하던 고구려 고국원왕은 근초고왕의 침입으로 평양성 전투에서 전사하였다(371).

㉣ **광개토 왕릉비 건립**: 고구려 장수왕은 아버지인 광개토 대왕의 업적을 기념하기 위하여 중국 지린(길림)성 지역에 광개토 왕릉비를 건립하였다(414).

㉠ **평양 천도**: 고구려 장수왕은 왕권의 강화와 적극적인 남하 정책을 추진하기 위해 수도를 국내성에서 평양으로 옮겼다(427).

이것도 알면 **합격!**

고국원왕 때의 외적의 침입

전연의 침입	랴오둥 지방을 놓고 전연과 대립하다 전연 모용황의 침입을 받아 환도성이 함락됨(342)
백제의 침입	황해도 지역을 놓고 백제와 대립하다 평양성 전투에서 전사(371)

20

2021년 법원직 9급

이 시기 백제왕의 업적으로 옳은 것을 〈보기〉에서 모두 고른 것은?

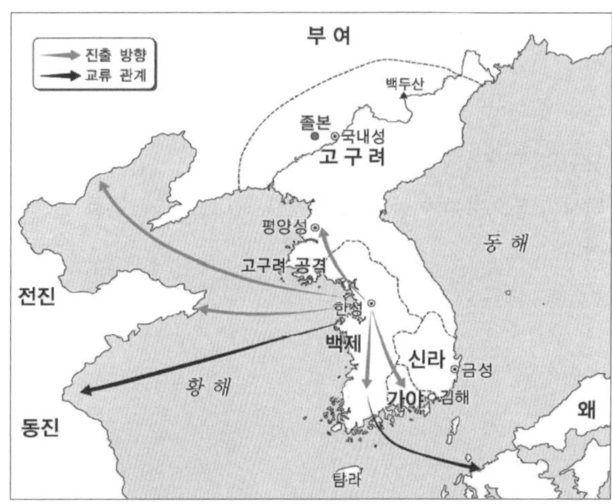

> **보기**
> ㉠ 남으로 마한을 통합하였다.
> ㉡ 왕위의 부자 상속이 확립되었다.
> ㉢ 중앙 관청을 22부로 확대하였다.
> ㉣ 좌평 제도와 관등제를 마련하였다.

① ㉠, ㉡ ② ㉠, ㉣
③ ㉡, ㉢ ④ ㉢, ㉣

문제풀이 근초고왕의 업적

난이도 하

제시된 자료에서 백제가 중국의 랴오시(요서) 지방, 산둥(산동) 반도, 일본의 규슈 지방까지 진출하고, 동진, 왜와 교류한 사실을 통해 근초고왕 시기의 상황임을 알 수 있다. 근초고왕은 활발한 정복 활동을 통해 백제의 전성기를 이룩하였다.

① 옳은 것을 모두 고르면 ㉠, ㉡이다.

㉠ 근초고왕은 남쪽으로 마한을 통합하여 전라도 지역까지 진출하였다.

㉡ 근초고왕은 왕위의 부자 상속을 확립시켰다. 근초고왕은 활발한 정복 사업과 대외 활동을 통한 왕권의 전제화를 바탕으로 왕위의 부자 상속제를 확립하였다.

오답 분석

㉢ **성왕**: 중앙 관청을 22부로 확대한 것은 성왕이다. 성왕은 왕실 사무를 맡는 내관(궁내부) 12부와 중앙 정무 기관인 외관(중앙 관청) 10부로 구성된 22부를 정비하였다.

㉣ **고이왕**: 좌평 제도와 관등제를 마련한 것은 고이왕이다. 고이왕은 중국의 선진 문물을 받아들여 6좌평제와 16관등제를 정비하고, 관복제(자색, 비색, 청색)를 도입하였다.

정답 17 ② 18 ④ 19 ③ 20 ①

21

2014년 서울시 9급

백제 근초고왕의 업적에 대한 다음의 설명 중 옳지 않은 것은?

① 남쪽으로는 마한을 멸하여 전라남도 해안까지 확보하였다.
② 북쪽으로는 고구려의 평양성까지 쳐들어가 고국천왕을 전사시켰다.
③ 중국의 동진, 일본과 무역 활동을 전개하였다.
④ 왕위의 부자 상속을 확립하였다.
⑤ 박사 고흥으로 하여금 백제의 역사서인 『書記(서기)』를 편찬하게 하였다.

문제풀이 근초고왕의 업적 난이도 중

② 근초고왕이 평양성에서 전사시킨 고구려의 왕은 고국원왕이다. 당시 고구려와 황해도 지역을 놓고 대결하였던 근초고왕은 평양성을 공격하였고, 이 과정에서 고국원왕이 전사하였다.

오답 분석
① 근초고왕은 마한을 점령하여 전라남도 해안까지 영토를 확장하였다.
③ 근초고왕은 중국의 동진 및 일본과 활발히 교류하였다.
④ 근초고왕은 활발한 정복 사업과 대외 활동으로 강화된 왕권을 바탕으로 왕위의 부자 상속제를 확립하였다.
⑤ 근초고왕은 강력한 왕권을 과시하기 위해 박사 고흥에게 역사서인 『서기』를 편찬하게 하였다.

이것도 알면 **합격!**

근초고왕의 업적

정복 활동	• 마한의 잔여 세력을 정복하여 전라도 남해안까지 진출 • 고구려를 공격하여 고국원왕을 전사시킴 • 가야에 지배권 행사
대외 활동	중국의 요서·산둥, 일본의 규슈 진출
제도 정비	부자 상속에 의한 왕위 계승 확립
문화 활동	박사 고흥에게 역사서인 『서기』를 편찬하도록 함

22

2014년 법원직 9급

다음 가상 신문이 나타내는 시기를 연표에서 옳게 찾은 것은?

> 신라와 백제 왕실은 신라 소지왕의 친척인 이찬 비지의 딸과 백제 동성왕이 결혼할 것임을 발표하였다. 이는 양국 간의 우호 증진과 협력 강화를 위한 방편으로, 이에 대해 신라의 한 관리는 "고구려의 간섭에서 벗어나 신라가 우뚝 설 수 있는 계기가 될 것"이라고 말해, 양국이 서로의 발전을 위해 결혼 동맹을 선택한 것으로 분석된다.

427		433		475		554		663
	(가)		(나)		(다)		(라)	
평양 천도		나·제 동맹		웅진 천도		관산성 전투		백강 전투

① (가)
② (나)
③ (다)
④ (라)

문제풀이 나·제 결혼 동맹 난이도 중

제시문에서 신라 소지왕의 친척인 이찬 비지의 딸과 백제 동성왕이 결혼한다는 내용을 통해 나·제 결혼 동맹(493)에 관한 내용임을 알 수 있다.

③ 백제 동성왕과 신라 소지 마립간(소지왕)이 맺은 결혼 동맹은 (다) 시기인 493년에 체결되었다. 이를 통해 백제의 비유왕과 신라의 눌지 마립간이 맺은 나·제 동맹(433)이 더욱 강화되었다.
백제와 신라는 고구려 장수왕의 남진 정책에 대항하고자 433년에 나·제 동맹을 체결하였으며, 고구려 장수왕의 공격으로 백제의 수도 한성이 함락되고 웅진으로 천도한 상황에서 나·제 결혼 동맹을 체결(493)해 동맹 관계를 더욱 강화하였다. 이후 백제의 성왕과 신라의 진흥왕은 연합하여 고구려가 차지하고 있던 한강 유역을 탈취하였는데(551), 진흥왕이 백제가 차지한 한강 하류 지역까지 공격(553)하여 빼앗음으로써 나·제 동맹이 결렬되었다. 백제의 성왕은 진흥왕에게 복수하고자 신라를 공격하였으나 오히려 관산성 전투에서 전사하였다.

이것도 알면 **합격!**

나·제 동맹

구분	백제	신라
나·제 동맹 체결(433)	비유왕	눌지 마립간
나·제 결혼 동맹 체결(493)	동성왕	소지 마립간
나·제 동맹 결렬(553)	성왕	진흥왕

23

2021년 국가직 9급

(가) 시기에 신라에서 있었던 사실은?

고구려의 침입으로 한성이 함락되자, 수도를 웅진으로 옮겼다.

↓

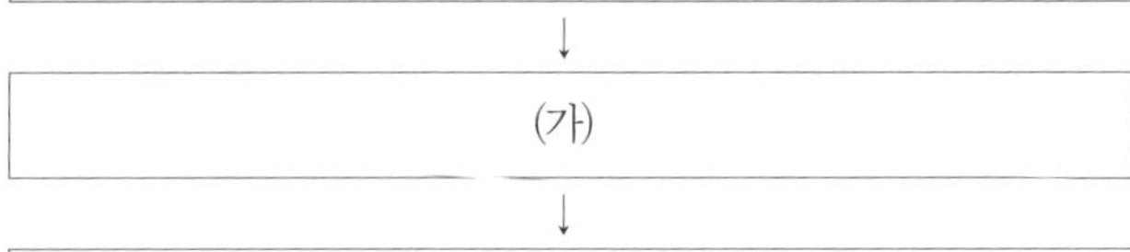

↓

성왕은 사비로 도읍을 옮겼다.

① 대가야를 정복하였다.

② 황초령 순수비를 세웠다.

③ 거칠부가 『국사』를 편찬하였다.

④ 이차돈의 순교를 계기로 불교가 공인되었다.

24

2019년 기상직 9급

(가)에 해당하는 국왕에 대한 설명으로 옳은 것은?

> 당시의 백제 왕 근개루는 장기와 바둑을 좋아하였다. 도림이 대궐 문에 이르러, "제가 어려서부터 바둑을 배워 상당한 묘수의 경지를 알고 있으니, 원컨대 곁에서 알려 드리고자 합니다."라고 하였다. 왕이 그를 불러들여 대국을 하여 보니 과연 국수(國手)였다. …… 이에 도림이 도망쳐 돌아와 이를 보고하니, 장수왕이 기뻐하며 백제를 치기 위해 장수들에게 군사를 나누어 주었다. 근개루가 이 말을 듣고 아들 (가) 에게 말했다. "내가 어리석고 총명하지 못하여 간사한 사람의 말을 믿고 썼다 이렇게 되었다."
>
> – 『삼국사기』

① 웅진 천도를 단행하였다.

② 국호를 남부여로 바꾸었다.

③ 고구려의 평양성을 공격하였다.

④ 신라 눌지 마립간과 동맹을 체결하였다.

문제풀이 백제의 웅진 천도와 사비 천도 사이 신라의 역사적 사실 난이도 하

제시된 자료에서 고구려의 침입으로 한성이 함락되자, 수도를 웅진으로 옮긴 것은 백제 문주왕 때인 475년이고, 성왕이 사비로 도읍을 옮긴 것은 538년이다. 따라서 (가) 시기는 475년~538년이다.

④ (가) 시기인 527년에 신라에서는 이차돈의 순교를 계기로 불교가 공인되었다.

오답 분석

모두 (가) 시기 이후의 사실이다.

① 대가야를 정복한 것은 신라 진흥왕 때인 562년으로, 진흥왕은 장군 이사부를 파견하여 고령 지역의 대가야를 정복하였다.

② 황초령 순수비를 세운 것은 신라 진흥왕 때인 568년으로, 황초령 순수비는 신라 진흥왕이 함경도 지방에 진출한 후 이를 기념하기 위해 세운 비석이다.

③ 거칠부가 역사서인 『국사』를 편찬한 것은 신라 진흥왕 때인 545년이다. 진흥왕은 이사부의 건의에 따라 거칠부로 하여금 역사서인 『국사』를 편찬하게 하여 신라 왕조의 역사를 정리하도록 하였다.

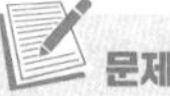

문제풀이 문주왕 난이도 중

제시문에서 백제 왕 근개루(개로왕)가 고구려 장수왕이 보낸 첩자인 도림을 믿었다는 내용을 통해 (가)가 백제 개로왕의 아들인 문주왕임을 알 수 있다. 고구려 장수왕의 밀사인 도림은 백제로 들어가 장기와 바둑으로 개로왕의 신임을 얻었고, 이후 개로왕은 도림의 권유에 따라 대규모 토목 공사를 벌였다. 이로 인해 백제의 국력이 소진되었으며 이는 백제의 한성이 함락되는 주요 요인으로 작용하였다.

① 문주왕은 고구려 장수왕의 공격으로 수도 한성이 함락되고 아버지인 개로왕이 전사하자 뒤이어 즉위한 후 도읍을 웅진(공주)으로 옮겼다.

오답 분석

② **성왕**: 수도를 사비로 옮기고 국호를 남부여로 바꾼 왕은 성왕이다.

③ **근초고왕**: 고구려의 평양성을 공격하여 고국원왕을 전사하게 한 왕은 근초고왕이다.

④ **비유왕**: 장수왕의 남하 정책에 대항하여 신라의 눌지 마립간과 나·제 동맹을 체결한 왕은 비유왕이다.

이것도 알면 **합격!**

개로왕과 문주왕

개로왕	• 장수왕의 침입에 대항하여 북위에 원병을 요청하는 국서 전송 • 장수왕에 의해 한성이 함락되면서 전사함(475)
문주왕	• 한성이 함락되면서 웅진(공주)으로 도읍을 옮김 • 귀족 세력이 강해지며 왕권이 약화됨

정답 21 ② 22 ③ 23 ④ 24 ①

25

2019년 서울시 7급(10월 시행)

〈보기〉의 밑줄 친 왕에 대한 설명으로 가장 옳은 것은?

> **보기**
> 영동대장군 백제 사마왕은 나이가 62세 되는 계묘년 5월 임진일인 7일에 돌아가셨다. 을사년 8월 갑신일인 12일에 안장하여 대묘에 올려 뫼시며 기록하기를 이와 같이 한다.

① 북위에 사신을 보내 고구려를 공격해 줄 것을 요청하였다.

② 신라와 결혼 동맹을 맺어 이벌찬 비지의 딸을 왕비로 맞이하였다.

③ 22부의 중앙 관청을 두고 수도와 지방을 5부와 5방으로 정비하였다.

④ 양나라에 사신을 보내 여러 차례 고구려를 격파했다는 서신을 전했다.

문제풀이 무령왕

난이도 중

제시된 자료는 무령왕릉의 지석에 기록된 내용으로, 밑줄 친 '사마왕'은 무령왕을 뜻한다.

④ 무령왕은 양나라에 사신을 보내 외교 관계를 강화하였는데, 이때 고구려를 여러 차례 격파하고 다시 강국이 되었다는 서신을 함께 보냈다.

오답 분석

① **개로왕**: 중국 북위에 사신을 보내 고구려를 공격해 줄 것을 요청한 왕은 개로왕이다.

② **동성왕**: 신라의 소지 마립간과 결혼 동맹을 맺어 이벌찬 비지의 딸을 왕비로 맞이한 왕은 동성왕이다.

③ **성왕**: 중앙에 22부의 관청을 두고, 수도에 5부, 지방에 5방을 두어 체제를 정비한 왕은 성왕이다.

이것도 알면 **합격!**

5 ~ 6세기의 백제 왕

동성왕	• 신라 소지 마립간과 결혼 동맹을 체결(493, 신라와의 동맹 강화) • 탐라국을 복속시킴(498)
무령왕	• 지방에 22담로를 설치하고 왕족을 파견(지방에 대한 통제 강화) • 중국 남조의 양나라와 수교(무령왕릉이 중국 남조의 영향을 받음)
성왕	• 사비로 천도(538)하고 남부여로 국호를 변경 • 22부(중앙 관청)·5부(수도)·5방(지방) 정비

26

2016년 지방직 9급

밑줄 친 '무덤 주인'이 왕위에 있었던 시기의 사실로 옳은 것은?

> 1971년 7월 공주시 송산리 고분군 배수로 공사 도중 벽돌무덤 하나가 우연히 발견되었다. 무덤 입구를 열자 무덤 주인을 알려주는 지석이 놓여 있었으며 백제는 물론 중국의 남조와 왜에서 만들어진 갖가지 유물들이 고스란히 남아 있었다.

① 중앙에는 22부 관청을 두고 지방에는 5방을 설치하였다.

② 고구려의 남진 정책에 맞서 나·제 동맹을 처음 결성하였다.

③ 활발한 대외 정복 전쟁으로 한강 유역을 차지하고 가야를 완전히 정복하였다.

④ 지방에 22개의 담로를 두고 왕족을 파견하여 지방에 대한 통제를 강화하였다.

문제풀이 무령왕 재위 시기의 사실

난이도 중

제시문에서 송산리 고분군 배수로 공사 도중 우연히 발견된 무덤은 무령왕릉이며, 무령왕릉의 주인은 백제 무령왕이다. 무령왕릉은 중국 남조의 영향을 받아 벽돌무덤 양식으로 축조되었으며 일본산 금송으로 만든 관이 사용되었다. 한편 무령왕릉에서 발견된 지석에는 '도교의 토지신에게 무령왕의 무덤으로 쓸 땅을 샀다'는 내용이 새겨져 있어 무덤의 주인이 무령왕임이 밝혀졌다.

④ 백제 무령왕은 지방에 22담로를 두고 왕족을 파견함으로써 지방에 대한 통제를 강화하였다.

오답 분석

① **백제 성왕**: 중앙에 내관(궁내부) 12부와 중앙 정무 기관인 외관(중앙 관청) 10부로 구성된 22부를 설치하고, 수도를 5부, 지방을 5방으로 정비한 왕은 백제 성왕이다.

② **백제 비유왕**: 고구려 장수왕의 남하 정책에 대항하여 신라의 눌지 마립간과 나·제 동맹(433)을 처음 결성한 왕은 백제 비유왕이다.

③ **신라 진흥왕**: 활발한 대외 정복 전쟁으로 한강 유역을 차지하고 가야를 정복한 왕은 신라 진흥왕이다. 진흥왕은 백제 성왕과 연합하여 고구려가 차지하고 있던 한강 상류 지역을 장악한 뒤 백제가 점령한 한강 하류 지역까지 확보하였다(553). 또한 진흥왕은 대가야를 정복(562)하여 낙동강 유역까지 확보하는 등 활발한 정복 활동을 전개하였다.

27

2019년 서울시 9급(6월 시행)

〈보기〉에서 백제의 발전 과정을 순서대로 바르게 나열한 것은?

> **보기**
> ㉠ 6좌평제와 16관등제 및 백관의 공복을 제정하였다.
> ㉡ 고구려의 평양성을 공격하였다.
> ㉢ 지방에 22담로를 설치하였다.
> ㉣ 불교를 받아들여 통치 이념을 정비하였다.

① ㉠ → ㉡ → ㉢ → ㉣
② ㉠ → ㉡ → ㉣ → ㉢
③ ㉡ → ㉣ → ㉢ → ㉠
④ ㉣ → ㉡ → ㉢ → ㉠

28

2020년 법원직 9급

(가) 왕 재위 시기 업적으로 가장 옳은 것은?

> [(가)] 왕이 관산성을 공격하였다. 각간 우덕과 이찬 탐지 등이 맞서 싸웠으나 전세가 불리하였다. 신주의 김무력이 주의 군사를 이끌고 나가서 교전하였는데, 비장인 삼년산군(충북 보은)의 고간 도도가 급히 쳐서 [(가)] 왕을 죽였다.
> - 「삼국사기」 「신라본기」

① 나·제 동맹을 체결하였다.
② 22담로에 왕족을 파견하였다.
③ 화랑도를 국가적 조직으로 개편하였다.
④ 국호를 남부여로 바꾸었다.

문제풀이 백제사의 전개

난이도 중

② 순서대로 나열하면 ㉠ 6좌평제·16관등제 및 백관의 공복 제정(고이왕, 234~286) → ㉡ 고구려의 평양성 공격(근초고왕, 371) → ㉣ 불교 수용(침류왕, 384) → ㉢ 지방에 22담로 설치(무령왕, 501~523)가 된다.

㉠ **6좌평제·16관등제 및 백관 공복 제정**: 고이왕(234~286)은 중앙 집권적 체제 정비의 일환으로 6좌평제(내신·내두·내법·위사·조정·병관좌평)와 16관등제를 정비하고, 백관의 공복(자·비·청색)을 제정하였다.

㉡ **고구려의 평양성 공격**: 근초고왕은 황해도 지역을 놓고 대립하던 고구려의 평양성을 공격하였고, 이 공격으로 고구려 고국원왕이 전사하였다(371).

㉣ **불교 수용**: 침류왕 때 중국 동진에서 온 인도 승려 마라난타를 통해 불교가 백제에 전래되었다(384).

㉢ **22담로 설치**: 무령왕(501~523)은 지방에 22담로를 설치하고 왕족을 파견하여 지방에 대한 통제를 강화하였다.

문제풀이 성왕 재위 시기의 업적

난이도 하

제시문에서 관산성을 공격하였다는 것, 삼년산군의 고간 도도가 급히 쳐서 왕을 죽였다는 것을 통해 (가) 왕이 관산성 전투에서 전사한 백제의 성왕임을 알 수 있다.

④ **성왕 때에 백제는 국호를 남부여로 고치고, 수도를 사비로 천도하였다(538).**

오답 분석

① **백제 비유왕, 신라 눌지 마립간**: 고구려 장수왕의 남하 정책에 대항하여 나·제 동맹(433)을 체결한 것은 백제의 비유왕과 신라의 눌지 마립간 때의 사실이다.

② **백제 무령왕**: 백제의 지방 행정 구역인 22담로에 왕족을 파견한 것은 백제 무령왕 때의 사실이다.

③ **신라 진흥왕**: 청소년 집단이었던 화랑도를 국가적 조직으로 개편한 것은 신라 진흥왕 때의 사실이다.

이것도 알면 **합격!**

백제 성왕의 한강 수복을 위한 노력

551년	신라 진흥왕과 연합하여 일시적으로 한강 하류 지역 수복
553년	신라 진흥왕의 배신으로 한강 하류 지역을 신라에 빼앗김
554년	신라의 관산성을 공격하였으나 신라군의 기습을 받아 전사함

정답 25 ④ 26 ④ 27 ② 28 ④

29

2015년 지방직 9급

백제 성왕 대의 역사적 사실로 옳은 것은?

① 불교를 공인하였다.

② 부자 상속에 의한 왕위 계승이 시작되었다.

③ 22담로를 설치하여 지방 통제를 강화하였다.

④ 수도를 사비로 옮기고 국호를 남부여로 고쳤다.

30

2013년 지방직 9급

(가)와 (나) 사이의 시기에 있었던 사실로 옳은 것은?

> (가) 동성왕은 신라에 사신을 보내 혼인을 청하였는데, 신라의 왕이 이벌찬(伊伐飡) 비지(比智)의 딸을 시집보냈다.
>
> (나) 왕은 신라를 습격하기 위하여 친히 보병과 기병 50명을 거느리고 밤에 구천(狗川)에 이르렀는데, 신라의 복병이 나타나 그들과 싸우다가 살해되었다.

① 도읍을 금강 유역의 웅진으로 옮겼다.

② 장수왕의 공격을 받아 한성이 함락되었다.

③ 국호를 남부여로 고치고 중흥을 꾀하였다.

④ 동진으로부터 불교를 수용하여 공인하였다.

문제풀이 성왕 대의 사실

난이도 하

④ 백제 성왕 대에 수도를 대외 진출이 용이한 사비로 옮기고, 국호를 남부여로 개칭하였다.

오답 분석

① **침류왕**: 동진에서 온 인도 승려 마라난타로부터 불교를 수용하여 공인한 백제의 왕은 침류왕이다.

② **근초고왕**: 부자 상속에 의한 왕위 계승을 시작한 백제의 왕은 근초고왕이다. 근초고왕은 강력한 왕권을 바탕으로 왕위의 부자 상속제를 확립하였다.

③ **무령왕**: 22담로를 설치하여 지방 통제를 강화한 백제의 왕은 무령왕이다. 무령왕은 지방의 효율적인 통치를 위해 22담로를 설치하고 여기에 왕족을 파견하였다.

이것도 알면 **합격!**

성왕의 정책

사비 천도	대외 진출에 유리한 사비(부여)로 천도하고, 국호를 남부여로 변경
체제 정비	• 중앙 관청을 22부로 정비 • 수도를 5부·지방을 5방으로 정비
불교 진흥	• 겸익을 등용하여 불교 진흥 • 노리사치계를 일본에 파견하여 불교 전파

문제풀이 나·제 결혼 동맹과 관산성 전투 사이의 사실

난이도 중

(가)는 백제 동성왕이 신라 이벌찬 비지의 딸과 혼인한 결혼 동맹(493)에 대한 내용이다.

(나)는 구천에 이르렀는데 신라의 복병이 나타나 그들과 싸우다가 살해되었다는 내용을 통해 백제 성왕 시기에 일어난 관산성 전투(554)에 대한 내용임을 알 수 있다.

③ 백제 성왕은 대외 진출이 용이한 사비(부여)로 천도(538)한 뒤 국호를 남부여로 고쳐 중흥을 꾀하였다.

오답 분석

① **(가) 이전**: 고구려의 한성 공격으로 도읍을 금강 유역의 웅진(공주)으로 옮긴 것은 문주왕 즉위년인 475년이므로, (가) 이전의 일이다.

② **(가) 이전**: 장수왕의 공격을 받아 한성이 함락된 것은 개로왕 시기인 475년이므로, (가) 이전의 일이다.

④ **(가) 이전**: 중국 동진으로부터 불교를 수용하여 공인한 것은 침류왕 시기인 384년이므로, (가) 이전의 일이다.

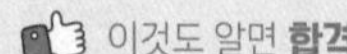

이것도 알면 **합격!**

동성왕의 정책

결혼 동맹	신라 이벌찬 비지의 딸과 혼인하여 동맹 강화
왕권 강화	웅진 토착 세력을 등용하여 귀족 세력을 견제하고 왕권 강화
대외 관계	탐라국을 복속하고, 중국 남제와 수교

31

2023년 국회직 9급

다음 (가) 인물에 대한 설명으로 옳은 것만을 〈보기〉에서 모두 고르면?

> 이듬해 경신(庚申)에는 승려 30명을 득도(得度)케 하고, 당시의 서울인 사비성에 왕흥사(王興寺)를 세우게 하여 겨우 그 기초를 세우다가 승하하였다. [(가)]이/가 왕위를 계승하여 아버지가 닦은 터에 건물을 세워 수십 년 만에 완성했는데, 그 절 또한 미륵사(彌勒寺)라고도 불렀다. 산을 등지고 물에 임했으며 꽃나무가 수려하여 사시의 아름다움을 구비하였다.
>
> – 『삼국유사』

> **보기**
> ㉠ 6세기 후반 백제 왕을 지냈다.
> ㉡ 지방에 22개의 담로를 설치하였다.
> ㉢ 신라 왕실과 혼인 관계를 맺었던 것으로 알려져 있다.
> ㉣ 당나라와 일본과의 친선을 강화하면서 국가의 부흥을 도모하였다.

① ㉠, ㉡ ② ㉠, ㉢
③ ㉡, ㉢ ④ ㉡, ㉣
⑤ ㉢, ㉣

문제풀이 백제 무왕 난이도 중

제시문에서 당시의 서울이 사비성(지금의 부여)이라는 것과 미륵사를 완성하였다는 내용을 통해 (가) 인물이 백제 무왕임을 알 수 있다.

⑤ 옳은 것을 모두 고르면 ㉢, ㉣이다.

㉢ 백제 무왕은 신라 왕실과 혼인 관계를 맺었던 것으로 알려져 있다. 『삼국유사』에 의하면 백제 무왕은 소년 시절에 신라의 수도인 경주에서 서동요를 퍼트려 진평왕의 딸인 선화 공주와 결혼하였다는 내용이 전해진다.

㉣ 백제 무왕은 해마다 당나라에 사신을 보내 외교 관계를 맺고, 일본에는 관륵을 파견하여 불교·천문학 등을 전파하는 등 친선을 강화하면서 국가의 부흥을 도모하였다.

오답 분석

㉠ 백제 무왕은 600년에 즉위하여 7세기 초반인 641년까지 백제의 왕으로 지냈다.

㉡ **무령왕**: 지방에 22개의 담로를 설치한 왕은 무령왕이다. 무령왕은 지방에 22개의 담로를 설치하고 왕족을 파견하여 지방에 대한 통제를 강화하였다.

이것도 알면 **합격!**

서동요

> 선화 공주님은 / 남 몰래 짝을 맞추어두고 / 서동 서방을 / 밤에 몰래 안고 간다.

사료 분석 | 백제 무왕이 소년 시절에 신라의 선화 공주와 혼인하기 위해 경주로 들어가 지어 퍼뜨렸다고 전해지는 향가로, 『삼국유사』에 수록되었다.

32

2016년 국가직 7급

밑줄 친 '대왕'이 재위하던 시기의 사실로 옳은 것은?

> 우리 왕후께서는 좌평 사택적덕의 따님으로 … (중략) … 기해년 정월 29일에 사리를 받들어 맞이하셨다. 원하오니, 우리 <u>대왕</u>의 수명을 산악과 같이 견고하게 하시고 치세는 천지와 함께 영구하게 하소서.

① 사비의 왕흥사가 낙성되었다.
② 22담로에 왕족을 보냈다.
③ 박사 고흥이 『서기』를 편찬하였다.
④ 노리사치계가 왜에 불상과 불경을 전하였다.

문제풀이 백제 무왕 시기의 사실 난이도 중

제시문은 2009년 익산 미륵사지 석탑의 해체 과정에서 발견된 금제 사리봉안기의 내용으로, 이 명문에는 '좌평 사택적덕의 딸이자 백제 무왕의 부인인 백제 왕후가 절을 창건하고 기해년에 사리를 봉안했다'라고 기록되어 있다. 따라서 밑줄 친 '대왕'은 백제의 무왕이다.

① 『삼국사기』에 따르면 왕흥사는 백제 법왕(무왕의 아버지) 때부터 짓기 시작하여 무왕 때 완성되었다고 한다. 그러나 최근에 왕흥사지에서 출토된 사리함의 명문에 왕흥사를 위덕왕 시기에 창건하였다고 기록되어 있어 정확한 창건 시기에 대해서는 논란이 있다.

오답 분석

② **무령왕**: 지방에 22담로를 설치하고 왕족을 파견하여 지방 통제를 강화한 왕은 백제 무령왕이다.

③ **근초고왕**: 고흥으로 하여금 역사서인 『서기』를 편찬하게 하여 자신의 강력한 왕권과 백제의 국력을 과시하고자 한 왕은 백제 근초고왕이다.

④ **성왕**: 일본에 노리사치계를 파견하여 불경과 불상을 전하게 한 왕은 백제 성왕이다.

정답 29 ④ 30 ③ 31 ⑤ 32 ①

33

2016년 국가직 9급

(가) ~ (라)의 시기에 해당하는 백제 역사에 대한 설명으로 옳지 않은 것은?

① (가) – 관등제를 정비하고 공복제를 도입하는 등 국가 통치 체제의 근간을 마련하였다.

② (나) – 남쪽의 마한 잔여 세력을 정복하고, 수군을 정비하여 요서 지방까지 진출하였다.

③ (다) – 신라와 연합하여 한강 유역 일부 지역을 수복했으나 얼마 후 신라에게 빼앗겼다.

④ (라) – 복신과 도침 등이 주류성에서 군사를 일으켜 사비성의 당나라 군대를 공격하였다.

34

2023년 국회직 9급

다음 내용과 관련된 나라에 대한 설명으로 옳은 것은?

> 모두 높은 데 올라가 남쪽을 바라보니 양산(楊山) 밑 나정(蘿井) 곁에 이상한 기운이 번개처럼 땅에 드리우더니 흰 말 한 마리가 무릎을 꿇고 절하는 시늉을 하고 있었다. 잠시 뒤 그곳을 다시 살펴보니 보랏빛 알 한 개가 있었다. …… 그 알을 쪼개어 보니 형용이 단정하고 아름다운 사내아이가 있었다. 놀랍고도 이상하여 아이를 동천(東泉)에서 목욕시키니 몸에는 광채가 나고 새와 짐승들이 모조리 춤을 추며 천지가 진동하고 해와 달이 밝게 빛났다.

① 특산물로 단궁과 과하마 등이 유명하였다.

② 돌무지덧널무덤에 시신과 부장품을 매장하였다.

③ 전연의 침략을 받아 왕릉이 도굴되기도 하였다.

④ 고구려의 남진으로 인해 수도를 웅진으로 옮겼다.

⑤ 철기 문화를 바탕으로 변한 지역에서 출현하였다.

문제풀이 백제사의 전개

난이도 중

② 남쪽의 마한 세력을 정복하고, 중국의 요서·산둥 지방까지 진출한 것은 4세기 근초고왕 때의 일로, (나)가 아니라 (가) 시기에 해당한다.

오답 분석

① 3세기 중엽 고이왕은 6좌평 16관등의 관등제를 정비하고 공복제를 도입하는 등 국가 통치 체제를 정비하였다.

③ 6세기 성왕은 고구려의 내정이 불안한 틈을 타서 신라 진흥왕과 연합하여 한강 하류 지역을 수복하였으나(551), 곧 신라 진흥왕에게 빼앗겼다(553).

④ 백제가 멸망(660)한 이후 복신과 도침은 주류성을 중심으로 백제 부흥 운동을 전개하였다. 이들은 200여 성을 회복하고 사비성 등의 당군을 공격하며 저항하였으나 나·당 연합군에 의해 진압되었다.

이것도 알면 **합격!**

백제 부흥 운동

구분	내용
전개	복신과 도침, 흑치상지 등이 주류성과 임존성을 중심으로 군사를 일으킴
성과	200여 성을 회복하고 사비성 등의 당군을 공격
결과	• 내분과 나·당 연합군에 의해 좌절됨 • 왜의 수군도 백제 부흥군을 돕기 위해 백강 근처까지 왔으나 나·당 연합군에 패배하였음(백강 전투)

문제풀이 신라

난이도 중

제시문은 『삼국유사』에 실린 신라의 시조 박혁거세와 관련된 설화이다. 박혁거세는 양산(지금의 경주) 나정(우물)에서 발견된 알에서 태어났으며, 경주 지역의 토착민 세력과 유이민 집단을 통합하여 신라를 건국한 것으로 전해진다.

② 신라는 돌무지덧널무덤에 왕족과 귀족의 시신과 부장품을 매장하여 장사를 지냈다. 한편, 돌무지덧널무덤은 나무 덧널 위에 돌무지를 쌓고 봉토를 덮어 봉분을 만드는 신라 초기의 무덤 양식으로, 도굴이 어려워 부장품이 거의 그대로 보존되어 있다.

오답 분석

① **동예**: 특산물로 단궁이라는 활과 작은 말인 과하마 등이 유명하였던 나라는 동예이다.

③ **고구려**: 전연의 침략을 받아 왕릉이 도굴되기도 하였던 나라는 고구려이다. 고구려는 고국원왕 때 전연의 모용황에게 침략을 받아 환도성이 함락되고, 미천왕릉이 도굴되어 미천왕의 시신을 빼앗겼다.

④ **백제**: 고구려의 남진으로 인해 수도를 웅진으로 옮겼던 나라는 백제이다. 백제는 개로왕 때 고구려 장수왕의 남진으로 인하여 수도 한성이 함락되자 문주왕 때 수도를 웅진(지금의 공주)으로 옮겼다.

⑤ **가야**: 철기 문화를 바탕으로 변한 지역에서 출현한 나라는 가야이다. 한편, 신라는 삼한 중 진한 지역에서 출현하였다.

35

2024년 서울시 9급(2월 시행)

〈보기〉의 (가) 왕의 재위 기간에 발생한 일로 가장 옳은 것은?

> **보기**
>
> 기록에 의하면 지금으로부터 1,800여 년 전 [(가)] 13년에 이 섬을 정벌하여 조선의 영토로 삼은 것이 오늘 우리 땅이 되게 된 시초인 것만은 틀림없다. 그 당시 이 섬은 우산국이라는 별개의 독립한 나라였는데, 육지로 가장 가까운 곳이 수로(水路) 400리 가량 떨어진 강원도 울진뿐인데 충무공같은 해상의 전략가나 군함도 없이 이 우산국을 쳐서 무찌른 당시 이야기가 흥미롭다.
>
> –『별건곤』

① 불교를 공인하였다.
② 마한을 복속시켰다.
③ 왕호를 중국식 호칭인 '왕'으로 정하였다.
④ 남진 정책을 펼쳐 국내성에서 평양으로 천도하였다.

문제풀이 지증왕 재위 시기의 사실 난이도 하

제시문에서 (가) 13년에 이 섬을 정벌하여 조선의 영토로 삼은 것이 오늘 우리 땅이 되게 된 시초인 것만은 틀림없다는 내용과 그 당시 우산국이라는 별개의 독립한 나라였다는 내용을 통해 (가) 왕이 지증왕임을 알 수 있다.

③ 지증왕 때는 한화 정책을 실시하여 왕호를 마립간에서 중국식 호칭인 '왕'으로 정하였다.

오답 분석

① **침류왕, 소수림왕, 법흥왕**: 불교를 공인한 것은 백제에서는 침류왕, 고구려에서는 소수림왕, 신라에서는 법흥왕 때이다.

② **근초고왕**: 마한을 복속시켜 남쪽으로 전라도 지역까지 진출한 것은 백제 근초고왕 때이다. 근초고왕은 마한 지역을 모두 정복하고, 고구려 평양성을 공격하는 등 활발한 정복 활동을 벌였다. 이를 통해 백제는 경기·충청·전라도 지역과 낙동강 중류 지역, 강원·황해도의 일부 지역을 포함하는 최대 영토를 확보하였다.

④ **장수왕**: 남진 정책을 펼쳐 국내성에서 평양으로 천도한 것은 고구려 장수왕 때이다. 고구려는 장수왕 때 평양으로 천도하고 남진 정책을 추진하여 백제의 수도 한성을 함락시켜 한강 유역을 장악하였다.

36

2022년 지방직 9급

다음 사건이 있었던 시기의 신라 국왕에 대한 설명으로 옳은 것은?

> 이찬 이사부가 하슬라주 군주가 되어, '우산국 사람이 우매하고 사나워서 위엄으로 복종시키기는 어려우니 계책을 써서 굴복시키는 것이 좋겠다.'라고 생각하였다. 이에 나무로 사자 모형을 많이 만들어 배에 나누어 싣고 우산국 해안에 이르러, 속임수로 통고하기를 "만약에 너희가 항복하지 않는다면 곧바로 이 맹수들을 풀어 너희를 짓밟아 죽이겠다."라고 하였다. 그 나라 사람이 두려워 즉시 항복하였다.

① 독서삼품과를 실시하였다.
② 국호를 '신라'로 확정하였다.
③ 관료전을 지급하고 녹읍을 폐지하였다.
④ 장문휴를 보내 당의 등주를 공격하였다.

문제풀이 지증왕 난이도 하

제시문에서 이찬 이사부가 우산국 사람들의 항복을 받았다는 것을 통해 신라 지증왕에 대한 내용임을 알 수 있다.

② 지증왕은 사라·사로·신라 등으로 불리던 국호를 '왕의 덕업이 날로 새로워져서 널리 사방을 망라한다'라는 뜻의 신라로 확정하였다.

오답 분석

① **원성왕(통일 신라)**: 독서삼품과를 실시한 왕은 통일 신라 원성왕이다. 원성왕은 국학의 학생들을 대상으로 독서삼품과를 실시하였다.

③ **신문왕(통일 신라)**: 관료전을 지급하고 녹읍을 폐지한 왕은 통일 신라 신문왕이다. 신문왕은 관료전을 지급하고 녹읍을 혁파하여 귀족 세력의 경제적 기반을 약화시켰다.

④ **무왕(발해)**: 장문휴를 보내 당의 등주를 공격한 왕은 발해 무왕이다. 무왕은 당이 흑수말갈과의 연결을 시도하며 발해를 견제하자, 장문휴를 보내 당 산동 지방의 등주를 선제공격하였다.

 이것도 알면 **합격!**

지증왕의 업적

구분	내용
한화 정책	국호를 신라로 정하고, 왕호를 마립간에서 왕으로 개칭
행정 구역 정비	지방의 주·군을 정비하고 주에 군주 파견
우산국 복속	이사부를 파견하여 우산국 복속
순장 금지	농업 노동력 확보를 위해 순장 금지

정답 33 ② 34 ② 35 ③ 36 ②

37
2018년 지방직 7급

다음 사건이 발생한 왕의 재위 기간에 있었던 사실로 옳은 것은?

> 우산국은 명주의 동쪽 바다에 있는 섬으로, 울릉도라고도 한다. 땅은 사방 백 리인데, 지세가 험한 것을 믿고 복종하지 않았다. 이찬 이사부가 하슬라주 군주가 되어, '우산국 사람은 어리석고도 사나워서 힘으로 다루기는 어렵고 계책으로 복종시킬 수 있다'고 생각하였다. 이에 나무 사자[木偶師子]를 많이 만들어 전선에 나누어 싣고 그 나라 해안에 다다랐다. … (중략) … 그 나라 사람들이 두려워 즉시 항복하였다.

① 상대등 제도를 시행하였다.
② 아시촌에 소경을 설치하였다.
③ 고구려 승려 혜량을 승통으로 삼았다.
④ 사방에 우역(郵驛)을 처음으로 두었다.

문제풀이 지증왕 재위 기간의 사실
난이도 상

제시문에서 울릉도의 우산국이 복종하지 않자 이사부를 보내 항복을 받았다는 내용을 통해 신라 지증왕에 대한 내용임을 알 수 있다.

② 지증왕은 아라가야가 있던 곳으로 추정되는 아시촌에 최초의 소경을 설치하였다(514). 소경은 신라가 복속 지역의 통치를 위해 설치한 지방의 특수 행정 구역으로, 주로 정치·군사적 요충지에 설치되었다. 지증왕 때 최초로 아시촌소경이 설치된 이후 진흥왕 때 중원(충북 충주) 지역에 국원소경이 설치되었으며, 선덕 여왕 때에는 하슬라(강원 강릉) 지역에 북소경이 설치되었다. 이후 소경 제도는 통일 신라 신문왕 때 5소경 체제로 완비되었다.

오답 분석
① **법흥왕**: 상대등 제도를 시행한 왕은 법흥왕이다.
③ **진흥왕**: 고구려 승려 혜량을 승통(국통)으로 삼은 왕은 진흥왕이다.
④ **소지 마립간**: 국가 공문서를 송달하기 위해 사방에 우역(역참)을 설치한 왕은 소지 마립간이다.

이것도 알면 **합격!**

소경(小京) 제도

기능	경주의 지역적 편중성을 보완하기 위해 설치
설치	지증왕 때 최초로 아시촌소경 설치, 이후 2소경으로 정비[국원소경(충주), 북소경(강릉)]
완비	통일 이후 신문왕 때 5소경으로 완비

38
2022년 법원직 9급

밑줄 친 '왕'에 대한 설명으로 가장 옳은 것은?

> 이때에 이르러 <u>왕</u> 또한 불교를 일으키려고 하였으나, 여러 신하들이 믿지 않고 이런저런 불평을 많이 하였으므로 <u>왕</u>이 근심하였다. …… 이차돈이 왕에게 아뢰기를, "바라건대 하찮은 신의 목을 베어 여러 사람들의 논의를 진정시키십시오."라고 하였다.
> – 『삼국사기』

① 이사부를 파견하여 우산국을 복속시켰다.
② 광개토 대왕의 지원으로 왜군을 격파하였다.
③ 대가야를 정복하여 가야 연맹을 해체시켰다.
④ 상대등을 설치하여 정치 조직을 강화하였다.

문제풀이 법흥왕
난이도 하

제시문에서 왕이 불교를 일으키려고 하였으나 신하들이 불평하자, 이차돈이 자신의 목을 베어 이를 진정시키라고 한 내용을 통해 밑줄 친 '왕'이 법흥왕임을 알 수 있다.

④ 법흥왕은 화백 회의의 주관자이자 귀족들의 대표인 상대등을 설치하여 정치 조직을 강화하였다.

오답 분석
① **지증왕**: 이사부를 파견하여 우산국(울릉도)을 복속시킨 왕은 지증왕이다.
② **내물 마립간**: 고구려 광개토 대왕의 지원으로 왜군을 격파한 왕은 내물 마립간이다.
③ **진흥왕**: 고령 지역의 대가야를 정복하여 가야 연맹을 해체시킨 왕은 진흥왕이다.

이것도 알면 **합격!**

법흥왕의 통치 질서 확립

병부 설치	군사에 관한 사무를 관장하는 관청인 병부 설치
율령 반포	통치 질서를 확립하기 위해 율령 반포
상대등 설치	화백 회의의 주관자이자 귀족들의 대표인 상대등 설치
관리의 공복 제정	관리의 공복(자색·비색·청색·황색) 제정

39

2022년 서울시 9급(6월 시행)

〈보기〉의 정책을 실시한 신라의 왕에 대한 설명으로 가장 옳은 것은?

> **보기**
> • 병부를 설치하여 왕이 직접 병권을 장악하고, 상대등을 설치하여 재상의 지위를 부여하였다.
> • 김해 지역의 금관가야를 정복하여 낙동강으로 진출하는 길을 열었다.

① 백제 성왕과 동맹하여 고구려가 장악했던 한강 유역을 차지했다.
② 우산국으로 불리던 울릉도를 정복하여 영토로 편입하였다.
③ 백관의 공복을 제정하여 귀족을 관료로 등급화시켰다.
④ 신라 역사상 최대 영역을 확보했다.

문제풀이 법흥왕 난이도 하

제시된 자료에서 병부와 상대등을 설치하고 금관가야를 정복하였다는 내용을 통해 법흥왕에 대한 설명임을 알 수 있다.

③ 법흥왕은 백관의 공복을 제정하여 귀족을 관료로 등급화시키고 율령을 반포하는 등 국가의 통치 체제를 정비하였다.

오답 분석

① **진흥왕**: 백제 성왕과 동맹하여 고구려가 장악했던 한강 유역을 차지한 왕은 진흥왕이다. 진흥왕은 고구려가 장악하였던 한강 상류 지역을 차지한 뒤, 백제가 점령한 한강 하류 지역을 공격하여 차지하였다.

② **지증왕**: 이사부를 보내 우산국으로 불리던 울릉도를 정복하여 영토로 편입한 왕은 지증왕이다.

④ **진흥왕**: 활발한 정복 활동을 통해 신라 역사상 최대 영역을 확보한 왕은 진흥왕이다. 진흥왕은 한강 유역뿐만 아니라 고령의 대가야를 정복하고, 고구려의 영토였던 함경도 지방까지 진출하며 신라 역사상 최대의 영토를 차지하였다.

40

2019년 서울시 9급(2월 시행)

〈보기〉의 밑줄 친 '왕' 대에 이루어진 내용을 옳게 고른 것은?

> **보기**
> 재위 19년에는 금관국주인 김구해가 비와 세 아들을 데리고 와 항복하자 왕은 예로써 대접하고 상등(上等)의 벼슬을 주었으며, 23년에는 처음으로 연호를 칭하여 건원(建元) 원년이라 하였다.

> ㉠ 국호를 사로국에서 '신라'로, 왕호를 마립간에서 '왕'으로 고쳤다.
> ㉡ 왕은 연호를 고쳐 '개국(開國)'이라 하였으며 『국사』를 편찬토록 하였다.
> ㉢ 왕호를 '성법흥대왕'이라 쓰기도 하였다.
> ㉣ '신라육부'가 새겨진 울진 봉평 신라비가 세워졌다.
> ㉤ 연호를 '인평(仁平)'으로 고쳤으며 분황사와 영묘사를 창건하였다.

① ㉠, ㉡ ② ㉡, ㉢
③ ㉢, ㉣ ④ ㉣, ㉤

문제풀이 법흥왕 난이도 중

제시문에서 금관국(금관가야)의 김구해가 항복하였으며, 연호를 건원이라 하였다는 내용을 통해 밑줄 친 '왕'이 법흥왕임을 알 수 있다.

③ 옳은 것을 모두 고르면 ㉢, ㉣이다.

㉢ 울주(울산) 천전리 각석에는 법흥왕을 '성법흥대왕'이라 칭한 기록이 남아 있는데, 이는 당시 불교를 공인한 법흥왕의 초월자적인 위상을 과시한 것으로 추정된다.

㉣ 법흥왕 재위 시기에 세워진 울진 봉평 신라비에는 신라 영토로 편입된 울진 지역 거벌모라의 남미지 주민들의 저항에 대해 '6부 회의'를 열고 대인(大人)을 파견하여 처벌하였다는 내용이 새겨져 있다.

오답 분석

㉠ **지증왕**: 한화 정책을 추진하여 국호를 사로국에서 '신라'로 정하고, 왕호를 마립간에서 '왕'으로 고친 왕은 지증왕이다.

㉡ **진흥왕**: '개국'이라는 연호를 사용하였으며, 거칠부로 하여금 역사서인 『국사』를 편찬하게 한 왕은 진흥왕이다.

㉤ **선덕 여왕**: '인평'이라는 연호를 사용하였으며, 분황사와 영묘사를 창건하도록 한 왕은 선덕 여왕이다.

정답 37 ② 38 ④ 39 ③ 40 ③

41

2015년 지방직 9급

(가), (나) 사이의 시기에 있었던 사실로 옳은 것은?

> (가) 국호를 신라로 바꾸고, 왕의 칭호도 마립간에서 왕으로 고쳤다. 대외적으로는 우산국을 복속시켰다.
> (나) 한강 유역을 빼앗고, 고령 지역의 대가야를 정복하였다. 북쪽으로는 함경도 지역까지 진출하였다.

① 백제 동성왕과 혼인 동맹을 맺었다.
② 김씨에 의한 왕위 계승권이 확립되었다.
③ 진골 귀족 세력의 반발로 녹읍이 부활되었다.
④ 병부를 설치하고, 백관의 공복을 제정하였다.

문제풀이 지증왕과 진흥왕 사이의 사실 난이도 중

(가)는 국호를 '신라'로 바꾸고, '왕'이라는 칭호를 사용했으며 우산국을 복속시켰다는 내용을 통해 지증왕(500~514) 시기임을 알 수 있다.

(나)는 한강 유역을 빼앗고 대가야를 정복하였으며, 함경도 지역까지 진출하였다는 내용을 통해 진흥왕(540~576) 시기임을 알 수 있다.

④ 법흥왕(514~540)은 군사권을 장악하기 위해 중앙 부서로서 병부를 설치하였다. 또한 17관등 및 백관의 공복을 제정하고 율령을 반포하여 통치 체제를 정비하였다.

오답 분석
① **(가) 이전**: 백제 동성왕과 혼인 동맹을 맺은 것은 493년 소지 마립간 때로 (가) 이전의 사실이다. 백제와 신라는 결혼 동맹을 체결하여 나·제 동맹을 더욱 견고히 하여 고구려의 남하에 대항하였다.
② **(가) 이전**: 김씨에 의한 왕위 계승권이 확립된 것은 내물 마립간(356~402) 때로 (가) 이전의 사실이다. 내물 마립간은 김씨 독점의 왕위 계승권을 확립하여 중앙 집권 체제를 정비하였다.
③ **(나) 이후**: 진골 귀족 세력의 반발로 녹읍이 부활한 것(757)은 경덕왕 때이므로 (나) 이후의 사실이다.

42

2013년 국가직 9급

밑줄 친 '왕'의 업적에 대한 설명으로 옳은 것은?

> • <u>왕</u> 7년에 율령을 반포하고, 처음으로 백관의 공복을 제정하였다.
> • <u>왕</u> 19년에 금관국의 왕인 김구해가 왕비와 세 아들을 데리고 와 항복하였다.

① '건원'이란 연호를 사용하였다.
② 이사부를 시켜 우산국을 정복하였다.
③ 유학 교육을 위해 국학을 설립하였다.
④ 화랑도를 국가적인 조직으로 개편하였다.

문제풀이 법흥왕의 업적 난이도 중

제시문에서 율령을 반포하고 백관의 공복을 제정하였으며, 금관국(금관가야)의 왕이 항복하였다는 내용을 통하여 밑줄 친 '왕'이 법흥왕임을 알 수 있다.

① 법흥왕은 '건원(建元)'이라는 신라 최초의 독자적인 연호를 사용하였다.

오답 분석
② **지증왕**: 이사부를 시켜 우산국(울릉도)을 정복한 왕은 지증왕이다.
③ **신문왕**: 유교 정치 이념을 확립하기 위해 유학 교육 기관인 국학을 설립한 왕은 신문왕이다.
④ **진흥왕**: 인재 양성을 위해 청소년 집단이었던 화랑도를 국가적인 조직으로 개편한 왕은 진흥왕이다.

이것도 알면 **합격!**

법흥왕의 업적

골품제 정비	신라의 신분 제도인 골품제 정비
불교 공인	이차돈의 순교를 통해 불교 공인
금관가야 정복	금관가야를 정복하여 영토 확장
연호 사용	'건원(建元)'이라는 신라 최초의 연호를 사용

43

2022년 서울시 9급(6월 시행)

〈보기〉의 밑줄 친 '왕'의 재위 기간에 일어난 일이 아닌 것은?

> **보기**
>
> 재위 12년 신미년에 왕이 거칠부 및 대각찬 구진, 각찬 비태, 잡찬 탐지, 잡찬 비서, 파진찬 노부, 파진찬 서력부, 대아찬 비치부, 아찬 미진부 등 여덟 장군에게 명하여 백제와 더불어 고구려를 공격하도록 하였다. 백제인들이 먼저 평양을 공격하여 깨뜨리자, 거칠부 등은 승기를 타서 죽령 바깥, 고현 이내의 10군을 빼앗았다.
>
> -『삼국사기』

① 대가야를 정벌하여 가야 연맹을 소멸시켰다.
② 인재를 양성하기 위하여 화랑도를 국가적 조직으로 개편하였다.
③ 자장의 건의를 받아들여 황룡사 9층 목탑을 건립하였다.
④ 신라의 역사를 정리하여 『국사』를 편찬하였다.

문제풀이 진흥왕 재위 기간의 사실

난이도 하

제시문에서 거칠부 등에게 명하여 백제와 함께 고구려를 공격하도록 하였다는 것을 통해 밑줄 친 '왕'이 신라 진흥왕임을 알 수 있다.

③ 자장의 건의를 받아들여 호국의 의지를 담은 황룡사 9층 목탑을 건립한 것은 선덕 여왕 때이다.

오답 분석

① 진흥왕 때는 이사부를 보내 대가야를 정벌하여 가야 연맹을 소멸시키고, 신라의 영토를 낙동강 유역까지 확대하였다.
② 진흥왕 때는 인재를 양성하기 위하여 씨족 사회의 청소년 교육 집단이었던 화랑도를 국가적 조직으로 개편하였다.
④ 진흥왕 때 신라의 역사를 정리한 『국사』가 편찬되었다. 진흥왕은 이사부의 건의를 수용하여 거칠부에게 역사서인 『국사』를 편찬하게 하였다.

이것도 알면 **합격!**

진흥왕

화랑도 정비	씨족 사회의 청소년 집단인 화랑도를 국가적 조직으로 개편
연호 사용	개국, 대창(태창), 홍제라는 연호 사용
『국사』편찬	거칠부에게 신라의 역사를 정리하여 『국사』를 편찬하게 함
대가야 정복	대가야를 정복하여 낙동강 유역까지 영토 확장

44

2020년 지방직 9급

밑줄 친 '왕'의 재위 기간에 있었던 사실로 옳은 것은?

> 이찬 이사부가 왕에게 "국사라는 것은 임금과 신하들의 선악을 기록하여, 좋고 나쁜 것을 만대 후손들에게 보여주는 것입니다. 이를 책으로 편찬해 놓지 않는다면 후손들이 무엇을 보고 알겠습니까?"라고 아뢰었다. 왕이 깊이 동감하고 대아찬 거칠부 등에게 명하여 신비들을 널리 모아 그들로 하여금 역사를 편찬하게 하였다.
>
> -『삼국사기』

① 정전 지급
② 국학 설치
③ 첨성대 건립
④ 북한산 순수비 건립

문제풀이 진흥왕 재위 기간의 사실

난이도 하

제시문에서 이찬 이사부가 건의하고, 대아찬 거칠부 등이 역사서를 편찬하였다는 내용을 통해 밑줄 친 '왕'이 진흥왕임을 알 수 있다. 진흥왕은 이사부의 건의에 따라 거칠부에게 역사서인 『국사』를 편찬하도록 하였다.

④ 진흥왕 때 북한산 순수비가 건립되었다. 진흥왕은 직접 개척한 영토를 순행하고 이를 기념하기 위하여 북한산 순수비 외에도, 창녕비, 황초령비, 마운령비 등의 순수비를 건립하였다.

오답 분석

① **성덕왕**: 백성들에게 정전이라는 토지를 지급한 것은 성덕왕 때의 일이다.
② **신문왕**: 유교 정치 이념을 확립시키기 위해 국학이라는 최고 유학 교육 기관이 설치된 것은 신문왕 때의 일이다.
③ **선덕 여왕**: 천문 관측 시설인 첨성대가 건립된 것은 선덕 여왕 때의 일이다.

이것도 알면 **합격!**

진흥왕 순수비

북한산비	신라의 한강 하류 진출 사실을 알려줌, 조선 후기에 김정희가 고증
창녕비	비화가야 정복 후 건립, 대등·당주·촌주 등 관직명 등장
황초령비	가장 먼저 발견된 순수비, 조선 후기에 김정희가 고증
마운령비	태창이라는 연호 사용, 6부명, 관직과 관등, 인명 등 기록

정답 41 ④ 42 ① 43 ③ 44 ④

45

2023년 지방직 9급

(가), (나)에 들어갈 왕의 업적으로 옳은 것은?

> 삼국의 역사서로는 고구려에 『유기』가 있었는데, 영양왕 때 이문진이 이를 간추려 『신집』 5권을 편찬하였다. 백제에서는 [(가)] 시기에 고흥이 『서기』를, 신라에서는 [(나)] 시기에 거칠부가 『국사』를 편찬하였다.

① (가) – 국호를 남부여로 바꾸었다.

② (가) – 동진으로부터 불교를 받아들여 공인하였다.

③ (나) – 화랑도를 국가적 조직으로 개편하였다.

④ (나) – 병부를 처음으로 설치하여 군권을 장악하였다.

문제풀이 근초고왕과 진흥왕의 업적 난이도 하

(가)는 백제에서 고흥이 『서기』를 편찬하였다는 내용을 통해 근초고왕임을 알 수 있다.

(나)는 신라에서 거칠부가 『국사』를 편찬하였다는 내용을 통해 진흥왕임을 알 수 있다.

③ 진흥왕은 인재 양성을 위해 청소년 집단이었던 화랑도를 국가적 조직으로 개편하였다. 화랑도는 원광이 지은 세속 5계(사군이충, 사친이효, 교우이신, 임전무퇴, 살생유택)를 행동 규범으로 삼아 활동하였으며, 이후 신라가 삼국을 통일하는 데 크게 기여하였다.

오답 분석

① **성왕**: 국호를 남부여로 바꾼 왕은 성왕이다. 성왕은 수도를 웅진(공주)에서 사비(부여)로 옮기고 백제의 중흥을 꾀하며 국호를 남부여로 바꾸었다.

② **침류왕**: 동진으로부터 불교를 받아들여 공인한 왕은 침류왕이다. 침류왕은 동진에서 온 인도 승려 마라난타를 통해 불교를 받아들이고 공인하였다.

④ **법흥왕**: 병부를 처음으로 설치하여 군권을 장악한 왕은 법흥왕이다. 법흥왕은 군사에 관한 사무를 관장한 관청인 병부를 설치하여 군권을 장악하였다.

46

2021년 국회직 9급

다음 불탑을 건립한 왕의 재위 기간 중에 일어난 역사적 사건으로 옳은 것은?

> 이 탑을 건립한 목적은 이웃 나라들의 침략을 막고 나라가 태평해지기를 빌기 위한 것이었다. 이 탑은 금동 장육 존상, 천사옥대와 함께 나라의 세 가지 보물로 인식되었다.

① 대야성 상실로 신라가 위기를 맞이하였다.

② 불국토의 이상을 표현한 불국사를 세웠다.

③ 견훤이 경주를 습격하여 경애왕을 살해하였다.

④ 거란과 세 차례에 걸친 전쟁을 겪었다.

⑤ 몽골이 침략하자 강화도로 천도하였다.

문제풀이 선덕 여왕 재위 기간의 사실 난이도 중

제시문에서 금동 장육 존상, 천사옥대와 함께 나라의 세 가지 보물로 인식되었다는 내용을 통해 황룡사 9층 목탑에 대한 설명임을 알 수 있으며, 황룡사 9층 목탑은 선덕 여왕 재위 기간에 건립되었다. 선덕 여왕 때 승려 자장의 건의로 호국의 의지를 담은 황룡사 9층 목탑을 건립하였다.

① 선덕 여왕 재위 기간에 신라는 백제 의자왕의 공격으로 대야성을 비롯한 40여 성을 빼앗겨 국가적 위기를 맞이하였다. 이에 위기를 느낀 신라는 당에 사신을 보내 원병을 요청했으나 실현되지 않았다.

오답 분석

② 불국사는 통일 신라 경덕왕 때 김대성 등에 의해 창건되었다고 알려졌으나, 최근 불국사가 신라 법흥왕 때 지어졌다는 주장이 있다.

③ 후백제의 견훤은 경주(금성)를 침공하여 신라 경애왕을 살해하고, 경순왕을 신라의 왕으로 세웠다.

④ **고려 성종·현종**: 거란과 세 차례에 걸친 전쟁을 겪은 것은 고려 성종과 현종 재위 기간의 사실이다. 고려 성종 때 거란의 1차 침입(993)을 겪었고, 현종 때 2차 침입(1010), 3차 침입(1018)을 겪었다.

⑤ **고려 고종**: 몽골이 침략하자 강화도로 천도한 것은 고려 고종 재위 기간(최우 집권기)의 사실이다.

47

2020년 법원직 9급

밑줄 친 '왕'의 활동으로 가장 옳은 것은?

> 대야성의 패전에서 도독 품석의 아내도 죽었는데, 그녀는 춘추의 딸이었다. …… 왕에게 나아가 아뢰기를, "신이 고구려에 가서 군사를 청해 원수를 갚고 싶습니다."라고 하니 왕이 허락했다.
>
> - 「삼국사기」

① 단양 적성비를 세웠다.
② 황룡사 9층 목탑을 건립하였다.
③ 고구려 부흥 운동을 지원하였다.
④ 이차돈의 순교를 계기로 불교를 공인하였다.

문제풀이 선덕 여왕 난이도 하

제시문에서 대야성의 패전에서 도독 품석의 아내이자 춘추의 딸이 죽었다는 내용을 통해 밑줄 친 '왕'이 대야성 전투(642) 때의 신라 왕인 선덕 여왕임을 알 수 있다.

② 선덕 여왕은 승려 자장의 건의에 따라 황룡사 9층 목탑을 건립하였다.

오답 분석
① **진흥왕**: 단양 적성비를 세운 왕은 진흥왕이다. 단양 적성비는 진흥왕이 단양의 적성을 점령하고 세운 비석이다.
③ **문무왕**: 고구려 부흥 운동을 지원한 왕은 문무왕이다. 문무왕은 고구려 유민들을 옛 백제 땅 금마저(익산)에 자리를 잡게 하고, 안승을 보덕국의 왕으로 책봉하여 고구려 유민을 모아 당의 세력을 축출하는데 이용하였다.
④ **법흥왕**: 이차돈의 순교를 계기로 불교를 공인한 왕은 법흥왕이다.

이것도 알면 **합격!**

선덕 여왕 대의 사실
- 영묘사, 분황사 창건
- 자장의 건의로 황룡사 9층 목탑 건립
- 현존하는 동양 최고(最古)의 천문대인 첨성대 축조
- 비담·염종의 난 → 진덕 여왕 즉위 후 김춘추, 김유신 등이 진압

48

2014년 지방직 9급

삼국 시대 금석문 자료에 대한 설명으로 옳지 않은 것은?

① 호우총 출토 청동 호우의 존재를 통해 신라와 고구려 관계를 살펴볼 수 있다.
② 사택지적비를 통해 당시 백제가 도가(道家)에 대한 이해를 하고 있었음을 알 수 있다.
③ 울진 봉평리 신라비를 통해 신라가 동해안의 북쪽 방면으로 세력을 확장하였음을 알 수 있다.
④ 충주 고구려비(중원 고구려비)를 통해 신라가 고구려에게 자신을 '동이(東夷)'라고 낮추어 표현하였음을 알 수 있다.

문제풀이 삼국 시대의 금석문 난이도 중

④ 충주(중원) 고구려비에 신라가 동이(동쪽의 오랑캐)라 표현되어 있는 것은 맞지만 충주(중원) 고구려비를 세운 주체는 고구려이기 때문에 신라가 고구려에게 자신을 낮추었다고 하기보다는 고구려가 신라를 동이라고 낮추어 표현하였다고 이해하는 것이 적절하다.

오답 분석
① 경주 호우총에서 출토된 호우명 그릇에는 광개토 대왕의 호칭이 새겨져 있는데 이를 통해 고구려가 신라에 영향력을 미치고 있었음을 짐작할 수 있다.
② 사택지적비문에는 백제의 관료인 사택지적이 불당을 세운 내력과 노장 사상이 반영된 내용이 4·6 변려체 문장으로 표현되어 있는데 이를 통해 당시 백제에서 도가에 대한 이해가 깊었음을 알 수 있다.
③ 울진 봉평리 신라비는 경상북도 울진군 봉평리에서 발견된 법흥왕 시기의 비석으로, 이를 통해 당시 신라가 동해안의 북쪽 방면으로 세력을 확장하였음을 알 수 있다.

이것도 알면 **합격!**

사택지적비
- 백제 의자왕 때의 대신인 사택지적이 불교에 귀의해 불당을 세운 내력이 기록되어 있음
- 비문에는 인생의 무상함을 한탄하는 내용이 세련된 4·6 변려체 문장으로 기록되어 있음(노장 사상 반영)
- 백제의 귀족이 남긴 중요한 금석문 자료로 현재는 국립 부여 박물관에서 소장하고 있음

정답 45 ③ 46 ① 47 ② 48 ④

49

2024년 서울시 9급(2월 시행)

〈보기〉의 사건을 시간 순으로 바르게 나열한 것은?

보기

㉠ 고국천왕이 을파소를 국상으로 등용하여 진대법을 실시했다.
㉡ 백제가 평양성 전투에서 고국원왕을 전사시켰다.
㉢ 신라가 대가야를 병합했다.
㉣ 신라가 우산국을 복속시켜 영토에 편입했다.

① ㉠ - ㉡ - ㉢ - ㉣
② ㉠ - ㉡ - ㉣ - ㉢
③ ㉡ - ㉠ - ㉢ - ㉣
④ ㉡ - ㉢ - ㉠ - ㉣

문제풀이 고대사의 전개 난이도 중

② 시간 순으로 바르게 나열하면 ㉠ **진대법 실시(194)** → ㉡ **고국원왕 전사(371)** → ㉣ **신라의 우산국 복속(512)** → ㉢ **신라의 대가야 병합(562)**이 된다.

㉠ **진대법 실시**: 고구려 고국천왕 때 을파소를 국상으로 등용하여 굶주린 백성을 구휼하기 위한 진대법을 실시하였다(194). 진대법은 가난한 백성에게 춘궁기에 곡식을 빌려 주고 추수기에 갚도록 한 빈민 구제 제도이다.

㉡ **고국원왕 전사**: 백제 근초고왕 때 황해도 지역을 놓고 대립하던 고구려의 평양성을 공격하였으며, 이 과정에서 고구려 고국원왕을 전사시켰다(371).

㉣ **신라의 우산국 복속**: 신라 지증왕 때 이사부를 파견하여 우산국(울릉도)을 복속시켜 신라의 영토로 편입하였다(512).

㉢ **신라의 대가야 병합**: 신라 진흥왕 때 이사부와 사다함을 파견하여 고령 지역의 대가야를 병합하여 낙동강 유역까지 영토를 넓혔다(562).

50

2024년 서울시 9급

〈보기〉의 사건을 시간 순으로 바르게 나열한 것은?

보기

㉠ 장수왕은 백제의 수도 한성을 점령한 후 한강 유역을 차지하였다.
㉡ 진흥왕은 고구려와 백제를 모두 공격하여 한강 유역을 차지하였다.
㉢ 근초고왕은 마한의 여러 소국을 복속시키고 고구려의 평양성을 공격하였다.
㉣ 가야 연맹은 중앙 집권 국가로 발전하지 못하였고, 마지막으로 대가야가 신라에 병합됨으로써 해체되었다.

① ㉠ - ㉡ - ㉢ - ㉣
② ㉡ - ㉢ - ㉣ - ㉠
③ ㉢ - ㉠ - ㉡ - ㉣
④ ㉣ - ㉢ - ㉠ - ㉡

문제풀이 고대사의 전개 난이도 중

③ 시간 순으로 나열하면 ㉢ **근초고왕의 평양성 공격(371)** → ㉠ **장수왕의 한성 점령(475)** → ㉡ **진흥왕의 한강 유역 차지(553)** → ㉣ **가야 연맹 해체(562)**이 된다.

㉢ **근초고왕의 평양성 공격**: 백제의 근초고왕은 남쪽으로 마한의 여러 소국을 복속시키고, 황해도 지역을 놓고 대립하던 고구려의 평양성을 공격하였다. 이 과정에서 고구려의 고국원왕이 전사하였다(371).

㉠ **장수왕의 한성 점령**: 고구려의 장수왕은 남하 정책을 추진하여 백제의 수도 한성을 점령한 후 개로왕을 죽여 한강 유역을 차지하였다(475).

㉡ **진흥왕의 한강 유역 차지**: 신라의 진흥왕은 백제 성왕과 연합하여 한강 유역을 차지하고 있던 고구려를 공격하여 몰아냈다. 하지만 한강 유역이 백제의 영토가 되자, 진흥왕은 다시 백제를 공격하여 한강 유역을 차지하였다(553).

㉣ **가야 연맹 해체**: 가야 연맹은 각 소국이 독자적인 정치 기반을 유지하고 있었기 때문에 중앙 집권 국가로 발전하지 못하였고, 신라 진흥왕에 의해 대가야가 신라에 병합됨으로써 해체되었다(562).

51

2023년 국가직 9급

다음 사건을 시기순으로 바르게 나열한 것은?

(가) 신라의 우산국 복속　　(나) 고구려의 서안평 점령
(다) 백제의 대야성 점령　　(라) 신라의 금관가야 병합

① (가) - (나) - (다) - (라)
② (가) - (라) - (나) - (다)
③ (나) - (가) - (라) - (다)
④ (나) - (다) - (가) - (라)

문제풀이 고대사의 전개 난이도 하

③ **시기순으로 바르게 나열하면 (나) 고구려의 서안평 점령(311) → (가) 신라의 우산국 복속(512) → (라) 신라의 금관가야 병합(532) → (다) 백제의 대야성 점령(642)이 된다.**

(나) **고구려의 서안평 점령**: 고구려는 미천왕 때 중국이 5호 16국 시대로 인해 혼란스러운 틈을 타 요동 지역의 서안평을 점령하였다(311).

(가) **신라의 우산국 복속**: 신라는 지증왕 때 이사부를 파견하여 우산국(울릉도)을 복속시키고 신라의 영토로 편입하였다(512).

(라) **신라의 금관가야 병합**: 신라는 법흥왕 때 전기 가야 연맹을 주도한 금관가야를 병합하였다(532).

(다) **백제의 대야성 점령**: 백제는 의자왕 때 윤충을 보내 신라를 공격하여 대야성을 비롯한 40여 성을 점령하였다(642).

52

2023년 계리직 9급

〈보기〉의 사건들을 시간순으로 옳게 나열한 것은?

보기
㉠ 이사부가 이끄는 신라군이 대가야를 멸망시켰다.
㉡ 백제군의 평양성 공격으로 고국원왕이 전사하였다.
㉢ 고구려군이 백제 한성을 함락하고 개로왕을 죽였다.
㉣ 신라를 침탈하던 왜병이 고구려군에게 격멸당하였다.

① ㉡ - ㉢ - ㉣ - ㉠
② ㉡ - ㉣ - ㉢ - ㉠
③ ㉣ - ㉡ - ㉠ - ㉢
④ ㉣ - ㉢ - ㉡ - ㉠

문제풀이 고대사의 전개 난이도 하

② **시간순으로 나열하면 ㉡ 고국원왕의 전사(371) → ㉣ 고구려의 신라 구원(400) → ㉢ 고구려의 한성 함락(475) → ㉠ 신라의 대가야 정복(562)이 된다.**

㉡ **고국원왕의 전사**: 황해도 지역을 두고 백제 근초고왕과 대립하던 고구려 고국원왕은 백제군의 평양성 공격으로 전사하였다(371).

㉣ **고구려의 신라 구원**: 신라를 침탈하던 왜병은 신라 내물 마립간의 구원 요청을 받고 온 광개토 대왕의 고구려군에게 격멸당하였다(400).

㉢ **고구려의 한성 함락**: 고구려는 장수왕 때 남하 정책을 추진하여 백제의 수도인 한성을 함락하고 개로왕을 죽였다(475).

㉠ **신라의 대가야 정복**: 신라는 진흥왕 때 이사부가 이끄는 군대가 대가야를 멸망시키고, 낙동강 유역까지 영토를 넓혔다(562).

정답 49 ② 50 ③ 51 ③ 52 ②

53

2020년 서울시 9급(특수 직렬)

〈보기〉의 사건들을 시간 순으로 바르게 나열한 것은?

> **보기**
> ㉠ 신라 – 건원(建元)이라는 독자적인 연호를 만들었다.
> ㉡ 가야 – 대가야가 멸망하면서 가야 연맹이 완전히 해체되었다.
> ㉢ 고구려 – 낙랑군을 완전히 몰아내고 대동강 유역을 확보하였다.
> ㉣ 백제 – 수도인 한성이 함락되고 왕이 죽자 도읍을 웅진으로 옮겼다.

① ㉠ – ㉡ – ㉢ – ㉣

② ㉡ – ㉢ – ㉣ – ㉠

③ ㉢ – ㉣ – ㉠ – ㉡

④ ㉣ – ㉠ – ㉡ – ㉢

문제풀이 한국 고대사의 전개 난이도 하

③ 사건들을 시간 순으로 바르게 나열하면 ㉢ 낙랑군 축출(313) → ㉣ 웅진 천도(475) → ㉠ 건원 연호 제정(536) → ㉡ 대가야 멸망(562)이 된다.

㉢ **낙랑군 축출(313)**: 미천왕은 중국이 5호 16국 시대로 인해 혼란스러운 틈을 타 서안평을 점령(311)하고, 이어서 낙랑군을 축출(313)하였으며, 대방군을 차지(314)함으로써 대동강 유역을 확보하여 남쪽으로 진출할 수 있는 발판을 마련하였다.

㉣ **웅진 천도(475)**: 장수왕의 남하 정책으로 한강 유역을 상실하고 개로왕이 살해당하자 문주왕은 웅진(공주)으로 천도하였다.

㉠ **건원 연호 제정(536)**: 법흥왕은 건원이라는 신라 최초의 연호를 사용함으로써 자주 국가로서의 위상을 세웠다.

㉡ **대가야 멸망(562)**: 신라 진흥왕이 파견한 장군 이사부에 의해 대가야가 멸망(562)하였고, 나머지 가야국들도 신라에 병합되면서 가야 연맹은 완전히 해체되었다.

54

2021년 법원직 9급

(가)~(라)를 일어난 순서대로 바르게 나열한 것은?

> (가) 성왕이 군사를 보내 고구려를 공격하였다.
> (나) 온조는 한강 하류에 이르러 도읍을 정하였다.
> (다) 태조왕이 동옥저를 정벌하고 빼앗아 성읍으로 삼았다.
> (라) 법흥왕이 율령을 반포하고, 처음으로 관리의 공복을 정하였다.

① (가) – (나) – (다) – (라)

② (나) – (다) – (라) – (가)

③ (나) – (가) – (라) – (다)

④ (다) – (가) – (나) – (라)

문제풀이 고대사의 전개 난이도 하

② 순서대로 나열하면 (나) 온조의 백제 건국(기원전 18) → (다) 고구려 태조왕의 동옥저 정벌(56) → (라) 신라 법흥왕의 율령 반포와 공복 제정(520) → (가) 백제 성왕의 고구려 공격(551)이 된다.

(나) **온조의 백제 건국**: 온조는 기원전 18년에 고구려 계통의 유이민 세력을 이끌고 남하하여, 한강 유역의 토착 세력과 결합해 한강 하류에 도읍하고 백제를 건국하였다.

(다) **고구려 태조왕의 동옥저 정복**: 고구려 태조왕은 56년에 활발한 정복 활동을 전개하여 동옥저를 정복하는 등 세력을 확대하였다.

(라) **신라 법흥왕의 율령 반포와 공복 제정**: 신라 법흥왕은 520년에 율령을 반포하고 관리의 공복을 제정하여 중앙 집권적인 고대 국가 체제를 완성하였다.

(가) **백제 성왕의 고구려 공격**: 백제 성왕은 신라와 연합하여 군사를 보내 고구려를 공격하고 한강 하류 지역을 수복하였다(551). 그러나 신라 진흥왕의 배신으로 한강 하류 지역을 신라에 빼앗기게 되었다(553).

55

2020년 국가직 9급

(가)~(라)에 해당하는 사실로 옳지 않은 것은?

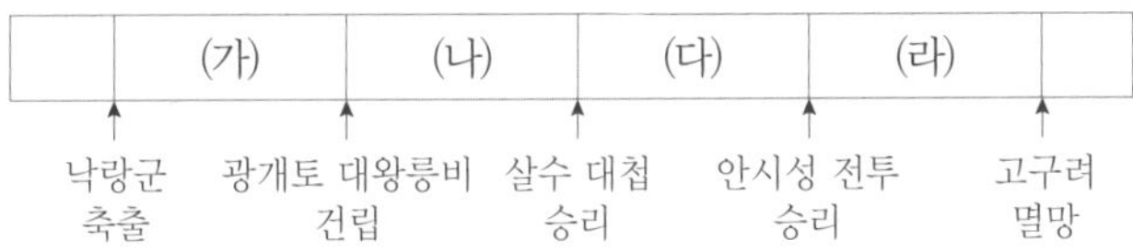

① (가) – 백제 침류왕이 불교를 받아들였다.
② (나) – 고구려 영양왕이 요서 지방을 선제 공격하였다.
③ (다) – 백제가 신라 대야성을 공격하여 함락시켰다.
④ (라) – 신라가 매소성에서 당군을 격파하였다.

문제풀이 고대사의 전개 난이도 중

(가) 낙랑군 축출(313) ~ 광개토 대왕릉비 건립(414)
(나) 광개토 대왕릉비 건립(414) ~ 살수 대첩 승리(612)
(다) 살수 대첩 승리(612) ~ 안시성 전투 승리(645)
(라) 안시성 전투 승리(645) ~ 고구려 멸망(668)

④ 신라가 매소성에서 이근행이 이끄는 당의 20만 대군을 격파한 매소성 전투는 고구려 멸망 이후인 675년으로, (라) 시기 이후의 일이다.

오답 분석
① 백제는 (가) 시기 침류왕 때 동진에서 온 인도 승려 마라난타에게서 불교를 수용하였다(384).
② 수나라가 동북쪽으로 세력을 확대하면서 고구려를 압박하자 위협을 느낀 고구려 영양왕은 (나) 시기 말갈군을 동원하여 요서 지방을 선제 공격하였다(598).
③ 백제는 (다) 시기 의자왕 때에 신라 대야성을 공격하여 함락하였다(642).

56

2022년 지방직 9급

다음 사건을 시기순으로 바르게 나열한 것은?

> (가) 신라의 한강 유역 확보
> (나) 관산성 전투
> (다) 백제의 웅진 천도
> (라) 고구려의 평양 천도

① (가) → (라) → (나) → (다)
② (나) → (다) → (가) → (라)
③ (다) → (나) → (가) → (라)
④ (라) → (다) → (가) → (나)

문제풀이 삼국사의 전개 난이도 하

④ 시기순으로 바르게 나열하면 (라) 고구려의 평양 천도(427) → (다) 백제의 웅진 천도(475) → (가) 신라의 한강 유역 확보(553) → (나) 관산성 전투(554)이다.

(라) **고구려의 평양 천도**: 고구려 장수왕은 왕권 강화와 적극적인 남하 정책을 추진하기 위해 국내성에서 평양으로 천도하였다(427).
(다) **백제의 웅진 천도**: 백제 문주왕은 고구려 장수왕의 남하 정책으로 한강 유역을 상실하고 개로왕이 살해당한 후 즉위하여 웅진(공주)으로 천도하였다(475).
(가) **신라의 한강 유역 확보**: 신라 진흥왕은 백제와 연합하여 고구려로부터 한강 상류 지역을 빼앗고(551), 이후 나·제 동맹을 깨고 백제가 차지한 한강 하류 지역마저 빼앗아 한강 유역을 확보하였다(553).
(나) **관산성 전투**: 백제 성왕은 신라 진흥왕에게 빼앗긴 한강 유역을 되찾기 위해 신라를 공격하였으나, 관산성 전투에서 전사하였다(554).

정답 53 ③ 54 ② 55 ④ 56 ④

57

2024년 법원직 9급

(가), (나) 사이의 시기에 있었던 사실로 가장 옳지 않은 것은?

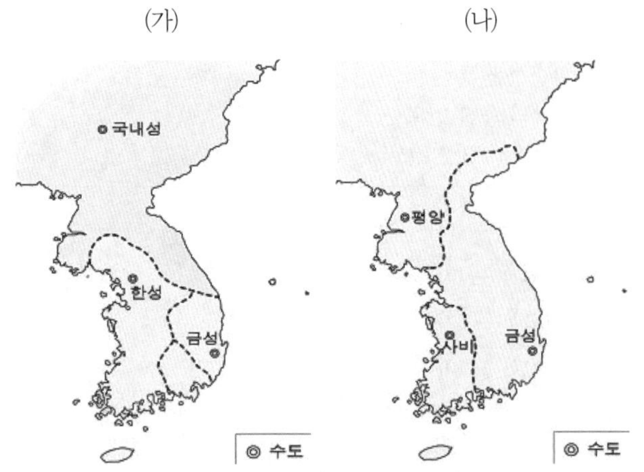

① 태조왕이 옥저를 복속하였다.
② 진흥왕이 화랑도를 개편하였다.
③ 장수왕이 남진 정책을 추진하였다.
④ 지증왕이 국호를 '신라'로 정하였다.

58

2013년 법원직 9급

(가), (나) 시기에 대한 설명으로 옳은 것을 고른 것은?

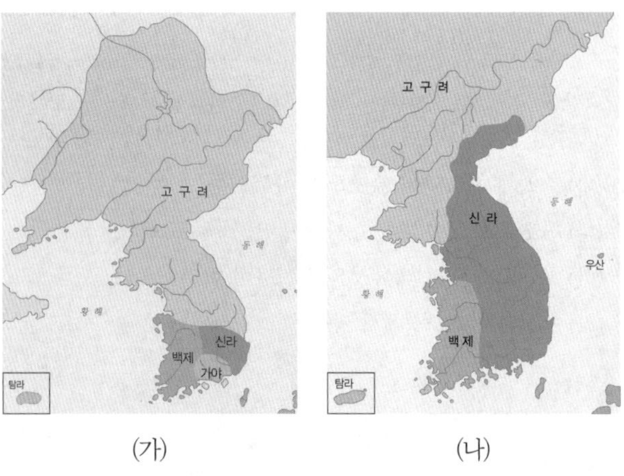

(가) (나)

> ㉠ (가) 시기에 신라와 백제가 동맹 관계를 맺었다.
> ㉡ (나) 시기에 백제는 불교를 받아들여 정치 안정을 꾀하였다.
> ㉢ (가), (나) 시기를 입증하는 비석이 다수 발견되었다.
> ㉣ (가)는 6세기, (나)는 7세기 한반도의 세력 판도이다.

① ㉠, ㉡ ② ㉠, ㉢
③ ㉡, ㉢ ④ ㉡, ㉣

문제풀이 4세기 말과 6세기 말 사이의 사실

난이도 중

(가)는 백제의 수도가 한성이고, 백제의 영토가 황해도 일부 지역까지 확장된 것을 통해 백제의 전성기인 4세기 말임을 알 수 있다.

(나)는 백제의 수도가 사비이고, 고구려의 수도가 평양이라는 것과 신라가 한강 유역을 장악하고 있는 것을 통해 신라의 전성기인 6세기 말임을 알 수 있다.

① 태조왕이 옥저를 복속한 것은 56년으로, (가) 시기 이전의 사실이다. 고구려의 태조왕은 1세기(56)에 동옥저를 복속하고, 2세기 초에는 현도군을 공격하는 등 활발한 정복 활동을 전개하였다.

오답 분석

모두 (가), (나) 사이 시기의 사실이다

② 6세기 중엽에 신라의 진흥왕은 인재 양성을 위해 청소년 집단이었던 화랑도를 국가적인 조직으로 개편하였다.

③ 5세기에 고구려의 장수왕은 수도를 평양으로 옮기고(427) 남진 정책을 추진하여 백제의 수도인 한성을 함락(435)시켰다.

④ 6세기 초에 신라의 지증왕은 한화 정책을 추진하여 국호를 '신라'로 정하고, 왕호를 마립간에서 '왕'으로 바꾸었다.

문제풀이 고구려와 신라의 전성기

난이도 중

(가)는 고구려의 전성기인 5세기 장수왕 시기의 지도이고, (나)는 신라의 전성기인 6세기 진흥왕 시기의 지도이다.

② 옳은 것을 모두 고르면 ㉠, ㉢이다.

㉠ 고구려의 남하 정책으로 위기를 느낀 신라와 백제는 나·제 동맹(433)을 맺으며 고구려의 남하를 막고자 하였다.

㉢ 고구려의 광개토 대왕릉비, 충주(중원) 고구려비와 신라의 마운령비, 황초령비, 북한산비, 단양 적성비, 창녕비는 당시의 영토 확장을 입증해 준다.

오답 분석

㉡ **침류왕**: 백제가 불교를 수용한 것은 침류왕 때의 일로 (가) 이전이다(384). 백제는 동진으로부터 불교를 전수받아 정치적인 안정을 꾀하였다.

㉣ (가)는 5세기, (나)는 6세기의 한반도 세력 판도이다.

이것도 알면 **합격!**

삼국의 전성기

구분	고구려	백제	신라
전성기	5세기 장수왕	4세기 근초고왕	6세기 진흥왕
내용	• 평양 천도 • 지두우 지역 분할 점령하여 흥안령 일대 장악 • 광개토대왕릉비건립	• 마한 정복 • 고구려 평양성 공격(고국원왕 전사) • 중국의 산둥, 일본의 규슈 지방 진출	• 한강 유역 차지(당항성을 통해 중국과 직접 교역 가능) • 진흥왕 순수비 건립

59

2012년 지방직(상) 9급

시기 순으로 바르게 나열한 것은?

> ㉠ 고구려의 흥안령 일대 장악
> ㉡ 백제의 사비 천도
> ㉢ 신라의 마운령비 건립
> ㉣ 전기 가야 연맹의 약화

① ㉠ → ㉣ → ㉢ → ㉡
② ㉠ → ㉣ → ㉡ → ㉢
③ ㉣ → ㉠ → ㉢ → ㉡
④ ㉣ → ㉠ → ㉡ → ㉢

문제풀이 고대사의 전개 난이도 중

④ 시기 순으로 바르게 나열하면 **㉣ 전기 가야 연맹 약화**(4세기 말~5세기 초) → **㉠ 고구려 장수왕의 흥안령 일대 장악**(479) → **㉡ 백제 성왕의 사비 천도**(538) → **㉢ 신라 진흥왕의 마운령비 건립**(568)이 된다.

㉣ 4세기 초부터 백제, 신라에 밀려 약화되던 전기 가야 연맹은 신라를 도운 고구려군의 침입(400)을 받아 크게 위축되었다.

㉠ 고구려 장수왕은 479년에 북방 민족인 유연과 지두우 지역을 분할 점령하여 흥안령 일대의 초원 지대를 장악하였다.

㉡ 백제 성왕은 538년에 대외 진출이 유리한 사비로 천도하고 국호를 남부여로 변경하였다.

㉢ 신라 진흥왕은 고구려의 영토였던 함경도 지역까지 진출하여 568년에 마운령비를 건립하였다.

이것도 알면 **합격!**

신라의 비석

건립 시기	비석
지증왕	포항 중성리 신라비, 포항(영일) 냉수리 신라비
법흥왕	울진 봉평 신라비, 영천 청제비
진흥왕	• 단양 적성비 • 순수비: 북한산비, 창녕비, 황초령비, 마운령비
진평왕	경주 남산 신성비

60

2019년 국회직 9급

다음 내용을 오래된 시기 순으로 옳게 나열한 것은?

> ㉠ 관산성 전투
> ㉡ 사비 천도
> ㉢ 금관가야 멸망
> ㉣ 『신집』 편찬

① ㉠ → ㉡ → ㉢ → ㉣
② ㉠ → ㉣ → ㉡ → ㉢
③ ㉢ → ㉠ → ㉣ → ㉡
④ ㉢ → ㉡ → ㉠ → ㉣
⑤ ㉣ → ㉢ → ㉠ → ㉡

문제풀이 6세기의 삼국 난이도 중

④ 순서대로 나열하면 **㉢ 금관가야 멸망**(532) → **㉡ 사비 천도**(538) → **㉠ 관산성 전투**(554) → **㉣ 『신집』 편찬**(600)이 된다.

㉢ **금관가야 멸망**: 신라 법흥왕의 지속적인 압박으로 금관가야의 구형왕(구해왕)이 신라에 항복하면서 금관가야가 멸망하였다(532).

㉡ **사비 천도**: 백제 성왕 때 웅진에서 대외 진출이 용이한 사비(부여)로 천도하였다(538).

㉠ **관산성 전투**: 백제 성왕은 신라와 연합하여 고구려로부터 한강 하류 지역을 되찾았다(551). 그러나 신라 진흥왕이 나·제 동맹을 깨고 백제가 차지한 한강 하류 지역을 빼앗았고(553), 이후 성왕은 신라를 공격하였으나 관산성 전투에서 전사하였다(554).

㉣ **『신집』 편찬**: 고구려 영양왕 때 이문진이 고구려의 역사서인 『유기』(100권)를 간추린 『신집』 5권을 편찬하였다(600).

정답 57 ① 58 ② 59 ④ 60 ④

61

2014년 사회복지직 9급

다음 사건들이 일어난 시기 순서로 보아 (다)에 들어갈 수 있는 내용은?

> (가) 고구려가 국내성에서 평양으로 천도하였다.
> (나) 신라가 처음으로 연호를 사용하였다.
> (다) ____________________
> (라) 백제가 일본에 처음으로 불교를 전하였다.

① 백제가 사비성으로 천도하였다.

② 고구려가 살수에서 수나라에 크게 승리하였다.

③ 신라가 불교를 공인하였다.

④ 백제의 비유왕과 신라의 눌지왕이 나·제 동맹을 맺었다.

62

2015년 서울시 7급

㉠ ~ ㉣ 시기에 있었던 역사적 사실로 옳은 것은?

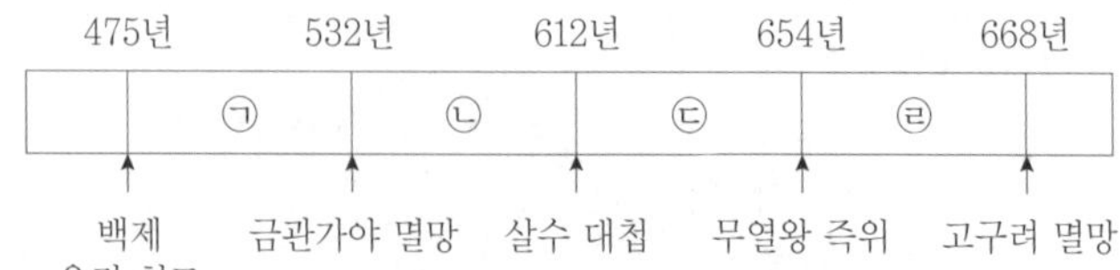

① ㉠ – 고구려가 도읍을 평양으로 옮겼다.

② ㉡ – 백제가 역사서인 『서기』를 편찬하였다.

③ ㉢ – 황룡사 9층탑이 건립되었다.

④ ㉣ – 상대등 비담이 반란을 일으켰다.

문제풀이 6세기 전반의 삼국

난이도 상

(가) 고구려의 수도를 국내성에서 평양으로 천도한 것은 고구려 장수왕 때인 427년의 일이다.

(나) 신라가 처음으로 연호를 사용한 것은 신라 법흥왕 때인 536년의 일이다. 법흥왕은 '건원'이라는 연호를 사용함으로써 자주 국가로의 위상을 높였다.

(라) 백제가 일본에 처음으로 불교를 전파한 것은 백제 성왕 때인 552년의 일이다. 백제는 성왕 때 노리사치계를 파견하여 일본에 불상과 불경을 전달하였다.

① 백제가 대외 진출이 용이한 사비성으로 천도한 것은 백제 성왕 때인 538년으로, (다)에 들어갈 수 있는 내용이다.

오답 분석

② **612년**: 고구려가 살수에서 수나라에 크게 승리한 것은 영양왕 때인 612년의 살수 대첩이다. 당시 을지문덕은 적을 유인하여 살수(청천강)에서 수나라의 군대를 크게 격파하였다.

③ **527년**: 신라가 불교를 공인한 것은 법흥왕 때의 일이다(527). 신라는 눌지 마립간 때 고구려 승려 묵호자에 의해 불교가 전래되었으나, 민간에서만 전파되다가 법흥왕 때 이차돈의 순교를 계기로 불교가 공인되었다.

④ **433년**: 백제의 비유왕과 신라의 눌지왕(눌지 마립간)이 나·제 동맹을 체결한 것은 433년의 일이다. 두 나라는 고구려의 남하 정책에 위기를 느끼고 동맹을 맺었다.

문제풀이 삼국사의 전개

난이도 중

③ 황룡사 9층탑(황룡사 9층 목탑)은 ㉢ 시기인 선덕 여왕(632 ~ 647) 때 승려 자장의 건의를 받아들여 건립한 것으로, 호국 불교의 상징이다.

오답 분석

① **㉠ 시기 이전**: 고구려가 평양으로 천도한 것은 장수왕(427) 때로 ㉠ 시기 이전의 일이다. 장수왕은 평양으로 천도하여 강력한 남하 정책을 추진하였다.

② **㉠ 시기 이전**: 백제가 역사서인 『서기』를 편찬한 것은 근초고왕(346 ~ 375) 때로 ㉠ 시기 이전의 일이다. 근초고왕은 강력한 왕권과 국력을 과시하기 위해 박사 고흥에게 『서기』를 편찬하도록 하였다.

④ **㉢ 시기**: 비담이 반란을 일으킨 것은 선덕 여왕 때(647)로 ㉢ 시기의 일이다. 신라의 상대등인 비담은 선덕 여왕이 정치를 잘 하지 못한다며 난을 일으켰으나 진덕 여왕 즉위 후 김춘추, 김유신 등에 의해 진압되었다.

이것도 알면 **합격!**

삼국의 역사서 편찬

구분	역사서	편찬자	편찬 시기
고구려	『유기』 100권을 『신집』 5권으로 간추림	이문진	영양왕(7세기)
백제	『서기』	고흥	근초고왕(4세기)
신라	『국사』	거칠부	진흥왕(6세기)

63
2016년 서울시 9급

삼국 간의 경쟁 과정에서 일어난 사건을 순서대로 바르게 나열한 것은?

> (가) 백제 성왕이 관산성 전투에서 전사하였다.
> (나) 백제 의자왕은 신라의 대야성을 함락시켰다.
> (다) 고구려 광개토 대왕은 신라 지역으로 쳐들어온 왜국의 침략을 격퇴하였다.
> (라) 백제는 고구려의 침략으로 말미암아 수도를 웅진으로 옮겼다.

① (나) - (다) - (라) - (가)
② (다) - (가) - (라) - (나)
③ (다) - (라) - (가) - (나)
④ (라) - (다) - (나) - (가)

문제풀이 삼국의 항쟁 난이도 중

③ 시기 순으로 나열하면 (다) 고구려 광개토 대왕의 왜구 격퇴(400) → (라) 백제 문주왕의 웅진 천도(475) → (가) 관산성 전투에서 성왕 전사(554) → (나) 백제 의자왕의 신라 대야성 함락(642)이 된다.

(다) 고구려 광개토 대왕이 신라를 도와 신라에 침입한 왜를 격퇴한 것은 400년의 일이다. 광개토 대왕은 신라 내물 마립간의 구원 요청에 따라 군대를 보내 왜를 격퇴하였고, 낙동강 유역까지 영향력을 미쳤다.

(라) 백제 문주왕이 고구려의 침략을 받아 수도를 한성에서 웅진으로 옮긴 것은 475년의 일이다. 고구려 장수왕의 남하 정책으로 한강 유역을 상실한 직후 즉위한 백제 문주왕은 웅진(공주)으로 천도하였다.

(가) 백제 성왕이 관산성 전투에서 전사한 것은 554년의 일이다. 성왕은 신라의 진흥왕과 연합하여 고구려로부터 일시적으로 한강 하류 지역을 수복하였지만, 이후 진흥왕이 성왕을 배신하고 백제가 차지하였던 한강 하류 지역을 탈취하면서 나·제 동맹이 결렬되었다. 이에 백제 성왕은 신라의 관산성을 공격하던 도중 전사하였다.

(나) 백제 의자왕이 신라의 대야성을 함락시킨 것은 642년의 일이다. 의자왕은 활발한 정복 활동을 전개하여 신라의 대야성(합천)을 비롯한 40여 성을 함락시켰으나, 말년에 사치와 향락으로 국력을 약화시켰다.

64
2018년 지방직 9급

삼국 시대의 정치 제도에 대한 설명으로 옳은 것만을 모두 고르면?

> ㉠ 삼국의 관등제와 관직 제도 운영은 신분제에 의하여 제약을 받았다.
> ㉡ 고구려는 대성(大城)에는 처려근지, 그 다음 규모의 성에는 욕살을 파견하였다.
> ㉢ 백제는 도성에 5부, 지방에 방(方)-군(郡) 행정 제도를 시행하였다.
> ㉣ 신라는 10정 군단을 바탕으로 영역을 확장하고 삼국 통일을 이룩하였다.

① ㉠, ㉡
② ㉠, ㉢
③ ㉡, ㉣
④ ㉢, ㉣

문제풀이 삼국 시대의 정치 제도 난이도 중

② 옳은 것을 모두 고르면 ㉠, ㉢이다.

㉠ 삼국의 관등제와 관직 제도 운영은 신분제에 의해 제약을 받았다. 특히 신라의 경우 골품제라는 신분제를 기준으로 관직의 승진과 가옥의 크기, 수레의 크기 등 일상 생활까지 제한받았다.

㉢ 백제는 도성을 5부(상·하·전·후·중)로 나누었으며, 지방에는 5방(동·서·남·북·중)을 두었고 방(方)아래에는 군(郡)을 두었다. 지방의 5방에는 방령이, 방 아래의 군에는 군장이 파견되었다.

오답 분석

㉡ 고구려가 대성(大城)에 파견한 것은 욕살이고, 그 다음 규모의 성에 파견한 것은 처려근지(또는 도사)이다. 고구려는 지방 통치 조직을 대성(大城)·성(城)·소성(小城)의 3단계로 구분하고, 대성에는 욕살, 성에는 처려근지를 파견하여 지방의 행정과 군사 활동을 관장하게 하였다.

㉣ 신라의 지방군으로 10정 군단이 설치된 것은 삼국 통일 이후이며, 이전에는 6정의 군단으로 조직되었다. 삼국 통일 이후 신문왕은 군사 체제를 정비하여 중앙군인 9서당을 편성하고, 지방군은 종래의 6정을 10정으로 확대·개편하였다. 이때 10정은 각 주(州)마다 1정씩 배치를 하고, 영역이 넓으면서 국경 지대인 한주에는 특별히 2정을 두어 변경을 방어하도록 하였다.

정답 61 ① 62 ③ 63 ③ 64 ②

65

2024년 지방직 9급

(가) 국가에 대한 설명으로 옳은 것은?

> (가) 의 호암사에는 정사암이란 바위가 있다. 나라에서 장차 재상을 의논할 때에 뽑을 후보 서너 명의 이름을 써서 상자에 넣고 봉해서 바위 위에 두었다. 얼마 후에 열어 보고 이름 위에 도장이 찍힌 자국이 있는 사람을 재상으로 삼았다. 이런 까닭에 정사암이라 했다. - 『삼국유사』

① 6좌평과 16관등제를 마련하였다.

② 태학이라는 교육 기관을 설립하였다.

③ 인안이라는 독자적인 연호를 사용하였다.

④ 골품에 따라 관등이나 관직 승진에 제한이 있었다.

문제풀이 백제 난이도 하

제시문에서 정사암이란 바위가 있다는 내용과 나라에서 재상을 의논할 때 후보 서너 명의 이름을 써서 상자에 넣고 봉해서 바위(정사암) 위에 두었다는 내용을 통해 (가) 국가가 백제임을 알 수 있다.

① 백제는 3세기 중엽 고이왕 시기에 중앙 관제를 정비하여 6좌평(내신·내두·내법·위사·조정·병관좌평)과 16관등제를 마련하였다. 또한 품계에 따라 옷의 색을 자·비·청색으로 구별하여 입도록 하는 공복제를 실시하였다.

오답 분석

② **고구려**: 태학이라는 교육 기관을 설립한 국가는 고구려이다. 고구려는 소수림왕 때 유학 교육 기관으로 태학을 설립하고 귀족의 자제에게 유교 경전을 가르쳤다.

③ **발해**: 인안이라는 독자적인 연호를 사용한 국가는 발해이다. 발해는 무왕 때 인안이라는 독자적인 연호를 사용하여 대외적으로 자주 국가임을 표출하였다.

④ **신라**: 골품에 따라 관등이나 관직 승진에 제한이 있었던 나라는 신라이다. 신라는 신분 제도로 골품제를 두어 각 골품마다 승진할 수 있는 관등의 상한선을 제한하였으며, 가옥의 크기, 수레의 크기 등 일상 생활까지 제한하였다.

66

2023년 서울시 9급

〈보기〉의 제도를 시행한 국가에 대한 설명으로 가장 옳은 것은?

> **보기**
> 나라에서 장차 재상을 뽑을 때에 후보 서너 명의 이름을 써서 상자에 넣고 봉해 이를 호암사에 있는 바위에 두었다. 얼마 뒤에 가지고 와서 열어보고 이름 위에 도장이 찍혀 있는 사람을 재상으로 삼았다.

① 지방 통치를 위해 욕살과 처려근지를 파견하였다.

② 전국을 5방으로 나누고 그 책임자를 방령이라고 불렀다.

③ 각 주에 정을 두고 진골 출신의 장군이 지휘하였다.

④ 제5관등 이상의 귀족들이 모여 주요 국사를 처리하였다.

문제풀이 백제 난이도 중

제시문에서 재상을 뽑을 때에 후보 서너 명의 이름을 써서 상자에 넣고 봉해 이를 호암사에 있는 바위(정사암)에 두었다는 내용을 통해 정사암 회의가 있었던 백제임을 알 수 있다.

② 백제는 전국을 5방(동·서·남·북·중)으로 나누고, 그 책임자를 방령이라고 불렀다. 방령은 백제의 지방 행정 조직인 방(方)의 행정 및 군사 최고 책임자로, 대개 700~1,200여 명의 군사를 거느렸다.

오답 분석

① **고구려**: 지방 통치를 위해 욕살과 처려근지를 파견한 국가는 고구려이다. 고구려는 지방 통치 조직을 대성(大城)·성(城)·소성(小城)의 3단계로 구분하고, 대성에는 욕살, 성에는 처려근지를 파견하여 지방의 행정과 군사 활동을 관장하게 하였다.

③ **신라**: 각 주에 정을 두고 진골 출신의 장군이 지휘한 국가는 신라이다.

④ **고구려**: 제5관등 이상의 귀족들이 모여 주요 국사를 처리한 국가는 고구려이다. 고구려는 제5관등인 조의두대형(위두대형) 이상의 귀족들이 모여 주요 국사를 논의 및 결정하고, 처리하였다.

67

2017년 지방직 9급

다음 (가)에서 이루어진 합의 제도를 시행한 국가의 통치 체제로 옳은 것은?

> 호암사에는 [(가)] (이)라는 바위가 있다. 나라에서 장차 재상을 뽑을 때에 후보 3, 4명의 이름을 써서 상자에 넣고 봉해 바위 위에 두었다가 얼마 후에 가지고 와서 열어 보고 그 이름 위에 도장이 찍혀 있는 사람을 재상으로 삼았다.
>
> –『삼국유사』

> ㉠ 중앙 정치는 대대로를 비롯하여 10여 등급의 관리들이 나누어 맡았다.
> ㉡ 중앙 관청을 22개로 확대하고 수도는 5부, 지방은 5방으로 정비하였다.
> ㉢ 16품의 관등제를 시행하고, 품계에 따라 옷의 색을 구별하여 입도록 하였다.
> ㉣ 지방 행정 조직을 9주 5소경 체제로 정비하였다.
> ㉤ 중앙에 3성 6부를 두고, 정당성을 관장하는 대내상이 국정을 총괄하도록 하였다.

① ㉠, ㉡

② ㉡, ㉢

③ ㉢, ㉣

④ ㉣, ㉤

문제풀이 백제의 통치 체제 난이도 중

제시문에서 국가의 재상 선출이 호암사에 있는 바위에서 이루어지는 것을 통해 (가)가 정사암임을 알 수 있으며, 이곳에서 귀족 합의 제도인 정사암 회의를 시행한 국가는 백제이다.

② 옳은 것을 모두 고르면 ㉡, ㉢이다.

㉡ 백제는 성왕 시기에 중앙 관청을 22개로 확대·정비하였으며, 수도를 5부로, 지방을 5방으로 정비하여 중앙과 지방 행정 체제를 완비하였다.

㉢ 백제는 3세기 중엽 고이왕 시기에 6좌평·16관등제가 시행되었으며, 품계에 따라 옷의 색을 자·비·청색으로 구별하여 입도록 하는 공복제가 실시되었다.

오답 분석

㉠ **고구려**: 대대로를 비롯한 10여 등급의 관리들이 중앙 정치를 나누어 맡은 국가는 고구려이다.

㉣ **통일 신라**: 지방 행정 조직을 9주 5소경으로 정비한 국가는 통일 신라이다.

㉤ **발해**: 중앙에 3성 6부를 두고, 정당성을 관장하는 대내상이 국정을 총괄한 국가는 발해이다. 발해는 당나라의 중앙 제도인 3성 6부를 모방하면서도 정당성의 지위와 역할을 높이고, 6부의 명칭을 달리하는 등 독자성을 유지하였다.

68

2017년 사회복지직 9급

삼국 시대 정치 제도에 대한 설명으로 가장 옳은 것은?

① 신라 화백 회의는 만장일치 원칙이며 회의의 의장은 상좌평이다.

② 백제는 관품 구별에 따라 자·단·비·녹색의 공복을 입었다.

③ 신라는 진덕 여왕 대 집사부와 창부를 통합해 정무 기관인 품주를 설치하였다.

④ 국상, 대대로, 막리지 등은 고구려에서 재상의 직위를 지칭한다.

문제풀이 삼국 시대의 정치 제도 난이도 중

④ 고구려는 초기에 재상의 직위를 대보로 부르다가 신대왕 때 그 명칭이 국상으로 변화하였으며, 이후 6세기부터는 대대로와 막리지, 대막리지가 재상직을 담당하며 국정을 총괄하였다.

오답 분석

① 신라의 화백 회의에서 중요 사항을 만장일치제로 결정하였던 것은 맞지만, 화백 회의의 의장은 상좌평이 아닌 상대등이다. 상좌평은 백제의 최고 관직이다.

② 자·단·비·녹색의 공복을 입은 나라는 고려이다. 백제는 관등에 따라 1~6관등은 자색 관복, 7~11관등은 비색 관복, 이하 12~16관등은 청색 관복을 입었다.

③ 신라 진덕 여왕은 국가 재정 업무를 담당하던 품주를 분화하여 왕명 출납과 국가 기밀을 관장하는 집사부와 재정을 관장하는 창부를 설치하였다.

이것도 알면 **합격!**

삼국의 중앙 행정 조직과 관등제

구분	고구려	백제	신라
수상	대대로(대막리지)	상좌평(내신좌평)	상대등
중앙 조직	내평, 외평, 주부	6좌평제, 22부	10부
관등	10여 관등	16관등	17관등

정답 65 ① 66 ② 67 ② 68 ④

3 | 대외 항쟁과 신라의 삼국 통일

01

2023년 법원직 9급

(가), (나) 시기 사이에 있었던 사실로 가장 옳은 것은?

> (가) 진흥왕이 이사부에게 토벌을 명하고 사다함에 보좌하게 하였다. …… 이사부가 군사를 이끌고 다다르자, 대가야가 모두 항복하였다. - 『삼국사기』
> (나) 백제군 한 사람이 1,000명을 당해냈다. 신라군은 이에 퇴각하였다. 이와 같이 진격하고 퇴각하길 네 차례에 이르러, 계백은 힘이 다하여 죽었다. - 『삼국사기』

① 백제가 웅진으로 천도하였다.
② 소수림왕이 불교를 수용하였다.
③ 신라가 기벌포에서 당군을 물리쳤다.
④ 고구려가 수나라 군대를 살수에서 격퇴하였다.

02

2019년 서울시 9급(2월 시행)

고구려의 대중국 투쟁에 대한 설명으로 가장 옳은 것은?

① 고구려는 요서 지역을 선제 공격함으로써 수나라를 견제하였다.
② 수 양제의 침략에 대비하기 위해 천리장성을 축조하였다.
③ 을지문덕은 당 태종의 2차 침입을 살수 대첩으로 막아냈다.
④ 양만춘은 수나라의 별동대를 안시성에서 격퇴하였다.

문제풀이 대가야 정벌과 황산벌 전투 사이의 사실 난이도 중

(가)는 진흥왕이 이사부에게 토벌을 명하여 대가야가 모두 항복하였다는 내용을 통해 신라의 대가야 정벌(562)임을 알 수 있다.

(나)는 백제군이 신라군을 퇴각시켰다는 것과 계백이 힘이 다하여 죽었다는 내용을 통해 황산벌 전투(660)임을 알 수 있다.

④ (가)와 (나) 사이 시기인 612년에 고구려의 을지문덕이 수나라 군대를 유인하여 살수에서 크게 격퇴하였다(살수 대첩).

오답 분석

① **(가) 이전**: 백제가 웅진(공주)으로 천도한 것은 475년으로, (가) 이전의 사실이다. 백제는 고구려의 침입으로 수도인 한성이 함락되자, 문주왕 때 웅진으로 천도하였다.

② **(가) 이전**: 고구려의 소수림왕이 불교를 수용한 것은 372년으로, (가) 이전의 사실이다. 고구려는 소수림왕 때 전진에서 온 승려 순도를 통해 불교를 수용하였다.

③ **(나) 이후**: 신라가 기벌포에서 당군을 물리친 것은 676년으로, (나) 이후의 사실이다. 신라는 설인귀가 이끄는 당의 수군을 기벌포에서 물리치고 삼국 통일을 달성하였다.

문제풀이 고구려의 대중국 투쟁 난이도 중

① 중국을 통일한 수나라가 동북쪽으로의 세력 확대를 꾀하자, 고구려 영양왕은 말갈군 1만 명을 동원하여 중국의 전략적 요충지였던 랴오시(요서) 지역을 선제 공격(598)함으로써 수나라를 견제하였다.

오답 분석

② 천리장성은 수 양제의 침입에 대비하기 위해서가 아닌 당 태종의 침입에 대비하고자 쌓은 것이다. 고구려는 당의 침입에 대비하기 위해 북쪽의 부여성부터 남쪽의 비사성에 이르는 천리장성을 축조하였다.

③ 을지문덕은 당 태종의 침입이 아닌 수 양제의 침입을 살수 대첩(612)으로 막아냈다.

④ 양만춘은 안시성에서 수나라의 별동대가 아닌 당 태종의 침입을 격퇴하였다고 전해진다(안시성 전투, 645).

 이것도 알면 **합격!**

고구려 대외 항쟁의 전개

고구려 영양왕의 요서 지방 선제 공격(598) → 수 문제의 고구려 침입 → 수 양제의 고구려 침입 → 을지문덕이 살수에서 수나라 군대 격파(살수 대첩, 612) → 거듭된 전쟁으로 인한 국력 소모와 내란으로 수 멸망(618) → 당 건국 → 당의 침입에 대비하여 천리장성 축조 시작(631) → 연개소문이 정권 장악 이후 대당 강경책을 추진하여 당을 자극 → 당 태종의 고구려 침입 → 안시성에서 군·민이 당군 격파(안시성 전투, 645)

03

2019년 서울시 7급(10월 시행)

〈보기〉의 ㉠에 들어갈 인물에 대한 설명으로 가장 옳은 것은?

> **보기**
>
> 이때 [㉠]이(가) 군사를 출동시켜 사면에서 들이치니 수 병사들은 살수를 건너지도 못하고 허물어졌다. 처음 수의 군대가 쳐들어올 때는 무릇 30만 5천명이었는데, 요동성으로 돌아갈 때는 겨우 2천 7백 명뿐이었다.

① 그는 스스로 최고 관직인 대막리지에 올라 권력을 장악하였다.
② 그는 요하 하류에 있는 안시성에서 공방전 끝에 승리하였다.
③ 그가 적장 우중문에게 보낸 5언시가 전해진다.
④ 그는 5천의 결사대를 조직해 황산벌에서 싸웠으나 패하였다.

04

2017년 법원직 9급

다음 (가), (나) 사이의 시기에 있었던 사실로 가장 옳은 것은?

> (가) 대업 9년(613년) 양제가 다시 친히 정벌하였다. 이 때는 모든 군대에 상황에 맞게 적절히 대응하라고 하였다. 여러 장수가 길을 나누어 성을 공격하니 적의 군세가 날로 위축되었다. －『수서』
>
> (나) 당 대종이 다시 고구려를 정벌하려 했으나, 조정에서 의논하기를 "고구려가 산에 의지하여 성을 만들어 갑자기 함락할 수 없습니다. …… 지금 소부대를 자주 보내어 그 지방을 피곤하게 하고 쟁기를 놓고 보루에 들어가게 하여 1,000리가 쓸쓸해지면 인심이 저절로 떠나 압록강 이북은 싸우지 않고도 얻을 수 있습니다."하니 이에 따랐다. －『삼국사기』

① 영양왕이 요서 지방을 선제 공격하였다.
② 을지문덕이 살수에서 수나라 군대를 물리쳤다.
③ 광개토 대왕이 신라에 쳐들어 온 왜군을 물리쳤다.
④ 당 태종이 이끈 당군의 침략을 안시성에서 물리쳤다.

문제풀이 을지문덕 난이도 중

제시문에서 수의 병사들이 살수를 건너지도 못하고 허물어졌다는 내용을 통해 살수 대첩에 대한 내용임을 알 수 있으며, ㉠에 들어갈 인물이 을지문덕임을 알 수 있다.

③ 을지문덕이 수나라의 장군 우중문에게 보낸 5언시인 '여수장우중문시'가 전해진다. 을지문덕은 이 시를 보낸 뒤 회군하는 수나라 군대를 살수에서 격파하였다.

오답 분석

① **연개소문**: 스스로 최고 관직인 대막리지에 올라 권력을 장악한 인물은 고구려의 연개소문이다.

② **양만춘**: 요하 하류의 안시성에서 고구려 군·민과 협력하여 당나라 군대와의 공방전을 벌인 끝에 승리하였다고 전해지는 인물은 고구려의 양만춘이다.

④ **계백**: 나·당 연합군이 백제를 공격하자 5천의 결사대를 조직하여 황산벌에서 싸웠으나 패배한 인물은 백제의 계백이다.

문제풀이 수 양제의 침입과 당 태종 침입 사이의 사실 난이도 하

제시문 (가)는 613년에 양제가 다시 정벌하였다는 내용을 통해 살수 대첩 이후 수 양제가 고구려를 재침입(613)하는 내용임을 알 수 있다.

제시문 (나)는 당 태종이 다시 고구려를 정벌하려 했다는 내용을 통해 당 태종의 2차 고구려 침입(647)에 대한 내용임을 알 수 있다.

따라서 (가)와 (나) 사이의 시기는 613년에서 647년 사이의 시기에 해당한다.

④ 당 태종은 동북아시아 방면으로의 세력 확장을 위해 고구려를 침략하였는데(1차 침입), 안시성에서 군·민이 협력하여 당에 저항한 결과 당 태종이 이끄는 당군을 격파하였다(안시성 전투, 645).

오답 분석

모두 (가) 시기 이전에 발생한 사실이다.

① 고구려 영양왕이 요서 지방을 선제 공격한 것은 598년으로, (가) 시기 이전의 일이다. 중국을 통일한 수나라가 동북쪽으로의 세력 확대를 꾀하자 위협을 느낀 영양왕은 중국의 요서 지방을 선제 공격하였다.

② 을지문덕이 살수에서 수나라 군대를 물리친 것은 612년으로, (가) 시기 이전의 일이다. 을지문덕은 수 양제가 100만 대군을 이끌고 침입하였을 때(1차 침입) 적군을 유인하여 살수에서 수나라 군대를 크게 격파하였다(살수 대첩).

③ 고구려 광개토 대왕이 신라에 쳐들어 온 왜군을 물리친 것은 400년으로, (가) 시기 이전의 일이다.

정답 01 ④ 02 ① 03 ③ 04 ④

05

2021년 지방직 9급

밑줄 친 '그'에 대한 설명으로 옳은 것은?

> 그가 왕에게 아뢰었다. "삼교는 솥의 발과 같아서 하나라도 없어서는 안 됩니다. 지금 유교와 불교는 모두 흥하는데 도교는 아직 번성하지 않으니, 소위 천하의 도술(道術)을 갖추었다고 할 수 없습니다. 엎드려 청하오니 당에 사신을 보내 도교를 구해 와서 나라 사람들을 가르치게 하소서." -『삼국사기』

① 당나라와 동맹을 체결하였다.

② 천리장성의 축조를 맡아 수행하였다.

③ 수나라의 군대를 살수에서 격퇴하였다.

④ 남진 정책을 추진하여 한성을 점령하였다.

문제풀이 연개소문 난이도 하

제시문에서 왕에게 아뢰어 당에 사신을 보내 도교를 구해 와서 나라 사람들을 가르치게 하자는 내용을 통해 밑줄 친 '그'가 고구려의 연개소문임을 알 수 있다. 연개소문은 기존의 귀족 세력과 결탁한 불교를 억누르기 위해 보장왕에게 도교를 받아들일 것을 건의하였다.

② 연개소문은 영류왕 때 천리장성의 축조를 관리·감독하였다. 이 과정에서 세력을 키운 연개소문은 쿠데타를 일으켜 영류왕을 제거하고 보장왕을 옹립하여 스스로 대막리지가 되었고, 정권을 장악하였다.

오답 분석

① **김춘추**: 당나라와 동맹을 체결한 인물은 신라의 김춘추이다. 김춘추는 처음에 고구려와 동맹을 체결하여 백제를 막으려고 하였으나 고구려와의 동맹에 실패하였고, 이후 당으로 건너가 나·당 동맹을 체결하였다.

③ **을지문덕**: 수나라의 군대를 살수에서 격퇴한 인물은 고구려의 을지문덕이다. 을지문덕은 수 양제가 대군을 이끌고 고구려를 침공하자, 적을 유인해 살수(청천강)에서 수나라의 군대를 크게 격파하였다.

④ **장수왕**: 남진 정책을 추진하여 한성을 점령한 인물은 고구려의 장수왕이다. 장수왕은 수도를 국내성에서 평양으로 옮기고 남진 정책을 추진하여 백제의 수도 한성을 함락시키고 한강 전 지역을 차지하였다.

06

2019년 기상직 9급

(가) 인물의 활동으로 옳은 것은?

> 건무 왕 재위 25년에 [(가)]이/가 왕을 죽이고 장(臧)을 세워 왕위를 계승하게 하였다. …… [(가)]이/가 죽고 장자인 남생이 대신 막리지가 되었다. -『삼국사기』

① 신라에 투항하여 보덕국왕에 봉해졌다.

② 의열사(義烈祠)와 충곡 서원에 제향되었다.

③ 비담, 염종 등이 일으킨 반란을 진압하였다.

④ 숙달 등 8명의 도사를 맞아들이고 도교를 육성하였다.

문제풀이 연개소문 난이도 중

제시문에서 왕을 죽이고 장(보장왕)을 왕으로 세웠다는 내용과, 그의 장자인 남생이 막리지가 되었다는 내용을 통해 (가)가 연개소문임을 알 수 있다. 천리장성 축조의 관리자로 세력을 키운 연개소문은 쿠데타를 일으켜 영류왕을 제거하고 보장왕을 옹립하였으며 스스로 대막리지가 되어 정권을 장악하였다.

④ 연개소문이 당에 도교를 전래해줄 것을 요청하자 당에서는 숙달 등 8명의 도사와 도교 경전인『도덕경』을 보냈다. 연개소문은 기존의 귀족 세력과 결탁한 불교를 억압하고자 도교를 육성하였다.

오답 분석

① **안승**: 신라에 투항하여 문무왕으로부터 보덕국왕에 봉해진 인물은 보장왕의 서자인 안승이다.

② **계백**: 부여 의열사와 논산 충곡 서원에 제향된 인물은 백제의 계백이다. 의열사는 백제 의자왕 때의 신하인 계백, 성충, 흥수 등을 제향한 조선 시대의 사당이며, 충곡 서원은 조선 숙종 때 계백과 사육신을 제향한 서원이다.

③ **김유신, 김춘추**: 선덕 여왕 때 비담, 염종 등이 일으킨 반란을 진압한 인물은 김유신과 김춘추이다.

07

2022년 소방직

다음 사건이 일어난 시기를 연표에서 옳게 고른 것은?

> • 연개소문이 권력을 장악하고, 당에 강경책으로 대응하였다.
> • 고구려가 당 태종이 이끄는 대군을 안시성에서 격퇴하였다.

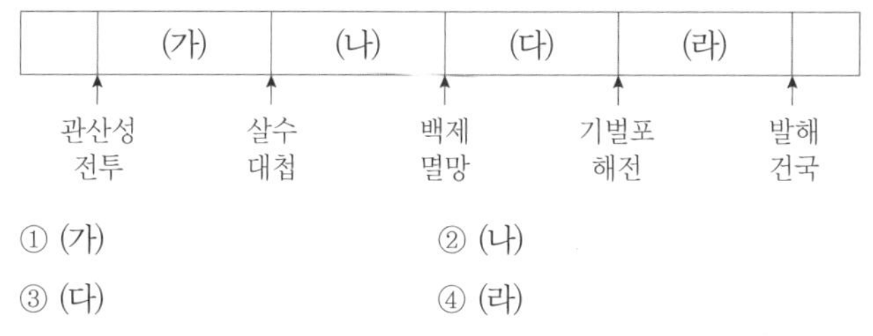

① (가)　② (나)
③ (다)　④ (라)

문제풀이 연개소문의 정변과 안시성 전투

난이도 하

제시문에서 연개소문이 정변을 일으켜 권력을 장악한 것은 642년이고, 고구려가 당 태종이 이끄는 대군을 안시성에서 격퇴한 것은 645년의 사실이다.

(가) 관산성 전투(554)~살수 대첩(612)

(나) 살수 대첩(612)~백제 멸망(660)

(다) 백제 멸망(660)~기벌포 해전(676)

(라) 기벌포 해전(676)~발해 건국(698)

② (나) 시기인 642년에 연개소문은 정변을 일으켜 권력을 장악한 뒤 영류왕을 죽이고 반대 세력을 숙청하였다. 이후 그는 보장왕을 왕으로 세운 다음 스스로 대막리지의 자리에 올라 권력을 장악하였다. 이 무렵 수를 멸망시키고 중국을 통일한 당이 고구려를 견제하자 연개소문은 이를 강경책으로 대응하였고, 이에 당 태종이 고구려를 공격하였다. 고구려는 초반에 당군에 주요 성을 빼앗기는 등 고전하였으나 안시성에서 군·민이 협력하여 당의 대군을 격퇴하였다(안시성 전투, 645).

08

2020년 지방직 7급

다음 상황이 나타나게 된 역사적 배경으로 옳은 것은?

> (진덕 여왕 2년) 당 태종이 김춘추에게 (나에게) 할 말이 있는가 하기에 김춘추가 말하였다. "신의 나라는 바다 모퉁이에 치우쳐 있으면서도 천자의 조정을 섬긴 지 여러 해가 되었습니다. 그런데 백제는 강하고 교활하여 여러 번 침략을 해왔는데, 더구나 왕년에는 대대적으로 군사를 거느리고 깊이 쳐들어와 수십 성을 함락했습니다. …(중략)… 만약 폐하께서 당나라 군사를 빌려 주어 흉악한 것을 잘라 없애지 않는다면 우리나라 인민은 모두 포로가 될 것이며, 산 넘고 바다 건너 행하는 조회도 다시는 바랄 수 없을 것입니다."라고 하였다. 태종이 매우 옳다고 여겨서 군사 출동을 허락하였다. －『삼국사기』

① 백제군이 대야성을 함락하였다.

② 계백이 이끄는 5천 결사대가 저항하였다.

③ 대무예가 당나라의 등주(登州) 지역을 선제 공격하였다.

④ 백제 부흥군이 200여 성을 탈취하였다.

문제풀이 나·당 동맹 체결의 배경

난이도 중

제시문에서 김춘추가 당 태종에게 군사를 요청하는 내용을 통해 나·당 동맹 체결(648)에 대한 상황임을 알 수 있다.

① 백제의 의자왕이 신라의 대야성(합천)을 비롯한 40여 성을 함락시키자, 위기를 느낀 신라는 김춘추를 고구려에 파견하여 동맹 체결을 시도하였다. 그러나 고구려와의 동맹에 실패하자 김춘추는 당나라로 건너가 당 태종에게 군사를 요청하고, 나·당 동맹을 체결하였다.

오답 분석

모두 나·당 동맹 체결 이후의 사실이다.

② 계백이 이끄는 5천 결사대가 신라 김유신의 공격에 저항한 것은 660년의 사실이다. 백제의 계백은 5천 결사대를 이끌고 황산벌에서 신라 김유신의 공격에 저항하였으나, 결국 패배하였고 백제는 멸망하였다.

③ 대무예(발해 무왕)가 장문휴의 수군을 보내 당나라의 등주(덩저우) 지역을 선제 공격한 것은 732년의 사실이다.

④ 백제 부흥군이 200여 성을 탈취한 것은 백제 멸망(660) 이후의 사실이다. 백제가 멸망한 이후 복신과 도침, 흑치상지 등은 백제 부흥 운동을 전개하였다. 이들은 200여 성을 회복하고, 사비성과 웅진성의 당군을 공격하였다.

정답 05 ② 06 ④ 07 ② 08 ①

09

2020년 국회직 9급

(가)와 (나) 사이의 시기에 있었던 사실로 옳은 것은?

> (가) 김춘추가 무릎을 꿇고 "…… 만약 폐하께서 당의 군사를 빌려주어 흉악한 것들을 잘라내지 않는다면 …… 산과 바다 건너 행하는 조회도 바랄 수 없을 것입니다."라고 하였다. 태종이 매우 옳다고 여겨서 군사의 출동을 허락하였다.
> (나) 당의 군사가 와서 매소성을 공격하니, 원술이 이를 듣고 죽음으로써 지난번의 치욕을 씻고자 하였다. 드디어 힘껏 싸워서 공을 세워 상을 받았다.

① 대조영이 발해를 건국하였다.
② 백제가 멸망하였다.
③ 신라가 대가야를 병합하였다.
④ 신라에서 녹읍이 폐지되었다.
⑤ 고구려가 살수에서 수의 군대를 격퇴하였다.

문제풀이 나·당 동맹 체결과 매소성 전투 사이의 사실

난이도 중

(가)는 김춘추가 당나라로 건너가 군사를 요청하는 것을 통해 나·당 동맹(648) 체결에 대한 내용임을 알 수 있다.

(나)는 당의 군사가 와서 매소성을 공격하였다는 것을 통해 매소성 전투(675)에 대한 내용임을 알 수 있다.

② (가)와 (나) 사이 시기인 660년에는 나·당 연합군의 공격으로 백제의 도성인 사비성이 함락되고, 의자왕이 항복하면서 백제가 멸망하였다.

오답 분석

① **(나) 이후**: 대조영이 고구려 유민과 말갈족을 규합하여 동모산 기슭에서 발해를 건국한 것은 (나) 시기 이후인 698년이다. 대조영은 당나라에서 탈출한 뒤 동모산 기슭에 정착하여 나라를 세우고 국호를 진국이라 하였다. 이후 당나라는 대조영을 발해 군왕으로 책봉하여 현실적인 지배 세력으로 인정하였으며, 대조영(고왕)은 국호를 발해로 고쳤다(713).

③ **(가) 이전**: 신라가 대가야를 병합한 것은 진흥왕 때로, (가) 시기 이전인 562년이다. 진흥왕은 이사부와 사다함을 파견하여 대가야를 병합하고 낙동강 유역까지 영토를 넓혔다.

④ **(나) 이후**: 신라에서 녹읍이 폐지된 것은 통일 신라의 신문왕 때로, (나) 시기 이후인 689년이다. 신문왕은 관료전을 지급(687)하고 녹읍을 폐지하여 귀족 세력의 경제적 기반을 약화시키고 국가의 경제력을 강화하였다.

⑤ **(가) 이전**: 고구려의 을지문덕이 살수에서 수의 군대를 격퇴한 것은 영양왕 때로, (가) 시기 이전인 612년이다. 당시 을지문덕은 수나라 장수인 우중문 등이 이끄는 별동대가 회군할 때 살수(청천강)에서 격퇴하였다.

10

2022년 소방간부후보생

(가), (나) 시기 사이에 있었던 사실로 옳은 것은?

> (가) 백제의 장수 윤충은 군대를 이끌고 나아가 신라의 대야성을 함락시켰다.
> (나) 신라는 당나라와 연합하여 고구려의 평양성을 함락시켰다.

① 온달 장군이 아차산성을 공략하였다.
② 신라는 기벌포 전투에서 승리하였다.
③ 백제는 칠지도를 만들어 왜에 보냈다.
④ 왜의 지원군이 백강 전투에서 패하였다.
⑤ 백제가 익산 지역으로 천도를 추진하였다.

문제풀이 대야성 함락과 평양성 함락 사이의 사실

난이도 하

(가)는 백제의 장수 윤충이 신라의 대야성을 함락시켰다는 내용을 통해 642년의 사실임을 알 수 있다.

(나)는 신라가 고구려의 평양성을 함락시켰다는 내용을 통해 668년의 사실임을 알 수 있다.

④ (가)와 (나) 사이 시기인 663년에 왜의 지원군은 백제 부흥군과 연합하여 백강에서 나·당 연합군과 전투를 벌였으나 크게 패하였다.

오답 분석

① **(가) 이전**: 온달 장군이 신라에 빼앗긴 한강 유역의 영토를 수복하기 위해 아차산성을 공략한 것은 영양왕 때인 590년으로, (가) 이전의 사실이다. 한편, 『삼국사기』에는 온달이 신라군과 아단성 아래에서 전투를 하였다고 서술되어 있으며, 아단성을 아차산성으로 보는 견해도 있다.

② **(나) 이후**: 신라가 기벌포 전투에서 설인귀가 이끄는 당의 수군을 상대로 승리한 것은 문무왕 때인 676년으로, (나) 이후의 사실이다.

③ **(가) 이전**: 백제가 칠지도를 만들어 왜에 보낸 것은 근초고왕 때인 4세기 후반으로, (가) 이전의 사실이다.

⑤ **(가) 이전**: 백제가 익산 지역으로 천도를 추진한 것은 무왕 때인 7세기 초반으로, (가) 이전의 사실이다.

11

2018년 지방직 9급

(가) 시기에 해당되는 사실로 옳은 것만을 〈보기〉에서 모두 고르면?

문무왕이 왕위에 올랐다.

↓

(가)

↓

신라가 기벌포에서 당의 수군을 격파하였다.

보기
㉠ 신라가 안승을 고구려 왕에 봉했다.
㉡ 당나라가 신라를 계림 대도독부로 삼았다.
㉢ 신라가 황산벌 전투에서 백제군을 무찔렀다.
㉣ 보장왕이 요동 지역에서 고구려 부흥을 꾀했다.

① ㉠, ㉡
② ㉠, ㉢
③ ㉡, ㉣
④ ㉢, ㉣

12

2018년 국가직 9급

신라 문무왕의 유언이다. 밑줄 친 ㉠~㉣의 내용과 부합하지 않는 것은?

> 과인은 운수가 어지럽고 전쟁을 하여야 하는 때를 만나서 ㉠ 서쪽을 정벌하고 ㉡ 북쪽을 토벌하여 영토를 안정시켰고, ㉢ 배반하는 무리를 토벌하고 ㉣ 협조하는 무리를 불러들여 멀고 가까운 곳을 모두 안정시켰다.
> – 『삼국사기』

① ㉠ – 태자로서 참전하여 백제를 멸망시켰다.
② ㉡ – 당나라 군대와 함께 고구려를 멸망시켰다.
③ ㉢ – 백제 부흥 운동을 주도한 복신을 공격하였다.
④ ㉣ – 임존성에서 저항하던 지수신의 투항을 받아주었다.

문제풀이 문무왕 즉위와 기벌포 전투 사이의 사실 난이도 중

제시된 자료에서 문무왕이 왕위에 오른 것은 661년이고, 신라가 기벌포에서 당의 수군을 격파한 것은 676년에 일어난 일이다. 따라서 (가) 시기는 661년~676년 사이의 시기이다.

① 옳은 것을 모두 고르면 ㉠, ㉡이다.

㉠ 신라는 (가) 시기인 670년에 고구려 왕족인 안승을 고구려 왕에 봉했다. 신라 문무왕은 당을 견제하기 위해 고구려 유민을 금마저(익산)에 머물게 하고 신라에 투항한 안승을 고구려 왕으로 봉하였으며(670), 이후 금마저에 보덕국을 설치하고 안승을 보덕국왕으로 봉하였다(674).

㉡ 당나라는 (가) 시기인 663년에 신라를 계림 대도독부로 삼았다. 백제 멸망 후 웅진(공주)에 웅진 도독부를 설치(660)한 당나라는 신라까지 당나라의 지배 하에 두고자 경주에 계림 대도독부를 설치하고, 문무왕을 계림주 대도독으로 임명하였다.

오답 분석

㉢ **문무왕 즉위 이전:** 황산벌 전투가 일어난 것은 660년으로, 문무왕이 즉위하기 이전의 일이다. 신라 김유신은 황산벌에서 계백이 이끄는 결사대에 승리한 뒤, 당나라군과 함께 백제의 수도인 사비성으로 진격하였다.

㉣ **기벌포 전투 이후:** 보장왕이 요동 지역에서 고구려 부흥을 꾀한 것은 기벌포 전투 이후의 일이다. 나·당 전쟁(670~676) 이후 당나라는 고구려의 마지막 왕인 보장왕을 '요동주 도독 조선군왕'에 봉하여 요동 지역에 거주하는 고구려 유민들을 관리하게 하였다(677). 이에 보장왕은 요동 지역에서 고구려의 유민을 규합하고 말갈과 연합하여 고구려의 부흥을 도모하였으나, 당나라에 발각되어 실패하였다.

문제풀이 문무왕 난이도 상

제시된 자료는 신라 문무왕의 유언으로 밑줄 친 ㉠은 백제 정벌, ㉡은 고구려 정벌, ㉢은 백제 부흥 운동 세력의 토벌, ㉣은 신라에 항복하는 세력의 포용에 관한 내용이다. 문무왕은 고구려를 멸망시키고 당나라와의 전쟁에서 승리하면서 삼국 통일을 완수하였다.

④ 임존성에서 백제 부흥 운동을 전개한 백제의 장군인 지수신은 신라 문무왕에게 투항하지 않고 고구려로 망명하였다. 백강 전투(663)에서 패배하고, 부흥 운동의 본거지인 주류성이 공격 당하자 흑치상지 등은 당나라에 항복하였다. 그러나 지수신은 임존성에서 홀로 항거하다 결국 고구려로 도망하였는데, 이로써 백제 부흥 운동의 실질적인 활동은 끝나게 되었다.

오답 분석

① 문무왕은 태자로서 백제 정벌에 참여하여 백제의 수도인 사비성을 함락시키고, 백제를 멸망시켰다(660).

② 문무왕은 당나라와 함께 고구려의 수도인 평양성을 함락시키고 고구려를 멸망시켰다(668).

③ 문무왕은 복신과 도침의 백제 부흥군이 주둔하던 주류성을 공격하였다(663).

정답 09 ② 10 ④ 11 ① 12 ④

13

2022년 지방직 9급

밑줄 친 '그'에 대한 설명으로 옳은 것은?

> 이날 소정방이 부총관 김인문 등과 함께 기벌포에 도착하여 백제 군사와 마주쳤다. …(중략)… 소정방이 신라군이 늦게 왔다는 이유로 군문에서 신라 독군 김문영의 목을 베고자 하니, 그가 군사들 앞에 나아가 "황산 전투를 보지도 않고 늦게 온 것을 이유로 우리를 죄주려 하는구나. 죄도 없이 치욕을 당할 수는 없으니, 결단코 먼저 당나라 군사와 결전을 한 후에 백제를 쳐야겠다."라고 말하였다.

① 살수에서 수의 군대를 물리쳤다.
② 김춘추의 신라 왕위 계승을 지원하였다.
③ 청해진을 설치하고 해상 무역을 전개하였다.
④ 대가야를 정벌하여 낙동강 유역을 확보하였다.

문제풀이 김유신 난이도 하

제시문에서 황산 전투를 치르고 왔다는 내용을 통해 밑줄 친 '그'가 신라의 김유신임을 알 수 있다. 김유신은 황산벌에서 백제 계백의 결사대를 격파(황산벌 전투)한 후, 소정방이 이끄는 당군과 함께 백제의 사비성을 함락시켰다.

② 김유신은 김춘추의 신라 왕위 계승을 지원하여 무열왕으로 즉위하는 데 기여하였으며, 이후 신라의 삼국 통일에 큰 공을 세웠다.

오답 분석

① **을지문덕**: 살수에서 수의 군대를 물리친 인물은 고구려의 을지문덕이다. 을지문덕은 수 양제가 대군을 이끌고 고구려를 침공하자, 적을 유인해 살수(청천강)에서 수의 군대를 크게 격파하였다(살수 대첩).

③ **장보고**: 청해진을 설치하고 해상 무역을 전개한 인물은 통일 신라의 장보고이다. 장보고는 흥덕왕에게 건의하여 지금의 완도에 청해진을 설치하고 해적을 소탕하여 남해와 황해의 해상 교통권을 장악한 후, 당, 신라, 일본을 잇는 해상 무역을 전개하였다.

④ **진흥왕**: 대가야를 정벌하여 낙동강 유역을 확보한 인물은 신라의 진흥왕이다. 진흥왕은 이사부와 사다함을 파견하여 대가야를 정벌하고 낙동강 유역까지 영토를 넓혔다.

14

2020년 국가직 9급

(가) 인물에 대한 설명으로 옳은 것은?

> 김춘추가 당나라에 들어가 군사 20만을 요청해 얻고 돌아와서 (가) 을/를 보며 말하기를, "죽고 사는 것이 하늘의 뜻에 달렸는데, 살아 돌아와 다시 공과 만나게 되니 얼마나 다행한 일입니까?"라고 하였다. 이에 (가) 이/가 대답하기를, "저는 나라의 위엄과 신령함에 의지하여 두 차례 백제와 크게 싸워 20 성을 빼앗고 3만여 명을 죽이거나 사로잡았습니다. 그리고 품석 부부의 유골이 고향으로 되돌아왔으니 천행입니다."라고 하였다.
>
> -『삼국사기』

① 황산벌에서 백제군을 물리쳤다.
② 화랑이 지켜야 할 세속 오계를 제시하였다.
③ 진덕 여왕의 뒤를 이어 신라 왕으로 즉위하였다.
④ 당에서 숙위 활동을 하다가 부대총관이 되어 신라로 돌아왔다.

문제풀이 김유신 난이도 중

제시문에서 김춘추가 당나라에서 돌아와 만났으며, 백제와 싸워 크게 승리하였다는 것을 통해 (가) 인물이 김유신임을 알 수 있다. 김유신은 김춘추가 당 태종을 만나러 갔을 때 백제와 전쟁을 일으켜 8명의 백제 장수를 사로잡고, 20여 성을 빼앗았으며, 3만여 명을 죽이거나 사로잡는 전공을 세웠다. 또한 김유신은 사로잡은 백제의 장수들과 김춘추의 딸 부부(품석 부부)의 시신을 교환하였다.

① 김유신은 황산벌에서 계백이 이끄는 백제 결사대를 물리쳤다(660).

오답 분석

② **원광**: 화랑이 지켜야 할 세속 오계를 제시한 인물은 원광이다. 세속 오계는 진평왕 때 원광 법사가 유교·불교 등의 교리를 내포하여 만든 화랑도의 행동 규범이다.

③ **태종 무열왕(김춘추)**: 진덕 여왕의 뒤를 이어 신라 왕으로 즉위한 인물은 태종 무열왕인 김춘추이다.

④ **김인문**: 황제를 호위한다는 명목으로 당의 볼모가 되어 숙위 활동을 하다가 백제가 멸망(660)할 때 당나라의 부사령관인 부대총관으로 신라에 돌아온 인물은 김춘추의 아들이자 문무왕의 동생인 김인문이다.

15

2022년 계리직 9급

(가)와 (나) 사이 시기 신라에서 있었던 사실로 옳은 것은?

> (가) 당(唐)이 고구려 평양에 안동 도호부를 설치하였다.
> (나) 대조영이 동모산에서 진국(震國), 즉 발해를 건국하였다.

① 일반 백성들에게 정전을 지급하였다.

② 관리 채용을 위한 시험 제도로 독서삼품과를 실시하였다.

③ 유교 교육을 진흥시키기 위해 국학을 설치하였다.

④ 관료전을 폐지하고 녹읍을 부활하였다.

문제풀이 안동 도호부 설치와 발해 건국 사이의 사실 난이도 중

(가) 당이 고구려를 멸망시키고 수도인 평양에 안동 도호부를 설치한 것은 668년이다.

(나) 대조영이 동모산에서 진국(震國)을 건국한 것은 698년이다. 대조영은 당나라에서 탈출한 뒤 동모산 기슭에 정착하여 나라를 세우고 국호를 진국이라 하였다. 이후 당나라는 대조영을 발해 군왕으로 책봉하여 현실적인 지배 세력으로 인정하였으며, 대조영(고왕)은 국호를 발해로 고쳤다.

③ (가)와 (나) 사이 시기인 682년에 통일 신라의 신문왕은 유교 교육을 진흥시키고, 유교 정치 이념을 확립하여 왕권을 강화하기 위해 국학을 설치하였다.

오답 분석

모두 (나) 시기 이후의 사실이다.

① 일반 백성들에게 정전을 지급한 것은 성덕왕 때인 722년의 사실이다. 성덕왕은 왕토 사상을 바탕으로 백성들에게 정전을 지급함으로써 국가의 토지 지배력을 강화하였다.

② 관리 채용을 위한 시험 제도로 독서삼품과를 실시한 것은 원성왕 때인 788년의 사실이다. 독서삼품과는 국학의 학생들을 대상으로 하여 유교 경전의 이해 정도를 시험한 제도로, 독서 능력에 따라 등급을 구분하여 이를 관리 임용에 참고하였다.

④ 녹읍이 부활한 것은 경덕왕 때인 757년의 사실이다. 경덕왕은 내외관의 월봉을 없애고 신문왕 때 폐지되었던 녹읍을 부활시켰다. 한편, 관료전은 신라 중대 이후 왕권이 약화되면서 폐지된 것으로 추정되나 정확한 폐지 시기는 알 수 없다.

16

2017년 서울시 9급

삼국 통일 과정에서 나타난 사건을 순서대로 바르게 나열한 것은?

> (가) 나·당 연합군이 평양성을 함락시켰다.
> (나) 신라가 매소성에서 당군을 크게 물리쳤다.
> (다) 계백의 저항에도 불구하고 사비성이 함락되었다.
> (라) 백제·왜 연합군이 나·당 연합군과 백강에서 전투를 벌였다.

① (나) → (가) → (다) → (라)

② (나) → (다) → (가) → (라)

③ (다) → (라) → (가) → (나)

④ (라) → (다) → (가) → (나)

문제풀이 삼국 통일 과정 난이도 중

③ 시기 순으로 나열하면 (다) 사비성 함락(660, 백제 멸망) → (라) 백강 전투(663) → (가) 평양성 함락(668, 고구려 멸망) → (나) 매소성 전투(675)가 된다.

(다) **사비성 함락:** 신라 김유신의 군대가 황산벌에서 백제 계백의 결사대를 격파(황산벌 전투)한 후, 소정방이 이끄는 당군과 함께 백제의 사비성을 함락시켰다(660, 백제 멸망).

(라) **백강 전투:** 백제 부흥 운동군은 왜의 수군과 연합하여 백강에서 나·당 연합군에 맞서 전투를 벌였으나 크게 패배하였다(663).

(가) **평양성 함락:** 나·당 연합군의 공격으로 평양성이 함락되면서 고구려가 멸망하였다(668).

(나) **매소성 전투:** 나·당 전쟁 과정에서 신라는 이근행이 이끄는 당의 대군을 매소성에서 격파하여 나·당 전쟁의 주도권을 장악하였다(675).

이것도 알면 **합격!**

나·당 전쟁

구분	내용
원인	당이 웅진 도독부·계림 도독부·안동 도호부를 설치하며 한반도 지배 야욕을 드러냄
전개 과정	• 매소성 전투(675): 매소성에서 당나라 이근행의 20만 대군 격파 • 기벌포 전투(676): 기벌포에서 당나라 설인귀의 수군을 섬멸
결과	신라가 대동강에서 원산만을 경계로 삼국 통일 달성(676)

정답 13 ② 14 ① 15 ③ 16 ③

4 | 남북국의 발전과 변화

01

2023년 국가직 9급

다음 전투 이후에 일어난 사건으로 옳은 것만을 모두 고르면?

> 이근행이 군사 20만 명의 대군을 이끌고 매소성(買肖城)에 머물렀다. 우리 군사가 공격하여 달아나게 하고 전마 30,380필을 얻었는데, 남겨놓은 병장기도 그 정도 되었다.
>
> - 『삼국사기』

> ㉠ 웅진 도독부가 설치되었다.
> ㉡ 김흠돌이 반란을 일으켰다.
> ㉢ 교육 기관인 국학이 설립되었다.
> ㉣ 복신과 도침이 부여풍과 함께 백제 부흥 운동을 일으켰다.

① ㉠, ㉡

② ㉠, ㉣

③ ㉡, ㉢

④ ㉢, ㉣

문제풀이 매소성 전투 이후에 일어난 사건 난이도 중

제시문에서 이근행이 대군을 이끌고 매소성에 머물렀는데, 우리(신라) 군사가 공격하여 달아나게 하였다는 내용을 통해 매소성 전투(675)임을 알 수 있다.

③ 옳은 것을 모두 고르면 ㉡, ㉢이다.
㉡ 신문왕 때인 681년에 왕의 장인인 김흠돌이 반란을 일으켰다. 신문왕은 김흠돌의 반란을 계기로 귀족 세력을 숙청하고 왕권을 강화하였다.
㉢ 신문왕 때인 682년에 교육 기관인 국학이 설립되었다. 신문왕은 인재 양성을 목적으로 국학을 설립하여 유학을 교육하였다.

오답 분석

모두 매소성 전투 이전에 일어난 사건이다.

㉠ 웅진 도독부가 설치된 것은 660년이다. 신라와 연합하여 백제를 멸망시킨 당은 백제의 옛 땅을 통치하기 위해 공주(웅진)에 웅진 도독부를 설치하였다.

㉣ 복신과 도침이 부여풍과 함께 백제 부흥 운동을 일으킨 것은 백제 멸망(660) 이후이다. 백제가 멸망하자 복신과 도침은 주류성을 근거지로 백제 부흥 운동을 일으키고, 일본에 체류하고 있던 왕자 부여풍을 왕으로 옹립하였다. 이후 백제 부흥 운동은 복신이 도침을 죽이고, 다시 부여풍이 복신을 죽이는 등 지도층 내부의 분열과 백강 전투 패배 등으로 인하여 실패하였다.

02

2022년 서울시 9급(2월 시행)

〈보기〉의 정책이 실시된 왕대에 대한 설명으로 가장 옳은 것은?

> **보기**
> 재위 9년 봄 정월에 교를 내려 내외 관료의 녹읍을 폐지하고, 1년 단위로 조(租)를 차등 있게 하사하는 것을 항식(恒式)으로 삼았다.

① 독서삼품과를 실시하였다.

② 유교 교육을 강화하기 위해 국학을 설치하였다.

③ 국학을 태학감으로 고치고 박사와 조교 등을 두었다.

④ 국학에 공자와 10철 등의 화상을 안치하여 유교 교육을 강화하였다.

문제풀이 신문왕 대의 사실 난이도 하

제시문에서 관료의 녹읍을 폐지했다는 것과 1년 단위로 조(租)를 차등 있게 하사한다는 내용을 통해 녹읍을 폐지하고 관료전을 시행한 신문왕에 대한 설명임을 알 수 있다.

② 신문왕 대에 유교 교육을 강화하고 유교 정치 이념을 확립하기 위해 국학을 설립하였다.

오답 분석

① **원성왕**: 독서삼품과를 실시한 것은 원성왕 때이다. 독서삼품과는 유교의 이해 정도를 시험하여 관리 임용에 참고하는 제도로, 골품 위주의 관리 등용 방식을 개선하기 위해 시행되었다.

③ **경덕왕**: 국학을 태학감으로 고치고 박사와 조교 등을 둔 것은 경덕왕 때이다. 국학은 경덕왕 때 태학감으로 개칭되었다가 혜공왕 때 다시 국학으로 변경되었다.

④ **성덕왕**: 국학에 공자와 10철 등의 화상을 안치하여 유교 교육을 강화한 것은 성덕왕 때이다. 성덕왕 때 왕자 김수충이 당에서 가져온 공자와 10철, 72제자의 화상을 국학에 안치하였다.

이것도 알면 **합격!**

신문왕 대의 사실

감은사 완공	아버지인 문무왕의 뜻을 이어 감은사 완공
국학 설립	유교 교육을 강화하기 위해 국학 설치
금마저의 반란 진압	안승의 조카 대문이 금마저를 중심으로 일으킨 반란을 진압함

03

2021년 소방직

다음 내용을 실시한 왕의 업적으로 옳은 것은?

> ㅇ 1년, 병부령 군관을 죽이고 교서를 내렸다. "병부령 이찬 군관은 …… 반역자 흠돌 등과 교섭하여 역모 사실을 미리 알고도 말하지 않았다. …… 군관과 맏아들은 스스로 목숨을 끊게 하고, 이를 온 나라에 널리 알려라."
> ㅇ 9년, 정월에 명을 내려 내외관의 녹읍을 없애고 해마다 조(租)를 차등 있게 주었다. - 『삼국사기』

① 삼국 통일을 이룩하였다.
② 국학을 설치하여 관료를 양성하였다.
③ 한강을 차지하고, 북한산에 순수비를 세웠다.
④ 국호를 신라로 확정하고, 왕의 호칭을 사용하였다.

문제풀이 신문왕의 업적 난이도 하

제시문에서 흠돌 등의 역모 사건과 관계된 자를 죽였다는 것과 녹읍을 없앴다는 내용을 통해 신문왕임을 알 수 있다.

② 신문왕은 유학 교육 기관인 국학을 설치하여 관료를 양성하였다.

오답 분석

① **문무왕**: 나·당 전쟁에서 승리함으로써 당의 세력을 몰아내고 삼국 통일을 이룩한 왕은 문무왕이다.
③ **진흥왕**: 한강 유역을 차지하고 북한산에 순수비를 세운 왕은 진흥왕이다. 진흥왕은 직접 개척한 영토를 순행하고 이를 기념하기 위하여 순수비(북한산비, 창녕비, 황초령비, 마운령비)를 건립하였다.
④ **지증왕**: 한화 정책을 추진하여 국호를 신라로 확정하고, 왕의 호칭을 마립간에서 왕으로 변경한 왕은 지증왕이다.

이것도 알면 **합격!**

신문왕의 업적

구분	내용
왕권 강화	김흠돌의 난을 계기로 귀족 세력을 숙청하고 왕권 강화
체제 정비	• 정치: 14관부 완성(중앙), 9주 5소경 체제 완비(지방) • 군사: 9서당(중앙군) 10정(지방군) 정비 • 교육: 국학을 설치하여 유학 교육 실시 • 토지 제도 개편: 관료전을 지급하고 녹읍을 폐지

04

2020년 서울시 9급(특수 직렬)

〈보기〉의 밑줄 친 '왕'에 대한 설명으로 가장 옳은 것은?

> **보기**
> 왕이 행차에서 돌아와 그 대나무로 피리를 만들어 월성의 천존고(天尊庫)에 간직하였다. 이 피리를 불면 적병이 물러가고 병이 나으며, 가뭄에는 비가 오고 장마에는 날씨가 개며, 바람이 잦아지고 물결이 평온해졌다. 이를 만파식적으로 부르고 나라의 보물이라 칭하였다.
> - 『삼국유사』

① 녹읍을 부활시켰다.
② 9주 5소경을 설치하였다.
③ 정전을 지급하였다.
④ 고구려 부흥 운동을 지원하였다.

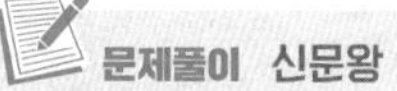

문제풀이 신문왕 난이도 하

제시문에서 만파식적이 언급되고 있으므로, 밑줄 친 '왕'이 신문왕임을 알 수 있다. 만파식적은 『삼국유사』에 전해지는 설화로 신문왕이 용에게 얻은 대나무로 피리를 만들어 불었더니 적이 물러나고, 병이 나으며, 날씨가 좋아졌다고 한다. 이를 통해 당시 신라의 정치적 안정과 통일 후의 발전상을 살펴볼 수 있다.

② 신문왕은 전국을 9주로 나누고, 수도의 편향성을 보완하기 위해 행정·군사상의 요충지에 5소경을 설치하였다.

오답 분석

① **경덕왕**: 녹읍을 부활시킨 왕은 경덕왕이다. 한편 신문왕은 관료전을 지급(687)하고, 녹읍을 폐지(689)하였다.
③ **성덕왕**: 국가의 토지 지배력을 강화하기 위해 백성들에게 정전을 지급(722)한 왕은 성덕왕이다.
④ **문무왕**: 고구려 부흥 운동을 지원한 왕은 문무왕이다. 문무왕은 고구려 유민들을 옛 백제 땅 금마저(익산)에 자리를 잡게 하고, 안승을 보덕국의 왕으로 책봉하여 고구려 유민을 모아 당의 세력을 축출하는데 이용하였다.

정답 01 ③ 02 ② 03 ② 04 ②

05

2016년 법원직 9급

다음 '왕'에 관한 설명 중 가장 옳은 것은?

> '왕'은 놀라고 기뻐하여 오색 비단과 금과 옥으로 보답하고 사자를 시켜 대나무를 베어서 바다에서 나오자, 산과 용은 갑자기 사라져 나타나지 않았다. '왕'이 행차에서 돌아와 그 대나무로 피리를 만들었는데, 이 피리를 불면, 적병이 물러가고 병이 나으며, 가뭄에는 비가 오고 장마는 개며, 바람이 자자지고 물결이 평온해졌다. – 『삼국유사』

① 백성들에게 정전을 지급하였다.
② 김흠돌의 반란을 진압하고 왕권을 강화하였다.
③ 당의 세력을 몰아내고 삼국 통일을 완수하였다.
④ 독서삼품과를 실시하여 유교 교육을 진흥시켰다.

문제풀이 신문왕 난이도 하

제시된 자료는 『삼국유사』 「기이」편에 수록된 만파식적에 대한 내용이다. 대나무로 만든 피리(만파식적)를 불면 적병이 물러가고 병이 나았다는 내용을 통해 제시문 속의 왕이 통일 신라의 신문왕(681 ~ 692)임을 알 수 있다.

② 신문왕은 장인인 김흠돌의 반란 사건(681)을 진압하는 동시에 귀족 세력을 숙청하고 정치 세력을 재편성하여 왕권을 강화하였다.

오답 분석

① **성덕왕**: 백성들에게 정전(丁田)을 지급(722)한 왕은 성덕왕이다. 성덕왕은 일반 백성들에게 정전을 지급함으로써 백성의 안정적인 생활을 보장하고, 농민과 토지에 대한 국가의 지배력을 강화하였다.
③ **문무왕**: 나·당 전쟁에서 승리함으로써 당의 세력을 몰아내고 삼국 통일을 완수(676)한 왕은 문무왕이다.
④ **원성왕**: 독서삼품과를 실시하여 유교 교육을 진흥시킨 왕은 원성왕이다. 독서삼품과는 국학의 학생들을 대상으로 하여 유교 경전의 이해 정도를 시험한 제도로, 독서 능력에 따라 등급을 구분하여 이를 관리 임용에 참고하였다.

06

2019년 지방직 7급

밑줄 친 '왕'의 재위 기간에 있었던 일로 옳은 것은?

> 왕은 사벌주를 상주로 바꾸는 등 9주의 명칭을 개정하고, 군현의 이름도 한자식으로 고쳤다. 또한, 중앙 관서의 관직명도 중국의 예에 맞추어 한자식으로 바꾸었다. – 『삼국사기』

① 국학이 설치되었다.
② 녹읍이 부활되었다.
③ 독서삼품과가 시행되었다.
④ 처음으로 정전이 지급되었다.

문제풀이 경덕왕 재위 기간에 있었던 사실 난이도 중

제시문에 9주와 군현의 이름, 중앙 관서의 관직명도 한자식으로 바꾸었다는 내용을 통해 밑줄 친 '왕'이 통일 신라 경덕왕임을 알 수 있다.

② 경덕왕 때 내외관의 월봉이 없어지고 녹읍이 부활되었다.

오답 분석

① **신문왕**: 유학 교육 기관인 국학이 설치된 것은 통일 신라 신문왕 때이다. 신문왕은 국학을 설치하여 유교 교육을 강화하고자 하였다.
③ **원성왕**: 독서삼품과가 시행된 것은 통일 신라 원성왕 때이다. 독서삼품과는 유교의 이해 정도를 시험하여 관리 임용에 참고하는 제도로, 골품 위주의 관리 등용 방식을 개선하기 위해 시행되었다.
④ **성덕왕**: 백성들에게 처음으로 정전이 지급된 것은 통일 신라 성덕왕 때이다.

 이것도 알면 **합격!**

경덕왕 대의 사실

한화 정책 추진	• 9주와 군현의 이름을 중국식으로 변경 • 집사부 중시의 명칭을 시중(侍中)으로 변경
유학 교육의 강화	국학을 태학(감)으로 고치고, 박사와 조교를 두어 유교 교육을 강화
녹읍 부활	내외관의 월봉을 없애고 녹읍을 부활

07

2013년 국가직 9급

(가)와 (나) 사이의 시기에 있었던 사실에 대한 설명으로 옳은 것은?

> (가) 관리의 녹읍을 혁파하고 매년 조(租)를 내리되 차등이 있게 하였다.
> (나) 여러 관리의 월봉을 없애고, 다시 녹읍을 나누어 주었다.

① 처음으로 병부를 설치하였다.
② 화백 회의에서 국왕을 폐위시킨 일이 있었다.
③ 호족이 지방의 행정권과 군사권을 장악하였다.
④ 6두품이 학문적 식견을 바탕으로 국왕의 조언자로 활동하였다.

08

2022년 소방직

다음 자료에 해당하는 제도로 옳은 것은?

> 여러 학생이 글을 읽어 3등급으로 벼슬길에 나갔는데, 『춘추좌씨전』 혹은 『예기』, 『문선』을 읽고 그 뜻에 능통하며 『논어』와 『효경』에 모두 밝은 자를 상품(上品)으로, 『곡례』와 『논어』, 『효경』을 읽은 자를 중품(中品)으로, 『곡례』와 『효경』을 읽은 자를 하품(下品)으로 삼았다. 예전에는 오직 궁술로써만 사람을 선발하였으나, 이때에 이르러 이를 개정하였다.
>
> – 『삼국사기』

① 현량과
② 골품 제도
③ 독서삼품과
④ 상수리 제도

문제풀이 신라 중대의 사실

난이도 중

(가)는 녹읍을 혁파하였다는 내용을 통해 신문왕(681~692) 시기임을 알 수 있고, (나)는 다시 녹읍을 나누어 주었다는 내용을 통해 경덕왕(742~765) 시기임을 알 수 있다. 따라서 신문왕에서 경덕왕 사이의 시기인 신라 중대에 있었던 사실을 찾아야 한다.

④ 신라 중대에는 왕권이 강화되면서 왕과 결탁한 6두품이 유교적 식견을 바탕으로 국왕의 정치적 조언자로 활약하였다. 비록 중앙 관서의 장관급이나 주의 도독은 진골이 여전히 독점하였으나, 6두품은 집사부 시랑이나 태수 등의 관직에 올라 행정 실무를 담당하였다.

오답 분석

① **(가) 이전:** 병부는 신라 상대인 법흥왕 때 설치된 것으로, 이는 (가) 시기 이전에 있었던 일이다. 법흥왕은 군사권을 장악하기 위하여 중앙 부서에 병부를 설치하였다.

② **(가) 이전:** 화백 회의에서 폐위된 국왕은 신라 상대의 진지왕으로, 이는 (가) 시기 이전에 있었던 일이다. 진지왕은 나라를 제대로 다스리지 못하고 음란하다는 이유로 화백 회의의 결정에 따라 폐위되었다.

③ **(나) 이후:** 호족이 지방의 행정권과 군사권을 장악한 것은 신라 하대에 대한 설명으로, 이는 (나) 시기 이후의 일이다. 신라 하대에 중앙 귀족들이 왕위 쟁탈전을 벌이면서 지방에 대한 통제가 느슨해지자, 지방에서는 호족 세력이 성장하여 자신의 근거지에서 행정권과 군사권을 장악하였다.

문제풀이 독서삼품과

난이도 하

제시문에서 여러 학생이 글을 읽어 3등급으로 벼슬길에 나갔다는 것을 통해 통일 신라의 원성왕 때 시행된 독서삼품과에 대한 내용임을 알 수 있다.

③ 독서삼품과는 골품 위주의 관리 등용을 지양하기 위해 원성왕 때 실시된 관리 채용 제도이다. 독서삼품과는 국학의 학생을 대상으로 『춘추좌씨전』, 『논어』, 『효경』 등 유교 경전의 이해 수준을 시험하여 이를 관리 임용에 참고한 제도이다.

오답 분석

① **현량과:** 현량과는 조선 시대에 조광조의 건의로 실시된 일종의 천거 제도로, 중앙과 지방의 관리들이 후보자를 추천하고, 이들을 모아 왕이 참석한 자리에서 시정의 문제에 대한 대책으로 시험본 후 관리로 선발하는 제도이다.

② **골품 제도:** 골품 제도는 신라의 수도인 경주에 거주하는 귀족들을 대상으로 하는 신분 제도로, 신분에 따라 차지할 수 있는 관등의 상한선을 정하였고, 뿐만 아니라 의복, 수레, 가옥의 규모 등 개인의 일상생활까지 규제하였다.

④ **상수리 제도:** 상수리 제도는 신라에서 지방 세력을 견제하기 위해 지방의 귀족을 수도에 머물게 한 제도로, 이후 고려의 기인 제도에 영향을 주었다.

정답 05 ② 06 ② 07 ④ 08 ③

09

2024년 국가직 9급

밑줄 친 '반란'에 대한 설명으로 옳은 것만을 모두 고르면?

> 웅천주 도독 헌창이 반란을 일으켜, 무진주·완산주·청주·사벌주 네 주의 도독과 국원경·서원경·금관경의 사신 및 여러 군현의 수령들을 위협하여 자신의 아래에 예속시키려 하였다.

> ㉠ 천민이 중심이 된 신분 해방 운동 성격을 가졌다.
> ㉡ 반란 세력은 국호를 '장안', 연호를 '경운'이라 하였다.
> ㉢ 주동자의 아버지가 왕이 되지 못한 것에 대한 불만으로 일어났다.
> ㉣ 무열왕 직계가 단절되고 내물왕계가 다시 왕위를 차지하는 결과를 가져왔다.

① ㉠, ㉡
② ㉠, ㉣
③ ㉡, ㉢
④ ㉢, ㉣

문제풀이 김헌창의 난 난이도 중

제시문에서 웅천주 도독 헌창이 반란을 일으켰다는 내용을 통해 밑줄 친 '반란'이 신라 하대 헌덕왕 때 일어난 김헌창의 난임을 알 수 있다.

③ 옳은 것을 모두 고르면 ㉡, ㉢이다.

㉡, ㉢ 김헌창은 아버지인 김주원이 왕이 되지 못한 데에 불만을 품고 웅천주(공주)에서 국호를 '장안', 연호를 '경운'이라 하여 반란을 일으켰으나 실패하였다.

오답 분석

㉠ 김헌창의 난은 신라 하대에 진골 귀족들이 일으킨 왕위 쟁탈전으로, 신분 해방 운동과는 관련이 없다. 한편, 천민이 중심이 된 신분 해방 운동 성격을 가진 대표적인 반란으로는 고려 시대에 일어난 만적의 난 등이 있다.

㉣ **김지정의 난**: 무열왕 직계가 단절되고 내물왕계가 다시 왕위를 차지하는 결과를 가져온 것은 김지정의 난이다. 혜공왕 때 내물왕의 10대손인 김양상이 권력을 장악하자, 나라의 기강을 바로잡는다는 명분으로 이찬 김지정이 반란을 일으켰으나 실패하였다. 이 과정에서 무열왕계인 혜공왕이 피살되고 뒤이어 김양상이 선덕왕으로 즉위하면서 무열왕 직계가 단절되고 내물왕계가 다시 왕위를 차지하였다.

10

2024년 법원직 9급

밑줄 친 '왕'이 다스리던 시기에 있었던 사실로 가장 옳은 것을 〈보기〉에서 모두 고른 것은?

> ○ 왕 3년(889) 나라 안의 여러 주(州)·군(郡)에서 공물과 조세를 보내지 않아 나라의 창고가 텅 비어 나라의 씀씀이가 궁핍하게 되었으므로 왕이 사자를 보내 독촉하였다. 이로 말미암아 도적들이 곳곳에서 벌떼처럼 일어났다.

> **보기**
> ㉠ 적고적의 난이 발생하였다.
> ㉡ 김헌창의 반란이 진압되었다.
> ㉢ 만적이 신분 해방을 주창하였다.
> ㉣ 원종과 애노가 사벌주에서 봉기하였다.

① ㉠, ㉢　② ㉠, ㉣
③ ㉡, ㉢　④ ㉡, ㉣

문제풀이 진성 여왕 재위 시기의 사실 난이도 중

제시문에서 왕 3년인 889년에 나라의 창고가 텅 비어 나라의 씀씀이가 궁핍하게 되었으므로 왕이 사자를 보내 독촉하자, 도적들이 곳곳에서 벌떼처럼 일어났다는 내용을 통해 밑줄 친 '왕'이 진성 여왕임을 알 수 있다.

② 옳은 것을 모두 고르면 ㉠, ㉣이다.

㉠, ㉣ 진성 여왕 재위 시기에는 정부의 강압적인 조세 징수와 진골 귀족의 농민 수탈 강화 등으로 농민의 불만이 심화되었다. 이러한 상황에서 원종과 애노가 사벌주에서 봉기(889)하였으며, 서남 지방을 중심으로 붉은 바지를 입은 도적인 적고적의 난(896)이 발생하는 등 민란이 전국적으로 발생하였다.

오답 분석

㉡ **헌덕왕**: 김헌창의 반란이 진압된 것은 헌덕왕 때이다. 김헌창은 아버지인 김주원이 왕이 되지 못한 데에 불만을 품고 웅주(공주)에서 국호를 '장안', 연호를 '경운'이라 하여 반란을 일으켰으나 실패하였다.

㉢ **고려 신종**: 만적이 신분 해방을 주창한 것은 고려 신종 때이다. 신종 때 최고 집권자였던 최충헌의 사노비인 만적은 개경의 공·사노비를 모아 신분 해방과 정권 탈취를 목표로 반란을 모의하였으나, 사전에 발각되어 실패하였다.

11

2020년 국가직 9급

밑줄 친 '왕'의 재위 기간에 있었던 사실로 옳은 것은?

> 나라 안의 여러 군현에서 공부(貢賦)를 바치지 않으니 창고가 비어 버리고 나라의 쓰임이 궁핍해졌다. 왕이 사신을 보내어 독촉하자, 이로 말미암아 곳곳에서 도적이 벌떼처럼 일어났다. 이때 원종과 애노 등이 사벌주에 웅거하여 반란을 일으켰다.

① 발해가 멸망하였다.
② 국학을 설치하였다.
③ 최치원이 시무책 10여 조를 건의하였다.
④ 장보고의 건의에 따라 청해진이 설치되었다.

12

2018년 서울시 9급(3월 시행)

〈보기〉의 왕 재위 기간에 있었던 사실로 가장 옳은 것은?

> **보기**
> 나라 안의 여러 주군에서 세금을 바치지 않으니, 창고가 비고 나라의 쓰임이 궁핍하였다. 왕이 독촉하자 곳곳에서 도적이 벌떼같이 일어났다. 이에 원종, 애노 등이 사벌주(상주)에 의거하여 반란을 일으키니, 왕이 나마 벼슬의 영기를 시켜 사로잡게 하였다.
> – 『삼국사기』

① 관직과 주현의 이름을 중국식 한자로 바꾸었다.
② 귀족과 관리에게 주던 녹읍을 폐지하였다.
③ 해적을 소탕하기 위해 청해진을 세웠다.
④ 위홍 등이 향가를 모아 『삼대목』을 편찬하였다.

문제풀이 진성 여왕 재위 시기의 사실

난이도 하

제시문에서 원종과 애노가 사벌주에서 반란(889)을 일으켰다는 것을 통해 밑줄 친 '왕'이 진성 여왕임을 알 수 있다. 진성 여왕 때는 사회가 혼란하여 사벌주(상주)에서 일어난 원종과 애노의 난을 시작으로 전국적으로 농민 반란이 발생하였다.

③ 진성 여왕 때는 최치원이 신라의 사회 개혁을 위해 시무책 10여 조를 건의하였다.

오답 분석

① **경애왕**: 발해가 거란에 의해 멸망한 것은 경애왕 때이다(926).
② **신문왕**: 신라의 최고 유교 교육 기관인 국학이 설치된 것은 신문왕 때이다(682).
④ **흥덕왕**: 장보고의 건의에 따라 지금의 완도에 청해진이 설치된 것은 흥덕왕 때이다(828). 청해진은 장보고가 건설한 해군 기지이자 무역 기지로, 장보고는 청해진을 설치하고 남해와 황해의 해상 교통권을 장악하여 당, 신라, 일본을 잇는 국제 무역을 주도하였다.

이것도 알면 합격!

진성 여왕 재위 기간(887 ~ 897)의 사실
- 각간 위홍과 대구화상이 『삼대목』을 편찬함(888)
- 최치원이 시무책 10여 조를 올림(894)
- 원종과 애노의 난(889), 적고적의 난(896) 등의 농민 반란이 발생함

문제풀이 진성 여왕 재위 기간의 사실

난이도 중

제시문에서 원종과 애노 등이 사벌주를 근거로 반란을 일으켰다는 것을 통해 진성 여왕(887 ~ 897)에 대한 내용임을 알 수 있다. 원종과 애노가 사벌주에서 반란을 일으키자(889) 진성 여왕은 나마(奈麻) 영기에게 반란군의 토벌을 명하였고, 영기는 반란군의 위세에 진군하지 못하다가 진성 여왕의 명으로 처형당했다.

④ 진성 여왕 때 각간 위홍과 승려 대구화상이 왕명을 받아 신라의 향가를 수집하여 정리한 『삼대목』을 편찬하였다(888).

오답 분석

① **경덕왕**: 집사부 중시의 명칭을 시중으로 고치는 등 관직과 주현의 이름을 중국식 한자로 바꾼 것은 경덕왕 재위 기간(742 ~ 765)의 사실이다.
② **신문왕**: 귀족과 관리에게 주던 녹읍을 폐지한 것은 신문왕 재위 기간(681 ~ 692)인 689년의 사실이다.
③ **흥덕왕**: 해적을 소탕하기 위해 장보고의 건의를 받아들여 청해진을 설치한 것은 흥덕왕 재위 기간(826 ~ 836)인 828년의 사실이다.

정답 09 ③ 10 ② 11 ③ 12 ④

13

2018년 법원직 9급

다음 (가), (나) 사이의 시기에 있었던 사실로 옳지 않은 것은?

> (가) 대왕을 도와 조그마한 공을 이루어 삼한을 한 집으로 만들었으며, 백성들은 두 마음이 없게 되었습니다(三韓爲一家 百姓無二心). 비록 아직 태평한 세상에 이르지는 못하였으나 조금 편안한 상태는 되었습니다.
>
> (나) 원종과 애노 등이 사벌주에서 반란을 일으키니 왕이 나마(관직명) 영기에게 명하여 잡게 하였으나 영기가 적진을 쳐다보고는 두려워하여 나아가지 못하였다.

① 발해의 장문휴가 산둥 반도를 공격하였다.
② 장보고의 도움을 받아 신무왕이 즉위하였다.
③ 궁예가 개성을 수도로 삼고 후고구려를 건국하였다.
④ 발해 문왕이 상경 용천부에서 동경 용원부로 수도를 옮겼다.

문제풀이 삼국 통일과 원종·애노의 난 사이의 사실 난이도 중

(가)는 나·당 전쟁 시기인 673년에 김유신이 죽기 전 문무왕에게 남긴 유언으로, 삼한(삼국)을 한 집으로 만들었으나 아직 태평한 세상에 이르지 못하였다는 것을 통해 이를 알 수 있다. 이후 신라는 나·당 전쟁에서 승리하여 삼국 통일을 달성하였다(676).

(나)는 원종과 애노가 사벌주(상주)에서 반란을 일으켰다는 것을 통해 진성 여왕 때인 889년에 일어난 원종과 애노의 난에 대한 내용임을 알 수 있다.

③ 궁예가 개성을 수도로 삼고 후고구려를 건국한 것은 901년으로, (나) 이후의 사실이다.

오답 분석
모두 신라의 삼국 통일과 원종·애노의 난 사이의 사실이다.
① 발해의 장문휴가 무왕의 명으로 산둥 반도의 등주를 공격한 것은 732년의 사실이다.
② 장보고의 도움을 받아 민애왕을 몰아내고 신무왕이 즉위한 것은 839년의 사실이다.
④ 발해 문왕이 상경 용천부에서 동경 용원부로 수도를 옮긴 것은 785년의 사실이다.

14

2024년 서울시 9급

〈보기〉 이후 발생한 사건으로 가장 옳은 것은?

> **보기**
>
> 나라 안의 모든 주군(州郡)에서 공물과 부세를 보내지 않아, 창고가 텅텅 비어 나라 재정이 궁핍하였다. 왕이 사신을 보내 독촉하니 곳곳에서 도적이 벌떼처럼 일어났다. 이때 원종(元宗)과 애노(哀奴) 등이 사벌주를 근거지로 하여 반란을 일으켰다.

① 견훤이 경주를 침략하고 경순왕을 옹립하였다.
② 당나라가 문무왕의 동생 김인문을 신라 왕으로 임명하고 군대를 동원하였다.
③ 백제 의자왕이 신라의 서쪽 지역을 공격하여 대야성 등 40여 성을 함락시켰다.
④ 혜공왕을 마지막으로 무열왕계가 단절되었다.

문제풀이 원종과 애노의 난 이후의 사건 난이도 중

제시문에서 원종과 애노 등이 사벌주를 근거지로 하여 반란을 일으켰다는 내용을 통해 진성 여왕 재위 시기에 발생한 원종과 애노의 난(889)에 대한 설명임을 알 수 있다. 진성 여왕 때는 사회가 혼란하여 사벌주(상주)에서 일어난 원종과 애노의 난을 시작으로 전국적으로 농민 반란이 발생하였다.

① 원종과 애노의 난 이후인 927년에 후백제의 견훤이 신라의 수도 경주(금성)을 침략하여 경애왕을 살해하고, 경순왕을 신라 왕으로 옹립하였다.

오답 분석
모두 원종과 애노의 난 이전에 발생한 사건이다.
② 당나라가 문무왕의 동생 김인문을 신라 왕으로 임명하고 군대를 동원한 것은 문무왕 때인 674년의 사실이다. 당나라가 백제와 고구려가 멸망한 이후 한반도 전체를 지배하려하자 나·당 전쟁이 전개되었다. 이에 당나라는 문무왕의 관작을 삭탈하고 김인문을 신라 왕으로 임명한 후 군대를 동원하여 신라를 공격하였다. 그러나 신라는 매소성 전투(675)와 기벌포 전투(676)에서 당나라 군을 섬멸하였다.
③ 백제 의자왕이 신라의 서쪽 지역을 공격하여 대야성 등 40여 성을 함락시킨 것은 642년의 사실이다.
④ 혜공왕을 마지막으로 무열왕계가 단절된 것은 780년의 사실이다. 혜공왕 때 이찬 김지정이 반란을 일으켰고, 이 과정에서 무열왕계인 혜공왕이 피살되고 내물왕 계인 김양상이 선덕왕으로 즉위하면서 무열왕 직계가 단절되었다.

15

2023년 계리직 9급

밑줄 친 (　　)의 인물에 대한 설명으로 옳은 것은?

> 왕의 총애를 받는 이들이 곁에 있으면서 정권을 훔쳐 제 마음대로 하니 기강이 문란해졌다. 게다가 기근까지 겹치자 백성이 떠돌아다니고 도적이 곳곳에서 봉기하였다. 이에 (　　　) 은/는 몰래 왕위를 넘겨다보는 마음을 갖고, 무리를 불러 모아 왕경의 서남쪽 주현을 돌아다니며 공격하였다. 이르는 곳마다 메아리처럼 호응하여 한 달 만에 무리가 5,000명에 달하니, 드디어 무진주를 습격하였다.
>
> -「삼국사기」

① 완산주를 도읍 삼아 나라를 세우고 왕위에 올랐다.
② 스스로 미륵불이라고 칭하면서 통치를 정당화하였다.
③ 서해안의 해상 세력으로 활동하던 가문에서 태어났다.
④ 국호를 장안, 연호를 경운으로 정하고 반란을 일으켰다.

16

2022년 소방직

밑줄 친 '왕'의 행적으로 옳은 것은?

> 왕께서 부지런히 힘쓴 지 40여 년에 큰 공이 거의 이루어졌는데, 하루아침에 집안사람들의 화로 인하여 설 땅을 잃고 투항하였습니다. (중략) 충신은 두 임금을 섬기지 않는다고 하였습니다. 만약 자기의 임금을 버리고 반역한 아들을 섬긴다면 무슨 얼굴로 천하의 의로운 선비들을 보겠습니까. 하물며 듣자니 고려의 왕공께서는 마음이 어질고 후하며 근면하고 검소하여 민심을 얻었다고 하니 하늘의 계시인 듯합니다. 반드시 삼한의 주인이 될 것이니 어찌 편지를 보내 우리 왕을 문안, 위로하고 겸하여 왕공에게 겸손하고 정중함을 보여 장래의 복을 도모하지 않겠습니까.
>
> -「삼국사기」

① 발해를 건국하였다.
② 고려에 귀순하였다.
③ 철원에 수도를 정하였다.
④ '천수'라는 연호를 사용하였다.

문제풀이 견훤 　난이도 중

제시문에서 왕경(경주)의 서남쪽 주현(전라도 지방)을 돌아다니며 공격하였다는 것과 무진주(광주)를 습격하였다는 내용을 통해 밑줄 친 괄호의 인물이 견훤임을 알 수 있다.

① 견훤은 전라도 지방의 군사력과 호족 세력을 기반으로 무진주(광주)에서 세력을 키운 뒤 완산주(전주)를 도읍으로 삼아 후백제를 세우고 왕위에 올랐다.

오답 분석

② **궁예**: 스스로 미륵불이라고 칭하면서 백성들을 현혹하여 통치를 정당화한 인물은 궁예이다.

③ **왕건**: 서해안의 해상 세력으로 활동하던 가문에서 태어난 인물은 왕건이다. 왕건은 서해안으로 흘러드는 예성강을 중심으로 성장한 해상 세력 가문 출신으로, 궁예의 휘하에서 공을 세워 시중의 자리에 올랐다. 이후 그는 궁예를 축출하고 고려를 건국하였다.

④ **김헌창**: 국호를 장안, 연호를 경운으로 정하고 반란을 일으킨 인물은 김헌창이다. 김헌창은 아버지인 김주원이 왕이 되지 못한 데에 불만을 품고 웅주(공주)에서 국호를 '장안', 연호를 '경운'이라 하여 반란을 일으켰으나 실패하였다.

문제풀이 견훤 　난이도 상

제시문에서 집안사람들의 화로 인하여 설 땅을 잃고 투항하였다는 것과 자기의 임금을 버리고 반역한 아들을 섬길 수 없다는 내용을 통해 밑줄 친 '왕'이 견훤임을 알 수 있다. 위 내용은 견훤의 사위인 박영규가 고려에 귀순한 견훤을 따라서 고려에 투항할 것을 부인과 의논한 내용이다.

② 견훤은 935년에 고려에 귀순하였다. 견훤이 넷째 아들 금강에게 왕위를 물려주려고 하자 큰 아들 신검은 견훤을 금산사에 유폐하였다(935). 이에 견훤은 그 해 6월에 금산사를 탈출하여 고려에 귀순하였다.

오답 분석

① **대조영**: 발해를 건국한 인물은 대조영이다. 대조영은 당나라에서 탈출한 뒤 동모산 기슭에 정착하여 나라를 세우고 국호를 진국이라 하였다. 이후 당나라는 대조영을 발해 군왕으로 책봉하여 현실적인 지배 세력으로 인정하였으며, 대조영(고왕)은 국호를 발해로 고쳤다.

③ **궁예**: 철원에 수도를 정한 인물은 궁예이다. 궁예는 신라 하대의 초적 세력인 기훤과 양길의 부하로 있다가 자립하여 송악(개성)에서 후고구려를 건국하였다. 이후 그는 국호를 마진으로 바꾸고 철원을 새로운 수도로 정하였다.

④ **왕건**: '천수'라는 연호를 사용한 인물은 고려 태조 왕건이다. 왕건은 918년에 궁예를 축출하고 고려를 건국한 뒤 '천수'라는 연호를 사용하였다.

정답 13 ③ 14 ① 15 ① 16 ②

17

2021년 서울시 9급(특수 직렬)

〈보기〉의 (가) 인물에 대한 설명으로 가장 옳은 것은?

> **보기**
> - 태조는 정예 기병 5천 명을 거느리고 공산(公山) 아래에서 [(가)]을/를 맞아서 크게 싸웠다. 태조의 장수 김락과 신숭겸은 죽고 모든 군사가 패하였으며, 태조는 겨우 죽음을 면하였다.
> - [(가)]이/가 크게 군사를 일으켜 고창군(古昌郡)의 병산 아래에 가서 태조와 싸웠으나 이기지 못하였다. 전사자가 8천여 명이었다.

① 오월에 사신을 보내 교류하였다.

② 송악에서 철원으로 도읍을 옮겼다.

③ 기훤, 양길의 휘하에서 세력을 키웠다.

④ 예성강을 중심으로 성장한 해상 세력이다.

문제풀이 견훤

난이도 하

제시문에서 태조(왕건)가 공산 아래에서 (가)를 맞아 크게 싸웠으나 패하였다는 내용을 통해 (가) 인물이 견훤임을 알 수 있다. 견훤은 공산 전투에서 고려군을 크게 무찔렀으나, 이후 고창 전투에서 고려군에 대패함으로써 후삼국의 주도권을 상실하였다.

① 견훤은 완산주(전주)에서 후백제를 세우고, 중국의 오월, 후당 등에 사신을 보내 교류하는 등 적극적인 대중국 외교를 전개하였다.

오답 분석

②, ③ **궁예**: 기훤, 양길의 휘하에서 세력을 키우고, 송악에서 철원으로 도읍을 옮긴 인물은 궁예이다. 궁예는 신라 하대의 초적 세력인 기훤과 양길의 부하로 있다가 자립하여 송악에서 후고구려를 건국하였다. 이후 그는 국호를 마진으로 바꾸고 철원으로 천도하였다.

④ **왕건**: 예성강을 중심으로 성장한 해상 세력은 왕건이다. 왕건은 해상 무역을 통해 성장하였고, 궁예의 휘하에서 공을 세워 시중의 자리에 올랐다. 이후 그는 궁예를 축출하고 고려를 건국하였다.

이것도 알면 **합격!**

견훤

- 완산주(전라북도 전주)에 도읍을 정하고 후백제를 건국
- 중국의 오월·후당 및 일본과 적극적인 외교 관계를 맺음
- 신라 금성에 쳐들어가 경애왕을 살해(927)하는 등 신라에 적대적
- 아들 신검에 의해 금산사에 유폐되었다가, 탈출하여 왕건에 투항

18

2014년 경찰간부후보생

밑줄 친 (가)의 행적에 해당하지 않는 것은?

> 머리를 깎고 승려가 되어 스스로 (가) 선종(善宗)이라고 이름하였다. 신라 말에 정치가 잘못되고 백성이 흩어져 지방의 주현들이 반란 세력에 따라 붙는 자가 거의 반에 이르고 먼 곳과 가까운 곳에서 도적들이 벌떼처럼 일어나 그 아래에 백성이 개미처럼 모여드는 것을 보고 이런 혼란기를 틈타 무리를 모으면 자신의 뜻을 이룰 수 있다고 생각하여 대순 2년 신해년에 죽주의 도적 괴수 기훤에게 의탁하였다. 기훤이 얕보고 거만하게 대하자, 경복 원년 임자년에 북원의 도적 양길에게 의탁하니, 양길이 잘 대우하여 일을 맡기고 드디어 병사를 나누어 주어 동쪽으로 땅을 점령하도록 하였다.

① 미륵불의 화신임을 내세우면서 백성들을 현혹하였다.

② 독자적인 연호를 사용하면서 황제국 체제를 지향하였다.

③ 중국의 오월 및 일본과 통교하면서 국제적으로 지위를 인정받고자 했다.

④ 부석사에 있던 신라 왕의 화상을 칼로 훼손하면서 반신라 감정을 드러냈다.

문제풀이 궁예

난이도 중

제시문에서 신라 말에 스스로 선종이라 칭하고, 기훤과 양길에 의탁했던 인물은 궁예이다. 궁예는 신라 하대의 초적 세력인 양길의 부하로 있다가 세력이 커지자 양길을 몰아낸 후 송악에 도읍을 정하고 후고구려를 세웠다.

③ 중국의 오월, 후당 및 일본과 적극적으로 교류한 것은 후백제의 견훤이다.

오답 분석

① 궁예는 미륵 신앙에 심취하여 스스로를 미륵불의 화신이라고 내세우며 백성들을 현혹하였다.

② 궁예는 무태(武泰), 성책(聖冊), 수덕만세(水德萬歲) 등 독자적인 연호를 사용하면서 황제국 체제를 지향하였다.

④ 궁예는 영주 부석사에 있던 신라 왕의 화상을 칼로 내리치는 등 반신라적 감정을 드러냈다.

이것도 알면 **합격!**

후고구려

건국	궁예가 송악(개성)을 도읍으로 정하고 건국
성장	• 강원도·경기도 일대의 중부 지방과 황해도 지역까지 세력 확장 • 도읍 천도(송악 → 철원), 국호 변경(마진 → 태봉), 광평성을 비롯한 여러 관서 설치, 9관등제 실시
한계	지나친 조세 수취, 미륵 신앙을 이용한 전제 정치 실시

19
2024년 법원직 9급

(가), (나)에 대한 설명으로 옳은 것만으로 연결된 것은?

> • [(가)]은/는 본래 고구려의 별종이다. …… 무리를 이끌고 동쪽으로 가서 계루부의 옛 땅을 차지하고 동모산에 성을 쌓고 살았다.
> • 부여씨가 망하고 고씨가 망하게 되니 김씨가 그 남쪽 땅을 차지하고 대씨가 그 북쪽 땅을 차지하여 [(나)]라 하였다. 이것을 남북국이라 한다.

> **보기**
> ㉠ (가)은/는 고구려의 왕족 출신이다.
> ㉡ (가)은/는 당의 산둥 반도를 공격하였다.
> ㉢ (나)은/는 거란의 침략으로 멸망하였다.
> ㉣ (나)의 군사 제도로 9서당 10정이 있었다.

① ㉠ ② ㉢
③ ㉠, ㉢ ④ ㉡, ㉣

20
2022년 국가직 9급

(가) 왕에 대한 설명으로 옳은 것은?

> 당 현종 개원 7년에 대조영이 죽으니, 그 나라에서 사사로이 시호를 올려 고왕(高王)이라 하였다. 아들 [(가)]이/가 뒤이어 왕위에 올라 영토를 크게 개척하니, 동북의 모든 오랑캐가 겁을 먹고 그를 섬겼으며, 또 연호를 인안(仁安)으로 고쳤다.
> – 『신당서』

① 수도를 상경성으로 옮겼다.
② '해동성국'이라고 불릴 만큼 전성기를 이루었다.
③ 장문휴를 시켜 당의 등주(산둥성)를 공격하였다.
④ 고구려 유민과 말갈족을 이끌고 동모산에 도읍을 정하였다.

II. 고대의 발전 01 고대의 정치 해커스공무원 단원별 기출문제집 한국사

문제풀이 대조영과 발해
난이도 중

(가)는 본래 고구려의 별종이다라는 것과 무리를 이끌고 동쪽으로 가서 동모산에 성을 쌓고 살았다는 내용을 통해 대조영임을 알 수 있다.

(나)는 대씨가 북쪽 땅을 차지하였다는 내용을 통해 발해임을 알 수 있다.

② 옳은 것을 모두 고르면 ㉢이다.

㉢ 발해는 대인선 때 거란의 야율아보기의 침략으로 수도인 홀한성(상경성)이 함락되면서 멸망하였다.

오답 분석

㉠ 대조영이 고구려 출신 인물인 것은 맞지만 왕족 출신은 아니다.

㉡ **발해 무왕**: 당의 산둥 반도를 공격한 인물은 발해 무왕이다. 무왕은 당이 흑수말갈과의 연결을 시도하며 발해를 견제하자, 장문휴를 보내 당 산둥 반도의 등주를 선제공격하였다.

㉣ **통일 신라**: 군사 제도로 9서당 10정이 있었던 나라는 통일 신라이다.

이것도 알면 **합격!**

발해의 멸망

원인	• 내적 원인: 발해 내부의 귀족들의 권력 투쟁이 격화되어 국력 쇠퇴 • 외적 원인: 10세기 초 부족을 통일한 거란의 세력 확대 → 거란의 침략을 받아 멸망(926)
결과	• 발해의 유민은 이후 고려에 흡수됨 • 부흥 운동으로 정안국, 흥요국 등이 세워졌으나 실패

문제풀이 발해 무왕
난이도 하

제시문에서 대조영이 죽고 뒤이어 왕위에 올랐으며, 연호를 인안(仁安)으로 고쳤다는 내용을 통해 (가) 왕이 발해 무왕임을 알 수 있다.

③ 발해 무왕은 당과 흑수말갈이 연합하려는 움직임을 보이자 장문휴의 수군을 시켜 당의 등주(산둥성)를 선제공격하였다.

오답 분석

① **문왕·성왕**: 수도를 상경성으로 옮긴 왕은 발해 문왕과 성왕이다. 문왕(3대)은 756년경에 수도를 중경성에서 상경성으로 옮겼다가, 수도를 다시 상경성에서 동경성으로 옮겼다. 이후 성왕(5대)은 794년에 수도를 동경성에서 상경성으로 옮겼다.

② **선왕**: '해동성국'이라고 불릴 만큼 전성기를 이루었던 왕은 발해 선왕이다. 발해는 선왕 대에 대부분의 말갈족을 복속시키고 랴오둥(요동) 지역으로 진출하며 전성기를 맞이하였고, 당으로부터 '바다 동쪽의 융성한 나라'라는 뜻의 해동성국이라 불렸다.

④ **고왕(대조영)**: 고구려 유민과 말갈족을 이끌고 동모산에 도읍을 정한 왕은 고왕(대조영)이다. 고왕은 고구려 유민과 말갈족을 이끌고 동모산에 도읍을 정하여 나라를 세우고, 국호를 '진', 연호를 '천통'이라 하였다. 이후 고왕은 당으로부터 발해 군왕으로 책봉되었으며 국호를 발해로 고쳤다.

정답 17 ① 18 ③ 19 ② 20 ③

21

2019년 국가직 9급

(가) 왕대의 사실에 대한 설명으로 옳은 것은?

> (가) 은/는 흑수말갈이 당과 통하려고 하자 군사를 동원하여 흑수말갈을 치게 하였다. 또한 일본에 사신 고제덕 등을 보내 "여러 나라를 관장하고 여러 번(蕃)을 거느리며, 고구려의 옛 땅을 회복하고 부여의 옛 습속을 지니고 있다."라고 하여 강국임을 자부하였다.

① 국호를 진국에서 발해로 바꾸었다.

② 신라는 급찬 숭정을 발해에 사신으로 보냈다.

③ 대흥이라는 독자적인 연호를 사용하였다.

④ 장문휴가 당의 등주를 공격하였다.

문제풀이 발해 무왕 대의 사실 난이도 중

제시문에서 흑수말갈이 당과 통하려고 하자 군사를 동원하여 흑수말갈을 치게 하였으며, 일본에 사신을 보내 발해가 고구려의 옛 땅을 회복하고 부여의 옛 습속을 지니고 있음을 자부하였다는 내용을 통해 발해 무왕 대의 사실임을 알 수 있다.

④ 발해 무왕은 장문휴의 수군으로 하여금 당나라 산둥 지방의 등주(덩저우)를 선제 공격하게 하였다.

오답 분석

① **고왕(대조영)**: 국호를 진국에서 발해로 바꾼 왕은 발해를 건국한 고왕(대조영)이다. 고왕(대조영)은 동모산에서 나라를 세우고, 국호를 '진', 연호를 '천통'이라 하였으며, 이후 당으로부터 발해 군왕으로 책봉되고 국호를 발해로 고쳤다.

② 신라에서 급찬 숭정을 발해에 사신으로 보낸 것은 신라 헌덕왕 때인 812년으로, 당시 발해는 정왕(809~812)에서 희왕(812~817)으로 교체되는 시기였다. 한편 발해 무왕 때는 발해와 신라의 관계가 적대적이었으나, 이후 문왕 때 상설 교통로인 신라도를 통해 무역 활동을 전개하는 등 발해와 신라의 대립이 완화되었다.

③ **문왕**: 대흥·보력 등의 독자적인 연호를 사용한 왕은 문왕이다. 무왕은 인안이라는 연호를 사용하였다.

22

2018년 법원직 9급

다음의 사건이 벌어진 시기의 상황으로 가장 적절한 것은?

> 당나라 수군의 거점인 등주성에 한바탕 난리가 벌어졌다. 장문휴가 이끄는 발해 군대가 등주성을 기습했기 때문이다. 등주 자사까지 전사했다는 소식에 당 조정은 신라에 군사 지원을 요청하였다. 신라군은 발해를 공격했지만 추위와 폭설로 철수할 수밖에 없었다.

① '대흥'이라는 연호를 사용하였다.

② 3성 6부제의 중앙 관제를 정비하였다.

③ 전성기를 맞이하여 '해동성국'이라고 불리웠다.

④ 돌궐·일본과 친교를 강화하며 당·신라에 맞섰다.

문제풀이 발해 무왕 시기의 사실 난이도 하

제시문은 장문휴가 이끄는 발해 군대가 당나라의 등주성을 공격한 사건으로 발해 무왕 시기의 사실이다. 무왕은 당나라가 흑수말갈과의 연결을 시도하며 발해를 견제하자 당나라 산동 지역의 등주를 선제 공격하였다(732). 이에 당나라의 지원 요청을 받은 신라가 발해를 공격하였으나 추위와 눈으로 실패하였다.

④ 무왕은 당나라와 대립하던 돌궐과 우호 관계를 맺고, 일본에 사신을 파견하며 친교를 강화하여 당나라와 신라를 견제하였다.

오답 분석

① **문왕**: 대흥이라는 연호를 사용한 것은 문왕 때이다. 무왕은 인안이라는 연호를 사용하였다.

② **문왕**: 3성 6부제의 중앙 관제를 정비한 것은 문왕 때이다.

③ **선왕**: 전성기를 맞이하여 '해동성국'으로 불리었던 것은 선왕 때이다.

이것도 알면 **합격!**

발해가 일본에 보낸 국서

무왕	"우리는 고구려의 옛 땅을 회복하고, 부여의 전통을 이어받았다"
문왕	• 자신을 '고려 국왕 대흠무'라고 칭함 • 일본에서도 발해의 왕을 '고려 국왕'으로 부름

23

2018년 서울시 9급(3월 시행)

〈보기〉의 왕에 대한 설명으로 가장 옳은 것은?

> **보기**
> 왕은 당이 내분으로 어지러워진 틈을 타서 영토를 넓히고, 수도를 중경에서 상경으로, 다시 동경으로 옮겼다. 또한 대흥, 보력 등 독자적인 연호를 사용하였다.

① 산동 지방에 수군을 보내 당을 공격하였다.

② 당으로부터 해동성국이라 불렸다.

③ 전륜성왕을 자처하고 황상이라는 칭호를 사용하였다.

④ 동모산에 나라를 세웠다.

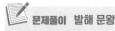

문제풀이 발해 문왕

난이도 하

제시문에서 수도를 중경에서 상경으로, 다시 동경으로 옮기고, 대흥, 보력 등의 독자적인 연호를 사용하였다는 것을 통해 발해 문왕에 대한 내용임을 알 수 있다. 이후 발해는 성왕 때 수도를 동경에서 상경으로 다시 옮겼다.

③ 문왕은 불교에서 이상적인 군주로 일컬어지는 전륜성왕을 자처하였으며, 황제를 의미하는 황상, 대왕 등의 칭호를 사용하였다.

오답 분석

① **무왕**: 당나라 산동 지방의 등주에 장문휴의 수군을 보내 공격하게 한 왕은 무왕이다.

② **선왕**: 발해가 당으로부터 해동성국이라 불린 것은 선왕 때이다.

④ **고왕**(대조영): 동모산에서 나라를 세운 왕은 고왕(대조영)이다. 고구려 장군 출신의 대조영은 동모산에서 진국(震國)을 세웠으며, 이후 그가 당으로부터 발해 군왕에 봉해지면서 국호를 발해로 바꾸었다.

이것도 알면 **합격!**

발해 문왕의 업적

연호 사용	대흥, 보력의 연호 사용
체제 정비	당의 체제를 받아들여 3성 6부제 정비
천도	수도를 중경 현덕부 → 상경 용천부 → 동경 용원부로 옮김

24

2020년 지방직 9급

다음 설명에 해당하는 발해 왕의 재위 기간에 통일 신라에서 일어난 상황으로 옳은 것은?

> ㅇ 대흥이란 독자적인 연호를 사용하였다.
> ㅇ 수도를 중경 → 상경 → 동경으로 옮겼다.
> ㅇ 일본에 보낸 외교 문서에 천손(하늘의 자손)이라 표현하였다.
> ㅇ 당과 친선 관계를 맺으며 당의 문물을 도입하여 체제를 정비하였다.

① 녹읍 폐지

② 청해진 설치

③ 『삼대목』 편찬

④ 독서삼품과 설치

문제풀이 발해 문왕 때의 통일 신라의 상황

난이도 중

제시문에서 대흥이라는 독자적인 연호를 사용하였고, 수도를 중경에서 상경으로, 다시 상경에서 동경으로 옮겼으며, 일본에 보낸 외교 문서에 천손이라 표현하였다는 것을 통해 발해 문왕에 대한 내용임을 알 수 있다. 발해 문왕의 재위 시기는 8세기로(737~793) 이 시기 통일 신라의 왕들은 성덕왕, 경덕왕, 혜공왕, 선덕왕, 원성왕이다.

④ 독서삼품과는 통일 신라 원성왕 때 실시된 관리 임용 제도이다. 원성왕은 독서삼품과를 설치하여 유교 경전의 이해 수준을 평가한 뒤 특품과 상·중·하품으로 나누었으며, 이를 관리 임용에 참고하였다.

오답 분석

① 녹읍을 폐지(689)한 것은 신문왕 때로, 발해 문왕 이전의 시기의 사실이다. 발해 문왕 재위 시기인 8세기 경덕왕 때에는 녹읍이 부활(757)되었다.

② 장보고의 요청에 따라 지금의 완도에 해군 기지이자 무역 기지인 청해진이 설치(828)된 것은 흥덕왕 때로, 발해 문왕 이후 시기의 사실이다. 청해진을 설치한 장보고는 남해와 황해의 해상 교통권을 장악하고 당에는 견당매물사, 일본에는 회역사를 보내는 등 당, 신라, 일본을 잇는 국제 무역을 주도하였다.

③ 승려 대구와 각간 위홍이 편찬한 향가집인 『삼대목』이 편찬된 것은 9세기 말 진성 여왕 때로, 발해 문왕 이후의 사실이다.

정답 21 ④ 22 ④ 23 ③ 24 ④

25

2014년 지방직 9급

(가), (나) 국왕의 재위 시기에 있었던 사실로 옳은 것만을 〈보기〉에서 모두 고르면?

(가) 대조영의 뒤를 이어 즉위하였다. 영토 확장에 힘을 기울여 동북방의 여러 세력을 복속하고 북만주 일대를 장악하였다.
(나) 대부분의 말갈족을 복속시키고, 요동 지역으로 진출하였다. 이후 전성기를 맞은 발해를 중국에서는 해동성국(海東盛國)이라고 불렀다.

보기
㉠ (가) – 수도를 중경에서 상경으로 옮겼다.
㉡ (가) – 장문휴가 수군을 이끌고 당(唐)의 산둥(山東) 지방을 공격하였다.
㉢ (나) – '건흥' 연호를 사용하고, 지방 행정 조직을 정비하였다.
㉣ (나) – 당시 국왕을 '대왕'이라 표현한 정혜 공주의 묘비가 만들어졌다.

① ㉠, ㉡ ② ㉠, ㉣
③ ㉡, ㉢ ④ ㉢, ㉣

문제풀이 발해 무왕과 선왕 대의 사실 난이도 중

대조영의 뒤를 이어 즉위하였으며 북만주 일대를 장악한 (가) 시기는 발해 무왕 대이다. 대부분의 말갈족을 복속시키고, 요동 지역으로 진출하여 중국으로부터 해동성국이라 불린 (나) 시기는 발해 선왕 대이다.

③ 옳은 것을 모두 고르면 ㉡, ㉢이다.
㉡ 무왕 시기에는 대당 강경책을 전개하여 장문휴의 수군으로 하여금 당의 산둥 지방의 국제 무역항인 등주를 공격하게 하였다.
㉢ 선왕 시기에는 '건흥'이라는 독자적인 연호를 사용하였고, 5경 15부 62주의 지방 행정 체제를 정비하였다.

오답 분석
㉠ **문왕**: 수도를 중경에서 상경으로 옮긴 것은 문왕 시기의 사실이다. 문왕은 지배 체제 정비의 일환에서 중경 현덕부, 상경 용천부, 동경 용원부로 수도를 옮겼다.
㉣ **문왕**: 문왕의 둘째 딸인 정혜 공주 묘비에는 당시 국왕이었던 문왕의 존호가 '대흥보력효감금륜성법대왕(大興寶曆孝感金輪聖法大王)'이라 표현되어 있다.

26

2024년 서울시 9급

〈보기〉의 사건을 시간 순으로 바르게 나열한 것은?

보기
㉠ 장문휴의 수군으로 당의 산둥 지방을 공격하였다.
㉡ 정혜 공주 묘, 정효 공주 묘를 만들었다.
㉢ 전성기를 맞이하여 중국인들이 해동성국이라 불렀다.

① ㉠ – ㉡ – ㉢
② ㉠ – ㉢ – ㉡
③ ㉡ – ㉠ – ㉢
④ ㉢ – ㉠ – ㉡

문제풀이 발해사의 전개 난이도 중

① 시간 순으로 나열하면 ㉠ 당의 산둥 지방 공격(발해 무왕) → ㉡ 정혜 공주 묘, 정효 공주 묘 건립(발해 문왕) → ㉢ 발해의 전성기(선왕)가 된다.
㉠ **당의 산둥 지방 공격**: 발해 무왕 때 당이 흑수말갈과의 연결을 시도하며 발해를 견제하자, 장문휴를 보내 당 산둥 지방의 등주를 선제공격하였다.
㉡ **정혜 공주 묘, 정효 공주 묘 건립**: 발해 문왕 때 정혜 공주 묘가 굴식 돌방무덤 양식과 모줄임 천장 구조로 축조되었으며, 정효 공주 묘는 벽돌무덤 양식과 평행 고임 천장으로 축조되었다.
㉢ **발해의 전성기**: 발해는 선왕(818~830) 때 남쪽으로는 신라와 국경을 맞댈 정도로 영토를 확장하였는데, 이때 중국인들은 발해를 '바다 동쪽의 융성한 나라'라는 뜻의 해동성국이라 불렀다.

이것도 알면 **합격!**

발해 무왕의 대당 강경책

대무예가 장수 장문휴를 보내 해적을 이끌고 등주 자사 위준을 공격하자, 당이 문예를 보내 병사를 징발하여 토벌하게 하였다. 이어 김사란을 신라로 보내 병사를 일으켜 발해 남쪽 국경을 공격하게 하였다. – 『신당서』

사료 분석 | 발해 무왕(대무예)은 당의 등주를 선제공격하여 등주 자사 위준을 전사시켰다. 이에 당은 당시 발해와 적대 관계이던 신라로 하여금 발해를 공격하도록 하였다.

27

2023년 국회직 9급

발해의 건국과 발전 과정에 대한 설명으로 옳지 않은 것은?

① 중앙 관제로 당을 모방한 3성 6부를 두었다.
② 문왕은 일본에 보낸 국서에서 '고려 국왕 대흠무'라 칭했다.
③ 대조영이 고구려 유민과 말갈 집단을 이끌고 나라를 세웠다.
④ 고왕은 당의 압력에 대항하여 산둥 반도의 덩저우를 공격했다.
⑤ 선왕은 대부분의 말갈족을 복속시키고 지방 제도를 정비했다.

문제풀이 발해의 건국과 발전 과정 난이도 하

④ 당의 압력에 대항하여 산둥 반도의 덩저우를 공격한 것은 고왕(대조영)이 아니라 발해 무왕이다. 무왕은 당이 흑수말갈과의 연결을 시도하며 발해를 압박하자, 장문휴를 보내 산둥 반도의 덩저우(등주)를 선제공격하였다.

오답 분석

① 발해는 당의 중앙 관제를 모방하여 정당성, 선조성, 중대성의 3성과 충부(인사), 인부(재정), 의부(외교 및 교육), 지부(군사), 예부(법률), 신부(토목)의 6부를 두었다.
② 발해 문왕은 일본에 보낸 국서에 스스로를 '고려 국왕 대흠무'라 칭하며 고구려 계승 의식을 드러냈다.
③ 대조영은 고구려 유민과 말갈 집단을 이끌고 동모산 기슭에서 정착하여 나라를 세우고 국호를 진국이라 하였다.
⑤ 발해 선왕은 대부분의 말갈족을 복속시키고 랴오둥(요동)지역으로 진출하였으며, 지방 제도를 정비하여 전국을 5경 15부 62주로 편성하였다.

 이것도 알면 **합격!**

발해의 지방 행정 조직

특수 행정 구역	• 전략적 요충지에 설치 • 상경, 중경, 동경, 서경, 남경
지방	• 15부: 지방 행정을 총괄하는 도독 파견 • 62주: 자사를 파견, 고구려인을 지방관으로 임명 • 현: 주 아래의 말단 행정 단위로 현승을 파견 • 촌: 주로 말갈족으로 구성, 토착 세력인 촌장을 두어 관리

28

2022년 지방직 9급

밑줄 친 '이 나라'에 대한 설명으로 옳은 것은?

> ○ 이 나라에서 귀하게 여기는 것에는 태백산의 토끼, 남해부의 다시마, 책성부의 된장, 부여부의 사슴, 막힐부의 돼지, 솔빈부의 말, 현주의 베, 옥주의 면, 용주의 명주, 위성의 철, 노성의 쌀 등이 있다. -『신당서』
> ○ 이 나라의 땅은 영주(營州)의 동쪽 2천 리에 있으며, 남으로는 신라와 서로 접한다. 월희말갈에서 동북으로 흑수말갈에 이르는데, 사방 2천 리, 호는 십여 만, 병사는 수만 명이다. -『구당서』

① 중앙에 6좌평의 관제를 마련하였다.
② 9서당 10정의 군사 조직을 갖추었다.
③ 지방을 5경 15부 62주로 편성하였다.
④ 제가 회의에서 국가의 중대사를 결정하였다.

문제풀이 발해 난이도 하

제시문에서 솔빈부의 말 등을 귀하게 여겼으며, 영주의 동쪽 2천 리에 있고 남으로는 신라와 접한다는 것을 통해 밑줄 친 '이 나라'가 발해임을 알 수 있다.

③ 발해는 선왕 때 지방 행정 구역을 5경 15부 62주로 편성하였다. 5경은 전략적 요충지에, 15부는 지방 행정의 중심지에 설치되었고, 부 아래에는 62주와 현, 촌이 있었다.

오답 분석

① **백제**: 중앙에 6좌평의 관제를 마련한 나라는 백제이다. 백제는 고이왕 때 중앙 관제를 정비하여 6좌평제와 16관등제를 마련하였다.
② **통일 신라**: 9서당 10정의 군사 조직을 갖춘 나라는 통일 신라이다. 통일 신라는 신문왕 때 군사 조직을 정비하여 중앙군인 9서당과 지방군인 10정을 편성하였다.
④ **고구려**: 귀족 회의인 제가 회의에서 국가의 중대사를 결정하였던 나라는 고구려이다.

이것도 알면 **합격!**

발해 중앙 관제의 독자성

• 3성은 형식적으로 분리되어 있었지만 3성 중 정당성의 권한이 절대적임
• 대내상 아래 좌상과 우상이 있고, 그 밑에 좌·우 평장사, 좌·우 사정으로 이어지는 명령 체계
• 6부의 명칭은 충·인·의·지·예·신의 유교 덕목을 사용

정답 25 ③ 26 ① 27 ④ 28 ③

29

2022년 서울시 9급(6월 시행)

〈보기〉에서 ㉠에 들어갈 나라에 대한 설명으로 가장 옳은 것은?

> **보기**
>
> 신(臣) 아무개가 아룁니다. 본국 숙위원의 보고를 접하니, 지난 건녕 4년 7월에 (㉠)의 하정사(賀正使)인 왕자 대봉예가 호소문을 올려 그들이 우리보다 위에 있도록 허락해 주기를 청했다고 합니다. 삼가 칙지를 받들건대, "나라 이름의 선후는 본래 강약을 따져서 칭하는 것이 아니다. 조정 제도의 등급을 지금 어떻게 성쇠를 가지고 고칠 수가 있겠는가. 그동안의 관례대로 함이 당연하니, 이 지시를 따르도록 하라."라는 내용이었습니다.
>
> -『고운집』

① 마진, 태봉 등의 국호를 사용하였다.

② 당으로부터 해동성국이라는 칭호를 들었다.

③ 백제의 부흥을 내걸고 완산주에 도읍을 정했다.

④ 지금의 황해도 지역에 패강진이라는 군진을 개설하였다.

문제풀이 발해

난이도 하

제시된 자료는 발해와 신라의 사신 자리 다툼 사건(쟁장 사건)과 관련된 내용이다. 왕자 대봉예가 신라보다 윗자리에 자리 잡기를 청하였다는 내용을 통해 ㉠에 들어갈 나라가 발해임을 알 수 있다.

② 발해는 선왕 때 전성기를 맞이하였으며, 이에 당으로부터 '바다 동쪽의 융성한 나라'라는 뜻의 해동성국이라는 칭호를 듣게 되었다.

오답 분석

① **후고구려**: 마진·태봉 등의 국호를 사용한 나라는 궁예가 세운 후고구려이다. 궁예는 후고구려를 건국한 후 송악(개성)에서 철원으로 천도하고, 국호도 후고구려에서 마진으로 바꾸었다가 다시 태봉으로 바꾸었다.

③ **후백제**: 백제의 부흥을 내걸고 완산주(전주)에 도읍을 정한 나라는 견훤이 세운 후백제이다. 견훤은 신라 하대에 전라도 지역의 군사력과 호족의 후원을 바탕으로 완산주에서 후백제를 건국하였다.

④ **통일 신라**: 지금의 황해도 지역에 패강진이라는 군진을 개설한 나라는 통일 신라이다. 통일 신라 선덕왕 때 황해도 지역에 패강진을 개설하고 패강 일대의 땅을 군사 정부의 방식으로 통치하였다.

30

2022년 소방간부후보생

다음 기구를 운영한 국가에 대한 설명으로 옳은 것은?

> 좌사정·우사정 각 1명이 좌평장사·우평장사의 아래에 있는데, 복야와 비슷하며 좌윤·우윤은 이승과 비슷하다. 좌육사에는 충부·인부·의부에 각 1명의 경이 사정의 아래에 두어져 있다. 지사인작부·창부·선부에는 부마다 낭중과 원외가 있다. 우육사에는 지부·예부·신부와 지사인 융부·계부·수부가 있는데, 경과 낭은 좌에 준하니 육관과 비슷하다.

① 인안, 대흥 등의 독자적인 연호를 사용하였다.

② 관리의 비리를 감찰하는 사정부를 설치하였다.

③ 국호를 마진으로 바꾸고 철원을 도읍으로 삼았다.

④ 지방 세력 견제를 위해 상수리 제도를 실시하였다.

⑤ 어사대의 관원은 중서문하성의 낭사와 함께 대간으로 불렸다.

문제풀이 발해

난이도 하

제시문에서 충부·인부·의부·지부·예부·신부 등 유교식 명칭을 사용한 기구를 운영하였다는 것을 통해 발해에 대한 설명임을 알 수 있다.

① 발해는 무왕 때 '인안', 문왕 때 '대흥' 등의 독자적인 연호를 사용하였다.

오답 분석

② **신라**: 관리의 비리를 감찰하는 사정부를 설치한 국가는 신라이다. 한편, 발해는 관리 감찰 기관으로 중정대를 두었다.

③ **후고구려**: 국호를 마진으로 바꾸고 철원을 도읍으로 삼은 국가는 궁예가 세운 후고구려이다.

④ **신라**: 지방 세력의 견제를 위해 상수리 제도를 실시한 국가는 신라이다. 상수리 제도는 지방 호족들을 일정 기간 수도에 머물게 하는 제도로, 고려 시대에 실시된 기인 제도에 영향을 주었다.

⑤ **고려**: 어사대의 관원이 중서문하성의 낭사와 함께 대간으로 불린 국가는 고려이다. 대간은 왕의 잘못을 논하거나 올바른 정책을 제시하는 간쟁, 잘못된 왕명을 시행하지 않고 돌려 보내는 봉박, 관리의 임명 및 법령의 개정이나 폐지 등에 동의하는 서경권을 지니고 있었다.

31

2019년 경찰직(2차)

발해에 대한 설명으로 가장 적절하지 않은 것은?

① 기후가 좋지 않고 토지가 척박하여 농업은 콩, 보리, 조 등을 재배하는 밭농사 중심이었다.

② 불교가 장려됨에 따라 여러 불상이 제작되었다.

③ 당을 견제하기 위해 북으로는 거란, 남으로는 일본과 통교하였다.

④ 8세기 전반에는 당과 대립하였으나 8세기 후반부터 친선 관계로 바뀌었다.

문제풀이 발해 난이도 중

③ 발해 무왕은 당과 신라를 견제하기 위해 북으로는 돌궐, 남으로는 일본과 통교하였다. 한편, 거란은 야율아보기의 부족 통일 및 거란국 건국 이후(916) 활발한 확장 정책을 전개한 북방 민족으로, 발해는 거란의 침략을 받아 멸망하였다(926).

오답 분석

① 발해는 기후가 좋지 않고 토지가 척박하여 콩, 보리, 조 등을 재배하는 밭농사가 농업의 중심을 이루었으며, 벼농사는 일부 지역에서만 행해졌다.

② 발해에서는 불교가 장려됨에 따라 많은 불상이 제작되었으며, 불상을 수출하기도 하였다. 발해의 대표적인 불상으로는 고구려 불상 양식의 영향을 받은 이불 병좌상이 있다.

④ 발해는 8세기 전반 무왕 때까지 당과 대립 관계였으나, 8세기 후반 문왕 때부터 친선 관계로 전환되면서 당에 유학생을 보내고 당의 문물을 받아들이는 등 활발한 교류를 전개하였다.

32

2016년 지방교행직

(가) 국가에 대한 설명으로 옳지 않은 것은?

> 왕자 대봉예가 당 조정에 문서를 올려, (가) 이/가 신라보다 윗자리에 자리 잡기를 청하였다. 이에 대해 대답하기를, "국명의 선후는 원래 강약에 따라 일컫는 것이 아닌데, 조정 제도의 등급과 위엄을 지금 어찌 나라의 성하고 쇠한 것으로 인해 바꿀 수 있겠는가? 마땅히 이전대로 할 것이다."라고 하였다.

① 인안, 대흥 등의 독자적인 연호를 사용하였다.

② 위화부를 두고 관리 인사 업무를 담당케 하였다.

③ 일본에 보낸 문서에 고려 국왕이라는 명칭을 사용하였다.

④ 대부분의 말갈족을 복속시켰고 요동 지역으로도 진출하였다.

문제풀이 발해 난이도 중

제시된 자료는 발해와 신라의 사신 자리 다툼 사건(쟁장 사건)과 관련된 내용이다. 왕자 대봉예가 신라보다 윗자리에 자리 잡기를 청하였다는 내용을 통해 (가) 국가가 발해임을 확인할 수 있다.

② 위화부는 신라에서 관리 선발과 인사 고과 등을 담당한 관청으로, 진평왕 때 설치되었다.

오답 분석

① 발해의 왕들은 대외적으로 자주 국가임을 표출하고 대내적으로 강력한 왕권을 표현하고자 인안(무왕), 대흥(문왕) 등의 독자적인 연호를 사용하였다.

③ 발해 문왕은 일본에 보낸 국서에 스스로 '고려 국왕'이라는 명칭을 사용하였다. 이는 발해가 고구려의 계승 국가임을 보여주는 증거이다.

④ 발해는 선왕 때 대부분의 말갈족을 복속하고, 요동 지역까지 진출하였다.

이것도 알면 **합격!**

발해와 신라의 경쟁 관계를 보여주는 사건

쟁장 사건	발해 왕자 대봉예가 신라 사신보다 윗자리에 앉기를 요청했다가 신라의 반발로 당이 거절한 사건
등제 서열 사건	당의 빈공과 합격자 명단 순서를 두고 발해와 신라가 대립한 사건

정답 29 ② 30 ① 31 ③ 32 ②

33
2012년 국가직 9급

발해의 대외 관계에 대한 설명으로 옳지 않은 것은?

① 당과 신라를 견제하기 위해 돌궐과 외교 관계를 맺기도 하였다.
② 일본과는 서경 압록부를 통해 여러 차례 사신이 왕래하였다.
③ 당에 유학생을 보냈는데 빈공과에 급제한 사람이 여러 명 나왔다.
④ 일본은 발해에 보낸 국서에서 발해왕을 '고려왕'으로 표현하기도 하였다.

34
2021년 국회직 9급

발해의 역사와 문화에 대한 설명으로 옳은 것만을 모두 고르면?

> ㉠ 9세기 전반 선왕 때 최대의 영토를 확보했고, 이후 해동성국으로 불렸다.
> ㉡ 전국을 9주로 나누고 군사·행정상의 요지에 5경을 설치하여 균형 있는 발전을 꾀하였다.
> ㉢ 선조성의 장관을 좌상, 중대성의 장관을 우상이라 불렀다.
> ㉣ 정효 공주 묘는 고구려 고분 구조를 닮았지만 모줄임 천장은 말갈 문화의 영향이다.

① ㉠, ㉡
② ㉠, ㉢
③ ㉡, ㉢
④ ㉡, ㉣
⑤ ㉢, ㉣

문제풀이 발해의 대외 관계
난이도 중

② 발해는 일본과 수도 상경에서 동경 용원부를 통해 일본으로 가는 길인 일본도를 이용하여 교류하였다. 발해가 서경 압록부를 통해 교류하였던 것은 당나라로, 수도 상경에서 서경 압록부를 거쳐 당의 수도인 장안에 이르는 조공도를 이용하여 당과 교류하였다.

오답 분석

① 발해는 당과 신라를 견제하기 위해 북으로는 돌궐과, 동으로는 일본과 외교 관계를 맺었다.
③ 발해는 당의 외국인 대상 과거 시험인 빈공과에서 많은 급제자를 배출하였다.
④ 발해와 교류하였던 일본은 발해에 보낸 국서에서 발해의 왕을 고려왕으로 표현하였으며, 발해를 고려라 부르기도 하였다.

이것도 알면 **합격!**

발해의 교역로

거란도	상경 → 숭령 → 발해 부여부 → 거란의 수도 임황
영주도	상경 → 발해 장령부 → 당나라 영주 → 당의 수도 장안
조공도	상경 → 서경 압록부 → 황해 경유 → 당 덩저우 → 당의 수도 장안
신라도	상경 → 동경 용원부 → 남경 남해부(함경도) → 동해 또는 동해안 → 신라의 수도 서라벌
일본도	상경 → 동경 용원부 → 크라스키노 발해성(러시아 연해주로 추정) → 동해 경유 → 일본의 후쿠라 항구 → 일본의 수도 나라

문제풀이 발해의 역사와 문화
난이도 중

② 옳은 것을 모두 고르면 ㉠, ㉢이다.
㉠ 발해는 선왕 대에 대부분의 말갈족을 복속시키고 랴오둥(요동) 지역으로 진출하며 전성기를 맞이하였는데, 이에 대해 당시 중국인들은 발해를 '바다 동쪽의 융성한 나라'라는 뜻의 해동성국이라 불렀다.
㉢ 발해는 당의 3성 제도를 모방하여 중앙 관제를 정당성, 선조성, 중대성의 3성으로 운영하였는데, 정당성의 장관은 대내상, 선조성의 장관은 좌상, 중대성의 장관은 우상이라 불렀다.

오답 분석

㉡ 발해가 5경(상경·중경·동경·남경·서경)을 설치한 것은 맞지만, 전국을 9주로 나눈 국가는 통일 신라이다. 발해는 영토를 효율적으로 통치하기 위하여 지방 행정 구역을 5경 15부 62주로 편제하였다.
㉣ 모줄임 천장은 말갈 문화의 영향이 아닌 고구려의 영향을 받은 것으로, 발해 문왕의 둘째 딸인 정혜 공주의 묘는 모줄임 천장 구조로 축조되었다. 한편, 발해 문왕의 넷째 딸인 정효 공주의 묘는 당의 영향을 받은 벽돌무덤 양식과 고구려의 영향을 받은 평행고임 천장 양식이 결합되어 축조되었다.

35

2021년 서울시 9급(특수 직렬)

〈보기〉에서 발해 문화가 고구려를 계승하였음을 보여주는 문화 유산을 모두 고른 것은?

> **보기**
> ㉠ 온돌 장치　　㉡ 벽돌무덤
> ㉢ 굴식 돌방무덤　　㉣ 주작대로

① ㉠, ㉡　　② ㉠, ㉢
③ ㉡, ㉣　　④ ㉢, ㉣

36

2018년 국가직 9급

다음은 발해사에 대한 중국과 러시아 입장이다. 한국사의 입장에서 이를 반박하는 증거로 적절한 것은?

> ○ 중국: 소수 민족 지역의 분리 독립 의식을 약화시키려고, 국가라기보다는 당 왕조에 예속된 지방 민족 정권 차원에서 본다.
> ○ 러시아: 중국 문화보다는 중앙 아시아나 남부 시베리아의 영향을 강조하여 러시아의 역사에 편입시키려 한다.

① 신라와의 교통로
② 상경성 출토 온돌 장치
③ 유학 교육 기관인 주자감
④ 3성 6부의 중앙 행정 조직

문제풀이　고구려를 계승한 발해의 문화유산　　난이도 중

② 옳은 것을 모두 고르면 ㉠, ㉢이다.

㉠ 발해의 온돌 장치는 고구려의 주거 문화를 계승한 것으로, 발해의 수도인 상경성 내 궁궐터에서는 온돌 장치가 발견되기도 하였다.

㉢ 발해의 굴식 돌방무덤은 고구려의 무덤 양식을 계승하였다. 대표적인 유적으로는 발해 문왕의 둘째 딸인 정혜 공주 묘가 있는데, 굴식 돌방무덤과 모줄임 천장 구조로 축조되었다.

오답 분석

㉡ **벽돌무덤**: 발해의 벽돌무덤은 고구려가 아닌 당의 영향을 받은 것이다. 대표적인 유적으로는 발해 문왕의 넷째 딸인 정효 공주 묘가 있는데, 벽돌무덤 형식으로 축조되었다.

㉣ **주작대로**: 발해의 주작대로는 고구려가 아닌 당의 영향을 받은 것이다. 주작대로는 발해의 수도인 상경성에 있는 큰 도로로, 당의 수도 장안성에 있는 도로를 모방하여 만들었다.

문제풀이　발해가 고구려를 계승하였다는 증거　　난이도 중

제시문은 발해를 당 왕조에 예속된 지방 민족 정권으로 파악하는 중국의 주장과, 발해가 중앙 아시아나 남부 시베리아의 영향을 받았음을 강조하는 러시아의 주장이다. 이를 반박하기 위해서는 발해 문화가 고구려의 문화를 계승하였음을 보여주는 유물이나 유적을 증거로 찾으면 된다.

② 발해의 왕경 터인 상경성에서 출토된 온돌 장치는 고구려의 주거 양식을 계승한 것으로, 고구려의 것보다 온돌의 면적을 넓혀 난방의 효율을 높였다. 이 밖에도 발해가 고구려의 문화를 계승하였다는 증거로는 정혜 공주 묘의 고분 양식(굴식 돌방 무덤, 모줄임 천장 구조), 발해가 일본으로 보낸 외교 문서, 연꽃무늬 수막새 등이 있다.

오답 분석

① 발해와 신라의 교통로인 신라도는 발해사가 우리 역사라는 증거와 거리가 멀다. 신라도는 발해 문왕 때 신라와의 교역을 재개하며 개척한 무역로로 상경에서부터 시작하여 동경을 거쳐 동해안을 통해 경주로 이어진다.

③ 발해의 유학 교육 기관인 주자감은 당나라 제도의 영향을 받아 설치된 기관이다.

④ 발해의 중앙 행정 조직인 3성 6부는 당나라 제도의 영향을 받아 정비되었다. 발해의 3성 6부 제도는 당나라의 중앙 제도를 모방하였지만 각 기관의 명칭과 운영에서는 발해만의 독자성을 유지하였다.

정답　33 ②　34 ②　35 ②　36 ②

37

2023년 법원직 9급

(가)~(라)를 시대순으로 가장 바르게 연결한 것은?

(가) 견훤이 후백제를 건국하였다.
(나) 신문왕이 관료전을 지급하였다.
(다) 광개토 대왕이 왜군을 격퇴하였다.
(라) 선왕 시기에 '해동성국'으로 불렸다.

① (가) - (다) - (나) - (라)
② (나) - (다) - (라) - (가)
③ (다) - (나) - (라) - (가)
④ (라) - (나) - (다) - (가)

문제풀이 고대사의 전개 난이도 하

③ 시대순으로 나열하면 (다) 광개토 대왕의 왜군 격퇴(400) → (나) 신문왕의 관료전 지급(687) → (라) 발해 선왕 시기(818~830) → (가) 견훤의 후백제 건국(900)이 된다.

(다) **광개토 대왕의 왜군 격퇴:** 광개토 대왕이 신라 내물 마립간의 요청에 따라 군사를 파견하여 신라에 침입한 왜군을 격퇴하였다(400).

(나) **신문왕의 관료전 지급:** 통일 신라 신문왕은 관료에게 관등에 따라 차등 있게 토지의 수조권만을 인정하는 관료전을 지급하였다(687).

(라) **발해 선왕 시기:** 발해는 선왕(818~830) 때 대부분의 말갈족을 복속시키고 요동 지역으로 진출하였으며, 남쪽으로는 신라와 국경을 접할 정도로 넓은 영토를 차지하였다. 이후 전성기를 맞은 발해는 당으로부터 해동성국이라 불렸다.

(가) **견훤의 후백제 건국:** 견훤은 전라도 지방의 군사력과 호족 세력을 토대로 완산주(전주)에 도읍을 정하고 후백제를 건국하였다(900).

38

2018년 서울시 9급(6월 시행)

통일 신라에 대한 설명으로 가장 옳은 것은?

① 통일 후에는 주로 진골 귀족으로 구성된 9서당을 국왕이 장악함으로써 왕실이 주도하는 교육 제도를 구축하였다.
② 불교가 크게 융성한 통일 신라의 수도인 경주에서는 주로 천태종이 권력과 밀착하며 득세하였다.
③ 신라 중대 때는 주로 원성왕의 후손들이 즉위하면서 비교적 강력한 왕권을 행사하였다.
④ 넓어진 영토를 관리하기 위해 지방 행정을 구획하였는데, 5소경도 이에 해당한다.

문제풀이 통일 신라 난이도 중

④ 통일 신라는 넓어진 영토를 관리하기 위해 전국을 9주 5소경으로 나누어 정비하였다. 특히 5소경은 영토의 동남쪽에 치우친 수도의 편향성을 보완하기 위해 군사·행정상의 요충지에 설치되었다.

오답 분석

① 9서당은 진골 귀족이 아닌 여러 민족의 유민들이 포함되어 구성된 통일 신라의 중앙군이다. 9서당은 통일 신라의 수도인 경주에 주둔하면서 수도의 방어와 치안을 담당하였으며 신라인과 함께 고구려, 백제, 보덕, 말갈의 피정복민도 포함되었다.

② 천태종은 고려 시대에 의천이 창시한 교종 계열의 불교 종파이다. 통일 신라는 당나라와 교류를 활발하게 진행하면서 폭 넓은 불교 사상을 수용하였으며, 전국적으로 5교 9산이 성립되어 교종과 선종이 두루 발달하였다.

③ 신라 중대 때는 무열왕의 후손들이 즉위하여 강력한 왕권을 행사하였다. 한편 신라 하대에 내물왕의 후손인 김경신(원성왕)이 무열왕의 후손인 김주원을 밀어내고 즉위한 이후에는 원성왕의 후손들이 주로 왕위에 올랐다.

39

2015년 국가직 9급

통일 신라의 지방 행정 조직에 대한 설명으로 옳지 않은 것은?

① 신문왕 대에 9주 5소경 체제로 정비하였다.

② 주(州)에는 지방 감찰관으로 보이는 외사정이 배치되었다.

③ 5소경을 전략적 요충지에 두고, 도독이 행정을 관할토록 하였다.

④ 촌주가 관할하는 촌 이외에, 향·부곡이라는 행정 구역도 있었다.

 **문제풀이 통일 신라의 지방 행정 조직** 난이도 중

③ 5소경에 파견된 장관은 사신이다. 통일 신라의 5소경은 군사적·행정적 요충지에 설치되었고, 이곳에 정복 국가의 귀족들을 강제로 이주시켜 살도록 하였다. 또한 이들을 통제하기 위해 중앙 귀족을 장관인 사신으로 파견하였다. 한편 도독은 9주에 파견된 지방 장관이었다.

오답 분석

① 통일 신라의 지방 행정 제도인 9주 5소경 체제는 신문왕 때 완비되었다.

② 통일 신라는 문무왕 때 각 지방에 감찰관인 외사정을 파견하여 지방관을 감찰하였다.

④ 통일 신라에는 향·부곡이라는 특수 행정 구역이 있었는데, 여기의 주민들은 일반 농민보다 더 많은 공물을 부담하는 등 차별을 받았다.

 이것도 알면 **합격!**

통일 신라의 지방 통제 정책

상수리 제도	• 지방 향리를 수도에 머물게 하여 지방 세력을 견제 • 기인 제도(고려), 경저리(조선)로 계승
외사정 파견 (문무왕)	• 지방 행정 통제와 지방관 감찰을 위해 설치한 외관직 • 주마다 2인의 외사정 파견

40

2017년 지방직 9급(12월 시행)

발해의 통치 체제에 대한 설명으로 옳은 것은?

① 사정부를 두어 관리를 감찰하였다.

② 중앙의 핵심 군단으로 9서당이 있었다.

③ 정당성 아래에 있는 6부가 정책을 집행하였다.

④ 중앙과 지방에 각각 6부와 9주를 두어 다스렸다.

문제풀이 발해의 통치 체제 난이도 하

③ 발해에서는 정당성 아래의 6부가 정책을 집행하였다. 발해는 당의 제도를 수용하여 중앙 관제를 3성 6부 체제로 정비하였으며, 정책 결정은 최고 통치 기관인 정당성이 담당하고 정당성의 장관인 대내상이 국정을 총괄하였다. 6부는 정당성 아래에 좌사정과 우사정으로 분화되어 있었으며, 6부의 명칭은 당과 달리 충, 인, 의 등 유교적 덕목을 사용하였다.

오답 분석

모두 신라에 대한 설명이다.

① **신라**: 사정부를 두어 관리를 감찰한 것은 신라이다. 신라는 무열왕 때 백관의 감찰을 관장하는 기관으로 사정부를 설치하였다(659). 발해에는 관리 감찰 기관으로 중정대가 있었다.

② **신라(통일 이후)**: 중앙의 핵심 군단으로 9서당이 있었던 것은 통일 신라이다. 9서당에는 신라인은 물론 고구려, 백제, 말갈 등의 피정복민이 함께 편성되어 있었다. 발해의 중앙군은 10위로, 왕궁과 수도의 경비를 담당하였다.

④ **신라(통일 이후)**: 중앙을 6부로, 지방을 9주로 나누어 통치한 것은 통일 신라이다. 발해는 지방을 5경 15부 62주로 나누어 통치하였다.

정답 37 ③ 38 ④ 39 ③ 40 ③

41

2015년 지방직 9급

밑줄 친 '북국(北國)'에 대한 설명으로 옳지 않은 것은?

> 원성왕 6년 3월 북국(北國)에 사신을 보내 빙문(聘問)하였다. …… 요동 땅에서 일어나 고구려의 북쪽 땅을 병합하고 신라와 서로 경계를 맞대었지만, 교빙한 일이 역사에 전하는 것이 없었다. 이때 와서 일길찬 백어(伯魚)를 보내 교빙하였다.

① 감찰 기관으로 중정대가 있었다.
② 최고 교육 기관으로 태학감을 두었다.
③ 중앙의 정치 조직으로 3성 6부를 두었다.
④ 지방의 행정 조직으로 5경 15부 62주가 있었다.

 **문제풀이 발해** 난이도 중

제시문에서 고구려의 북쪽 땅을 병합하고 신라와 서로 경계를 맞대었다는 내용을 통해 밑줄 친 '북국(北國)'이 발해라는 것을 알 수 있다.

② 발해의 최고 교육 기관은 주자감이다. 태학감은 신라의 교육 기관인 국학을 이르는 것으로, 경덕왕 때 국학을 태학감으로 개칭했다가 혜공왕 때 다시 국학으로 고쳐 불렀다.

오답 분석
① 발해는 관리 감찰을 담당하는 중정대를 두어 관리들의 비리를 규찰하고 감찰하였다.
③ 발해의 중앙 정치 조직은 3성 6부제였다. 이는 당의 제도를 수용한 것이었으나 명칭과 운영에 있어 발해만의 독자성을 보였다.
④ 발해의 지방 행정 조직은 5경 15부 62주로, 선왕 때 정비되었다. 5경은 전략적 요충지에, 15부는 지방 행정의 중심지에 설치되었고, 부 아래에는 62주와 현, 촌이 있었다.

42

2013년 기상직 9급

다음은 발해의 통치 조직에 관한 표이다. 이와 관련된 설명으로 옳지 않은 것은?

※ ( ) 안은 당의 관제임.

① 선조성과 중대성의 장관이 국정을 총괄하였다.
② 관청의 명칭을 유교식으로 변화시켜 사용하였다.
③ 당의 제도를 수용하였으나 명칭과 운영에서 독자성이 나타난다.
④ 좌사정과 우사정이 각각 3부씩 나누어 맡는 이원적 통치 체제를 운영하였다.

 **문제풀이 발해의 통치 조직** 난이도 중

① 발해는 정당성을 최고의 통치 기관으로 하여 국가의 중대사를 결정하는 등 국정을 총괄하였다. 선조성은 정책 심의를, 중대성은 정책 수립을 담당하였다.

오답 분석
② 발해는 충부(이부), 인부(호부), 의부(예부), 지부(병부), 예부(형부), 신부(공부) 등 6부의 명칭을 유교식으로 변화시켜 사용하였다.
③ 발해의 3성 6부제는 당의 제도를 수용한 것이나 명칭과 운영에서는 독자성을 보였다.
④ 발해의 6부는 좌사정이 충, 인, 의 3부를, 우사정이 지, 예, 신 3부를 각각 나누어 관할하는 이원적 통치 체제였다.

 이것도 알면 **합격!**

발해의 3성 6부

구분	내용
3성	• 정당성: 국가 최고 회의 기구, 정책 집행 • 선조성: 정책 심의 • 중대성: 정책 수립
6부	• 좌사정: 충부(문관 인사), 인부(조세·재정), 의부(의례·교육) • 우사정: 지부(국방·무관 인사), 예부(법률·형법), 신부(건설·토목)
기타	중정대(관리 감찰), 문적원(서적 관리), 주자감(국립 대학), 항백국(왕실의 명령 전달 및 경호), 7시(궁중 실무)

43

2018년 지방직 9급

성격이 유사한 것끼리 옳게 짝지은 것은?

① 기인 제도 – 녹읍 제도

② 2성 6부 – 5경 15부

③ 중정대 – 승정원

④ 대대로 – 대내상

44

2018년 국가직 9급

시대별 지방 행정 제도에 대한 설명으로 옳은 것은?

① 통일 신라 – 촌의 행정은 촌주가 담당하였다.

② 발해 – 전국 330여 개의 모든 군현에 수령을 파견하였다.

③ 고려 – 촌락 지배 방식으로 면리제가 확립되었다.

④ 조선 – 향리 통제를 위하여 사심관을 파견하였다.

문제풀이 성격이 유사한 정치 제도 난이도 중

④ 고구려의 대대로와 발해의 대내상은 국정을 총괄하는 국가의 최고 관직이었다는 점에서 성격이 유사하다. 대대로는 고구려의 제1관등으로 국정 운영을 총괄하는 재상의 역할을 하였고, 대내상은 발해의 최고 행정 기관인 정당성의 장관으로 국정을 총괄하였다.

오답 분석

① 기인 제도는 고려의 태조 왕건이 지방 호족들을 견제하기 위해 호족의 자제를 뽑아 개경에서 머물도록 한 인질 제도이고, 녹읍 제도는 국가에서 귀족에게 일정 지역의 토지에 대한 수조권과 노동력 징발권을 부여하는 토지 제도이다.

② 2성 6부는 당나라의 3성 6부제를 모방하여 정비한 고려의 중앙 정치 제도이고, 5경 15부는 발해의 지방 행정 구역이다. 발해는 15부 밑에 62주와 현을 설치하여 각각 자사와 현승을 파견하였다.

③ 중정대는 관리들의 비리를 관리 감찰하는 발해의 감찰 기구이고, 승정원은 조선 시대 국왕의 비서 기관으로 왕명의 출납과 국가 기밀 등을 담당하였다. 조선 시대에 관리에 대한 감찰은 사헌부가 담당하였다.

문제풀이 시대별 지방 행정 제도 난이도 중

① 통일 신라의 말단 행정 구역인 촌에는 지방관이 따로 파견되지 않았고, 토착 세력인 촌주가 촌의 행정을 담당하였다.

오답 분석

② **조선 시대**: 전국 330여 개의 모든 군현에 수령을 파견한 것은 조선 시대의 사실이다. 발해는 지방을 5경 15부 62주로 나누어 지방관을 파견하고, 말단 행정 구역인 촌락은 토착 세력인 촌장을 통해서 지배하였다.

③ **조선 시대**: 촌락 지배 방식으로 면리제가 확립된 것은 조선 시대의 사실이다.

④ 지방 세력을 통제하기 위해 중앙의 고급 관리를 자기 출신지의 사심관으로 임명한 것은 고려 시대의 사실이며, 사심관은 지방에 파견되지 않고 중앙에 거주하였다. 한편 조선 시대에는 전국의 모든 군현에 수령이 파견되었고, 조선 시대의 향리는 수령을 보좌하며 행정 실무를 담당하는 아전의 역할을 하였다.

정답 41 ② 42 ① 43 ④ 44 ①

1 | 고대의 경제

01

2017년 지방직 7급

다음은 삼국의 주요 대외 교역 물품을 표시한 지도이다. ㉠ ~ ㉣에 들어갈 내용으로 옳은 것은?

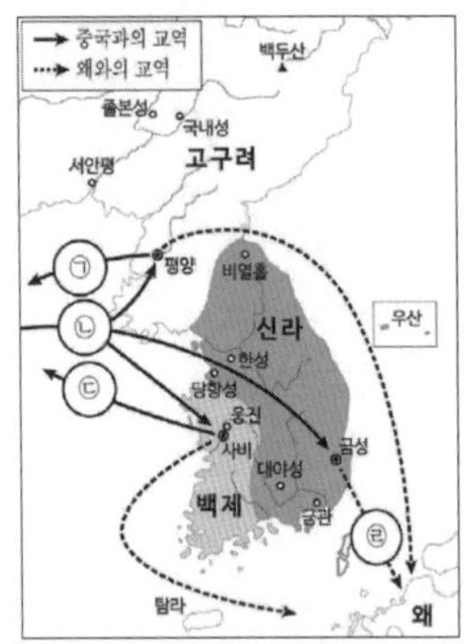

① ㉠: 도자기, 비단, 서적

② ㉡: 인삼, 직물류

③ ㉢: 금, 은, 모피류

④ ㉣: 곡물, 비단

 **문제풀이 삼국의 대외 무역** 난이도 중

삼국의 국제 무역은 4세기 이후 크게 발달하였다. 고구려는 중국의 남북조 및 북방의 유목민과 주로 교류하였으며 중국에 금·은·모피류를, 왜에는 해표피·모피류 등을 수출하였다. 백제는 남중국 및 왜와 활발하게 교류하였으며 중국에 인삼·직물류를, 왜에는 곡물·직물류 등을 수출하였다. 신라는 한강 유역을 확보하기 전에는 고구려와 백제를 통해 간접적으로 중국과 무역하였으나, 한강 유역을 확보한 이후에는 당항성을 통하여 중국과 직접 교역하였다. 한편 세 나라 모두 중국으로부터 비단, 서적, 도자기 등을 수입하였다.

④ 신라는 왜에 곡물과 비단을 수출하였다.

오답 분석

① 도자기, 비단, 서적은 고구려·백제·신라가 중국으로부터 수입한 물품(㉡)이다. 고구려가 중국에 수출한 품목은 금, 은, 모피류이다.

② 인삼, 직물류는 백제가 중국에 수출한 품목(㉢)이다. 고구려와 백제가 중국으로부터 수입한 물품은 비단·서적·도자기이다.

③ 금, 은, 모피류는 고구려가 중국에 수출한 품목(㉠)이다.

02

2017년 지방직 9급(12월 시행)

'신라 촌락(민정) 문서'를 통해서 알 수 있는 내용으로 옳지 않은 것은?

① 인구를 중시하여 소아의 수까지 파악했다.

② 내시령과 같은 관료에게 토지가 지급되었다.

③ 촌락의 경제력을 파악할 때 유실수의 상황을 반영했다.

④ 촌락을 통제하기 위해서 지방관으로 촌주가 파견되었다.

 **문제풀이 민정 문서** 난이도 하

④ 촌주는 중앙에서 파견한 지방관이 아니라 촌락의 토착 세력이다. 민정 문서에 나타난 당시 농민들은 촌락에 거주하였으며, 토착 세력인 촌주의 통제를 받고 있었다. 한편 신라 민정(촌락) 문서를 통해 촌주에게 직역에 대가로 촌주위답이라는 토지가 지급되었음을 알 수 있다.

오답 분석

① 민정 문서에는 인구를 남녀로 구분하여 소아와 노인은 물론 노비의 수까지 기재하였는데, 이를 통해 신라가 인구를 중시하였음을 알 수 있다.

② 민정 문서에 따르면 촌락의 농민들은 내시령답이라는 토지를 경작하였으며, 이를 통해 관료에게 토지가 지급되었음을 알 수 있다. 내시령답은 중앙 관료로 추정되는 내시령에게 분급된 토지이다.

③ 민정 문서는 촌락 단위로 뽕나무·잣나무 등 유실수의 수까지 기록하였는데, 이는 촌락의 경제력을 명확히 파악하기 위함이었다.

 이것도 알면 **합격!**

민정 문서

발견	일본 도다이지 쇼소인(1933)
작성	촌주가 3년마다 작성(매년 호구의 감소만을 기재하는 추가 기록 존재)
내용	• 조사 대상: 각 촌락의 호 수, 인구 수, 우마 수, 토지 크기 등 • 인구: 남녀를 각각 연령에 따라 6등급으로 구분 • 호(戶): 사람의 다소(多少)에 따라 9등급으로 구분 • 토지: 논, 밭 및 촌주위답, 연수유전답, 내시령답, 관모전답, 마전 등의 총면적 기재

03

2015년 국가직 7급

일본 정창원(正倉院)에서 발견된 신라 민정(촌락) 문서에 대한 설명으로 옳지 않은 것은?

① 호구와는 달리 전답 면적의 증감은 기록되어 있지 않다.

② 인구는 남녀를 망라하여 연령에 따라 6등급으로 나누었다.

③ 촌락을 단위로 소와 말의 수 및 뽕나무·잣나무·호두나무의 수까지 기록하였다.

④ 서원경 부근 4개 촌락의 주민 이름, 성별, 나이와 노비의 수를 구체적으로 기재하였다.

04

2014년 지방직 9급

통일 신라 시대 민정 문서(장적)에 대한 설명으로 옳지 않은 것은?

① 인구, 가호, 노비 및 소와 말의 증감까지 매년 작성하였다.

② 토지에는 연수유전답, 촌주위답, 내시령답이 포함되어 있다.

③ 사람은 남녀로 나누고, 연령을 기준으로 하여 6등급으로 구분하였다.

④ 호(戶)는 상상호(上上戶)에서 하하호(下下戶)까지 9등급으로 구분하였다.

문제풀이 민정 문서

난이도 중

④ 신라 민정 문서에는 주민의 이름이 구체적으로 기재되어 있지 않았다. 신라 민정 문서에는 각 촌락의 호(戶) 수, 인구 수, 우마 수, 토지 종류와 총 면적, 수목(뽕나무·잣나무·호두나무 등)의 수 등이 기록되어 있다.

오답 분석

① 신라 민정 문서에는 매년 호구의 감소가 기록되어 있는 반면 토지 면적의 증감은 기록되어 있지 않고, 토지의 종류와 면적만 기록되어 있다.

② 신라 민정 문서에서 인구는 남녀를 각각 연령에 따라 6등급으로 나누어 기록하였다.

③ 신라 민정 문서에는 촌락을 단위로 하여 소·말의 수와 뽕나무·잣나무·호두나무 등의 수가 기록되어 있다. 이러한 상세한 기록은 생산 자원을 관리하여 조세나 공물 등을 부과하기 위한 것이었다.

이것도 알면 **합격!**

민정 문서의 호(戶)

등급 기준	사람의 많고 적음에 따라 호구의 등급을 나누었다는 학설이 지배적이지만 재산(토지)의 다과에 따라 구분하였다는 의견도 있음
기록	가호는 공연과 계연으로 구분하여 표시 - 공연: 상상연에서 하하연까지 9등급으로 표시된 등급 호 - 계연: 각 등급 호에 특정한 수를 곱한 후 촌 단위로 합쳐 산출된 계산된 호

문제풀이 민정 문서

난이도 중

① 민정 문서는 인구, 가호, 노비 및 소와 말의 증감 등을 촌주가 매년 조사해 두었다가 3년마다 작성한 것이다.

오답 분석

② 민정 문서에서는 논과 밭을 비롯하여 일반 농민이 소유한 토지인 연수유전답과 촌주에게 지급된 토지인 촌주위답, 내시령이라는 관료에게 지급된 토지인 내시령답 등의 토지가 포함되어 있었다.

③ 민정 문서에서 사람은 남녀로 나누고, 각각 연령별로 6등급으로 구분하여 기록하였다.

④ 민정 문서에서 호(戶)는 사람의 많고 적음에 따라 상상호에서 하하호까지 9등급으로 나누어 파악하였다.

이것도 알면 **합격!**

민정 문서에 기록된 토지

촌주위답	직역에 대한 대가로 조세 납부를 면제받는 촌주 소유의 토지
연수유전답	공연이 소유한 전답(민정 문서에 기록된 토지의 97%)
내시령답	중앙 관리인 내시령에게 지급된 토지
관모전답	관청 운영 경비를 충당하기 위해 설정된 토지
마전	마을의 정남들이 공동으로 삼(麻)을 경작한 토지

정답 01 ④ 02 ④ 03 ④ 04 ①

05

2018년 서울시 9급(6월 시행)

〈보기〉의 통일 신라 시대의 경제 제도를 시간 순으로 바르게 나열한 것은?

> **보기**
> ㉠ 중앙과 지방의 여러 관리에게 매달 주던 녹봉을 없애고 다시 녹읍을 주었다.
> ㉡ 중앙과 지방 관리들의 녹읍을 폐지하고 해마다 조(租)를 차등 있게 주었으며 이를 일정한 법으로 삼았다.
> ㉢ 처음으로 백성들에게 정전(丁田)을 지급하였다.
> ㉣ 교서를 내려 문무 관료들에게 토지를 차등 있게 주었다.

① ㉡ → ㉠ → ㉣ → ㉢

② ㉡ → ㉣ → ㉠ → ㉢

③ ㉣ → ㉢ → ㉡ → ㉠

④ ㉣ → ㉡ → ㉢ → ㉠

문제풀이 통일 신라 시대의 경제 제도

난이도 중

④ 순서대로 나열하면 ㉣ 관료전 지급(687) → ㉡ 녹읍 폐지(689) → ㉢ 정전 지급(722) → ㉠ 녹읍 부활(757)이 된다.

㉣ **관료전 지급**: 신문왕 때 문무 관료들에게 관직의 높낮이에 따라 차등을 두어 조세 징수만이 가능한 토지인 관료전을 주었다(687).

㉡ **녹읍 폐지**: 신문왕 때 조세 수취는 물론 노동력 징발까지 가능했던 녹읍을 폐지하여 귀족들의 경제적 기반을 약화시키고, 해마다 관등에 따라 조(租)를 차등있게 지급하였다(689).

㉢ **정전 지급**: 성덕왕 때 강화된 국가의 토지 지배력을 바탕으로 모든 토지는 왕의 소유라는 왕토 사상에 근거하여 일반 백성들에게 정전(丁田)을 지급하였다(722).

㉠ **녹읍 부활**: 경덕왕 때에는 관리들에게 매달 주던 녹봉을 폐지하고 녹읍을 다시 지급하였다(757).

이것도 알면 **합격!**

통일 신라 토지 제도의 변화

관료전 지급, 녹읍 폐지 (신문왕)	• 관리에게 봉급 대신 관등에 따라 관료전 지급 • 중앙과 지방 관리들의 녹읍 폐지
정전 지급(성덕왕)	왕토 사상에 근거하여 일반 백성들에게 정전 지급
녹읍 부활(경덕왕)	관리에게 주던 녹봉을 폐지하고, 녹읍 부활

06

2018년 지방교행직

(가)에 대한 설명으로 옳은 것은?

> • 경덕왕 16년, 내외 관료의 월봉을 없애고 다시 [(가)]을/를 내려주었다. -『삼국사기』
> • 왕건이 예산진(禮山鎭)에 행차하여 이르기를, "지난날 신라의 정치가 쇠퇴하자 도적 무리가 다투어 일어나 백성은 흩어지고 들판에는 해골이 나뒹굴었다. … (중략) … 공경(公卿)이나 장상(將相)은 내가 백성을 자식처럼 사랑하는 마음을 헤아려 너희 [(가)]에 소속되어 있는 백성을 불쌍히 여겨야 한다."라고 하였다. -『고려사』

① 경기(京畿)에 한정하여 지급되었다.

② 토지 비옥도에 따라 6등급으로 구분되었다.

③ 지역을 단위로 설정되어 수취가 허용되었다.

④ 18등급으로 나누어 지급되었으며 전지와 시지로 구성되었다.

문제풀이 녹읍

난이도 하

제시문에서 경덕왕 때 다시 지급되었다는 것을 통해 (가)는 녹읍임을 알 수 있다. 녹읍은 관직 복무의 대가로 귀족들에게 지급된 토지로, 신라 중대 신문왕 때 폐지되었다가 경덕왕 때 부활하였으며, 이후 고려의 태조 왕건이 후삼국을 통일한 이후에 완전히 폐지되었다.

③ 녹읍은 일정한 지역을 단위로 설정된 토지로, 조세 수취는 물론 노동력의 징발까지 허용된 토지였기 때문에 귀족의 경제·군사적 기반이 되었다.

오답 분석

① **과전(조선 시대)**: 경기에 한정하여 지급된 것은 조선 시대의 과전이다.

② **전분 6등법(조선 시대)**: 토지의 비옥도에 따라 토지의 등급을 6등급으로 구분한 것은 조선 전기 세종 때 실시된 조세 수취 방식인 전분 6등법이다.

④ **전시과(고려 시대)**: 관리를 18등급으로 나누어 전지와 시지를 지급한 것은 고려 시대의 전시과 제도이다.

07

2014년 사회복지직 9급

다음은 신라 토지 제도의 전개에 대한 설명이다. ㉠~㉣에 들어갈 내용을 바르게 나열한 것은?

> • 신문왕 7년, [㉠]을 차등 있게 지급하였다.
> • 신문왕 9년, 내외관의 [㉡]을 혁파하였다.
> • 성덕왕 21년, 처음으로 백성에게 [㉢]을 지급하였다.
> • 경덕왕 16년, 다시 [㉣]을 지급하였다.

	㉠	㉡	㉢	㉣
①	녹읍	식읍	민전	식읍
②	식읍	녹읍	정전	녹읍
③	문무 관료전	녹읍	정전	녹읍
④	문무 관료전	식읍	민전	식읍

08

2012년 지방직(상) 9급

밑줄 친 ㉠~㉣에 대한 설명으로 옳은 것은?

> • 문무왕 8년(668) 김유신에게 태대각간의 관등을 내리고 ㉠ 식읍 500호를 주었다.
> • 신문왕 7년(687) 문무 관리들에게 ㉡ 관료전을 차등 있게 주었다.
> • 신문왕 9년(689) 내외 관료의 ㉢ 녹읍을 혁파하고 매년 조(租)를 주었다.
> • 성덕왕 21년(722) 처음으로 백성에게 ㉣ 정전을 지급하였다.

① ㉠ – 조세를 수취하고 노동력을 징발할 권리를 부여하였다.
② ㉡ – 하급 관료와 군인의 유가족에게 지급하였다.
③ ㉢ – 전쟁에서 큰 공을 세운 사람에게 공로의 대가로 지급하였다.
④ ㉣ – 왕권이 약화되는 배경이 되었다.

문제풀이 신라의 토지 제도

난이도 중

③ 들어갈 내용을 바르게 나열하면 ㉠ 문무 관료전, ㉡ 녹읍, ㉢ 정전, ㉣ 녹읍이 된다.

㉠ 신문왕은 수조권을 행사할 수 있는 문무 관료전을 관리들에게 차등 있게 지급하였다.

㉡ 신문왕은 관료전을 지급하는 대신 조세 수취는 물론 노동력까지 징발할 수 있었던 녹읍을 폐지하였다.

㉢ 성덕왕은 왕토 사상에 근거하여 일반 백성들에게 정전을 지급하였다.

㉣ 경덕왕은 왕권이 약화되고 귀족들의 권한이 강해지자, 귀족들의 반발로 녹읍을 다시 지급하였다.

이것도 알면 **합격!**

녹읍과 식읍

구분	내용
녹읍	• 국가에서 관료에게 지급한 일정 지역의 토지 • 조세 수취 및 그 토지에 딸린 노동력을 징발할 수 있었음
식읍	• 국가에서 왕족, 공신 등에게 수여한 토지와 가호 • 조세를 수취하고 노동력을 징발할 수 있는 권리 부여

문제풀이 통일 신라의 토지 제도

난이도 하

① 식읍이란 국가에서 왕족이나 큰 공을 세운 공신에게 수여한 토지로, 조세를 수취하고 노동력을 징발할 수 있었다.

오답 분석

② **구분전**: 하급 관료와 군인의 유가족에게 지급한 것은 고려 시대의 구분전이다. 관료전은 관등에 따라 지급한 것으로 수조권을 인정한 토지였다.

③ **식읍**: 전쟁에서 큰 공을 세운 사람에게 공로의 대가로 지급한 것은 식읍이다. 녹읍은 관료 귀족에게 지급한 것이었다.

④ 정전은 왕권이 약화되는 배경이 되지 않았다. 성덕왕은 왕토 사상에 기반하여 일반 백성들에게 정전을 지급하고 세금을 징수하였는데, 이는 토지에 대한 국가의 지배력이 강화되었음을 보여주는 것이다.

이것도 알면 **합격!**

왕토 사상

• '모든 토지는 왕토 아닌 것이 없고, 모든 국민은 왕의 신하 아닌 사람이 없다.'는 관념적인 사상
• 실제로는 백성들 사이에서 토지의 매매·증여·상속이 이뤄짐

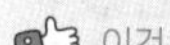

정답 05 ④ 06 ③ 07 ③ 08 ①

09

2019년 국가직 9급

(가) 시기의 경제 상황에 대한 설명으로 옳은 것은?

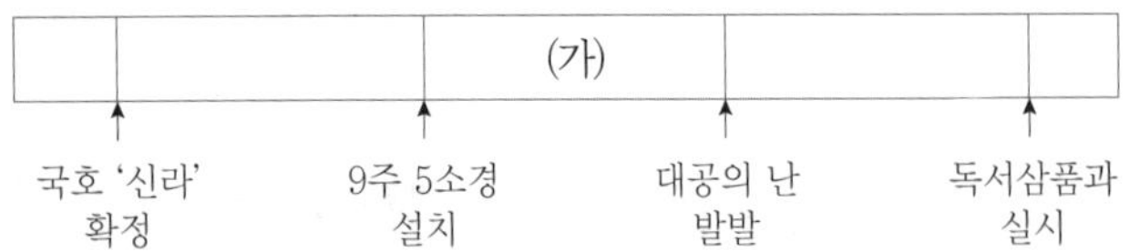

① 백성에게 정전을 처음으로 지급하였다.
② 시장을 감독하는 관청인 동시전을 신설하였다.
③ 백성의 구휼을 위하여 진대법을 제정하였다.
④ 청주(菁州)의 거로현을 국학생의 녹읍으로 삼았다.

10

2019년 지방직 9급

통일 신라의 경제 상황에 대한 설명으로 옳지 않은 것은?

① 왕경에 서시전과 남시전이 설치되었다.
② 어아주, 조하주 등 고급 비단을 생산하여 당나라에 보냈다.
③ 촌락의 토지 결수, 인구 수, 소와 말의 수 등을 파악하였다.
④ 시비법과 이앙법 등의 발달로 농민층에서 광작이 성행하였다.

문제풀이 신라 중대의 경제 상황

난이도 중

제시된 연표에서 국호 '신라' 확정은 지증왕 때인 503년, 9주 5소경 설치는 신문왕 때인 685년, 대공의 난 발발은 혜공왕 때인 767 혹은 768년, 독서삼품과 실시는 원성왕 때인 788년이다. 따라서 (가)는 685년부터 767 혹은 768년 사이의 시기이다.

① (가) 시기인 신라 중대에 성덕왕이 백성에게 정전을 처음으로 지급하였다. 성덕왕은 왕토 사상에 근거하여 일반 백성들에게 정전을 지급(722)하여 국가의 토지 지배력을 강화하였다.

오답 분석

② **(가) 이전**: 시장을 감독하는 관청인 동시전을 신설(509)한 것은 지증왕 때로 (가) 시기 이전이며, 9주 5소경 설치 이전의 사실이다.
③ **(가) 이전**: 고구려의 고국천왕이 백성의 구휼을 위하여 진대법을 시행(194)한 것은 (가) 시기 이전으로, 국호 '신라'가 확정되기 이전의 사실이다.
④ **(가) 이후**: 청주(지금의 경상남도 진주)의 거로현을 국학생의 녹읍으로 삼은(799) 것은 소성왕 때로 (가) 시기 이후이며, 독서삼품과 실시 이후의 사실이다.

문제풀이 통일 신라의 경제 상황

난이도 하

④ 시비법과 이앙법 등의 발달로 넓은 토지를 경영하는 광작이 성행한 것은 조선 후기의 사실이다. 통일 신라는 시비법이 발달하지 못하여 적게는 1년, 많게는 수년간 땅을 경작하지 않고 묵혀 두었다.

오답 분석

① 통일 이후 인구와 물자의 증가로 기존의 동시만으로는 상품 수요를 감당할 수 없게 되자 통일 신라 효소왕 때 왕경에 서시와 남시가 추가로 설치되고, 이를 감독하는 기관인 서시전과 남시전이 설치되었다.
② 통일 신라는 어아주, 조하주 등 고급 비단을 생산하여 당나라에 보냈고, 당으로부터는 금띠와 비단 두루마기 같은 귀족 사치품 등을 답례품으로 받기도 하였다.
③ 통일 신라에서는 촌주가 촌락의 토지 결수, 인구 수, 소와 말의 수 등을 매년 파악하여 3년마다 민정 문서를 작성하였다.

 이것도 알면 **합격!**

통일 신라의 대외 무역

무역항	울산항, 남양만(당항성), 영암 등
무역 국가	• 대당 무역 - 수출품: 명주, 베, 인삼, 금·은 세공품 등 - 수입품: 비단, 책, 귀족의 사치품 등 • 대일본 무역: 처음에는 교류를 제한하였으나 8세기 이후 정치적으로 안정되자 활발하게 교류

11

2017년 사회복지직 9급

다음 중 통일 신라 시대의 사회와 경제 관련 내용으로 가장 옳지 않은 것은?

① 신문왕은 관료전을 지급하고 녹읍을 폐지하였다.

② 성덕왕 대에는 일반 백성들에게 정전을 지급하였다.

③ 헌강왕 대에 녹읍이 부활되고, 경덕왕 대에 관료전이 폐지되었다.

④ 일본 정창원에서 발견된 '신라 촌락 문서'는 서원경 부근의 4개 촌락을 대상으로 한 것이다.

문제풀이 통일 신라의 사회와 경제 난이도 하

③ 녹읍이 부활한 것은 헌강왕이 아닌 경덕왕 때이다. 한편, 관료전은 신라 중대 이후 왕권이 약화되면서 폐지된 것으로 추정되나 정확한 폐지 시기는 알 수 없다.

오답 분석

① 신문왕은 문무 관리에게 토지에 대한 수조권만을 행사할 수 있는 토지인 관료전을 지급하고, 귀족들의 경제적 기반이었던 녹읍을 폐지하였다.

② 성덕왕 대에는 왕토 사상에 근거하여 일반 백성들에게 정전을 지급하여 국가의 토지 지배력을 강화하였다.

④ 일본 정창원에서 발견된 신라 촌락 문서(민정 문서)는 서원경(지금의 충청북도 청주) 부근의 4개 촌락의 경제 상황을 기록한 것으로, 4개 촌의 호(戶) 수, 인구 수, 소·말의 수, 토지 종류와 총면적, 수목(뽕나무·잣나무·호두나무)의 수 등이 기록되어 있다.

12

2016년 지방직 9급

다음과 같은 문서가 작성되었던 시대에 대한 설명으로 옳지 않은 것은?

> 토지는 논, 밭, 촌주위답, 내시령답 등 토지의 종류와 면적을 기록하고, 사람들은 인구, 가호, 노비의 수와 3년 동안의 사망, 이동 등 변동 내용을 기록하였다. 그 밖에 소와 말의 수, 뽕나무, 잣나무, 호두나무의 수까지 기록하였다.

① 관료에게는 관료전을, 백성에게는 정전을 지급하였다.

② 인구는 남녀 모두 연령에 따라 6등급으로 나누어 파악하였다.

③ 전국을 9주로 나누고, 주 아래에는 군이나 현을 두어 지방관을 파견하였다.

④ 국가에 봉사하는 대가로 관료에게 토지를 나누어 주는 전시과 제도를 운영하였다.

문제풀이 통일 신라의 경제 난이도 중

제시된 자료는 통일 신라 시대에 작성된 것으로 추정되는 민정 문서에 기록된 내용이다. 민정 문서는 1933년 일본 도다이지(東大寺) 쇼소인(正倉院)에서 발견된 것으로, 촌주가 매년 변동 사항을 조사하여 3년마다 촌 단위로 작성하였다. 이 문서에는 촌락의 호(戶) 수, 인구 수, 가축(소·말)의 수, 토지 크기, 뽕나무·잣나무·호두나무의 수 등이 기록되어 있다.

④ 전시과 제도를 운영한 것은 고려 시대이다. 고려 시대 전시과는 관리들에게 관직 복무와 직역에 대한 대가로 토지(수조권)를 지급한 제도로, 관리에게 전지(田地)와 시지(柴地)를 차등적으로 지급하였다.

오답 분석

① 통일 신라 신문왕 때 문무 관료들에게 관료전을 지급하여 국가의 토지 지배권을 강화하였고, 성덕왕 때 농민들에게 정전을 지급하여 국가의 대한 토지 지배권을 강화하였다.

② 통일 신라 때 작성된 민정 문서에 따르면 인구는 남녀 모두 연령에 따라 6등급으로 나누어 파악하였다.

③ 통일 신라는 전국을 9주로 나누고 주 밑에는 군이나 현을 두고 지방관으로 군에는 태수, 현에는 현령을 파견하였다.

정답 09 ① 10 ④ 11 ③ 12 ④

13

2023년 서울시 9급

〈보기〉의 ㉠ 인물에 대한 설명으로 가장 옳은 것은?

> **보기**
>
> 6월 27일에 사람들이 말하기를, ___㉠___의 교역선 2척이 단산포(旦山浦)에 도착했다고 한다. …… 28일 당의 천자가 보내는 사신들이 이곳으로 와 만나보았다. …… 밤에 ___㉠___의 견대당매물사(遣大唐賣物使)인 최훈(崔暈) 병마사(兵馬使)가 찾아와서 위문하였다.
>
> -『입당구법순례행기』

① 『화랑세기』를 저술하였다.

② 당의 등주를 공격하였다.

③ 적산 법화원을 건립하였다.

④ 웅천주를 근거지로 반란을 일으켰다.

문제풀이 장보고 난이도 중

제시문에서 견대당매물사라는 내용을 통해 ㉠ 인물이 장보고임을 알 수 있다. 견대당매물사는 통일 신라 시대에 청해진의 대사 장보고가 당나라와 교역을 하기 위해 파견한 무역 사절이다.

③ 장보고는 당 무령군의 소장으로 있을 때 신라인의 왕래가 빈번하였던 산둥(산동)성 적산촌에 법화원이라는 사찰을 건립하였다. 적산 법화원은 당에 거주하는 신라인의 신앙 거점인 동시에 항해의 안전을 기원하는 예배처였다. 이 외에도 신라와의 연락 기관 역할을 하였고, 당으로 건너가는 신라의 승려나 『입당구법순례행기』를 저술한 엔닌 등 일본 승려들에게 도움을 주기도 하였다.

오답 분석

① **김대문**: 『화랑세기』를 저술한 인물은 김대문이다. 김대문은 진골 귀족 출신으로 화랑들의 행적을 모아 엮은 전기인 『화랑세기』를 저술하였다.

② **장문휴**: 당의 등주를 공격한 인물은 장문휴이다. 장문휴는 발해 무왕의 명령에 따라 수군을 이끌고 당의 등주를 공격하여 그곳의 자사인 위준을 죽였다.

④ **김헌창**: 웅천주(공주)를 근거지로 반란을 일으킨 인물은 김헌창이다. 김헌창은 아버지인 김주원이 왕이 되지 못한 데에 불만을 품고 웅천주에서 국호를 '장안', 연호를 '경운'이라 하여 반란을 일으켰으나 실패하였다.

14

2022년 국회직 9급

㉠ 인물에 대한 설명으로 옳은 것은?

> ○ 이른 아침에 신라인이 작은 배를 타고 왔다. 문득 듣건대, "㉠이/가 신라 왕자와 공모하여 신라국을 징벌하고 곧 그 왕자를 신라국의 왕으로 삼았다"라고 하였다.
>
> ○ 산 속에 절이 있어 그 이름은 적산 법화원인데, 이는 ㉠이/가 처음 세운 것이다. 오랫동안 장전(莊田)을 갖고 있어 양식을 충당할 수 있었다.
>
> -『입당구법순례행기』

① 진성 여왕에게 시무책을 바쳤다.

② 당에 건너가 빈공과에 합격하였다.

③ 당에 견당매물사와 교관선을 보냈다.

④ 나라를 세우고 국호를 장안이라 하였다.

⑤ 독자적으로 오월과 거란에 사신을 보냈다.

문제풀이 장보고 난이도 상

제시문에서 신라 왕자와 공모하여 신라국을 징벌하였다는 것과 적산 법화원을 처음 세웠다는 내용을 통해 ㉠ 인물은 장보고임을 알 수 있다. 장보고는 신라 왕위 쟁탈전에 참여하여 민애왕을 몰아내고 신무왕을 옹립하였으며, 중국 산둥 반도에 적산 법화원이라는 사찰을 세웠다.

③ 장보고는 완도에 청해진을 설치하고 남해와 황해의 해상 교통권을 장악하여 당, 신라, 일본을 잇는 국제 무역을 주도하였으며, 중국에 교역 사절인 견당매물사와 무역선인 교관선을 보냈다.

오답 분석

① **최치원**: 진성 여왕에게 신라 사회 개혁을 위해 정치·사회적 개혁 방향을 담은 시무책을 바친 인물은 최치원이다.

② 장보고는 당에 건너가 빈공과에 합격하지 않았다. 한편, 당에서 외국인을 대상으로 하는 과거 시험인 빈공과에 합격한 인물로는 최치원, 최언위 등이 있다.

④ **김헌창**: 나라를 세우고 국호를 '장안'이라 한 인물은 김헌창이다. 김헌창은 아버지인 김주원이 왕이 되지 못한 데에 불만을 품고 웅주에서 국호를 '장안', 연호를 '경운'이라 하여 반란을 일으켰으나 실패하였다.

⑤ **견훤**: 중국과의 적극적인 외교 정책을 추진하여 독자적으로 오월과 거란에 사신을 보낸 인물은 견훤이다.

15

2017년 지방직 9급(6월 시행)

다음 밑줄 친 '대사'에 대한 내용으로 옳지 않은 것은?

> 이 엔닌은 대사의 어진 덕을 입었기에 삼가 우러러 뵙지 않을 수 없습니다. 저는 이미 뜻한 바를 이루기 위해 당나라에 머물러 왔습니다. 부족한 이 사람은 다행히도 대사께서 발원하신 적산원(赤山院)에 머물 수 있었던 것에 대해 감경(感慶)한 마음을 달리 비교해 말씀드리기가 어렵습니다.
>
> -「입당구법순례행기」

① 법화원을 건립하고 이를 지원하였다.

② 당나라에 가서 서주 무령군 소장이 되었다.

③ 회역사, 견당매물사 등의 교역 사절을 파견하였다.

④ 웅주를 근거지로 반란을 일으켜 장안(長安)이라는 나라를 세웠다.

문제풀이 장보고 난이도 중

제시문에서 대사라는 명칭과 적산원(법화원)을 발원했다는 내용을 통해 장보고에 대한 설명임을 알 수 있다.

④ 웅주(웅천주)를 근거지로 반란을 일으켜 장안이라는 나라를 세운 인물은 김헌창이다.

오답 분석

① 장보고는 신라인들이 많이 거주하던 산둥(산동)성 적산촌에 법화원이라는 사찰을 건립하고 이를 지원하였다.

② 장보고는 당나라에 건너가 서주 무령군 소장으로 복무하다가 신라에 귀국하였다.

③ 장보고는 완도에 청해진을 설치하고 해적을 소탕하여 해상 무역권을 장악하였으며, 외교 교섭을 위해 중국에는 견당매물사, 일본에는 회역사라는 교역 사절을 파견하였다.

이것도 알면 **합격!**

장보고의 활동

활동	내용
당에서의 활동	당나라 서주 무령군 소장으로 활동
법화원 건립	산둥 반도 적산촌에 법화원이라는 사찰 건립
청해진 설치	완도에 청해진을 설치하여 당-신라-일본을 잇는 국제 무역 주도
무역 사절 파견	회역사(일본), 견당매물사(당) 등의 교역 사절 파견
신라 왕위 쟁탈전 참여	민애왕을 몰아내고 신무왕 옹립

16

2014년 방재안전직 9급

남북국 시대의 경제에 대한 설명으로 옳지 않은 것은?

① 발해의 수취 제도는 조세, 공물, 요역 등으로 구분할 수 있다.

② 발해는 당으로부터 비단, 서적 등을 수입하고, 말과 자기 등을 수출하였다.

③ 삼국 통일 후 비약적인 경제 발전으로 신라의 수도 경주에 처음으로 시장이 설치되었다.

④ 삼국 통일 후에도 신라에서는 시비법이 발달하지 못하여 같은 토지를 해마다 경작할 수 없었다.

문제풀이 남북국 시대의 경제 난이도 중

③ 신라의 수도 경주에 처음으로 시장이 설치된 것은 통일 이전인 5세기 말 소지 마립간 때이다. 이후 지증왕 때 동시를 개설하면서 이를 감독하는 관청으로 동시전이 설치되었고, 통일 이후 효소왕 때 서시와 남시가 추가로 설치되었다.

오답 분석

① 발해의 수취 제도는 곡물을 징수하는 조세, 특산물을 징수하는 공물, 농민을 동원하는 요역 등으로 구분할 수 있다.

② 발해는 당으로부터 귀족들의 수요품인 비단과 서적 등을 수입하였고, 말과 모피, 인삼 등의 토산물과 불상과 자기 등의 수공업품을 당에 수출하였다.

④ 삼국 통일 이후에도 신라에서는 시비법이 발달하지 못하여 적게는 1년, 많게는 수년간 땅을 쉬게 하는 휴경법이 일반적이었다.

이것도 알면 **합격!**

발해의 경제 생활

구분	내용
수취 제도	• 조세: 조·콩·보리 등 곡물 징수 • 공물: 베·명주·가죽 등의 특산물 징수 • 부역: 궁궐, 관청 등의 건축에 농민 동원
귀족의 생활	대토지를 소유하고, 무역을 통하여 당의 비단, 서적 등을 수입하여 화려한 생활을 영위

정답 13 ③ 14 ③ 15 ④ 16 ③

2 | 고대의 사회

01

2014년 국가직 9급

다음과 같은 풍속이 행해진 국가의 사회 모습에 대한 설명으로 옳지 않은 것은?

> 그 풍속에 혼인을 할 때 구두로 이미 정해지면 여자의 집에는 대옥(大屋) 뒤에 소옥(小屋)을 만드는데, 이를 서옥(壻屋)이라고 한다. 저녁에 사위가 여자의 집에 이르러 문 밖에서 자신의 이름을 말하고 꿇어 앉아 절하면서 여자와 동숙하게 해줄 것을 애걸한다. 이렇게 두세 차례 하면 여자의 부모가 듣고는 소옥에 나아가 자게 한다. 그리고 옆에는 전백(錢帛)을 놓아둔다.
>
> – 「삼국지」 「동이전」

① 고국천왕 사후, 왕비인 우씨와 왕의 동생인 산상왕과의 결합은 취수혼의 실례를 보여준다.
② 계루부 고씨의 왕위 계승권이 확립된 이후 연나부 명림씨 출신의 왕비를 맞이하는 관례가 있었다.
③ 관나 부인(貫那夫人)이 왕비를 모함하여 죽이려다가 도리어 자기가 질투죄로 사형을 받았다.
④ 김흠운의 딸을 왕비로 맞이하는 과정은 국왕이 중국식 혼인 제도를 수용했다는 사실을 알려주고 있다.

 **문제풀이 고구려의 사회 모습** 난이도 중

제시문의 서옥제라는 혼인 풍속이 행해진 국가는 고구려이다. 서옥이란 신부 쪽 집의 뒤에 만든 조그만 집 하나를 의미하는데, 혼인을 한 신랑은 서옥에서 살며 신부 집에 일정 기간 산 이후에야 신부를 자신의 집으로 데려갈 수 있었다.

④ 신라에 대한 설명이다. 신문왕이 김흠운의 딸을 왕비로 맞이할 때 중국식 혼인 제도를 수용하였다.

오답 분석

① 고국천왕이 죽은 후 그 왕비인 우씨와 고국천왕의 뒤를 이어 즉위한 동생 산상왕의 결혼은 형사취수제의 대표적인 예이다. 고구려에서는 형이 죽은 뒤 동생이 형수와 결혼하는 취수혼(형사취수제)이 있었는데, 이는 집안의 재산이 축소되는 것을 방지하기 위한 것이었다.
② 고구려에서는 계루부 고씨의 왕위 계승권이 확립되는 2세기 후반에서 3세기 초반까지 계루부 왕실이 고구려 5부족 중 하나인 연나부 명림씨와 혼인 관계를 맺었다. 이러한 혼인 관계가 맺어진 것은 계루부 왕실이 연나부 세력과 연합하여 고구려 5부 세력을 억제하고 왕권을 강화하여 중앙 집권 체제를 확립하기 위함이었다. 그러나 중앙 집권 체제가 확립된 3세기 말 이후에는 왕실과 연나부와의 혼인 관계는 확인되지 않는다.
③ 관나 부인은 고구려 5부족의 하나인 관나부(관노부) 출신으로 고구려 중천왕의 소실이었다. 관나 부인은 중천왕의 왕후인 연씨를 모함하려다 도리어 자기가 질투죄로 인해 사형을 선고받아 가죽 주머니에 넣어진 채로 바다에 던져졌다.

02

2012년 국가직 7급

다음은 삼국 시대 어느 나라의 사회 모습에 대한 내용이다. 이 나라의 지배층에 대한 설명으로 옳지 않은 것은?

> 이 나라 사람은 상무적인 기풍이 있어서 말타기와 활쏘기를 좋아하고, 형법의 적용이 엄격했다. 반역한 자나 전쟁터에서 퇴각한 군사 및 살인자는 목을 베었고, 도둑질한 자는 유배를 보냄과 동시에 2배를 물게 했다. 그리고 관리가 뇌물을 받거나 국가의 재물을 횡령했을 때에는 3배를 배상하고, 죽을 때까지 금고형에 처했다.

① 간음죄를 범할 경우 남녀 모두를 처벌하였다.
② 투호와 바둑 및 장기와 같은 오락을 즐겼다.
③ 중국의 고전과 역사책을 읽고 한문을 구사하였다.
④ 대표적인 귀족의 성으로는 여덟 개가 있었다.

 **문제풀이 백제의 지배층** 난이도 중

제시문에서 상무적인 기풍이 있어 말타기와 활쏘기를 좋아하고, 도둑질한 자는 2배를 배상하게 하고, 관리가 뇌물을 받거나 국가의 재물을 횡령하였을 때 3배를 배상하게 한다는 내용을 통해 백제의 사회 모습임을 알 수 있다.

① 백제의 지배층에서는 남녀가 간음죄를 범할 경우 여자는 남편 집의 노비가 되었으나 남자는 처벌하지 않았다. 이를 통해 당시 백제 사회에서 가부장적 가족 제도가 발달하였음을 알 수 있다.

오답 분석

②, ③ 백제의 지배층은 투호와 바둑·장기 등의 오락을 즐기는 것은 물론 중국과의 활발한 교류로 문화가 발달하여 중국의 고전과 역사책을 즐겨 읽었고, 한문도 능숙하게 구사할 수 있었다.
④ 백제의 지배층은 왕족인 부여씨와 8성의 귀족(연씨·사씨·협씨·해씨·진씨·국씨·목씨·백씨)으로 구성되었다.

 이것도 알면 **합격!**

삼국의 지배층

고구려	고추가로 불린 왕족과 왕비족을 비롯한 5부 출신의 귀족, 지위를 세습하며 국정 주도
백제	왕족인 부여씨와 8성의 귀족(진·해·연·백·사·목·협·국)
신라	최고의 신분인 성골과 왕족인 진골 등(골품제)

03

2019년 서울시 7급(2월 시행)

〈보기〉의 밑줄 친 ㉠과 같은 신분이 있었던 국가에 대한 설명으로 가장 옳은 것은?

> **보기**
> 대사의 법호는 무염으로 달마대사의 10대 법손이 된다. (……) 고조부와 증조부는 모두 조정에서는 재상, 나가서는 장수를 지내 집집에 널리 알려졌다. 아버지는 범청으로 ㉠ 득난(得難)이 되었다.

① 갈문왕이라고 불리는 귀족이 있었다.
② 대귀족으로 진씨, 해씨 등 8개 성씨가 있었다.
③ 귀족들이 정사암에 모여 회의를 열고 수상을 선출했다.
④ 최고 귀족인 왕족과 왕비족은 고추가로 불렸다.

04

2017년 지방직 9급(12월 시행)

밑줄 친 인물들이 속한 신분층에 대한 설명으로 옳은 것은?

> ㅇ 진덕 여왕 2년, 김춘추가 돌아오는 길에 고구려의 순라병을 만났는데, 종자인 온군해가 대신 피살되었고 그는 무사히 신라로 귀국했다.
> ㅇ 마침 알천의 물이 불어 김주원이 왕궁으로 건너오지 못하니, 상대등 김경신이 왕위에 올랐다.
> －『삼국사기』

① 관등과 상관없이 특정 색깔의 관복을 입었다.
② 골품제의 모순을 비판하며 과거제 도입을 주장하였다.
③ 죄를 지으면 본관지로 귀향시키는 형벌이 적용되었다.
④ 중앙 관부와 지방 행정 조직의 장관직에 오를 수 있었다.

문제풀이 신라의 사회 모습

난이도 중

제시문에서 '득난'이라고 불린 6두품의 신분이 있었던 나라는 신라이다.

① 신라에는 특권적 지위를 부여 받았던 갈문왕이라는 세력이 있었으며, 이는 왕의 직계 가족이나 왕비의 아버지 혹은 박(朴)·석(昔)·김(金)과 같은 신라 최고 성씨 집단의 씨족장 등에게 부여되었을 것으로 추정된다. 한편, 태종 무열왕은 갈문왕 제도를 폐지하여 왕권 강화를 도모하였다.

오답 분석

② **백제**: 대귀족으로 진씨, 해씨, 연씨, 백씨, 사씨, 목씨, 협씨, 국씨의 8성 귀족이 있었던 국가는 백제이다.
③ **백제**: 귀족들이 정사암이라는 바위에 모여 회의를 열고 수상(상좌평)을 선출한 국가는 백제이다. 한편 신라의 귀족 회의체는 화백 회의이다.
④ **고구려**: 최고 귀족인 왕족(계루부)과 왕비족(절노부) 등에게 고추가의 칭호를 부여한 국가는 고구려이다.

이것도 알면 **합격!**

신라의 신분 계층

성골	부모가 모두 왕족으로 왕이 될 수 있는 자격을 가진 신분
진골	모든 관직에 진출할 수 있었던 왕족
6두품	득난이라고 불렸으며 내족장 출신
5~4두품	소족장 출신
3~1두품	초기에는 관직 진출이 가능하였으나 통일 이후 평민화

문제풀이 진골 귀족

난이도 상

제시된 자료의 김춘추, 김주원, 김경신은 모두 진골 귀족이다. 진골은 모든 관직에 나갈 수 있었던 계층으로 5관등 이상의 고위 관직을 독점하였으며, 성골이 소멸한 신라 중대부터는 왕위를 계승하기도 하였다.

④ 진골 귀족은 집사부의 중시, 령(令) 등의 중앙 관부의 장관직과 9주의 총관·도독과 같은 지방 주요 관청의 장관직 등에 오를 수 있었다. 5소경의 장관직인 사신에는 원칙적으로 진골과 6두품이 임명될 수 있었으나, 실질적으로 진골 귀족만 임명되었던 것으로 추정된다.

오답 분석

① 신라의 관복 색깔의 기준은 신분이 아닌 관등이었기 때문에, 진골 귀족 역시 관등에 따라 관복의 색을 다르게 입었다. 한편 자색 공복을 입는 제1관등 이벌찬~제5관등 대아찬에는 진골 귀족만이 오를 수 있었다.
② **6두품**: 골품제의 모순을 비판하며 과거제의 도입을 주장한 신분층은 신라 하대의 6두품이다.
③ **고려 시대의 귀족**: 죄를 지으면 본관지로 귀향시키는 형벌인 귀향형은 고려 시대의 귀족에게 적용된 것이었다. 이를 통해 귀향형을 당한 귀족이 중앙 정치 권력과 연계되는 것을 차단시켰다.

정답 01 ④ 02 ① 03 ① 04 ④

05

2016년 국가직 9급

다음 자료에 나타난 통일 신라 시대의 신분층과 연관된 설명으로 옳은 것은?

> (그들의) 집에는 녹(祿)이 끊이지 않았다. 노동(奴僮)이 3천 명이며, 비슷한 수의 갑병(甲兵)이 있다. 소, 말, 돼지는 바다 가운데 섬에서 기르다가 필요할 때 활로 쏘아 잡아먹는다. 곡식을 남에게 빌려 주어 늘리는데, 기간 안에 갚지 못하면 노비로 삼아 부린다. – 「신당서」

① 관등 승진의 상한은 아찬까지였다.

② 도당 유학생의 대부분을 차지하였다.

③ 돌무지덧널무덤을 묘제로 사용하였다.

④ 식읍·전장 등을 경제적 기반으로 하였다.

06

2017년 지방직 7급

다음 (가), (나)에 나타난 신라 제도에 대한 설명으로 옳지 않은 것은?

> (가) 속성은 김씨로 태종 무열왕이 8대조이다. 할아버지인 주천의 골품은 진골이고 … 아버지는 범청으로 골품이 진골에서 한 등급 떨어져 득난(得難)이 되었다.
> – 「성주사낭혜화상백월보광탑비문」
>
> (나) 최치원은 난랑비(鸞郎碑) 서문에서 우리나라에는 현묘한 도가 있으니 풍류(風流)라 일컫었다. … 실로 이는 삼교(유·불·선)를 포함하고 중생을 교화한다. – 「삼국사기」

① (가) – 개인의 사회 활동과 일상생활을 규제하였다.

② (가) – 관등 승진의 상한선이 정해져 있었다.

③ (나) – 진흥왕 때 인재 양성을 위한 제도로 정착되었다.

④ (나) – 귀족들이 회의를 통하여 중요한 국사를 결정하였다.

문제풀이 통일 신라의 진골 난이도 하

제시문은 통일 신라 진골 귀족들의 호화로운 생활을 보여준다. 중국 사서인 『신당서』에 따르면 통일 신라의 진골 귀족들은 3천 명의 노비를 소유하였으며, 소·말·돼지 등을 바다 가운데 섬에서 기르다가 필요할 때 화살로 쏘아 잡아 먹는 등 호화로운 생활을 하였다.

④ 통일 신라의 진골 귀족은 국가로부터 하사받은 식읍과 녹읍에서 조세와 공물을 수취하고 노동력을 징발하여 경제적 기반을 형성하였다. 이 외에도 진골 귀족들은 자신들이 소유하고 있는 전장(개인이 소유한 농장)과 수많은 노비들을 경제적 기반으로 하여 풍족한 생활을 누렸다.

오답 분석

① **6두품**: 골품 제도 하에서 관등 승진의 상한선이 6관등인 아찬이었던 신분층은 6두품이다. 진골 귀족은 관등 승진의 제한이 없었으므로 1관등인 이벌찬까지 오를 수 있었다.

② **6두품**: 당으로 건너가 유학하는 도당 유학생의 대부분을 차지한 신분층은 통일 신라의 6두품이었다. 능력이 뛰어났음에도 불구하고 신분적 제약으로 정치 참여에 제한을 받았던 6두품은 당으로 건너가 유학 생활을 하였고, 외국인을 대상으로 하는 과거 시험인 빈공과에 응시하여 급제하는 경우가 많았다.

③ 돌무지덧널무덤은 신라가 삼국을 통일하기 이전에 유행한 대표적인 묘제로, 통일 신라 시대의 진골 귀족들이 사용한 묘제가 아니다. 통일 이후 신라 고분은 거대한 돌무지덧널무덤에서 점차 규모가 작은 굴식 돌방무덤으로 그 형태가 변화하였으며 봉토 주위에 둘레돌을 두르고, 12지신을 조각하는 독특한 양식이 등장하였다.

문제풀이 골품 제도와 화랑 제도 난이도 하

(가)는 진골에서 한 등급 떨어져 득난이 되었다는 내용을 통해 신라의 골품 제도임을 알 수 있다. (나)는 난랑비 서문에서 풍류라 일컫었다는 내용을 통해 당시에 '풍월도' 혹은 '풍류(도)'라 불린 화랑 제도임을 알 수 있다. 난랑비 서문은 최치원이 신라 화랑인 난랑을 위해 지은 비문으로, 이 비문을 통해 화랑도가 삼교 회통 사상(유·불·도 3교의 기본 정신이 상호 모순되기보다는 오히려 일치함)을 바탕으로 하였다는 사실을 알 수 있다.

④ 귀족들이 회의를 통하여 국사를 결정한 신라 제도는 화백 회의이다. 화백 회의는 상대등을 의장으로 하여 만장 일치제로 운영된 신라의 귀족 합의 기구였다.

오답 분석

① 신라의 골품 제도는 개인의 사회 활동을 비롯하여 일상생활까지 규제하였다.

② 신라의 골품 제도에 따르면 차지할 수 있는 관등의 상한선이 골품에 따라 정해져 있었고 관직은 관등의 규제를 받았다. 진골은 최고 관등인 이벌찬까지 승진할 수 있었으며, 6두품은 제6관등인 아찬까지, 5두품은 제10관등인 대나마까지, 4두품은 제12관등인 대사까지 승진할 수 있었다.

③ 화랑 제도는 원래 씨족 사회의 청소년 교육 집단이었으나, 진흥왕 대에 인재 양성을 위한 국가적인 조직으로 개편되었다.

07

2014년 기상직 9급

다음은 신라의 관등제와 골품제의 관계를 나타낸 것이다. 이에 대한 설명으로 옳은 것은?

등급	관등명	공복	(가)	(나)	(다)	(라)
1	이벌찬	자색				
2	이찬					
3	잡찬					
4	파진찬					
5	대아찬					
6	아찬	비색				
7	일길찬					
8	사찬					
9	급벌찬					
10	대나마	청색				
11	나마					
12	대사	황색				
13	사지					
14	길사					
15	대오					
16	소오					
17	조위					
관등			골품			

① (가)는 1등급에서 5등급까지의 관직에만 임용되어 중앙 관청의 장관직을 담당하였다.

② (나)는 삼국 통일 후 학문적 식견과 실무 능력을 바탕으로 정치적 진출을 활발히 하였다.

③ (다)는 신라 말 농민 항쟁을 주도하면서 지방 호족 세력으로 성장하였다.

④ (라)는 삼국 통일 후 골품으로서의 실질적 의미를 잃고 평민과 동등하게 간주되었다.

문제풀이 신라의 골품 제도 난이도 중

제시된 자료에서 모든 관등에 진출할 수 있는 (가)는 진골이며 차례대로 (나)는 6두품, (다)는 5두품, (라)는 4두품이다.

② 6두품은 신라 중대에 높은 학문적 소양과 실무 능력을 바탕으로 중앙 정계에 진출하여 국왕을 보좌하였다.

오답 분석

① 진골은 모든 관직에 진출할 수 있었고, 특히 진골은 1 ~ 5관등의 고위 관직을 독점하여 주요 관청의 장관직을 담당하였다.

③ 신라 말 지방에서 성장한 호족의 출신으로는 지방으로 내려 간 진골, 지방 군진, 해상 세력, 촌주 등으로 5두품과는 관련이 없다.

④ **3 ~ 1두품**: 삼국 통일 이후 실질적 의미를 잃고 평민과 거의 동등하게 간주된 것은 3 ~ 1두품이다.

이것도 알면 **합격!**

신라의 관등제

- 총 17관등제
- 1 ~ 5 관등은 진골이 독점
- 골품 제도와 결합하여 운영, 골품에 따라 관등 승진의 상한선 존재
- 관등에 따라 복색의 색이 달라짐(자색 → 비색 → 청색 → 황색)

08

2017년 국가직 9급(4월 시행)

㉠과 ㉡ 두 인물의 공통된 신분상의 특징으로 옳은 것은?

> ○ [㉠]은(는) 신문왕에게 「화왕계」를 통하여 조언하였다.
> ○ [㉡]은(는) 진성 여왕에게 시무책 10여 조를 올렸다.

① 관등 승진에서 중위제(重位制)를 적용받았다.

② 중앙 관부의 최고 책임자를 독점하였다.

③ 자색(紫色)의 공복을 착용하였다.

④ 왕이 될 수 있는 신분이었다.

문제풀이 6두품 난이도 하

㉠은 신문왕에게 「화왕계」를 통하여 조언을 하였다는 내용을 통해 설총임을, ㉡은 진성 여왕에게 시무책 10여 조를 올렸다는 내용을 통해 최치원임을 알 수 있다. 설총과 최치원의 신분은 모두 6두품이었다.

① 6두품은 관등 승진에서 일종의 특진 제도인 중위제(重位制)의 적용을 받았다. 6두품은 대아찬 이상의 관등에 오를 수 없었기 때문에 아찬에 이른 6두품을 승진시키기 위해 아찬 관등에 중위를 설정하였다.

오답 분석

② **진골**: 중앙 관부의 최고 책임자를 독점하였던 신분은 진골이다. 6두품은 6관등(아찬)까지 승진할 수 있었으며, 중앙의 장관이 될 수 없었다.

③ **진골**: 자색의 공복을 입을 수 있었던 신분은 진골이다. 6두품은 비·청·황색의 관복만 입을 수 있었다.

④ **성골·진골**: 왕이 될 수 있었던 신분은 성골과 진골이었다. 신라 상대 이후 성골이 소멸되자 신라 중대와 신라 하대에는 진골 출신이 왕위에 올랐다.

이것도 알면 **합격!**

중위제

구분	내용
성립	• 비진골 출신 관료들의 불만을 무마하기 위해 시행 • 승진 한계 내에서 관등을 세분화한 일종의 특진 제도
기준	• 6두품: 6관등인 아찬에서 4중아찬까지 승진 가능 • 5두품: 10등급 대나마에서 9중대나마까지 승진 가능

정답 05 ④ 06 ④ 07 ② 08 ①

09

2018년 기상직 9급

다음 밑줄 친 인물이 속한 사회 계층에 대한 설명으로 옳은 것을 〈보기〉에서 고른 것은?

> 태종대왕(太宗大王)이 즉위하자 당의 사신이 와서 조서를 전했는데, 그 가운데 해독하기 어려운 부분이 있었다. 왕이 그를 불러 물으니, 그가 왕 앞에서 한번 보고는 설명하고 해석하는 데 의심스럽거나 막히는 데가 없었다. 왕이 놀랍고도 기뻐 서로 만남이 늦은 것을 한탄하고 그의 성명을 물었다. 그가 대답하여 아뢰었다. "신은 본래 임나가량(任那加良) 사람이며 이름은 우두(牛頭)입니다." 왕이 말했다. "경의 두골을 보니 <u>강수</u> 선생이라고 부를 만하다." 왕은 그에게 당 황제의 조서에 감사하는 회신의 표를 짓게 하였다. 문장이 세련되고 뜻이 깊었으므로, 왕이 더욱 그를 기특히 여겨 이름을 부르지 않고 임(任生)이라고만 하였다.
>
> – 『삼국사기』

보기

㉠ 속현에서 농민들의 실질적인 지배 세력이었다.
㉡ 학문과 종교 분야에서 활발히 활동하였다.
㉢ 신분은 양인이었으나 직역이 천해 사회적 차별이 심하였다.
㉣ 6관등인 아찬까지만 승진할 수 있었다.

① ㉠, ㉡　　② ㉠, ㉢
③ ㉡, ㉣　　④ ㉢, ㉣

문제풀이 6두품 난이도 중

제시문의 밑줄 친 '강수'는 신라의 대표적인 6두품 출신의 학자이다. 강수는 '우두 선생'이라고도 불렸으며, 외교 문서를 잘 짓기로 유명하여 「청방인문표」 등을 작성하였다.

③ 옳은 것을 고르면 ㉡, ㉣이다.

㉡ 6두품은 학문과 종교 분야에서 활발히 활동하였다. 6두품은 신라 중대부터 뛰어난 학문적 식견과 실무 능력을 바탕으로 왕의 정치적 조언자 역할을 하였으며, 신라 하대의 6두품 출신 학자인 최치원의 경우 사산비명(쌍계사 진감선사 대공탑비명, 성주사 낭혜화상 백월보광탑비명, 초월산 대숭복사비명, 봉암사 지증대사 적조탑비명)을 짓는 등 종교 분야에서도 활발히 활동하였다.

㉣ 6두품은 골품제에 따라 승진에 제약을 받아 제6관등인 아찬까지만 오를 수 있었다. 제1관등인 이벌찬부터 제5관등인 대아찬까지는 진골 귀족이 독점하였다.

오답 분석

㉠ **향리**: 속현에서 농민들의 실질적인 지배 세력이었던 것은 고려 시대의 향리이다. 고려 시대의 향리는 지방관이 파견되지 않는 속현 등에서 조세, 공물 징수, 노역 징발 등의 행정 실무를 담당하였다.

㉢ **신량역천**: 신분은 양인이었으나 직역이 천해 사회적 차별을 받았던 것은 고려와 조선 시대의 신량역천이다. 이들은 신분상으로는 양인에 속하였으나 천한 일을 담당하였기 때문에 심한 사회적 차별을 받았다.

10

2016년 지방교행직

밑줄 친 '이 신분'에 대한 설명으로 옳은 것은?

> 이 나라에서는 골품을 따져 사람을 쓰기 때문에 그 친족이 아니면 비록 뛰어난 재주와 큰 공이 있어도 처음 정해진 한도를 넘지 못하였다. <u>이 신분</u>의 경우 두품 가운데 가장 높았지만 17관등 중 제6관등인 아찬까지만 오를 수 있었다. 하지만 성주사지 낭혜화상비에 '득난(得難)'이라고 표현되어 있듯이 매우 얻기 어려운 신분 이었다.

① 어려서부터 경당에 들어가 유학과 활 쏘기를 배웠다.
② 신라 말 호족과 함께 사회 개혁을 추구하기도 하였다.
③ 상좌평에 임명되어 군사와 정사를 도맡아 처리하였다.
④ 중추원에 소속되어 군사 기밀과 왕명 출납을 담당하였다.

문제풀이 신라의 6두품 난이도 하

제시문에서 두품 가운데 가장 높으며, 6관등인 아찬까지 오를 수 있고, 성주사지 낭혜화상비에서 '득난'이라고 표현되어 있다는 내용을 통해 밑줄 친 '이 신분'이 6두품임을 알 수 있다.

② 6두품은 신라 말 지방 토착 세력인 호족과 결탁하여 사회 개혁을 추구하였다.

오답 분석

① 경당은 고구려 장수왕 때 평양으로 천도한 이후 지방에 설립된 사립 교육 기관으로, 평민 청소년들을 대상으로 한학과 무술 교육이 이루어졌다.

③ 상좌평은 백제의 수상 역할을 하던 관직으로, 국정을 총괄하고 정사암 회의를 주관하였다.

④ 중추원은 고려 시대의 중앙 통치 조직의 하나로, 군사 기밀을 관장했던 추밀과 왕명 출납을 담당했던 승선으로 구성되었다.

이것도 알면 **합격!**

6두품

구분	내용
신분적 한계	• 6관등인 아찬까지만 진출 가능 → 법제적으로 주(州)의 장관직(도독)까지 오를 수 있었으나, 실제로는 진골 귀족이 독점하였음
활동	• 신라 중대에 왕권과 결탁하여 왕권 전제화에 기여 • 행정·학문·종교 등 다양한 분야에서 활동 • 신라 하대에 호족과 결탁하여 사회 개혁 추구

11

2017년 법원직 9급

다음 자료는 어느 인물의 가상 회고이다. 이 인물이 보았을 사회 모습으로 옳은 것을 〈보기〉에서 모두 고른 것은?

> 나는 13세 때 당나라로 유학을 떠났어. 당나라에서 벼슬살이를 하던 중 황소의 난이 일어났어. 그때 황소를 격퇴하자는 글을 써서 꽤 유명해졌지. 이후 벼슬살이를 그만 두고 고국으로 돌아와 개혁안 10여 조를 건의하였지만 뜻을 이루지 못했지. 이에 절망하고 속세를 떠나 은둔 생활을 하였어.

> **보기**
> ㉠ 홍경래를 중심으로 일어난 농민 봉기
> ㉡ 벽란도에서 비단을 파는 중국 상인
> ㉢ 산둥 반도의 신라원에 도착한 신라 사신
> ㉣ 빈공과 합격을 위해 당에서 공부하는 신라 유학생

① ㉠, ㉢
② ㉠, ㉣
③ ㉡, ㉢
④ ㉢, ㉣

12

2019년 서울시 9급(6월 시행)

발해의 사회 모습에 대한 설명으로 가장 옳지 않은 것은?

① 주민은 고구려 유민과 말갈인으로 구성되었다.
② 중앙 문화는 고구려 문화를 바탕으로 당의 문화가 가미된 형태를 보였다.
③ 당, 신라, 거란, 일본 등과 무역하였는데, 대신라 무역의 비중이 가장 컸다.
④ 유학 교육 기관인 주자감을 설치하여 귀족 자제에게 유교 경전을 가르쳤다.

문제풀이 신라 하대의 사회 모습 난이도 중

제시문에서 당나라로 유학을 떠났을 때 황소의 난이 발생하자 황소를 격퇴하자는 글을 써서 유명해졌다는 내용과 고국으로 돌아와 개혁안 10조를 건의하였으나 뜻을 이루지 못하였다는 내용을 통해 자료의 인물이 신라 하대의 6두품 출신인 최치원임을 알 수 있다.

④ 신라 하대의 모습으로 옳은 것을 <보기>에서 모두 고르면 ㉢, ㉣이다.
㉢ 신라 하대에는 신라인들이 교역 및 무역을 위해 자주 당에 드나들면서 산둥 반도와 양쯔 강 하류 일대에 신라방(신라인 집단 거주지), 신라소(신라 거류민들의 자치적 행정 기관), 신라원(사원) 등이 설치되었다.
㉣ 신라 하대에는 당에 건너간 신라 유학생이 외국인을 대상으로 하는 과거 시험인 빈공과에 응시하여 급제하기도 하였는데, 대표적으로 최치원이 빈공과에 합격하여 당에서 관직 생활을 하였다.

오답 분석
㉠ **조선 후기:** 홍경래를 중심으로 평안도 지역에 대한 부당한 차별 대우와 세도 정치의 폐해에 대항하는 농민 봉기(홍경래의 난)가 발생한 것은 조선 후기 세도 정치 시기의 일이다.
㉡ **고려 시대:** 예성강 하류의 무역항인 벽란도에서 대외 무역이 전개되었던 것은 고려 시대의 일이다.

문제풀이 발해의 사회 모습 난이도 하

③ 발해가 당, 신라, 거란, 일본 등과 무역을 전개한 것은 맞으나, 무역의 비중이 가장 컸던 것은 대당 무역이었다. 발해는 초기에 당과 대립하였으나, 8세기 문왕 때부터 당나라와 활발하게 교류하였으며, 산둥 반도 덩저우에 발해 사신들의 숙소인 발해관이 설치되기도 하였다.

오답 분석
① 발해의 주민은 고구려 유민과 말갈인으로 구성되었으며, 지배층은 대부분 고구려 유민들이었고 말갈인은 대체로 피지배층을 형성하였다.
② 발해의 중앙 문화는 고구려 문화를 바탕으로 당의 제도와 문화가 가미된 형태를 보였다.
④ 발해는 유학 교육 기관인 주자감을 설치하여 귀족 자제에게 유교 경전과 한문학을 가르쳤다.

 이것도 알면 **합격!**

발해의 사회 구조

구분	내용
지배층	• 왕족인 대씨와 귀족인 고씨 등 고구려계 사람 • 중요한 관직을 차지하고 노비와 예속민을 거느림 • 상층 사회에서는 당의 제도와 문화를 수용, 빈공과 응시
피지배층	• 대다수가 말갈인 • 일부는 지배층이 되거나 자신이 거주하는 촌락의 우두머리(촌장, 수령)가 됨 • 고구려나 말갈 사회의 생활 모습을 유지

정답 09 ③ 10 ② 11 ④ 12 ③

1 | 학문의 발달

01

2018년 법원직 9급

(가) ~ (라)를 일어난 순서대로 바르게 나열한 것은?

> (가) 국학을 태학(감)으로 고치고 학문을 장려하였다.
> (나) 원효는 모든 것이 한마음에서 나온다는 일심 사상의 이론적 체계를 마련하였다.
> (다) 유교 경전에 대한 이해 수준에 따라 관리를 채용하는 독서삼품과를 실시하였다.
> (라) 최치원은 빈공과에 합격한 뒤에 황소를 격퇴하는 글을 써서 당에서 명문장가로 유명해졌다.

① (가) - (나) - (다) - (라)
② (가) - (다) - (나) - (라)
③ (나) - (가) - (다) - (라)
④ (나) - (가) - (라) - (다)

문제풀이 통일 신라의 학문과 사상의 전개 난이도 하

③ 순서대로 나열하면 (나) 원효의 일심(一心) 사상의 이론적 체계 마련(7세기) → (가) 태학(감) 설립(8세기 중반) → (다) 독서삼품과 실시(8세기 후반) → (라) 최치원의 활약(9세기)가 된다.

(나) 원효는 7세기에 활동한 승려로 '모든 것이 한마음에서 나온다'는 일심(一心) 사상을 바탕으로 여러 종파의 분파 의식을 극복하고자 하였으며, 『십문화쟁론』을 저술하여 화쟁 사상을 주장하였다.

(가) 신라의 경덕왕은 8세기 중반에 국학의 명칭을 태학(감)으로 고치고 박사와 조교를 두어 유학 교육을 장려하였다.

(다) 신라의 원성왕은 788년에 독서삼품과를 실시하여 유교 경전의 이해 수준을 평가한 뒤 특품과 상·중·하품으로 구분하여 이를 관리 임용에 참고하였다.

(라) 최치원은 9세기에 활동한 신라의 6두품 출신 유학자로, 당나라로 건너가 빈공과에 급제(874)하였으며, 당나라에서 황소의 난이 일어나자 황소에게 항복할 것을 권하는 글인 「토황소격문」을 지어서 명문장가로 명성을 떨쳤다. 이후 신라로 돌아와 진성 여왕에게 시무 10여 조를 건의하였다.

02

2019년 기상직 9급

(가) 교육 기관에 대한 설명으로 옳은 것은?

> 모든 학생은 관등이 대사(大舍) 이하로부터 관등이 없는 자로, 15세에서 30세까지인 사람을 들였다. 재학 연한은 9년이고, 만약 노둔하여 인재가 될 가능성이 없는 자는 그만두게 하였다. 만약 재주와 도량은 이룰만한데 아직 미숙한 자는 비록 9년을 넘더라도 [(가)]에 남아있는 것을 허락하였다. 관등이 대나마(大奈麻)와 나마(奈麻)에 이른 이후에는 [(가)]에서 내보낸다.

① 박사와 조교를 두고 유교 경전을 가르쳤다.
② 국자학, 태학, 사문학으로 나누어 교육하였다.
③ 지방에 설치되어 한학과 함께 무술을 가르쳤다.
④ 국왕으로부터 편액과 함께 서적 등을 받기도 하였다.

문제풀이 국학 난이도 중

제시문에서 대사(12관등), 대나마(10관등), 나마(11관등) 등의 신라의 관등이 등장하는 것을 통해 (가)가 신라의 국립 교육 기관인 국학임을 알 수 있다. 국학은 대사 이하 관등이 없는 자 중 15세에서 30세까지 입학할 수 있었다. 국학은 신문왕 때 설치된 유학 교육 기관으로, 경덕왕 때 태학(감)으로 개칭되었다가 혜공왕 때 다시 국학으로 개칭되었다.

① 국학에는 교육을 담당하는 박사와 조교가 있었으며, 이들은 학생들에게 『논어』, 『효경』 등의 유교 경전을 가르쳤다.

오답 분석

② **국자감(고려)**: 국자학, 태학, 사문학으로 나누어 교육한 교육 기관은 고려의 국립 대학인 국자감이다. 국자감에는 국자학, 태학, 사문학의 유학부와 율학, 서학, 산학의 기술학부가 있었다.

③ **경당(고구려)**: 지방에 설치되어 한학과 함께 무술을 가르친 교육 기관은 고구려의 경당이다. 경당은 장수왕이 평양으로 천도한 이후에 지방에 설립된 사립 교육 기관으로, 지방 평민의 자제들에게 한학과 무술을 가르쳤다.

④ **서원(조선)**: 국왕으로부터 편액과 함께 서적을 받은 교육 기관은 조선 시대의 서원이다.

03

2012년 지방직(하) 9급

밑줄 친 '두 사람'이 살았던 나라의 교육 문화에 대한 설명으로 적절하지 않은 것은?

> 임신년 6월 16일에 <u>두 사람</u>이 함께 맹세하여 쓴다. 지금부터 3년 후에 충도(忠道)를 지키고 허물이 없게 할 것을 하늘 앞에 맹세한다. 만일 이 서약을 어기면 하늘에 큰 죄를 짓는 것이라고 맹세한다. 또한 신미년 7월 22일에 크게 맹세한 바 있다. 곧 『시경(詩經)』, 『상서(尙書)』, 『예기(禮記)』, 『춘추전(春秋傳)』을 3년 안에 차례로 습득하겠다고 하였다.

① 유교 경전을 통하여 유학을 공부하였다.
② 경당에서 유교와 활쏘기 등 무예를 배웠다.
③ 원광 법사가 제정한 세속 오계의 윤리를 배웠다.
④ 화랑도에 소속되어 산천을 돌아다니며 심신을 연마하기도 하였다.

문제풀이 신라의 교육 문화

난이도 중

제시문에서 임신년에 두 사람이 각종 유교 경전을 습득할 것을 맹세한다는 내용을 통해 신라의 임신서기석에 관한 내용임을 알 수 있다.

② 경당은 고구려의 교육 기관으로 장수왕이 평양 천도 이후 지방에 설립한 사립 교육 기관이었다. 경당에서는 청소년에게 한학과 무술을 가르쳤다.

오답 분석

①『시경』, 『상서』 등의 유교 경전을 습득하겠다는 임신서기석의 내용을 통해 신라에서 유교 경전을 통해 유학을 공부하였음을 알 수 있다.
③, ④ 신라의 대표적인 청소년 단체인 화랑도의 화랑들은 원광 법사가 지은 세속 오계를 지침으로 삼고, 산천을 돌아다니며 심신을 연마하였다.

이것도 알면 **합격!**

삼국의 교육 기관

고구려	• 태학(수도): 우리나라 최초의 국립 교육 기관, 귀족 자제에게 유교 경전과 역사 교육 • 경당(지방): 사립 교육 기관으로 한학과 무술 교육
백제	교육 기관에 대한 기록은 없으나 5경 박사, 의박사, 역박사 등을 통해 유교 경전과 기술학 등을 교육하였을 것으로 추정
신라	• 통일 이전: 화랑도를 통해 경학과 무술 교육 • 통일 이후: 신문왕 때 유학 교육 기관인 국학이 설립됨

04

2019년 기상직 9급

(가), (나) 시기 사이에 볼 수 있던 사실로 옳은 것은?

> (가) 모든 것이 한마음에서 나온다는 일심 사상을 바탕으로 다른 종파와의 사상적 대립을 완화하고자 화쟁 사상을 주장하였다. 또한, 극락에 가고자 하는 아미타 신앙을 직접 전도하며 불교 대중화의 길을 열었다.
> (나) 당에 가서 벼슬을 하다가 고국에 돌아왔는데 전후에 난세를 만나서 처지가 곤란하였으며, 모함을 받아 죄에 걸리겠으므로 스스로 때를 만나지 못한 것을 한탄하고 다시 벼슬에 뜻을 두지 않았다. 그는 세속과 관계를 끊고 자유로운 몸이 되어 숲속과 강이나 바닷가에 정자를 짓고 소나무와 대나무를 심으며 책을 벗하며 자연을 노래하였다.

① 도병마사와 식목도감이 설치되었다.
② 과거제가 처음으로 도입되었다.
③ 선교 일치 사상이 완성되었다.
④ 독서삼품과가 실시되었다.

문제풀이 원효와 최치원 활동 시기 사이의 사실

난이도 중

(가) 일심 사상을 바탕으로 화쟁 사상을 주장한 승려는 원효이며, 원효가 아미타 신앙을 전도하며 불교 대중화의 길을 연 것은 7세기 신라 중대의 일이다.
(나) 당에서 벼슬을 하다가 고국으로 돌아왔으나, 모함을 받아 정계를 떠나 자연을 벗삼아 유랑하였던 인물은 최치원으로, 9세기 말 진성 여왕 대에 활동하였다.

④ 신라 하대인 8세기 원성왕 때 국학의 학생들을 대상으로 유교 경전의 이해 정도를 시험한 독서삼품과가 실시되었으므로, (가)와 (나) 시기 사이에 볼 수 있는 사실이다.

오답 분석

모두 (나) 이후인 고려 시대의 사실이다.
① 도병마사와 식목도감은 고려의 독자적인 회의 기구이다.
② 과거제가 처음으로 도입된 것은 고려 광종 때이다.
③ 정혜쌍수(선과 교학을 나란히 수행하되 선을 중심으로 교학을 포용하자는 이론)와 돈오점수(단번에 깨달은 것을 꾸준히 수행·실천하자는 주장)를 주장하며 선교 일치 사상을 완성한 것은 고려 시대의 승려 지눌에 의해서이다.

정답 01 ③ 02 ① 03 ② 04 ④

05

2022년 서울시 9급(2월 시행)

〈보기〉에서 (가)의 인명과 그의 저술을 옳게 짝지은 것은?

> **보기**
>
> 진성왕 8년(894) 봄 2월에 (가) 이 시무 10여 조를 올리자, 왕이 이를 좋게 여겨 받아들이고 아찬으로 삼았다.

① 김대문 – 『화랑세기』

② 김대문 – 『계원필경』

③ 최치원 – 『제왕연대력』

④ 최치원 – 『한산기』

문제풀이 최치원과 그의 저술

난이도 중

제시문에서 진성왕(진성 여왕) 때 시무 10여 조를 올렸다는 내용을 통해 (가)가 최치원임을 알 수 있다.

③ 최치원은 진성 여왕에게 정치·사회적 개혁 방향을 담은 시무 10여 조를 건의하였다. 또한 그는 신라의 역사를 연표 형식으로 정리한 『제왕연대력』을 저술하기도 하였다.

오답 분석

① 김대문은 화랑들의 전기를 모은 『화랑세기』를 저술하였다. 이외에 김대문의 대표적인 저술로는 『한산기』, 『계림잡전』, 『고승전』 등이 있다.

② 『계원필경』을 저술한 인물은 김대문이 아닌 최치원이다. 『계원필경』은 현존하는 우리나라 최고(最古)의 개인 문집이다.

④ 『한산기』를 저술한 인물은 최치원이 아닌 김대문이다. 『한산기』는 한산주 지방(한강 유역)의 역사·지리·풍속 등을 기록한 지리지이지만 현존하지 않는다.

 이것도 알면 **합격!**

최치원의 저술

『계원필경』	현존하는 최고(最古)의 개인 문집
『제왕연대력』	신라의 역대 왕력을 연표 형식으로 정리한 역사서
『법장화상전』	당나라 승려 법장의 전기

06

2016년 국가직 7급

밑줄 친 '그'에 대한 설명으로 옳지 않은 것은?

> 아버지가 말하기를 "십 년 안에 과거에 급제하지 못하면 내 아들이 아니니 힘써 공부하라"라고 하였다. <u>그</u>는 당에서 스승을 좇아 학문을 게을리 하지 않았다. 건부(乾符) 원년 갑오에 예부시랑 배찬이 주관하는 시험에 합격하여 선주(宣州)의 율수현위에 임명되었다.
>
> –『삼국사기』

① 역사서인 『제왕연대력』을 저술하였다.

② 난랑비 서문에서 삼교 회통의 사상을 보여주었다.

③ 『법장화상전』에서 화엄종 승려의 전기를 적었다.

④ 사산비명의 하나인 고선사 서당화상비문을 지었다.

문제풀이 최치원

난이도 중

제시된 자료의 밑줄 친 '그'는 최치원이다. 최치원은 12세의 나이로 당나라로 유학을 가, 7년 만에 빈공과에 합격하였다.

④ 고선사 서당화상비는 승려 원효의 일대기를 적은 비로, 비문의 제작자는 알 수 없다. 최치원이 지은 사산비명은 쌍계사 진감선사 대공탑비명, 성주사 낭혜화상 백월보광탑비명, 초월산 대숭복사비명, 봉암사 지증대사 적조탑비명이다.

오답 분석

① 최치원은 신라의 역사를 연표 형식으로 정리한 『제왕연대력(帝王年代曆)』을 편찬하였는데, 현존하지 않는다.

② 최치원은 난랑비 서문에서 유교와 불교, 도교의 삼교 회통에 대해 서술하였다.

③ 『법장화상전』은 최치원이 중국 당(唐)나라 법장화상(法藏和尙)의 영적(靈的) 생애를 서술한 책이다.

 이것도 알면 **합격!**

최치원의 4산비명

4산비명	쌍계사 진감선사 대공탑비명, 성주사 낭혜화상 백월보광탑비명, 초월산 대숭복사비명, 봉암사 지증대사 적조탑비명
특징	• 4·6 변려체로 되어 있음 • 불교 및 유교, 노장 사상 등을 포함하고 있어 신라 하대 사상계의 경향을 보여주고 있음

07

2018년 서울시 9급(6월 시행)

〈보기〉에서 제시된 인물의 공통점으로 가장 옳은 것은?

보기			
㉠ 김운경	㉡ 최치원	㉢ 최언위	㉣ 최승우

① 고려 출신으로 당나라에서 유학했다.

② 7세기와 8세기에 활약했던 신라의 대문장가이다.

③ 숙위 학생으로 당 황제의 호위 무사가 되었다.

④ 당나라의 빈공과에 급제한 후 귀국하였다.

08

2017년 지방직 9급(6월 시행)

다음 글을 지은 사람들의 공통점으로 옳은 것은?

> (가) 낭혜화상백월보광탑비문(朗慧和尙白月葆光塔碑文)
> (나) 대견훤기고려왕서(代甄萱寄高麗王書)
> (다) 낭원대사오진탑비명(郎圓大師悟眞塔碑銘)

① 골품제를 비판하고 호족 억압을 주장하였다.

② 국립 교육 기관인 태학(太學)에서 공부하였다.

③ 신라뿐만 아니라 고려 왕조에서도 벼슬하였다.

④ 당나라에 유학하여 빈공과(賓貢科)에 급제하였다.

문제풀이 신라 하대의 유학자

난이도 중

제시문의 김운경, 최치원, 최언위, 최승우는 모두 신라 하대의 대표적인 유학자들이다. 특히 6두품 출신인 최치원, 최언위, 최승우는 신라의 '3최'로 불리며 뛰어난 문장가로서 이름을 떨쳤다.

④ 김운경, 최치원, 최언위, 최승우는 모두 당나라의 빈공과에 급제한 후 귀국하였다. 김운경은 헌덕왕(821)때 신라의 숙위 학생 최초로 빈공과에 합격하였고, 최치원은 경문왕(874), 최승우는 진성 여왕(893), 최언위는 효공왕(906) 때 각각 당나라 빈공과에 합격하였다. 신라의 골품 제도로 인해 관직 승진에 제한을 받던 최치원 등의 6두품 출신들은 당나라로 유학을 가서 빈공과에 응시하였다.

오답 분석

① 김운경, 최치원, 최언위, 최승우는 모두 통일 신라 출신의 유학자이다.

② 김운경, 최치원, 최언위, 최승우는 모두 신라 말인 9세기에 활약한 문장가들이다. 김운경은 9세기 중반, 최치원, 최언위, 최승우는 9세기 후반에 주로 활동하였다.

③ 김운경, 최치원, 최언위, 최승우는 당나라의 숙위 학생이 맞지만 당 황제의 호위 무사가 되지는 않았다. 숙위 외교는 신라의 김춘추가 당나라와 동맹을 맺으며 자신의 아들을 당 태종을 호위하게 하면서 시작되어 초기에는 정치·군사적 성격이 강했다. 그러나 통일 이후에 신라 사회와 당나라와의 관계가 안정되면서 유학생 성격의 숙위 학생으로 점차 변모하게 되었다.

문제풀이 신라 하대의 6두품 유학자

난이도 상

(가) 낭혜화상백월보광탑비문을 지은 인물은 최치원이다. 최치원의 4산 비문 중 하나인 이 탑비문은 6두품을 득난이라고 표현한 것이 특징이다.

(나) 대견훤기고려왕서를 지은 인물은 최승우이다. 이 서신은 후백제의 견훤을 대신하여 그의 신하인 최승우가 왕건에게 보낸 것이다.

(다) 낭원대사오진탑비명을 지은 인물은 최언위이다.

최치원, 최승우, 최언위는 모두 신라 하대의 6두품 유학자이다.

④ 신라 하대의 대표적인 6두품 유학자인 최치원, 최승우, 최언위는 모두 당나라에 유학하여 빈공과에 급제하였다.

오답 분석

① 신라 하대에 6두품 유학자들은 골품제의 모순을 비판하고, 호족과 연계하여 사회 변혁을 추진하였다.

② 태학은 고구려의 국립 교육 기관이므로 신라 하대의 6두품 유학자들과 관련이 없다.

③ **최언위**: 신라뿐만 아니라 경순왕의 귀부 이후 고려 왕조에서도 벼슬을 한 인물은 최언위만 해당한다. 한편 최치원은 신라에서만 벼슬을 하였으며, 최승우는 후백제의 견훤을 도왔다.

정답 05 ③ 06 ④ 07 ④ 08 ④

2 | 사상과 과학 기술의 발달

01

2016년 서울시 9급

삼국 시대의 사상과 문화에 대한 설명으로 가장 옳지 않은 것은?

① 부여 능산리에서 발견된 백제 대향로에는 신선이 산다는 봉래산이 조각되어 있어 백제인의 신선 사상을 엿볼 수 있다.

② 삼국 불교의 윤회설은 왕이나 귀족, 노비는 전생의 업보에 의해 타고났다고 보기 때문에 신분 질서를 정당화하는 관념을 제공하였다.

③ 신라 후기 민간 사회에서는 주문으로 질병 치료나 자식 출산 등을 기원하는 현실 구복적 밀교가 유행하였다.

④ 고구려의 겸익은 인도에서 율장을 가지고 돌아온 계율종의 대표적 승려로서 일본 계율종의 성립에도 영향을 주었다.

문제풀이 삼국 시대의 사상과 문화 난이도 중

④ 겸익은 고구려의 승려가 아닌 백제의 승려이다. 겸익은 6세기 초 성왕 때 인도에 가서 율장을 가지고 왔고, 이후 일본 계율종의 성립에도 영향을 주었다.

오답 분석

① 부여 능산리에서 발견된 백제의 금동 대향로에는 신선이 산다는 봉래산이 정교하게 조각되어 있어 신선들이 사는 이상 세계를 표현하였다.

② 삼국 불교의 윤회설은 왕과 귀족의 우월한 지위가 전생에 선한 공덕을 많이 쌓은 결과라고 보았기 때문에, 신분 질서를 정당화하는 이념으로 제시되어 왕권 강화에 기여하였다.

③ 신라 후기 민간 사회에서는 주문에 의한 질병의 치료나 소원을 기원하는 현실 구복적인 밀교가 유행하였다. 밀교는 부처의 깨우친 진리를 직설적으로 은밀하게 표출시킨 대승 불교의 한 교파로서 7세기경 인도에서 성립되었으며, 우리나라에서는 신라 후기에 유행하였다.

이것도 알면 **합격!**

삼국 불교의 특징과 역할

특징	• 왕실 불교: 왕실이 주체가 되어 불교 수용 추진 • 귀족 불교: 귀족들에게 유리한 성격을 지님 • 호국 불교: 국가와 왕실의 안녕과 평안 기원
역할	• 고대 문화 발전에 기여 • 철학적 인식의 토대 구축(불교를 통해 인간 사회의 갈등·모순 해소) • 중앙 집권화와 왕권 강화에 기여

02

2016년 사회복지직 9급

삼국 시대 금속 제작 기술에 대한 설명으로 옳지 않은 것은?

① 철광석 생산이 풍부하고 제작 기술이 발달한 가야에서는 철로 만든 불상이 유행하였다.

② 백제에서 제작해 왜에 보낸 칠지도는 강철로 만들고 금으로 글씨를 상감해 새겨 넣었다.

③ 고구려 고분 벽화에는 철을 단련하고 수레바퀴를 제작하는 인물의 모습이 그려져 있다.

④ 신라 고분에서 출토된 금관은 뛰어난 제작 기법과 형태를 보여 주고 있다.

문제풀이 삼국 시대 금속 제작 기술 난이도 중

① 가야에서 철광석 생산이 풍부하고 제작 기술이 발달한 것은 맞으나, 철로 만든 불상이 제작되지는 않았다. 철로 만든 불상인 철불은 통일 신라 말기부터 고려 초기까지 유행하였다.

오답 분석

② 백제에서 제작해 왜에 보낸 칠지도는 강철로 만들고 금으로 글씨를 상감하여 새겨 넣었다. 이는 당시 백제 제철 기술의 우수함을 보여줌과 동시에 백제와 왜의 교류 관계를 보여 주는 유물이다.

③ 고구려 고분 벽화에는 철을 단련하고 수레바퀴를 제작하는 인물의 모습이 그려져 있는데, 이를 통해 고구려 제철 기술의 수준을 짐작할 수 있다.

④ 신라 돌무지덧널무덤에서 출토된 금관은 금 세공 기술에 있어 신라의 뛰어난 제작 기법과 형태를 보여준다.

이것도 알면 **합격!**

삼국의 금속 제작 기술

고구려	• 철광석 생산이 풍부하여 일찍부터 철을 다루는 기술이 발달 • 고분 벽화에는 철을 단련하고 수레바퀴를 제작하는 기술자의 모습이 사실적으로 그려져 있음
백제	• 칠지도: 강철로 만들고 금으로 글씨를 상감해 새겨 넣었음 • 금동 대향로: 이상적인 신선 세계를 정교하게 표현하였음
신라	• 신라 돌무지덧널무덤에서 출토된 금관을 통해 금 세공 기술이 매우 정교하게 발달하였음을 알 수 있음 • 금관총, 천마총, 황남대총 북분, 금령총, 서봉총에서 금관 출토

03

2021년 지방직 9급

(가) 인물에 대한 설명으로 옳은 것은?

> (가) 가/이 귀산 등에게 말하기를 "세속에도 5계가 있으니, 첫째는 충성으로써 임금을 섬기는 것, 둘째는 효도로써 어버이를 섬기는 것, 셋째는 신의로써 벗을 사귀는 것, 넷째는 싸움에 임하여 물러서지 않는 것, 다섯째는 생명 있는 것을 죽이되 가려서 한다는 것이다. 그대들은 이를 실행함에 소홀하지 말라."라고 하였다.
>
> - 『삼국사기』

① 모든 것이 한마음에서 나온다는 일심 사상을 제시하였다.
② 화엄 사상을 연구하여 『화엄일승법계도』를 작성하였다.
③ 왕에게 수나라에 군사를 청하는 글을 지어 바쳤다.
④ 인도를 여행하여 『왕오천축국전』을 썼다.

문제풀이 원광 난이도 하

제시문의 (가) 인물은 세속 5계를 지은 원광이다. 원광은 충성으로써 임금을 섬기는 것(사군이충), 효도로써 어버이를 섬기는 것(사친이효), 신의로써 벗을 사귀는 것(교우이신), 싸움에 임하여 물러서지 않는 것(임전무퇴), 생명 있는 것을 죽이되 가려서 한다(살생유택)는 내용을 담은 화랑도의 행동 규범인 세속 5계를 지었다.

③ 원광은 고구려가 여러 차례 영토를 침범해 오자 진평왕의 명으로 수나라에 군사를 청하는 글인 걸사표를 지어 바쳤다.

오답 분석

① **원효**: 모든 것이 한마음에서 나온다는 일심 사상을 제시한 인물은 원효이다. 원효는 일심 사상을 바탕으로 다른 종파들과 사상적 대립을 조화시키고 분파 의식을 극복하고자 하였다.
② **의상**: 화엄 사상을 연구하여 『화엄일승법계도』를 작성한 인물은 의상이다. 『화엄일승법계도』는 모든 존재가 상호 의존적인 관계에 있으면서 서로 조화를 이룬다는 화엄 사상의 요지를 간결한 시로 축약한 것이다.
④ **혜초**: 인도를 여행하여 『왕오천축국전』을 쓴 인물은 혜초이다. 혜초는 인도와 중앙아시아를 순례한 뒤 그 지역의 풍습, 언어, 종교 등을 기록한 기행문인 『왕오천축국전』을 저술하였다.

04

2019년 지방직 9급

밑줄 친 '그'에 대한 설명으로 옳은 것은?

> 그는 중국 유학을 마치고 귀국한 다음, 국왕에게 황룡사에 9층탑을 세울 것을 건의했다. 그가 9층탑 건립을 건의한 데에는 주변 나라의 침입을 막고자 하는 호국 정신이 담겨 있다.

① 화랑이 지켜야 할 세속오계를 지었다.
② 대국통으로 있으면서 계율을 지키는 일에 힘을 보탰다.
③ 통일 이후의 사회 갈등을 통합으로 이끄는 화엄 사상을 강조하였다.
④ 일심(一心) 사상을 주장하여 불교 교리의 대립을 극복하고자 하였다.

문제풀이 자장 난이도 중

제시된 자료에서 국왕(선덕 여왕)에게 황룡사에 9층탑을 세울 것을 건의하였다는 내용을 통해 신라의 승려 자장임을 알 수 있다.

② 자장은 선덕 여왕 때 대국통으로 임명되어 승려의 규범과 계율을 지키는 일에 힘을 보탰으며, 계율종을 개창하였다.

오답 분석

① **원광**: 화랑이 지켜야 할 세속오계(사군이충, 사친이효, 교우이신, 임전무퇴, 살생유택)를 지은 승려는 원광이다.
③ **의상**: 화엄 사상을 강조한 승려는 의상이다. 의상은 모든 만물이 서로 조화를 이루고 있다는 화엄 사상을 정리하였고, 화엄 사상의 핵심을 시로 축약한 『화엄일승법계도』를 저술하여 화엄 사상을 정립하였다. 한편 모든 만물이 서로 조화를 이루고 있음을 강조한 의상의 화엄 사상은 통일 이후 신라 사회의 통합에 기여하였다.
④ **원효**: 모든 것이 한 마음에서 나온다는 일심 사상을 주장하여 불교 교리의 대립을 극복하고자 한 승려는 원효이다.

정답 01 ④ 02 ① 03 ③ 04 ②

05

2018년 서울시 7급(3월 시행)

〈보기〉의 (가)에 해당하는 인물의 활동으로 가장 옳은 것은?

> **보기**
>
> 신인(神人)이 말하였다. “지금 그대 나라는 여자가 왕위에 있으니 덕은 있지만 위엄이 없습니다. 그래서 이웃 나라가 침략을 꾀하고 있는 것입니다. 그대는 빨리 돌아가야 합니다.” (가)가(이) 다시 물어보았다. “고국에 돌아가면 어떤 이로운 일을 해야합니까?” 신인이 답했다. “황룡사의 호법용(護法龍)은 나의 맏아들입니다. 범왕(梵王)의 명을 받고 가서 그 절을 보호하고 있습니다. 고국에 돌아가거든 절 안에 9층 탑을 세우십시오. 그러면 이웃 나라가 항복할 것이고 구한(九韓)이 와서 조공할 것이며 왕업의 길이 편안할 것입니다. (중략)” 정관 17년 계묘 16일에 (가)는(은) 당나라 황제가 준 불경과 불상, 승복과 폐백 등을 가지고 와 탑을 세울 일을 왕에게 아뢰었다.

① 세속오계를 통해 당시 신라 사회가 요구하는 도덕 관념을 가르쳤다.

② 대승 불교의 두 흐름인 중관과 유식의 대립을 극복하며 화쟁을 주장하였다.

③ 대국통(大國統)에 임명되어 출가자의 규범과 계율을 주관하였다.

④ 질병 등 현실적 재난 구제에 치중하는 밀교를 전파하였다.

문제풀이 자장 난이도 중

제시된 자료에서 여자가 왕위에 있다는 내용과 신인(神人)이 황룡사 안에 9층의 탑을 세울 것을 권한 것에 따라 탑의 건립을 왕(선덕 여왕)에게 건의하였다는 내용을 통해 (가) 승려가 신라의 자장임을 알 수 있다.

③ 자장은 신라의 선덕 여왕 때 대국통이 되어 모든 승려의 규범과 계율을 주관하고, 계율종을 개창하였다.

오답 분석

① **원광**: 세속오계를 통해 당시 신라 사회가 요구하는 도덕 관념을 가르친 승려는 원광이다. 원광은 세속오계를 통해 화랑에게 충효의 원리를 교육시켰다.

② **원효**: 대승 불교의 중관과 유식의 대립을 극복하며 화쟁 사상을 주장한 승려는 원효이다. 원효는 일심 사상을 바탕으로 불교 종파 간의 조화를 추구하였으며, 『십문화쟁론』을 저술하여 화쟁 사상을 강조하였고, 『대승기신론소』 등을 저술하여 불교의 사상적 이해 기준을 확립하였다.

④ 자장은 질병 등 현실적 재난 구제에 치중하는 밀교와는 관련이 없다. 밀교는 현실 구복적인 성격의 불교 종파로, 신라 하대에 백성들 사이에서 유행하였다.

06

2023년 계리직 9급

밑줄 친 (　　)의 인물에 대한 설명으로 옳은 것은?

> (　　　)은/는 이미 계를 어겨 아들 총(聰)을 낳은 후에는 세속의 옷으로 바꿔 입고 스스로 소성거사라고 하였다. 우연히 광대들이 춤출 때 쓰는 큰 박을 얻었는데, 모양이 괴상하였다. 그 모양을 본떠서 도구를 제작하여, 『화엄경』의 “일체 무애인(無旱人)은 한 번에 생사를 벗어난다.”라는 구절에 나오는 무애라는 이름을 붙이고, 노래를 지어 세상에 퍼뜨렸다. – 『삼국유사』

① 화엄종의 중심 사찰인 부석사를 창건하였다.

② 세속오계를 제시하고 호국 불교의 전통을 세웠다.

③ 황룡사에 9층 목탑을 세울 것을 왕에게 건의하였다.

④ 종파 간 대립을 극복하기 위해 일심 사상을 제창하였다.

문제풀이 원효 난이도 중

제시문에서 스스로 소성거사라고 하였다는 것과 무애라는 이름을 붙이고 노래를 지어 세상에 퍼뜨렸다는 내용을 통해 밑줄 친 괄호의 인물이 원효임을 알 수 있다.

④ 원효는 모든 것이 한마음에서 나온다는 일심 사상을 제창하여 다른 종파 간 사상적 대립과 분파 의식을 극복하고자 하였다.

오답 분석

① **의상**: 화엄종의 중심 사찰인 부석사를 창건한 인물은 의상이다. 의상은 당에서 유학하고 돌아와 부석사, 낙산사 등의 사찰을 창건하였고, 모든 만물이 서로 조화를 이루고 있다는 화엄 사상을 정립하였다.

② **원광**: 세속오계를 제시하고 호국 불교의 전통을 세운 인물은 원광이다. 원광은 화랑이 지켜야 할 규율인 세속오계(사군이충, 사친이효, 교우이신, 임전무퇴, 살생유택)를 제시하고, 부처의 힘으로 인해 나라가 평안해질 수 있다는 호국 불교의 전통을 세웠다.

③ **자장**: 황룡사에 9층 목탑을 세울 것을 왕에게 건의한 인물은 자장이다. 자장은 외적을 물리치고 신라의 위상을 높이기 위해 황룡사 9층 목탑을 세울 것을 선덕 여왕에게 건의하였다.

07

2020년 서울시 9급(특수 직렬)

〈보기〉의 밑줄 친 '그'의 저술로 가장 옳은 것은?

> **보기**
>
> 그는 당나라로 가던 도중 진리는 마음 속에 있음을 깨닫고 유학을 포기하였다. 여러 종파의 갈등을 보다 높은 수준에서 융화, 통일시키려 하였으므로, 훗날 화쟁국사(和諍國師)로 추앙받았다.

① 『해동고승전』

② 『대승기신론소』

③ 『왕오천축국전』

④ 『화엄일승법계도』

문제풀이 원효의 저술

난이도 하

제시문에서 당나라로 가던 도중 진리를 깨닫고 유학을 포기하였다는 점, 훗날 화쟁국사로 추앙받았다는 점을 통해 밑줄 친 '그'가 원효임을 알 수 있다. 원효는 6두품 출신의 승려로, 의상과 함께 불교의 대중화에 힘쓴 인물이다. 원효의 대표적인 사상으로는 불교 여러 종파의 이론들이 동등한 가치를 지닌 것으로 보고 이를 한 단계 높은 차원에서 통합하려 한 화쟁 사상이 있다. 원효는 이러한 사상으로 인하여 고려 숙종 때 대성화쟁국사라는 시호를 받기도 하였다.

② 원효는 대승 불교의 사상과 체계를 이해하기 쉽게 풀이한 『대승기신론소』를 저술하였다.

오답 분석

① **각훈(고려)**: 『해동고승전』을 저술한 인물은 각훈이다. 각훈은 삼국 시대부터 고려 고종 때까지 고승들의 전기를 정리하여 『해동고승전』을 저술하였으나, 현재는 삼국 시대의 고승 30여 명에 관한 기록만 남아있다.

③ **혜초(신라)**: 『왕오천축국전』을 저술한 인물은 혜초이다. 혜초는 인도와 중앙아시아를 순례한 뒤 그 지역의 풍습, 언어, 종교 등을 기록한 기행문인 『왕오천축국전』을 저술하였다.

④ **의상(신라)**: 『화엄일승법계도』를 저술한 인물은 의상이다. 의상은 모든 존재가 상호 의존적인 관계에 있으면서 서로 조화를 이룬다는 화엄 사상의 요지를 간결한 시로 축약한 『화엄일승법계도』를 저술하였다.

08

2023년 법원직 9급

(가) 인물에 대한 설명으로 가장 옳은 것은?

> 당에서 유학하고 돌아온 (가) 은/는 '모든 존재가 서로 의존하며 조화를 이루고 있다.'라는 사상을 강조하여 통일 직후 신라 사회를 통합하는 데 큰 역할을 하였다. 또한 (가) 은/는 부석사를 중심으로 많은 제자를 양성하여 교단을 형성하고 각지에 사찰을 세웠다. 또한, 현세에서 겪는 고난을 구제받고자 하는 관음 신앙을 전파하였다.

① 무애가를 지어 불교 대중화에 기여하였다.

② 『화엄일승법계도』를 지어 화엄 사상을 정립하였다.

③ 불교 교단을 통합하기 위해 천태종을 개창하였다.

④ 인도와 중앙아시아를 여행하고 『왕오천축국전』을 저술하였다.

문제풀이 의상

난이도 중

제시문에서 당에서 유학하고 돌아와 '모든 존재가 서로 의존하며 조화를 이루고 있다.'라는 사상을 강조하였다는 것과 부석사를 중심으로 많은 제자를 양성하였다는 내용을 통해 (가) 인물이 의상임을 알 수 있다.

② 의상은 모든 존재가 상호 의존적인 관계에 있으면서 서로 조화를 이룬다는 화엄 사상의 요지를 간결한 시로 축약한 『화엄일승법계도』를 저술하여 화엄 사상을 정립하였다.

오답 분석

① **원효**: 『화엄경』의 내용을 쉽게 이해할 수 있도록 무애가를 지어 널리 유행시켜 백성들을 교화하는 등 불교의 대중화에 기여한 인물은 원효이다.

③ **의천**: 불교 교단을 통합하기 위해 천태종을 개창한 인물은 의천이다. 의천은 교종을 중심으로 선종을 통합하기 위해 국청사를 중심으로 해동 천태종을 개창하였다.

④ **혜초**: 인도, 중앙아시아 지역을 여행하고 그 지역의 풍습, 언어, 종교 등을 기록한 기행문인 『왕오천축국전』을 저술한 인물은 혜초이다.

정답 05 ③ 06 ④ 07 ② 08 ②

09

2015년 지방직 9급

다음에서 설명하는 인물의 업적으로 옳은 것은?

> 성은 김씨이다. 29세에 황복사에서 머리를 깎고 승려가 되었다. 얼마 후 중국으로 가서 부처의 교화를 보고자 하여 원효(元曉)와 함께 구도의 길을 떠났다. …… 처음 양주에 머무를 때 주장(州將) 유지인이 초청하여 그를 관아에 머물게 하고 성대하게 대접하였다. 얼마 후 종남산 지상사에가서 지엄(智儼)을 뵈었다.
>
> –『삼국유사』

① 『화엄일승법계도』를 저술하여 화엄 사상을 정리하였다.

② 중국에서 풍수지리설을 들여와 지세의 중요성을 일깨웠다.

③ 『십문화쟁론』을 지어 종파 간의 대립을 해소하고자 하였다.

④ 인도와 중앙아시아 지역을 여행하고 돌아와 『왕오천축국전』을 저술하였다.

문제풀이 의상

난이도 중

제시문에서 원효와 함께 구도의 길을 떠났다는 것과 지엄을 만났다는 내용을 통해 제시문의 인물이 의상임을 알 수 있다.

① 의상은 모든 존재가 상호 의존적인 관계에 있으면서 서로 조화를 이룬다는 화엄 사상의 요지를 간결한 시로 축약한 『화엄일승법계도』를 저술하여 화엄 사상을 정리하였다.

오답 분석

② **도선**: 중국에서 풍수지리설을 들여온 인물은 신라 말의 도선이다. 풍수지리설은 지형과 지세가 인간의 길흉화복에 영향을 준다는 이론이다.

③ **원효**: 『십문화쟁론』을 지어 종파 간의 대립을 해소하고자 한 인물은 원효이다.

④ **혜초**: 인도, 중앙아시아 지역을 순례한 뒤 『왕오천축국전』을 저술한 인물은 혜초이다.

이것도 알면 **합격!**

의상

화엄 사상의 정립	• 모든 존재가 상호 의존적이면서 서로 조화를 이루고 있다는 화엄 사상 정립(『화엄일승법계도』) • '일즉다 다즉일'의 원융 사상은 전제 왕권 중심의 중앙 집권적 통치 체제를 뒷받침함
관음 신앙 전파	질병이나 재해 등 인간의 현실적 고뇌를 해결해 주는 관(세)음보살을 신봉하는 관음 신앙 전파

10

2022년 국가직 9급

다음 (가), (나) 승려에 대한 설명으로 옳은 것은?

> (가) 중국 유학에서 돌아와 부석사를 비롯한 여러 사원을 건립하였으며, 문무왕이 경주에 성곽을 쌓으려 할 때 만류한 일화로 유명하다.
>
> (나) 진골 귀족 출신으로 대국통을 역임하였으며, 선덕 여왕에게 황룡사 9층탑의 건립을 건의하였다.

① (가)는 모든 것이 한마음에서 나온다는 일심 사상을 제시하였다.

② (가)는 『화엄일승법계도』를 만들었다.

③ (나)는 『왕오천축국전』이라는 여행기를 남겼다.

④ (나)는 이론과 실천을 같이 강조하는 교관겸수를 제시하였다.

문제풀이 의상과 자장

난이도 중

(가)는 중국 유학에 돌아와 부석사를 비롯한 여러 사원을 건립하였으며, 문무왕이 경주에 성곽을 쌓으려 할 때 만류하였다는 내용을 통해 의상임을 알 수 있다.

(나)는 대국통을 역임하였으며, 선덕 여왕에게 황룡사 9층탑의 건립을 건의하였다는 내용을 통해 자장임을 알 수 있다.

② 의상은 『화엄일승법계도』를 만들어 모든 존재가 상호 의존적인 관계에 있으면서 서로 조화를 이루고 있다는 화엄 사상을 정립하였다.

오답 분석

① **원효**(신라): 모든 것이 한마음에서 나온다는 일심 사상을 제시한 승려는 원효이다. 원효는 일심 사상을 바탕으로 다른 종파들과 사상적 대립을 조화시키고 분파 의식을 극복하고자 하였다.

③ **혜초**(신라): 인도와 중앙아시아를 여행하여 『왕오천축국전』이라는 여행기를 남긴 승려는 혜초이다. 혜초는 인도와 중앙아시아를 순례한 뒤 그 지역의 풍습, 언어, 종교 등을 기록한 여행기인 『왕오천축국전』을 저술하였다.

④ **의천**(고려): 이론의 연마와 실천을 같이 강조하는 교관겸수를 제시한 승려는 의천이다. 의천은 교종과 선종의 사상적 통합을 위해 이론의 연마와 실천을 아울러 강조하는 교관겸수와, 내적인 공부와 외적인 공부를 모두 갖추어 조화를 이루어야 한다는 내외겸전을 제창하였다.

11

2019년 지방직 7급

㉠, ㉡ 승려의 활동으로 옳은 것은?

> ○ 왕이 수(隋)에 군사를 청하는 글을 요청하자, [㉠]은/는 "자기가 살기 위해 남을 멸망시키는 것은 승려가 할 일이 아니나, 제가 대왕의 땅에 살면서 수초(水草)를 먹고 있사오니 명령을 따르겠습니다."라고 하였다.
> ○ 왕이 왕성을 짓고자 하여 [㉡]에게 의견을 묻자, "비록 들판의 초가집에 살아도 바른 도를 행하면 복업이 길어질 것이이요, 그렇지 않으면 사람을 수고롭게 하여 애써 성(城)을 만들지라도 역시 이익이 없을 것입니다." 라고 하였다.
>
> –『삼국사기』

① ㉠ – 왕에게 건의하여 황룡사 9층 탑을 세웠다.
② ㉠ – 화랑이 지켜야 할 세속오계를 만들었다.
③ ㉡ – 저잣거리에서 무애가를 부르면서 대중을 교화하였다.
④ ㉡ – 당에 유학하여 유식론을 독자적으로 발전시켰다.

문제풀이 원광과 의상

난이도 중

㉠은 왕이 수(隋)에 군사를 청하는 글을 요청하자 그 명을 따랐다는 것을 통해 진평왕 때 수나라에 걸사표를 지어 보낸 신라의 승려 원광임을 알 수 있다.

㉡은 왕(문무왕)이 왕성을 짓고자 할 때 그만 두는 것을 간언한 것을 통해 통일 신라의 승려 의상임을 알 수 있다.

② 원광은 세속오계를 만들어 화랑이 지켜야 할 규율을 제시하였다.

오답 분석

① **자장**: 선덕 여왕에게 건의하여 황룡사 9층 탑을 세운 승려는 신라의 자장이다.
③ **원효**: 『화엄경』의 내용을 쉽게 이해할 수 있도록 노래 형태로 지은 무애가를 저잣거리에서 부르면서 대중을 교화한 승려는 통일 신라의 원효이다.
④ **원측**: 당에 유학하여 유식론을 독자적으로 발전시킨 승려는 통일 신라의 원측이다.

이것도 알면 **합격!**

신라의 승려

원광	• 수나라에 고구려 원정을 청하는 걸사표 작성 • 화랑이 지켜야 할 세속 오계 제시
자장	• 선덕 여왕에게 황룡사 구층 목탑 건립 건의 • 대국통에 임명되어 출가자의 규범과 계율 주관
원측	당의 현장으로부터 유식학을 배우고, 중국 서명사에서 서명학파 형성
혜초	인도 등을 순례한 뒤 기행문인 『왕오천축국전』 저술

12

2024년 지방직 9급

(가)에 해당하는 인물로 옳은 것은?

> [(가)]은/는 중앙아시아와 인도 지역의 다섯 천축국을 순례하고 각국의 지리, 풍속, 산물 등에 관한 기행문을 남겼다. 이 기행문은 중국의 둔황 막고굴에서 발견되었으며 현재 프랑스 국립도서관에 있다.

① 원광
② 원효
③ 의상
④ 혜초

문제풀이 혜초

난이도 하

제시문에서 중앙아시아와 인도 지역의 다섯 천축국을 순례하고 각국의 지리, 풍속, 산물 등에 관한 기행문을 남겼다는 내용을 통해 (가) 인물이 혜초임을 알 수 있다.

④ 혜초는 중앙아시아와 인도를 순례한 뒤 그 지역의 지리, 풍속, 언어, 종교 등을 기록한 기행문인 『왕오천축국전』을 저술하였다.

오답 분석

① **원광**: 원광은 진평왕 때 주로 활동한 승려로, 화랑이 지켜야 할 세속오계를 제시하고, 부처의 힘으로 인해 나라가 평안해질 수 있다는 호국 불교의 전통을 세웠다.
② **원효**: 원효는 통일 신라의 대표적인 6두품 출신의 승려로, 무애가를 짓고 널리 유행시켜 백성들을 교화하는 등 불교의 대중화에 기여하였다.
③ **의상**: 의상은 당으로 유학을 가 중국 화엄종 승려인 지엄에게서 수학한 승려로, 화엄 사상의 요지를 간결한 시로 축약하여 『화엄일승법계도』를 저술하였다.

정답 09 ① 10 ② 11 ② 12 ④

13

2016년 국가직 9급

밑줄 친 '이 사상'에 대한 설명으로 옳지 않은 것은?

> 신라 말기에 도선과 같은 선종 승려들이 중국에서 유행한 이 사상을 전하였다. 이는 산세와 수세를 살펴 도읍·주택·묘지 등을 선정하는, 경험에 의한 인문 지리적 사상이다. 아울러 지리적 요인을 인간의 길흉 화복과 관련하여 생각하는 자연관 및 세계관을 내포하고 있다.

① 신라 말기에 안정된 사회를 염원하는 일반 백성의 인식이 반영되었다.

② 신라 말기에 호족이 자기 지역의 중요성을 자부하는 근거로 이용하였다.

③ 고려 시대에 묘청이 서경 천도의 필요성을 주장하는 논리로 활용하였다.

④ 고려 시대에 국가와 왕실의 안녕과 번영을 기원하는 초제로 행하여졌다.

문제풀이 풍수지리 사상

난이도 하

제시된 자료에서 산세와 수세를 살펴 도읍·주택·묘지 등을 선정하고, 지리적 요인을 인간의 길흉 화복과 관련시킨다는 내용을 통해 밑줄 친 '이 사상'이 풍수지리 사상임을 알 수 있다.

④ 고려 시대에 국가와 왕실의 안녕과 번영을 기원하며 하늘에 제사를 지내는 초제는 도교와 관련된 국가 행사이다.

오답 분석

① 풍수지리 사상은 신라 하대 중앙 귀족들의 부패와 무능, 지방 호족들의 대두, 오랜 전란에 지쳐 안정된 사회를 염원하는 일반 백성들의 인식이 반영된 것이다.

② 풍수지리 사상은 신라 하대에 경주를 중심으로 한 지리 개념에서 벗어나 지방을 중심으로 국토를 재편성할 것을 주장하였다. 이는 호족의 사상적 배경이 되어 신라 중앙 정부의 권위를 약화시키는 원인으로 작용하였다.

③ 고려 시대에는 풍수지리 사상을 근거로 서경이 명당이라는 설이 유포되면서 서경 천도 및 북진 정책 추진의 이론적 근거가 되기도 하였으며, 특히 서경 길지설은 묘청의 서경 천도 운동의 이론적 근거가 되었다.

14

2024년 국가직 9급

밑줄 친 '가람'에 대한 설명으로 옳은 것은?

> 우리 왕후께서는 좌평 사택적덕의 따님으로 지극히 오랜 세월에 선인(善因)을 심어 이번 생에 뛰어난 과보를 받아 만민을 어루만져 기르시고 삼보(三寶)의 동량(棟梁)이 되셨기에 능히 가람을 세우시고, 기해년 정월 29일에 사리를 받들어 맞이하셨다. 원하옵나니, 영원토록 공양하고 다함이 없이 이 선(善)의 근원을 배양하여, 대왕 폐하의 수명은 산악과 같이 견고하고 치세는 천지와 함께 영구하며, 위로는 정법을 넓히고 아래로는 창생을 교화하게 하소서.

① 목탑의 양식을 간직한 석탑이 있다.

② 대리석으로 만든 10층 석탑이 있다.

③ 성주산문을 개창한 낭혜 화상의 탑비가 있다.

④ 돌을 벽돌 모양으로 만들어 쌓은 모전 석탑이 있다.

문제풀이 익산 미륵사

난이도 상

제시문에서 우리 왕후께서는 좌평 사택적덕의 따님이라는 내용과 기해년에 사리를 받들어 맞이하였다는 내용을 통해 익산 미륵사지 석탑의 해체 과정에서 발견된 금제 사리 봉안기의 내용임을 알 수 있다. 따라서 밑줄 친 '가람(사찰)'은 익산 미륵사이다.

① 익산 미륵사에는 목탑의 양식을 가진 익산 미륵사지 석탑이 있다. 익산 미륵사지 석탑은 목탑에서 석탑으로 넘어가는 과도기 형태의 석탑으로 목탑의 모습을 많이 지니고 있다.

오답 분석

② **개성 경천사, 서울 원각사**: 대리석으로 만든 10층 석탑이 있는 사찰은 개성 경천사, 서울 원각사이다. 개성 경천사에는 원나라의 영향을 받아 고려 충목왕 때 대리석으로 만들어진 10층 석탑인 경천사지 10층 석탑이 있었다. 또한 서울 원각사에는 경천사지 10층 석탑의 영향을 받아 조선 세조 때 만들어진 원각사지 10층 석탑이 있었다.

③ **보령 성주사**: 선종 9산 중 하나인 성주산문을 개창한 낭혜 화상의 탑비가 있는 사찰은 보령 성주사이다.

④ **경주 분황사**: 돌을 벽돌 모양으로 만들어 쌓은 모전 석탑이 있는 사찰은 경주 분황사이다.

15

2018년 지방직 9급

다음과 같은 불교 사상의 영향을 받아 만들어진 문화재는?

> 이 불교 사상은 개인적 정신 세계를 추구하는 경향이 강하였기 때문에 지방에서 독자적인 세력을 이루어 성주나 장군을 자처하던 자들로부터 큰 호응을 받았다.

① 성덕 대왕 신종
② 쌍봉사 철감선사탑
③ 경천사지 십층 석탑
④ 금동 미륵보살 반가 사유상

문제풀이 선종의 확산과 승탑의 유행 난이도 중

제시된 자료에서 개인적 정신 세계를 추구하는 경향이 강하였고, 성주나 장군을 자처하던 자들로부터 큰 호응을 받았다는 내용을 통해 신라 하대에 확산되었던 선종에 대한 내용임을 알 수 있다. 실천적이고 개혁적인 성격을 지닌 선종은 신라 하대에 지방에서 독자적인 세력을 이루어 성주나 장군을 자처하던 호족들에게 큰 호응을 받았다.

② 쌍봉사 철감선사탑은 선종의 영향을 받아 만들어진 신라 하대의 대표적인 승탑이다. 신라 하대에는 참선을 통한 깨달음을 중요시하는 선종 사상이 확산됨에 따라 승려들의 사리를 봉안하는 승탑(부도)과 승려의 일대기를 비석에 새긴 탑비가 유행하였다.

오답 분석

① 성덕 대왕 신종은 경덕왕이 아버지인 성덕왕의 공덕을 기리기 위해 제작하기 시작한 동종으로, 선종과는 관련이 없다. 성덕 대왕 신종은 경덕왕의 아들인 혜공왕 때 완성되었으며, 봉덕사 종 또는 에밀레 종이라고도 불리운다.

③ 경천사지 10층 석탑은 고려 후기에 유행하던 티벳 불교(라마교)의 영향을 받아 제작된 석탑이다. 경천사지 10층 석탑은 조선 세조 때 제작된 원각사지 10층 석탑에 영향을 주었다.

④ 금동 미륵보살 반가 사유상은 삼국 시대에 미륵 사상의 영향을 받아 제작되었다. 미륵 사상은 미래에 미륵불이 내려와 중생들을 구제한다는 사상으로, 삼국 시대부터 미륵불을 표현한 불상이 많이 제작되었다.

16

2014년 국가직 9급

신라 하대 불교계의 새로운 경향을 알려주는 다음의 사상에 대한 설명으로 옳은 것은?

> 불립문자(不立文字)라 하여 문자를 세워 말하지 않는다고 주장하고, 복잡한 교리를 떠나서 심성(心性)을 도야하는 데 치중하였다. 그러므로 이 사상에서 주장하는 바는 인간의 타고난 본성이 곧 불성(佛性)임을 알면 그것이 불교의 도리를 깨닫는 것이라는 견성오도(見性悟道)에 있었다.

① 전제 왕권을 강화해주는 이념적 도구로 크게 작용하였다.
② 지방에서 새로이 대두한 호족들의 사상으로 받아들여졌다.
③ 왕실은 이 사상을 포섭하려는 노력에 관심을 기울이지 않았다.
④ 인도에까지 가서 공부해 온 승려들에 의해 전파되었다.

문제풀이 선종 난이도 하

제시문에서 인간의 타고난 본성이 불성임을 깨닫는 것이 불교의 도리를 깨닫는 것이라는 내용을 통해 제시문의 사상이 신라 하대에 유행한 선종임을 알 수 있다.

② 교리에 얽매이는 것보다는 개인의 깨달음을 강조하였던 선종은 신라 하대 지방 호족들의 이념적 바탕이 되었다.

오답 분석

① 전제 왕권을 강화해주는 이념적 도구로 작용한 것은 교종 불교이다. 교종 불교는 '왕즉불', 업설 등을 통해 전제 왕권을 강화하는 이념적 도구로 작용하였다.

③ 신라 왕실도 선종을 포섭하고자 하였으며, 선종 중 하나인 홍척의 실상산파는 왕실과 밀접한 관계를 맺기도 하였다.

④ 인도에 가서 공부해 온 승려들에 의해 전파된 것은 율종 등 소승 불교 계통의 불교 종파이다.

이것도 알면 **합격!**

선종의 대표적인 이론

불립문자(不立文字)	문자로 교(敎)를 세우지 않는다.
견성오도(見性悟道)	자기 본래의 성품을 깨우쳐 번뇌를 해탈하고 부처의 지혜를 얻는다.
교외별전(敎外別傳)	마음에서 마음으로 진리를 전한다.

정답 13 ④ 14 ① 15 ② 16 ②

3 | 고분과 예술의 발달

01

2022년 법원직 9급

(가) 종교가 반영된 문화유산의 사례로 가장 적절한 것은?

> 불로장생과 신선이 되기를 추구하는 (가) 은/는 삼국에 전래되어 귀족 사회를 중심으로 유행했으며 예술에도 많은 영향을 주었다. 7세기 고구려의 연개소문은 귀족과 연결된 불교 세력을 억누르기 위해 (가) 을/를 장려하는 정책을 펼쳤다.

①

②

③

④

문제풀이 도교 문화유산 난이도 하

제시문에서 불로장생과 신선이 되기를 추구한다는 것과, 고구려 연개소문이 귀족과 연결된 불교 세력을 억누르기 위해 장려하였다는 것을 통해 (가) 종교가 도교임을 알 수 있다.

④ **백제 금동 대향로는 용과 봉황, 연꽃, 그리고 신선이 산다고 하는 삼신산의 74개 봉우리를 통해 불교 및 도교의 이상 세계를 형상화한 문화유산이다.**

오답 분석

모두 도교와는 관련이 없는 문화유산이다.

① **쌍봉사 철감선사 승탑**: 쌍봉사 철감선사 승탑은 신라 하대에 선종 불교의 영향을 받아 만들어진 문화유산이다. 신라 하대에는 참선을 통한 깨달음을 중요시하는 선종 사상이 확산됨에 따라 승려들의 사리를 봉안하는 승탑(부도)이 유행하였다.

② **칠지도**: 칠지도는 4세기 후반 백제 근초고왕 때 만들어 왜왕에게 하사한 것으로 추정되는 칼로, 당시 백제와 일본의 교류를 보여 주는 문화유산이다.

③ **금동 미륵보살 반가 사유상**: 금동 미륵보살 반가 사유상은 삼국 시대에 미륵 사상의 영향을 받아 제작된 문화유산이다. 한편, 미륵 사상은 미래에 미륵불이 내려와 중생들을 구제한다는 사상이다.

02

2019년 지방직 9급

삼국 시대 문화에 대한 설명으로 옳지 않은 것은?

① 선덕 여왕 때에 첨성대를 세웠다.

② 목탑 양식의 미륵사지 석탑이 건립되었다.

③ 가야 출신의 우륵에 의해 가야금이 신라에 전파되었다.

④ 사신도가 그려진 강서대묘는 돌무지무덤으로 축조되었다.

문제풀이 삼국 시대의 문화 난이도 중

④ **사신도가 그려진 강서대묘(강서 고분)는 굴식 돌방무덤으로 축조되었다. 돌무지무덤은 돌을 정밀하게 쌓아 올린 고구려 초기의 고분 양식으로, 고구려의 대표적인 돌무지무덤으로는 장군총이 있다.**

오답 분석

① 신라는 7세기 선덕 여왕 때 첨성대를 세워 천체를 관측하였다. 한편, 첨성대는 동양에서 현존하는 가장 오래된 천문 관측 시설이다.

② 백제에서는 목탑 양식의 익산 미륵사지 석탑이 건립되었다. 익산 미륵사지 석탑은 목탑에서 석탑으로 넘어가는 과도기 형태의 석탑으로 목탑의 모습을 많이 지니고 있다.

③ 가야금을 만들었다고 전해지는 가야 출신의 우륵이 대가야가 멸망할 무렵인 진흥왕 때 신라에 투항하면서 신라에 가야금이 전파되었다.

03

2015년 사회복지직 9급

다음에 설명한 무덤 양식에 해당하지 않는 것은?

> 돌로 방을 만들고 그것을 통로로 연결한 무덤으로 그 위에 흙으로 덮어 봉분을 만들었다. 일반적으로 앞방과 널방으로 구분하고 벽에 그림을 그려 넣기도 하였다.

① 쌍영총　　② 무용총

③ 각저총　　④ 장군총

04

2012년 지방직(상) 9급

다음 그림에 대한 설명으로 옳지 않은 것은?

① 사신도의 하나로, 북쪽 방위신이다.

② 돌무지덧널무덤의 벽면에 그려진 것이다.

③ 죽은 자의 사후 세계를 지켜 주리라는 믿음을 표현하였다.

④ 고구려 시대의 고분에 그려졌는데 도교의 영향이 나타나 있다.

문제풀이 고구려의 굴식 돌방무덤

난이도 중

제시문에서 돌로 방을 만들고 벽에 그림을 그려 넣었다는 내용을 통해 굴식 돌방무덤임을 알 수 있다.

④ 장군총은 고구려의 대표적인 돌무지무덤이다.

오답 분석

모두 고구려에서 만들어진 굴식 돌방무덤이다.

① **쌍영총**: 쌍영총은 평안남도 용강군에 위치하며 풍속도가 그려져 있다.

② **무용총**: 무용총은 중국 길림성에 위치하며 무용도가 그려져 있다.

③ **각저총**: 각저총은 중국 길림성에 위치하며 씨름도가 그려져 있다.

이것도 알면 **합격!**

고구려의 무덤 양식

초기	돌무지 무덤	특징	돌을 정밀하게 쌓아 올린 형태
		대표 무덤	장군총
후기	굴식 돌방 무덤	특징	• 돌로 널방을 만들고 그 위에 흙을 덮어 봉분을 만든 형태 • 널방의 벽과 천장에 벽화 존재
		대표 무덤	무용총, 각저총, 쌍영총, 안악 3호분 등

문제풀이 고구려의 벽화

난이도 중

제시된 그림은 고구려 강서 고분의 사신도 중 현무도이다.

② 돌무지덧널무덤에는 벽이 없어 벽화를 그릴 수 없다. 돌무지덧널무덤은 신라의 대표적인 무덤 양식으로, 지상이나 지하에 나무 널을 만들고 그것보다 큰 나무 덧널을 만든 다음 냇돌을 쌓고 흙으로 덮은 무덤이다. 구조상 벽화는 발견되지 않으나 도굴이 어려워 부장품이 거의 그대로 보존되어 있다.

오답 분석

① 제시된 그림인 현무도는 북쪽 방위신으로, 사신도(청룡, 백호, 주작, 현무) 중 하나이다.

③ 사신도는 죽은 자의 사후 세계를 지켜 줄 것이라는 믿음을 표현한 것이었다.

④ 사신도는 도교의 방위신을 그린 것이므로, 이를 통해 도교의 영향을 확인할 수 있다.

이것도 알면 **합격!**

사신도

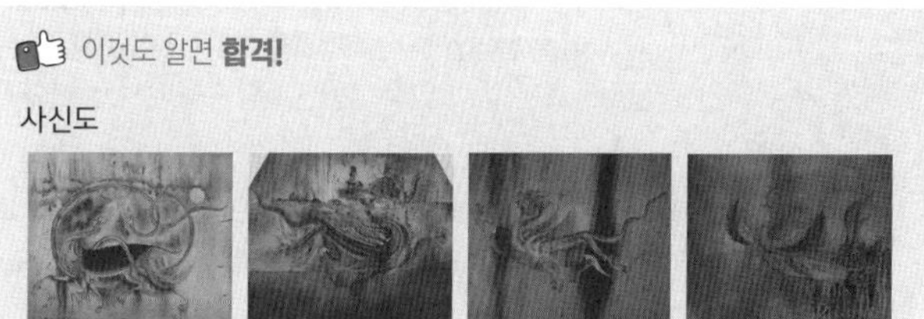

• 고구려 강서 고분의 사신도로, 왼쪽부터 현무, 청룡, 백호, 주작의 모습임
• 사신은 도교의 방위신으로, 당시 고구려에 도교가 전래되었음을 보여줌

정답 01 ④ 02 ④ 03 ④ 04 ②

05

2017년 국가직 7급(8월 시행)

다음 기행문의 ㉠에서 출토한 유물로 적절한 것은?

> 며칠 전 나는 공주 시내에 있는 유적지를 둘러보았다. 가장 인상에 남는 곳은 송산리 고분군이었다. 그곳에는 [㉠]가(이) 자리 잡고 있었으며, 전시관도 마련되어 있었다. [㉠]는(은) 연도(羨道)와 현실(玄室)을 아치형으로 조성한 벽돌무덤이다. 이 무덤에서 금송(金松)으로 만든 왕과 왕비의 관(棺)을 비롯하여 많은 부장품을 출토하였다. 중국 남조 양나라나 왜와의 교류를 짐작케 하는 무덤이다.

① 무덤 안에 있는 여러 옷차림의 토우

② 무덤 안에 놓여 있는 왕과 왕비의 지석

③ 무덤 안의 네 벽면을 장식한 사신도 벽화

④ 무덤 주위를 둘러싼 돌에 새겨진 12지 신상

문제풀이 무령왕릉에서 출토된 유물 난이도 하

제시문에서 공주의 송산리 고분군 중 벽돌무덤이며, 금송으로 만든 왕과 왕비의 관을 비롯한 부장품이 발견되었다는 것과 중국 남조와 왜와의 교류를 짐작케 한다는 내용을 통해 ㉠이 무령왕릉임을 알 수 있다. 무령왕릉이 중국 남조의 영향을 받아 벽돌무덤으로 축조된 것과 일본산 금송으로 만들어진 관을 통해 당시 백제가 중국 남조, 일본 등과 교류했음을 확인할 수 있다.

② 무령왕릉의 입구에서는 왕과 왕비의 지석이 발견되었다. 무령왕릉 지석에는 왕릉터를 토지신에게 샀다는 내용이 기록되어 있는데, 이는 도교의 영향을 받은 것이다. 한편 이 지석에는 무덤의 주인이 무령왕과 왕비임을 보여주는 내용과 사망 및 안장 시기 등이 기록되어 있다.

오답 분석

① 흙으로 만든 인물상인 토우는 대체로 신라와 가야의 무덤에서 발견되며, 경주에서 발굴된 기마 인물형 토기가 대표적이다.

③ 사신도가 발견된 무덤은 고구려 후기의 굴식 돌방무덤인 강서 고분(강서대묘), 백제 웅진 시기의 벽돌 무덤인 송산리 6호분, 백제 사비 시기의 굴식 돌방 무덤인 능산리 1호분 등이 있다. 한편 무령왕릉에서는 벽화가 발견되지 않았다.

④ 무덤 주위를 둘러쌓는 둘레돌에 12지 신상을 조각하는 것은 삼국 통일 이후 나타난 신라 무덤 양식으로, 김유신 묘 등이 대표적이다.

06

2013년 서울시 9급

다음에서 설명하는 왕릉의 특징에 관한 설명으로 옳은 것은?

> 이 왕릉은 송산리 고분군의 배수로 공사 중에 우연히 발견되었다. 이 왕릉은 피장자가 누구인지를 알려주는 묘지석이 발견되어 연대를 확실히 알 수 있는 무덤이다.

① 왕릉 내부에 사신도 벽화가 그려져 있다.

② 왕릉 주위 둘레돌에 12지 신상을 조각하였다.

③ 왕릉의 천장은 모줄임 구조를 지니고 있다.

④ 무덤의 구조는 중국 남조의 영향을 받았다.

⑤ 말꾸미개 장식에 천마의 그림이 그려진 유물이 발견되었다.

문제풀이 무령왕릉의 특징 난이도 하

송산리 고분군의 배수로 공사 중에 우연히 발견되었으며, 묻힌 사람이 누구인지를 알려주는 묘지석이 발견되어 언제 축조되었는지 확실하게 알 수 있었던 무덤은 무령왕릉(송산리 7호분)이다.

④ 무령왕릉은 중국 남조의 영향을 받아 축조된 벽돌무덤이다. 무령왕릉의 천장과 벽 전체는 여러 문양의 벽돌로 화려하게 장식되어 있으며, 금관을 비롯하여 금팔찌·귀고리 등의 장식품과 도자기 등이 출토되었다.

오답 분석

① 무령왕릉에는 벽화가 그려져 있지 않다.

② **굴식 돌방무덤(통일 신라)**: 왕릉 주위 둘레돌에 12지 신상을 조각한 것은 통일 신라 시대의 굴식 돌방무덤이다. 대표적으로는 김유신 묘, 성덕왕릉 등이 있다. 12지 신상은 열두 방위에 맞추어 12지의 얼굴을 가진 신상을 조각한 것으로, 도교의 방위 신앙에 영향을 받은 것이었다.

③ **굴식 돌방무덤(고구려, 발해)**: 왕릉 천장이 모줄임 구조로 되어 있는 것은 고구려의 굴식 돌방무덤이다. 발해 정혜 공주의 묘 역시 고구려 고분 양식에 영향을 받아 모줄임 구조로 조성된 굴식 돌방무덤이다.

⑤ **천마총**: 말꾸미개 장식에 천마의 그림이 그려진 유물(천마도)이 발견된 것은 돌무지덧널무덤 양식의 신라 천마총이다.

07

2022년 소방간부후보생

다음 구조의 고분에 대한 설명으로 가장 적절한 것은?

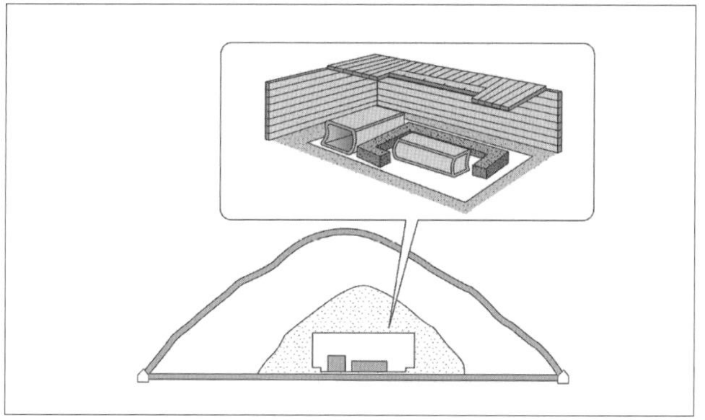

① 고구려에서 주로 제작되었다.

② 중국 남조의 영향을 받아 만들어졌다.

③ 무덤 속에 벽화가 그려진 경우가 많았다.

④ 도굴이 어려워 껴묻거리가 많이 발견되었다.

⑤ 백제 초기의 무덤 양식으로 고구려의 영향을 받았다.

08

2015년 법원직 9급

다음과 같은 무덤 양식에 관한 서술로 가장 옳은 것은?

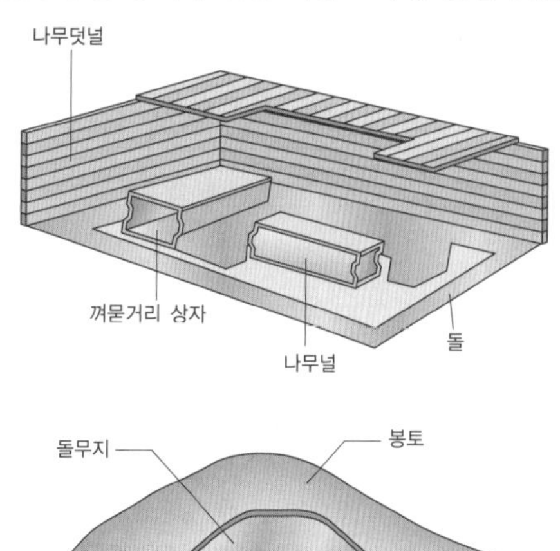

① 내부에 무용도, 수렵도, 사신도와 같은 벽화가 남아 있다.

② 무령왕릉으로 추정되는 묘지석이 이러한 양식의 무덤에서 나왔다.

③ 백제 건국 세력이 고구려와 관계 있음을 보여 주는 무덤 양식이다.

④ 천마도가 발견되어 천마총이라 이름 붙은 무덤도 이러한 양식이다.

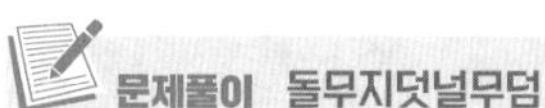

문제풀이 돌무지덧널무덤 난이도 하

제시된 자료와 같은 구조로 축조된 고분은 돌무지덧널무덤이다.

④ 돌무지덧널무덤은 나무덧널 위에 돌을 쌓은 후, 그 위를 다시 봉토로 덮는 구조로 축조되었기 때문에 도굴이 어려워 무덤 내부에서 껴묻거리가 많이 발견되었다.

오답 분석

① 돌무지덧널무덤은 통일 이전의 신라에서 주로 제작되었다. 한편, 고구려는 초기에 돌무지무덤, 후기에는 굴식 돌방무덤을 주로 제작하였다.

② **벽돌무덤**: 중국 남조의 영향을 받아 만들어진 것은 벽돌무덤이다. 대표적인 벽돌무덤으로는 백제의 무령왕릉이 있다.

③ **굴식 돌방무덤**: 무덤 속에 벽화가 그려진 경우가 많은 것은 굴식 돌방무덤이다. 한편, 돌무지덧널무덤은 벽이 없는 구조이기 때문에 벽화를 그릴 수 없었다.

⑤ **계단식 돌무지무덤**: 백제 초기의 무덤 양식으로 고구려의 영향을 받은 것은 계단식 돌무지무덤으로, 대표적으로 석촌동 고분군이 있다.

문제풀이 돌무지덧널무덤 난이도 중

나무덧널 안에 껴묻거리를 담은 껴묻거리 상자와 시신을 넣는 나무널을 넣고, 그 위에 돌을 쌓고 다시 흙으로 봉분을 만든 형태인 것을 통해 신라의 무덤 양식인 돌무지덧널무덤임을 알 수 있다.

④ 천마도가 발견된 천마총은 대표적인 돌무지덧널무덤이다. 천마도는 자작나무 껍질로 만든 말꾸미개 장식에 천마가 그려진 그림이다.

오답 분석

① **굴식 돌방무덤(고구려)**: 무용도, 수렵도, 사신도와 같은 벽화가 남아 있는 무덤은 고구려의 굴식 돌방무덤이다. 무용도와 수렵도는 무용총에, 사신도는 강서 고분과 쌍영총 등에 그려져 있다. 돌무지덧널무덤은 구조상 벽이 없었기 때문에 벽화를 그릴 수 없었다.

② **벽돌무덤(백제)**: 무령왕릉은 중국 남조의 영향을 받아 벽돌무덤 양식으로 축조되었다. 특히 무령왕릉에는 무덤 주인을 알 수 있는 묘지석이 남아 있어 무덤 주인을 알 수 있었다.

③ **계단식 돌무지무덤(백제)**: 백제 건국 세력이 고구려와 관계 있음을 보여 주는 무덤은 석촌동 고분으로, 계단식 돌무지무덤 형태이다. 이 무덤은 고구려의 대표적인 고분인 장군총과 유사하여 백제 건국 세력이 고구려와 관계가 있음을 알려 준다.

정답 05 ② 06 ④ 07 ④ 08 ④

09

2021년 국가직 9급

다음은 발해 수도에 대한 답사 계획이다. 각 수도에 소재하는 유적에 대한 탐구 내용으로 옳은 것만을 모두 고르면?

발해 유적 답사 계획서	
일시	출발 0000년 0월 00일 귀국 0000년 0월 00일
인원	00명
장소	
탐구 내용	㉠ 정효 공주 무덤을 찾아 벽화에 그려진 인물들의 복식을 탐구한다. ㉡ 용두산 고분군을 찾아 벽돌 무덤의 특징을 탐구한다. ㉢ 오봉루 성문터를 찾아 성의 구조를 당의 장안성과 비교해 본다. ㉣ 정혜 공주 무덤을 찾아 고구려 무덤과의 계승성을 탐구한다.

① ㉠, ㉡ ② ㉠, ㉣

③ ㉡, ㉢ ④ ㉢, ㉣

문제풀이 발해의 수도와 유적 난이도 상

제시된 자료의 ㉠~㉣ 지역을 발해 수도와 연결 지으면 ㉠ 돈화는 동모산, ㉡ 화룡은 중경, ㉢ 영안은 상경, ㉣ 훈춘은 동경 지역이다.

③ 옳은 것을 모두 고르면 ㉡, ㉢이다.

㉡ 용두산 고분군은 화룡(중경)에 위치한 발해 유적으로, 이곳에는 벽돌무덤 양식으로 만들어진 정효 공주 무덤을 포함하여 발해 왕실 20여 기의 무덤이 남아 있다.

㉢ 오봉루 성문터는 영안(상경)에 위치한 발해 유적으로, 오봉루는 당의 수도인 장안을 본떠 건설한 계획 도시인 상경성의 정문 명칭이다.

오답 분석

㉠ 정효 공주 무덤은 돈화(동모산)가 아니라 화룡(중경) 인근에 위치한 용두산 고분군에 있다. 정효 공주 무덤은 벽돌로 쌓은 네 벽면에 석회가 칠해져 있으며, 그 위에 무사, 시위, 내시, 악사 등 공주를 모시는 인물을 그린 벽화가 남아 있다.

㉣ 정혜 공주 무덤은 훈춘(동경)이 아니라 돈화(동모산) 인근에 위치한 육정산 고분군에 있다. 정혜 공주 무덤은 고구려 양식인 굴식 돌방무덤과 모줄임 구조로 축조되었고, 돌사자상이 출토되었다.

10

2018년 경찰직(2차)

밑줄 친 '공주'의 무덤에 대한 설명으로 가장 적절하지 않은 것은?

> 공주는 우리 대흥보력효감금륜성법대왕(발해 문왕)의 넷째 딸이다. 공주는 대흥 56년(792) 여름 6월 9일 임진일에 궁궐 밖에서 사망하니, 나이는 36세였다. 이 해 겨울 11월 28일 기묘일에 염곡의 서쪽 언덕에 매장하였으니 이것은 예의에 맞는 것이다.

① 죽은 자의 가족 관계를 기록한 묘지(墓誌)가 있다.

② 벽돌로 축조되어 있다.

③ 늘어서 있는 인물들의 벽화가 있다.

④ 무덤 양식은 굴식 돌방무덤이고, 돌사자상이 나왔다.

문제풀이 발해 정효 공주 묘 난이도 하

제시된 자료에서 발해 문왕의 넷째 딸이라는 내용을 통해 밑줄 친 '공주'가 정효 공주 임을 알 수 있다.

④ 굴식 돌방무덤 양식으로 축조되었으며 돌사자상이 출토된 무덤은 정효 공주 묘가 아닌 정혜 공주 묘이다. 발해 문왕의 둘째 딸인 정혜 공주의 묘는 고구려 양식인 굴식 돌방무덤과 모줄임 구조로 축조되었고, 돌사자상이 출토되었다.

오답 분석

① 정효 공주 묘에서는 죽은 자의 가족 관계를 기록한 묘지(墓誌)가 발견되었다. 이 묘지에는 공주의 아버지인 문왕을 황상이라고 표현하였으며, 문왕 때 '대흥', '보력' 등의 연호를 사용하였음이 기록되어 있다.

②, ③ 정효 공주 묘는 당나라의 영향을 받은 벽돌무덤 양식과 고구려의 영향을 받은 평행 고임 천장으로 축조되었다. 또한 무덤 내부의 널방과 널길의 벽면에는 무사, 악사, 시종 등의 인물들을 그린 벽화가 그려져 있다.

이것도 알면 **합격!**

발해의 대표적인 고분

구분	내용
정혜 공주 묘	• 육정산 고분군에 위치 • 고구려 양식을 계승한 모줄임 천장 구조의 굴식 돌방무덤 • 돌사자상이 출토됨
정효 공주 묘	• 용두산 고분군에 위치 • 당나라 양식과 고구려 양식을 결합한 형태인 벽돌무덤 • 벽화 존재

11

2012년 국가직 9급

삼국 시기의 고분에 대한 설명으로 옳지 않은 것은?

① 고구려 돌무지무덤 – 백제 초기 무덤에 영향을 미쳤다.

② 백제 벽돌무덤 – 중국 남조의 영향을 받았다.

③ 신라 돌무지덧널무덤 – 나무 덧널을 설치하고 그 위에 돌만 쌓았다.

④ 굴식 돌방무덤 – 삼국은 모두 굴식 돌방무덤을 조영했다.

12

2023년 지방직 9급

다음 문화재와 이를 통해 알 수 있는 내용의 연결이 옳지 않은 것은?

① 사택지적비 – 백제가 영산강 유역까지 영역을 확장하였다.

② 임신서기석 – 신라에서 청년들이 유교 경전을 공부하였다.

③ 충주 고구려비 – 고구려가 5세기에 남한강 유역까지 진출하였다.

④ 호우명 그릇 – 5세기 초 고구려와 신라가 밀접한 관계를 맺고 있었다.

문제풀이 삼국 시대의 고분

난이도 중

③ 신라의 돌무지덧널무덤은 지상이나 지하에 시신과 껴묻거리를 넣은 나무 덧널을 설치한 뒤 그 위를 돌로 쌓고 흙으로 덮어 만든 것이다.

오답 분석

① **돌무지 무덤**: 고구려 돌무지무덤은 돌을 정밀하게 쌓아 올린 것으로, 백제에 영향을 미쳐 석촌동 고분과 같은 계단식 돌무지무덤이 만들어졌다. 이는 백제 건국의 주도 세력이 고구려 계통이라는 건국 이야기를 뒷받침해준다.

② **벽돌무덤**: 백제 벽돌무덤은 널방을 벽돌로 쌓은 무덤으로, 중국 남조의 영향을 받은 것이었다. 대표적으로 무령왕릉이 있다.

④ **굴식 돌방무덤**: 고구려는 후기에, 백제는 웅진 시기에, 신라는 통일 직전부터 굴식 돌방무덤을 만들었다.

이것도 알면 **합격!**

삼국의 고분

고구려	• 돌무지무덤: 장군총 • 굴식 돌방무덤: 무용총, 강서 고분, 각저총, 쌍영총
백제	• 계단식 돌무지무덤: 석촌동 고분 • 벽돌무덤: 공주 송산리 6호분, 무령왕릉 • 굴식 돌방무덤: 공주 송산리 1~5호분, 부여 능산리 고분
신라	• 통일 이전: 돌무지덧널무덤(천마총, 호우총), 굴식 돌방무덤 • 통일 이후: 굴식 돌방무덤(김유신 묘, 성덕왕릉), 화장(문무왕릉)

문제풀이 삼국의 문화재

난이도 중

① 사택지적비를 통해 백제가 영산강 유역까지 영역을 확장하였는지 알 수 없다. 한편, 사택지적비는 의자왕 때 대좌평의 고위직을 역임한 사택지적이라는 인물이 말년에 늙어가는 것을 탄식하여 불교에 귀의하고 불당과 탑을 건립한 것을 기록한 비석이다.

오답 분석

② 임신서기석은 신라에서 청년들이 유교 경전을 공부하였다는 사실을 알려주는 비석이다. 임신서기석에는 신라의 두 청년이 나라에 충성할 것과 『시경』, 『예기』 등의 유교 경전을 학습할 것을 맹세하는 내용이 새겨져 있다.

③ 충주 고구려비는 국내에 유일하게 남아 있는 고구려의 비석으로, 고구려가 5세기에 남한강 유역까지 진출하였음을 알려주는 비석이다. 충주 고구려비에는 당시 고구려 군대가 신라 영토 내에 주둔하며 영향력을 행사하고, 고구려가 신라 매금(신라 왕)에게 의복을 하사하였다는 내용 등이 기록되어 있다.

④ 호우명 그릇은 5세기 초 고구려와 신라가 밀접한 관계를 맺고 있음을 알려주는 유물이다. 1946년에 신라의 수도인 경주에서 돌무지덧널무덤(호우총)이 발견되었는데, 이곳에서는 '을묘년국강상광개토지호태왕호우십'이라는 문구가 새겨진 호우명 그릇이 출토되었다. 이는 5세기 초인 을묘년(415)에 광개토 대왕을 기리기 위해 제작한 그릇으로, 당시 고구려와 신라가 밀접한 관계를 맺고 있었음을 알려준다.

정답 09 ③ 10 ④ 11 ③ 12 ①

13

2015년 서울시 9급

다음 〈보기〉에서 백제의 문화재를 모두 고른 것은?

> **보기**
> ㉠ 백률사 석당
> ㉡ 정림사지 5층 석탑
> ㉢ 창왕명 석조 사리감
> ㉣ 법주사 쌍사자 석등

① ㉠, ㉡

② ㉠, ㉣

③ ㉡, ㉢

④ ㉢, ㉣

14

2022년 국가직 9급

우리나라 유네스코 세계유산에 대한 설명으로 옳지 않은 것은?

① 미륵사지에는 목탑 양식의 석탑이 있다.

② 정림사지에는 백제의 5층 석탑이 남아 있다.

③ 능산리 고분군에는 계단식 돌무지무덤이 있다.

④ 무령왕릉에는 무덤 주인공을 알려주는 지석이 있었다.

문제풀이 백제의 문화재 난이도 중

③ 옳은 것을 모두 고르면 ㉡, ㉢이다.

㉡ 정림사지 5층 석탑은 부여에 위치한 대표적인 백제의 석탑으로, 조화미와 균형미가 뛰어난 석탑이다. 한편, 정림사지 5층 석탑의 1층 탑신에는 당나라 장군 소정방이 백제를 평정하였다는 내용을 새겨놓아 평제탑이라고 불리기도 하였다.

㉢ 창왕명 석조 사리감은 부여 능산리 절터에서 발견된 것이다. 능산리 절터는 능산리 고분군과 부여 나성 사이에 위치한 절터로, 이곳에서 출토된 창왕명 석조 사리감의 명문을 통해 창왕(위덕왕)의 누이가 성왕의 명복을 빌기 위해 지은 절임을 알 수 있었다.

오답 분석

㉠ **신라**: 백률사 석당은 신라의 문화재로, 법흥왕 때 불교 공인을 주장하다 순교한 이차돈을 기념하기 위해 헌덕왕 때 건립된 비석이다. 비석의 한쪽 면에는 이차돈의 순교 장면이 새겨져 있는데, 꽃비가 내리는 가운데 잘린 목에서 피가 솟아오르는 장면이 표현되어 있다.

㉣ **통일 신라**: 법주사 쌍사자 석등은 통일 신라의 문화재이다. 보은 법주사의 대웅전과 팔상전 사이에 있는 석등이며, 성덕왕 대에 조성된 것으로 추정되고 있다. 일반적인 신라의 석등 양식이 8각 기둥으로 조성된 데 비해 법주사 쌍사자 석등은 두 마리의 사자로 기둥을 대신한 것이 특징이며, 영암사지 쌍사자 석등, 중흥산성 쌍사자 석등과 함께 신라 3대 석등으로 꼽힌다.

문제풀이 우리나라 유네스코 세계 문화유산 난이도 중

③ 백제 역사 유적 지구 중 부여 지구에 속한 능산리 고분군에는 계단식 돌무지무덤이 아닌 굴식 돌방무덤이 있다. 한편, 대표적인 백제의 계단식 돌무지무덤으로는 서울의 석촌동 고분이 있다.

오답 분석

① 백제 역사 유적 지구 중 익산 지구에 속한 미륵사지에는 목탑 양식의 석탑인 익산 미륵사지 석탑이 있다. 익산 미륵사지 석탑은 현존하는 우리나라 최고(最古)의 석탑으로, 이 석탑에서 백제 무왕의 비인 사택 왕후가 사리를 봉안하였다는 내용의 글이 발견되었다.

② 백제 역사 유적 지구 중 부여 지구에 속한 정림사지에는 백제의 부여 정림사지 5층 석탑이 남아 있다. 부여 정림사지 5층 석탑은 조화미와 균형미가 뛰어나다는 특징이 있으며, 1층 탑신에 당나라 장수 소정방이 백제를 평정하였다는 글귀가 새겨져 있어 한때 평제탑이라고 불리기도 하였다.

④ 백제 역사 유적 지구 중 공주 지구에 속한 무령왕릉(송산리 고분군 7호분)에는 무덤의 주인공이 무령왕임을 알려주는 지석이 있다. 한편, 무령왕릉 지석에는 토지신에게 무덤 자리를 매입했다는 표현이 담겨 있어 도교 사상의 영향을 받았음을 알 수 있다.

15

2022년 소방직

다음 문화유산이 소재한 지역에서 있었던 역사적 사실로 옳은 것은?

① 안승의 보덕국 건국
② 매소성 전투의 전개
③ 진흥왕의 순수비 건립
④ 원종과 애노의 난 발생

문제풀이 익산의 역사적 사실 난이도 중

제시된 사진의 왼쪽은 미륵사지 석탑이고, 오른쪽은 왕궁리 5층 석탑으로, 모두 현재 전라북도 익산에 소재해 있다. 미륵사지 석탑은 백제 무왕 때 건립된 것으로 추정되는 현존하는 우리나라 최고(最古)의 석탑이며, 왕궁리 5층 석탑은 백제의 영향을 받아 고려 시대에 제작된 것으로 추정되는 석탑이다.

① 익산에서는 안승의 보덕국이 건국되었다. 고구려 멸망 이후 보장왕의 서자로 알려진 안승을 중심으로 검모잠 등이 고구려 부흥 운동을 전개하자, 신라는 이를 지원하면서 안승을 회유하여 금마저(익산)에 머물게 하고 보덕국을 건국하여 국왕으로 삼았다.

오답 분석

② **양주 등**: 매소성 전투가 전개된 곳은 지금의 경기도 양주 또는 연천 일대로 추정된다. 나·당 전쟁 과정에서 신라는 이근행이 이끄는 당의 대군을 매소성에서 격파하여 나·당 전쟁의 주도권을 장악하였다.

③ 진흥왕이 순수비를 건립한 지역은 북한산, 창녕, 황초령, 마운령 등이다. 진흥왕은 영토를 확장하고 각지에 순수비를 건립하였는데, 현재까지 발견된 순수비로는 북한산비(국립 중앙박물관 소장), 창녕비(경상남도 창녕), 황초령비(함경남도 함흥), 마운령비(함경남도 함흥)가 있다.

④ **상주**: 원종과 애노의 난이 발생한 지역은 경상북도 상주이다. 진성 여왕 때 정부의 강압적인 조세 징수, 진골 귀족의 농민 수탈 강화 등으로 농민의 불만이 심화되면서 원종과 애노가 사벌주(상주)에서 난을 일으켰나.

16

2018년 기상직 9급

다음 밑줄 친 '이 도시'의 역사적 사실에 대한 설명으로 옳은 것은?

<u>이 도시</u>는 2015년, 유네스코에서 지정한 우리나라의 12번째 세계 문화유산과 관련된 지역이다. 유네스코는 <u>이 도시</u>의 역사 유적지인 아래 두 곳을 포함해 '백제 역사 유적 지구'를 지정하였다.

〈공산성〉

〈송산리 고분군〉

① 백제 금동 대향로가 출토되었다.
② 호암사에 있는 정사암에서 중대한 회의가 이루어졌다.
③ 헌덕왕 17년(825) 내물계 후손 김헌창이 난을 일으켰다.
④ 명종 6년(1176) 망이·망소이의 난이 벌어졌다.

문제풀이 공주 지역의 역사적 사실 난이도 중

제시된 자료에서 공산성과 송산리 고분군이 있으며, 2015년에 백제 역사 유적 지구로 지정되었다는 내용을 통해 밑줄 친 '이 도시'가 충청남도 공주시임을 알 수 있다.

④ 공주 명학소에서 고려 명종 6년(1176)에 망이·망소이의 난이 벌어졌다. 망이·망소이는 무거운 세금 납부와 신분적 차별 대우에 반발하여 난을 일으켰다. 고려 정부는 이들을 회유하기 위해 명학소를 충순현으로 승격시켜 주었다.

오답 분석

① **부여**: 백제 금동 대향로가 출토된 곳은 충남 부여군의 능산리 고분군 부근의 절터이다.

② **부여**: 정사암이 있었던 사찰인 호암사는 충남 부여군에 있었다고 전해진다. 백제의 귀족들은 국가의 중대사를 호암사의 정사암에서 논의하여 결정하였다.

③ 김헌창의 난이 일어난 곳은 공주가 맞지만 김헌창은 내물계 후손이 아닌 무열계 후손이며, 헌덕왕 17년(825)이 아닌 14년(822)에 반란을 일으켰다. 한편 헌덕왕 17년(825)에 난을 일으킨 인물은 김헌창의 아들인 김범문이다.

정답 13 ③ 14 ③ 15 ① 16 ④

17

2019년 국가직 9급

우리나라 문화유산에 대한 설명으로 옳지 않은 것은?

① 개성 경천사지 10층 석탑은 원의 석탑을 본떠 만들어졌다.

② 영주 부석사 무량수전은 주심포식 목조 건물이다.

③ 부여 정림사지 5층 석탑에서는 백제 무왕의 왕후가 넣은 사리기가 발견되었다.

④ 김제 금산사 미륵전은 다층 건물이나 내부가 하나로 통한다.

문제풀이 우리나라의 불교 문화유산

난이도 중

③ **백제 무왕의 왕후가 넣은 사리기가 발견된 것은 익산 미륵사지 석탑이다. 미륵사지 석탑은 무왕 때 건립된 것으로 추정되는 현존하는 우리나라 최고(最古)의 석탑이며, 목탑에서 석탑으로 넘어가는 과도기의 탑이기 때문에 목탑의 양식이 많이 남아있는 것이 특징이다. 한편 부여 정림사지 5층 석탑은 뛰어난 균형미가 특징인 백제의 석탑으로, 1층 탑신에 당나라 장수 소정방이 백제를 평정하였다는 글귀를 새겨놓아 한때 평제탑이라고 불리기도 하였다.**

오답 분석

① 개성 경천사지 10층 석탑은 원의 영향을 받은 고려 후기의 석탑이다. 이 석탑은 이후 조선 세조 때 제작된 원각사지 10층 석탑에 영향을 주었다.

② 영주 부석사 무량수전은 고려 시대 주심포 양식의 목조 건축물이다. 이 외에 고려 시대의 주심포 양식 건축물로는 안동 봉정사 극락전, 예산 수덕사 대웅전 등이 있다.

④ 김제 금산사 미륵전은 조선 후기의 대표적인 불교 건축물로 다층 건물이나 내부가 하나로 통하는 구조로 되어 있다. 조선 후기에는 불교의 사회적 지위가 높아지며 거대한 규모의 불교 건축물이 세워졌는데, 김제 금산사 미륵전, 구례 화엄사 각황전, 보은 법주사 팔상전 등이 대표적이다.

18

2017년 지방직 9급(12월 시행)

밑줄 친 '탑'에 대한 설명으로 옳은 것은?

> 신인(神人)이 말하기를, "황룡사의 호법룡은 나의 아들로서 범왕(梵王)의 명을 받아 그 절을 보호하고 있으니, 본국에 돌아가 그 절에 <u>탑</u>을 세우시오. 그렇게 하면 이웃 나라가 항복하고 구한(九韓)이 와서 조공하여 왕업이 길이 태평할 것이오."라고 하였다. …… 백제에서 아비지(阿非知)라는 공장을 초빙하여 이 <u>탑</u>을 건축하고 용춘이 이를 감독했다.
>
> -『삼국유사』

① 선종이 보급되면서 승려의 사리를 봉안하기 위해 세웠다.

② 목조탑의 양식을 간직하고 있는 석탑이다.

③ 돌을 벽돌 모양으로 다듬어 쌓았다.

④ 자장 율사가 건의하여 세워졌다.

문제풀이 황룡사 9층 목탑

난이도 중

제시된 자료에서 황룡사에 탑을 세우라는 내용을 통해 밑줄 친 '탑'이 신라 선덕 여왕 때 세워진 황룡사 9층 목탑임을 알 수 있다. 선덕 여왕은 백제의 건축 전문 기술자인 아비지를 초청하여 황룡사 9층 목탑을 축조하였다.

④ **황룡사 9층 목탑은 자장 율사의 건의로 세워졌다. 자장은 외적을 물리치고 신라의 위상을 드높이기 위해 황룡사 9층 목탑을 세울 것을 선덕 여왕에게 건의하였다.**

오답 분석

① 선종이 보급되면서 승려의 사리를 봉안하기 위해 세워진 것은 승탑이다. 신라 하대에는 선종 불교가 확산되면서 승려의 사리를 봉안하는 승탑과 탑비(승려의 생애를 적은 비)가 유행하였다.

② **미륵사지 석탑**: 목조탑의 양식을 간직하고 있는 석탑은 익산 미륵사지 석탑이다. 이 탑은 백제 무왕 때 건립된 것으로 추정되며, 우리나라에 현존하는 가장 오래된 탑이다.

③ **분황사 모전 석탑**: 돌을 벽돌 모양으로 다듬어 쌓은 탑은 경주 분황사 모전 석탑이다. 이 탑은 신라 선덕 여왕 때 건립되었다.

19

2015년 지방직 9급

다음 괄호 안에 들어갈 사항으로 옳은 것만을 〈보기〉에서 모두 고른 것은?

> 2000년 12월에 유네스코 세계 유산으로 지정된 경주 역사 유적 지구는 남산 지구, 월성 지구, 대릉원 지구, 황룡사 지구, 산성 지구로 세분된다. 이 중에 남산 지구에 해당하는 문화유산으로는 (　　　) 등이 있다.

보기

㉠ 계림	㉡ 나정(蘿井)
㉢ 포석정	㉣ 분황사
㉤ 첨성대	㉥ 배리 석불 입상

① ㉠, ㉡, ㉢　　② ㉠, ㉣, ㉤
③ ㉡, ㉢, ㉥　　④ ㉣, ㉤, ㉥

문제풀이 경주 역사 유적 지구(남산 지구의 문화유산) 난이도 중

③ 옳은 것을 모두 고르면 ㉡, ㉢, ㉥이다.

㉡ 나정은 남산 지구의 문화유산으로, 신라의 시조인 박혁거세의 탄생 신화와 관련된 유적이다.

㉢ 포석정은 남산 지구의 문화유산으로, 통일 신라 시대의 정원 시설물이다.

㉥ 배리 석불 입상은 남산 지구의 문화유산이다.

오답 분석

㉠ **계림**: 계림은 월성 지구의 문화유산으로, 첨성대와 반월성 사이의 숲을 말한다.

㉣ **분황사**: 분황사는 황룡사 지구의 문화유산이다.

㉤ **첨성대**: 첨성대는 월성 지구의 문화유산으로 동양에서 현존하는 가장 오래된 천문 관측 시설이다.

이것도 알면 **합격!**

경주 역사 유적 지구

남산 지구	나정, 포석정, 용장사지 마애여래좌상 등
월성 지구	계림, 경주 월성, 동궁과 월지, 첨성대 등
대릉원 지구	미추왕릉, 경주 대릉원 일원, 재매정 등
황룡사 지구	황룡사지, 분황사 모전 석탑
산성 지구	명활산성

20

2014년 지방직 7급

밑줄 친 '이들'이 등장한 시기의 문화에 대한 설명으로 옳은 것은?

> 이들은 스스로 성주, 장군이라고 칭하면서 지역에서 실질적인 지배력을 행사하였다. 이들은 지방으로 낙향한 진골 귀족이나 6두품 계층, 무역에 종사하면서 재력과 무력을 키운 세력, 촌의 행정을 담당한 촌주 출신이 주를 이루었다.

① 태학 박사 이문진이 왕명을 받아 『신집』 5권을 만들었다.
② 전탑 형식의 분황사탑이 세워졌다.
③ 북방 가마의 기술이 도입되어 분청사기가 생산되었다.
④ 선종의 영향을 받은 승탑과 탑비가 유행하였다.

문제풀이 신라 하대의 문화 난이도 중

제시문에서 스스로 성주, 장군이라 칭하며 실질적인 지배력을 행사하였으며 지방으로 낙향한 진골 귀족이나 6두품 계층 등이 주를 이루었다는 내용을 통해 밑줄 친 '이들'이 신라 하대에 새롭게 성장한 호족임을 알 수 있다.

④ 신라 하대에는 참선을 중시하는 선종이 유행하였고, 이에 따라 선종의 영향을 받은 승탑과 탑비가 많이 세워졌다. 승탑은 고승들의 사리를 봉안한 묘탑이며, 탑비는 고승의 일대기를 새긴 비석이다.

오답 분석

① **고구려**: 『신집』 5권은 고구려의 역사서로 영양왕 때 이문진이 『유기』 100권을 정리한 것이다.

② **신라 상대**: 분황사탑은 신라 상대인 선덕 여왕 때 세워진 것으로, 돌을 벽돌 모양으로 다듬어 만든 전탑 양식의 석탑이다.

③ **조선 초기**: 분청사기는 조선 초기에 생산되었던 도자기로, 관청이나 궁중에서 널리 사용하였다.

이것도 알면 **합격!**

신라 하대의 대표적인 승탑(부도)와 탑비

구분	내용
부도(승탑)	진전사지 도의선사탑, 흥법사지 염거화상탑, 쌍봉사 철감선사탑
탑비	실상사 증각대사탑비, 쌍계사 진감선사탑비, 쌍봉사 철감선사탑비

정답 17 ③ 18 ④ 19 ③ 20 ④

21

2012년 서울시 9급

다음과 같은 상황이 나타난 시기의 사실로 옳은 것은?

> 나라 안의 여러 주와 군에서 공부(貢賦)를 바치지 않으니, 창고가 텅 비고 나라의 쓰임이 궁핍해졌다. 왕이 사신을 보내 독촉하였지만, 오히려 이로 말미암아 곳곳에서 도적이 벌떼같이 일어났다. 이에 원종, 애노 등이 상주에서 의거하여 반란을 일으켰다.

① 거대한 돌무지덧널무덤이 많이 만들어졌다.
② 세계 최고(最古)의 목판 인쇄물이 만들어졌다.
③ 승려의 사리를 봉안하는 승탑과 탑비(塔碑)가 유행하였다.
④ 불국토의 이상을 조화롭고 균형 있게 표현한 불국사가 건립되었다.
⑤ 정진과 사색하는 모습의 미륵반가 사유상이 많이 만들어졌다.

문제풀이 신라 하대의 문화 난이도 중

제시문의 원종과 애노 등이 난(889)을 일으킨 시기는 신라 하대인 진성 여왕 대이다.

③ 신라 하대에는 선종의 확산으로 승려의 사리를 봉안하는 승탑과 고승의 일대기를 비에 새긴 탑비가 유행하였다.

오답 분석

① **신라 상대:** 돌무지덧널무덤은 신라 상대의 무덤 양식이다. 통일을 전후하여 신라의 무덤 양식은 규모가 작은 굴식 돌방무덤으로 바뀌었다.
② **신라 중대:** 『무구정광대다라니경』에 대한 설명으로 이는 신라 중대인 8세기 초에 만들어졌다.
④ 불국사는 경덕왕 때 김대성 등에 의해 창건되었다는 주장과 법흥왕 때 지어졌다는 주장이 있다.
⑤ **신라 상대:** 미륵반가 사유상은 신라 상대(삼국 시대)에 삼국에서 다수 제작되었다.

이것도 알면 **합격!**

신라의 대표적인 문화재

첨성대	동양에서 현존하는 가장 오래된 천문 관측 시설
『무구정광대다라니경』	세계 최고(最古)의 목판 인쇄물로, 석가탑에서 발견
불국사와 석굴암	김대성의 발원으로 건립된 것으로 추정
쌍봉사 철감선사 승탑	선종의 영향을 받은 대표적인 승탑

22

2023년 서울시 9급

〈보기〉의 유물·유적에 대한 설명으로 가장 옳지 않은 것은?

보기

(가) 무령왕릉

(나) 영광탑

(다) 강서 대묘

(라) 미륵사지 석탑

① (가) – 중국 남조의 영향을 받은 벽돌무덤이다.
② (나) – 발해 때 세워진 5층 벽돌 탑이다.
③ (다) – 도교의 영향을 받은 벽화가 그려져 있다.
④ (라) – 무구정광대다라니경이 발견되었다.

문제풀이 고대의 유물과 유적 난이도 하

제시된 자료의 (가)는 백제의 무령왕릉, (나)는 발해의 영광탑, (다)는 고구려의 강서 대묘, (라)는 백제의 미륵사지 석탑이다.

④ 무구정광대다라니경이 발견된 곳은 불국사 3층 석탑(석가탑)이다. 한편, 미륵사지 석탑은 현존하는 우리나라에서 가장 오래된 석탑으로, 2009년에 해체·수리 중에 내부에서 사리장엄구 등이 발견되었다.

오답 분석

① 무령왕릉은 중국 남조의 영향을 받은 벽돌무덤으로 축조되었다. 무령왕릉은 공주 송산리 고분군 내에 있는 백제 무령왕과 왕비의 능으로, 무덤 안에서 무덤의 주인을 알 수 있는 지석과 함께 중국 청자와 일본산 금송으로 만든 관이 발견되어 당시 백제가 중국의 남조 및 일본과 활발히 교류하였음을 보여 준다.
② 영광탑은 당의 영향을 받아 발해 때 세워진 5층 벽돌 탑이다. 영광탑은 중국 길림성에 위치하며 8세기에서 10세기 사이에 건립된 것으로 추정하고 있다.
③ 강서 대묘에는 도교의 영향을 받은 벽화가 그려져 있다. 강서 대묘는 고구려의 대표적인 굴식 돌방무덤으로, 무덤 내부의 벽면에는 도교의 방위신인 사신도(동쪽의 청룡, 서쪽의 백호, 남쪽의 주작, 북쪽의 현무)가 그려져 있다.

23

2018년 서울시 7급(6월 시행)

〈보기〉는 한국 고대 사회 문화의 일본 전파와 관련된 설명이다. 옳은 것끼리 짝지어진 것은?

> **보기**
> ㉠ 백제의 아직기는 일본에 불교를 전파하였다.
> ㉡ 다카마쓰 무덤에서 발견된 벽화를 통해 가야 문화가 일본에 영향을 미쳤음을 알 수 있다.
> ㉢ 신라인들은 배를 만드는 조선술과 제방을 만드는 축제술을 일본에 전해주었다.
> ㉣ 고구려의 승려 혜자는 쇼토쿠 태자의 스승이 되었다.

① ㉠, ㉡　② ㉡, ㉢
③ ㉡, ㉣　④ ㉢, ㉣

문제풀이 고대 사회 문화의 일본 전파

난이도 중

④ 옳은 것을 모두 고르면 ㉢, ㉣이다.
㉢ 신라인들은 일본에 배를 만드는 기술(조선술)과 제방을 만드는 기술(축제술) 등을 전파하였다.
㉣ 고구려 영양왕 대의 승려 혜자는 일본으로 건너가 쇼토쿠 태자의 스승이 되었으며 일본 아스카 불교 발전에 영향을 주었다.

오답 분석
㉠ 일본에 불교를 전파한 백제의 인물은 성왕 때 일본에 불경과 불상을 전달한 노리사치계이다. 아직기는 백제 근초고왕 때 일본으로 건너가 일본 태자의 스승이 되어 한자를 가르쳐주었다.
㉡ 다카마쓰 무덤에서 발견된 벽화의 인물 복장 등이 고구려 수산리 무덤 벽화와 비슷한 것을 통해 가야 문화가 아닌 고구려 문화가 일본에 영향을 주었음을 알 수 있다.

 이것도 알면 **합격!**

고구려 문화의 일본 전파(7세기)

혜자	일본 쇼토쿠 태자를 가르침
담징	• 종이와 먹의 제작 방법 전달 • 일본 호류사 금당 벽화를 그렸다고 전해짐
혜관	일본에 삼론종 전파

24

2015년 법원직 9급

다음 지도의 (가) ~ (라)에 들어갈 내용으로 가장 옳지 않은 것은?

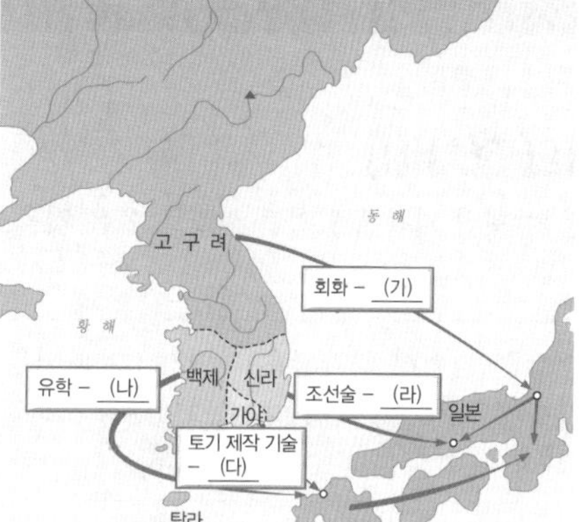

① (가) – 벽화 제작 기법
② (나) – 오경 박사 파견
③ (다) – 스에키 토기에 영향
④ (라) – 왜관을 통해 전파

문제풀이 삼국 문화의 전파

난이도 중

④ 왜관을 통해 일본과 교류한 시대는 조선 세종 때의 3포 개항 이후이다. 신라는 일본과의 군사적 대립 등으로 문화 교류는 적었지만 조선술, 축제술(제방을 쌓는 기술) 등을 전달하였다.

오답 분석
① 고구려의 담징은 호류사의 금당 벽화를 제작하였다.
② 백제의 오경 박사였던 단양이, 고안무 등을 일본에 파견되어 유학을 전파하였다.
③ 가야의 토기는 일본에 전해져 스에키 토기에 영향을 주었다.

 이것도 알면 **합격!**

신라와 가야 문화의 일본 전파

신라	• 상대적으로 일본과 문화 교류가 적었음 • 조선술과 축제술을 전파 → 일본에 '한인의 연못'이라는 이름이 생겨남 • 통일 신라의 문화는 8세기 일본의 하쿠호 문화 형성에 기여
가야	토기 제작 기술이 일본의 스에키 토기 제작에 영향을 줌

정답 21 ③ 22 ④ 23 ④ 24 ④

최빈출 다지선다 문제로 단원 마무리

01 고대의 정치 (1)

밑줄 친 '왕'의 재위 기간에 있었던 사실로 옳은 것을 모두 고른 것은? 2020년 지방직 7급

> 영동대장군인 백제 사마왕은 나이가 62세 되는 계묘년 5월 임진일인 7일에 돌아가셨다. 을사년 8월 갑신일인 12일에 안장하여 대묘에 올려 모시며, 기록하기를 이처럼 한다.

① 16등급의 관등을 마련하고, 공복을 제정하였다. 20. 지방직 7급

② 수도는 5부, 지방은 5방으로 나누어 정비하였다. 20. 지방직 7급

③ 수도를 사비로 옮기고 국호를 남부여로 고쳤다. 15. 지방직 9급

④ 왕족을 파견하여 지방에 대한 통제를 강화하였다. 20. 지방직 7급

⑤ 북위에 사신을 보내 고구려를 공격해 줄 것을 요청하였다. 19. 서울시 7급(10월)

⑥ 남으로 마한을 통합하고, 북으로 고구려 평양성을 공격하였다. 20. 지방직 7급

⑦ 백제가 신라 대야성을 공격하여 함락시켰다. 20. 국가직 9급

⑧ 신라와 결혼 동맹을 맺어 이벌찬 비지의 딸을 왕비로 맞이하였다. 19. 서울시 7급(10월)

⑨ 양나라에 사신을 보내 여러 차례 고구려를 격파했다는 서신을 전했다. 19. 서울시 7급(10월)

⑩ 박사 고흥으로 하여금 백제의 역사서인 『書記(서기)』를 편찬하게 하였다. 14. 서울시 9급

정답 및 해설

정답

④, ⑨

자료분석

영동대장군 백제 사마왕 → 무령왕

선택지 체크

① 고이왕 ② 성왕 ③ 성왕 **④ 무령왕** ⑤ 개로왕 ⑥ 근초고왕 ⑦ 의자왕 ⑧ 동성왕 **⑨ 무령왕** ⑩ 근초고왕

01 고대의 정치 (2)

밑줄 친 '왕'의 재위 기간에 있었던 일로 옳은 것을 모두 고른 것은? 2019년 국가직 7급

> 왕의 국서에 이르기를, "열국(列國)을 거느리고 여러 번(蕃)을 총괄하면서, 고려의 옛 땅을 회복하고 부여의 유풍을 지니고 있습니다. 너무 멀어 길이 막히고 바다 역시 아득하여 소식이 통하지 않고 길흉을 물음이 끊어졌는데, 우호를 맺고 옛날의 예에 맞추어 사신을 보내어 이웃을 찾는 것이 오늘에야 비롯하게 되었습니다."라고 하였다.

① 수도를 상경성으로 옮겼다. 22. 국가직 9급

② '대흥'이라는 연호를 사용하였다. 18. 법원직 9급

③ 장문휴가 당의 등주를 공격하였다. 19. 국가직 9급

④ 국호를 진국에서 발해로 바꾸었다. 19. 국가직 9급

⑤ 야율아보기에 의해 홀한성이 포위되었다. 15. 국가직 7급

⑥ 5경 15부 62주의 지방 제도가 완비되었다. 12. 국가직 7급

⑦ 돌궐·일본과 친교를 강화하며 당·신라에 맞섰다. 18. 법원직 9급

⑧ 전성기를 맞이하여 중국인들이 해동성국이라 불렀다. 24. 서울시 9급

⑨ 전륜성왕을 자처하고 황상이라는 칭호를 사용하였다. 18. 서울시 9급(3월)

⑩ 고구려 유민과 말갈족을 이끌고 동모산에 도읍을 정하였다. 22. 국가직 9급

정답 및 해설

정답

③, ⑦

자료분석

고려(고구려)의 옛 땅을 회복함 + 부여의 유풍을 지니고 있음 → 발해 무왕이 일본에 보낸 국서

선택지 체크

① 문왕·성왕 ② 문왕 **③ 무왕** ④ 고왕(대조영) ⑤ 대인선(제15대 왕) ⑥ 선왕 **⑦ 무왕** ⑧ 선왕 ⑨ 문왕 ⑩ 고왕(대조영)

02 고대의 경제·사회

통일 신라 시대 귀족 경제의 변화를 말해주고 있는 밑줄 친 '이것'에 대한 설명으로 옳은 것을 모두 고른 것은? 2014년 국가직 9급

> 전제 왕권이 강화되면서 신문왕 9년(689)에 이것을 폐지하였다. 이를 대신하여 조(租)의 수취만을 허락하는 관료전이 주어졌고, 한편 일정한 양의 곡식이 세조(歲租)로서 또한 주어졌다. 그러나 경덕왕 16년(757)에 이르러 다시 이것이 부활되는 변화 과정을 겪었다.

① 경기(京畿)에 한정하여 지급되었다. 18. 지방교행직

② 해당 지역의 조세와 역 징발권을 부여하였다. 13. 법원직 9급

③ 토지 비옥도에 따라 6등급으로 구분되었다. 18 지방 교행직

④ 지역을 단위로 설정되어 수취가 허용되었다. 18 지방 교행직

⑤ 하급 관료와 군인의 유가족에게 지급하였다. 12. 지방직(상) 9급

⑥ 현직 관리에 한하여 수조권을 지급하였다. 13. 법원직 9급

⑦ 국가에서 직접 세금을 거두어 관리에게 지급하였다. 13. 법원직 9급

⑧ 지주에게 결작을 부과하였다. 23. 국가직 9급

⑨ 18등급으로 나누어 지급되었으며 전지와 시지로 구성되었다. 18 지방 교행직

⑩ 지방 호족들의 경제 기반으로 고려 무신 정권기까지 존속했다. 18. 국가직 7급

정답 및 해설

정답

②, ④

자료분석

신문왕 9년에 폐지 + 경덕왕 16년에 이르러 부활 → 녹읍

선택지 체크

① 과전(조선 시대) **② 녹읍** ③ 전분 6등법(조선 시대) **④ 녹읍**
⑤ 구분전(고려 시대) ⑥ 직전법(조선 시대) ⑦ 관수 관급제(조선 시대)
⑧ 균역법 (조선시대) ⑨ 전시과(고려 시대) ⑩ 녹읍은 태조 왕건 때 폐지됨

03 고대의 문화

밑줄 친 '그'의 행적으로 옳은 것을 모두 고른 것은? 2018년 국가직 7급

> 왕이 수도(금성)에 성곽을 쌓으려고 문의하니 그가 말하기를, "비록 초야에 살더라도 정도(正道)만 행하면 복업(福業)이 오래 갈 것이요, 만일 그렇지 못하면 여러 사람을 수고롭게 하여 성을 쌓을지라도 아무 이익이 없을 것입니다."라고 하였다. 왕은 이에 성 쌓는 일을 그만두었다.
>
> –『삼국사기』

① 왕에게 건의하여 황룡사 9층 탑을 세웠다. 19. 지방직 7급

② 부석사를 창건하여 해동 화엄종의 시조가 되었다. 13. 국가직 7급

③ 세속 5계를 만들어 젊은이에게 규범을 제시하였다. 13. 지방직 9급

④ 모든 것이 한마음에서 나온다는 일심 사상을 제시하였다. 22. 국가직 9급

⑤ 천태종을 통해 교종의 입장에서 선종을 통합하려 하였다. 13. 국가직 7급

⑥『십문화쟁론』을 지어 종파 간의 대립을 해소하고자 하였다. 15. 지방직 9급

⑦ 대국통(大國統)에 임명되어 출가자의 규범과 계율을 주관하였다. 18. 서울시 7급(3월)

⑧ 인도와 중앙아시아 지역을 여행하고 돌아와『왕오천축국전』을 저술하였다. 15. 지방직 9급

⑨ 화엄 사상을 연구하여『화엄일승법계도』를 작성하였다. 21. 지방직 9급

⑩ 자신의 행동을 진정으로 참회하는 법화 신앙에 중점을 둔 백련 결사를 제창하였다. 13. 국가직 7급

정답 및 해설

정답

②, ⑨

자료분석

왕이 수도(금성)에 성곽을 쌓으려고 문의 + 성을 쌓을지라도 아무 이익이 없을 것이라 말함 → 의상

선택지 체크

① 자장 **② 의상** ③ 원광 ④ 원효 ⑤ 의천(고려 시대) ⑥ 원효 ⑦ 자장 ⑧ 혜초
⑨ 의상 ⑩ 요세(고려 시대)

공무원시험전문 해커스공무원
gosi.Hackers.com

고려 시대 출제 경향

1. 주요 직렬별 출제 비중(2019 ~ 2024)

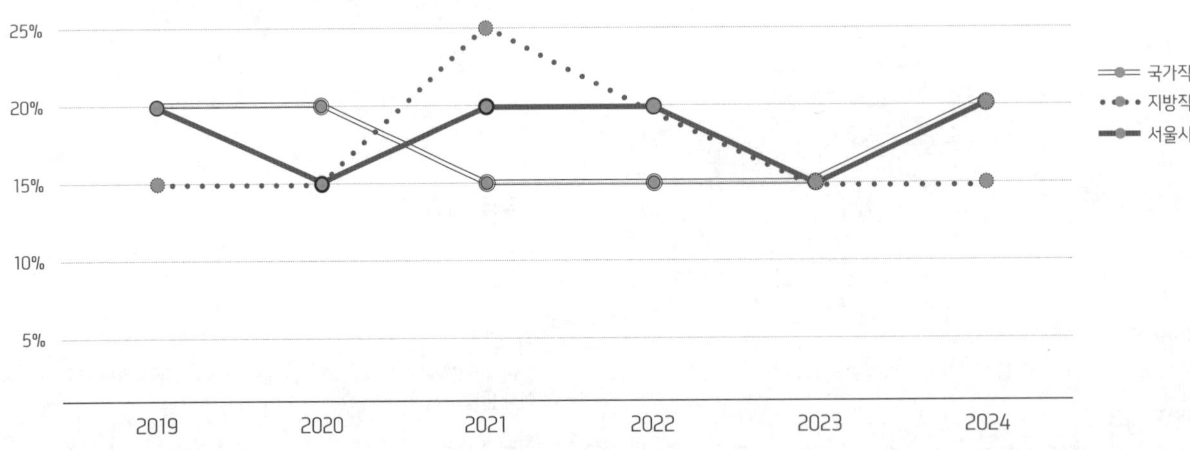

고려 시대의 경우 매해 평균 3 ~ 4문제씩 꾸준히 출제되고 있으며, 2019년 시험 이후 모든 직렬의 고려 시대 출제 비중이 15% 이상 유지되고 있는 것이 특징입니다.

III. 고려의 발전

01 고려의 정치
02 고려의 경제·사회
03 고려의 문화

2. 주요 직렬별 최근 출제 경향 및 학습 방법

국가직	국가직 시험에서는 매해 3문제 이상 출제되고 있습니다. 2024년 국가직 9급 시험에서는 고려 현종 재위 기간의 사실, 위화도 회군 이후의 사실, 고려의 경제 상황을 묻는 문제가 쉽게 출제되었습니다. ▶ 고려 시대 주요 왕의 업적뿐만 아니라 해당 왕 시기에 시행된 제도의 세부 내용과 사료까지 함께 암기해야 합니다. ▶ 시기별 정치적 특징과 함께 당시 시행된 경제 정책 등을 함께 정리해 두어야 합니다.
지방직	지방직 시험의 경우 2019년 이후 꾸준히 3문제씩 출제되고 있습니다. 2024년 지방직 9급 시험에서는 고려 성종 대의 사실, 화통도감, 『직지심체요절』을 묻는 문제가 쉽게 출제되었습니다. ▶ 고려 시대의 중앙 통치 제도와 지방 제도에 대해 꼼꼼히 학습해야 합니다. ▶ 고려 시대의 각종 서적, 문화재 등을 조선 시대와 비교하여 정리합니다.
서울시*	2024년 서울시 9급 시험에서는 무신 정변 이후의 사건, 고려 시대의 사실, 몽골의 1차 침입과 공민왕 재위 시기 사이의 사실, 고려 시대의 정책을 묻는 문제가 무난하게 출제되었습니다. ▶ 원 간섭기의 정치적 사실을 중점적으로 학습하고, 고려 시대의 정치 제도와 주요 사건에 대해서도 포괄적으로 정리해 두어야 합니다.

* 서울시 9급(특수직렬) 문제는 인사혁신처에서 출제한 문제가 아니고, 서울시에서 자체 출제한 문제입니다.

1 | 고려의 성립과 성장

01

2022년 계리직 9급

후삼국 통일 과정에 있었던 사건의 순서를 옳게 나열한 것은?

> ㉠ 완산주에 도읍을 정하고 후백제를 건국하였다.
> ㉡ 국호를 태봉, 연호를 수덕만세로 정하였다.
> ㉢ 금성이 함락되고 경애왕이 사망하였다.
> ㉣ 왕건이 궁예를 몰아내고 즉위하였다.

① ㉠ - ㉡ - ㉢ - ㉣
② ㉠ - ㉡ - ㉣ - ㉢
③ ㉡ - ㉠ - ㉣ - ㉢
④ ㉡ - ㉠ - ㉢ - ㉣

문제풀이 후삼국 통일 과정 난이도 중

② **순서를 옳게 나열하면 ㉠ 후백제 건국(900) → ㉡ 궁예의 국호(태봉)와 연호(수덕만세) 변경(911) → ㉣ 고려 건국(918) → ㉢ 금성 함락과 경애왕 사망(927)이 된다.**

㉠ **후백제 건국**: 견훤은 전라도 지방의 군사력과 호족 세력을 토대로 완산주(전주)에 도읍을 정하고 후백제를 건국하였다(900).

㉡ **궁예의 국호(태봉)와 연호(수덕만세) 변경**: 궁예는 후고구려를 건국한 뒤 영토가 확장되고 국가 기반이 다져지자 국호를 마진(904)으로 바꾸고 도읍을 송악에서 철원으로 옮겼다. 이후 궁예는 국호를 다시 태봉으로 바꾸고, 연호를 수덕만세로 정하였다(911).

㉣ **고려 건국**: 왕건이 궁예를 몰아내고 신하들의 추대를 받아 철원에서 즉위하여 국호를 고려라고 하였다(918).

㉢ **금성 함락과 경애왕 사망**: 후백제의 견훤은 신라의 수도인 금성(경주)을 침공하여 함락시킨 뒤 경애왕을 살해하고, 경순왕을 신라 왕으로 세웠다(927).

 이것도 알면 **합격!**

후삼국 통일 과정
신라 경애왕이 살해됨(927) → 공산 전투(927) → 고창(안동) 전투(930) → 운주(홍성) 전투(934) → 견훤의 금산사 유폐, 경순왕 항복(935) → 일리천(선산) 전투(936) → 후백제 멸망, 후삼국 통일(936)

02

2021년 법원직 9급

(가) 시기에 발생한 사건으로 가장 옳지 않은 것은?

> 태조가 포정전에서 즉위하여 국호를 고려라 하고 연호를 고쳐 천수라 하였다. -『고려사』

↓

> (가)

↓

> 고려군의 군세가 크게 성한 것을 보자 갑옷을 벗고 창을 던져 견훤이 탄 말 앞으로 와서 항복하니 이에 적병이 기세를 잃어 감히 움직이지 못하였다. …… 신검이 두 동생 및 문무 관료와 함께 항복하였다. -『고려사』

① 고려군이 고창에서 견훤의 후백제군을 패퇴시켰다.
② 신라의 경순왕은 스스로 나라를 고려에 넘겨주었다.
③ 왕건이 이끄는 군대가 후백제의 금성을 함락하였다.
④ 발해국 세자 대광현과 수만 명이 고려에 귀화하였다.

문제풀이 고려 건국과 후삼국 통일 사이의 사건 난이도 중

제시문에서 태조가 포정전에서 즉위하여 국호를 고려라 하고 연호를 천수라 한 것은 918년의 일이고, 신검이 두 동생 및 문무 관료와 함께 항복한 것은 936년의 일이다.

③ **왕건이 이끄는 후고구려의 군대가 후백제의 금성(나주)을 함락한 것은 903년으로, 왕건이 고려를 건국하기 이전의 사실이다.**

오답 분석
모두 (가) 시기에 발생한 사건이다.
① 고려군은 930년에 고창(경북 안동)에서 견훤의 후백제군을 패퇴시켰고, 이를 계기로 고려가 후삼국의 주도권을 잡게 되었다.
② 신라 경순왕은 중앙 정치의 문란과 지방 통제 기능의 상실, 후백제의 침략 등으로 국가 유지가 어려워지자 935년에 고려의 태조 왕건에게 항복하였다.
④ 발해국의 세자 대광현은 926년경 또는 934년에 수만 명의 발해 유민을 이끌고 고려에 귀화하였다. 이에 고려 태조 왕건은 이들을 포용하였으며, 대광현에게는 왕계라는 이름을 하사하고 왕족으로 대우하였다.

03

2020년 경찰직(1차)

다음에 제시된 역사적 사건들을 시간 순서대로 바르게 나열한 것은?

> ㉠ 후백제의 견훤이 경주를 침공해 경애왕을 죽였다.
> ㉡ 후백제의 신검이 견훤을 금산사에 유폐시켰다.
> ㉢ 왕건이 국호를 고려라 정하고 송악으로 천도하였다.
> ㉣ 고려가 공산 전투에서 후백제에게 패하였다.

① ㉠ - ㉢ - ㉡ - ㉣
② ㉠ - ㉣ - ㉢ - ㉡
③ ㉢ - ㉠ - ㉡ - ㉣
④ ㉢ - ㉠ - ㉣ - ㉡

문제풀이 후삼국 통일 과정 난이도 중

④ **순서대로 나열하면 ㉢ 고려 건국(918), 송악 천도(919) → ㉠ 경애왕 살해(927. 11.) → ㉣ 공산 전투(927. 11.) → ㉡ 견훤의 금산사 유폐(935)가 된다.**

㉢ **고려 건국, 송악 천도**: 왕건이 궁예를 축출한 뒤 신하들의 추대를 받아 철원에서 즉위하여 국호를 고려라고 하였고(918), 그 이듬해에 송악으로 천도하였다(919).

㉠ **경애왕 살해**: 후백제의 견훤은 경주를 침공하여 경애왕을 살해하고, 경순왕을 신라 왕으로 세웠다(927. 11.).

㉣ **공산 전투**: 후백제의 견훤이 신라를 침공하자, 신라는 고려에 구원 요청을 하였다. 이에 고려는 신라에서 철수하는 후백제를 공산에서 공격하였으나 크게 패하였다(927. 11.). 이후 고려는 고창 전투(930)에서 후백제에게 승리를 거두면서 후삼국의 주도권을 장악하였다.

㉡ **견훤의 금산사 유폐**: 후백제의 견훤이 넷째 아들 금강에게 왕위를 물려주려고 하자 큰 아들 신검은 견훤을 금산사에 유폐하였다(935). 견훤은 그 해 6월에 금산사를 탈출하여 고려에 투항하였고, 이후 고려는 후백제와의 일리천 전투에서 대승을 거두면서 후백제를 멸망시키고 후삼국을 통일하였다(936).

04

2022년 지방직 9급

밑줄 친 '이 시기'에 있었던 사실로 옳은 것은?

> <u>이 시기</u>의 불교 조각은 지역에 따라 다양하게 제작되었다. 처음에는 하남 하사창동의 철조 석가여래 좌상과 같은 대형 철불이 많이 제작되었다. 또한 덩치가 큰 석불이 유행하였는데, 논산 관촉사 석조 미륵보살 입상이 대표적이다. 이 불상은 큰 규모에 비해 조형미는 다소 떨어지지만, 소박한 지방 문화의 모습을 잘 보여 준다.

① 성골 출신의 국왕이 재위하였다.
② 지방 세력으로 호족이 존재하였다.
③ 풍양 조씨 등 특정 가문이 정권을 장악하였다.
④ 성리학에 투철한 사림 세력이 정국을 주도하였다.

문제풀이 고려 시대의 사실 난이도 하

제시문에서 하남 하사창동 철조 석가여래 좌상과 논산 관촉사 석조 미륵보살 입상 등이 제작되었다는 것을 통해 밑줄 친 '이 시기'가 고려 시대임을 알 수 있다.

② **고려 시대에는 지방 세력으로 호족이 존재하였다. 신라 말 중앙 정부의 지방에 대한 통제력이 약화되면서 지방 세력으로 호족이 성장하여 고려 초기까지 존재하였다. 이후 이들은 고려 성종 때 향리제를 통해 지방의 향리로 편입되었다.**

오답 분석

① **신라 상대**: 성골 출신의 국왕이 재위한 것은 신라 상대이다. 신라 상대에 골품제가 성립되면서 성골이 왕위에 올랐다. 한편, 성골은 왕이 될 수 있는 자격을 가진 최고의 신분이었으나 진덕 여왕을 마지막으로 단절되었고, 무열왕 때부터는 진골 출신이 왕위에 오르게 되었다.

③ **조선 후기**: 풍양 조씨 등 특정 가문이 정권을 장악한 것은 조선 후기 세도 정치 시기이다. 정조 사후 순조·헌종·철종의 60여 년 동안 안동 김씨, 풍양 조씨 등 왕의 외척 세력이 정권을 장악하였다.

④ **조선 전기**: 성리학에 투철한 사림 세력이 정국을 주도한 것은 조선 전기인 16세기부터이다.

정답 01 ② 02 ③ 03 ④ 04 ②

05

2023년 법원직 9급

㉠ 기간에 일어난 사실로 가장 옳은 것은?

> 임금이 대광 박술희에 말하였다. "짐은 미천한 가문에서 일어나 그릇되게 사람들의 추대를 받아 몸과 마음을 다하여 노력한 지 19년 만에 삼한을 통일하였다. 외람되게 ㉠25년 동안 왕위에 있었으니 몸은 이미 늙었으나 후손들이 사사로운 정에 치우치고 욕심을 함부로 부려 나라의 기강을 어지럽힐까 크게 걱정된다. 이에 훈요를 지어 후세에 전하니 바라건대 아침저녁으로 살펴 길이 귀감으로 삼기 바란다."

① 공산 전투가 전개되었다.

② 노비안검법이 시행되었다.

③ 수덕만세라는 연호가 등장하였다.

④ 최승로가 시무 28조를 제시하였다.

문제풀이 태조 왕건 재위 기간의 사실 난이도 하

제시문에서 사람들의 추대를 받아 19년 만에 삼한을 통일하였다는 내용과 훈요를 지어 후세에 전하니 귀감으로 삼길 바란다는 내용을 통해 ㉠이 태조 왕건 재위 기간인 918~943년임을 알 수 있다.

① 태조 왕건 재위 기간인 927년에 후백제의 견훤이 신라를 침공하자, 신라는 고려에 구원을 요청하였다. 이에 고려는 신라에서 철수하는 후백제를 공산에서 공격하였으나 크게 패하였다(공산 전투).

오답 분석

② **고려 광종**: 노비안검법이 시행된 것은 고려 광종 때의 사실이다. 고려 광종 때는 후삼국 시대에 불법으로 노비가 된 자를 조사하여 양인으로 해방시키는 노비안검법을 시행하여 국가의 재정을 확충하고, 호족의 경제적·군사적 기반을 약화시키고자 하였다.

③ **궁예**: 수덕만세라는 연호가 등장한 것은 후고구려 궁예 때의 사실이다. 한편, 태조 왕건 때는 천수라는 독자적인 연호를 사용하였다.

④ **고려 성종**: 최승로가 시무 28조를 제시한 것은 고려 성종 때의 사실이다. 고려 성종 때 최승로는 유교 이념을 바탕으로 국가를 운영할 것을 주장하며 시무 28조를 제시하였다.

06

2022년 서울시 9급(2월 시행)

〈보기〉와 관련된 왕에 대한 설명으로 가장 옳은 것은?

> **보기**
> - 불교의 힘으로 나라를 세웠으므로 사찰을 서로 빼앗지 말 것.
> - 사찰을 지을 때에는 도선의 풍수 사상에 맞게 지을 것.
> - 연등회와 팔관회를 성실하게 지킬 것.
> - 농민의 요역과 세금을 가볍게 하여 민심을 얻고 부국안민을 이룰 것.

① 중국에서 귀화한 쌍기의 건의에 따라 과거(科擧) 제도를 시행하였다.

② 귀순한 호족에게 성(姓)을 내려주어 포섭하였다.

③ 경제 개혁을 수행하여 전시과(田柴科)를 실시하였다.

④ 관료 제도를 안정시키기 위해 공복(公服)을 등급에 따라 제정하였다.

문제풀이 태조 왕건 난이도 하

제시문에서 사찰을 지을 때 도선의 풍수 사상에 맞게 지을 것, 연등회와 팔관회를 성실하게 지킬 것 등을 통해 고려 태조 왕건이 지은 훈요 10조임을 알 수 있다.

② 태조 왕건은 귀순한 호족에게 왕씨 성(姓)을 내려주어 포섭하는 사성 정책을 펼쳤다. 이 밖에도 태조 왕건은 지방 호족을 포섭하기 위해서 유력한 호족과 혼인을 맺는 혼인 정책을 펼치기도 하였다.

오답 분석

① **고려 광종**: 중국에서 귀화한 쌍기의 건의에 따라 과거(科擧) 제도를 시행한 왕은 고려 광종이다. 광종은 과거 시험을 통해 관리를 선발하여 공신들의 세력을 약화시키고 왕권을 강화하고자 하였다.

③ **고려 경종**: 경제 개혁을 수행하여 전시과(田柴科)를 처음 실시(시정 전시과)한 왕은 고려 경종이다. 경종 때 전·현직 관리의 인품과 관품을 고려하여 전지와 시지를 지급하는 시정 전시과가 처음 실시되었으며, 목종 때 인품을 배제하고 관직만을 고려하는 개정 전시과로 개편되었다. 이후 문종 때 현직 관리에게만 지급하는 경정 전시과가 시행되었다.

④ **고려 광종**: 관료 제도를 안정시키기 위해 공복(公服)을 등급에 따라 자·단·비·녹으로 제정한 왕은 고려 광종이다.

07

2021년 국회직 9급

다음과 같은 상황이 나타난 시기에 대한 설명으로 옳은 것만을 모두 고르면?

> 거란에서 사신과 낙타 50필을 보내왔다. 왕은 거란이 일찍이 발해와 동맹을 맺고 있다가 갑자기 의심을 품어 맹약을 어기고 그 나라를 멸망시켰으니 이는 심히 무도한 나라로서 친선 관계를 맺을 수가 없다고 하여, 드디어 국교를 단절하고 사신 30명은 섬으로 귀양을 보냈으며, 낙타는 만부교 아래 매어 두었더니 다 굶어 죽었다.

> ㉠ 사심관 제도를 실시하였다.
> ㉡ 장학 재단인 학보를 설치하였다.
> ㉢ 역사서인 『국사』를 편찬하였다.
> ㉣ 흥법사지 염거화상탑을 건립하였다.

① ㉠, ㉡
② ㉠, ㉢
③ ㉠, ㉣
④ ㉡, ㉢
⑤ ㉡, ㉣

08

2019년 지방직 9급

다음과 같은 글을 남긴 국왕의 업적에 해당하는 것은?

> 우리 동방은 옛날부터 중국의 풍속을 흠모하여 문물과 예악이 모두 그 제도를 따랐으나, 지역이 다르고 인성도 각기 다르므로 꼭 같게 할 필요는 없다. 거란은 짐승과 같은 나라로 풍속이 같지 않고 말도 다르니 의관 제도를 삼가 본받지 말라.
>
> – 『고려사』 에서

① 물가 조절을 위해 상평창을 설치하였다.
② 기인·사심관제와 함께 과거제를 실시하였다.
③ 혼인 정책과 사성 정책을 통해 호족을 포섭하였다.
④ 광군 30만을 조직하여 거란의 침략에 대비하였다.

문제풀이 태조 왕건 재위 기간의 사실 — 난이도 하

제시문에서 거란이 사신과 낙타 50필을 보내왔는데, 왕이 국교를 단절하고 사신 30명을 귀양 보냈으며, 낙타는 만부교 아래 매어 굶어 죽게 하였다는 것을 통해 태조 왕건 때 일어난 만부교 사건(942)에 대한 내용임을 알 수 있다. 태조 왕건은 고구려 계승 국가로서 동족 의식을 갖고 있던 발해를 멸망시킨 거란을 무도한 나라로 평가하고 거란에 대한 강경책을 실시하였다.

① 옳은 것을 모두 고르면 ㉠, ㉡이다.
㉠ 태조 왕건 때 중앙의 고관을 자기 출신지의 사심관으로 임명하여 관할 지역의 치안과 행정에 대해 연대 책임을 지도록 하는 사심관 제도를 실시하였다.
㉡ 태조 왕건 때 학교 운영 자금을 확보하기 위하여 교육 장학 재단인 학보를 설치하였다.

오답 분석

㉢ **진흥왕**(신라): 역사서인 『국사』를 편찬한 것은 신라 진흥왕 재위 시기의 사실이다. 진흥왕은 거칠부에게 역사서인 『국사』를 편찬하도록 하였다.
㉣ **문성왕**(통일 신라): 흥법사지 염거화상탑을 건립한 것은 통일 신라 문성왕 재위 시기의 사실이다. 신라 하대에는 선종이 널리 퍼지면서 승려의 사리를 봉안하는 승탑과 승려의 생애를 적은 탑비가 유행하였는데, 대표적인 승탑으로 흥법사지 염거화상탑, 쌍봉사 철감선사 승탑 등이 있다.

문제풀이 태조 왕건 — 난이도 중

제시문에서 우리 동방은 중국의 풍속을 따랐으나 꼭 같게 할 필요는 없으며, 거란은 짐승과 같은 나라이니 본받지 말라고 한 내용을 통해 고려 태조 왕건이 남긴 훈요 10조의 내용임을 알 수 있다. 태조 왕건은 후대 왕들이 지켜야 할 정책 방향을 제시한 훈요 10조를 남겼다.

③ 고려 태조 왕건은 지방 호족을 포섭하기 위해 유력한 호족과 혼인을 맺는 혼인 정책을 펼쳤으며, 개국이나 국가 업무에 큰 공이 있는 호족들에게 왕씨 성을 하사하는 사성 정책을 펼치기도 하였다.

오답 분석

① **고려 성종**: 물가 조절을 위해 개경·서경·12목에 상평창을 설치한 왕은 고려 성종이다.
② 태조 왕건이 지방 향리의 자제를 수도에 데려와 지방의 행정과 관련된 일을 담당하게 하는 기인 제도와, 중앙의 관리를 출신지의 사심관으로 삼는 사심관 제도를 실시한 것은 맞지만, 과거제를 실시한 왕은 고려 광종이다. 광종은 중국 후주에서 귀화한 쌍기의 건의를 받아들여 과거제를 시행하였다.
④ **고려 정종**: 거란의 침략에 대비하기 위해 광군 30만을 조직한 왕은 고려 정종(3대)이다.

정답 05 ① 06 ② 07 ① 08 ③

09

2017년 법원직 9급

다음 (가) 국왕에 대한 설명으로 가장 옳은 것은?

> 전하는 말에 의하면, (가) 은(는) 나주에 10년간 머무르게 되었는데, 어느 날 진 위쪽 산 아래에 다섯 가지 색의 상서로운 구름이 있어 가보니 샘에서 아리따운 여인이 빨래를 하고 있어 그가 물 한 그릇을 청하자, 여인이 버들잎을 띄워 주었는데, 급히 물을 마시지 않게 하기 위함이었다 한다. 여인의 총명함과 미모에 끌려 그녀를 아내로 맞이하였는데 그 분이 장화 왕후 오씨 부인이고, 그 분의 몸에서 태어난 아들 무(武)가 혜종이 되었다.

〈나주 완사천〉

① 훈요 10조를 남겼다.

② 과거 제도를 도입하였다.

③ 향리 제도를 마련하였다.

④ 전시과 제도를 실시하였다.

문제풀이 태조 왕건 난이도 하

제시문에서 나주에 10년간 머물렀으며 그의 아들이 혜종이 되었다는 내용을 통해 (가) 국왕이 태조 왕건임을 알 수 있다.

① 태조 왕건은 후대 왕들이 나라를 다스리는 데 참고해야 할 정책 방안을 담은 훈요 10조를 남겼다. 훈요 10조에는 유교 정치의 진흥, 농민 생활의 안정, 불교 보호, 풍수지리 사상 존중 등의 내용이 담겨 있다.

오답 분석

② **고려 광종**: 쌍기의 건의에 따라 과거 제도를 도입한 왕은 고려 광종이다. 광종은 과거 시험을 통해 관리를 선발하여 공신들의 세력을 약화시키고 왕권을 강화하고자 하였다.

③ **고려 성종**: 향리 제도를 마련하여 지방 세력을 견제하고자 한 왕은 고려 성종이다. 성종은 지방 중소 호족을 향리로 편입시키고, 중앙에서 직접 통제함으로써 지방 세력을 견제하였다.

④ **고려 경종**: 전시과 제도를 처음 실시한 왕은 고려 경종이다. 전시과 제도는 관리에게 관직 복무와 직역의 대가로 전지(논밭)와 시지(땔감을 얻을 수 있는 땅)에 대한 수조권(세금을 거둘 수 있는 권리)을 차등적으로 지급하는 제도였다.

10

2024년 법원직 9급

다음 정책과 같은 목적으로 시행된 것은?

> 신라 왕 김부가 항복해 오니 그를 경주의 사심관으로 임명하여 부호장 이하의 관직 등에 관한 일을 맡게 하였다. 이에 여러 공신들 역시 이를 본받아 각각 자기 주의 사심관이 되게 하였다.

① 기인 제도

② 북진 정책

③ 정혜쌍수

④ 독서삼품과

문제풀이 태조 왕건의 호족 견제 정책 난이도 중

제시문에서 신라 왕 김부(경순왕)가 항복해 오니 그를 경주의 사심관으로 임명하여 부호장 이하의 관직 등에 관한 일을 맡게 하였다는 내용을 통해 사심관 제도에 대한 설명임을 알 수 있다. 사심관 제도는 태조 왕건이 호족을 견제하기 위해 중앙 고관을 자기 출신지의 사심관으로 임명하여 관할 지역의 치안 및 행정에 대한 업무를 맡겨 지방을 통제한 정책이다.

① 기인 제도는 태조 왕건이 호족을 견제하기 위해 호족의 자제를 수도에 데려와 기인으로 삼고, 출신 지방의 행정과 관련된 업무를 담당하게 한 제도이다.

오답 분석

모두 태조 왕건의 호족 견제 정책과 관련이 없다.

② 태조 왕건은 국호를 고구려의 계승자라는 뜻에서 국호를 '고려'라 하여 고구려 계승 의식을 나타내었고, 고구려의 옛 땅을 회복하기 위해 북진 정책을 추진하였다.

③ 정혜쌍수는 지눌이 주장한 불교 이론으로, 선과 교학은 근본적으로 둘이 아니며, 선을 중심으로 교학을 포용하여야 한다는 내용을 담고 있다.

④ 독서삼품과는 신라 원성왕 때 시행된 관리 선발 제도로, 국학의 학생들을 대상으로 하여 유교 경전의 이해 정도를 시험하여 등급을 구분하고 이를 관리 임용에 참고하였다.

11

2012년 서울시 9급

다음 중에서 고려 초기에 호족 세력을 견제하고 왕권을 강화하기 위하여 실시된 정책들을 모두 고르면?

(가) 상수리 제도	(나) 사심관 제도
(다) 경재소 설치	(라) 노비안검법
(마) 기인 제도	

① (가), (나)
② (다), (라)
③ (가), (다), (마)
④ (나), (라), (마)
⑤ (가), (나), (다), (라)

12

2023년 서울시 9급

〈보기〉의 인물이 활동하던 시기에 해당하는 설명으로 가장 옳은 것은?

보기
- 새로 창건한 귀법사의 주지가 되었다.
- 불교 대중화에 관심이 있어 보현십원가를 지었다.
- 화엄학에 대한 주석서를 쓰는 등 화엄 교학을 정비하였다.

① 강조를 토벌한다는 명분으로 거란이 침략하였다.
② 대장경에 대한 주석서인 교장을 간행하였다.
③ 중국에 승려들을 보내 법안종을 수용하였다.
④ 현화사를 창건하였다.

문제풀이 고려 초기 호족 견제와 왕권 강화 정책 난이도 중

④ 옳은 것을 모두 고르면 (나), (라), (마)이다.

(나) 사심관 제도는 중앙의 관리를 자신의 출신 지역의 사심관으로 임명하여 여러 의무를 부과하고, 그 지역에 문제가 생겼을 경우에 연대 책임을 지도록 한 제도이다.

(라) 노비안검법은 고려의 건국 과정에서, 혹은 호족에 의해 억울하게 노비가 된 사람들을 양인으로 해방시킨 정책이다. 노비가 양인으로 해방됨으로써 호족 세력의 경제적, 군사적 기반이 약화되고 국가 재정이 확충되었다.

(마) 기인 제도는 지방 호족의 자제를 인질로 삼아 수도에 머물게 하는 제도로, 호족 세력을 통제하고 왕권을 강화하기 위하여 실시하였다.

오답 분석

(가) **상수리 제도:** 상수리 제도는 신라 시대에 왕권 강화를 위해 지방의 귀족을 인질로 삼아 수도인 경주에 머물게 한 제도였다. 고려 시대에는 상수리 제도를 계승한 기인 제도가 실시되었다.

(다) **경재소:** 경재소는 조선 시대에 중앙 고관이 자기 고향의 유향소를 관리·감독하며 중앙과 지방 사이의 연락을 담당한 기구이다.

문제풀이 고려 광종 때의 사실 난이도 중

제시문에서 새로 창건한 귀법사의 주지가 되었으며, 보현십원가를 지었다는 내용을 통해 균여임을 알 수 있으며, 균여는 고려 광종 때 주로 활동하였다.

③ 고려 광종 때는 중국에 승려들을 보내 선종의 일파인 법안종을 수용하였으며, 혜거 등을 통해 법안종을 중심으로 선종을 통합하려 하였다.

오답 분석

① **고려 현종:** 강조를 토벌한다는 명분으로 거란이 침략한 것은 고려 현종 때이다. 거란은 정변을 일으켜 목종을 폐위시키고 현종을 옹립한 강조를 토벌한다는 명분으로 고려를 침략(거란의 2차 침입)하여 개경을 함락시키기도 하였으나, 현종의 입조를 조건으로 철수하였다.

② 고려 광종 때는 대장경에 대한 주석서인 교장을 간행하지 않았다. 교장은 의천이 대장경에 대하여 해석한 장소를 수집하여 목록을 정리한 불교 주석서로, 고려 선종 때부터 숙종 때에 걸쳐 간행되었다.

④ **고려 현종:** 현화사를 창건한 것은 고려 현종 때이다. 현화사는 현종이 부모의 명복을 빌기 위하여 창건한 사찰이다.

정답 09 ① 10 ① 11 ④ 12 ③

13

2022년 지방직 9급

밑줄 친 '왕'의 재위 기간에 있었던 일로 옳은 것은?

> ㅇ 평농서사 권신(權信)이 대상(大相) 준홍(俊弘)과 좌승(佐丞) 왕동(王同) 등이 반역을 꾀한다고 참소하자 왕이 이들을 내쫓았다.
> ㅇ 왕이 쌍기의 건의를 받아 처음으로 과거를 실시하였다. 시(詩)·부(賦)·송(頌) 및 시무책을 시험하여 진사를 뽑았으며, 더불어 명경업·의업·복업 등도 뽑았다.

① 노비안검법을 제정하였다.
② 전민변정도감을 설치하였다.
③ 토지 제도로서 전시과를 시행하였다.
④ 12목을 설치하고 지방관을 파견하였다.

14

2022년 간호직 8급

밑줄 친 '왕'의 재위 기간에 있었던 사실로 옳지 않은 것은?

> 왕께서 즉위한 해로부터 8년까지는 정치와 교화가 청렴하고 공평하였으며, 형벌과 상이 법도에 어긋나지 않았습니다. 그러나 쌍기를 등용한 후로는 문사들을 높이고 중용하여 대접이 지나치게 후하셨습니다. 이로 인해 재능이 없는 사람들이 지나치게 등용되어 순서를 따르지 않고 별안간 승진하여 일 년도 안 되어 갑자기 재상이 되기도 하였습니다. -『고려사』

① 노비안검법을 실시하였다.
② 백관의 공복 제도를 정하였다.
③ 천수라는 독자 연호를 사용하였다.
④ 개경을 황도라 불러 황제국의 위상을 강화하였다.

문제풀이 광종 재위 기간의 사실 난이도 하

제시문에서 대상 준홍과 좌승 왕동이 반역을 꾀해 내쫓았다는 것과, 쌍기의 건의를 받아들여 처음으로 과거를 실시했다는 것을 통해 밑줄 친 '왕'이 고려 광종임을 알 수 있다.

① 고려 광종 때는 노비안검법을 시행하여 후삼국 시대의 혼란기에 억울하게 노비가 된 자들을 양인으로 해방시키고 공신과 호족들의 경제적·군사적 기반을 약화시켰다.

오답 분석

② **원종·충렬왕·공민왕·우왕**: 권세가에게 점탈된 토지나 농민을 되찾아 바로잡기 위해 전민변정도감을 처음 설치한 것은 원종 때이다. 이후 전민변정도감은 폐지되었다가 충렬왕, 공민왕, 우왕 때 다시 설치되었다. 전민변정도감은 권문세족의 반대로 설치와 폐지가 반복되었다.

③ **고려 경종**: 토지 제도로 전시과를 처음 시행한 것은 고려 경종 때이다. 경종 때 전·현직 관리의 인품과 관품을 고려하여 전지와 시지를 지급하는 시정 전시과가 처음 실시되었으며, 목종 때 인품을 배제하고 관직만을 고려하는 개정 전시과로 개편되었다. 이후 문종 때는 현직 관리에게만 전지와 시지를 지급하는 경정 전시과가 시행되었다.

④ **고려 성종**: 12목을 설치하고 지방관을 파견한 것은 성종 때이다. 성종은 최승로의 건의를 수용하여 전국의 주요 지역에 12목을 설치하고, 지방관인 목사를 파견하였다.

문제풀이 광종 재위 기간의 사실 난이도 하

제시문에서 쌍기를 등용하였다는 것을 통해 밑줄 친 '왕'이 광종임을 알 수 있다. 광종은 후주 출신의 쌍기를 등용하여 과거제 등 왕권 강화를 위한 여러 정책을 시행하였다.

③ 천수라는 독자적 연호를 사용한 것은 태조 왕건 재위 시기의 사실이다. 한편, 광종 때는 광덕, 준풍 등의 독자적인 연호를 사용하였다.

오답 분석

① 광종은 노비안검법을 실시하여 본래 양인이었으나 억울하게 노비가 된 자를 양인으로 풀어주었다. 그 결과 호족의 경제적·군사적 기반이 약화된 반면 왕권은 강화되었고, 노비가 양인으로 해방되면서 국가 수입 기반이 확대되었다.

② 광종은 지배층의 위계 질서를 확립하기 위해 백관의 공복 제도를 정하여 관등에 따라 자색, 단색, 비색, 녹색의 관복을 착용하도록 하였다.

④ 광종은 수도인 개경을 황제의 도시라는 뜻의 황도(皇都)로 격상시켜 불러 황제국으로서의 위상을 강화하였다.

이것도 알면 **합격!**

광종의 정책

주현공부법	주현 단위로 공물과 부역을 책정하여 해마다 징수
노비안검법	불법으로 노비가 된 자들을 양민으로 해방
과거 제도	후주에서 귀화한 쌍기의 건의를 받아들여 실시
백관 공복 제정	자·단·비·녹색으로 공복 색을 정하여 위계 질서 확립

15
2022년 계리직 9급

〈보기〉의 정책을 시행했던 국왕의 재위 기간에 있었던 일로 옳은 것은?

> 보기
> ○ 귀법사를 창건하고 균여를 주지로 임명했다.
> ○ 개경을 황도(皇都)라고 하고, 서경을 서도라고 하였다.

① 전시과 제도를 시행하였다.
② 백관의 사색 공복을 정했다.
③ 광군을 조직하여 거란의 침입에 대비하였다.
④ 왕권을 위협하던 왕규를 제거하였다.

문제풀이 광종 재위 기간의 사실 난이도 하

제시문에서 귀법사를 창건하고 균여를 주지로 임명하였으며, 개경을 황도(皇都), 서경을 서도라고 하였다는 것을 통해 고려 광종 때임을 알 수 있다.

② 고려 광종 때는 관리들의 위계 질서를 확립하기 위해 백관의 사색(자색·단색·비색·녹색) 공복을 정하여 등급에 맞는 관복을 착용하도록 하였다.

오답 분석

① 전시과 제도는 광종 이후인 고려 경종 때부터 마련되어 시행되었다. 경종 때는 전·현직 관리에게 4색 공복을 기준으로 한 관등의 높고 낮음과 인품에 따라 관리에게 전지와 시지에 대한 수조권을 지급하는 시정 전시과 제도를 시행하였으며, 이후 목종 때 개정 전시과, 문종 때 경정 전시과로 개편되었다.

③ **고려 정종**: 최광윤의 보고에 따라 광군을 조직하여 거란의 침략에 대비한 것은 고려 정종(3대) 때이다.

④ **고려 정종**: 왕권을 위협하던 왕규를 제거한 것은 고려 정종(3대) 때이다. 혜종 때 광주의 호족 출신인 왕규가 자신의 외손자인 광주원군을 왕위에 올리기 위해 난(왕규의 난)을 일으키자, 혜종의 이복동생인 왕요(정종)가 왕식렴과 함께 난을 진압하고, 왕규를 제거하였다.

16
2021년 서울시 9급(특수 직렬)

〈보기〉의 밑줄 친 '왕'이 재위하던 시기에 대한 설명으로 가장 옳은 것은?

> 보기
> 왕이 명령하여 노비를 안검하고 시비를 살펴 분별하게 하였다. (이 때문에) 종이 그 주인을 배반하는 자가 헤아릴 수 없을 정도였다. 이 때문에 윗사람을 능멸하는 기풍이 크게 행해지니, 사람들이 모두 원망하였다. 왕비가 간절히 말렸는데도 듣지 않았다.

① 서경 천도를 추진하였다.
② 광덕, 준풍 등의 연호를 사용하였다.
③ 지방관을 파견하고 향리 제도를 마련하였다.
④ 기인 제도를 최초로 실시하여 호족들을 통제하였다.

문제풀이 광종 재위 시기의 사실 난이도 하

제시문에서 왕이 노비를 안검하였다는 내용을 통해 밑줄 친 '왕'이 고려 광종임을 알 수 있다. 광종은 노비안검법을 시행하여 후삼국 시대의 혼란기에 억울하게 노비가 된 자들을 양인으로 해방시키고 공신과 호족들의 경제적·군사적 기반을 약화시켰다.

② 광종은 광덕, 준풍 등의 독자적인 연호를 사용하고, 대내적으로 황제라 칭하여 국왕의 권위를 높이는 등 자주 국가로서의 면모를 과시하였다.

오답 분석

① **고려 정종**: 서경 천도를 추진한 왕은 고려 정종(3대)이다. 정종은 개경의 세력으로부터 벗어나기 위해 풍수지리설을 내세워 서경 천도를 추진하였으나, 공신들의 반대로 실패하였다.

③ **고려 성종**: 지방관을 파견하고 향리 제도를 마련한 왕은 고려 성종이다. 성종은 지방 행정 조직을 정비하여 주요 지역에 12목을 설치하고 지방관인 목사를 파견하였으며, 중소 호족을 향리로 편입시키는 향리 제도를 실시하고 중앙에서 직접 통제함으로써 지방 세력을 견제하였다.

④ **태조 왕건**: 기인 제도를 최초로 실시하여 호족을 통제한 왕은 태조 왕건이다. 태조 왕건은 지방 향리의 자제를 수도에 데려와 기인으로 삼고 출신 지방의 행정과 관련된 업무를 담당하게 하여 지방 호족을 견제하였다.

정답 13 ① 14 ③ 15 ② 16 ②

17

2020년 법원직 9급

(가)의 업적으로 옳은 것을 〈보기〉에서 모두 고른 것은?

> (가) 7년(956)에 노비를 조사해서 옳고 그름을 분명히 밝히도록 명령하였다. 이 때문에 주인을 배반하는 노비들을 도저히 억누를 수 없었으므로, 주인을 업신여기는 풍속이 크게 유행하였다. -『고려사』

보기

㉠ 과거제를 시행하였다.
㉡ 개경을 황도로 칭하였다.
㉢ 의창과 상평창을 설립하였다.
㉣ 전국을 5도 양계로 나누었다.

① ㉠, ㉡ ② ㉠, ㉢
③ ㉡, ㉢ ④ ㉡, ㉣

18

2020년 지방직 9급

다음 정책을 시행한 국왕 대에 있었던 사실로 옳은 것은?

> ㅇ 광덕, 준풍 등의 연호를 사용하였다.
> ㅇ 개경을 고쳐 황도라 하고 서경을 서도라고 하였다.

① 노비안검법을 시행하였다.
② 전시과 제도를 시행하였다.
③ 개경에 국자감을 설립하였다.
④ 12목을 설치하고 지방관을 파견하였다.

문제풀이 광종의 업적 난이도 하

제시문에서 노비를 조사해 옳고 그름을 분명히 하도록 명령하였다는 것을 통해 (가)가 노비안검법을 실시한 고려 광종임을 알 수 있다.

① 옳은 것을 모두 고르면 ㉠, ㉡이다.
㉠ 광종은 후주에서 귀화한 쌍기의 건의를 수용하여 문반 관리를 선발하는 과거 제도를 실시하였다.
㉡ 광종은 대내적으로는 황제라 칭하여 국왕의 권위를 높이고, 개경을 황도로, 서경을 서도로 개칭하였다. 또한 광덕, 준풍 등의 독자적인 연호를 사용(칭제 건원)하며 자주 국가로서의 면모를 과시하였다.

오답 분석

㉢ **고려 성종**: 의창과 상평창을 설립한 왕은 고려 성종이다. 성종은 태조 때 설치된 빈민 구제 기관인 흑창을 확대하여 의창을 설치하였고, 개경·서경·12목에 물가 조절 기관인 상평창을 설치하였다.
㉣ **고려 현종**: 전국을 5도 양계로 나눈 왕은 고려 현종이다. 현종은 성종 때 설치된 12목을 군사적 요충지로서의 4도호부와 일반 행정 구역으로서의 8목 체제로 개편하고, 전국을 다시 5도와 양계로 이원화하여 나누었다.

문제풀이 광종 대의 사실 난이도 하

제시문에서 광덕, 준풍 등의 연호를 사용하였고, 개경을 황도로, 서경을 서도라고 하였다는 내용을 통해 고려 광종임을 알 수 있다. 광종은 개경을 황도로, 서경을 서도로 칭하고, 광덕, 준풍 등의 독자적인 연호를 사용하여 자주 국가로서의 면모를 과시하였다.

① 광종 때 왕권을 강화하고 공신과 호족들의 경제적·군사적 기반을 약화시키기 위하여 노비안검법을 실시하였다. 노비안검법이 실시되자 노비들이 조세와 부역의 의무를 지는 양인이 되어 국가 재정이 안정적으로 확보되었고, 국가 수입 기반이 확대되어 왕권이 강화되는 결과로 이어졌다.

오답 분석

② **고려 경종**: 관리에게 전지와 시지에 대한 수조권을 지급하는 전시과 제도가 처음으로 실시된 것은 경종 때이다(시정 전시과, 976).
③, ④ **고려 성종**: 개경에 국립 대학인 국자감이 설립(992)되고, 지방 주요 지역에 12목을 설치하고 지방관이 파견된 것은 성종 때이다.

19

2023년 계리직 9급

(가)와 (나) 사이의 시기에 있었던 사실로 옳은 것은?

> (가) 처음으로 과거를 설치하고, 한림학사 쌍기에게 명하여 진사(進士)를 뽑았다. －『고려사』
>
> (나) 최승로가 상서하기를, "태조께서 통합한 후 외관(外官)을 두려고 하셨지만 대개 초창기였으므로 겨를이 없었습니다. …(중략)… 청컨대 외관을 두소서."라고 하였다. －『고려사』

① 광군사가 설치되었다.
② 국자감이 설치되었다.
③ 노비안검법이 시행되었다.
④ 처음으로 전시과가 제정되었다.

문제풀이 과거 실시와 시무 28조 건의 사이의 사실 난이도 상

(가)는 고려 광종이 쌍기의 건의로 처음 과거 제도를 실시한 958년의 모습이다.

(나)는 최승로가 고려 성종에게 개혁안인 시무 28조를 건의한 982년의 모습이다.

④ (가)와 (나) 사이 시기인 976년에 처음으로 전시과가 제정되었다. 고려 경종 때 전·현직 관리에게 관품과 인품을 기준으로 전지와 시지에 대한 수조권을 지급하는 시정 전시과를 처음 제정하였다.

오답 분석

① **(가) 이전:** 광군사가 설치된 것은 947년으로, (가) 이전의 사실이다. 고려 정종(3대) 때 거란의 침략에 대비하기 위해 광군 약 30만을 조직하고 그 지휘부로 광군사를 설치하였다.

② **(나) 이후:** 국자감이 설치된 것은 992년으로, (나) 이후의 사실이다. 고려 성종 때 유학 교육 기관으로 개경에 일종의 국립 대학인 국자감을 설치하였다.

③ **(가) 이전:** 노비안검법이 시행된 것은 956년으로, (가) 이전의 사실이다. 고려 광종 때는 후삼국 시대의 혼란기에 억울하게 노비가 된 자들을 양인으로 해방시키는 노비안검법을 시행하였다. 노비안검법 시행으로 인해 노비가 양인으로 해방되자 호족 세력의 경제적·군사적 기반이 약화되었고, 국가 수입 기반이 확대되어 국가 재정이 확충되었다.

20

2018년 법원직 9급

(가), (나)에 대한 설명으로 옳은 것은?

> (가) 5조 – 나는 삼한 산천 신령의 도움을 받아 왕업을 이루었다. 서경은 수덕이 순조로워 우리나라 지맥의 근본이 되니 만대 왕업의 땅이다. 1년에 100일 이상 머물러 왕실의 안녕을 이루어야 할 것이다. －『고려사』
>
> (나) 20조 – 불교는 몸을 닦는 근본이며 유교는 나라를 다스리는 근원이니, 몸을 닦는 것은 내생을 위한 것이며, 나라를 다스리는 일은 곧 오늘의 할 일입니다. 오늘은 극히 가깝고 내생은 지극히 먼 것이니, 가까운 것을 버리고 먼 것을 구하는 일이 그릇된 일이 아니겠습니까? －『고려사』

① (나)가 (가)보다 먼저 발표되었다.
② (가)를 발표할 당시 양현고를 설치하였다.
③ (가)를 발표한 왕이 과거 제도를 실시하였다.
④ (나)가 작성될 당시의 왕이 국자감을 설치하였다.

문제풀이 훈요 10조와 시무 28조 난이도 중

(가)는 후대 왕들이 지켜야 할 정책 방안을 제시한 태조 왕건의 훈요 10조 중 일부분으로 서경의 중요성을 강조한 항목이다.

(나)는 유교 이념을 바탕으로 국가를 운영할 것을 주장하며 최승로가 성종에게 올린 시무 28조의 일부분으로 지나친 불교를 억제하고 유교를 고려의 통치 이념으로 삼을 것을 건의하는 내용이다.

④ (나) 시무 28조가 작성될 당시의 왕인 고려 성종은 개경에 국자감을 설치하고, 지방에는 향교(향학)를 설치하여 경학 박사와 의학 박사를 파견하였다.

오답 분석

① (나) 시무 28조는 (가) 훈요 10조보다 늦게 발표되었다. 훈요 10조는 태조 왕건 때 발표되었고, 시무 28조는 고려 성종 때 최승로가 작성하였다.

② 양현고는 (가) 훈요 10조보다 늦게 설치되었다. 양현고는 고려 예종 때 관학의 경제 기반을 강화하기 위해 설치(1119)된 장학 재단으로 국학생들을 재정적으로 지원하였다.

③ 과거 제도를 실시한 왕은 태조 왕건이 아닌 광종이다. 광종은 후주 출신 쌍기의 건의를 받아들여 과거제를 실시(958)하고 유교적 소양을 갖춘 인재들을 등용하였다.

정답 17 ① 18 ① 19 ④ 20 ④

21

2024년 법원직 9급

(가) 시기에 해당하는 사실로 가장 옳은 것은?

> 노비를 상세히 조사하고 살펴서 옳고 그름을 따져 밝혀내도록 명하였다. 주인을 배반하는 노비들이 이루 다 셀 수가 없을 정도였다. 이로 말미암아 상전을 능멸하는 풍조가 크게 일어나 사람들이 모두 탄식하고 원망하므로 왕비가 간절하게 간언하였으나, 왕이 받아들이지 않았다.

↓

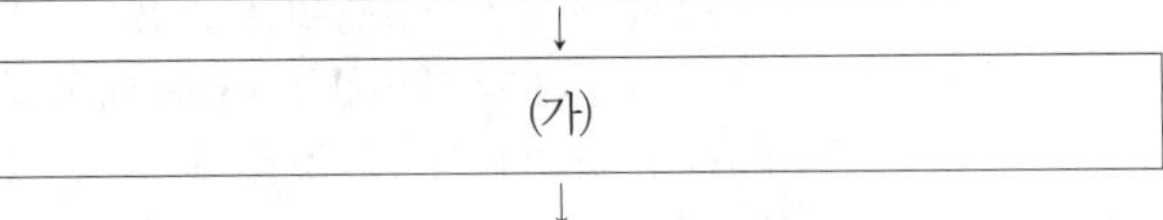

↓

> 가을 7월. 교(敎)하기를, "양민이 된 노비들은 해가 점차 멀어지면 반드시 그 본래의 주인을 가벼이 보고 업신여기게 된다. …… 만약 그 주인을 욕하는 자가 있으면, 다시 천민으로 되돌려 부리게 할 것이다."라고 하였다.

① 강조가 정변을 일으켰다.

② 거란이 개경을 점령하였다.

③ 전시과가 처음으로 제정되었다.

④ 공신들에게 역분전이 지급되었다.

문제풀이 광종과 성종 사이의 사실 난이도 중

첫 번째 제시문은 노비를 상세히 조사하고 살펴서 옳고 그름을 따져 밝혀내도록 명하였다는 내용을 통해 노비안검법(956)을 시행한 고려 광종 때임을 알 수 있다.

두 번째 제시문은 양민이 된 노비들은 해가 점차 멀어지면 반드시 그 본래의 주인을 가벼이 보고 업신 여기게 된다는 내용과 다시 천민으로 되돌려 부리게 할 것이다라는 내용을 통해 노비환천법(987)을 시행한 고려 성종 때임을 알 수 있다.

③ (가) 시기인 976년에는 전시과가 처음으로 제정되었다. 고려 경종 때 전·현직 관리의 인품과 관품을 고려하여 전지와 시지를 지급하는 시정 전시과가 처음 실시되었다.

오답 분석

① **(가) 이후**: 강조가 정변을 일으킨 것은 고려 목종 때인 1009년으로, (가) 시기 이후의 사실이다. 강조는 목종의 어머니인 천추태후와 김치양이 자신들 사이에서 태어난 자식을 왕으로 세우려 하자, 정변을 일으켜 김치양 일파를 제거하고, 목종을 폐위시킨 후 대량원군(현종)을 옹립하였다.

② **(가) 이후**: 거란이 개경을 점령한 것은 고려 현종 때인 1010년으로, (가) 시기 이후의 사실이다. 거란은 강조의 정변을 구실로 고려를 침략(2차 침입)하였으며, 이때 개경이 함락되는 위기를 맞았다.

④ **(가) 이전**: 공신들에게 역분전이 지급된 것은 태조 왕건 때인 940년으로, (가) 시기 이전의 사실이다. 태조 왕건 때 고려 건국과 후삼국 통일 과정에서 공을 세운 신하들에게 역분전을 지급하였다.

22

2024년 지방직 9급

다음 상소문이 올라간 국왕 대에 있었던 사실로 옳은 것은?

> 불교는 몸을 닦는 근본이며 유교는 나라를 다스리는 근원입니다. 몸을 닦는 것은 내생을 위한 것이며 나라를 다스리는 일은 곧 오늘의 할 일입니다. 오늘은 극히 가깝고 내생은 지극히 먼 것이니, 가까운 것을 버리고 먼 것을 구하는 일이 그릇된 일이 아니겠습니까.

① 개경에 나성을 쌓았다.

② 전시과 제도를 처음 실시하였다.

③ 전국의 주요 지역에 12목을 설치하였다.

④ 노비안검법을 실시하여 호족 세력을 약화시켰다.

문제풀이 고려 성종 대의 사실 난이도 중

제시문에서 불교는 몸을 닦는 근본이며 유교는 나라를 다스리는 근원이라는 내용을 통해 최승로가 작성한 상소문인 시무 28조의 내용임을 알 수 있다. 시무 28조는 고려 성종 때 최승로가 유교 이념을 바탕으로 국가를 운영할 것을 주장하며 작성한 상소문이다.

③ 고려 성종 대에는 지방 주요 지역에 12목을 설치하고, 12목에 지방관인 목사를 파견하였다

오답 분석

① **고려 현종**: 개경에 나성을 쌓은 것은 고려 현종 때이다. 고려 현종 때에는 외적의 침입에 대비하고자 개경의 외성인 나성을 쌓아 도성 수비를 강화하였다.

② **고려 경종**: 전시과 제도를 처음 실시한 것은 고려 경종 때이다. 전시과 제도는 관리에게 관직 복무와 직역의 대가로 전지(논밭)와 시지(땔감을 얻을 수 있는 땅)에 대한 수조권(세금을 거둘 수 있는 권리)을 차등적으로 지급하는 제도였다.

④ **고려 광종**: 노비안검법을 실시하여 호족 세력을 약화시킨 것은 고려 광종 때이다. 고려 광종 때는 후삼국 시대에 불법으로 노비가 된 자를 조사하여 양인으로 해방시키는 노비안검법을 시행하여 국가의 재정을 확충하고, 호족의 경제적·군사적 기반을 약화시키고자 하였다.

23

2023년 국회직 9급

다음 밑줄 친 '국왕'이 실시한 정책으로 옳은 것은?

> 우리 태조께서 개국한 이래로 신이 알게 된 것은 모두 신의 마음에 새기고 있습니다. 이제 태조로부터 경종에 이르기까지 다섯 왕의 정치와 교화에서 본받을 만하거나 경계로 삼을 만한 잘잘못을 기록하고, 시무책을 조목별로 나누어 국왕께 올립니다.

① 전지와 시지를 함께 주는 전시과를 처음 시행하였다.
② 거란의 침략으로 불타 없어진 실록을 다시 편찬하였다.
③ 과거 제도를 도입하여 신구 세력의 교체를 도모하였다.
④ 전국의 주요 지역에 12목을 설치하고 목사를 파견하였다.
⑤ 『정계』와 『계백료서』를 지어 관리가 지켜야 할 규범을 제시하였다.

문제풀이 고려 성종의 정책 난이도 중

제시문에서 태조로부터 경종에 이르기까지 다섯 왕의 잘잘못을 기록하고, 시무책을 조목별로 나누어 올린다는 내용을 통해 밑줄 친 '국왕'이 고려 성종임을 알 수 있다. 고려 성종 때 최승로는 5대 왕의 치적에 대한 잘잘못을 평가하여 교훈으로 삼도록 한 5조 정적평과 유교 이념을 바탕으로 한 개혁안인 시무 28조를 제시하였다.

④ 고려 성종은 최승로의 시무 28조를 수용하여 전국의 주요 지역에 12목을 설치하고, 지방관인 목사를 파견하였다.

오답 분석

① **고려 경종**: 전지(농사를 지을 수 있는 땅)와 시지(땔감을 얻을 수 있는 땅)를 함께 주는 전시과를 처음 시행한 왕은 고려 경종이다.
② **고려 현종**: 거란의 침략으로 불타 없어진 실록을 다시 편찬하도록 한 왕은 고려 현종이다. 고려 현종은 거란의 침략으로 태조 왕건 때부터 고려 목종까지의 역사를 기록한 실록이 불타 없어지자 이를 다시 편찬하게 하였다.
③ **고려 광종**: 과거 제도를 도입하여 신구 세력의 교체를 도모한 왕은 고려 광종이다. 고려 광종은 후주에서 귀화한 쌍기의 건의를 받아들여 과거 제도를 도입하였고, 이를 통해 유교적 소양을 갖춘 새로운 인재를 등용하여 신구 세력의 교체와 왕권 강화를 도모하였다.
⑤ **태조 왕건**: 『정계』와 『계백료서』를 지어 관리가 지켜야 할 규범을 제시한 왕은 태조 왕건이다.

24

2023년 법원직 9급

다음 사건이 일어난 왕의 시기에 있었던 사실로 가장 옳은 것은?

> 소손녕: 그대 나라는 신라 땅에서 일어났고, 고구려 땅은 우리 땅인데 너희들이 쳐들어와 차지하였다.
> 서 희: 우리는 고구려를 계승하여 나라 이름을 고려라 하였다. 땅의 경계를 논한다면 그대 나라의 동경도 다 우리 땅이다.

① 발해가 멸망하였다.
② 이자겸이 난을 일으켰다.
③ 최충이 9재 학당을 설치하였다.
④ 중앙 관제를 2성 6부로 정비하였다.

문제풀이 고려 성종 재위 시기의 사실 난이도 중

제시문은 거란의 1차 침입 당시 서희와 거란의 장수 소손녕의 외교 담판에 대한 내용으로, 당시 왕은 고려 성종이다. 고려 성종 때 거란은 고려가 차지하고 있는 옛 고구려 땅을 내놓을 것과 송과의 외교를 단절하고 자신들과 교류할 것을 요구하며 고려를 침입하였다(1차 침입, 993). 이때 서희의 외교 담판으로 고려는 강동 6주를 획득하였다.

④ 고려 성종 재위 시기에는 당의 3성 6부제를 참고하여 중앙 관제를 중서문하성과 상서성의 2성 6부로 정비하였다. 중서문하성은 국정을 총괄하였고, 상서성은 6부를 통해 이를 집행하였다.

오답 분석

① **태조 왕건**: 발해가 멸망한 것은 태조 왕건 재위 시기의 사실이다. 발해는 대인선 때 거란 야율아보기의 공격을 받아 홀한성(상경성)이 함락되면서 멸망하였다. 이후 발해의 왕자인 대광현은 발해 유민들을 이끌고 고려 태조 왕건에게 귀부하였다.
② **고려 인종**: 이자겸이 난을 일으킨 것은 고려 인종 재위 시기의 사실이다. 고려 인종 때 이자겸은 왕위를 찬탈하기 위하여 척준경과 함께 난을 일으켰으나, 실패하였다.
③ **고려 문종**: 최충이 9재 학당을 설치한 것은 고려 문종 재위 시기의 사실이다. 고려 문종 때 최충은 관직에서 물러난 후 사립 교육 기관인 9재 학당(문헌공도)을 설치하고, 9경과 3사를 중심으로 교육하였다.

정답 21 ③ 22 ③ 23 ④ 24 ④

25

2021년 국가직 9급

다음 상소문을 올린 왕대에 있었던 사실은?

> 석교(釋敎)를 행하는 것은 수신(修身)의 근본이요, 유교를 행하는 것은 이국(理國)의 근원입니다. 수신은 내생의 자(資)요, 이국은 금일의 요무(要務)로서, 금일은 지극히 가깝고 내생은 지극히 먼 것인데도 가까움을 버리고 먼 것을 구함은 또한 잘못이 아니겠습니까.

① 양경과 12목에 상평창을 설치하였다.

② 균여를 귀법사 주지로 삼아 불교를 정비하였다.

③ 국자감에 7재를 두어 관학을 부흥하고자 하였다.

④ 전지(田地)와 시지(柴地)를 지급하는 경정 전시과를 실시하였다.

문제풀이 고려 성종 대의 사실

난이도 하

제시문에서 석교(불교)를 행하는 것은 수신의 근본이고, 유교를 행하는 것은 이국의 근원이라는 내용을 통해 최승로의 시무 28조임을 알 수 있다. 최승로가 유교 이념을 바탕으로 국가를 운영할 것을 주장하며 시무 28조를 올린 것은 고려 성종 대의 사실이다.

① 고려 성종 대에 양경(개경과 서경), 12목에 물가 조절 기구인 상평창을 설치하였다. 상평창은 풍년일 때는 곡물을 사들여 값을 올리고, 흉년이면 팔아서 값을 내림으로써 물가의 안정을 꾀하였다.

오답 분석

② **고려 광종**: 균여를 귀법사의 주지로 삼아 불교를 정비한 것은 고려 광종 대의 사실이다. 광종은 귀법사를 창건하고, 화엄종 승려인 균여를 귀법사의 주지로 삼아 화엄종을 중심으로 교종의 여러 종파를 통합하는 등 불교를 정비하였다.

③ **고려 예종**: 국자감(국학)에 7재를 두어 관학을 부흥하고자 한 것은 고려 예종 대의 사실이다. 예종은 최충의 9재 학당을 모방하여 국자감(국학)내에 과거를 준비하기 위한 전문 강좌인 7재를 설치함으로써 관학을 부흥시키고자 하였다.

④ **고려 문종**: 전지와 시지를 지급하는 경정 전시과를 실시한 것은 고려 문종 대의 사실이다. 문종은 경정 전시과를 실시하여 실직이 없는 산관을 분급 대상에서 제외하고, 현직 관리들에게만 전지와 시지를 지급하였다.

26

2020년 국회직 9급

다음과 같은 주장을 받아들인 국왕의 업적으로 옳은 것은?

> ○ 불교를 믿는 것은 자신을 다스리는 근원이며, 유교를 행하는 것은 나라를 다스리는 근원을 구하는 것입니다. 자신을 다스리는 것은 내세에 복을 구하는 일이며, 나라를 다스리는 것은 오늘의 급한 일입니다.
>
> ○ 풍속은 각기 그 토질에 따라 다른 것이므로 모든 것을 반드시 구차하게 중국과 같게 할 필요는 없습니다.

① 청연각이라는 도서관 겸 학문 연구소를 설치하였다.

② 연등회와 팔관회를 성대하게 개최하였다.

③ 개국 공신들을 숙청하고 왕권을 강화하였다.

④ 쌍기의 건의를 수용하여 과거제를 시행하였다.

⑤ 지방에 경학 박사와 의학 박사를 파견하였다.

문제풀이 고려 성종의 업적

난이도 하

제시문에서 유교를 행하는 것이 나라를 다스리는 근원이라 하였으며, 풍속은 중국과 같게 할 필요가 없다고 주장한 것을 통해 최승로의 시무 28조의 내용임을 알 수 있으며, 고려 성종은 시무 28조를 받아들여 통치 체제를 정비하였다.

⑤ 고려 성종은 지방 교육을 위해 향교를 설치하고 교수인 경학 박사와 의학 박사를 파견하였다. 또한 개경에 비서성, 서경에 수서원이라는 도서관을 설치하는 등 교육 제도를 정비하였다.

오답 분석

① **고려 예종**: 유학 진흥을 위해 청연각, 보문각 등의 왕실 도서관 겸 학문 연구소를 설치한 왕은 고려 예종이다.

② 고려 성종은 불교 행사의 축소를 주장한 최승로의 건의를 받아들여 국가의 대규모 불교 행사인 연등회와 팔관회를 폐지하였다.

③ **고려 광종**: 개국 공신들을 숙청하고 왕권을 강화한 왕은 고려 광종이다. 광종은 대상 준홍, 좌승 왕동 등의 호족과 개국 공신들을 숙청하고 왕권을 강화하였다.

④ **고려 광종**: 후주에서 귀화한 쌍기의 건의를 수용하여 과거제를 시행한 왕은 고려 광종이다. 광종은 과거제의 시행을 통해 유교적 소양을 갖춘 새로운 인재를 등용하였다.

27

2019년 서울시 9급(6월 시행)

〈보기〉의 (가), (나)와 같은 건의를 받은 국왕에 대한 설명으로 가장 옳은 것은?

> **보기**
> (가) 우리 태조께서는 나라를 통일한 뒤에 외관을 두고자 하였으나, 대개 초창기이므로 일이 번거로워 겨를이 없었습니다. 이제 가만히 보건대, 향호가 매양 공무를 빙자하여 백성을 침해하여 횡포를 부리어 백성이 견디지 못하니, 청컨대 외관을 두도록 하십시오.
> (나) 겸손한 마음을 가지고 항상 조심하고 두려워하며 신하를 예로써 대우할 때 신하는 충성으로써 임금을 섬기는 것입니다.

① 호족과의 혼인 정책을 적극적으로 추진하였다.
② 노비안검법을 실시하여 호족의 경제력을 약화시켰다.
③ 양현고를 설치하고 보문각과 청연각을 세워 유학을 진흥시켰다.
④ 연등회를 축소하고 팔관회를 폐지하여 국가적인 불교 행사를 억제하였다.

28

2015년 국가직 9급

다음 건의를 받아들인 왕이 실시한 정책으로 옳은 것은?

> 임금이 백성을 다스릴 때 집집마다 가서 날마다 그들을 살펴보는 것이 아닙니다. 그래서 수령을 나누어 파견하여, (현지에) 가서 백성의 이해(利害)를 살피게 하는 것 입니다. 우리 태조께서도 통일한 뒤에 외관(外官)을 두고자 하셨으나, 대개 (건국) 초창기였기 때문에 일이 번잡하여 미처 그럴 겨를이 없었습니다. 이제 제가 살펴보건대, 지방 토호들이 늘 공무를 빙자하여 백성들을 침해하며 포악하게 굴어, 백성들이 명령을 견뎌내지 못합니다. 외관을 두시기 바랍니다.

① 서경 천도를 추진하였다.
② 5도 양계의 지방 제도를 확립하였다.
③ 지방 교육을 위해 경학 박사를 파견하였다.
④ 유교 이념과는 별도로 연등회, 팔관회 행사를 장려하였다.

문제풀이 고려 성종

난이도 하

제시문 (가)에서 외관(지방관)의 파견을 건의한 것을 통해 최승로가 고려 성종에게 건의한 시무 28조임을 알 수 있다. 한편 최승로는 시무 28조에서 유교 정치 이념을 반영하여, 국왕이 예(禮)로써 신하를 대할 때 신하가 충성으로 임금을 섬길 것임을 강조하였다.

④ 성종은 불교 행사의 축소를 주장한 최승로의 건의를 받아들여 국가의 대규모 불교 행사인 연등회를 축소하고 팔관회를 폐지하였다.

오답 분석
① **태조 왕건**: 호족과의 혼인 정책을 적극적으로 추진한 왕은 태조 왕건이다.
② **고려 광종**: 노비안검법을 실시하여 호족의 경제력을 약화시킨 왕은 광종이다.
③ **고려 예종**: 국자감(국학)에 장학 재단인 양현고를 설치하고, 도서관 겸 학문 연구소인 보문각과 청연각을 세워 유학을 진흥시킨 왕은 예종이다.

이것도 알면 **합격!**

시무 28조의 주요 내용

- 외관(지방관)을 파견할 것
- 중국의 문물 선택적 수용, 풍속은 우리 것을 따를 것
- 불교 행사(연등회, 팔관회)를 축소할 것
- 삼한 공신 자손 등용·우대할 것
- 불교는 수신(몸을 다스림)의 도, 유교는 치국(나라를 다스림)의 도

문제풀이 고려 성종의 정책

난이도 중

제시문에서 지방에 외관을 설치할 것을 건의하는 내용을 통해 이 건의가 최승로의 시무 28조임을 알 수 있으며 성종은 시무 28조를 받아들여 통치 체제를 정비하였다.

③ 성종은 지방 교육을 위해 교수인 경학 박사를 파견하였다. 또한 개경에 비서성, 서경에 수서원이라는 도서관을 설치하는 등 교육 제도를 정비하였다.

오답 분석
① **고려 정종**: 개경의 세력으로부터 벗어나기 위해 서경 천도를 추진하였던 왕은 고려 정종이다. 그러나 정종의 서경 천도 계획은 공신들의 반대로 실패하였다.
② **고려 현종**: 5도 양계, 4도호부 8목 등의 지방 제도를 확립한 왕은 고려 현종이다. 현종은 이외에도 주현공거법을 시행하여 향리의 자제들에게 과거 시험 응시 기회를 부여하였다.
④ **태조 왕건**: 연등회, 팔관회 등의 불교 행사를 장려한 왕은 태조 왕건이다. 이와 함께 태조는 법왕사·왕륜사·흥국사 등 여러 사찰을 건립하는 등 불교를 중시하였다.

이것도 알면 **합격!**

성종의 유학 장려 정책

- 국자감 설립(개경), 향교 설립(지방, 경학 박사 파견)
- 도서관 설치: 비서성(개경), 수서원(서경)
- 문신 월과법 실시: 중앙 문신들에게 매달 시부를 지어 바치게 함

정답 25 ① 26 ⑤ 27 ④ 28 ③

29

2016년 법원직 9급

다음 시무책을 받아들여 시행된 정책을 〈보기〉에서 고른 것은?

> 제7조 국왕이 백성을 다스림은 집집마다 가서 날마다 일을 보는 것이 아닙니다. … 청컨대 외관을 두소서.
> 제20조 불교는 수신(修身)의 근본이요, 유교를 행하는 것은 치국(治國)의 근원입니다. 수신은 내생의 복을 구하는 것이며, 치국은 금일의 임무입니다.

> **보기**
> ㉠ 국자감을 설치하였다.
> ㉡ 과거제를 도입하였다.
> ㉢ 9주 5소경을 정비하였다.
> ㉣ 각 지역에 지방관을 파견하였다.

① ㉠, ㉢　　② ㉠, ㉣
③ ㉡, ㉢　　④ ㉡, ㉣

문제풀이 고려 성종의 업적 난이도 중

제시된 자료는 최승로가 고려 성종에게 바친 시무 28조이다. 시무 28조에는 지방관의 파견을 통한 호족 세력의 견제, 유교 이념의 실현, 불교 행사와 토속 신앙 규제, 중앙 관제 정비 등의 내용이 담겨 있다.

② 옳은 것을 모두 고르면 ㉠, ㉣이다.
㉠ 고려 성종은 교육 조서를 반포하여 개경에 국립 대학인 국자감을 설치하였다.
㉣ 고려 성종은 지방 주요 지역에 12목을 설치하고, 12목에 지방관인 목사(牧使)를 파견하였다.

오답 분석
㉡ **고려 광종**: 과거제를 도입한 왕은 고려 광종이다. 광종은 후주에서 귀화한 쌍기의 건의를 수용하여 문예와 유교 경전 시험을 통해 문반 관리를 선발하는 과거 제도를 실시하였다.
㉢ **신문왕**: 9주 5소경을 정비한 왕은 통일 신라 신문왕이다. 신문왕은 지방 행정 조직을 정비하면서 전국을 9주로 나누고 수도가 경주로 치우친 것을 보완하기 위해 5소경을 설치하였다.

30

2018년 지방직 9급

고려 전기의 문산계와 무산계에 대한 설명으로 옳지 않은 것은?

① 중앙 문반에게 문산계를 부여하였다.
② 성종 때에 문산계를 정식으로 채택하였다.
③ 중앙 무반에게 무산계를 제수하였다.
④ 탐라의 지배층과 여진 추장에게 무산계를 주었다.

문제풀이 고려 전기의 문산계와 무산계 난이도 상

③ 고려 전기에 중앙의 무반에게 제수한 것은 무산계가 아닌 문산계이다. 고려는 중앙의 문반과 무반에게 문산계를 지급하고, 지방 향리·탐라의 왕족·여진의 족장·노병 등에게는 무산계를 지급하였다.

오답 분석
① 고려 시대에는 문반과 무반에게 문산계를 지급하였다. 문산계는 중앙의 현직 관료는 물론, 휴직이나 퇴직한 중앙 관료 출신자에게도 지급되었다.
② 고려 성종 때 중국의 문·무산계 제도를 정식으로 도입 및 채택하여 유력 호족 출신의 중앙 관료와 지방의 향리 계층을 구분하고자 하였다.
④ 무산계는 향리, 탐라의 왕족, 여진의 족장, 노병, 공장, 악공 등에게 주어졌다.

이것도 알면 **합격!**

고려의 문·무산계

목적	중앙 관료와 지방 세력들의 서열을 정비하기 위해 도입	
대상	문산계	중앙의 문관과 무관에게 부여
	무산계	향리, 귀화한 여진 추장, 노병(老兵), 악인(樂人), 공장(工匠), 탐라 왕족 등에게 부여

31
2024년 서울시 9급(2월 시행)

〈보기〉의 (가)~(라) 시기에 있었던 사실을 옳게 짝지은 것은?

보기

	(가)	(나)	(다)	(라)	

고려 건국 / 후삼국 통일 / 노비안검법 실시 / 시정 전시과 시행 / 거란의 1차 침입

① (가) – 역분전 지급
② (나) – 12목 설치
③ (다) – 과거제 도입
④ (라) – 광군 설치

32
2022년 지방직 9급

(가) 인물에 대한 설명으로 옳은 것은?

> 군대를 이끌고 통주성 남쪽으로 나가 진을 친 (가) 은/는 거란군에게 여러 번 승리를 거두었다. 하지만 자만하게 된 그는 결국 패해 거란군의 포로가 되었다. 거란의 임금이 그의 결박을 풀어 주며 "내 신하가 되겠느냐?"라고 물으니, (가) 은/는 "나는 고려 사람인데 어찌 너의 신하가 되겠느냐?"라고 대답하였다. 재차 물었으나 같은 대답이었으며, 칼로 살을 도려내며 물어도 대답은 같았다. 거란은 마침내 그를 처형하였다.

① 묘청의 난을 진압하였다.
② 별무반의 편성을 건의하였다.
③ 목종을 폐위하고 현종을 옹립하였다.
④ 거란과 협상하여 강동 6주 지역을 고려 영토로 확보하였다.

문제풀이 고려사의 전개
난이도 중

(가) 고려 건국(918) ~ 후삼국 통일(936)
(나) 후삼국 통일(936) ~ 노비안검법 실시(956)
(다) 노비안검법 실시(956) ~ 시정 전시과 시행(976)
(라) 시정 전시과 시행(976) ~ 거란의 1차 침입(993)

③ (다) 시기인 958년에 고려 광종은 중국 후주에서 귀화한 쌍기의 건의를 받아들여 과거제를 도입하였다. 광종은 과거제의 시행을 통해 유교적 소양을 갖춘 새로운 인재를 등용하고자 하였다.

오답 분석

① **(나) 시기**: 역분전이 지급된 것은 940년으로, (나) 시기의 사실이다. 태조 왕건 때 후삼국 통일 전쟁에 공이 있는 사람들에게 논공행상의 성격으로 역분전이라는 토지를 지급하였다.

② **(라) 시기**: 12목이 설치된 것은 983년으로, (라) 시기의 사실이다. 고려 성종 때 최승로의 시무 28조를 수용하여 전국의 주요 지역에 12목을 설치하고, 지방관인 목사를 파견하였다.

④ **(나) 시기**: 광군이 설치된 것은 947년으로, (나) 시기의 사실이다. 고려 정종(3대) 때 거란의 침입에 대비하기 위하여 광군을 설치하고, 지휘부로 광군사를 설치하였다.

문제풀이 강조
난이도 중

제시문에서 거란군에게 여러 번 승리하였으나 자만하여 결국 포로가 되었다는 내용을 통해 (가) 인물이 강조임을 알 수 있다.

③ 강조는 목종의 어머니인 천추태후와 김치양이 자신들 사이에서 태어난 자식을 왕으로 세우려 하자, 정변을 일으켜 김치양 일파를 제거한 후 목종을 폐위하고 현종을 왕위에 올립하였다.

오답 분석

① **김부식**: 묘청의 난을 진압한 인물은 김부식이다. 김부식은 고려 인종 때 개경파의 대표적인 인물로, 서경파인 묘청이 반란을 일으키자 관군을 이끌고 이를 진압하였다.

② **윤관**: 별무반의 편성을 건의한 인물은 윤관이다. 윤관은 여진 정벌을 위해 고려 숙종에게 별무반의 편성을 건의하였고, 고려 예종 때 별무반을 이끌고 여진을 정벌한 후 동북 9성을 설치하였다.

④ **서희**: 거란과 협상하여 강동 6주 지역을 고려 영토로 확보한 인물은 서희이다. 고려 성종 때 거란의 소손녕이 수십만 대군을 이끌고 고려에 침입(1차 침입, 993)하자, 서희가 협상을 통해 강동 6주 지역을 확보하였다.

정답 29 ② 30 ③ 31 ③ 32 ③

33

2024년 국가직 9급

(가)의 재위 기간에 있었던 사실로 옳은 것은?

> 강조의 군사들이 궁문으로 마구 들어오자, 목종이 모면할 수 없음을 깨닫고 태후와 함께 목 놓아 울며 법왕사로 옮겼다. 잠시 후 황보유의 등이 ((가))을/를 받들어 왕위에 올렸다. 강조가 목종을 폐위하여 양국공으로 삼고, 군사를 보내 김치양 부자와 유행간 등 7인을 죽였다.

① 윤관이 별무반 편성을 건의하였다.
② 외적이 침입하여 국왕이 복주(안동)로 피난하였다.
③ 서희의 외교 담판으로 강동 6주 지역을 획득하였다.
④ 불교 경전을 집대성한 초조대장경 조판이 시작되었다.

문제풀이 고려 현종 재위 기간의 사실 난이도 중

제시문에서 강조가 목종을 폐위하여 양국공으로 삼고, 김치양 부자 등을 죽였다는 내용을 통해 (가)가 고려 현종임을 알 수 있다. 서북면 도순검사 강조는 목종의 어머니인 천추태후와 김치양이 자신들 사이에서 태어난 자식을 왕으로 세우려 하자, 정변을 일으켜 김치양 일파를 제거 후 목종을 폐위시키고 현종을 옹립하였다.

④ 고려 현종 재위 기간에 거란이 침입해오자 부처의 힘을 빌려 거란에 대항하기 위해 불교 경전을 집대성한 초조대장경의 조판이 시작되었다.

오답 분석

① **고려 숙종**: 윤관이 별무반 편성을 건의한 것은 고려 숙종 때이다. 고려 숙종 때 윤관이 여진 정벌을 위해 별무반의 편성을 건의하였고, 고려 예종 때에는 별무반을 이끌고 여진을 정벌한 후 동북 9성을 설치하였다.

② **공민왕**: 외적이 침입하여 국왕이 복주(안동)로 피난한 것은 공민왕 때이다. 공민왕 때 홍건적의 침입으로 개경이 함락되자 왕은 복주로 피난하였다. 한편, 현종은 거란의 2차 침입 당시 개경이 함락되자 나주로 피난하였다.

③ **고려 성종**: 서희의 외교 담판으로 강동 6주 지역을 획득한 것은 고려 성종 때이다. 고려 성종 때 거란의 소손녕이 수십만 대군을 이끌고 고려에 침입(1차 침입)하자, 서희가 협상을 통해 강동 6주 지역을 확보하였다.

34

2022년 서울시 9급(2월 시행)

〈보기〉의 밑줄 친 인물이 왕으로 즉위하여 활동하던 기간에 있었던 사실로 가장 옳은 것은?

> **보기**
> 개경으로 돌아온 강조(康兆)는 김치양 일파를 제거함과 동시에 국왕마저 폐한 후 살해하였다. 이 같은 소용돌이 속에서 <u>대량원군</u>이 임금으로 즉위하였다.

① 부모의 명복을 빌기 위해 현화사(玄化寺)를 창건했다.
② 거란의 침입에 대비하기 위하여 광군 30만을 조직했다.
③ 강동 6주의 땅을 고려 영토로 편입시켰다.
④ 재조대장경의 각판 사업에 착수했다.

문제풀이 고려 현종 재위 시기의 사실 난이도 중

제시문은 강조의 정변에 대한 내용으로, 밑줄 친 '대량원군'은 고려 현종(1009~1031)이다. 강조의 정변은 목종의 어머니인 천추태후와 김치양이 자신들 사이에서 태어난 자식을 왕으로 세우려 하자, 서북면 도순검사 강조가 정변을 일으켜 김치양 일파를 제거하는 한편 목종을 폐위시키고 대량원군(현종)을 옹립한 사건이다.

① 고려 현종 때는 현종이 부모의 명복을 빌기 위해 개경에 현화사를 창건하고 현화사 7층 석탑을 건립하였다.

오답 분석

② **고려 정종**: 거란의 침입에 대비하기 위하여 광군 30만을 조직한 것은 고려 정종(3대) 때이다.

③ **고려 성종**: 강동 6주의 땅을 고려 영토로 편입시킨 것은 고려 성종 때이다. 고려 성종 때 서희의 외교 담판으로 강동 6주의 소유권을 거란으로부터 인정받은 후, 이 지역의 여진족을 몰아내고 성을 쌓아 고려의 영토로 편입하였다.

④ **고려 고종**: 재조대장경의 각판 사업에 착수한 것은 고려 고종 때이다. 재조대장경(팔만대장경)은 몽골의 2차 침입(1232) 때 소실된 초조대장경을 대신하여 부처의 힘으로 몽골 침입을 극복하고자 제작한 것으로, 1236년에 각판하기 시작하여 1251년에 완성하였다.

35

2017년 지방직 9급(12월 시행)

다음 사건으로 즉위한 왕의 재위 기간에 있었던 사실로 옳지 않은 것은?

> 목종의 모후(母后)인 천추태후와 김치양이 불륜 관계를 맺고 왕위를 엿보자, 서북면도순검사 강조가 군사를 일으켜 김치양 일파를 제거하고 목종을 폐위시켰다.

① 대장경 조판 사업을 시작하였다.
② 지방관이 없는 속군에 감무를 파견하였다.
③ 부모의 명복을 빌고자 현화사를 창건하였다.
④ 개성부를 경중(京中) 5부와 경기로 구획하였다.

문제풀이 고려 현종 재위 시기의 사실

난이도 중

제시문은 고려 목종 때 일어난 '강조의 정변'에 대한 내용이다. 목종의 어머니인 천추태후와 김치양이 자신들 사이에서 태어난 자식을 왕으로 세우려 하자, 서북면도순검사 강조가 정변을 일으켜 김치양 일파를 제거하는 한편 목종을 폐위시키고 현종을 옹립하였다.

② 지방관이 없는 속군에 감무를 파견하기 시작한 것은 고려 예종 재위 기간의 사실이다. 예종은 지방관이 파견되지 못한 속군·속현과 향·소·부곡·장·처 등의 말단 지방 행정 단위에 감무라는 지방관을 파견하였다.

오답 분석

① 현종은 불법의 힘으로 거란의 침입을 극복하기 위해 초조대장경의 조판 사업을 시작하였다.
③ 현종은 부모의 명복을 빌고자 개경에 현화사와 현화사 7층 석탑을 건립하였다. 한편 현종은 불교를 중시하여 성종 때 폐지된 연등회와 팔관회를 부활시켰다.
④ 현종은 개성부를 없애고 경중(京中) 5부와 경기로 분리하여 경기의 행정 구역을 정비하였다. 또한 현종은 전국을 5도 양계로 나누는 등 지방 행정 제도를 개편하였다.

36

2022년 서울시 9급(6월 시행)

고려의 중앙 정치 제도에 대한 설명으로 가장 옳지 않은 것은?

① 중서문하성과 추밀원의 합좌 기구인 식목도감은 국가의 재정회계를 관장하였다.
② 상서성의 6부가 각기 국무를 분담하였지만, 중서문하성에 강하게 예속되어 있었다.
③ 추밀원은 추부라고도 불렸는데 군기를 관장하고 왕명을 출납하는 등 중요한 기능을 담당했다.
④ 고려는 중서성과 문하성을 합해 중서문하성이라는 단일 기구를 만들어 정치의 최고 관부로 삼았다.

문제풀이 고려의 중앙 정치 제도

난이도 하

① 고려 시대에 국가의 재정과 회계를 담당한 기구는 삼사이다. 한편, 식목도감은 중서문하성의 재신과 중추원(추밀원)의 추밀이 모인 합좌 기구로, 대내적인 법제와 각종 시행 규정을 담당하는 일종의 입법 기관이었다.

오답 분석

② 고려는 상서성의 6부가 각기 국무를 분담하였지만, 중서문하성에서 결정된 사항을 상서성의 6부에서 시행하는 상하 관계였기 때문에 중서문하성에 강하게 예속되어 있었다.
③ 고려의 추밀원은 중추원이 개편된 기관으로 추부라고도 불렸는데, 군사기밀을 관장하고 왕명을 출납하는 등의 기능을 담당하였다.
④ 고려의 중앙 관제는 당의 3성 6부제를 모방하였으나 고려의 실정에 맞게 운영하였는데, 중서성과 문하성을 합해 중서문하성이라는 단일 기구를 만들고 국정을 총괄하는 정치의 최고 관부로 삼았다.

정답 33 ④ 34 ① 35 ② 36 ①

37

2016년 서울시 9급

고려의 정치와 사회에 대한 설명으로 가장 옳지 않은 것은?

① 정치 제도는 당과 송의 제도를 참고하여 2성 6부제로 정비하였다.

② 지방 제도는 5도 양계 및 경기로 구성되었고 태조 때부터 12목을 설치하였다.

③ 관리 등용 제도로는 과거와 음서 등이 있었으며 무과는 거의 실시되지 않았다.

④ 성종 대에 최승로는 시무 28조를 건의하는 등 유교 정치 이념의 토대를 닦았다.

38

2024년 법원직 9급

(가)에 들어갈 내용으로 가장 옳지 않은 것은?

> ㅇㅇ: 고려 시대 중서문하성의 낭사와 어사대의 관원을 합쳐서 불렀다. 이들은 (가) 의 역할을 담당하였다.
>
> -『한국사 용어 사전』

① 왕의 잘못을 논하는 간쟁

② 중추원의 추밀과 함께 법제와 격식 제정

③ 관원 임명시 동의 여부에 서명할 수 있는 서경

④ 잘못된 왕명을 시행하지 않고 되돌려 보내는 봉박

문제풀이 고려의 정치와 사회

난이도 하

② 12목을 설치하고, 지방관을 파견한 것은 고려 성종 때이다. 이후 현종 때 전국을 5도 양계 및 경기로 나누고, 군사적 요충지로서의 4도호부와 일반 행정 구역으로서의 8목 체제로 개편하는 등 지방 행정을 개편하였다.

오답 분석

① 고려의 중앙 정치 조직은 당의 3성 6부제를 참고하여 중서문하성과 상서성의 2성 6부제로 운영되었고, 송의 제도를 참고하여 군사 기밀과 왕명 출납을 담당하는 중추원과 화폐와 곡식의 출납에 대한 회계를 담당하는 삼사를 설치하였다.

③ 고려의 관리 등용 제도에는 문과, 잡과, 승과의 과거 시험과 함께 5품 이상 고위 관료 자제들을 대상으로 한 음서제 등이 있었다. 무과의 경우에는 예종 대를 제외하고는 거의 시행되지 못하다가 공양왕 대에 정식으로 실시되었다.

④ 고려 성종 대에 최승로는 시무 28조를 건의하였고, 성종은 이를 받아들여 유교 정치를 실현하고자 하였다. 성종은 불교 행사를 억제하고, 유학 교육을 진흥시키기 위하여 국자감을 정비하고 지방에 경학 박사와 의학 박사를 파견하였다. 또한, 과거 제도를 정비하고 관리들에게 매달 시를 짓도록 하는 문신 월과법도 시행하였다.

문제풀이 대간의 역할

난이도 하

제시문에서 고려 시대 중서문하성의 낭사와 어사대의 관원을 합쳐서 불렀다는 내용을 통해 (가)가 대간임을 알 수 있다.

② 중추원의 추밀과 함께 법제와 격식을 제정한 것은 식목도감이다. 식목도감은 고려의 독자적인 기구로, 중서문하성의 재신과 충추원의 추밀이 모여 대내적인 법제와 격식 및 시행 규정을 담당하는 일종의 입법 기관이었다.

오답 분석

① 대간은 왕의 잘못을 논하거나 올바른 정책을 제시하는 간쟁의 역할을 담당하여 왕권을 견제하였다.

③ 대간은 관원을 임명하거나 법령의 개정 및 폐지 등을 정할 때 동의 여부에 서명할 수 있는 서경의 역할을 담당하였다.

④ 대간은 잘못된 왕명을 시행하지 않고 되돌려 보내는 봉박의 역할을 담당하였다.

39

2021년 지방직 9급

(가)에 들어갈 기구로 옳은 것은?

> 고려 시대 중서문하성과 중추원의 고위 관료들은 도병마사와 (가) 에서 국가의 중요한 일을 논의하였다. 도병마사에서는 국방과 군사 문제를 다루었고, (가) 에서는 제도와 격식을 만들었다.

① 삼사
② 상서성
③ 어사대
④ 식목도감

40

2016년 국가직 7급

괄호 안에 들어갈 고려 시대의 정치 기구에 대한 설명으로 옳은 것은?

> 국초에 (　　　　)을(를) 설치하여 시중·평장사·참지정사·정당문학·지문하성사로 판사(判事)를 삼고, 판추밀 이하로 사(使)를 삼아 일이 있을 때 모였으므로 합좌(合坐)라는 이름이 붙게 되었다. 그런데 한 해에 한 번 모이기도하고 여러 해 동안 모이지 않기도 하였다.
> -『역옹패설』

① 군사 기밀과 왕명 전달을 담당하였다.
② 화폐와 곡식의 출납, 회계의 일을 맡았다.
③ 정치의 잘잘못을 논하고 관리의 비리를 감찰하였다.
④ 양계의 축성 및 군사 훈련 등 국방 문제를 논의하였다.

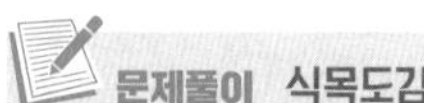

문제풀이 식목도감 난이도 하

제시문에서 고려 시대 중서문하성과 중추원의 고위 관료들이 국가의 중요한 일을 논의하고 제도와 격식을 만들었다는 내용을 통해 (가) 기구가 식목도감임을 알 수 있다.

④ 식목도감은 법의 제정이나 각종 시행 규정을 논의하였던 고려의 독자적인 회의 기구로, 중서문하성과 중추원의 고관인 재추(재신과 추밀)가 주요 구성원이었다.

오답 분석

① **삼사(고려)**: 고려 시대 삼사는 화폐와 곡식의 출납과 회계 등을 담당한 기구로, 송의 제도를 참고한 것이었으나 송과 달리 단순 회계 기구의 역할을 담당하였다.

② **상서성**: 상서성은 정책을 집행하는 기능을 담당한 기관이다. 상서성은 중서문하성과 함께 고려의 2성으로 불렸으며, 하부 기관으로 상서도성과 6부(이부·병부·호부·형부·예부·공부)를 두고 중서문하성에서 결정된 정책을 집행하는 기능을 담당하였다.

③ **어사대**: 어사대는 백관을 규찰하거나 탄핵하는 언관의 역할을 맡은 기구이다. 어사대의 관원(대관)과 중서문하성의 낭사(간관)은 함께 대간으로 불렸으며, 대간은 서경·봉박·간쟁의 권한을 행사하였다.

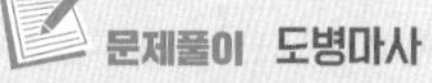

문제풀이 도병마사 난이도 중

괄호 안의 정치 기구는 국초(고려 초기)에 설치되어 문하시중(종1품)·평장사(정2품)·참지정사 등으로 구성된 재신과 판중추원사·중추원사·지중추원사(종2품) 등으로 구성된 추밀이 모여 국가 중대사를 결정하는 귀족 합좌 기구인 도병마사이다. 도병마사는 고려의 독자적인 합좌 기구로, 후기에 도평의사사로 개편되면서 최고 정무 기구로 발전하였다.

④ 도병마사는 중서문하성의 재신과 중추원의 추밀이 함께 모여 국가의 중대사를 의논하였던 기구로, 주로 국방 문제를 논의하였다.

오답 분석

① **중추원**: 군사 기밀과 왕명 전달을 담당하였던 기구는 중추원이다. 중추원은 국정을 총괄하는 추밀과 왕명의 출납을 담당하는 승선으로 구성되었다.

② **삼사**: 화폐와 곡식의 출납, 회계를 담당하였던 기구는 삼사이다. 삼사는 송의 제도를 수용한 것이었으나 송과 달리 단순 회계 기구의 역할만 담당하였다.

③ **대간**: 정치의 잘잘못을 논하거나 관리의 비리를 감찰하였던 기구는 대간이다. 대간은 어사대의 관원(대관)과 중서문하성의 낭사(간관)로 구성되어 왕권을 견제하고 관리들을 감찰하여 정치 운영에서의 견제와 균형을 도모하였다.

정답 37 ② 38 ② 39 ④ 40 ④

41
2016년 서울시 7급

다음은 고려 시대 어떤 기구에 대한 기록이다. 밑줄 친 시기에 이 기구의 명칭으로 옳은 것은?

> 왕명을 받아 글을 짓는 기관이다. 태조 때 태봉의 제도에 따라 원봉성을 두었고, 뒤에 학사원으로 고쳤다. <u>문종 때 학사승지 1인을 두고 정3품으로 삼았고, 학사는 2인을 두고 정4품으로 삼았다</u>. 충렬왕 원년에 다시 문한서로 고쳤다.
>
> -『고려사』 76, 백관지 1, 예문관

① 한림원 ② 홍문관
③ 전중성 ④ 비서성

문제풀이 한림원 난이도 중

제시문의 왕명을 받아 글을 짓는 일을 관장하였던 고려 시대의 관청은 한림원이다.

① 한림원은 고려 문종 때 왕명을 받아 글을 짓는 일을 관장하였다.

오답 분석

② **홍문관**: 홍문관은 조선 시대에 궁중의 경서·사적의 관리, 문한의 처리 및 왕의 자문에 응하는 일을 맡아보던 관청이다.

③ **전중성**: 전중성은 고려 전기에 왕의 공상(供上) 및 친족의 보첩(譜牒)에 관한 일을 관장하던 관청이다. 전중성의 명칭은 그 뒤 전중시로 바뀌었고, 충렬왕 때에는 다시 종정시(宗正寺)로 개칭되었다.

④ **비서성**: 비서성은 고려 시대에 개경에 설치된 일종의 도서관으로, 경적(經籍)과 축문(祝文) 작성 등에 관한 일을 관장하던 관청이다.

 이것도 알면 **합격!**

한림원

변천 과정	원봉성(태봉) → 학사원(태조) → 한림원(현종) → 문한서(충렬왕) → 사림원(충선왕) → 문한서(충렬왕 복위) → 예문춘추관(충선왕 복위) → 예문관(충숙왕) → 한림원(공민왕) → 예문관(공민왕) → 예문춘추관(공양왕)
기능	• 교서와 외교 문서 작성 담당 • 과거 고시관(지공거) 겸직 • 왕에게 시강(侍講)

42
2013년 지방직 9급

(㉠)의 정치 기구에 대한 설명으로 옳은 것은?

> 도병마사는 성종 때 처음 설치되어 국방 문제를 담당하였다. …… 원 간섭기에 (㉠)(으)로 개칭되면서 국정 전반에 걸친 중요 사항을 관장하는 최고 기구로 발전하였다.

① 도당으로 불렸으며 조선 건국 초에 폐지되었다.
② 법제의 세칙을 만드는 고려의 독자적인 기구이다.
③ 정책을 집행하는 기능을 담당했으며, 그 밑에 6부를 두었다.
④ 관리의 임명이나 법령의 개폐를 동의하는 서경권을 행사하였다.

문제풀이 도평의사사 난이도 중

제시문에서 도병마사가 원 간섭기를 거치면서 국가 최고 기구로 발전하였다는 내용을 통해 ㉠은 도평의사사임을 알 수 있다.

① 도평의사사는 도당으로 불렸으며, 조선 건국 때에도 그대로 유지되었다가 조선 초기인 정종 때 의정부로 개편되었다(1400).

오답 분석

② **식목도감**: 법의 제정이나 각종 시행 규정을 논의하였던 고려의 독자적인 회의 기구는 식목도감이다.

③ **상서성**: 정책을 집행하는 기능을 담당하였으며, 그 밑에 6부를 두었던 기구는 상서성이다. 상서성은 중서문하성과 함께 고려의 2성으로 불렸다.

④ **대간**: 관리를 임명하거나 법령을 개폐할 때 동의 또는 거부권을 행사하는 서경의 권리를 행사하였던 것은 고려의 대간이다. 대간은 어사대의 관원과 중서문하성의 낭사를 합쳐 부르는 말이며, 서경권 이외에도 봉박·간쟁의 권리를 행사하였다.

 이것도 알면 **합격!**

도병마사와 식목도감

도병마사	• 구성: 재신과 추밀 • 국방 및 군사 문제를 담당하는 회의 기구(고려 후기에 도평의사사로 확대·개편)
식목도감	• 구성: 재신과 추밀 • 법의 제정이나 각종 시행 규정을 다루던 입법 기관

43

2024년 서울시 9급

〈보기〉의 글이 작성된 시대의 정책으로 가장 옳지 않은 것은?

> **보기**
>
> 7조 왕이 백성을 다스린다고 해서 집집마다 가거나 날마다 그들을 살펴보는 것은 아닙니다. 그러므로 수령을 나누어 보내어 백성의 이익과 손해를 살피게 하는 것입니다. …… 요청하건대 외관을 두시옵소서.
>
> – 시무 28조

① 5도 양계를 기틀로 한 지방 제도를 마련하였다.

② 향촌의 안정을 도모하기 위해 오가작통제와 호패법이 시행되었다.

③ 군현을 지방관이 파견되는 주현과 파견되지 않는 속현으로 구분하였다.

④ 향·부곡·소는 향리가 행정 업무를 담당하였다.

문제풀이 고려 시대의 정책

난이도 중

제시문은 최승로가 왕에게 올린 시무 28조의 내용으로, 고려 시대에 작성되었다. 고려 성종 때에는 유교 이념을 바탕으로 국가를 운영할 것을 주장한 최승로의 시무 28조를 받아들여 지방관으로 목사를 파견하는 등 통치 체제를 정비하였다.

② 향촌의 안정을 도모하기 위해 각 군현 밑에 면, 리, 통을 두고 다섯 집을 1통으로 편제하여 다스리는 오가작통제와 16세 이상의 남자에게 호패(일종의 신분증)를 가지고 다니게 하는 호패법을 시행한 것은 조선 시대이다.

오답 분석

① 고려 현종 때에는 전국을 5도 양계 및 경기로 나누고 군사적 요충지로서의 4도호부와 일반 행정 구역으로서의 8목 체제로 개편하는 등 지방 행정을 개편하였다.

③ 고려 시대에는 지방관이 파견되는 주현과 지방관이 파견되지 않는 속현으로 군현을 구분하였으며, 속현의 수가 주현의 수보다 많았다.

④ 고려 시대에는 주현의 지방관이 속현까지 관할하는 것이 원칙이었으나, 현실적으로 불가능하였기 때문에 향리가 속현 및 향·부곡·소의 조세와 공물 징수, 노역 징발 등의 행정 업무를 담당하였다.

44

2023년 법원직 9급

다음 사실이 있었던 시대에 대한 내용으로 옳은 것을 〈보기〉에서 모두 고른 것은?

> 엄수안은 영월군의 향리로 키가 크고 담력이 있었다. 나라의 법에 향리에게 아들 셋이 있으면 아들 하나는 벼슬하는 것이 허락되어서, 엄수안은 관례에 따라 중방서리로 보임되었다. 원종 때 과거에 급제하여 도병마녹사에 임명되었다.

> **보기**
>
> ㉠ 주현이 속현보다 적었다.
>
> ㉡ 모든 군현에 수령이 파견되었다.
>
> ㉢ 중서문하성의 낭사는 어사대와 함께 대간으로 불렸다.
>
> ㉣ 전국을 8도로 나누고 그 아래 부·목·군·현을 두었다.

① ㉠, ㉡ ② ㉡, ㉣

③ ㉠, ㉢ ④ ㉢, ㉣

문제풀이 고려 시대의 행정 제도

난이도 중

제시문에서 향리에게 아들 셋이 있으면 아들 하나는 벼슬하는 것이 허락되었다는 것과, 중방서리와 도병마녹사에 임명되었다는 내용을 통해 고려 시대임을 알 수 있다. 고려 시대에는 향리에게 과거 응시 자격이 부여되었으며, 무신 합좌 기구인 중방, 국방 회의 기구인 도병마사가 있었다.

③ 옳은 것을 모두 고르면 ㉠, ㉢이다.

㉠ 고려 시대에는 수령이 파견된 주현이 수령이 파견되지 않은 속현의 수보다 적었다. 한편, 고려 시대에 수령이 파견되지 않은 속현에서는 향리가 조세, 공물 징수, 노역 징발 등의 행정 실무를 담당하였다.

㉢ 고려 시대 중서문하성의 낭사는 어사대의 관원과 함께 대간으로 불렸다. 대간은 간쟁과 봉박, 서경의 권리를 가지고 있어 왕권을 견제하고 관리들을 감찰하여 정국 운영에서의 견제와 균형이 이루어지도록 하였다.

오답 분석

㉡ **조선 시대**: 모든 군현에 수령이 파견되었던 것은 조선 시대이다. 조선 시대에는 모든 군현에 수령이 파견되면서 속현이 폐지되고, 향·소·부곡의 특수 행정 구역이 소멸되었다.

㉣ **조선 시대**: 전국을 8도로 나누고 그 아래 부, 목, 군, 현을 둔 것은 조선 시대이다. 한편, 고려 시대에는 전국을 5도와 양계로 나누고, 그 아래에 4도호부(군사적 요충지), 8목(일반 행정 구역)을 두었다.

정답 41 ① 42 ① 43 ② 44 ③

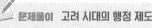

45

2020년 서울시 9급(특수 직렬)

고려의 지방 제도에 대한 설명으로 옳은 것을 〈보기〉에서 모두 고른 것은?

> **보기**
> ㉠ 양계 지역은 계수관이 관할하였다.
> ㉡ 수령이 파견된 주현보다 수령이 파견되지 않은 속현의 수가 많았다.
> ㉢ 성종 때 12목이 설치되었다.
> ㉣ 향·소·부곡 등의 특수 행정 조직이 있었다.

① ㉠, ㉡, ㉢
② ㉠, ㉡, ㉣
③ ㉠, ㉢, ㉣
④ ㉡, ㉢, ㉣

문제풀이 고려의 지방 제도 난이도 하

④ 고려의 지방 제도에 대해 옳은 것을 모두 고르면 ㉡, ㉢, ㉣ 이다.

㉡ 고려 시대에는 수령이 파견된 주현보다 수령이 파견되지 않은 속현의 수가 더 많았다. 주현의 지방관이 속현까지 관할하는 것이 원칙이었으나, 현실적으로 불가능하였기 때문에 향리가 조세, 공물 징수, 노역 징발 등의 행정 실무를 담당하였다.

㉢ 고려 성종 때 최승로의 건의를 받아들여 지방의 주요 지역에 12목을 설치하였고, 지방관으로 목사를 파견하였다.

㉣ 고려 시대에는 향·소·부곡 등의 특수 행정 조직이 존재하였다. 향·소·부곡 주민들은 신분상 양인이었으나 일반 농민에 비해 차별을 받아 국자감 입학과 과거 응시가 불가하였고, 거주 이전의 자유도 없었다.

오답 분석

㉠ 양계 지역은 계수관이 아니라 병마사가 관할하였다. 계수관은 지방의 행정 구역 혹은 그 행정 구역을 담당하는 수령을 가리키는 말로, 고려 시대에는 양계 지역을 제외한 경·목·도호부 등이 계수관으로 칭해졌으며, 3경의 유수·8목의 목사·4도호부의 도호부사가 계수관으로 칭해졌다. 한편 병마사는 양계 지역에 파견되었으며, 주진군의 지휘권을 가지고 있었다.

46

2019년 경찰직(2차)

고려 시대 지방 제도에 대한 설명 중 가장 적절한 것은?

① 북방의 국경 지대에는 동계·북계의 양계를 설치하고 도독을 파견하였다.
② 중앙에서 지방을 견제하기 위해 외사정을 파견하였다.
③ 지방 행정 말단 조직으로 면·리·통을 두었다.
④ 조세와 공물의 징수 등 지방 행정의 실무는 향리가 담당하였다.

문제풀이 고려 시대 지방 제도 난이도 중

④ 고려 시대 향리는 지방의 조세와 공물의 징수 등 지방 행정의 실무를 담당하였다.

오답 분석

① 고려는 북방의 국경 지대에 동계·북계의 양계를 설치하고, 병마사를 파견하였다. 도독은 통일 신라 9주의 장관이다.

② 지방관을 감찰하기 위해 외사정을 파견한 것은 통일 신라이다. 고려 시대에는 지방 수령의 감찰 업무는 안찰사와 병마사가 담당하였다. 또한 고려 시대에는 지방 세력을 견제하기 위해 중앙의 고관을 자기 출신지의 사심관으로 임명하여 해당 지역의 치안과 행정에 대해 연대 책임을 지도록 한 사심관 제도와, 지방 향리의 자제를 수도에 데려와 기인으로 삼고 출신 지방의 행정과 관련된 일을 담당하게 한 기인 제도 등을 실시하였다.

③ 면·리·통 제도는 조선 시대에 등장하였다. 조선 시대에는 군현 아래의 촌을 다시 면·리·통으로 편제하였는데, 이때 다섯 집을 하나의 통으로 편성하고, 다섯 개의 통을 묶어 하나의 리로, 몇 개의 리를 묶어 하나의 면으로 구성하였다. 한편, 고려 시대에는 지방의 말단 행정 구역으로 촌이 있었다.

47

2012년 사회복지직 9급

고려 시대 지방 행정에 대한 설명으로 옳은 것은?

① 성종은 호장·부호장과 같은 향리 직제를 마련하였다.
② 퇴직한 관료를 사심관으로 임명하여 출신 지역에 거주하게 하였다.
③ 광종은 처음으로 중요 거점 지역에 상주하는 지방관을 파견하였다.
④ 지방 향리의 자제를 상수리로 임명하여 궁중의 잡역을 담당하게 하였다.

48

2022년 서울시 9급(2월 시행)

〈보기〉의 (가)에 들어갈 군대로 가장 옳은 것은?

> **보기**
> "제가 전날에 패한 원인은 적들이 모두 말을 탔고, 우리는 보병으로 전투한 까닭에 대적할 수 없었기 때문입니다."라고 하자, 이때 비로소 (가) 을/를 만들기로 하였다. -『고려사』

① 광군　② 도방
③ 별무반　④ 삼별초

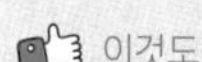

문제풀이 고려의 지방 행정 제도 난이도 중

① 고려 성종은 지방의 중소 호족들을 호장·부호장으로 편입시키는 향리 직제를 마련하여 지방을 통제하였다.

오답 분석

② 사심관에는 퇴직 관료가 아닌 중앙에 거주하는 현직 고관이 임명되었다. 사심관에 임명된 관료는 중앙에 머물며 출신지의 풍속 교정 등을 담당하였고 관할 지역에 치안 문제가 발생하면 연대 책임을 져야 했다.
③ 처음으로 지방의 주요 지역에 상주하는 지방관인 목사를 파견한 왕은 고려 성종이다. 고려 초기에도 중앙 정부에서 파견된 금유나 조장 등이 있기는 하였으나, 지방에 상주하는 외관은 아니었을 것으로 추정된다.
④ 상수리 제도는 신라의 제도이다. 고려 시대에는 신라의 상수리 제도를 계승한 기인 제도를 마련하여 지방 향리의 자제를 기인으로 삼아 수도에 데려온 뒤 지방 행정의 고문 역할을 부여하였다.

이것도 알면 **합격!**

고려의 지방 조직 정비

12목 설치(성종)	지방 주요 지역에 12목 설치 → 지방관(목사) 파견
향리 제도(성종)	지방 중소 호족을 향리(호장, 부호장)로 편입
지방 행정 개편(현종)	• 4도호부(군사적 요충지), 8목 체제(일반 행정 구역) • 전국을 5도와 양계로 이원화

문제풀이 별무반 난이도 하

제시문에서 적들이 모두 말을 탔고, 우리는 보병으로 전투한 까닭에 대적할 수 없어서 만들기로 했다는 내용을 통해 (가) 군대가 별무반임을 알 수 있다.

③ 별무반은 기병이 주축인 여진족에게 대처하기 위해 윤관의 건의에 따라 고려 숙종 때 조직한 군대로, 신기군(기병), 신보군(보병), 항마군(승병)으로 구성되었다.

오답 분석

① **광군**: 광군은 거란의 침입에 대비하기 위해 조직된 군대로, 고려 정종(3대) 때 설치되었다.
② **도방**: 도방은 경대승이 자신의 신변 보호를 위해 설치한 사병 집단으로, 최충헌 때 다시 설치되어 최씨 무신 정권의 군사적 기반이 되었다.
④ **삼별초**: 삼별초는 최우가 도적을 막기 위해 조직한 야별초에서 비롯된 최씨 정권의 사병 집단으로, 좌별초와 우별초, 신의군으로 구성되었다.

정답 45 ④ 46 ④ 47 ① 48 ③

49

2020년 지방직 9급

밑줄 친 '이 부대'에 대한 설명으로 옳은 것은?

> 윤관이 아뢰기를, "신이 적의 기세를 보건대 예측하기 어려울 정도로 굳세니, 마땅히 군사를 쉬게 하고 군관을 길러서 후일을 기다려야 할 것입니다. 또 신이 싸움에서 진 것은 적은 기병(騎兵)인데 우리는 보병(步兵)이라 대적할 수가 없었기 때문입니다."라 하였다. 이에 그가 건의하여 처음으로 <u>이 부대</u>를 만들었다.

① 정종 2년에 설치되었다.

② 귀주 대첩에서 큰 활약을 하였다.

③ 여진족에 대처하기 위해 조직되었다.

④ 응양군, 용호군, 신호위 등의 2군과 6위로 편성되었다.

 **문제풀이 별무반** 난이도 중

제시문에서 윤관의 건의에 따라 만들어졌다는 것을 통해 밑줄 친 '이 부대'가 별무반임을 알 수 있다. 고려는 기병이 주축이 된 여진과의 1차 접촉에서 패한 뒤 숙종 때에 윤관의 건의에 따라 별무반을 조직하였다.

③ 별무반은 여진족에 대처하기 위해 윤관의 건의에 따라 편성한 군대로, 신기군(기병), 신보군(보병), 항마군(승병)으로 구성되었다.

오답 분석

① **광군**: 정종 2년에 거란의 침입에 대비하기 위하여 설치된 군대는 광군이다. 광군은 후에 주현군의 모체가 되었다.

② 귀주 대첩은 별무반이 조직되기 이전의 사실이며, 귀주 대첩에서 크게 활약한 인물은 강감찬이다. 거란은 현종이 입조 약속을 불이행하고, 강동 6주의 반환도 거부하자 이에 불만을 품고 3차 침입을 하였고, 강감찬이 귀주에서 퇴각하던 10만 거란군을 섬멸하였다(귀주 대첩).

④ **고려의 중앙군**: 응양군, 용호군, 신호위, 좌우위, 흥위위, 금오위, 천우위, 감문위의 2군 6위는 고려의 중앙군이다.

50

2019년 서울시 9급(6월 시행)

고려 시대 군사 제도에 대한 설명으로 가장 옳지 않은 것은?

① 북방의 양계 지역에는 주현군을 따로 설치하였다.

② 2군(二軍)인 응양군과 용호군은 왕의 친위 부대였다.

③ 6위(六衛) 중의 감문위는 궁성과 성문 수비를 맡았다.

④ 직업 군인인 경군에게 군인전을 지급하고 그 역을 자손에게 세습시켰다.

 **문제풀이 고려 시대의 군사 제도** 난이도 하

① 고려 시대에 북방의 군사 특수 행정 구역인 양계(북계, 동계) 지역에 설치된 지방군은 주진군이다. 주현군은 일반 행정 구역인 5도에 편성된 지방군이다.

오답 분석

② 고려 시대의 중앙군인 응양군과 용호군의 2군은 왕의 친위 부대였다.

③ 고려 시대의 중앙군인 6위 중 감문위는 궁궐과 성문의 수비를 담당하였다. 한편 6위 중 좌우위, 신호위, 흥위위는 중앙군의 절반 이상을 차지한 주력 부대로 개경과 국경 방위를 맡았으며, 금오위는 수도의 치안을 담당하였고, 천우위는 일종의 의장대였다.

④ 고려 시대에는 경군(중앙군)에게 군역의 대가로 군인전을 지급하였으며, 그 역은 자손에게 세습되었다.

 이것도 알면 **합격!**

고려의 군사 제도

구분	내용
중앙군	2군(응양군, 용호군) 6위(좌우위, 신호위, 흥위위, 금오위, 천우위, 감문위)
지방군	• 주현군: 5도에 편성된 일종의 예비군(보승군, 정용군, 일품군) • 주진군: 양계에 배치된 상비군(초군, 좌군, 우군)
특수군	• 광군: 정종 때 거란의 침략 대비를 위해 설치, 주현군의 모체 • 별무반: 숙종 때 여진 정벌을 위해 편성(신기군, 신보군, 항마군) • 삼별초: 최우가 조직한 야별초에서 비롯됨(좌·우별초, 신의군) • 연호군: 우왕 때 왜구의 침입에 대비하기 위해 편성

51

2015년 기상직 9급

㉠, ㉡에 대한 설명으로 옳지 않은 것은?

> ㉠ 고려는 왕권을 강화할 목적으로 958년에 처음으로 과거를 실시하고 관리를 등용하였다.
> ㉡ 고려의 음서는 가문을 기준으로 관리의 후보자를 선발하였는데, 이는 관료 체계의 귀족적 특성을 보여준다.

① ㉠을 통해 지공거와 합격자는 좌주와 문생이 되었다.
② ㉠은 시험 과목에 따라 제술업, 명경업, 잡업 등으로 구분하였다.
③ 왕실 및 공신의 후손, 5품 이상 관원의 자손은 ㉡의 혜택을 받았다.
④ ㉡을 통해 관직에 오른 사람은 제술업을 거쳐야 고관으로 승진할 수 있었다.

문제풀이 고려의 관리 등용 제도

난이도 중

㉠은 고려 광종 때 왕권 강화를 목적으로 과거를 실시하였다는 것을 보여 준다.

㉡은 음서제를 실시하여 가문을 기준으로 관리의 후보자를 선발하는 것을 보여 준다.

④ 고려 시대에는 음서제를 통해 고관에 오르는 사람이 많았으며, 꼭 제술업을 거쳐야만 고관으로 승진할 수 있었던 것은 아니다. 반면 조선 시대에는 음서로 관리에 등용되어도 문과에 합격하지 않으면 고관으로 승진할 수 없었다.

오답 분석

① 지공거는 고려의 과거 시험을 주관하던 책임자로 좌주라고도 하며, 문생은 과거에 합격한 사람을 일컫는다. 고려 시대에는 과거 합격자인 문생이 시험관인 지공거를 평생 스승으로 모셨다.

② 고려 시대의 과거 제도는 시험 과목에 따라 제술업, 명경업, 잡업 등으로 구분하였다. 제술업은 일종의 논술 시험으로 명경업보다 중시되었으며, 명경업은 유교 경전에 대한 이해 능력을 평가한 시험이었다. 잡업은 기술학 시험으로 법률, 회계, 지리, 점복 등을 시험하였다.

③ 고려 시대의 음서 제도는 왕실과 공신의 후손, 5품 이상인 고위 관리의 자손을 대상으로 하였다.

52

2014년 사회복지직 9급

고려 시대 음서에 대한 설명으로 옳은 것만을 모두 고른 것은?

> ㉠ 공신의 후손을 위한 음서도 있었다.
> ㉡ 음서 출신자는 5품 이상의 고위 관직에 오를 수 없었다.
> ㉢ 10세 미만이 음직을 받은 사례도 있었다.
> ㉣ 왕의 즉위와 같은 특별한 시기에만 주어졌다.

① ㉠, ㉢
② ㉠, ㉡
③ ㉡, ㉣
④ ㉢, ㉣

문제풀이 음서 제도

난이도 중

① 옳은 것을 모두 고르면 ㉠, ㉢이다.
㉠ 고려 시대 음서의 대상은 왕실과 공신의 자손, 5품 이상 고위 관료의 자손 등이었다. 이들은 음서로 관직을 세습하여 특권을 누리며 문벌 귀족을 형성하였다.
㉢ 원칙적으로 음서의 대상은 18세 이상으로 규정되어 있었으나 실제로는 15세를 전후한 나이에도 관직에 취임하였으며, 10세 미만이 음직을 받은 사례도 있었다.

오답 분석

㉡ 고려 시대에는 음서 출신이어도 5품 이상의 고위 관리로 승진할 수 있었다.

㉣ 고려 시대에 음서는 왕의 즉위, 세자 책봉 등의 국가적 경사가 있을 때 시행되었던 것은 물론, 정기적으로도 주어졌다.

이것도 알면 **합격!**

음서 제도

내용	과거를 거치지 않고 조상의 공덕에 따라 그 자손을 관리로 등용하는 제도
대상	왕족의 후예, 공신의 후손, 문무 5품 이상 고위 관리의 자손
특징	• 아들, 손자뿐 아니라 사위와 외손자에게도 적용됨 • 음서를 통해 등용된 사람들도 승진에 차별을 받지 않아 고위 관직에 오를 수 있었음 • 고려 문벌 귀족 사회의 형성에 기여함

정답 49 ③ 50 ① 51 ④ 52 ①

2 | 문벌 귀족 사회의 성립과 동요

01

2023년 계리직 9급

다음 정책을 시행한 왕에 대한 설명으로 옳은 것은?

> 주전도감(鑄錢都監)에서 아뢰기를, "나라 사람들이 비로소 동전 화폐 사용의 이로움을 알아 편리하게 되었으니 바라건대 종묘에 고하소서."라고 하였다. 이 해에 또한 은병(銀甁)을 사용하여 화폐로 삼았는데, 그 제도는 은 1근으로 만들되 우리나라 지형을 본뜬 것으로 속칭 활구(闊口)라고 하였다. -『고려사』

① 남경을 건설하였다.
② 감무를 파견하였다.
③ 양현고를 설치하였다.
④『정계』와『계백료서』를 지었다.

문제풀이 고려 숙종 난이도 중

제시문에서 주전도감과 활구라고 하는 은병을 화폐로 삼았다는 내용을 통해 고려 숙종에 대한 설명임을 알 수 있다. 고려 숙종은 주전도감을 설치하고 화폐의 유통을 권장하였으며, 은병(활구)이라는 고액의 화폐를 주조하도록 하였다.

① 고려 숙종은 김위제의 건의를 수용하여 남경 건설을 관장하는 남경개창도감을 설치하고, 남경에 궁궐을 짓는 등 도시 건설을 추진하였다.

오답 분석

② **고려 예종**: 지방관인 감무를 파견한 왕은 고려 예종이다. 고려 예종은 지방관이 파견되지 못한 속군·속현과 향·소·부곡·장·처 등의 말단 지방 행정 단위에 감무라는 지방관을 파견하였다.

③ **고려 예종**: 양현고를 설치한 왕은 고려 예종이다. 고려 예종은 관학을 진흥시키고 관학의 경제적 기반을 강화하기 위해 일종의 장학 재단인 양현고를 설치하였다.

④ **태조 왕건**:『정계』와『계백료서』를 지은 왕은 고려 태조 왕건이다. 태조 왕건은『정계』,『계백료서』를 지어 임금에 대한 신하들의 도리를 강조하고 관리가 지켜야 할 규범을 제시하였다.

02

2022년 법원직 9급

밑줄 친 '왕'의 재위 시기에 있었던 사실로 옳은 것을 〈보기〉에서 모두 고른 것은?

> 주전도감에서 <u>왕</u>에게 아뢰기를 "나라의 백성이 돈을 사용하는 것의 유리함을 이해하고 그것을 편리하다고 생각하게 되었으니 이 사실을 종묘에 고하십시오."라고 하였다. 이 해에 또 은병도 만들어 화폐로 사용하였는데, 그 제도는 은 한 근으로 만들되 우리나라의 지형을 따서 만들었고, 민간에서는 활구라고 불렀다.

보기
㉠ 해동통보가 발행되었다.
㉡ 의천이 화폐 주조를 건의하였다.
㉢ 원의 화폐인 지원보초가 유통되었다.
㉣ 저화라고 불린 지폐가 제작되어 사용되었다.

① ㉠, ㉡ ② ㉠, ㉢ ③ ㉡, ㉣ ④ ㉢, ㉣

문제풀이 고려 숙종 재위 시기의 사실 난이도 중

제시된 자료에서 주전도감에서 은병을 만들어 화폐로 사용하였다는 내용을 통해 밑줄 친 '왕'이 고려 숙종임을 알 수 있다.

① 옳은 것을 모두 고르면 ㉠, ㉡이다.
㉠, ㉡ 고려 숙종 때 의천이 화폐 주조를 건의하여 주전도감을 설치하였고, 해동통보·삼한통보·해동중보 등의 화폐가 발행되었다.

오답 분석

㉢ 원의 화폐인 지원보초가 유통된 것은 원 간섭기 때이다. 원 간섭기에는 원과의 무역이 활발하게 전개되고, 각종 물품이 교역되는 가운데 원의 화폐인 지원보초가 국내로 유입되어 유통되었다.

㉣ **태종(조선)**: 저화라고 불린 지폐가 제작되어 사용된 것은 조선 태종 때이다. 고려 공양왕 때 원의 지원보초를 모방하여 우리나라 최초의 지폐인 저화를 제작하였으나, 고려 말 정치적 혼란, 화폐 제도의 문란 등으로 유통되지 못하였다. 이후 조선 태종 때 저화를 사섬서에서 다시 제작하여 사용하게 하였다.

 이것도 알면 **합격!**

고려 숙종 재위 시기의 사실

구분	내용
정치	• 별무반 조직(윤관, 신기군·신보군·항마군) • 남경개창도감 설치(김위제)
경제	주전도감 설치(삼한통보, 해동통보 등 주조)
문화	서적포 설치, 기자 사당 건립

03

2016년 지방직 9급

밑줄 친 '왕'의 재위 기간에 있었던 사실로 옳은 것은?

> 주전도감에서 왕에게 아뢰기를 "백성들이 화폐를 사용하는 유익함을 이해하고 그것을 편리하게 생각하고 있으니 이 사실을 종묘에 알리십시오."라고 하였다. 이 해에 또 은병을 만들어 화폐로 사용하였는데, 은 한 근으로 우리나라의 지형을 본떠서 만들었고 민간에서는 활구라고 불렀다.

① 주요 지역에 12목을 설치하고 목사를 파견하였다.
② 여진 정벌을 위해 윤관이 건의한 별무반을 설치하였다.
③ 지방 호족을 견제하기 위해 사심관과 기인 제도를 도입하였다.
④ 왕권을 강화하기 위해 과거 제도를 시행하고 독자적인 연호를 사용하였다.

문제풀이 고려 숙종 재위 시기의 사실 난이도 중

제시문의 주전도감을 설치하고 활구(은병)라는 은전을 만들어 유통시키려 한 왕은 고려 숙종이다. 이외에도 숙종 때는 삼한통보, 해동통보, 동국통보 등의 화폐가 주조되었다.

② 숙종 때 기병이 주축이 된 여진과의 1차 접촉에서 고려군이 크게 패하자, 윤관의 건의에 따라 신기군(기병), 신보군(보병), 항마군(승병)으로 구성된 별무반이 조직되었다.

오답 분석

① **고려 성종**: 지방의 주요 지역에 12목을 설치하고 지방관인 목사를 파견한 왕은 고려 성종이다.
③ **태조 왕건**: 지방 호족을 견제하기 위해 사심관 제도와 기인 제도를 도입한 왕은 고려 태조 왕건이다. 사심관 제도는 중앙 고관을 출신지의 사심관으로 삼은 제도이고, 기인 제도는 지방 향리의 자제를 수도에 데려와 기인으로 삼아 출신 지방의 행정에 대한 고문 역할을 하게 한 제도이다.
④ **고려 광종**: 왕권을 강화하기 위해 중국 후주 출신 쌍기의 건의를 받아들여 과거 제도를 실시하고, 광덕·준풍 등의 독자적인 연호를 사용한 왕은 고려 광종이다.

04

2022년 법원직 9급

밑줄 친 '왕'의 재위 기간에 있었던 사실로 가장 옳은 것은?

> 왕은 윤관이 이끄는 별무반을 파견하여 여진을 정벌한 후 동북쪽에 9개의 성을 쌓아 방어하도록 하였다.

① 광덕, 준풍이라는 연호를 사용하였다.
② 최승로가 시무 28조의 개혁안을 제시하였다.
③ 양현고를 설치하여 관학을 진흥시키고자 하였다.
④ 의천 등의 건의를 받아들여 주전도감을 설치하였다.

문제풀이 고려 예종 재위 기간의 사실 난이도 하

제시문에서 윤관이 이끄는 별무반을 파견하여 여진을 정벌한 후 동북 9성을 쌓았다는 내용을 통해 밑줄 친 '왕'이 고려 예종임을 알 수 있다.

③ 고려 예종 때 국학(국자감) 내에 일종의 장학 재단인 양현고를 설치하여 관학을 진흥시키고 관학의 경제적 기반을 강화하고자 하였다.

오답 분석

① **고려 광종**: 광덕, 준풍 등의 연호를 사용한 것은 고려 광종 때이다. 광종은 광덕·준풍 등의 독자적인 연호를 사용하여 고려의 자주성을 드러내었다.
② **고려 성종**: 최승로가 시무 28조의 개혁안을 제시한 것은 고려 성종 때이다. 성종이 중앙의 5품 이상 관리들에게 그동안의 정치에 대한 비판과 새로운 정책을 제시하도록 하자, 최승로가 성종에게 시무 28조의 개혁안을 제시하였다.
④ **고려 숙종**: 의천 등의 건의를 받아들여 주전도감을 설치한 것은 고려 숙종 때이다. 숙종은 주전도감을 설치하고 은병(활구), 삼한통보, 해동통보 등의 화폐를 주조하도록 하였다.

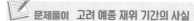

정답 01 ① 02 ① 03 ② 04 ③

05

2017년 국가직 9급(10월 시행)

밑줄 친 '왕'의 정책으로 옳지 않은 것은?

> 대관(大觀) 경인년에 천자께서 저 먼 변방에서 신묘한 도(道)를 듣고자 함을 돌보시어 신사(信使)를 보내시고 우류(羽流) 2인을 딸려 보내어 교법에 통달한 자를 골라 훈도하게 하였다. 왕은 신앙이 돈독하여 정화(政和) 연간에 비로소 복원관(福源觀)을 세워 도가 높은 참된 도사 10여 인을 받들었다. 그러나 그 도사들은 낮에는 재궁(齋宮)에 있다가 밤에는 집으로 돌아가고는 하였다. 그래서 후에 간관이 지적, 비판하여 다소간 법으로 금하는 조치를 취하게 되었다. 간혹 듣기로는, 왕이 나라를 다스렸을 때는 늘 도가의 도록을 보급하는 데 뜻을 두어 기어코 도교로 호교(胡敎)를 바꿔 버릴 생각을 하고 있었으나 그 뜻을 이루지 못해 무엇인가를 기다리는 것이 있는 듯하였다고 한다.
>
> -『고려도경』

① 우봉·파평 등의 지역에 감무관을 파견하였다.
② 국학 7재를 설치하여 관학을 진흥하였다.
③ 김위제의 건의로 남경 건설을 추진하였다.
④ 윤관을 원수로 하여 여진 정벌을 단행하였다.

문제풀이 고려 예종의 정책 난이도 중

제시문에서 복원관을 세워 도가 높은 도사 10여 인을 받들었다는 내용을 통해 밑줄 친 '왕'이 최초의 도교 사원(도관)인 복원관(복원궁)을 건립한 고려 예종임을 알 수 있다.

③ 김위제의 건의로 남경 건설을 추진한 것은 고려 숙종 때의 일이다. 한양(남경) 명당설이 대두되면서 문종을 전후한 시기에 한양이 남경으로 승격되었고, 숙종 때는 남경의 창건을 관장하는 관청인 남경개창도감을 설치하고 남경에 궁궐을 짓는 등 도시 건설을 추진하였다.

오답 분석

① 예종 때 지방관인 감무관을 우봉·파평 등의 지역에 파견하기 시작하였다. 감무관은 고려의 속군·속현·향·소·부곡·장·처 등 말단 지방 행정 단위에 파견된 지방관으로, 예종 때인 1106년부터 파견되었다.
② 예종 때 국학 7재(관학 7재)를 설치하여 관학을 진흥하였다. 예종은 국학(국자감) 내에 최충의 9재 학당을 모방하여 전문 강좌인 7재를 설치하였다.
④ 예종은 윤관을 원수로 하여 별무반을 이끌고 여진 정벌을 단행하도록 하였고, 그 결과 동북 9성이 축조되었다.

06

2023년 국회직 9급

다음 밑줄 친 '왕'과 관련된 설명으로 옳은 것은?

> 또 왕에게 아뢰기를 "개경의 지세(地勢)가 쇠퇴하였으므로 하늘이 재앙을 내려 궁궐이 모두 타 버렸습니다. 그러니 자주 서경으로 행차하여 재앙을 물리치고 복을 맞이하여 무궁한 큰 업적을 이룩하소서!"라고 하였다. 이에 왕이 여러 일관(日官)에게 물으니 모두 다 "아닙니다"라고 하였다.
>
> -『고려사』

① 전국을 5도와 양계로 나누었다.
② 정동행성 이문소를 폐지하였다.
③ 압록강과 도련포에 걸쳐 천리장성을 쌓았다.
④ 김부식으로 하여금 『삼국사기』를 편찬토록 하였다.
⑤ 취민유도 원칙을 내세워 백성에 대한 과도한 수취를 금했다.

문제풀이 고려 인종 난이도 중

제시문에서 개경의 지세가 쇠퇴하였다는 내용과 궁궐이 모두 타 버렸으니 자주 서경으로 행차하여 재앙을 물리치라는 내용을 통해 밑줄 친 '왕'이 고려 인종임을 알 수 있다. 고려 인종 때 묘청이 풍수지리설을 내세워 서경에 대화궁을 짓고 천도할 것을 주장하였다.

④ 고려 인종은 김부식으로 하여금 『삼국사기』를 편찬하도록 하였다. 『삼국사기』는 우리나라 최고(最古)의 역사서로, 유교적 합리주의 사관을 바탕으로 기전체로 서술되었다.

오답 분석

① **고려 현종:** 전국을 5도와 양계로 나눈 왕은 고려 현종이다. 고려 현종은 전국을 일반 행정 구역인 5도와 북방의 외침을 막기 위한 특수 군사 지역인 양계(북계·동계)로 나누었다.
② **공민왕:** 원의 내정 간섭 기구였던 정동행성 이문소를 폐지한 왕은 공민왕이다.
③ **고려 덕종:** 압록강과 도련포에 걸쳐 천리장성을 쌓은 것은 고려 덕종이다. 천리장성은 거란과 여진의 침입에 대비하기 위해 고려 덕종 때부터 쌓기 시작(1033)하여 고려 정종 때 완성되었다(1044).
⑤ **태조 왕건:** 백성에게 조세를 수취할 때에는 일정한 법도가 있어야 한다는 취민유도 원칙을 내세워 백성에 대한 과도한 수취를 금한 왕은 태조 왕건이다.

07

2019년 국가직 9급

(가) 왕의 시기에 일어난 사실로 옳은 것은?

> 이자겸, 척준경이 말하기를 "금이 예전에는 작은 나라여서 요와 우리나라를 섬겼으나, 지금은 갑자기 흥성하여 요와 송을 멸망시켰다. …(중략)… 작은 나라로서 큰 나라를 섬기는 것은 선왕의 도이니, 마땅히 우선 사절을 보내야 합니다." 라고 하니 (가) 이/가 그 의견을 따랐다. - 『고려사』

① 도평의사사를 중심으로 정치를 주도하였다.

② 성리학을 수용하면서 『주자가례』를 보급하였다.

③ 서경에 대화궁을 짓게 하고 칭제건원을 주장하였다.

④ 몽골의 침략에 대응하기 위해 강화도로 도읍을 옮겼다.

08

2019년 서울시 9급(2월 시행)

〈보기〉에 나열된 고려 시대의 사건들을 시간 순으로 바르게 나열한 것은?

> **보기**
> ㉠ 거란의 소손녕이 수십만 대군을 이끌고 고려를 침입하여, 서희가 외교 담판으로 거란군의 철수를 이끌어냈다.
> ㉡ 노비의 신분을 조사해 본래 양인인 사람들을 환속시켰다.
> ㉢ 송나라 사신 서긍이 고려를 방문하고 『고려도경』을 지었다.
> ㉣ 전시(田地)와 시지(柴地)를 실직(實職)이 있는 사람과 없는 사람 모두에게 처음 지급하였다.

① ㉠ → ㉡ → ㉣ → ㉢

② ㉠ → ㉢ → ㉡ → ㉣

③ ㉡ → ㉠ → ㉣ → ㉢

④ ㉡ → ㉣ → ㉠ → ㉢

문제풀이 고려 인종 재위 시기의 사실

난이도 중

제시된 자료에서 이자겸, 척준경이 금의 사대 요구를 수용하자고 주장하는 내용을 통해 (가) 왕이 고려 인종(1122~1146)임을 알 수 있다. 세력을 키운 금(여진)은 인종 대에 고려에 사대 관계를 요구하였고, 당시 집권 세력이었던 이자겸과 척준경은 권력 유지를 위해 이를 수용하였다(1126).

③ 고려 인종 재위 시기에 묘청이 서경(평양)에 대화궁을 짓는 것과 칭제건원(황제를 칭하고 독자적인 연호 사용)을 주장하였다. 인종은 이자겸의 난으로 실추된 왕권을 회복하기 위해 묘청의 주장을 받아들여 서경에 대화궁을 지었다. 그러나 김부식 등의 반대로 서경 천도가 중단되자 묘청은 국호를 대위국, 연호를 천개로 하고 서경에서 난을 일으켰다(묘청의 난, 1135).

오답 분석

① **충렬왕 이후**: 도평의사사를 중심으로 정치를 주도한 것은 충렬왕 이후의 사실이다. 충렬왕은 국방 문제를 논의하던 회의 기구인 도병마사를 도평의사사(도당)로 개편하고 국정 문제를 총괄하게 하였다.

② **충렬왕**: 안향을 통해 성리학을 수용한 것은 충렬왕 때이다. 충렬왕 때 안향에 의해 우리나라에 성리학이 소개되었고, 『주자가례』는 성리학이 수용되면서 함께 보급된 것으로 추정된다.

④ **고려 고종**: 몽골의 침략에 대응하기 위해 강화도로 도읍을 옮긴 것은 고려 고종 재위 시기(최우 집권기)이다.

문제풀이 고려 시대의 사건

난이도 중

④ 고려 시대의 사건들을 순서대로 나열하면 ㉡ 노비안검법 시행(광종, 956) → ㉣ 시정 전시과 시행(경종, 976) → ㉠ 거란의 1차 침입(성종, 993) → ㉢ 서긍의 『고려도경』 편찬(인종, 1123)이다.

㉡ **노비안검법 시행**: 광종은 노비의 신분을 조사해 후삼국 시대의 혼란기에 억울하게 노비가 된 자들을 양인으로 해방시키는 노비안검법을 실시하였다(956). 노비안검법 시행 결과 공신과 호족들의 경제적 기반은 약화된 반면, 국가 재정이 안정적으로 확보되었고 국가 수입 기반이 확대되어 왕권이 강화되었다.

㉣ **시정 전시과 시행**: 고려 경종은 전·현직 관리에게 관품과 인품을 기준으로 전지와 시지에 대한 수조권을 지급하는 시정 전시과를 처음 시행하였다(976).

㉠ **거란의 1차 침입**: 고려 성종 때 거란의 소손녕이 수십만 대군을 이끌고 고려에 침입(거란의 1차 침입, 993)하였으나, 서희의 외교 담판을 통해 거란군이 철수하였으며 고려는 강동 6주를 획득하였다.

㉢ **서긍의 『고려도경』 편찬**: 고려 중기 인종 때 송나라 사신 서긍은 고려에 방문하였고, 이때 견문한 여러 가지 고려의 실정을 그림과 글로 설명한 『고려도경』을 지었다(1123).

정답 05 ③ 06 ④ 07 ③ 08 ④

09

2014년 서울시 7급

고려 중기에 있었던 다음의 사실을 시기 순으로 올바르게 나열한 것은?

㉠ 인종이 이자겸을 숙청하였다.
㉡ 인종이 서경에 대화궁을 건립하였다.
㉢ 고려 조정은 금나라가 요구했던 군신 관계의 외교 관계를 수용하였다.
㉣ 김부식이 인종의 명을 받아 『삼국사기』를 편찬하였다.

① ㉠ → ㉢ → ㉡ → ㉣
② ㉡ → ㉠ → ㉣ → ㉢
③ ㉡ → ㉢ → ㉠ → ㉣
④ ㉢ → ㉠ → ㉡ → ㉣
⑤ ㉢ → ㉠ → ㉣ → ㉡

10

2020년 법원직 9급

(가), (나)에 대한 다음 설명으로 가장 옳은 것은?

> 이 싸움은 낭가 및 불교 대 유교의 싸움이며, 국풍파 대 한학파의 싸움이다. 또 독립당 대 사대당의 싸움이고, 진취 사상 대 보수 사상의 싸움이다. (가) 은/는 전자의 대표요, (나) 은/는 후자의 대표였다. 이 싸움에서 (가) 이/가 패하고 (나) 이/가 승리하였으므로, 조선의 역사가 사대적이고 보수적인 유교에 정복되고 말았다.

① (가)는 금을 정벌할 것을 주장하였다.
② (가)는 전민변정도감 설치를 건의하였다.
③ (나)는 당시 대표적인 성리학자였다.
④ (나)는 『삼국유사』를 편찬하였다.

문제풀이 고려 중기의 사실

난이도 중

④ 시기 순으로 나열하면 ㉢ 금의 군신 관계 요구 수용(1126. 3.) → ㉠ 이자겸 숙청(1126. 5.) → ㉡ 대화궁 건립(1128) → ㉣ 『삼국사기』 편찬(1145)이 된다.

㉢ **금의 군신 관계 요구 수용**: 금나라가 고려에 군신 관계를 요구하자, 당시 실권을 잡고 있던 이자겸과 척준경은 자신들의 권력 유지를 위해 금의 군신 관계 요구를 수용하였다(1126. 3.).

㉠ **이자겸 숙청**: 인종이 척준경을 회유하여 이자겸을 공격하게 하였으며, 정계에서 숙청된 이자겸은 전라도 영광으로 유배되었다(1126. 5.).

㉡ **대화궁 건립**: 이자겸의 난 이후 실추된 왕권을 회복하고자 인종은 묘청의 건의를 받아들여 서경에 대화궁을 건립하였다(1128).

㉣ **『삼국사기』 편찬**: 묘청의 난(1135)이 진압된 이후, 김부식 등은 인종의 명을 받아 『삼국사기』를 편찬하였다(1145).

 이것도 알면 **합격!**

이자겸의 난

원인	이자겸 등 경원 이씨 세력의 권력 독점에 대해 예종·인종 측근 세력들의 불만 확대
전개	• 이자겸이 척준경과 함께 난을 일으켜 예종 측근 세력 제거 • 인종이 이자겸과 척준경의 반목을 이용하여 이자겸을 제거하고 이후 척준경도 제거
결과	왕궁이 소실되고 왕권이 위축되자 서경 천도설 대두

문제풀이 묘청과 김부식

난이도 하

제시문은 묘청의 서경 천도 운동에 대한 신채호의 평가이다. 낭가 및 불교·국풍파·독립당·진취 사상의 대표인 (가)는 묘청, 유교·한학파·사대당·보수 사상의 대표인 (나)는 김부식이다.

① **묘청은 서경 천도와 함께 황제를 칭할 것(칭제건원)과 금을 정벌할 것을 주장하였다.**

오답 분석

② 전민변정도감의 설치를 건의한 인물은 공민왕 때의 신돈이다. 신돈은 공민왕에게 전민변정도감의 설치를 건의하고 스스로 판사가 되어 개혁을 실시하였다.

③ 김부식은 유학자로, 그가 활동할 당시에는 성리학이 전래되지 않았다. 고려에 성리학이 전래된 것은 충렬왕 때로 안향에 의해서였다.

④ 김부식은 『삼국유사』가 아닌 『삼국사기』를 편찬하였다. 『삼국유사』는 일연이 충렬왕 때 편찬한 역사서로, 불교사를 중심으로 고대의 민간 설화나 전래 기록을 수록하였으며, 우리의 고유 문화와 전통을 중시하였고, 단군 신화를 수록하였다.

11

2017년 서울시 9급

다음은 『고려사』에 나타난 고려 중기 두 세력의 대표적 인물의 주장이다. 이들에 대한 설명으로 옳은 것을 〈보기〉에서 고르면?

> (가) 제가 보건대 서경 임원역의 땅은 풍수지리를 하는 사람들이 말하는 아주 좋은 땅입니다. 만약 이곳에 궁궐을 짓고 전하께서 옮겨 앉으시면 천하를 다스릴 수 있습니다. 또한 금나라가 선물을 바치고 스스로 항복할 것이고 주변의 36나라가 모두 머리를 조아릴 것입니다.
> (나) 금년 여름 서경 대화궁에 30여 개소나 벼락이 떨어졌습니다. 서경이 만일 좋은 땅이라면 하늘이 이렇게 하였을 리 없습니다. 또 서경은 아직 추수가 끝나지 않았습니다. 지금 거동하시면 농작물을 짓밟을 것이니 이는 백성을 사랑하고 물건을 아끼는 뜻과 어긋납니다.

보기

㉠ (가) 국호를 대위, 연호를 천개로 정하고 반란을 일으켰다.
㉡ (가) 칭제 건원과 요나라 정벌을 주장하였다.
㉢ (나) 개경 중심의 문벌 귀족 세력의 대표였다.
㉣ (나) 편년체 역사서인 『삼국사기』를 편찬하였다.

① ㉠, ㉢　② ㉠, ㉡, ㉢
③ ㉠, ㉢, ㉣　④ ㉠, ㉡, ㉢, ㉣

문제풀이 묘청과 김부식 난이도 중

(가)는 서경 임원역의 땅은 풍수지리를 하는 사람들이 말하는 아주 좋은 땅이라는 내용을 통해 서경 천도를 주장하였던 묘청(서경파)의 주장임을 알 수 있다.

(나)는 서경 대화궁에 벼락이 떨어졌다는 것 등을 근거로 서경으로의 거동을 반대하는 내용을 통해 서경 천도를 반대하였던 김부식(개경파)의 주장임을 알 수 있다.

① 옳은 것을 모두 고르면 ㉠, ㉢이다.
㉠ 묘청을 중심으로 한 개혁 세력은 국호를 대위, 연호를 천개, 군대를 천견충의군이라 하여 반란을 일으켰다. 그러나 묘청의 난은 김부식이 이끈 관군의 공격으로 약 1년 만에 진압되었다.
㉢ 김부식은 개경 중심의 문벌 귀족 세력을 대표하는 인물이다.

오답 분석
㉡ 묘청을 중심으로 한 개혁 세력이 칭제 건원(황제를 칭할 것과 연호를 사용할 것)을 주장한 것은 맞으나, 요나라가 아닌 금나라 정벌을 주장하였다.
㉣ 김부식이 편찬한 『삼국사기』는 편년체가 아닌 기전체로 서술된 역사서이다. 『삼국사기』는 현존하는 우리나라 최고(最古)의 역사서로, 『구삼국사』를 토대로 유교적 합리주의 사관에 기초하여 서술되었다.

12

2023년 법원직 9급

(가)~(다) 사건을 일어난 순서대로 가장 바르게 나열한 것은?

> (가) 이고 등이 임종식, 이복기, 한뢰를 비롯하여 왕을 모시던 문관 및 대소 신료들을 살해하였다. 정중부 등이 왕을 모시고 궁으로 돌아왔다.
> (나) 김부식이 군대를 모아서 서경을 공격하였다. 서경이 함락되자 조광은 스스로 불에 뛰어들어 죽었다.
> (다) 최사전의 회유에 따라 척준경은 마음을 돌려 계책을 정하고 이자겸을 제거하였다.

① (나) – (가) – (다)　② (나) – (다) – (가)
③ (다) – (가) – (나)　④ (다) – (나) – (가)

문제풀이 고려사의 전개 난이도 중

④ 순서대로 나열하면 (다) 이자겸 숙청(1126) → (나) 묘청의 난 진압(1136) → (가) 무신 정변(1170)이 된다.

(다) **이자겸 숙청**: 고려 인종 때 이자겸이 척준경과 함께 난을 일으켜 인종의 측근 세력을 제거하고 권력을 장악하였으나, 인종은 척준경을 회유하여 이자겸을 제거하였다(1126). 이후, 척준경도 정지상 등의 탄핵을 받아 축출되었다.

(나) **묘청의 난 진압**: 고려 인종 때 묘청과 조광이 서경 천도를 주장하면서 반란을 일으켰으나(1135), 김부식이 이끄는 관군의 공격으로 약 1년 만에 진압되었다(1136).

(가) **무신 정변**: 고려 의종 때 무신 차별에 불만을 가진 정중부, 이의방, 이고 등의 무신들이 보현원에서 왕을 모시던 문신들을 살해하고 의종을 모시고 궁으로 돌아왔다. 이후 무신들은 의종을 폐위시키고 명종을 옹립하여 징권을 장악하였다(1170).

이것도 알면 **합격!**

이자겸

> 그는 스스로 국공(國公)에 올라 왕태자와 동등한 예우를 받았으며 자신의 생일을 인수절(仁壽節)이라 칭하였다. 그는 남의 토지를 빼앗고 공공연히 뇌물을 받아 집에는 썩는 고기가 항상 수만 근이나 되었다.

사료 분석 | 자신의 딸들을 예종과 인종에게 시집 보낸 이자겸은 국공에 올랐으며, 왕이나 태자의 생일에만 붙일 수 있던 '절(節)'을 자신의 생일에 붙여 인수절이라 칭할 정도로 권력이 막강하였다.

정답 09 ④ 10 ① 11 ① 12 ④

13

2020년 국가직 7급

(가), (나) 사건 사이에 있었던 사실로 옳은 것만을 모두 고르면?

> (가) 윤관이 여진을 공격하여 동북 지방의 여러 지역을 점령하고 9성을 쌓아 군사를 주둔시켰다.
> (나) 최충헌이 정권을 장악한 이후 교정도감을 설치하였다.

> ㉠ 강화로 천도하였다.
> ㉡ 이자겸의 난이 발생하였다.
> ㉢ 묘청 등이 서경 천도 운동을 일으켰다.
> ㉣ 강감찬이 퇴각하는 거란군을 귀주에서 격파하였다.

① ㉠, ㉡
② ㉠, ㉣
③ ㉡, ㉢
④ ㉢, ㉣

문제풀이 동북 9성 축조와 교정도감 설치 사이의 시기 난이도 하

(가) 윤관이 동북 지방의 여러 지역을 점령하고 9성을 쌓은 것은 1107년의 일이다.
(나) 최충헌이 국정을 총괄하는 최고 정치 기구로 교정도감을 설치한 것은 1209년의 일이다.

③ 옳은 것을 모두 고르면 ㉡, ㉢ 이다.
㉡ 이자겸의 난이 발생한 것은 고려 인종 때인 1126년이다. 이자겸은 척준경과 함께 반란을 일으켰으나 실패하였다.
㉢ 묘청의 서경 천도 운동이 발생한 것은 고려 인종 때인 1128년이다. 묘청은 이자겸의 난 이후 실추된 왕권을 회복한다는 명분으로 서경 천도 운동을 추진하였고, 인종은 묘청의 건의를 받아들여 서경에 대화궁을 건립하였다.

오답 분석
㉠ **(나) 이후**: 최우는 몽골의 과도한 조공 요구에 반발하며 몽골과의 항쟁을 전개하기 위해 강화도로 천도하였다(1232).
㉣ **(가) 이전**: 강감찬은 고려 현종 때 고려에 침입하였다가 퇴각하는 거란군을 귀주에서 격파하였다(1019).

14

2016년 지방직 9급

(가) ~ (라)의 시기에 있었던 사실로 옳은 것은?

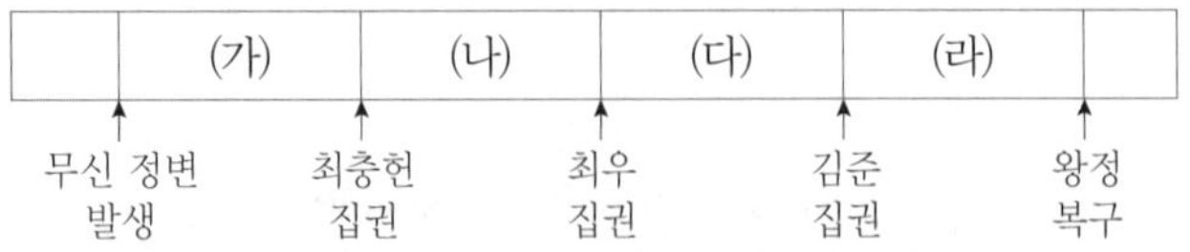

① (가) – 국정을 총괄하는 교정도감이 처음 설치되었다.
② (나) – 망이·망소이 등 명학소민이 봉기하였다.
③ (다) – 금속 활자로 『상정고금예문』을 인쇄하였다.
④ (라) – 고려대장경을 다시 조판하여 완성하였다.

문제풀이 무신 집권 시기의 사실 난이도 중

③ (다) 시기인 최우 집권기에 금속 활자로 『상정고금예문』을 인쇄하였다. 『상정고금예문』은 고려 인종 때 최윤의 등이 고금의 예의를 수집·고증하여 엮은 의례서로, 강화도 천도 당시 이 책을 가져오지 못하자 최우의 소장본을 바탕으로 강화도에서 금속 활자로 28부를 인쇄하였다. 현재는 전해지지 않으며, 『동국이상국집』에 이 서적을 금속 활자로 인쇄하였다는 기록만 존재한다.

오답 분석
① 국정을 총괄하는 교정도감이 설치된 것은 최충헌 때로, (나) 시기에 해당한다. 교정도감은 본래 최씨 정권의 반대 세력을 제거하기 위해 설치되었으나, 점차 모든 국정을 관장하는 무신 정권 최고의 권력 기구가 되었다. 한편 교정도감의 장관인 교정별감의 자리는 최씨 일가가 대대로 세습하였다.
② 망이·망소이의 난(1176)은 최씨 무신 정권 이전인 정중부 집권기(1170~1179)에 일어났으므로 (가) 시기에 해당한다. 망이·망소이는 공주 명학소에서 신분 해방을 외치며 난을 일으켰고, 그 결과 공주 명학소는 충순현으로 승격되었다.
④ 몽골의 침입으로 대구 부인사에 보관되어 있던 초조대장경이 소실되자, 다시 조판하여 재조대장경(팔만대장경)을 완성한 시기는 1251년으로, (다) 시기에 해당한다.

15

2021년 서울시 9급(특수 직렬)

〈보기〉와 같이 기록된 고려 무신 정권기 집권자는?

> **보기**
> 경주 사람이다. 아버지는 소금과 체(篩)를 파는 것을 업(業)으로 하였고, 어머니는 연일현(延日縣) 옥령사(玉靈寺)의 노비였다. … 그는 수박(手搏)을 잘했기에 의종의 총애를 받아 대정에서 별장으로 승진하였고, … 그가 무신 정변 때 참여하여 죽인 사람이 많으므로 중랑장(中郎將)으로 임명되었다가 얼마 후 장군으로 승진하였다.
> – 『고려사』 권128, 반역전

① 최충헌　② 김준
③ 임연　④ 이의민

16

2019년 기상직 9급

다음 밑줄 친 '그'가 집권한 시기에 있었던 사실로 옳은 것은?

> 무관 중 일부가 공공연히 말하기를 "정시중이 문관들을 억눌러 우리들의 울분을 씻어 주고 무관의 위세를 펼쳤는데 시해당하다니, 누가 공을 시해한 그를 토벌할 것인가?"라고 하였다. 그는 두려워 결사대 1백 수십 명을 불러 모아 자기 집에 머물게 하고 도방이라 불렀다.

① 전주 관노의 난이 진압되었다.
② 명학소가 충순현으로 승격되었다.
③ 이의방 등이 보현원 사건을 일으켰다.
④ 교정도감이 설치되어 국정을 총괄하였다.

문제풀이 이의민 　난이도 상

제시문에서 아버지는 소금을 팔고 어머니는 절의 노비라는 것과, 무신 정변 때 참여하여 장군으로 승진하였다는 것을 통해 이의민에 대한 내용임을 알 수 있다.

④ **이의민은 천민 출신으로 김보당의 난 때 의종을 시해하였고, 경대승이 죽은 후 집권하였으나 최충헌에 의해 살해되었다.**

오답 분석

① **최충헌**: 최충헌은 이의민을 제거하고 집권하여 최씨 무신 정권을 확립한 인물로, 교정도감을 설치하고 그 장관인 교정별감이 되어 국정을 총괄하였다.

② **김준**: 김준은 집권자였던 최의를 제거하고 최씨 무신 정권을 종결시킨 무오정변을 주도한 인물로, 이후 김준은 외교 정책으로 원종과 갈등이 생겨 임연 일파에게 살해되었다.

③ **임연**: 임연은 김준을 제거하고 집권한 인물로, 원종을 폐위하고 안경공 창을 왕위에 올렸다가 몽골의 위협으로 원종을 복위시켰다.

문제풀이 경대승 집권 시기의 사실 　난이도 상

제시문에서 정시중(정중부)을 시해하였으며, 결사대를 모아 도방이라 불렀다는 내용을 통해 밑줄 친 '그'가 경대승임을 알 수 있다. 경대승은 정중부를 제거한 뒤 자신의 신변 경호를 위해 사병 집단인 도방을 설치하였나(1179). 도방은 경대승이 병사(1183)한 후 사실상 해체되었으나, 이후 최충헌에 의해 다시 설치되어 최씨 무신 정권의 군사적 기반이 되었다.

① **경대승 집권기인 1182년에 전주의 주현군과 관노들이 함께 봉기한 전주 관노의 난이 일어났으며, 한때 전주를 점령하였으나 40여 일 만에 진압되었다.**

오답 분석

② **정중부 집권기**: 명학소가 충순현으로 승격된 것은 정중부 집권기에 일어난 망이·망소이의 난의 결과이다. 정중부 집권기에 망이·망소이가 공주 명학소에서 신분 차별에 반발하며 난을 일으켰고(1176), 무신 정권은 명학소를 충순현으로 승격시켜 농민군을 회유하고자 하였다.

③ 보현원 사건(1170)은 의종의 보현원 행차 때 무신 차별에 불만을 가진 정중부, 이의방 등의 무신들이 문신들을 제거하고 권력을 장악한 사건으로, 경대승 집권 이전의 사실이다.

④ **최충헌 집권기**: 국정을 총괄하는 최고 정치 기구로 교정도감이 설치(1209) 된 것은 최충헌 집권기의 사실이다.

정답 13 ③　14 ③　15 ④　16 ①

17

2019년 서울시 9급(2월 시행)

고려 시대 무신 정권기 정치와 문화에 관한 설명으로 옳지 않은 것은?

① 무신 집권기 초반 정권을 잡은 무신들은 상장군·대장군의 회의 기관이었던 기존의 회의체 중방을 권력 기구로 삼았다.

② 최충헌은 군국의 정사를 관장하는 교정도감을 설치했고, 최우는 정방과 서방을 사저에 설치했다.

③ 김보당과 조위총은 최충헌의 집권에 항거하여 군사를 일으켰다.

④ 이규보는 『동명왕편』을 지어 고려가 천손의 후예인 고구려의 전통을 계승하고 있다는 자부심을 표현했다.

문제풀이 무신 집권기 정치와 문화 난이도 중

③ 김보당의 난(1173)과 조위총의 난(1174)은 정중부 집권기(1170~1179)에 일어난 반(反) 무신난이다. 최충헌 집권기(1196~1219)에 일어난 대표적인 난으로는 최충헌의 사노비인 만적이 일으킨 만적의 난(1198)이 있다.

오답 분석

① 무신 집권기 초반에는 2군 6위의 지휘관인 상장군과 대장군으로 구성된 무신 합좌 기구인 중방을 중심으로 국정이 운영되었다. 한편 최충헌 집권 이후에는 교정도감이 최고 권력 기구로 발전하면서 중방의 권한은 약화되었다.

② 최충헌은 군국의 정사를 관장하는 교정도감을 설치하였고, 교정도감의 장관인 교정별감의 자리는 최씨 일가에 대대로 세습되었다. 또한, 최우는 본인의 사저에 인사 행정 기구인 정방을 설치하여 관리의 인사권을 장악하였으며, 문신들의 숙위 기구인 서방을 설치하였다.

④ 이규보는 무신 집권기인 1193년에 동명왕(주몽)의 고구려 건국 설화를 5언시체로 재구성한 영웅 서사시인 『동명왕편』을 편찬하여 고려가 천손의 후예인 고구려의 전통을 계승하고 있다는 자부심을 표현하였다.

18

2018년 서울시 9급(6월 시행)

무신 집권기 지방민과 천민의 동요에 대한 설명으로 가장 옳지 않은 것은?

① 조위총은 백제 부흥을 위해 봉기하였다.

② 망이·망소이의 난은 일반 군현이 아닌 소에서 일어났다.

③ 경주를 중심으로 한 지역에서는 신라 부흥을 내걸고 반란이 일어나기도 했다.

④ 만적은 노비 해방을 내세우며 반란을 모의하였다.

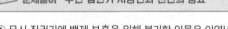

문제풀이 무신 집권기 지방민과 천민의 동요 난이도 중

① 무신 집권기에 백제 부흥을 위해 봉기한 인물은 이연년 형제로, 담양에서 백제 부흥을 표방하며 봉기를 일으켰다(1237). 한편 서경 유수 조위총은 무신들의 집권과 의종 시해에 반발하여 서경(평양)을 중심으로 난을 일으켰다(1174).

오답 분석

② 망이·망소이의 난은 공주 명학소에서 일어났다. 고려의 특수 행정 구역인 '소(所)'는 일반 군현에 비해 무거운 세금 납부와 신분적 차별 대우를 받았는데, 이러한 차별에 반발하며 망이·망소이가 봉기하였다(1176). 이때 일시적으로 명학소가 충순현으로 승격되었는데, 이는 향·소·부곡이 점차 소멸되는 계기가 되었다.

③ 무신 집권기에 경주를 중심으로 한 지역에서는 신라 부흥을 내걸고 이비·패좌의 난이 일어나기도 하였다. 한편, 운문(청도)과 초전(울산)에서 김사미, 효심 등이 신라 부흥을 표방하며 반란을 일으키기도 하였다.

④ 최충헌의 사노비인 만적은 신분에 상관없이 누구나 공경대부가 될 수 있다고 주장하며 개경의 공·사노비를 모아 신분 해방과 정권 탈취를 목표로 반란을 모의하였으나, 사전에 발각되어 실패하였다(1198).

19

2021년 지방직 9급

(가) 지역에 대한 설명으로 옳은 것은?

> 나는 삼한(三韓) 산천의 음덕을 입어 대업을 이루었다. (가) 는/은 수덕(水德)이 순조로워 우리나라 지맥의 뿌리가 되니 대업을 만대에 전할 땅이다. 왕은 춘하추동 네 계절의 중간달에 그곳에 가 100일 이상 머물러서 나라를 안녕케 하라.
>
> -『고려사』

① 이곳에 대장도감을 설치하여 재조대장경을 만들었다.

② 지눌이 이곳에서 수선사 결사 운동을 펼쳤다.

③ 망이·망소이가 이곳에서 봉기하였다.

④ 몽골이 이곳에 동녕부를 두었다.

20

2019년 경찰간부후보생

밑줄 친 '이곳'과 동일한 지역으로 옳은 것은?

> 묘청은 풍수지리설을 내세워 이곳에 대화궁이라는 궁궐을 짓고 천도하여 황제를 칭하고 금을 정벌하자고 주장하였다. 그러나 관료들의 반대로 힘들어지자 반란을 일으켰으나 약 1년 만에 진압되었다.

① 이곳의 관리였던 조위총은 무신 정권에 반대하여 반란을 일으켰다.

② 이곳에서 김윤후가 이끈 군대가 몽골 장수 살리타의 군대를 물리쳤다.

③ 이곳의 만적은 누구나 공경대부가 될 수 있다며 신분 차별에 항거하였다.

④ 몽골이 침입해오자 이곳으로 수도를 옮겨 약 30여 년간 항거하였다.

문제풀이 서경(평양)

난이도 중

제시문은 태조 왕건이 후대 왕들에게 지켜야 할 것을 당부한 훈요 10조이며, 이를 통해 (가) 지역이 서경(평양)임을 알 수 있다. 태조 왕건은 훈요 10조에서 서경이 대업을 만대에 전할 땅임을 강조하며, 후대의 왕들에게 1년에 100일 이상 머물 것을 당부하였다.

④ 서경(평양)에 몽골이 동녕부를 두었다. 몽골은 자비령 이북 지역을 통치하기 위해 1270년 서경(평양)에 동녕부를 설치하였고, 동녕부는 충렬왕 때인 1290년 고려에 반환되었다.

오답 분석

① **강화도**: 대장도감이 설치되어 재조대장경을 만든 곳은 강화도이다. 강화도는 고려가 몽골의 침입에 항전하기 위해 수도를 옮긴 곳으로, 당시 최고 집권자였던 최우가 부처의 힘으로 몽골의 침입을 극복하고자 이곳에 대장도감을 설치하고 재조대장경을 제작하였다.

② **순천**: 지눌이 수선사 결사 운동을 전개한 곳은 순천이다. 지눌은 타락한 불교계의 각성을 촉구하고 승려 본연의 자세로 돌아가 독경과 참선, 노동에 힘쓸 것을 강조하면서 순천 송광사(길상사 → 수선사 → 송광사)를 중심으로 수선사 결사 운동을 전개하였다.

③ **공주**: 망이·망소이가 신분 차별에 반발하여 봉기를 일으킨 곳은 공주이다. 공주의 명학소에서는 망이와 망소이가 신분 차별에 반대하여 봉기하였으며, 이후 명학소가 일시적으로 충순현으로 승격되면서 향·부곡·소가 점차 소멸되는 계기가 마련되었다.

문제풀이 서경(평양)

난이도 하

제시문에서 묘청이 풍수지리설을 내세워 이곳에 대화궁을 짓고 천도할 것을 주장하였으나 관료들의 반대로 힘들어지자 반란을 일으켰다는 내용을 통해 밑줄 친 '이곳'이 서경(평양)임을 알 수 있다.

① 무신 집권기에 서경의 유수 조위총은 의종을 시해한 정중부와 이의방의 무신 정권에 반대하며 반란을 일으켰으나 실패하였다(1174).

오답 분석

② **용인**: 김윤후가 이끈 군대가 몽골 장수 살리타의 군대를 물리친 곳은 용인의 처인성이다.

③ **개경**: 최충헌의 사노비였던 만적이 누구나 공경대부가 될 수 있다며 신분 차별에 항거하고자 반란을 모의한 곳은 개경(개성)이다.

④ **강화도**: 몽골이 침입해오자 수도를 옮겨 약 30여 년간 항거한 곳은 강화도이다.

이것도 알면 **합격!**

평양(서경)의 역사

- 고대: 고구려 장수왕 때 천도, 당이 안동 도호부 설치
- 고려: 묘청의 서경 천도 운동, 조위총의 난, 동녕부 설치(원 간섭기)
- 조선: 조·명 연합군의 평양성 탈환(임진왜란)
- 근대: 제너럴셔먼호 사건 발발
- 일제 강점기: 물산 장려 운동 시작
- 현대: 남북 연석 회의 실시, 남북 정상 회담 개최

정답 17 ③ 18 ① 19 ④ 20 ①

21

2018년 지방직 9급

밑줄 친 '이곳'에서 일어난 일로 옳은 것은?

> 고려 정종 때 이곳으로 천도 계획을 세웠으나 실현되지 못했고, 문종 때 이곳 주위에 서경기 4도를 두었다.

① 이곳에서 현존 세계 최고의 『직지심체요절』이 간행되었다.

② 지눌이 이곳을 중심으로 수선사 결사 운동을 전개하였다.

③ 조위총이 정중부 등의 타도를 위해 이곳에서 반란을 일으켰다.

④ 강조가 군사를 이끌고 이곳으로 들어와 김치양 일파를 제거하였다.

문제풀이 서경(평양) 난이도 중

제시된 자료에서 고려 정종 때 천도 계획을 세웠던 곳이며, 문종 때 서경기를 두었다는 내용을 통해 밑줄 친 '이곳'이 서경(평양)임을 알 수 있다. 왕규의 난을 진압하고 즉위한 정종은 자신을 후원하는 왕식렴의 근거지인 서경으로 천도하여 개경 호족 세력을 견제하려 하였으나 공신들의 반대로 실패하였다. 한편 문종 때는 서경의 주변에 개경의 경기에 준하는 서경기 4도가 설치되었다.

③ 서경 유수 조위총은 무신 정변의 주도자인 정중부와 이의방 등을 타도하기 위해 서경에서 반란을 일으켰다.

오답 분석

① **청주**: 『직지심체요절』이 간행된 곳은 충북 청주의 흥덕사이다. 『직지심체요절』은 고려 우왕 때인 1377년에 청주 흥덕사에서 간행된 현존하는 가장 오래된 금속 활자본이다.

② **순천**: 지눌이 수선사 결사 운동을 전개한 곳은 전남 순천의 송광사이다. 지눌은 타락한 불교계의 각성을 촉구하고 승려 본연의 자세로 돌아가 독경과 참선, 노동에 힘쓸 것을 강조하면서 순천 송광사(길상사 → 수선사 → 송광사)를 중심으로 수선사 결사 운동을 전개하였다.

④ **개경**: 강조가 군사를 이끌고 와 김치양 일파를 제거한 곳은 개경이다. 목종의 어머니인 천추 태후가 김치양과 불륜 관계를 맺고, 그들 사이에서 태어난 자식을 왕위에 올리려 하였다. 이에 강조는 군사를 이끌고 개경으로 들어가 김치양 일파를 제거하고, 목종을 폐위시킨 뒤 현종을 옹립하였다.

22

2020년 국가직 9급

밑줄 친 '이 지역'에 대한 설명으로 옳은 것은?

> 장수왕은 군사 3만을 거느리고 백제를 침공하여 왕도인 이 지역을 함락시켜, 개로왕을 살해하고 남녀 8천 명을 사로잡아 갔다.

① 망이, 망소이가 반란을 일으켰다.

② 고려 문종 대에 남경이 설치되었다.

③ 보조국사 지눌이 수선사 결사를 주도하였다.

④ 고려 태조가 북진 정책의 전진 기지로 삼았다.

문제풀이 서울(한양)의 역사 난이도 하

제시문에서 장수왕이 이 지역을 함락시키고, 백제 개로왕을 살해했다는 내용을 통해 밑줄 친 '이 지역'이 백제 한성, 지금의 서울(한양)임을 알 수 있다.

② 서울(한양)은 고려 시대의 문종 때 남경(南京)이 설치된 곳이다. 경(京)은 고려 시대 중요한 도시를 말하는 것으로, 고려의 개경, 서경, 동경(지금의 경주)을 3경으로 하였으나, 서울이 풍수지리적으로 좋은 기운이 있다는 주장에 영향을 받아 문종 때에 서울(한양)을 남경으로 승격시키고, 동경 대신 남경을 3경에 편제시켰다.

오답 분석

① **공주**: 망이·망소이가 반란(1176)을 일으킨 곳은 공주 명학소이다. 망이, 망소이는 신분 차별에 반대하며 봉기하였으며, 이후 일시적으로 명학소가 충순현으로 승격되면서 향·부곡·소가 점차 소멸되는 계기가 마련되었다.

③ **순천**: 보조국사 지눌이 수선사 결사를 주도한 곳은 송광사로, 전남 순천에 위치한다.

④ **평양**: 고려 태조가 북진 정책의 전진 기지로 삼은 곳은 서경으로, 지금의 평양이다. 한편 태조는 서경을 중요하게 여겨 서경에 중앙의 주요 관서와 명칭이 같은 별도의 행정 조직을 설치하는 분사 제도를 실시하였다.

23

2016년 서울시 9급

다음 사건을 일어난 순서대로 바르게 나열한 것은?

> (가) 김보당의 난 발생
> (나) 이의민의 권력 장악
> (다) 김사미와 효심의 난 발생
> (라) 교정도감의 설치

① (가) → (나) → (다) → (라)
② (가) → (나) → (라) → (다)
③ (나) → (가) → (다) → (라)
④ (나) → (가) → (라) → (다)

문제풀이 무신 집권기의 사실

난이도 중

① 순서대로 나열하면 (가) 김보당의 난(1173) → (나) 이의민의 권력 장악(1183) → (다) 김사미·효심의 난(1193) → (라) 교정도감의 설치(1209)이다.

(가) **김보당의 난:** 김보당의 난은 정중부 집권기인 1173년에 발생한 것으로, 무신 정변으로 무신들이 정권을 독점하자 의종의 복위를 꾀하며 일어난 최초의 반(反) 무신 난이다.

(나) **이의민의 권력 장악:** 이의민은 경대승이 병으로 죽자 중방을 중심으로 권력을 장악하였다(1183). 이의민은 천민 출신으로 김보당의 난(1173)과 조위총의 난(1174)을 진압하는 데 공을 세워 상장군이 되었다.

(다) **김사미·효심의 난:** 김사미와 효심의 난은 이의민 집권기인 1193년에 발생하였다. 김사미는 운문, 효심은 초전에서 신라 부흥을 표방하며 봉기하였다.

(라) **교정도감의 설치:** 모든 국정을 관장한 권력 기구인 교정도감은 최충헌 집권기인 1209년에 설치되었다.

이것도 알면 합격!

무신 집권기 하층민의 봉기

망이·망소이의 난	신분 차별 철폐를 주장하며 공주 명학소에서 봉기
김사미·효심의 난	신라 부흥을 표방하며 일어난 고려 최대 규모의 농민 봉기
만적의 난	신분 해방을 넘어 정권 탈취까지 목표로 한 반란

24

2024년 법원직 9급

밑줄 친 '㉠, ㉡'에 대한 설명으로 가장 옳은 것은?

> 이지영이 장군이 되었다. 그가 최충수 집의 비둘기를 빼앗았는데, 최충수가 화가 나서 그 형인 ㉠ <u>최충헌</u>에게 그 사실을 아뢰고 ㉡ <u>이의민</u> 부자를 죽이자고 하니, 최충헌이 그렇게 하자고하였다. 이의민이 미타산 별장에갔을때, 최충헌 등이 가서 그를 죽이고 머리를 저자에 내걸었다. 당시 이지순은 대장군이었고, 이지광은 장군이었는데, 변란의 소식을 듣고 가동을 이끌고 길에서 싸웠다.
> – 『고려사』

① ㉠ – 하층민 출신의 권력자였다.
② ㉠ – 교정도감을 설치하여 국정을 장악하였다.
③ ㉡ – 개혁안 봉사 10조를 올렸다.
④ ㉡ – 정방을 통해 인사권을 장악하였다.

문제풀이 최충헌과 이의민

난이도 중

② 최충헌은 모든 국가 업무를 관장하는 최고 권력 기구로 교정도감을 설치하고, 교정도감의 장관인 교정별감의 자리에 올라 국정을 장악하였다. 한편, 교정별감은 최충헌 사후에도 최씨 일가에 대대로 세습되었다.

오답 분석

① **이의민:** 하층민 출신의 권력자는 이의민이다. 이의민은 소금장수 아버지와 노비 출신의 어머니를 둔 천민으로, 김보당의 난과 조위총의 난을 진압하는 데 공을 세워 상장군이 되었다. 또한 경대승이 죽은 이후에는 무신 정권의 최고 권력자까지 올랐다.

③ **최충헌:** 개혁안인 봉사 10조를 올린 인물은 최충헌이다. 최충헌은 이의민을 제거한 후, 무신 정권 초기의 혼란을 극복하고 국가 기반을 확립할 목적으로 명종에게 봉사 10조라는 사회 개혁안을 올렸다.

④ **최우:** 정방을 통해 인사권을 장악한 인물은 최우이다. 최우는 자신의 집에 인사 담당 기구로 정방을 설치하여 관리의 임명과 해임, 승진과 좌천 등의 모든 관직의 인사권을 장악하였다.

정답 21 ③ 22 ② 23 ① 24 ②

25

2021년 국회직 9급

(가)에 대한 설명으로 옳지 않은 것은?

> (가)은/는 이의민 세력을 숙청하고 정권을 잡자 무신 정권 초기의 혼란을 극복하기 위하여 봉사 10조와 같은 사회 개혁책을 제시하였다. 그렇지만 오히려 많은 토지와 노비를 차지하고 사병을 양성하여 권력 유지에 치중하였다.

① 도방을 두어 신변을 경호하였다.

② 교정도감을 설치하여 권력을 행사하였다.

③ 정방을 설치하고 관리의 인사를 처리하였다.

④ 농민 항쟁을 적극 진압하였다.

⑤ 막강한 권력을 갖고 왕의 폐립도 자행하였다.

문제풀이 최충헌 난이도 하

제시문에서 이의민 세력을 숙청하고, 무신 정권 초기의 혼란을 극복하기 위하여 봉사 10조와 같은 사회 개혁책을 제시하였다는 내용을 통해 (가) 인물이 최충헌임을 알 수 있다.

③ 정방을 설치하고 관리의 인사를 처리한 인물은 최충헌이 아닌 최우이다. 최우는 자신의 사저에 인사 행정 기구인 정방을 설치하여 관리의 인사권을 장악하였다.

오답 분석

① 최충헌은 경대승 때 처음으로 조직된 사병 집단인 도방을 다시 설치하여 자신의 신변 보호와 집권 체제를 강화하였다.

② 최충헌은 기존의 무신들이 중방을 통하여 국정을 운영하였던 것과는 달리 교정도감이라는 기구를 설치하고, 스스로 교정도감의 장관인 교정별감의 자리에 올라 권력을 행사하였다.

④ 최충헌은 이비·패좌의 난(1202) 등의 농민 항쟁을 적극 진압하였다.

⑤ 최충헌은 막강한 권력을 통해 4명의 왕(신종, 희종, 강종, 고종)을 옹립하고 2명의 왕(명종, 희종)을 폐위시키는 등 왕의 폐립을 자행하였다.

26

2020년 국가직 9급

(가) 인물에 대한 설명으로 옳은 것은?

> 신종 원년 사노비 만적 등이 북산에서 땔나무를 하다가 공사의 노비들을 모아 모의하기를, "우리가 성 안에서 봉기하여 먼저 [(가)] 등을 죽인다. 이어서 각각 자신의 주인을 죽이고 천적(賤籍)을 불태워 삼한에서 천민을 없게 하자. 그러면 공경장상이라도 우리가 모두 할 수 있을 것이다."라고 하였다.

① 정방을 설치하여 인사권을 장악하였다.

② 치안 유지를 위해 야별초를 설립하였다.

③ 이의방을 제거하고 권력을 장악하였다.

④ 봉사 십조를 올려 사회 개혁안을 제시하였다.

문제풀이 최충헌 난이도 중

제시문에서 만적이 반란을 모의하고 있는 것을 통해 (가)는 만적의 주인이자 당시 집권자인 최충헌임을 알 수 있다. 만적의 난(1198)은 신분 해방을 넘어 정권 탈취까지 목표로 한 노비 반란이었으나 사전에 발각되어 실패하였다.

④ 최충헌은 이의민을 제거한 후, 무신 정권 초기의 혼란을 극복하고 국가 기반을 확립할 목적으로 명종에게 봉사 10조라는 사회 개혁안을 올렸다.

오답 분석

①, ② **최우**: 정방을 설치하여 인사권을 장악하고, 치안 유지를 위해 야별초를 설립한 인물은 최충헌의 아들인 최우이다. 최우는 집권 이후에 자신의 집에 독자적인 인사 기구인 정방을 설치하여 모든 관직의 인사권을 장악하였고, 야간 치안 유지를 위해 야별초를 설치하였다.

③ **정중부**: 이의방을 제거하고 권력을 장악한 인물은 정중부이다. 정중부는 이의방을 제거하고 권력을 장악하였으며, 중방을 중심으로 국정을 운영하였다.

27

2020년 서울시 9급(특수 직렬)

〈보기〉의 ㉠에 해당하는 인물에 대한 설명으로 가장 옳은 것은?

> **보기**
>
> ㉠ 의 노비인 만적 등 여섯 명이 북산(北山)에 나무하러 갔다가 공사(公私) 노비들을 모아 놓고 말하기를, "장군과 재상이 어찌 타고난 씨가 따로 있겠는가? 때만 만나면 누구나 될 수 있는 것이다. 우리라고 어찌 뼈 빠지게 일만 하고 채찍 아래에서 고통만 당하겠는가?"라고 하였다. (중략) "각자 자기 주인들을 때려 죽이고 노비 문서를 불태워버리자. 이로써 이 나라에 다시는 천인이 없게 하면, 공경장상을 우리들이 모두 차지할 수 있을 것이다."라고 하였다.

① 교정도감을 설치하여 국정을 장악하는 한편 도방을 통해 군사적 기반을 강화하였다.
② 노비안검법을 실시하여 억울하게 노비가 된 자를 해방하였다.
③ 풍수지리설을 앞세워 서경 천도를 적극 추진하였다.
④ 딸들을 왕에게 시집 보내어 권력을 잡고 척준경과 함께 난을 일으켰다.

문제풀이 최충헌 난이도 하

제시문에서 노비인 만적이 노비 문서를 불태우자고 한 내용을 통해 ㉠이 만적의 주인인 최충헌임을 알 수 있다.

① **최충헌은 교정도감을 설치하여 국정을 장악하였고, 도방을 통해 군사적 기반을 강화하였다. 최충헌은 기존의 무신들이 중방을 통하여 국정을 운영하였던 것과는 달리 교정도감이라는 최고 권력 기구를 설치하고, 스스로 교정도감의 장관인 교정별감의 자리에 올라 국정을 운영하였다.**

오답 분석

② **광종**: 노비안검법을 실시하여 억울하게 노비가 된 자를 해방시킨 인물은 고려 광종이다. 광종은 호족들의 세력 기반을 약화시키고, 국가 수입 기반을 확대하여 왕권을 강화하기 위해 노비안검법을 실시하였다.
③ **묘청**: 풍수지리설을 앞세워 서경 천도를 적극 추진한 인물은 묘청이다. 묘청은 서경 길지설, 칭제건원, 금국 정벌을 내세우면서 서경으로 천도할 것을 주장하였다.
④ **이자겸**: 딸들을 왕에게 시집 보내어 권력을 잡고 척준경과 함께 난을 일으킨 인물은 이자겸이다. 문벌 귀족 가문인 경원(인주) 이씨의 이자겸은 자신의 딸들을 예종과 인종에게 시집 보냄으로써 권력을 독점하게 되었고 결국 왕위를 찬탈하고자 하였다.

28

2015년 경찰직(2차)

다음에 밑줄 친 인물 (가)에 대한 설명으로 가장 적절한 것은?

> (가)은/는 임금을 폐하고 세우는 것을 자기 마음대로 하였으며, 항상 조정 안에 있으면서 자기 부하들과 함께 가만히 정안(政案, 관리들의 근무 성적을 매긴 것)을 가지고 벼슬을 내릴 후보자로 자기 당파에 속하는 자를 추천하는 문안을 작성하고, 승선이라는 벼슬아치에게 주어 임금께 아뢰게 하면 임금이 어쩔 수 없이 그대로 좇았다. 그리하여 (가)의 아들 이(훗날의 우), 손자 항, 항의 아들 의의 4대가 정권을 잡아 그런 관행이 일반화되었다.
>
> – 이제현, 『역옹패설』

① 진강후라는 벼슬을 받고, 흥녕부라는 기구를 설치하였다.
② 예종과 인종 때 왕실과 혼인 관계를 맺어 외척으로서의 지위를 이용하여 정권을 장악하였다.
③ 자기 집에 정방을 설치하여 인사권을 장악하였다.
④ 몽골 침략으로 소실된 초조대장경을 대신하여 재조대장경(팔만대장경)을 조판하였다.

문제풀이 최충헌 난이도 하

제시문에서 아들인 이(훗날의 우), 손자 항, 항의 아들인 의의 4대가 정권을 세습했다는 내용이 언급되어 있으므로 밑줄 친 (가)는 최충헌임을 알 수 있다.

① **최충헌은 희종 옹립에 공을 세워 진강후에 책봉된 후 진주 지방을 식읍으로 받게 되었고, 진주 지방을 관리하기 위해 흥녕부를 설치하였다.**

오답 분석

② **이자겸**: 예종과 인종 때 왕실과 중첩된 혼인 관계를 맺어 외척으로서의 지위를 이용하여 권력을 독점한 이는 이자겸이다. 이자겸은 인종 때 난을 일으켰다가 제거되었다.
③ **최우**: 자기 집에 정방을 설치하여 인사권을 장악하였던 이는 최우이다.
④ **최우**: 몽골의 침입으로 소실된 초조대장경을 대신하여 재조대장경(팔만대장경)의 조판을 주도한 인물은 최우이다.

정답 25 ③ 26 ④ 27 ① 28 ①

29

2018년 법원직 9급

다음의 봉기를 일으킨 주동자에 관한 설명으로 옳은 것은?

> 경계 이후 공경대부는 천예 속에서 많이 나왔다. 장상의 종자가 어찌 따로 있겠는가? 때가 오면 누구나 할 수 있는 것이다. 우리가 어찌 상전의 채찍 밑에서 힘겨운 일에 시달리기만 하겠는가? (중략) 모두 자신의 주인을 죽이고 천예들의 호적을 불살라서 삼한에 천인이 없게 하면 공경과 장상은 우리 모두 할 수 있다.
>
> -『고려사』

① 서경의 유수로서, 정권 탈취를 목적으로 하였다.

② 개경에서 노비들을 모아서 노비 해방을 주장하였다.

③ 경주 지역 세력과 연합하여 신라 부흥을 주장하였다.

④ 공주 명학소에서 신분 차별에 반발하여 봉기를 일으켰다.

문제풀이 만적 난이도 중

제시문은 최충헌의 사노비였던 만적이 봉기를 일으키면서 주장한 내용이다. 만적은 경계의 난(무신 정변과 김보당의 난) 이후 천민도 높은 벼슬아치가 될 수 있음을 강조하고 신분 해방을 주장하며 반란을 일으키고자 하였다.

② 만적은 개경에서 노비들을 모아서 노비 해방 등을 주장하면서 봉기를 계획하였으나 사전에 발각되어 실패하고 말았다.

오답 분석

① **조위총**: 서경의 유수로서 반란을 일으킨 사람은 조위총이다. 조위총은 정중부와 이의방을 타도하고자 반란을 일으켜 3년간 항전 하였으나 결국 실패로 끝났다.

③ **김사미·효심**: 경주 지역 세력과 연합하여 신라 부흥을 주장한 사람은 김사미와 효심이다. 김사미는 운문(청도)에서 효심은 초전(울산)을 중심으로 신라의 부흥을 표방하며 봉기하였다.

④ **망이·망소이**: 공주 명학소에서 신분 차별에 반발하여 봉기를 일으킨 사람은 망이와 망소이이다. 망이와 망소이가 무거운 세금 납부와 신분적 차별에 반발하며 봉기를 일으키자 고려 정부는 명학소를 충순현으로 승격시켜 이들을 회유하고자 하였다.

30

2022년 소방직

다음 건의문이 올려진 이후에 발생한 사건으로 옳은 것은?

> 엎드려 살펴보건대, 적신 이의민은 성품이 맹수처럼 잔인하여 임금님을 업신여기고, 아랫사람들을 능멸하였습니다. 임금의 자리마저 흔들려고 했기에 화가 불꽃처럼 일어나고 백성들은 살길이 아득해졌습니다. 신들은 폐하의 신령스러운 위엄을 빌려 단번에 그들을 소탕하였습니다. 원하건대 폐하께서는 낡은 제도를 혁파하고 새로운 정치를 도모하심에 오로지 태조의 올바른 법을 따르시어 중흥의 길을 환히 여시길 바랍니다. 이에 삼가 10가지 사항을 아뢰옵니다.
>
> -『고려사』

① 이의방이 정변을 일으켰다.

② 정방과 삼별초가 설치되었다.

③ 척준경이 이자겸을 제거하였다.

④ 묘청이 국호를 대위로 정하였다.

문제풀이 봉사 10조 이후의 사실 난이도 중

제시문에서 적신 이의민을 소탕하였으며, 새로운 정치를 도모하기 위해 10가지 사항을 아뢴다는 내용을 통해 최충헌의 봉사 10조에 대한 내용임을 알 수 있다. 최충헌은 1196년에 이의민을 제거하고 고려 명종에게 사회 개혁을 위한 건의문인 봉사 10조를 올렸다.

② 최충헌의 뒤를 이어 집권한 최우는 자신의 집에 정방을 설치하여 인사권을 장악하였고, 야별초를 개편한 좌·우별초에 몽골의 포로 출신으로 구성한 신의군을 합하여 삼별초를 조직하였다.

오답 분석

모두 최충헌이 봉사 10조(1196)를 올리기 이전의 사실이다.

① 이의방은 정중부, 이고 등과 함께 무신 차별에 불만을 품고 정변을 일으켜 많은 문신들을 죽였으며, 의종을 폐위시키고 명종을 옹립하여 정권을 장악하였다(무신 정변, 1170).

③ 고려 인종은 척준경을 회유하여 이자겸을 공격하게 하였으며, 정계에서 숙청된 이자겸은 전라도 영광으로 유배되었다(1126).

④ 묘청은 실추된 왕권의 회복 등을 내세우며 서경 천도를 주장하였으나, 뜻대로 되지 않자 국호를 대위, 연호를 천개, 군대를 천견충의군이라 하여 서경에서 반란을 일으켰다(묘청의 난, 1135).

31

2023년 서울시 9급

〈보기〉의 ㉠에 들어갈 것으로 가장 옳은 것은?

> **보기**
>
> 고종 12년(1225)에 최우(崔瑀)가 자신의 집에 ___㉠___ 을 두고 백관의 인사를 다루었는데 문사(文士)를 뽑아 이에 속하게 하고 필자적(必者赤)이라 불렀다.
>
> -「고려사」

① 교정도감 ② 도방

③ 중방 ④ 정방

문제풀이 정방 난이도 하

제시문에서 최우가 자신의 집에 두고 백관의 인사를 다루었다는 내용을 통해 ㉠이 정방임을 알 수 있다.

④ 정방은 최우가 자신의 집에 설치한 인사 담당 기구로 관리의 임명과 해임, 승진과 좌천 등의 인사 행정을 다루었으며, 정당(政堂), 정사당(政事堂), 죽당(竹堂) 등이라고도 하였다. 한편, 최우는 정방을 통해 모든 관직의 인사권을 장악하였다.

오답 분석

① **교정도감**: 교정도감은 최충헌 이래 무신 정권의 최고 정치 기구이다. 교정도감은 본래 최충헌 부자의 살해를 모의한 청교역의 역리와 승도 등을 수색 및 처벌하기 위하여 설치한 임시 기구였지만, 이후 계속 존속하면서 최충헌의 반대 세력을 제거할 뿐만 아니라, 서무를 관장하고 모든 지시와 명령을 내리는 등 국정을 총괄하는 중심 기구가 되었다.

② **도방**: 도방은 정중부를 제거하고 권력을 장악한 경대승이 자신의 신변 보호를 위해 설치한 사병 집단으로, 최충헌 때 다시 설치되어 최씨 무신 정권의 군사적 기반이 되었다.

③ **중방**: 중방은 고려 시대 2군 6위의 지휘관인 상장군과 대장군으로 구성된 회의 기구이다. 중방은 무신 정권 초기인 정중부, 경대승, 이의민의 집권 때는 정치 운영의 중심 기구였지만, 최충헌 집권 때에 교정도감이 설치되면서 위상이 점차 낮아졌다.

32

2022년 국회직 9급

㉠ 기구에 대한 설명으로 옳은 것은?

> 최우가 자신의 집에 ㉠을/를 두고 백관의 인사를 다루었는데 문사를 뽑아 이에 속하게 하고 필자적(必者赤)이라 불렀다. 옛 제도에는 이부는 문신 인사를, 병부는 무신 인사를 관장하였는데, 근무 연한의 순서를 정하여 관리의 근면함과 태만함, 공과, 재능이 있고 없음을 논한 후 모두 문서에 기재한 것을 정안(政案)이라 하였다. ……(중략)…… 정권을 마음대로 하면서부터 관부와 관료를 두고 사사로이 정안을 취하여 관직을 제수하였다.
>
> -「고려사」

① 을묘왜변을 계기로 설치되었다.

② 공민왕의 개혁으로 일시 폐지되었다.

③ 간쟁, 서경, 봉박의 업무를 담당하였다.

④ 원 간섭기에 도평의사사로 명칭이 바뀌었다.

⑤ 진도, 제주도로 옮겨가며 조정에 대항하였다.

문제풀이 정방 난이도 상

제시문에서 최우가 자신의 집에 두고 백관의 인사를 다루었다는 내용을 통해 ㉠ 기구가 정방임을 알 수 있다.

② 정방은 최우가 자신의 집에 설치한 인사 기구로, 공민왕의 개혁으로 일시 폐지되었다. 한편, 정방의 폐지는 공민왕 이전(충선왕, 충목왕 등)부터 여러 차례 시도되었으며, 공민왕에 의해 폐지된 이후에도 부활하였다가, 위화도 회군 이후에 완전히 폐지되었다.

오답 분석

① 정방은 을묘왜변 이전인 고려 최우 집권기에 설치되었다. 한편, 조선 명종 때 발생한 을묘왜변을 계기로 비변사가 상설 기구화되었다.

③ **대간**: 간쟁, 서경, 봉박의 업무를 담당한 것은 고려 시대의 대간이다. 어사대의 관원과 중서문하성의 낭사로 구성된 대간은 왕의 잘못을 논하거나 올바른 정책을 제시하는 간쟁, 잘못된 왕명을 시행하지 않고 돌려보내는 봉박, 관리의 임명 및 법령의 개정이나 폐지 등에 동의하는 서경권을 지니고 있었다.

④ **도병마사**: 원 간섭기에 도평의사사로 명칭이 바뀐 것은 도병마사이다. 국방과 군사 문제 등의 국가 중대사를 논의하는 회의 기구인 도병마사는 원 간섭기인 충렬왕 때 도평의사사(도당)로 개편되어 국정 전반의 중요 사항을 담당하는 최고 정무 기구가 되었다.

⑤ **삼별초**: 진도, 제주도로 옮겨가며 조정에 대항한 것은 삼별초이다. 고려 조정이 몽골과 강화를 맺고 개경 환도를 단행하자, 이에 반대한 삼별초는 진도와 제주도로 이동하며 대몽 항쟁을 전개하였다.

정답 29 ② 30 ② 31 ④ 32 ②

3 | 대외 관계의 전개

01

2021년 지방직 9급

다음 사건을 시기 순으로 바르게 나열한 것은?

(가) 정중부와 이의방이 정변을 일으켰다.
(나) 최충헌이 이의민을 제거하고 권력을 잡았다.
(다) 충주성에서 천민들이 몽골군에 맞서 싸웠다.
(라) 이자겸이 척준경과 더불어 난을 일으켰다.

① (가) → (나) → (라) → (다)
② (가) → (다) → (나) → (라)
③ (라) → (가) → (나) → (다)
④ (라) → (가) → (다) → (나)

문제풀이 고려사의 전개 난이도 하

③ 순서대로 나열하면 (라) 이자겸의 난(1126) → (가) 무신 정변(1170) → (나) 최충헌 집권(1196) → (다) 충주성 전투(1253, 몽골의 5차 침입)가 된다.

(라) **이자겸의 난**: 이자겸은 고려 인종이 자신을 제거하려 하자 척준경과 더불어 왕의 측근 세력을 제거하고 궁궐을 불태우는 등 난을 일으켰다(1126).

(가) **무신 정변**: 고려 의종 때 무신 차별에 불만을 가진 정중부, 이의방 등의 무신들이 보현원에서 문신을 제거하는 정변을 일으켰다(1170).

(나) **최충헌 집권**: 최충헌이 당시 권력자였던 이의민을 제거하고 정권을 장악하였다(1196). 최충헌은 이의민을 제거하고 무신 정권 초기의 혼란을 수습함으로써 4대 60년에 걸친 최씨 무신 정권의 기반을 마련하였다.

(다) **충주성 전투**: 몽골의 5차 침입 때 몽골군이 충주성을 공격하자 충주성의 방호별감이었던 김윤후의 지휘 아래 민병과 관노, 잡류별초 등이 몽골군에 맞서 싸웠다(1253, 몽골의 5차 침입).

02

2023년 국가직 9급

다음과 같이 말한 인물에 대한 설명으로 옳은 것은?

> 우리나라가 곧 고구려의 옛 땅이다. 그리고 압록강의 안팎 또한 우리의 지역인데 지금 여진이 그 사이에 몰래 점거하여 저항하고 교활하게 대처하고 있어서 …(중략)… 만일 여진을 내쫓고 우리 옛 땅을 되찾아서 성보(城堡)를 쌓고 도로를 통하도록 하면 우리가 어찌 사신을 보내지 않겠는가? – 『고려사』

① 목종을 폐위하였다.
② 귀주에서 거란군을 물리쳤다.
③ 여진을 몰아내고 동북 9성을 쌓았다.
④ 소손녕과 담판하여 강동 6주를 획득하였다.

문제풀이 서희 난이도 상

제시문에서 우리나라가 곧 고구려의 옛 땅이라고 하는 것과, 여진을 내쫓고 옛 땅을 되찾으면 사신을 보낸다는 내용을 통해 거란의 소손녕과 외교 담판을 하였던 고려의 서희임을 알 수 있다.

④ 서희는 거란이 1차 침입하자, 거란의 장수인 소손녕과 외교 담판을 통해 송과의 관계를 끊는 대가로 압록강 하류 동쪽의 강동 6주를 획득하였다.

오답 분석

① **강조**: 정변을 일으켜 목종을 폐위한 인물은 강조이다. 강조는 목종의 어머니인 천추태후와 김치양이 자신들 사이에서 태어난 자식을 왕으로 세우려 하자, 정변을 일으켜 김치양 일파를 제거한 후 목종을 폐위하고 현종을 옹립하였다.

② **강감찬**: 귀주에서 거란군을 물리친 인물은 강감찬이다. 거란은 현종이 입조 약속을 불이행하고, 강동 6주의 반환도 거부하자 고려에 3차 침입하였다. 이때 강감찬이 귀주에서 퇴각하던 거란군을 크게 물리쳤다.

③ **윤관**: 별무반을 이끌고 여진을 몰아낸 후, 동북 9성을 쌓은 인물은 윤관이다. 윤관은 여진 정벌을 위해 고려 숙종에게 별무반의 편성을 건의하였고, 고려 예종 때 별무반을 이끌고 여진을 몰아낸 후 동북 지역에 9성을 쌓았다.

03

2024년 서울시 9급(2월 시행)

〈보기〉의 사건을 시간 순으로 바르게 나열한 것은?

> **보기**
> ㉠ 서희는 거란과 담판을 해 강동 6주를 확보하였다.
> ㉡ 강조의 정변을 구실로 거란이 침입해 왔다.
> ㉢ 개경이 함락되자 현종이 나주로 피난하였다.
> ㉣ 강감찬이 이끄는 고려군이 귀주 대첩에서 거란군을 격파하였다.

① ㉠ – ㉡ – ㉢ – ㉣
② ㉠ – ㉣ – ㉡ – ㉢
③ ㉡ – ㉠ – ㉣ – ㉢
④ ㉡ – ㉢ – ㉣ – ㉠

문제풀이 거란의 침입과 격퇴

난이도 중

① 시간 순으로 나열하면 ㉠ 서희의 외교 담판(993) → ㉡ 거란의 2차 침입(1010) → ㉢ 개경 함락과 현종의 나주 피난(1011) → ㉣ 귀주 대첩(1019)이 된다.

㉠ **서희의 외교 담판**: 거란의 1차 침입(993) 때 서희는 소손녕과의 외교 담판을 하여 거란으로부터 강동 6주를 확보하였다.

㉡ **거란의 2차 침입**: 거란은 강조의 정변(강조가 목종을 폐위시키고 현종을 왕위에 올린 사건)을 구실로 강동 6주의 반환을 요구하며 고려에 2차 침입하였다(1010).

㉢ **개경 함락과 현종의 나주 피난**: 거란의 2차 침입으로 수도인 개경이 함락되자, 현종은 나주로 피난하였다(1011).

㉣ **귀주 대첩**: 거란의 3차 침입 때 강감찬이 이끄는 고려군이 귀주에서 퇴각하던 거란군을 크게 격파하였다(귀주 대첩, 1019).

이것도 알면 합격!

거란의 침입

1차 (993)	• 전개: 옛 고구려 땅을 내놓을 것과 송과의 외교 관계 단절 및 거란과의 수교를 요구하며 침입 → 서희의 외교 담판 • 결과: 강동 6주를 획득하여 국경 확장
2차 (1010)	• 전개: 강조의 정변을 구실로 침입 → 양규의 활약(흥화진 전투) • 결과: 거란과의 강화 체결
3차 (1018)	• 전개: 현종의 입조 약속 불이행 → 거란의 침입 → 강감찬의 귀주 대첩(1019) • 결과: 귀주에서 거란군 크게 격파

04

2021년 지방직 9급

(가)에 대한 설명으로 옳은 것은?

> 건국 초부터 북진 정책을 추진한 고려는 발해를 멸망시킨 (가) 를/을 견제하고 송과 친선 관계를 맺었다. 이에 송과 대립하던 (가) 는/은 고려를 경계하여 여러 차례 고려에 침입하였다.

① 강조의 정변을 구실로 고려를 침략하였다.
② 고려에 동북 9성을 돌려달라고 요구하였다.
③ 다루가치를 배치하여 고려의 내정을 간섭하였다.
④ 쌍성총관부를 두어 철령 이북의 땅을 지배하였다.

문제풀이 거란의 침입

난이도 하

제시문에서 발해를 멸망시키고 고려에 여러 차례 침입했다는 내용을 통해 (가)가 거란임을 알 수 있다. 거란은 송과 대립하였고 고려에 송과의 관계를 단절할 것을 요구하며 여러 차례 침입하였다.

① **거란은 강조의 정변(서북면 도순검사 강조가 김치양의 반역을 들어 목종을 폐위시키고 현종을 왕위에 올린 사건)을 구실로 고려에 2차 침략하였다.**

오답 분석

② **여진**: 고려에 동북 9성을 돌려달라고 요구한 것은 여진이다. 고려는 여진족을 토벌하여 동북 지방 일대에 9성을 설치하였으나, 여진의 계속되는 반환 요구와 방어의 어려움으로 동북 9성을 여진에게 돌려주었다.

③ **몽골**: 다루가치를 배치하여 고려의 내정을 간섭한 것은 몽골이다. 몽골은 고려의 내정을 간섭하고 공물 징수를 감독하기 위해 다루가치를 파견하였고, 이후 충렬왕의 요청으로 모두 철수되었다.

④ **몽골**: 고려의 화주(지금의 함경남도 영흥) 지역을 통치하기 위해 쌍성총관부를 설치하여 철령 이북의 땅을 직접 지배한 것은 몽골이다.

정답 01 ③ 02 ④ 03 ① 04 ①

05

2018년 국가직 9급

다음 (갑)과 (을)의 담판 이후에 있었던 (을)의 활동으로 옳은 것은?

> (갑) 그대 나라는 신라 땅에서 일어났고 고구려 땅은 우리의 소유인데 그대들이 침범했다.
> (을) 아니다. 우리야말로 고구려를 이은 나라이다. 그래서 나라 이름도 고려라 했고, 평양에 도읍하였다. 만일 땅의 경계로 논한다면 그대 나라 동경도 모두 우리 강역에 들어 있는 것인데 어찌 침범이라 하겠는가.

① 9성 설치
② 귀주 대첩
③ 강동 6주 경략
④ 천리장성 축조

문제풀이 외교 담판 이후 서희의 활동 난이도 중

제시문에서 (갑)은 신라 땅에서 일어난 그대들(고려)이 자신들의 영역인 고구려 땅을 침범하였다는 내용을 통해 고려를 침입한 거란의 장수 소손녕임을 알 수 있다. (을)은 자신의 나라가 고구려를 계승하여 나라 이름도 고려라 하였다는 내용을 통해 거란과 외교 담판을 하였던 고려의 서희임을 알 수 있다. 서희는 거란과의 외교 담판에서 고려와 거란이 통교하지 못하는 이유로 국경 지역의 여진의 방해 때문임을 강조하였다.

③ 거란의 1차 침입 때 외교 담판으로 거란으로부터 강동 6주의 소유권을 인정받은 후 서희는 군사를 이끌고 강동 6주 지역의 여진족을 몰아내고 성을 쌓아 고려의 영토로 편입하였다. 이를 통해 고려의 국경이 압록강까지 확장되었다.

오답 분석

① 고려가 9성을 설치한 것은 고려 예종 때 윤관이 여진족을 정벌한 이후이다. 예종 때 윤관은 별무반을 이끌고 여진족을 정벌한 뒤 한반도 동북 지역 일대에 9성을 설치하였다(1107).

② 귀주 대첩은 거란의 3차 침입 때의 사실이다. 거란의 2차 침입 때 강화의 조건으로 약속한 고려 현종의 입조가 지켜지지 않자 거란이 고려에 다시 침입하였다(거란의 3차 침입, 1018). 그러나 거란군은 고려의 저항으로 퇴각하던 중 귀주에서 강감찬에게 섬멸되었다(1019).

④ 천리장성은 거란의 3차 침입 이후에 축조되었다. 거란의 침입 이후 고려는 거란과 여진의 침입에 대비하기 위해 압록강에서 도련포에 이르는 고려의 북쪽 국경 지대에 천리장성을 축조하였다(1033~1044).

06

2017년 국가직 9급(4월 시행)

고려 시대 의주에 대한 설명으로 옳지 않은 것은?

① 청천강 변에 위치하며 도호부가 설치된 곳이다.
② 강동 6주 가운데 하나인 흥화진이 있던 곳이다.
③ 요(遼)와 물품을 거래하던 각장이 설치된 곳이다.
④ 요(遼)와 금(金)의 분쟁을 이용하여 회복하려고 시도한 곳이다.

문제풀이 고려 시대의 의주 난이도 중

① 고려 시대에 청천강 변에 위치하며 도호부가 설치되었던 지역은 의주가 아닌 현재의 평안남도 안주이다. 고려 시대에는 전국 요지에 행정 구역으로 4도호부를 두었는데, 그중 안주 지역에는 안북 도호부를 두었다. 의주는 압록강 변에 위치하고 있다.

오답 분석

② 의주는 강동 6주 중 하나인 흥화진이 있던 지역이다. 강동 6주는 거란의 1차 침입 때 서희의 외교 담판으로 획득한 지역으로 압록강 동쪽 연안에 설치되었다. 그밖에 용주, 통주, 철주, 구주(귀주), 곽주가 강동 6주에 해당한다.

③ 고려 시대에 의주에는 요(遼)와 물품 거래를 하기 위해 설치된 공식 무역장인 각장이 있었다.

④ 고려가 거란의 강동 6주 반환 요구를 거부하자, 거란은 의주 일부 지역을 점령하여 보주(保主)라 칭하였다. 이후 금이 요를 공격하자 예종은 이를 이용하여 보주 지역을 회복하려고 시도하였다.

이것도 알면 **합격!**

고려 시대와 조선 시대의 의주

고려 시대	• 강동 6주 중 하나인 흥화진이 설치된 곳(흥화진 전투) • 거란과 물품을 거래하던 각장이 설치된 곳
조선 시대	• 선조의 피난처(임진왜란), 임경업의 백마산성 항쟁(병자호란) • 만상의 활동 거점

07

2021년 소방직

(가)와 (나) 사건 사이에 있었던 사실로 옳은 것은?

> (가) 강감찬이 산골짜기 안에 병사를 숨기고 큰 줄로 쇠가죽을 꿰어 성 동쪽의 큰 개천을 막아서 기다리다가, 적이 이르자 물줄기를 터뜨려 크게 이겼다.
> (나) 윤관이 새로운 부대를 창설했는데, 말을 가진 자는 신기군으로 삼았고, 말이 없는 자는 신보군 등에 속하게 하였으며, 승려들을 뽑아 항마군으로 삼았다.

① 여진을 몰아내고 동북 9성을 설치하였다.
② 공을 세운 신하들에게 역분전을 지급하였다.
③ 압록강에서 도련포에 이르는 천리장성을 축조하였다.
④ 친원적 성향이 강한 권문세족이 지배 세력으로 등장하였다.

08

2018년 서울시 9급(6월 시행)

〈보기〉의 빈칸에 공통적으로 해당하는 국가와 관련하여 고려 시대에 발생한 일로 가장 옳은 것은?

> **보기**
> • 모든 관리들을 소집해 ______을/를 상국으로 대우하는 일의 가부를 의논하게 하자 모두 불가하다고 했으나, 이자겸과 척준경만이 찬성하고 나섰다.
> • ______은/는 전성기를 맞아 우리 조정이 그들의 신하임을 칭하도록 하고자 하였다. 여러 의견들이 뒤섞여 어지러운 가운데, 윤언이가 홀로 간쟁하여 말하기를 …… 여진은 본래 우리 조정 사람들의 자손이기 때문에 신하가 되어 차례로 우리 임금께 조공을 바쳐왔고, 국경 근처에 사는 사람들은 모두 우리 조정의 호적에 올라있는 지 오래 되었습니다. 우리 조정이 어찌 거꾸로 그들의 신하가 될 수 있겠습니까?

① 이 국가의 침입으로 인해 국왕은 나주로 피난하였다.
② 묘청 일파는 이 국가의 정벌을 주장하였다.
③ 이 국가와 함께 강동성에 포위된 거란족을 격파하였다.
④ 이 국가의 침략에 대비하여 광군을 설치하였다.

문제풀이 거란의 3차 침입과 별무반 창설 사이의 사실

난이도 중

(가)는 강감찬이 병사를 숨기고 기다리다가 크게 이겼다는 내용을 통해 거란의 3차 침입(현종, 1018)에 대한 내용임을 알 수 있다. 또한 강감찬은 귀주에서 퇴각하는 거란군을 섬멸하기도 하였다(1019, 귀주 대첩).

(나)는 윤관이 신기군(기병), 신보군(보병), 항마군(승병)으로 구성된 새로운 부대를 창설했다는 것을 통해 별무반 창설(숙종, 1104)에 대한 내용임을 알 수 있다.

③ 거란의 3차 침입 이후 고려는 거란과 여진의 침입에 대비해 압록강에서 도련포에 이르는 천리장성을 축조하였다. 천리장성은 덕종 때 축조되기 시작하여 정종 때 완성되었다(1033~1044).

오답 분석

① **(나) 이후**: 여진을 몰아내고 동북 9성을 설치한 것은 (나) 이후의 사실이다. 예종 때 윤관이 별무반을 이끌고 여진을 정벌하고 동북 지역에 9성을 설치하였다(1107).
② **(가) 이전**: 고려 건국과 후삼국 통일 과정에서 공을 세운 신하들에게 역분전을 지급(940)한 것은 태조 왕건 때로, (가) 이전의 사실이다.
④ **(나) 이후**: 친원적 성향이 강한 권문세족이 지배 세력으로 등장한 것은 원 간섭기의 사실로, (나) 이후의 사실이다.

문제풀이 고려 시대 금나라와의 관계

난이도 중

제시된 자료에서 이 국가를 상국으로 대우하는 일에 이자겸과 척준경이 찬성을 하였다는 내용과 여진은 우리 임금께 조공을 바쳐왔다는 내용을 통해 빈칸에 들어갈 국가가 여진이 세운 금나라임을 알 수 있다. 12세기에 아구타가 여진 부족을 통일하여 금을 건국하고 고려에게 군신 관계를 요구하자 이자겸은 정권 유지와 민생 안정을 이유로 금의 사대 요구를 수용하였다.

② 묘청은 서경 천도 운동을 전개하며 금나라를 정벌할 것을 주장하였다. 묘청은 고려 인종에게 수도를 서경으로 옮길 것을 건의하였고, 칭제건원(스스로 황제를 칭하고, 연호를 세우는 일)과 금나라를 정벌할 것을 주장하였다.

오답 분석

① 고려의 국왕(현종)이 나주로 피난 한 것은 거란의 2차 침입 때문이었다. 거란은 강조의 정변을 구실로 강동 6주의 반환을 요구하며 고려에 침입하였다. 이에 현종은 나주까지 피난을 하였으며, 왕이 직접 거란에 입조할 것을 조건으로 강화를 맺었다.
③ 고려와 함께 강동성에 포위된 거란족을 격파한 것은 몽골이다. 13세기 초에 몽골에 쫓겨 온 거란이 고려를 침입하자, 고려와 몽골 등이 연합하여 평양 동쪽의 강동성에서 거란을 몰아냈다. 이 사건을 계기로 몽골은 고려에 형제 관계의 체결과 막대한 공물을 요구하였다.
④ 고려가 광군을 설치한 것은 거란의 침략을 대비하기 위해서이다. 고려 정종은 거란의 침략에 대비하기 위해 광군을 조직하고, 그 지휘부로 광군사를 설치하였다.

정답 05 ③ 06 ① 07 ③ 08 ②

09

2023년 국회직 9급

다음 (가)와 (나) 사이에 있었던 사실로 옳은 것은?

> (가) 이때부터 별무반을 만들기로 결정하였다. …… 윤관이 임금에게 포로 346명과 말 96필, 소 300여 두를 바쳤다. 그리고 통태진 등 지방에 성을 쌓았는 바, 이것이 북계의 9성이다.
>
> (나) 김윤후는 …… 몽골군이 이르자 처인성으로 난을 피하였는데, 몽골의 장수 살리타가 와서 성을 공격하므로 그를 사살하였다.
>
> -『고려사』

① 이자겸이 금의 사대 요구를 받아들였다.
② 광덕, 준풍 등 독자적인 연호를 사용하였다.
③ 홍건적이 침입해 국왕이 안동까지 피난하였다.
④ 서희는 거란과 협상하여 강동 6주를 확보하였다.
⑤ 삼별초가 몽골과의 강화에 반대하여 대몽 항쟁을 전개하였다.

문제풀이 별무반 조직과 몽골의 2차 침입 사이의 사실 난이도 중

(가)는 별무반을 만들기로 결정하였다는 것과 북계의 9성을 쌓았다는 내용을 통해 1104~1109년의 사실임 알 수 있다.

(나)는 김윤후가 몽골의 장수 살리타를 사살하였다는 내용을 통해 몽골의 2차 침입 때인 1232년의 사실임을 알 수 있다.

① (가)와 (나) 사이 시기인 1126년에 이자겸이 금의 사대 요구를 받아들였다. 고려 인종 대에 세력을 키운 금(여진)이 고려에 사대 관계를 요구하였고, 당시 집권자였던 이자겸은 자신의 권력을 유지하기 위해 이를 받아들였다.

오답 분석

② **(가) 이전**: 광덕, 준풍 등 독자적인 연호를 사용한 것은 고려 광종 재위 시기인 949~975년으로, (가) 이전의 사실이다.

③ **(나) 이후**: 홍건적이 침입해 국왕이 안동까지 피난한 것은 공민왕 때인 1361년으로, (나) 이후의 사실이다. 공민왕 때 홍건적의 2차 침입으로 개경이 함락되면서 공민왕은 안동(복주)으로 피신하였으나, 정세운, 최영 등이 홍건적을 격퇴하였다.

④ **(가) 이전**: 서희가 거란과 협상(993)하여 강동 6주를 확보한 것은 고려 성종 때인 994년으로, (가) 이전의 사실이다.

⑤ **(나) 이후**: 삼별초가 몽골과의 강화에 반대하여 대몽 항쟁을 전개한 것은 고려 정부가 개경으로 환도한 1270년 이후로, (나) 이후의 사실이다. 삼별초는 몽골과의 강화에 반대하며 강화도에서 봉기하였으며, 이후 진도와 제주도로 이동하며 대몽 항쟁을 전개하였다.

10

2021년 서울시 9급(특수 직렬)

〈보기〉에 나타난 사건과 시기상 가장 먼 것은?

> **보기**
>
> 처음 충주 부사 우종주가 매양 장부와 문서로 인하여 판관 유홍익과 틈이 있었는데, 몽골군이 장차 쳐들어온다는 말을 듣고 성 지킬 일을 의논하였다. 그런데 의견상 차이가 있어서 우종주는 양반 별초를 거느리고, 유홍익은 노군과 잡류 별초를 거느리고 서로 시기하였다. 몽골군이 오자 우종주와 유홍익은 양반 등과 함께 다 성을 버리고 도주하고, 오직 노군과 잡류만이 힘을 합하여 쳐서 이를 쫓았다.

① 처인성에서 몽골 장수를 사살하였다.
② 진주의 공·사 노비와 합주의 부곡민이 합세하였다.
③ 수도를 강화도로 옮기고 주민을 산성과 섬으로 피난시켰다.
④ 몽골군이 경주의 황룡사 9층탑을 불태웠다.

문제풀이 몽골 침입기의 역사적 사건 난이도 상

제시문에서 충주에 몽골군이 오자 양반들은 성을 버리고 도주하고, 노군과 잡류만이 힘을 합하여 이를 물리쳤다는 내용을 통해 몽골의 1차 침입 때 전개된 충주 전투(1231)임을 알 수 있다.

② 진주의 공·사 노비와 합주의 부곡민이 합세한 것은 최충헌 집권기에 발생한 광명·계발의 난(1200)으로, 충주 전투와 가장 먼 시기의 사실이다. 진주에서 향리의 수탈에 대항하여 공·사 노비가 봉기하였는데, 이를 진압하는 과정에서 토호인 정방의가 반란을 일으켜 살육을 자행하였다. 이에 진주의 사람들은 합주(합천)로 가서 도움을 요청하였고, 광명·계발을 중심으로 한 합주의 부곡민이 진주의 공·사 노비를 지원하였다.

오답 분석

① **처인성 전투**: 몽골의 2차 침입 때, 승려 김윤후가 처인성(용인)에서 몽골 장수 살리타를 사살하였다(1232).

③ **강화 천도**: 몽골의 1차 침입 이후, 집권자인 최우가 몽골의 과도한 조공 요구에 반발하며 수도를 강화도로 옮기고(1232) 주민들을 산성과 섬으로 피난시켰다. 이에 몽골군은 고려 정부의 개경 환도를 요구하며 2차 침입하였다.

④ **황룡사 9층탑 소실**: 몽골의 3차 침입 때(1235~1239), 몽골군에 의해 경주의 황룡사 9층탑이 소실되었다(1238).

11

2016년 법원직 9급

(가), (나) 사이의 시기에 볼 수 있던 문화 동향으로 가장 적절한 것은?

> (가) 사신으로 온 저고여는 수달피 1만 령, 가는 명주 3천 필, 가는 모시 2천 필 등을 요구하였다. 저고여가 돌아가는 길에 압록강 부근에서 피살되는 사건이 일어나자 살리타가 대군을 이끌고 침입하였다. -『고려사절요』
>
> (나) 왜구가 500여 척의 함선을 이끌고 진포로 처들어와 충청·전라·경상 3도 연해의 주군을 돌며 약탈과 살육을 일삼았다. 고려 조정에서는 최무선이 만든 화포로 왜선을 모두 불태워버렸다. -『고려사』

① 유교 사관에 입각한『삼국사기』가 편찬되었다.
② 종교적 염원이 담긴 팔만대장경이 조판되었다.
③ 의천이 교종과 선종의 통합을 위해 노력하였다.
④ 관학의 재정 기반을 마련하고자 양현고를 설치하였다.

문제풀이 몽골 침입 이후의 고려 문화 난이도 중

(가)는 사신으로 온 저고여가 국경 지대에서 피살당한 사건을 계기로 몽골이 침입(최우 집권기, 1231)한 사건이다.

(나)는 왜구가 진포로 침입하여 약탈과 살육을 일삼자 최무선이 만든 화포로 왜선을 격퇴시키는 진포 대첩(우왕, 1380)에 대한 내용이다.

② 팔만대장경은 몽골의 2차 침입(1232) 때 소실된 초조대장경을 대신해 부처의 힘으로 몽골 침입을 극복하고자 조판된 것으로, 1236년(최우 집권기)에 조판되기 시작하여 1251년에 완성되었다.

오답 분석

① **(가) 이전**: 유교적 합리주의 사관에 입각하여 김부식이『삼국사기』를 편찬한 시기는 고려 중기 인종 때인 1145년이므로, (가) 이전의 시기이다.

③ **(가) 이전**: 의천이 교종과 선종의 통합을 위해 노력한 것은 고려 중기인 숙종 때로, (가) 이전의 시기이다. 의천은 교종과 선종의 사상적 통합을 위해 이론의 연마와 실천을 아울러 강조하는 교관겸수(敎觀兼修)와 내적인 공부와 외적인 공부를 모두 갖추어 조화를 이루어야 한다는 내외겸전(內外兼全)을 제창하였다.

④ **(가) 이전**: 위축된 관학을 진흥시키고 관학의 재정 기반을 마련하고자 장학 재단인 양현고를 설치하였던 것은 고려 중기인 예종 때로, (가) 이전의 시기이다.

12

2018년 경찰직(3차)

고려와 몽골의 관계 속에서 일어난 사건을 발생한 순서대로 바르게 나열한 것은?

> ㉠ 무신 정권이 무너지고 개경으로 환도했다.
> ㉡ 고려가 몽골과 연합하여 강동성에서 거란족을 몰아냈다.
> ㉢ 중서문하성과 상서성이 합쳐져 첨의부가 되었다.
> ㉣ 처인성에서 김윤후가 쏜 화살을 맞고 살리타가 전사했다.

① ㉡ → ㉣ → ㉠ → ㉢
② ㉡ → ㉣ → ㉢ → ㉠
③ ㉢ → ㉣ → ㉠ → ㉡
④ ㉢ → ㉠ → ㉣ → ㉡

문제풀이 고려 시대 몽골과의 관계 난이도 중

① 순서대로 바르게 나열하면 ㉡ 강동성 전투(1219) → ㉣ 처인성 전투(1232) → ㉠ 개경 환도(1270) → ㉢ 중앙 관제 격하(1275)가 된다.

㉡ **강동성 전투**: 몽골에게 쫓겨 온 거란족이 고려를 침입하였으나 고려군의 반격으로 강동성에 포위당하였고, 이때 고려와 몽골이 연합하여 강동성에서 거란족을 몰아냈다(1219). 이 사건을 계기로 몽골은 고려에 형제 관계의 체결과 막대한 공물을 요구하였다.

㉣ **처인성 전투**: 몽골의 2차 침입(1232) 때 승려 김윤후가 처인성(현재의 용인)에서 몽골 장수 살리타를 사살하였다.

㉠ **개경 환도**: 몽골과의 강화 체결 이후 고려 정부는 무신 정권을 몰아내고 개경으로 환도하였다(1270).

㉢ **중앙 관제 격하**: 원나라의 내정 간섭이 본격화되면서 충렬왕 때 중서문하성과 상서성이 통합되어 첨의부가 되었고, 6부가 4사로 축소되는 등 고려의 중앙 관제기 격하되었다(1275).

이것도 알면 **합격!**

대표적인 대몽 항쟁

2차 침입(1232)	• 최우가 대몽 항쟁을 위해 강화도로 천도 • 승려 김윤후가 처인성에서 몽골 장수 살리타 사살
5차 침입(1253)	승려 김윤후가 충주 전투에서 몽골군 격퇴
6차 침입(1254)	충주 다인철소 주민들이 몽골에 대항

정답 09 ① 10 ② 11 ② 12 ①

13

2023년 지방직 9급

(가) 군사 조직에 대한 설명으로 옳은 것은?

> 고려 정부는 몽골과 강화를 맺고 개경으로 환도하였다. 대몽 항전에 적극적이었던 (가) 은/는 개경 환도를 반대하고 반란을 일으켰다. 이어 진도로 근거지를 옮기면서 항쟁을 전개하였다.

① 포수, 사수, 살수의 삼수병으로 편제되었다.

② 윤관의 건의로 편성된 기병 중심의 부대였다.

③ 도적을 잡기 위해 설치한 야별초에서 시작되었다.

④ 양계 지방에서 국경 지역 방어를 맡았던 상비적인 전투 부대였다.

문제풀이 삼별초 난이도 하

제시문에서 고려 정부의 개경 환도에 반대하고 반란을 일으켰다는 것과 진도로 근거지를 옮기면서 항쟁을 전개하였다는 내용을 통해 (가) 군사 조직이 삼별초임을 알 수 있다.

③ 삼별초는 최우가 도적을 잡기 위해 설치한 야별초에서 시작되었다. 최씨 정권의 지원을 받은 야별초 조직이 확대되자 이를 좌별초와 우별초로 나누었고, 이후 대몽 항쟁 과정에서 몽골에 포로로 잡혔다가 탈출한 병사들로 구성된 신의군을 창설하면서 이들을 합하여 삼별초가 조직되었다.

오답 분석

① **훈련도감**: 포수, 사수, 살수의 삼수병으로 편제된 것은 훈련도감이다. 훈련도감은 임진왜란 중 유성룡의 건의에 따라 설치되었으며, 포수(조총)·살수(창·검)·사수(활)의 삼수병으로 편제되었다.

② **별무반**: 윤관의 건의로 편성된 기병 중심의 부대는 별무반이다. 별무반은 기병이 주축이 된 여진족에 대처하기 위하여 고려 숙종 때 윤관의 건의로 만들어졌으며, 기병인 신기군을 중심으로 보병인 신보군과 승병인 항마군 등으로 구성되었다.

④ **주진군**: 양계 지방에서 국경 지역 방어를 맡았던 상비적인 전투 부대는 주진군이다. 주진군은 고려 시대 군사적 성격이 강한 행정 구역인 양계(북계와 동계) 지방에 설치된 지방군으로, 국경 지역 방어를 담당하였다.

14

2014년 국가직 9급

밑줄 친 '이번 문서'를 보낸 조직에 대한 설명으로 옳은 것은?

> • 이전 문서에서는 몽고의 연호를 사용했는데, 이번 문서에서는 연호를 사용하지 않았다.
> • 이전 문서에서는 몽고의 덕에 귀의하여 군신 관계를 맺었다고 하였는데, 이번 문서에서는 강화로 도읍을 옮긴지 40년에 가깝지만, 오랑캐의 풍습을 미워하여 진도로 도읍을 옮겼다고 한다.
> – 『고려첩장(高麗牒狀)』

① 최우가 도적을 막기 위해 만든 조직에서 비롯되었다.

② 최충헌이 신변 보호와 집권 체제 강화를 위해 조직하였다.

③ 거란의 침입에 대비하기 위한 조직으로 편성되었다.

④ 쌍성총관부 탈환에 주도적인 역할을 한 조직이었다.

문제풀이 삼별초 난이도 중

제시문에서 몽고의 연호를 사용하지 않았으며, 강화로 도읍을 옮긴 지 40년이지만 오랑캐의 풍습을 미워하여 진도로 옮겼다는 내용을 통해 밑줄 친 '이번 문서'를 보낸 조직이 삼별초임을 알 수 있다. 제시된 『고려첩장』은 진도에 자리잡은 삼별초가 고려와 몽골에 저항하기 위해 일본과의 연합을 추진하였음을 보여주는 자료이다.

① 삼별초는 최우가 도적을 막기 위해 설치한 야별초(夜別抄)에서 비롯되었다. 이후 야별초가 좌별초와 우별초로 분리되었고, 여기에 대몽 항쟁 과정에서 몽골에 포로로 잡혔다가 탈출한 병사들로 구성된 신의군이 편제되어 삼별초가 성립되었다.

오답 분석

② **도방**: 최충헌이 신변 보호와 집권 체제를 강화하기 위해 조직한 것은 도방이다. 도방은 경대승이 처음으로 조직한 사병 집단이었는데, 이후 최충헌 집권 시기에 다시 조직되어 최씨 정권의 군사적인 기반이 되었다.

③ **광군**: 거란의 침입에 대비하기 위한 조직으로 편성된 것은 고려 정종 때 설치된 광군이다. 광군은 지방 호족의 군대를 연합하여 편성한 것으로 이후 지방군인 주현군으로 개편되었다.

④ 쌍성총관부 수복(1356)은 공민왕 때의 일로 삼별초와는 관련 없다. 공민왕은 유인우를 동북면 병마사에 임명하여 쌍성총관부를 무력으로 수복하게 하였다. 한편 쌍성총관부는 원이 철령 이북 지역을 직접 지배하기 위해 고려의 화주 지역에 설치한 것이다.

15

2019년 국회직 9급

고려 시대 시기별 발생한 사건들에 대한 설명으로 옳은 것은?

① 10세기: 거란으로부터 강동 6주를 획득하였다.

② 11세기: 개경 천도 문제를 둘러싸고 묘청의 난이 일어났다.

③ 12세기: 여진의 침공을 막기 위해 강화도로 천도하였다.

④ 13세기: 무신 정권이 등장하여 과전법을 시행하였다.

⑤ 14세기: 많은 민란이 발생하면서 노비의 인구가 격감하였다.

16

2014년 지방직 9급

(가) ~ (다)는 고려 시대 대외 관계와 관련된 자료이다. 이를 시기 순으로 바르게 나열한 것은?

> (가) 윤관이 "신이 여진에게 패한 이유는 여진군은 기병인데 우리는 보병이라 대적할 수 없었기 때문입니다."라고 아뢰었다.
>
> (나) 서희가 소손녕에게 "우리나라는 고구려의 옛 땅이오. 그러므로 국호를 고려라 하고 평양에 도읍하였으니, 만일 영토의 경계로 따진다면, 그대 나라의 동경이 모두 우리 경내에 있거늘 어찌 침식이라 하리요." 라고 주장하였다.
>
> (다) 유승단이 "성곽을 버리며 종사를 버리고, 바다 가운데 있는 섬에 숨어 엎드려 구차히 세월을 보내면서, 변두리의 백성으로 하여금 장정은 칼날과 화살 끝에 다 없어지게 하고, 노약자들은 노예가 되게 함은 국가를 위한 좋은 계책이 아닙니다."라고 반대하였다.

① (가) → (나) → (다)

② (나) → (가) → (다)

③ (나) → (다) → (가)

④ (다) → (나) → (가)

문제풀이 고려 시대의 주요 사건 난이도 하

① 고려는 10세기인 994년 거란으로부터 강동 6주를 획득하였다. 거란은 993년에 고려에 침입하여 고려가 차지하고 있는 옛 고구려 땅을 내놓을 것과 송과의 외교를 단절하고 자신들과 교류할 것을 요구하였는데, 서희의 외교 담판을 통해 고려가 고구려를 계승한 국가임을 강조하였으며, 거란과의 교류를 조건으로 강동 6주를 획득하였다.

오답 분석

② 12세기인 1135년에 일어난 묘청의 난은 개경 천도가 아닌 서경 천도 문제를 둘러싸고 일어났다. 묘청은 실추된 왕권의 회복 등을 내세우며 서경 천도를 주장하였으나, 뜻대로 되지 않자 국호를 대위, 연호를 천개, 군대를 천견충의군이라 하여 서경에서 반란을 일으켰다. 그러나 묘청의 난은 김부식이 이끈 관군의 공격으로 약 1년 만에 진압되었다.

③ 13세기인 1232년 고려는 여진이 아닌 몽골의 침공을 막기 위해 강화도로 천도하였다.

④ 과전법은 14세기 말인 1391년 시행되었으며, 무신 정권이 아닌 혁명파 사대부에 의해서 시행되었다.

⑤ 14세기에는 민란 보다는 홍건적, 왜구의 침입이 빈번하였다. 하극상의 풍조로 많은 민란이 발생한 시기는 12~13세기의 무신 정권 시기이다.

문제풀이 고려 시대의 대외 관계 난이도 중

② 순서대로 나열하면 (나) 거란의 1차 침입(993) → (가) 별무반 조직(1104) → (다) 강화 천도(1232)가 된다.

(나) **거란의 1차 침입**(993): 거란의 1차 침입(993) 때 서희가 외교 담판을 벌여 고려가 고구려를 계승한 국가임을 인정받고, 강동 6주를 획득하였다.

(가) **별무반 조직**(1104): 윤관이 여진을 정벌하기 위해 고려 숙종에게 건의하여 별무반을 조직한 것은 1104년의 일이다.

(다) **강화 천도**(1232): 최우가 몽골의 침입에 대항하여 강화 천도를 제의하자 유승단이 나라를 위한 좋은 계책이 아니라며 반대한 것은 1232년의 일이다.

이것도 알면 **합격!**

고려의 대외 항쟁

거란의 침입 (10 ~ 11c)	• 1차: 서희의 외교 담판 → 강동 6주 획득 • 2차: 강조의 정변을 구실로 침입 → 양규의 흥화진 전투 • 3차: 강감찬의 귀주 대첩
여진의 공격 (12c)	• 숙종 때 윤관의 건의로 별무반 설치 • 예종 때 여진 정벌 후 동북 9성 설치 • 금(여진)의 사대 요구 수용(이자겸)
몽골의 침입 (13c)	• 1차: 몽골 사신 저고여 피살을 구실로 침입 • 2차: 처인성 전투에서 김윤후가 몽골 장수 살리타 사살 • 6차: 충주 다인철소 주민들의 항쟁

정답 13 ③ 14 ① 15 ① 16 ②

4 | 고려 후기의 정치 변동과 개혁

01

2022년 법원직 9급

(가) 시기에 있었던 사실로 가장 옳은 것은?

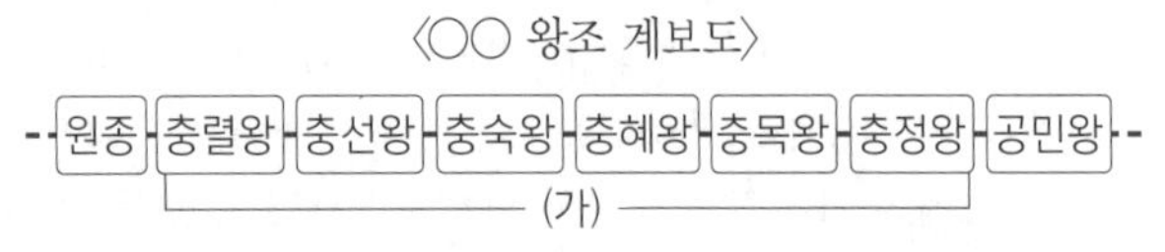

① 서경 유수 조위총이 난을 일으켰다.

② 정동행성 이문소가 내정을 간섭하였다.

③ 홍건적의 침입으로 왕이 복주로 피신하였다.

④ 삼별초가 진도와 제주도에서 항쟁을 전개하였다.

문제풀이 충렬왕~충정왕 대의 사실 난이도 하

② (가) 시기인 충렬왕~충정왕 대에는 정동행성 이문소가 내정을 간섭하였다. 정동행성 이문소는 본래 범죄를 단속하는 사법 기관이었으나, 반원 세력을 억압하고 부원 세력을 대변하는 기구로 변질되었고, 공민왕 때 반원 자주 정책의 일환으로 혁파되었다.

오답 분석

① **(가) 이전**: 서경 유수 조위총이 난을 일으킨 것은 (가) 시기 이전인 고려 명종 때이다. 명종 때 서경 유수 조위총은 정중부와 이의방의 타도를 명분으로 서경(평양)을 중심으로 난(1174)을 일으켰으나 실패하였다.

③ **(가) 이후**: 홍건적의 침입으로 왕이 복주(안동)로 피난한 것은 (가) 시기 이후인 고려 공민왕 때이다. 홍건적의 2차 침입(1361)으로 개경이 함락되면서 고려 공민왕은 복주로 피신하였고, 정세운, 이방실, 안우, 최영, 이성계 등이 홍건적을 격퇴하였다.

④ **(가) 이전**: 삼별초가 진도와 제주도에서 항쟁을 전개한 것은 (가) 시기 이전인 고려 원종 때이다. 고려 정부가 몽골과 강화를 맺고 개경 환도를 단행하자, 이에 반대하여 강화도에서 봉기한 삼별초는 진도와 제주도로 이동하며 대몽 항쟁을 전개하였다(1270~1273).

02

2022년 소방간부후보생

다음 정책이 시행된 시기에 있었던 사실로 가장 적절한 것은?

> 이제 장차 내고·상적창·도염원·안국사 및 여러 궁원과 사사가 소유한 염분을 모두 관에 납입시키도록 하라. 또한 가격은 은 1근에 64석, 은 1냥에 4석, 포 1필에 2석으로 하여 이것으로 규정을 삼도록 하라. 그리하여 소금을 쓰는 자는 모두 의염창에 가서 사도록 하고, 군현의 사람들은 모두 본관의 관사에 나아가 포를 바치고 소금을 받도록 하라. 만약 사사로이 염분을 설치하거나 몰래 서로 무역하는 자가 있으면 엄히 죄로 다스려라.

① 전농사가 운영되었다.

② 민정 문서가 3년마다 작성되었다.

③ 흑창을 통해 빈민 구제 정책이 실시되었다.

④ 양반에게 군포를 거두는 호포제가 시행되었다.

⑤ 지대 납부 방식의 변화로 도조법이 등장하였다.

문제풀이 충선왕 시기의 사실 난이도 중

제시문에서 여러 궁원과 사사가 소유한 염분을 모두 관에 납입시키도록 하고, 소금을 쓰는 자는 의염창에 가서 사도록 한다는 것 등을 통해 충선왕 때 시행된 소금 전매제(각염법)에 대한 내용임을 알 수 있다.

① 충선왕 때는 국가의 제사에 사용할 곡식을 관장하는 관청인 전농사가 운영되었다. 전농사는 이후 공민왕 때 사농시로 개칭되었다.

오답 분석

② 민정 문서가 3년마다 작성된 것은 통일 신라 시기의 사실이다.

③ 흑창을 통해 빈민 구제 정책이 실시된 것은 고려 태조 시기의 사실이다.

④ 양반에게 군포를 거두는 호포제가 시행된 것은 고종 때 흥선 대원군 집권 시기의 사실이다.

⑤ 지대 납부 방식의 변화로 도조법이 등장한 것은 조선 후기의 사실이다. 도조법은 소작농이 지주에게 일정 액수의 지대를 납부하는 방식이다.

이것도 알면 **합격!**

충선왕

전농사 운영	국가의 제사에 사용할 곡식을 관장하게 함
사림원 설치	사림원을 설치하여 왕명 출납을 담당하게 함
소금 전매제 실시	국가 수입 증대를 위해 의염창을 설치하고 소금 전매제(각염법) 실시
만권당 설치	왕위를 충숙왕에게 물려준 이후, 원의 연경(베이징)에 학문 연구소인 만권당 설치

03

2016년 국가직 9급

밑줄 친 '그'에 대한 설명으로 옳은 것은?

> 그는 즉위하여 정방을 폐지하고 사림원을 설치하는 등의 관제 개혁을 추진하는 한편, 권세가들의 농장을 견제하고 소금 전매제를 실시하여 국가 재정을 확충하고자 하였다.

① 만권당을 통해 고려와 원나라 학자들의 문화 교류에 힘썼다.

② 도병마사를 도평의사사로 개편하여 국정을 총괄하게 하였다.

③ 철령 이북의 영토 귀속 문제를 계기로 요동 정벌을 단행하였다.

④ 기철을 비롯한 부원 세력을 숙청하고 자주적 반원 개혁을 추진하였다.

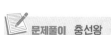

문제풀이 충선왕 난이도 중

제시문에서 정방을 폐지하고 사림원을 설치하는 등의 관제 개혁을 추진하였으며, 소금 전매제를 실시하여 국가 재정을 확충하고자 하였다는 것을 통해 밑줄 친 '그'가 충선왕임을 알 수 있다.

① 충선왕은 원의 수도인 연경(베이징)에 학문 연구소인 만권당을 설립하여 원나라 학자들과 고려의 학자들을 교류하게 하였다. 이때 이제현이 만권당에서 원의 학자들과 교류하면서 성리학에 대한 심도있는 이해가 가능해져 성리학이 전파될 수 있는 토대를 마련하였다.

오답 분석

② **충렬왕**: 도병마사를 도평의사사로 개편하여 국정을 총괄하게 한 왕은 충렬왕이다. 도병마사는 충렬왕 때 도평의사사(도당)로 개편되면서 구성원이 재신과 추밀뿐 아니라 삼사의 관원도 포함될 만큼 확대되었고, 국정 전반의 중요 사항을 담당하는 최고 정무 기구가 되었다.

③ **우왕**: 고려가 철령 이북의 영토 귀속 문제를 계기로 요동 정벌을 단행한 왕은 우왕이다. 명은 과거에 원이 지배한 철령 이북의 땅을 명의 직속 영토로 삼기 위해 철령위를 설치하겠다고 통보하자 우왕과 최영은 이성계를 파견하여 요동 정벌을 단행하였다.

④ **공민왕**: 기철을 비롯한 부원 세력을 숙청하고 고려의 내정을 간섭하던 정동행성 이문소를 폐지하였으며, 쌍성총관부를 무력으로 수복하는 등 자주적인 반원 개혁을 추진한 왕은 공민왕이다.

04

2012년 지방직(하) 9급

다음은 어떤 왕의 즉위 교서이다. 이 왕의 정책과 활동으로 옳지 않은 것은?

> 지금부터 만약에 종친으로서 동성과 혼인하는 자는 (원의 세조) 성지(聖旨)를 어긴 것으로 논죄할 터인즉, 마땅히 (종친은) 누대의 재상을 지낸 집안의 딸을 아내로 맞고, 재상 집안의 아들은 종실들의 딸들에게 장가들 것이다. …… 경원 이태후와 안산 김태후 및 철원 최씨, 해주 최씨, 공암 허씨, 평강 채씨, 청주 이씨, 당성 홍씨, 황려 민씨, 횡천 조씨, 파평 윤씨, 평양 조씨는 모두 누대의 공신이요, 재상지종(宰相之宗)이니 가히 대대로 혼인을 하여 아들은 종실의 여자에게 장가들고 딸은 왕비로 삼을 만하다.
>
> -『고려사』

① 국가가 소금을 전매하는 각염법을 시행하였다.

② 북경에서 만권당을 설립하여 학문 연구를 지원하였다.

③ 사림원을 두어 신진학자들과 함께 개혁을 추진하였다.

④ 고려에 내정 간섭을 하던 정동행성 이문소를 혁파하였다.

문제풀이 충선왕의 정책 난이도 중

제시문에서 왕실과 혼인할 수 있는 재상지종을 정한다는 내용을 통해 충선왕의 정책임을 알 수 있다.

④ 내정 간섭 기구였던 정동행성 이문소를 폐지한 왕은 공민왕이다. 공민왕은 원·명 교체기에 반원 자주 정책을 펼치며 친원 세력을 숙청하고 원의 연호 및 풍습을 폐지하였다.

오답 분석

① 충선왕은 국가의 재정을 늘리기 위해 국가가 소금을 전매하는 각염법을 시행하였다. 각염법은 소금의 생산과 유통의 권리를 국가가 가지고, 그로부터 수익을 수취하는 제도였다.

② 충선왕은 북경에 학문 연구소인 만권당을 설립하여 학문 연구를 지원하였다. 만권당을 통해 고려에 성리학이 전파될 수 있는 토대가 마련되었다.

③ 충선왕은 왕명 출납을 담당하는 사림원을 설치하고, 이곳에 신진 관료들을 등용하여 정치 개혁을 추진하였다.

정답 01 ② 02 ① 03 ① 04 ④

05

2024년 서울시 9급(2월 시행)

원(元) 간섭기에 대한 설명으로 가장 옳은 것은?

① 원의 도움으로 정치도감의 개혁은 성공하였다.

② 국왕 측근 세력이 응방을 통해 관리의 인사를 담당하였다.

③ 고려의 풍속을 바꾸지 않는다는 원칙에 따라 왕실 용어도 그대로 유지되었다.

④ 친원 세력은 고려를 원의 행성(行省)으로 만들고자 시도하였다.

06

2022년 소방간부후보생

밑줄 친 '왕'의 통치 시기에 있었던 사실로 옳은 것은?

> 왕이 다음과 같이 명령하였다. "정방의 설치는 권신의 손에서 된 것이니, 이것이 어찌 사람을 조정에서 벼슬을 시키는 본뜻이겠는가? 이제 이를 영구히 폐지하니, 3품관 이하는 재상과 함께 올리고 내릴 것을 토의할 것이요, 7품관 이하는 이부와 병부에서 의논하여 보고하도록 하라."

① 서방이 설치되었다.

② 조위총의 난이 일어났다.

③ 과전법이 전격적으로 실시되었다.

④ 관리를 대상으로 한 문신월과법이 시행되었다.

⑤ 수도가 함락되어 왕이 복주 지역으로 피신하였다.

문제풀이 원 간섭기의 사실

난이도 중

④ 원 간섭기에 친원 세력이 고려를 원의 지방 행정 기구인 행성(行省)으로 만들고자 시도한 입성책동 사건을 일으켰다. 입성책동 사건은 원 간섭기인 충선왕 때 처음 일어나 충숙왕, 충혜왕 대에 걸쳐 여러 차례 반복되었으나 실현되지는 않았다.

오답 분석

① 충목왕 때 정치도감을 설치하여 부원 세력을 제거하고, 권세가들이 불법으로 빼앗은 토지와 노비를 본 주인에게 돌려주고자 하였다. 그러나 정치도감의 개혁은 권문세족의 극심한 반발과 원의 내정 간섭으로 실패하였다.

② 원 간섭기에 설치된 응방은 원의 조공품으로 바칠 매(해동청)의 사냥과 사육을 담당한 기구로, 관리의 인사를 담당하지 않았다.

③ 원 간섭기에는 원 세조가 내린 세조 구제에 따라 고려의 주권과 풍속을 인정받았지만, 왕실의 용어는 격하되어 '폐하'는 '전하'로, '태자'는 '세자'로, '짐(朕)'은 '고(孤)'로 바뀌었다.

문제풀이 공민왕 재위 시기에 있었던 사실

난이도 중

제시문에서 정방을 폐지한다는 내용을 통해 밑줄 친 '왕'이 공민왕임을 알 수 있다.

⑤ 공민왕 때 홍건적이 두 차례 고려를 침입하였으며, 2차 침입(1361) 때는 수도인 개경이 함락되어 왕이 복주(안동) 지역으로 피신하였다.

오답 분석

① **고종**: 최우가 문신들이 머무르는 숙위 기구인 서방을 설치한 것은 고려 고종 때이다.

② **명종**: 무신 정변의 주도자인 정중부와 이의방의 타도를 명분으로 서경 유수 조위총이 난을 일으킨 것은 고려 명종 때이다.

③ **공양왕**: 신진 사대부의 경제적 기반을 마련하고자 전·현직 관리에게 경기 지방의 전지만 지급하는 과전법이 실시된 것은 공양왕 때이다.

④ **성종**: 관리들을 대상으로 시와 부를 지어 바치게 하는 문신월과법이 시행된 것은 고려 성종 때이다.

이것도 알면 **합격!**

홍건적의 2차 침입

> 왕이 복주에 이르렀다. 정세운은 성품이 충성스럽고 청렴하였는데, 왕의 파천(播遷) 이래 밤낮으로 근심하고 분하게 여겨서 홍건적을 물리치고 개경을 회복하는 것을 자신의 임무로 여겼다.

사료 분석 | 홍건적의 2차 침입 때 수도 개경이 함락되어 공민왕이 복주(안동)으로 피신하였으나, 정세운 등이 이를 격퇴하였다.

07

2020년 경찰직(2차)

㉠이/가 재위할 당시 일어난 내용으로 가장 적절하지 않은 것은?

> (㉠)은/는 원의 제도를 따라 변발을 하고, 호복을 입고, 전상(殿上)에 앉아 있었다. 이연종이 간하려고 문밖에서 기다리고 있었더니 (㉠)이/가 사람을 시켜 무슨 일인지 물었다. 이연종이 말하기를 "임금 앞에 나아가 직접 대면해서 말씀 드리고자 합니다."라고 하였다. (㉠) 앞에 와서는 왕의 측근을 물리치고 말하길 "변발과 호복은 선왕의 제도가 아닙니다. 전하께서는 본받지 마십시오."라고 말했다. (㉠)이/가 기뻐하면서 즉시 변발을 풀어버리고, 그에게 옷과 허리 띠를 하사하였다.

① 최영이 요동 정벌을 추진하였다.
② 홍건적이 침략하였다.
③ 친명 정책을 추진하였다.
④ 정방을 폐지하였다.

문제풀이 공민왕 재위 시기의 사실

난이도 중

제시문에서 변발과 호복을 본받지 말라는 이연종의 간언에 기뻐하며 변발을 풀어버렸다는 내용을 통해 ㉠이 공민왕임을 알 수 있다.

① 최영이 요동 정벌을 추진한 것은 고려 우왕 때의 사실이다. 최영은 명이 철령 이북의 땅을 지배하기 위해 철령위 설치를 통보하자 요동 정벌을 추진하였다.

오답 분석

② 공민왕 때 홍건적은 두 차례에 걸쳐 고려에 침입하였다. 1차 침입(1359) 때는 이방실과 안우 등의 활약으로 홍건적을 격퇴하였다. 2차 침입(1361) 때는 홍건적에 의해 개경이 함락되면서 공민왕이 복주(안동)로 피신하였고, 이후 정세운, 최영, 이성계 등이 홍건적을 격퇴하였다.

③ 공민왕은 원·명 교체기에 즉위하여 원의 연호를 폐지하는 등 반원 정책을 추진하고, 한편으로는 명과 국교를 맺는 등의 친명 정책을 추진하였다.

④ 공민왕은 인사권을 관장하고 있던 정방을 폐지하여 왕권을 강화하였다.

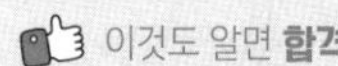

공민왕의 개혁 정치

반원 자주 정책	• 기철 등 친원 세력 제거, 정동행성 이문소 폐지 • 원의 연호와 풍습 폐지, 관제 복구
왕권 강화 정책	• 정방 폐지(인사권 회복), 내재추제 신설 • 성균관 정비(유교 교육 강화)

08

2018년 국가직 7급

다음과 같은 시기에 재위하였던 국왕 대의 사실로 옳은 것은?

> 성균관을 다시 짓고 이색을 판개성부사 겸 성균관 대사성으로 삼았다. … (중략) … 이색이 다시 학칙을 정하고 매일 명륜당에 앉아서 경전을 나누어 수업하였는데, 강의를 마치면 함께 논쟁하느라 지루함을 잊었다. 이에 학자들이 모여들기 시작하였고 서로 함께 눈으로 보고 느끼게 되니, 정주성리학이 비로소 흥기하게 되었다.
> -『고려사』

① 정동행성을 설치하였다.
② 정치도감을 설치하였다.
③ 전민변정도감을 설치하였다.
④ 각염제를 처음으로 시행하였다.

문제풀이 공민왕 대의 사실

난이도 중

제시된 자료에서 성균관을 다시 짓고 이색을 성균관 대사성으로 삼았다는 내용을 통해 공민왕 대의 사실임을 알 수 있다. 공민왕은 국자감을 성균관으로 다시 고치고, 기술학부를 분리하여 성균관을 순수한 유교 교육 기관으로 개편하였다.

③ 공민왕 때는 신돈을 등용하고 전민변정도감을 설치하여 개혁 정치를 시행하였다. 전민변정도감은 권문세족에게 빼앗긴 토지를 원래 주인에게 돌려주고, 억울하게 노비가 된 자들을 풀어주기 위해 설치된 기구로, 이를 통해 공민왕은 권문세족의 세력을 약화시키고자 하였다.

오답 분석

① **충렬왕**: 정동행성이 설치된 것은 충렬왕 대의 사실이다. 정동행성은 원나라가 일본 원정을 위해 고려에 설치한 기구로, 일본 원정이 실패한 이후에도 존속하여 고려의 내정 간섭에 이용되었다.

② **충목왕**: 정치도감이 설치된 것은 충목왕 대의 사실이다. 충목왕 때는 권문세족이 불법으로 차지한 토지와 노비를 원래 주인에게 돌려주기 위해 개혁 기구인 정치도감을 설치하였다.

④ **충선왕**: 각염제가 시행된 것은 충선왕 대의 사실이다. 각염제는 충선왕이 국가 수입의 증대를 위해 실시한 소금 전매 제도로, 염전의 관리, 소금의 생산·매매에 이르기까지 모든 과정을 국가에서 관리하도록 한 것이다.

정답 05 ④ 06 ⑤ 07 ① 08 ③

09

2017년 서울시 9급

다음 지도와 같이 영토 수복이 이루어진 왕대에 일어난 사실은?

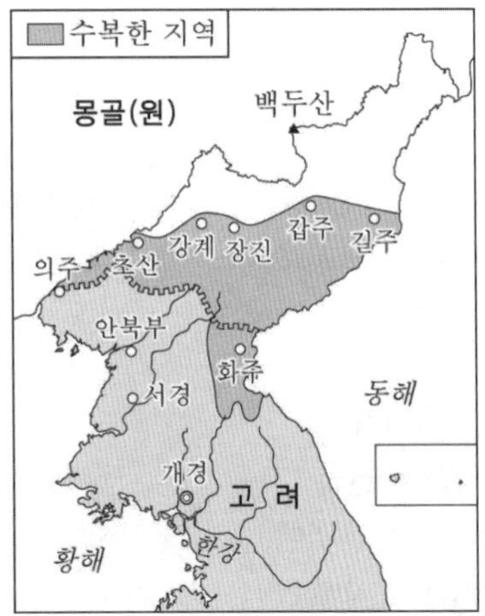

① 과전법의 시행

② 철령위의 설치

③ 이승휴의 『제왕운기』 편찬

④ 전민변정도감의 설치

10

2014년 서울시 9급

다음에서 설명하고 있는 왕이 실시한 정책으로 옳은 것은?

> 충숙왕의 둘째 아들로서 원나라 노국 대장 공주를 아내로 맞이하고 원에서 살다가 원의 후원으로 왕위에 올랐으나 고려인의 정체성을 결코 잃지 않았다.

① 정동행성의 이문소를 폐지하였다.

② 수도를 한양으로 옮겼다.

③ 삼군도총제부를 설치하였다.

④ 연구 기관인 만권당을 설립하였다.

⑤ 과전법을 공포하였다.

문제풀이 공민왕 대의 사실

난이도 하

제시된 지도에서 수복한 지역으로 화주가 있으므로 공민왕 때임을 알 수 있다. 공민왕 때에는 원 간섭기에 원(몽골)이 철령 이북 지역을 직접 지배하기 위해 화주 지역에 설치했던 쌍성총관부를 무력으로 수복(1356)하였다.

④ 공민왕 때는 승려 신돈을 등용하고 전민변정도감을 설치하여 억울하게 노비가 된 자들을 해방시키고 불법 취득한 토지는 원래 주인에게 돌려 주었다.

오답 분석

① **공양왕**: 과전법이 시행된 것은 고려 말 공양왕 때의 사실이다. 과전법은 전·현직 관리에게 경기 지방에 한정하여 전지만 지급(수조권 재분배)했던 제도이다. 한편 이러한 과전법의 시행 결과, 국가 재정이 안정적으로 확보되었고, 신진 사대부의 경제적 기반이 확충되었다.

② **우왕**: 명이 철령위를 설치한 것은 고려 말 우왕 때의 사실이다. 명나라는 철령 이북의 땅이 원나라에 속했던 것이므로 요동에 귀속시켜야 한다는 이유를 내세워 철령위를 설치하여 이 지역을 차지하겠다고 통보해 왔다. 이에 고려는 요동 정벌을 단행하였으나, 이성계의 위화도 회군으로 중단되었다.

③ **충렬왕**: 이승휴가 『제왕운기』를 편찬한 것은 고려 충렬왕 때의 사실이다. 『제왕운기』는 칠언과 오언 형식으로 편찬한 역사시(歷史詩)로, 단군부터 시작되는 우리나라의 역사를 서술하였고, 우리 역사를 중국사와 대등하게 파악하였다. 또한 발해를 고구려 계승자로 보고 우리 역사에 포함시켰다.

문제풀이 공민왕

난이도 중

제시문에서 노국 공주를 아내로 맞이하고 왕위에 오른 사람은 공민왕이다. 공민왕은 반원 자주 정책을 실시하였다.

① 공민왕은 반원 자주 정책의 일환으로 고려의 내정을 간섭하던 정동행성 이문소를 폐지하였다.

오답 분석

② **조선 태조**: 조선을 건국하고, 수도를 한양으로 옮긴 왕은 조선의 태조 이성계이다. 조선의 태조는 한양으로 수도를 옮기고, 경복궁을 건설하는 등 도읍의 기틀을 마련하였다.

③ **고려 공양왕**: 군을 통솔하는 기관인 삼군도총제부를 설치한 왕은 고려의 공양왕이다. 삼군도총제부는 고려의 전통적인 중·전·후·좌·우의 5군 제도에서 전·후 2군을 없애고, 중·좌·우의 3군으로 중앙군을 재편하면서 설치된 것으로, 국내의 모든 군사 조직을 통할하였다.

④ **고려 충선왕**: 연경(북경)에 학문 연구 기관인 만권당을 설립한 왕은 고려의 충선왕이다. 이 때 만권당에서 원과 고려의 학자들이 활발히 교류하여 고려에서 성리학이 발달하는 토대가 되었다.

⑤ **고려 공양왕**: 과전법이 공포된 것은 고려 공양왕 때이다. 혁명파 사대부들은 권문세족의 경제 기반을 약화시키고 자신들의 경제적 기반을 마련하기 위해 과전법을 시행하였다.

11

2020년 지방직 9급

다음 사건 이후에 일어난 일로 옳은 것은?

> 개경을 떠나 피난 중인 왕이 안성현을 안성군으로 승격시켰다. 홍건적이 양광도를 침입하자 수원은 항복하였는데, 작은 고을인 안성만이 홀로 싸워 승리함으로써 홍건적이 남쪽으로 내려오지 못하게 하였기 때문이다.

① 화약 무기를 사용해 진포 해전에서 승리하였다.
② 처인성 전투에서 적의 장수 살리타를 사살하였다.
③ 기철 일파를 제거하고 쌍성총관부의 관할 지역을 수복하였다.
④ 적의 침략을 물리치기 위한 염원에서 팔만대장경을 만들었다.

12

2023년 국가직 9급

(가)에 대한 설명으로 옳은 것은?

> 신돈이 [(가)]을/를 설치하자고 요청하자, …(중략)… 이제 도감이 설치되었다. …(중략)… 명령이 나가자 권세가 중에 전민을 빼앗은 자들이 그 주인에게 많이 돌려주었으며, 전국에서 기뻐하였다.
> –『고려사』

① 시전의 물가를 감독하는 임무를 담당하였다.
② 국가 재정의 출납과 회계 업무를 총괄하였다.
③ 불법적으로 점유된 토지와 노비를 조사하였다.
④ 부족한 녹봉을 보충하고자 관료에게 녹과전을 지급하였다.

문제풀이 홍건적의 2차 침입 이후의 사실

난이도 중

제시문에서 개경을 떠나 피난 중인 왕이라는 내용을 통해서 제시된 내용이 공민왕 때에 홍건적의 2차 침입임을 알 수 있다. 홍건적은 1359년, 1361년 두 차례에 걸쳐서 고려에 침입하였는데, 2차 침입 때에는 개경이 함락되면서 공민왕이 복주(안동)로 피신하였다.

① 화약 무기를 사용해 진포 해전에서 승리를 거둔 것은 공민왕 이후 우왕 때인 1380년의 일이다.

오답 분석

모두 홍건적의 2차 침입 이전의 사실이다.

② 처인성 전투에서 적의 장수 살리타를 사살한 것은 몽골의 2차 침입 때의 일로 1232년의 사실이다. 고려가 강화도로 천도하자 몽골은 고려의 환도를 요구하며 고려에 대한 2차 침입을 시도하였고, 이때 처인성 전투에서 김윤후가 살리타를 사살하였다.

③ 기철 일파를 제거하고 쌍성총관부의 관할 지역을 수복한 것은 공민왕 때이다(1356). 공민왕은 원·명 교체기를 이용하여 반원 자주 정책을 실시하였다.

④ 적의 침략을 물리치기 위한 염원에서 팔만대장경을 조판하기 시작한 것은 몽골의 3차 침입 때의 사실이다. 몽골의 3차 침입 때 고려는 불력으로 몽골을 물리치고자 하는 호국 불교의 염원을 담아 팔만대장경(재조대장경)의 조판을 시작(1236)하였으며 1251년에 완성하였다.

문제풀이 전민변정도감

난이도 하

제시문에서 신돈이 설치를 요청하였다는 것과, 권세가 중에 전민을 빼앗은 자들이 주인에게 돌려주었다는 내용을 통해 (가)가 공민왕 때 설치된 전민변정도감임을 알 수 있다.

③ 전민변정도감은 권문세족에 의해 불법적으로 점유된 토지나 농민을 조사하고, 이를 바로잡아 권문세족의 경제적 기반을 약화시키기 위해 설치된 임시 개혁 기구이다. 한편, 전민변정도감은 원종, 충렬왕, 공민왕, 우왕 때 설치되는 등 권문세족의 반대로 설치와 폐지가 반복되었다.

오답 분석

① **경시서**: 고려 시대에 매점매석 등 시전의 상행위와 물가를 감독·조절하는 임무를 담당한 기구는 경시서이다.

② **삼사(고려)**: 고려 시대에 화폐와 곡식 등 국가 재정의 출납과 회계 등을 담당한 기구는 삼사이다. 한편, 삼사는 송의 제도를 참고한 것이었으나, 송과 달리 단순 회계 기구의 역할만을 담당하였다.

④ 부족한 녹봉을 보충하고자 관료에게 녹과전을 지급한 것은 고려 고종 때부터로, 전민변정도감과는 관련이 없다. 녹과전은 무신 집권기를 거치면서 전시과 제도가 붕괴되고 관리에게 녹봉조차 제대로 지급하지 못하게 되자 지급한 토지로, 현직 관료 위주로 경기 8현에 한정하여 지급하였다.

정답 09 ④ 10 ① 11 ① 12 ③

13

2015년 법원직 9급

다음 자료를 통해 수행할 수 있는 탐구 주제로 가장 옳은 것은?

- 원종 10년에 설치하였는데 사, 부사가 있었다.
- 충렬왕 14년에 설치하였고, 27년에도 설치하였다.
- 공민왕 원년에 다시 설치하였다.
- 우왕 7년에 또 한 번 설치하였고, 14년에도 두었다.

① 정방의 설치와 폐지 과정
② 전민변정 사업의 실시와 반발
③ 정동행성 이문소의 횡포와 폐지
④ 관제 격하와 문종 대 관제로의 복구

14

2024년 법원직 9급

(가)~(다) 사건이 일어난 순서대로 바르게 나열된 것은?

(가) 이미 우리 고향을 현으로 승격하고 또 수령을 두어 어루만지고 위로하더니, 돌이켜 다시 군대를 일으켜 토벌하러 와서 우리 어머니와 아내를 옥에 가두었으니 그 뜻은 어디에 있는가?
(나) 의천이 불전과 경서 1,000권을 바치고, 또 흥왕사에 교장도감을 둘 수 있기를 아뢰었다. 요와 송에서 책을 사들여 4,000권에 이를 정도로 많았는데 죄다 간행하였으며, 천태종을 처음 열어 국청사에 두었다.
(다) 성균관을 다시 정비하고 이색을 판개성부사 겸 성균대사성으로 삼았다. …… 이색이 다시 가르치는 방법을 정하고 매일 명륜당에 앉아서 경전을 나누어 수업하였는데, 강의를 마치면 함께 논쟁하느라 지루함을 잊을 정도였다.

① (가) - (나) - (다)
② (나) - (가) - (다)
③ (나) - (다) - (가)
④ (다) - (나) - (가)

문제풀이 전민변정도감 난이도 중

제시문에서 원종, 충렬왕, 공민왕, 우왕 때 공통적으로 설치되었다는 사실을 통해 권문세족을 약화시키기 위해 설치된 전민변정도감과 관련된 것임을 알 수 있다.

② 전민변정도감은 권문세족이 빼앗은 노비와 토지를 원래 주인에게 돌려주거나 양인으로 해방시켜 줌으로써 권문세족의 경제적 기반을 약화시키려는 의도에서 설치되었다. 따라서 권문세족은 전민변정 사업의 실시를 반대하였고, 권문세족의 반발로 전민변정도감의 설치와 폐지가 반복되었다.

오답 분석

① 정방은 무신 집권기에 최우가 설치한 인사 행정 기구였으나, 공민왕이 왕권 강화를 위해 폐지하였다.
③ 정동행성 이문소는 본래 원나라와 관계된 범죄를 단속하는 사법 기관이었으나 반원 세력을 억압하고 친원 세력의 이익을 대변하는 기구로 전락하여 그 폐단이 심하였다. 이후 공민왕이 반원 개혁 정책을 실시하면서 정동행성 이문소가 폐지되었다.
④ 원 간섭기에는 고려의 관제가 격하되어 중서문하성과 상서성을 합쳐 첨의부로, 6부는 4사로 통합되었다. 이후 공민왕이 반원 자주 정책을 실시하여 중앙 관제를 2성 6부제로 복구하였다.

문제풀이 고려사의 전개 난이도 상

② 순서대로 나열하면 (나) 교장도감 설치(1086) → (가) 망이·망소이의 난(1176) → (다) 성균관 정비(1367)가 된다.

(나) **교장도감 설치**: 고려 선종 때 송나라에 다녀온 의천의 건의로 흥왕사에 교장도감을 설치하였다(1086). 의천은 교장도감에서 송과 요 등의 대장경 주석서를 모아 교장(속장경)을 간행하였으며, 교종을 중심으로 선종을 통합하기 위해 해동 천태종을 처음 열어 국청사에 두었다(1097).
(가) **망이·망소이의 난**: 고려 명종 때 공주 명학소에서 망이와 망소이가 신분 차별에 반대하여 난을 일으켰다(1176). 이에 고려 정부는 이들을 회유하기 위해 명학소를 충순현으로 승격시켜주었고, 이에 망이가 항복하였으나 다시 명학소의 백성들을 다시 탄압하기 시작하였다.
(다) **성균관 정비**: 고려 공민왕 때 성균관을 순수한 유교 교육 기관으로 다시 정비하고 이색을 성균(관)대사성으로 삼아 성리학을 연구하게 하였다(1367).

15

2024년 지방직 9급

(가)에 해당하는 기구로 옳은 것은?

> 비로소 [(가)] 을 설치했다. 판사 최무선의 말을 따른 것이다. 이때에 원나라의 염초 장인 이원이 최무선과 같은 동네 사람이었다. 최무선이 몰래 그 기술을 물어서 집의 하인들에게 은밀하게 배워서 시험하게 하고 조정에 건의했다. - 『고려사절요』

① 교정도감

② 대장도감

③ 식목도감

④ 화통도감

16

2022년 지방직 9급

밑줄 친 '왕'의 재위 기간에 있었던 일로 옳은 것은?

> 왕의 어릴 때 이름은 모니노이며, 신돈의 여종 반야의 소생이었다. 어떤 사람은 "반야가 낳은 아이가 죽어서 다른 아이를 훔쳐서 길렀는데, 공민왕이 자신의 아들이라고 칭하였다."라고 하였다. 왕은 공민왕이 죽은 뒤 이인임의 추대로 왕위에 올랐다. 이후 이인임, 염흥방, 임견미 등이 권력을 잡아 극심하게 횡포를 부렸다.

① 이종무가 왜구의 소굴인 대마도를 정벌하였다.

② 삼별초가 반란을 일으켜 대몽 항쟁을 계속하였다.

③ 쌍성총관부를 공격해 철령 이북 지역을 수복하였다.

④ 요동 정벌을 위해 출병한 이성계가 위화도에서 회군하였다.

문제풀이 화통도감

난이도 하

제시문에서 판사 최무선의 말을 따라 설치했다는 내용을 통해 (가) 기구가 화통도감임을 알 수 있다.

④ 화통도감은 고려 우왕 때 최무선의 건의로 설치된 기구로, 화약 및 화기의 제조를 담당하였다. 한편, 화통도감에서 만들어진 화약과 화기는 진포 해전 등에서 왜구를 격퇴하는 데 사용되었다.

오답 분석

① **교정도감**: 교정도감은 최충헌 이래 무신 정권의 최고 정치 기구이다. 교정도감은 본래 최충헌 부자의 살해를 모의한 관련자를 색출하고 처벌하기 위하여 설치되었으나, 점차 모든 국정을 관장하는 무신 정권 최고의 권력 기구가 되었다.

② **대장도감**: 대장도감은 최우 무신 집권기에 부처의 힘으로 몽골의 침입을 극복하고자 만든 재조대장경(팔만대장경)의 판각 업무를 위해 강화도에 설치한 기구이다.

③ **식목도감**: 식목도감은 법의 제정이나 각종 시행 규정을 논의하였던 고려의 독자적인 회의 기구이다.

문제풀이 고려 우왕 재위 기간의 사실

난이도 하

제시문에서 신돈의 여종 반야의 소생이며, 공민왕이 죽은 후 이인임의 추대로 왕위에 올랐다는 내용을 통해 밑줄 친 '왕'이 고려 우왕임을 알 수 있다.

④ 고려 우왕 때 명이 철령위 설치를 통고하자 고려는 요동 정벌을 단행하였다. 그러나 요동 정벌을 위해 출병한 이성계가 위화도에서 회군하여 우왕과 최영을 몰아내고 권력을 장악하였다(1388).

오답 분석

① **세종(조선)**: 이종무가 왜구의 소굴인 대마도를 정벌한 것은 조선 세종 때이다.

② **원종(고려)**: 삼별초가 반란을 일으켜 대몽 항쟁을 계속한 것은 고려 원종 때이다. 원종이 몽골과 강화를 맺고 개경으로 환도하자, 이에 반발한 삼별초가 강화도에서 진도, 제주도로 이동하며 대몽 항쟁을 전개하였다.

③ **공민왕(고려)**: 쌍성총관부를 공격해 철령 이북 지역을 수복한 것은 공민왕 때이다. 공민왕은 원의 직할지였던 쌍성총관부를 공격하여 원에 빼앗겼던 철령 이북 지역을 무력으로 수복하였다.

정답 13 ② 14 ② 15 ④ 16 ④

17

2017년 국가직 9급(4월 시행)

밑줄 친 '이 기구'가 설치된 왕 대에 있었던 사실로 옳은 것은?

> 조정은 중국의 화약 제조 기술을 터득하여 이 기구를 두고, 대장군포를 비롯한 20여 종의 화기를 생산하였으며, 화약과 화포를 제작하였다.

① 복원궁을 건립하여 도교를 부흥시켰다.

② 흥덕사에서 『직지심체요절』을 간행하였다.

③ 교장도감을 설치하여 속장경을 간행하였다.

④ 시무 28조를 수용하여 유교 정치를 구현하였다.

18

2017년 사회복지직 9급

다음 〈보기〉의 밑줄 친 주체에 대한 설명으로 가장 옳지 않은 것은?

> **보기**
>
> 운봉을 넘어온 … 중략 … 이 싸움에서 아군은 1,600여 필의 군마와 여러 병기를 노획하였고, 살아 도망간 자는 70여 명밖에 없었다고 한다.
>
> – 『고려사』에서 인용·요약

① 그들로부터 개경을 수복한 정세운, 이방실, 김득배는 김용의 주도하에 살해되었다.

② 조운선이 그들의 목표물이 되어 국가 재정이 곤란해졌다.

③ 그들의 소굴인 대마도가 정벌되어 그 기세가 꺾이게 되었다.

④ 그들이 자주 출몰하자 수도를 옮기자는 주장이 제기되었다.

문제풀이 우왕 대의 사실

난이도 중

제시문에서 중국의 화약 제조 기술을 터득하고, 화기와 화약, 화포를 제작하였다는 내용이 언급되어 있으므로 밑줄 친 '이 기구'가 화통도감임을 알 수 있다. 화통도감은 화약 및 화기의 제조를 담당한 관청으로, 고려 우왕(1374~1388) 때인 1377년에 최무선의 건의로 설치되었다.

② 우왕 때인 1377년에 청주 흥덕사에서 『직지심체요절』이 간행되었다. 『직지심체요절』은 현존하는 가장 오래된 금속 활자본으로, 현재 프랑스 국립 도서관에 보관되어 있다.

오답 분석

① **고려 예종**: 도교 사원인 복원궁을 건립하여 도교를 부흥시킨 왕은 고려 예종이다.

③ **고려 선종~숙종**: 의천의 건의로 흥왕사에 교장도감이 설치된 것은 고려 선종 때이며, 속장경(교장)은 고려 선종 때부터 편찬되기 시작하여 고려 숙종 때 완성되었다.

④ **고려 성종**: 최승로가 올린 시무 28조를 수용하여 유교 정치를 구현하고자 한 왕은 고려 성종이다.

문제풀이 고려에 침입한 왜구

난이도 중

제시문은 고려 말에 이성계가 남원 운봉현까지 쳐들어온 왜구를 격퇴한 황산 대첩에 대한 내용으로, 밑줄 친 주체는 왜구이다.

① 홍건적의 침입과 관련된 내용이다. 홍건적의 2차 침입(1361) 때 홍건적을 격퇴하고 개경 수복에 공을 세운 정세운·이방실·김득배·김용 등은 서로 군공을 놓고 싸우다가 김용에 의해 정세운·이방실·김득배가 제거되었다.

오답 분석

② 왜구에 의해 조세를 운반하는 조운선과 조세를 보관하던 조창이 약탈되는 경우가 빈번해져 조세를 제대로 운송할 수 없게 되자 국가 재정이 곤란해졌다.

③ 고려 창왕 때 박위가 왜구의 소굴인 대마도를 토벌하였으며, 조선 세종 때 이종무 또한 대마도를 정벌하였다.

④ 고려 말 왜구가 서해안 지역에 자주 출몰하면서 수도인 개경을 위협하자 내륙 지방으로 천도할 것을 논의하기도 하였다.

이것도 알면 **합격!**

왜구의 침입과 토벌

구분	내용
홍산 대첩(우왕, 1376)	최영이 부여의 홍산에서 왜구 격퇴
황산 대첩(우왕, 1380)	이성계가 황산에서 왜구 격퇴
진포 대첩(우왕, 1380)	최무선이 화포를 이용하여 왜선을 불태움
관음포 대첩(우왕, 1383)	정지가 남해의 관음포에서 왜구를 물리침
쓰시마 정벌(창왕, 1389)	박위가 쓰시마 섬(대마도)을 정벌

19

2012년 법원직 9급

대외 관계와 관련된 연표의 (가)~(라) 시기에 있었던 사실로 옳은 것은?

① (가) – 철령 이북의 땅이 수복되었다.
② (나) – 전민변정도감을 통해 신돈이 개혁을 시도하였다.
③ (다) – 전제 개혁이 단행되어 과전법이 마련되었다.
④ (라) – 정도전이 『고려국사』를 편찬하였다.

20

2024년 국가직 9급

위화도 회군 이후에 있었던 사실로 옳지 않은 것은?

① 과전법이 실시되었다.
② 정몽주가 살해되었다.
③ 한양으로 도읍을 이전하였다.
④ 황산 대첩에서 왜구를 토벌하였다.

문제풀이 고려 말 정치 변동

난이도 중

③ 위화도 회군(1388)으로 정권을 장악한 이성계는 최영을 제거하고 군사적 실권을 장악함으로써 본격적인 개혁의 계기를 마련하였다. 이에 우왕과 창왕을 폐하고 공양왕을 세운 후 혁명파 사대부 세력과 손잡고 전제 개혁을 단행하여 과전법을 마련하였다(1391).

오답 분석

① **(가) 이전:** 쌍성총관부를 공격하여 철령 이북의 땅을 수복한 것은 공민왕 시기인 1356년으로, (가) 이전의 시기이다.

② **(가) 시기:** 전민변정도감을 통해 신돈이 개혁을 실시한 것은 1366년으로, (가) 시기이다. 신돈은 전민변정도감을 통해 불법적인 토지 약탈을 막고, 억울하게 노비가 된 자들을 양민으로 해방시켰다.

④ **(다) 시기:** 정도전이 『고려국사』를 편찬한 것은 조선 건국 직후인 1395년으로, (다) 시기이다. 『고려국사』는 『고려실록』, 이제현의 『사략』, 이인복·이색의 『금경록』을 참고하여 고려 시대의 역사를 편년체로 정리한 것이다.

문제풀이 위화도 회군 이후의 사실

난이도 하

④ 황산 대첩에서 이성계가 왜구를 토벌한 것은 1380년으로, 위화도 회군(1388) 이전에 있었던 사실이다. 고려 말에는 원의 간섭으로 국방력이 약화되어 왜구의 침입이 심해졌으며, 이에 홍산 대첩(1376), 진포 대첩(1380), 황산 대첩(1380) 등에서 최영, 이성계 등이 왜구들을 격퇴하였다.

오답 분석

모두 위화도 회군 이후에 있었던 사실이다.

① 위화도 회군 이후 권력을 잡은 이성계와 혁명파 사대부 세력은 1391년에 과전법을 실시하여 신진 사대부의 경제적 기반을 마련하였다.

② 정몽주는 정도전과 조준 등의 이성계 일파가 역성 혁명을 통해 새 왕조를 개창하려는 음모를 알아내고 그들을 숙청하려 하였다. 그러나 이를 눈치 챈 이방원에 의해 1392년 개성 선죽교에서 살해되었다.

③ 이성계(태조)가 개경에서 조선을 건국(1392)하고 2년 뒤인 1394년에 한양으로 도읍을 이전하였다.

정답 17 ② 18 ① 19 ③ 20 ④

21

2019년 법원직 9급

(가) 시기에 일어난 사건으로 가장 옳은 것은?

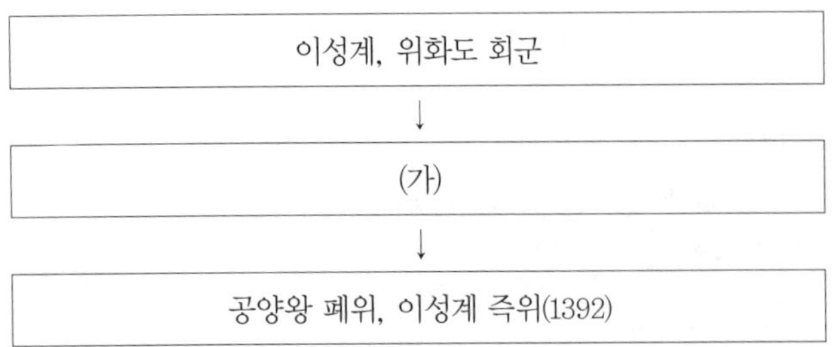

① 과전법 실시

② 전민변정도감 설치

③ 제1차 왕자의 난 발생

④ 정도전의 요동 정벌 추진

22

2022년 국가직 9급

(가) 시기의 사실로 옳지 않은 것은?

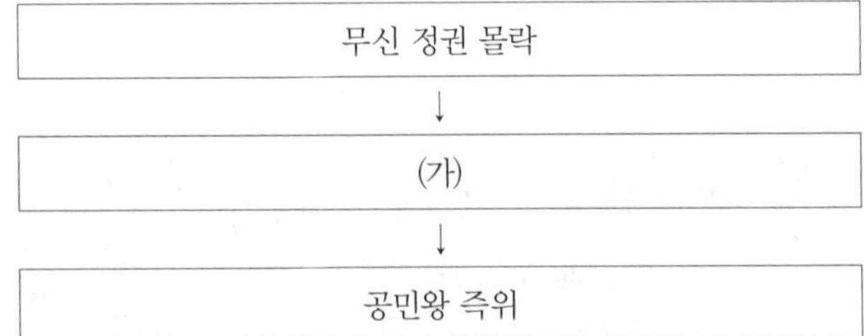

① 만권당이 만들어졌다.

② 정동행성이 설치되었다.

③ 쌍성총관부가 수복되었다.

④ 『제왕운기』가 저술되었다.

문제풀이 위화도 회군과 고려 멸망 사이의 사건 난이도 중

① **이성계는 위화도 회군(1388)을 통해 권력을 장악한 후, 우왕과 창왕을 연달아 폐위하고 공양왕을 옹립하였다. 이후 이성계와 조준 등 혁명파 사대부 세력은 권문세족의 경제적 기반을 약화시키고 신진 사대부의 경제적 기반을 다지기 위해 과전법을 마련하였다(1391).**

오답 분석

② **위화도 회군 이전**: 전민변정도감은 권문세족에게 점탈된 토지를 되찾아 바로잡기 위해 설치된 임시 개혁 기관으로 위화도 회군 이전에 설치와 폐지를 반복하였다. 전민변정도감은 원종 때 최초로 설치되었고, 충렬왕·공민왕·우왕 때 다시 설치되었다.

③ **이성계 즉위 이후**: 제1차 왕자의 난(1398)은 태조 이성계가 이방석을 세자로 책봉한 것에 불만을 품은 이방원(태종)이 사병을 동원하여 이방석과 정도전, 남은 등을 제거한 사건으로, 이성계 즉위 이후의 일이다.

④ **이성계 즉위 이후**: 정도전이 중심이 되어 요동 정벌을 추진한 것은 이성계 즉위 이후의 일이다. 태조 때 명과의 외교적 갈등으로 정도전이 요동 정벌을 추진하였으나, 제1차 왕자의 난으로 정도전이 제거되면서 요동 정벌은 중단되었다.

문제풀이 무신 정권 몰락과 공민왕 즉위 사이의 사실 난이도 하

제시된 자료에서 무신 정권이 몰락한 것은 1270년이고, 공민왕이 즉위한 것은 1351년이다. 따라서 (가) 시기는 1270~1351년이다.

③ **쌍성총관부가 수복된 것은 1356년으로 (가) 시기 이후의 사실이다. 공민왕은 유인우를 동북면 병마사에 임명하여 쌍성총관부를 무력으로 수복하게 하였다. 한편, 쌍성총관부는 원이 철령 이북 지역을 직접 지배하기 위해 고려의 화주 지역에 설치한 것이다.**

오답 분석

모두 (가) 시기의 사실이다.

① 충선왕은 1314년에 학문 연구소인 만권당을 만들었다. 충선왕은 왕위를 충숙왕에게 물려주고(1313), 그 다음 해에 원의 연경(베이징)에 학문 연구소인 만권당을 설치하여 조맹부 등 원의 학자와 고려의 이제현 등을 불러 경서를 연구하게 하였다.

② 원나라는 1280년에 고려에 정동행성을 설치하였다. 정동행성은 일본 원정을 위해 원이 고려에 설치한 기구로, 일본 원정 실패 이후에도 내정 간섭 기구로 존속하였다.

④ 이승휴는 1287년에 『제왕운기』를 저술하였다. 『제왕운기』는 이승휴가 칠언과 오언 형식으로 편찬한 역사서로, 단군부터 시작되는 우리나라의 역사를 서술하였으며 우리 역사를 중국사와 대등하게 파악하였다. 또한 발해를 고구려의 계승자로 보고 우리 역사에 포함시켰다.

23

2014년 사회복지직 9급

다음 주장을 한 정치 세력에 대한 설명으로 옳은 것만을 〈보기〉에서 모두 고른 것은?

> 우와 창은 본래 왕씨가 아니기 때문에 종사를 받들 수 없으며, 또한 천자의 명이 있으니 마땅히 가를 폐하고 진을 세울 것이다. 정창군 왕요는 신종의 7대 손으로 그 족속이 가장 가까우니 마땅히 세울 것이다.

보기
ㄱ 전제 왕권 중심의 통치 체제를 정비하였다.
ㄴ 이색, 정몽주, 윤소종 등을 숙청하였다.
ㄷ 전제 개혁을 추진하여 과전법을 시행하였다.
ㄹ 군제를 개혁하여 삼군도총제부를 설치하였다.

① ㄱ, ㄴ
② ㄴ, ㄷ
③ ㄷ, ㄹ
④ ㄴ, ㄹ

문제풀이 혁명파 사대부 난이도 중

제시문에서 우와 창이 본래 왕씨가 아니니 폐하고 공양왕을 옹립하겠다고 주장한 정치 세력은 고려 후기 혁명파 사대부 세력이다.

③ 옳은 것을 모두 고르면 ㄷ, ㄹ이다.
ㄷ 혁명파 사대부는 경제적인 기반을 확보하기 위해 전면적인 전제 개혁을 추진하여 급전도감의 주재 하에 과전법을 실시하였다.
ㄹ 정치적 실권을 장악한 혁명파 사대부는 기존의 5군제를 3군제로 재편하면서 삼군도총제부를 설치하여 병권까지 장악하였다. 삼군도총제부는 조선 시대에 이르러 의흥삼군부(義興三軍府)로 개편되었다.

오답 분석
ㄱ 혁명파 사대부는 전제 왕권 중심 통치 체제를 반대하고 재상 중심의 통치 체제를 주장하였다.
ㄴ 이색과 정몽주는 온건파 사대부였으나 윤소종은 혁명파 사대부였으므로 숙청 대상이 아니었다.

이것도 알면 **합격!**

신진 사대부의 분화

혁명파 사대부	온건파 사대부
• 정도전, 조준 등 • 역성 혁명을 주장 • 전면적인 토지 개혁을 추구 • 조선 건국	• 정몽주, 길재 등 • 고려 왕조의 유지를 주장 • 부분적인 토지 개혁을 추구 • 16세기 사림 세력으로 이어짐

24

2011년 서울시 9급

다음은 고려 말 신흥 사대부의 성장 과정을 나열한 것이다. 시간 순서대로 바르게 연결된 것은?

> ㄱ 전제 개혁을 단행하여 과전법을 실시하였다.
> ㄴ 성균관을 부흥시켜 순수한 유교 교육 기관으로 개편하고 성리학을 연구하게 하였다.
> ㄷ 이성계가 압록강의 위화도에서 회군하였다.
> ㄹ 쌍성총관부를 무력으로 수복하였다.

① ㄱ → ㄴ → ㄷ → ㄹ
② ㄹ → ㄴ → ㄷ → ㄱ
③ ㄹ → ㄷ → ㄴ → ㄱ
④ ㄴ → ㄹ → ㄷ → ㄱ
⑤ ㄹ → ㄴ → ㄱ → ㄷ

문제풀이 신진 사대부의 성장 난이도 중

② 순서대로 나열하면 ㄹ 쌍성총관부 수복(1356) → ㄴ 성균관 개편(1367) → ㄷ 위화도 회군(1388) → ㄱ 과전법 실시(1391)가 된다.

ㄹ 쌍성총관부 수복(1356): 공민왕은 원에게 빼앗긴 쌍성총관부를 무력으로 수복(1356)하였는데, 이때 이자춘, 이성계 부자가 큰 공로를 세우고 고려의 중앙 정계로 진출하게 되었다.

ㄴ 성균관 개편(1367): 공민왕은 성균관을 순수한 유교 교육 기관으로 개편(1367)하고 성리학을 연구하게 하였다. 이를 통하여 신진 사대부들이 성장하고 성리학이 확산될 수 있었다.

ㄷ 위화도 회군(1388): 요동 정벌에 동원되었던 이성계는 위화도에서 회군(1388)하여 군사적 실권을 장악하였다.

ㄱ 과전법 실시(1391): 권력을 잡은 이성계와 혁명파 사대부 세력은 과전법을 실시(1391)함으로써 신진 사대부의 경제적 기반을 마련하였다.

정답 21 ① 22 ③ 23 ③ 24 ②

1 | 고려의 경제

01

2020년 법원직 9급

(가)~(라)를 실시된 순서대로 바르게 나열한 것은?

(가) 신문왕 때 녹읍이 폐지되었다.
(나) 신문왕 때 관료전이 지급되었다.
(다) 공양왕 때 과전법이 실시되었다.
(라) 경종 때 시정 전시과를 실시하였다.

① (가) - (나) - (라) - (다)
② (나) - (가) - (라) - (다)
③ (다) - (라) - (나) - (가)
④ (라) - (가) - (나) - (다)

문제풀이 토지 제도의 변천 난이도 중

② **순서대로 나열하면 (나) 관료전 지급**(통일 신라 신문왕, 687) **→ (가) 녹읍 폐지**(통일 신라 신문왕, 689) **→ (라) 시정 전시과**(고려 경종, 976) **→ (다) 과전법 실시**(고려 공양왕, 1391)**가 된다.**

(나) **관료전 지급**: 통일 신라 신문왕은 관료에게 관등에 따라 차등 있게 토지의 수조권만을 인정하는 관료전을 지급(687)하였다.

(가) **녹읍 폐지**: 통일 신라 신문왕은 식읍을 제한하고 녹읍을 폐지(689)하여 귀족 세력의 경제 기반을 약화시키고 국가의 토지에 대한 지배권을 강화하였다.

(라) **시정 전시과**: 고려 경종은 전·현직 관리에게 4색 공복을 기준으로 한 관등의 높고 낮음과 인품에 따라 관리에게 전지와 시지에 대한 수조권을 지급하는 시정 전시과 제도를 시행하였다(976).

(다) **과전법**: 신흥 무인 세력과 신진 사대부는 고려 말 공양왕 때 권문세족이 소유하던 대농장을 해체하고, 자신들의 경제적 기반을 마련하고자 과전법을 실시하였다(1391).

02

2020년 서울시 9급(특수 직렬)

〈보기〉의 고려 토지 제도 (가)~(라) 각각에 대한 설명으로 가장 옳지 않은 것은?

보기
(가) 조신(朝臣)이나 군사들의 관계(官階)를 따지지 않고 그 사람의 성품, 행동의 선악(善惡), 공로의 크고 작음을 보고 차등 있게 역분전을 지급하였다.
(나) 경종 원년 11월에 비로소 직관(職官), 산관(散官)의 각 품(品)의 전시과를 제정하였다.
(다) 목종 원년 12월에 양반 및 군인들의 전시과를 개정하였다.
(라) 문종 30년에 양반 전시과를 다시 개정하였다.

① (가) - 후삼국 통일 전쟁에 공이 있는 사람들에게 지급하였다.
② (나) - 인품을 반영하여 토지를 지급하였다.
③ (다) - 실직이 없는 산관은 토지 지급 대상에서 제외되었다.
④ (라) - 현직 관리에게만 토지가 지급되고, 문·무관의 차별이 거의 사라졌다.

문제풀이 고려의 토지 제도 난이도 하

(가)는 왕건이 후삼국을 통일한 이후 공로에 따라 지급한 역분전, (나)는 고려 경종 때 전·현직 관리에게 관품과 인품을 기준으로 전지와 시지를 지급한 시정 전시과, (다)는 고려 목종 때 인품을 배제하고 관직만을 고려하여 지급한 개정 전시과, (라)는 고려 문종 때 현직 관리에게만 토지를 지급하게 한 경정 전시과이다.

③ **실직이 없는 산관이 토지 지급 대상에서 제외된 것은 개정 전시과가 아닌 경정 전시과이다.**

오답 분석
① 역분전은 후삼국 통일 전쟁에 공이 있는 사람들에게 논공행상의 성격으로 지급한 것이었다.
② 시정 전시과에서는 관품과 인품을 고려하여 전지와 시지를 지급하였다.
④ 경정 전시과에서 실직이 없는 산관은 토지 분급 대상에서 제외되어 현직 관리에게만 토지가 지급되었으며, 이전에 비하여 무반에 대한 차별 대우를 시정하여 무반에게도 관직에 맞는 토지를 지급하였다.

03

2022년 간호직 8급

다음 제도에 대한 설명으로 옳지 않은 것은?

> 국가는 문무 관리로부터 군인, 한인에 이르기까지 18등급으로 나누어 곡물을 수취할 수 있는 전지와 땔감을 얻을 수 있는 시지를 주었다.

① 경종, 목종, 문종 대를 거치면서 제도가 정비되었다.
② 관원들과 향리 등에게 전지의 소유권을 지급하였다.
③ 군인전은 군역이 세습됨에 따라 자손에게 세습되었다.
④ 관리들에게 줄 토지가 부족해지면서 전지의 지급량이 점차 축소되었다.

문제풀이 전시과 난이도 하

제시문에서 18등급으로 나누어 곡물을 수취할 수 있는 전지와 땔감을 얻을 수 있는 시지를 주었다는 것을 통해 고려 시대의 토지 제도인 전시과 제도에 대한 설명임을 알 수 있다.

② 전시과 제도에서는 관원들과 향리 등에게 전지의 소유권이 아닌 수조권(조세를 거둘 수 있는 권리)을 지급하였다.

오답 분석
① 전시과 제도는 경종, 목종, 문종 대를 거치면서 정비되었다. 경종 때 시정 전시과가 처음 실시되었으며, 목종 때 개정 전시과, 문종 때 경정 전시과로 개편되었다.
③ 전시과 제도에서 군인전은 직업 군인인 2군 6위의 중앙군에게 지급한 것으로, 군역이 세습됨에 따라 군인전도 자손에게 세습되었다.
④ 전시과 제도가 지속되면서 세습되는 토지가 점차 늘어나게 되었고, 그 결과 관리들에게 줄 토지가 부족해지면서 전지의 지급량이 점차 축소되었다.

04

2020년 국회직 9급

(가), (나)의 토지 제도에 대한 설명으로 옳지 않은 것은?

> (가) 경종 원년(976) 11월 …… 관품의 높고 낮음은 논하지 않고 다만 인품만 가지고 등급을 정하였다.
> (나) 경기는 무릇 사방의 근본이니 마땅히 과전을 설치하여 사대부를 우대한다.

① (가) – 무인에 대한 차별 대우가 사라졌다.
② (가) – 전지와 시지를 함께 지급하였다.
③ (나) – 수신전, 휼양전 등이 마련되었다.
④ (나) – 수조권을 지급하는 것이 원칙이었다.
⑤ (가), (나) – 전직 관리에게도 토지를 지급하였다.

문제풀이 시정 전시과와 과전법 난이도 중

제시문의 (가)는 고려 경종 때 관품의 높고 낮음을 논하지 않고 인품만 가지고 등급을 정했다는 것을 통해 시정 전시과임을, (나)는 과전을 설치하여 사대부를 우대한다는 것을 통해 과전법임을 알 수 있다. 『고려사』에 따르면 경종 때 처음 전시과를 제정하고 인품만을 기준으로 삼았다고 하나, 4색 공복을 기준으로 문반·무반·잡업으로 나누어 토지를 분급한 것을 통해 실제로는 관품과 인품을 모두 고려하여 지급하였음을 알 수 있다.

① 무인에 대한 차별 대우가 사라진 것은 고려 문종 때 실시된 경정 전시과이다. 경정 전시과에서는 무신에 대한 대우가 향상되어 무반과 일반 군인들에게 지급된 토지 지급액이 크게 향상되었는데, 이는 거란과의 항쟁 과정에서 무신에 대한 인식이 달라진 것으로 파악된다.

오답 분석
② 시정 전시과에서는 등급에 따라 문무 관리에게 곡물을 수취할 수 있는 전지와 땔감을 얻을 수 있는 시지를 나누어 주었다.
③ 과전법에서는 수신전과 휼양전 등이 마련되어 있었다. 과전법은 원칙적으로 세습이 금지되었지만 죽은 관리들의 가족들이 생계를 유지할 수 있도록 수신전, 휼양전의 명목으로 지급되어 사실상 세습이 가능하였다.
④ 과전법에서는 전·현직 관리에게 토지에 대한 세금을 수취할 수 있는 수조권을 지급하는 것이 원칙이었다.
⑤ 시정 전시과와 과전법은 모두 현직 관리뿐 아니라 전직 관리에게도 토지의 수조권이 지급되었다.

정답 01 ② 02 ③ 03 ② 04 ①

05

2019년 국가직 9급

(가) 토지 제도에 대한 설명으로 옳은 것은?

> 비로소 직관(職官)·산관(散官) 각 품(品)의 [(가)] 을/를 제정하였는데, 관품의 높고 낮은 것은 논하지 않고 다만 인품만 가지고 그 등급을 결정하였다. -『고려사』

① 4색 공복을 기준으로 문반, 무반, 잡업으로 나누어 지급 결수를 정하였다.

② 산관이 지급 대상에서 제외되었으며 무반의 차별 대우가 개선되었다.

③ 전임 관료와 현임 관료를 대상으로 경기 지방에 한하여 지급하였다.

④ 고려의 건국 과정에서 충성도와 공로에 따라 차등 지급되었다.

문제풀이 시정 전시과

난이도 중

제시문에서 비로소 직관과 산관의 각 품을 기준으로 제정하였다는 내용을 통해 고려 경종 때 제정된 시정 전시과임을 알 수 있다. 『고려사』에 따르면 경종 때 처음 전시과를 제정하고 인품만을 기준으로 삼았다고 하나, 4색 공복을 기준으로 문반·무반·잡업으로 나누어 토지를 분급한 것을 통해 실제로는 관품과 인품을 모두 고려하여 지급하였음을 알 수 있다.

① 시정 전시과에서는 자·단·비·녹색의 4색 공복을 기준으로 하고, 다시 문반, 무반, 잡업으로 나누어 지급할 토지의 결수를 정하였다.

오답 분석

② **경정 전시과**: 산관이 지급 대상에서 제외되었으며, 이전에 비해 무반의 차별 대우가 개선된 것은 고려 문종 때 제정된 경정 전시과이다. 경정 전시과에서는 무신에 대한 대우가 향상되었는데, 이는 거란과의 항쟁 과정에서 무신에 대한 인식이 달라진 것으로 파악된다.

③ **과전법**: 전·현직 관료를 대상으로 경기 지방에 한정하여 지급된 것은 과전법이다. 한편, 전시과는 전국의 토지를 대상으로 지급되었다.

④ **역분전**: 고려의 건국 과정에서 개국 공신 등에게 충성도와 공로에 따라 차등 지급된 것은 고려 태조 왕건 때 실시된 역분전으로, 이는 전시과 제도의 모체가 되었다.

06

2019년 법원직 9급

(가) 제도와 관련된 설명으로 가장 적절한 것은?

> 고려의 토지 제도는 대체로 당(唐)의 제도를 모방하였다. 경작하는 토지의 수를 헤아리고 그 비옥함과 척박함을 나누어, 문무의 백관으로부터 부병(府兵)과 한인(閑人)에 이르기까지 과(科)에 따라 받지 않은 자가 없었으며, 또한 과에 따라 땔나무를 베어낼 땅도 지급하였으니, 이를 일컬어 (가) 라고 하였다. -『고려사』

① 광종 때 처음으로 만들어졌다.

② 양반전은 원칙적으로 세습이 허용되었다.

③ 목종 때에는 인품을 기준으로 토지를 지급하였다.

④ 문종 때에는 지급 대상을 현직 관리로 제한하였다.

문제풀이 전시과 제도

난이도 중

제시문에서 경작하는 토지(전지)와 땔나무를 베어낼 땅(시지)을 과(科, 등급)에 따라 지급하였다는 것을 통해 (가)가 전시과 제도임을 알 수 있다.

④ 고려 문종 때 경정 전시과를 시행하여 토지 지급 대상을 현직 관리로 제한하였다. 문종 때 관리에게 지급할 토지가 부족해지자, 현직 관리에게만 수조권을 지급하는 경정 전시과를 시행하였다.

오답 분석

① 전시과 제도는 고려 광종이 아닌 고려 경종 때 처음으로 제정되었다.

② 전시과 제도에서 양반전은 문무 관리(양반)에게 관직 복무의 대가로 지급된 토지(과전)로, 이는 원칙적으로 세습이 불가능하였다.

③ 고려 목종 때에는 개정 전시과를 시행하여 인품을 배제하고 관직만을 고려하여 토지를 지급하였다.

 이것도 알면 **합격!**

전시과 제도의 변천

제도	지급 대상	특징
시정 전시과(경종)	전·현직 관리	• 관품과 인품 반영 • 4색 공복 + 문·무반·잡업으로 나누어 지급
개정 전시과(목종)	전·현직 관리	• 인품을 배제하고 관직만 고려 • 현직자 우대, 한외과 설치, 토지 지급량 축소
경정 전시과(문종)	현직 관리	• 산직 배제, 공음전, 한인전, 구분전 정비 • 무관 차별 완화, 별정 전시과 정비, 한외과 폐지

07

2016년 국가직 9급

전시과 제도의 변천 과정을 나타낸 것이다. (가) 제도에 대한 〈보기〉의 설명으로 옳은 것만을 모두 고른 것은?

시정 전시과 (경종 1년, 976)	→	개정 전시과 (목종 1년, 998)	→	(가) (문종 30년, 1076)

보기

㉠ 4색 공복을 기준으로 등급을 나누었다.
㉡ 산직(散職)이 전시의 지급 대상에서 배제되었다.
㉢ 등급별 전시의 지급 액수가 전보다 감소하였다.
㉣ 무반과 일반 군인에 대한 대우가 전반적으로 향상되었다.

① ㉠, ㉡　② ㉢, ㉣
③ ㉠, ㉡, ㉢　④ ㉡, ㉢, ㉣

08

2015년 지방직 9급

(가)~(다) 전시과에 대한 설명으로 옳은 것을 〈보기〉에서 모두 고른 것은?

과			1	2	3	4	5	6	7	8	9	10	11	12	13	14	15	16	17	18
(가)	지급 액수 (결)	전지	110	105	100	95	90	85	80	75	70	65	60	55	50	45	42	39	36	32
		시지	110	105	100	95	90	85	80	75	70	65	60	55	50	45	40	35	30	25
(나)		전지	100	95	90	85	80	75	70	65	60	55	50	45	40	35	30	27	23	20
		시지	70	65	60	55	50	45	40	35	33	30	25	22	20	15	10			
(다)		전지	100	90	85	80	75	70	65	60	55	50	45	40	35	30	25	22	20	17
		시지	50	45	40	35	30	27	24	21	18	15	12	10	5	8				

– 『고려사』 식화지

보기

㉠ (가) – 관품과 함께 인품도 고려되었다.
㉡ (나) – 한외과가 소멸되었다.
㉢ (다) – 승인과 지리업에게 별사전이 지급되었다.
㉣ (가)~(다) – 경기 8현에 한하여 지급되었다.

① ㉠, ㉡　② ㉠, ㉢
③ ㉡, ㉢　④ ㉢, ㉣

문제풀이 전시과 제도

난이도 중

제시된 자료의 (가)는 고려 문종 때 시행된 경정 전시과이다.

④ 옳은 것을 모두 고르면 ㉡, ㉢, ㉣이다.

㉡ 경정 전시과에서는 현직 관리에게만 수조권을 지급하였기 때문에 일정한 직임이 없는 일종의 명예직인 산직은 전시의 지급 대상에서 배제되었다.

㉢ 경정 전시과는 개정 전시과에 비해 토지 지급량이 축소되어 제15과 이하로는 시지가 지급되지 않았고, 1등급 전지를 제외한 각 등급별 토지 지급 액수가 모두 감소하였다.

㉣ 경정 전시과에서는 거란과의 항쟁 과정에서 공을 세웠던 무반과 일반 군인에 대한 대우가 향상되어 무신에게 지급된 과등이 크게 향상되었다. 그 예로 정3품인 상장군이 같은 품계인 상서(6부의 장관)보다도 오히려 과등이 높기도 하였다.

오답 분석

㉠ **시정 전시과:** 4색 공복을 기준으로 등급을 나누어 분급한 것은 고려 경종 대의 시정 전시과이다. 시정 전시과에서는 4색 공복(자·단·비·녹)에 따라 등급을 나누고, 다시 문반·무반·잡업 등으로 나누어 전·현직 관리에게 수조권을 지급하였다.

문제풀이 전시과

난이도 중

제시된 자료에서 (가)는 18과에 전시를 모두 지급하는 것을 통해 시정 전시과, (나)는 16과 이하로는 시지를 지급하지 않는 것을 통해 개정 전시과, (다)는 15과 이하로는 시지를 지급하지 않는 것을 통해 경정 전시과임을 알 수 있다.

② 옳은 것을 모두 고르면 ㉠, ㉢이다.

㉠ 시정 전시과에서는 분급 기준으로 관리의 관품과 함께 인품도 고려되었다.

㉢ 경정 전시과에서는 대덕 등의 법계를 지닌 승려와 지리사, 지리박사, 지리생 등의 지리업 종사자에게 별사전을 지급하였다. 이는 고려 시대에 불교와 풍수 지리 사상이 융성하였으므로, 승려와 지리업 종사자들의 사회적 역할을 인정하고 우대한 것이었다.

오답 분석

㉡ **경정 전시과:** 한외과가 소멸된 것은 경정 전시과에서이다. 개정 전시과 때 18과에 들지 못한 계층을 한외과로 분류하여 전지만 17결을 지급하였으나, 경정 전시과 때 한외과가 소멸되었다. 경정 전시과 때 이전까지 18과에 속하지 못하고 토지를 받던 계층이 모두 과내로 흡수되었다.

㉣ **녹과전:** 고려 시대에 경기 8현에 한하여 지급된 것은 녹과전이다. 고려 시대 무신 집권기를 거치면서 전시과 제도가 붕괴되고 관리에게 녹봉조차 제대로 지급하지 못하는 상황이 오자, 현직 관료를 위주로 경기 8현의 토지를 녹과전으로 지급하였다. 한편 고려 시대의 전시과는 전국의 토지를 대상으로 토지를 지급한 것이다.

정답 05 ① 06 ④ 07 ④ 08 ②

09

2016년 사회복지직 9급

다음은 고려 시대 토지 제도에 대한 설명이다. ㉠, ㉡에 들어갈 말을 바르게 나열한 것은?

> 태조 23년에 처음으로 (㉠)제도를 설정하였는데, 삼한을 통합할 때 조정의 관료들과 군사들에게 그 관계(官階)가 높고 낮은 지를 논하지 않고 그 사람의 성품과 행동이 착하고 악한 지, 공로가 크고 작은 지를 참작하여 (㉠)을 차등 있게 주었다. 경종 원년 11월에 비로소 직관(職官), 산관(散官) 각 품의 (㉡)을(를) 제정하였는데, 관품의 높고 낮은 것은 논하지 않고 다만 인품만 가지고 (㉡)의 등급을 결정하였다.
>
> -『고려사』

	㉠	㉡
①	훈전	공음전
②	역분전	전시과
③	군인전	외역전
④	내장전	둔전

10

2017년 서울시 9급

고려 시대 토지 제도에 대한 설명으로 옳은 것은?

① 6품 이상의 관리는 전시과 이외에도 공음전을 받아 자손에게 물려줄 수 있었다.

② 전시과에서는 문무 관리, 군인, 향리 등을 9등급으로 나누어, 토지를 주었다.

③ 후삼국을 통일한 태조 왕건은 공신, 군인 등을 대상으로 그들의 공로에 따라 차등을 두어 역분전을 지급하였다.

④ 국가는 왕실 경비를 마련하기 위해서 공해전을 지급하였다.

문제풀이 고려의 토지 제도 난이도 하

② ㉠은 고려 태조 23년에 실시된 역분전이고, ㉡은 경종 원년(976)에 실시된 전시과(시정 전시과)이다.

㉠ 역분전은 고려 건국 과정에서 공로가 컸던 공신에게 나누어 주었던 토지로, 공로와 인품을 고려하여 지급하였다.

㉡ 전시과(시정 전시과)는 문무 관리에게 곡물을 수취할 수 있는 전지와 땔감을 얻을 수 있는 시지를 나누어 주었던 토지 제도로, 고려 경종 때 실시된 시정 전시과에서는 관등의 고하와 인품을 함께 반영하여 토지를 지급하였다.

오답 분석

- **훈전**: 공음전의 기원이 되는 토지 제도로, 고려 경종 때 전시과와는 별개로 개국 공신과 귀순한 성주 등에게 지급한 토지였다.
- **공음전**: 5품 이상 고위 관리에게 지급한 토지로 자손에게 세습이 가능한 토지였다.
- **군인전**: 군역의 대가로 중앙군에게 지급된 토지였다.
- **외역전**: 직역에 대한 대가로 지방의 향리들에게 지급된 토지였다.
- **내장전**: 왕실의 경비를 충당하기 위해 왕실이 직접 소유권을 가지고 경영하였던 토지였다.
- **둔전**: 국경에 주둔하는 군대의 경비를 충당하기 위하여 지급된 토지였다.

문제풀이 고려 시대의 토지 제도 난이도 중

③ 후삼국을 통일한 고려의 태조 왕건은 공신, 군인 등을 대상으로 인품과 공로에 따라 차등을 두어 역분전을 지급하였다.

오답 분석

① 고려 시대에는 6품이 아닌 5품 이상의 관리가 공음전을 지급받아 자손에게 물려줄 수 있었다. 고려 시대에 공음전은 음서 제도와 함께 귀족의 지위를 유지해 나갈 수 있는 기반으로서 작용하였다.

② 고려 시대 전시과에서는 문무 관리로부터 군인, 한인에 이르기까지 9등급이 아닌 18등급으로 나누어 전지(농경지)와 시지(땔감을 얻을 수 있는 땅)를 차등 있게 지급하였다.

④ 고려 시대에 국가는 왕실 경비를 마련하기 위해서 내장전을 지급하였다. 공해전은 중앙과 지방의 각 관청의 경비를 충당하기 위해 지급되었던 토지이다.

 이것도 알면 **합격!**

전시과 제도의 특징

수조권 지급	토지의 소유권이 아닌 수조권(세금을 거둘 수 있는 권리)을 지급
전국적 토지 분급	양계 지방을 제외한 전국의 토지를 대상으로 분급
세습 불가의 원칙	퇴직이나 사망 시 국가에 반납하는 것이 원칙이었지만, 점차 직역과 함께 토지를 세습하는 경우가 많아졌음

11

2012년 서울시 9급

고려의 토지 분급 제도에 대한 다음 설명 중 옳은 것은?

① 공음전은 5품 이상의 관리에게 지급하여 세습을 허용하였다.
② 외역전은 하급 관리의 자제로서 관직에 오르지 못한 자제에게 지급하였다.
③ 구분전은 왕실의 경비를 충당하기 위해 지급하였다.
④ 개정 전시과는 관직의 고하와 인품을 고려하여 지급하였다.
⑤ 내상전은 중잉과 지방 관청의 경비를 충당하기 위해 지급하였다.

12

2020년 법원직 9급

고려 시대 (가)~(라)의 토지 제도가 시행된 순서대로 바르게 정리한 것은?

> (가) 관등과 인품을 기준으로 지급하였다.
> (나) 현직 관리만을 대상으로 지급하였다.
> (다) 공신의 공로에 따라 차등 지급하였다.
> (라) 관등에 따라 18등급으로 구분하여 지급하였다.

① (가) → (나) → (다) → (라)
② (나) → (가) → (라) → (다)
③ (다) → (가) → (라) → (나)
④ (라) → (다) → (나) → (가)

문제풀이 고려의 토지 제도

난이도 하

① 공음전은 5품 이상 관리에게 지급된 토지로, 세습이 허용되었다.

오답 분석

② 외역전은 향리에게 직역에 대한 대가로 지급한 토지로 세습이 가능하였다. 관직에 오르지 못한 하급 관리의 자제에게 지급한 것은 한인전이다.
③ 구분전은 하급 관리나 군인의 유가족에게 지급한 토지이다. 왕실의 경비를 충당하기 위해 지급한 것은 내장전이다.
④ 개정 전시과 체제 하에서는 인품을 배제하고 관직만을 고려하여 지급하였다. 관직의 고하와 인품까지 고려하여 지급한 것은 경종 때 시행한 시정 전시과이다.
⑤ 내장전은 왕실의 경비를 충당하기 위해 지급한 것이었다. 중앙과 지방 관청의 경비를 충당하기 위해 지급한 것은 공해전이다.

이것도 알면 **합격!**

영업전(세습 가능한 토지)

내장전	왕실의 경비를 충당하기 위해 지급
공음전	5품 이상의 관리에게 지급
공신전	공을 세운 관리에게 지급
군인전	중앙군(2군 6위)에게 지급
외역전	지방 향리에게 지급

문제풀이 고려 시대의 토지 제도

난이도 하

③ 순서대로 바르게 정리하면 (다) 역분전(태조, 940) → (가) 시정 전시과(경종, 976) → (라) 개정 전시과(목종, 998) → (나) 경정 전시과(문종, 1076)가 된다.

(다) **역분전**: 태조 때 후삼국 통일 과정에서 공을 세운 공신 및 군인 등에게 공로와 인품에 따라 토지를 차등 지급하는 역분전이 시행되었다.
(가) **시정 전시과**: 고려 경종 때 전국의 토지를 대상으로 전·현직 관리에게 관품과 인품을 기준으로 전지와 시지를 지급한 시정 전시과가 시행되었다.
(라) **개정 전시과**: 고려 목종 때 전·현직 관리에게 인품을 배제하고 관등(관직에 따라 18등급으로 구분)만을 고려하여 전지와 시지를 지급하는 개정 전시과가 시행되었다.
(나) **경정 전시과**: 고려 문종 때 산관은 분급 대상에서 제외되고 현직 관리에게만 토지를 지급하는 경정 전시과가 시행되었다.

정답 09 ② 10 ③ 11 ① 12 ③

13
2021년 법원직 9급

(가) ~ (다)를 일어난 순서대로 바르게 나열한 것은?

> (가) 은병을 만들어 화폐로 썼는데, 은 한 근으로 만들되 우리나라 지형을 본떴다. 민간에서는 활구라 불렀다.
> (나) 원년 11월에 처음으로 직관과 산관 각 품의 전시과를 제정하였는데, 관품의 높고 낮음은 따지지 않고 단지 인품으로만 이를 정하였다.
> (다) 도평의사사에서 상서하여 과전을 지급하는 법을 정할 것을 청하니, 그 의견을 따랐다. …… 경기는 사방의 근본이므로 마땅히 과전을 두어 사대부를 우대한다.

① (가) - (나) - (다)　② (가) - (다) - (나)
③ (나) - (가) - (다)　④ (나) - (다) - (가)

14
2024년 국가직 9급

고려의 경제 상황에 대한 설명으로 옳은 것은?

① 진대법이라는 구휼 제도를 시행하였다.
② 건원중보가 발행되었으나 널리 이용되지 못하였다.
③ 광산 경영 방식에서 덕대제가 유행하기 시작하였다.
④ 전통적 농업 기술을 정리한 『농사직설』이 편찬되었다.

문제풀이 고려 시대의 화폐와 토지 제도의 변천 난이도 하

③ 순서대로 나열하면 (나) 시정 전시과 실시(976) → (가) 은병(활구) 주조(1101) → (다) 과전법 실시(1391)가 된다.

(나) **시정 전시과 실시**: 고려 경종은 전·현직 관리에게 관등의 높고 낮음과 인품에 따라 전지와 시지에 대한 수조권을 지급하는 시정 전시과를 처음으로 시행하였다(976).

(가) **은병(활구) 주조**: 고려 숙종은 주전도감을 설치하고 화폐의 유통을 권장하였으며, 은병(활구)이라는 고액의 화폐를 주조하도록 하였다(1101).

(다) **과전법 실시**: 신흥 무인 세력과 신진 사대부는 고려 말 공양왕 때 권문세족이 소유하던 대농장을 해체하고, 자신들의 경제적 기반을 마련하고자 과전법을 실시하였다(1391). 과전법 체제에서는 경기 지역에 한정하여 전·현직 관리에게 토지에 대한 수조권을 지급하였다.

문제풀이 고려의 경제 상황 난이도 하

② 고려 성종 때 우리나라 최초의 화폐인 건원중보가 발행되었으나, 널리 이용되지 못하고 다점·주점 등의 관영 상점에서만 제한적으로 사용되었다.

오답 분석

① **고구려**: 진대법이라는 구휼 제도를 시행한 것은 고구려이다. 고구려는 고국천왕 때 흉년과 고리대로 몰락한 농민(빈민)을 구휼하기 위해 춘궁기에 곡식을 빌려주고 추수기에 갚도록 하는 진대법을 시행하였다.

③ **조선 후기**: 광산 경영 방식에서 덕대제가 유행하기 시작한 것은 조선 후기이다. 조선 후기에는 광산 경영 전문가인 덕대가 상인 물주에게 자본을 조달 받아 채굴 노동자, 제련 노동자 등을 고용하여 광산을 운영하는 덕대제가 유행하였다.

④ **조선 전기**: 전통적 농업 기술을 정리한 『농사직설』이 편찬된 것은 조선 전기이다. 『농사직설』은 조선 세종 때 정초, 변효문 등이 왕명에 의해 농민들의 실제 경험을 토대로 우리나라 풍토에 맞는 전통적인 농법을 정리한 농서이다.

 이것도 알면 **합격!**

고려 시대의 화폐 발행

성종	우리나라 최초의 화폐인 건원중보 주조
숙종	은병(활구), 해동통보, 삼한통보 등 주조
원 간섭기	원의 지폐인 보초가 유입되어 유통
공양왕	우리나라 최초의 지폐인 저화 발행

15

2019년 기상직 9급

다음 자료를 통해 알 수 있는 시기의 경제 상황에 대한 설명으로 옳은 것은?

> "시중 한언공이 상소하기를, '사람을 편안하게 하고 물건으로 이익을 보려고 하면 모름지기 옛 제도에 따라 일관성이 있어야 합니다. 지금 선왕을 계승하여 철전을 사용하게 하고 추포 사용을 금지함으로써 풍속을 소란스럽게 하였으니, 나라의 이익이 되지 못하고 오히려 민의 원망만을 일으킵니다.'라고 하였다. …… 이에 철전을 사용하던 것을 쓰임에 따라 중단하고자 한다. 차와 술, 음식 등 여러 점포에서 교역할 때는 전과 같이 철전을 쓰도록 하고, 이외에 백성 등이 사사로이 서로 교역할 때는 토산물을 임의로 사용하게 하라."

① 십전통보가 주조되어 유통되었다.
② 서적점, 다점 등의 관영 상점이 운영되었다.
③ 중강에서 후시가 열려 사무역이 이루어졌다.
④ 시장을 감독하는 관청으로 동시전이 설치되었다.

16

2019년 국회직 9급

(㉠), (㉡) 시기에 시행된 조치로 옳은 것은?

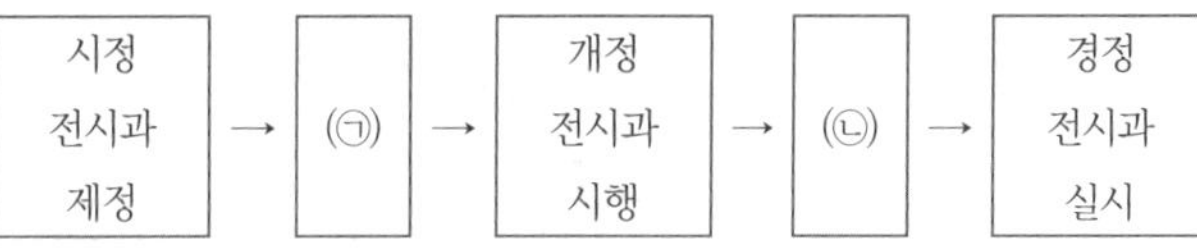

① (㉠) – 역분전 지급
② (㉠) – 건원중보 발행
③ (㉠) – 양반 공음 전시법 제정
④ (㉡) – 해동통보 발행
⑤ (㉡) – 녹과전 지급

문제풀이 고려 시대의 경제 상황

난이도 중

제시문에서 차와 술을 파는 점포에서 교역할 때만 철전(건원중보)을 사용하게 한다는 내용을 통해 고려 시대임을 알 수 있다. 고려 시대에는 성종 때의 건원중보, 숙종 때의 삼한통보, 해동통보 등의 화폐가 주조되었으나 널리 이용되지 못하고 다점·주점 등의 관영 상점에서만 제한적으로 사용되었다.

② 고려 시대에는 개경과 서경, 동경 등 대도시에 서적점, 다점, 주점 등의 관영 상점이 운영되었다.

오답 분석

① **조선 후기:** 십전통보가 주조된 것은 조선 후기 효종 때이다. 십전통보는 동전 유통의 필요성을 강조한 김육의 건의에 따라 국가의 허가를 받은 개성 지역의 민간인에 의해 주조된 것으로 추정된다.
③ **조선 후기:** 중강에서 후시가 열려 사무역이 이루어진 시기는 조선 후기이다. 중강 후시는 조선 후기에 의주 중강에서 중국과의 사무역을 하던 국제 시장을 말한다.
④ **신라:** 시장을 감독하는 관청으로 동시전이 설치된 것은 신라 지증왕 때이다.

문제풀이 고려 시대의 경제 정책

난이도 중

(㉠) 시정 전시과 제정(경종, 976) ~ 개정 전시과 시행(목종, 998)
(㉡) 개정 전시과 시행(목종, 998) ~ 경정 전시과 실시(문종, 1076)

② ㉠ 시기인 고려 성종 때 우리나라 최초의 화폐인 건원중보가 발행되었다(996).

오답 분석

① ㉠ **이전:** 태조 왕건은 후삼국 통일 과정에서 공을 세운 사람들에게 공로와 인품에 따라 역분전을 지급하였다.
③ ㉡ **시기:** 고려 문종 때 5품 이상의 고위 관료에게 세습이 가능한 토지인 공음전을 지급하는 양반 공음 전시법을 제정하였다(1049).
④ ㉡ **이후:** 고려 숙종 때 의천의 건의로 세워진 주전도감에서 해동통보가 발행되었다(1102).
⑤ ㉡ **이후:** 무신 정변 이후 진시과 체제가 붕괴되고 국가 재정이 악화되어 관리들에게 녹봉조차 지급할 수 없게 되자, 고려 정부는 녹봉 대신 녹과전으로 지급하였다. 녹과전은 고려 고종 때(1257) 처음 분급되었으며, 개경으로 환도한 뒤 고려 원종이 이를 확대하여 현직 관리를 중심으로 경기 8현 지역의 토지를 지급하였다.

정답 13 ③ 14 ② 15 ② 16 ②

17

2018년 서울시 9급(6월 시행)

고려 시대의 경제 생활에 대한 설명으로 옳은 것을 〈보기〉에서 모두 고른 것은?

> **보기**
> ㉠ 성종은 건원중보를 만들어 전국적으로 사용하게 하려 했으나 성공하지 못하였다.
> ㉡ 고려 후기 관청 수공업이 쇠퇴하면서 민간 수공업이 발달하였다.
> ㉢ 예성강 어귀의 벽란도는 고려의 국제 무역항이었다.
> ㉣ 원 간섭기에는 원의 지폐인 보초가 들어와 유통되기도 하였다.

① ㉠, ㉡, ㉢　② ㉠, ㉢, ㉣
③ ㉡, ㉢, ㉣　④ ㉠, ㉡, ㉢, ㉣

18

2023년 서울시 9급

〈보기 1〉의 사건이 있었던 시대의 화폐를 〈보기 2〉에서 모두 고른 것은?

> **보기 1**
> 왕이 명령하기를, "백성들을 부유하게 하고 나라에 이익을 가져오게 하는 데 돈보다 중요한 것은 없다. …… 그러므로 이제 비로소 금속을 녹여 돈을 만드는 법령을 제정한다. 부어서 만든 돈 15,000꾸러미를 재추와 문무 양반과 군인들에게 나누어 주어 돈 통용의 시초로 삼고 돈에 새기는 글은 해동통보라 한다. ……"라고 하였다.

> **보기 2**
> ㉠ 조선통보　㉡ 해동중보
> ㉢ 십전통보　㉣ 삼한통보

① ㉠, ㉢　② ㉠, ㉣
③ ㉡, ㉢　④ ㉡, ㉣

문제풀이 고려 시대의 경제 생활

난이도 중

④ 옳은 설명을 모두 고르면 ㉠, ㉡, ㉢, ㉣이다.

㉠ 고려의 성종은 우리나라 최초의 화폐인 건원중보를 주조하여 전국적으로 유통하려 하였으나 성공하지 못하였다.

㉡ 고려 전기에는 주로 관수품 위주의 관청 수공업과 소(所)수공업이 발달하였으나, 고려 후기에는 관청 수공업이 쇠퇴하고, 사원이나 농민을 중심으로 한 가내 수공업 형태의 민간 수공업이 발달하였다.

㉢ 고려 시대에는 외국과의 교류가 활발해지고, 점차 국내 상업이 안정되면서 예성강 하구의 벽란도가 국제 무역항으로 성장하였다.

㉣ 고려 시대의 원 간섭기에는 원나라와의 무역이 활발하게 전개되고, 각종 물품이 교역되는 가운데 원의 지폐인 보초가 국내로 유입되어 유통되었다. 이후 공양왕 때에는 보초를 모방하여 우리나라 최초의 지폐인 저화를 발행하였으나, 유통되지 못하였다. 이후 조선 태종 때 다시 저화를 발행하여 유통시키려 하였으나 실패하였다.

이것도 알면 합격!

고려 시대의 수공업

구분	내용
전기	• 관청 수공업: 중앙과 지방의 관청에서 기술자를 공장안(기술자를 조사하여 기록한 장부)에 등록하여 국가에서 필요로 하는 물품 생산 • 소(所) 수공업: 광산물(금·은·철)·옷감·종이·차·생강 등을 생산하여 공물로 납부
후기	• 민간 수공업: 농촌의 가내 수공업 중심, 삼베·모시·비단 등 생산 • 사원 수공업: 승려들이 제지·직포 활동, 베·모시·술·소금 등 생산

문제풀이 고려 시대의 화폐

난이도 하

제시문에서 돈에 새기는 글은 해동통보라 한다는 내용을 통해 고려 시대임을 알 수 있다. 해동통보는 화폐 유통을 적극적으로 추진한 고려 숙종 때 주전도감에서 만든 화폐이다.

④ 옳은 것을 모두 고르면 ㉡, ㉣이다.

㉡ 해동중보는 고려 숙종 때 주전도감에서 발행한 화폐로, 해동통보가 주조된 1102년 무렵 또는 그 이후에 주조되었을 것으로 추정된다.

㉣ 삼한통보는 문헌 기록은 남아 있지 않지만 실물로 남아 있어 주조 사실이 확인되며, 삼한중보와 더불어 고려 숙종 때 주조되었을 것으로 추정된다.

오답 분석

㉠ **조선통보**: 조선통보가 주조된 것은 조선 시대이다. 조선통보는 세종 때 처음 주조되었지만 유통이 부진하였고, 인조 때 다시 주조되어 개성 등을 중심으로 유통되었으나, 전국적으로 유통되지는 못하였다.

㉢ **십전통보**: 십전통보가 주조된 것은 조선 시대이다. 십전통보는 동전 유통의 필요성을 강조한 김육의 건의에 따라 국가의 허가를 받은 개성 지역의 민간인에 의해 주조된 것으로 추정된다.

19

2022년 국가직 9급

밑줄 친 '이 나라'의 경제 상황에 대한 설명으로 옳지 않은 것은?

> 이 나라에는 관리에게 정해진 면적의 토지에서 조세를 거둘 수 있는 권리를 나누어주는 전시과라는 제도가 있었다. 농민은 소를 이용해 깊이갈이를 하기도 했으며, 시비법의 발달로 휴경지가 점차 줄어들었다. 밭농사는 2년 3작의 윤작법이 점차 보급되었다. 이 나라의 말기에는 직파법 대신 이앙법이 남부 지방 일부에 보급될 정도로 논농사에 변화가 나타났다. 또한 이암에 의해 중국 농서인 『농상집요』도 소개되었다.

① 재정을 운영하는 관청으로 삼사를 두었다.

② 공물 부과 기준이 가호에서 토지로 바뀌었다.

③ 생산량의 10분의 1에 해당하는 조세를 거두었다.

④ '소'라는 행정 구역의 주민이 국가에서 필요로 하는 물품을 생산하였다.

20

2017년 국가직 9급(4월 시행)

다음에서 설명하는 화폐가 사용된 시기의 경제 상황으로 옳은 것은?

> 초기에는 은 1근으로 우리나라 지형을 본떠 만들었는데 그 가치는 포목 100필에 해당하는 고액이었다. 주로 외국과의 교역에 사용되었으며 후에 은의 조달이 힘들어지고 동을 혼합한 위조가 성행하자, 크기를 축소한 소은병을 만들었다.

① 청해진이 설치되어 무역권을 장악하였다.

② 동시전이 설치되어 시장을 감독하였다.

③ 책, 차 등을 파는 관영 상점을 두었다.

④ 이앙법이 전국적으로 보급되었다.

문제풀이 고려의 경제 상황

난이도 하

제시문에서 전시과, 소를 이용한 깊이갈이, 2년 3작의 윤작법 보급 등의 내용을 통해 밑줄 친 '이 나라'가 고려임을 알 수 있다.

② 공물 부과 기준이 가호에서 토지로 바뀐 것은 대동법 실시의 결과로, 조선 후기의 경제 상황에 대한 설명이다. 조선 후기에는 대동법이 실시되면서 기존에 가호를 기준으로 토산물이나 특산물을 현물로 납부하던 공물 납부 방식 대신, 토지 결수를 기준으로 1결당 쌀 12두, 혹은 삼베·동전 등으로 납부하게 하였다.

오답 분석

① 고려 시대에는 재정을 운영하는 관청으로 삼사를 두었다. 삼사는 화폐와 곡식의 출납과 회계 등을 담당하였다.

③ 고려 시대에는 민전을 경작하는 농민들에게 생산량의 10분의 1에 해당하는 조세를 거두었다.

④ 고려 시대에는 '소'라는 특수 행정 구역의 주민들이 국가에서 필요로 하는 특정 물품을 생산하여 국가에 공물로 바쳤다.

문제풀이 고려 시대의 경제 상황

난이도 하

제시문에서 은 1근으로 우리나라 지형을 본떠 만들었으며, 그 가치가 포목 100필에 해당하는 고액이었다는 내용과 이후 위조가 성행하자 크기를 축소한 소은병을 만들었다는 내용이 언급되어 있으므로 고려 숙종 때 주조된 화폐인 활구(은병)에 대한 설명임을 알 수 있다. 은병(활구)은 고려 숙종 때 주조된 고액 화폐로, 이후 은의 원료 조달이 어려워지면서 동을 섞어 만든 위조 은병이 성행하자, 고려 충혜왕 때 소은병을 제작하고 이전에 유통된 은병의 사용은 금지하였다.

③ 고려 시대에는 개경과 서경(평양), 동경(경주) 등의 대도시에 서적점, 약점, 다점과 같은 관영 상점이 설치되었다.

오답 분석

① **신라 하대:** 장보고의 건의로 완도에 해군·무역 기지인 청해진이 설치되어 당·일본과의 무역권을 장악한 시기는 신라 하대 흥덕왕 때이다.

② **신라 상대:** 수도에 시장 감독 관청인 동시전이 설치되어 시장을 감독한 시기는 신라 상대 지증왕 때이다.

④ **조선 후기:** 이앙법(모내기법)이 전국적으로 보급된 시기는 조선 후기이다. 이앙법은 고려 후기에 도입되었으나 가뭄에 취약하여 일부 지역에서만 실시되었는데, 수리 시설이 확충되면서 조선 후기에는 점차 전국으로 확산되었다.

정답 17 ④ 18 ④ 19 ② 20 ③

21

2014년 기상직 9급

다음 지도의 (가) ~ (라)에 대한 설명으로 옳은 것은?

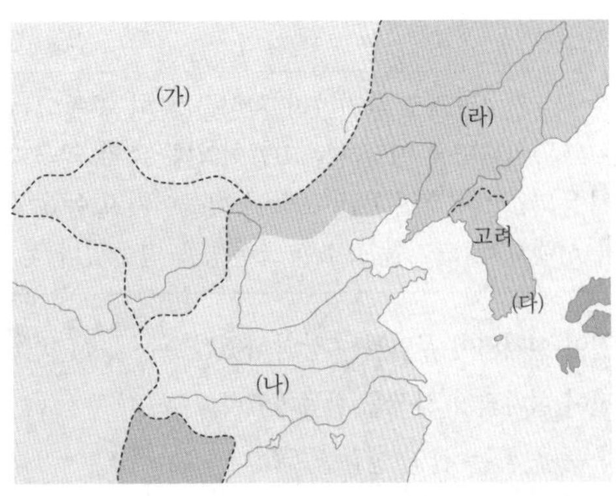

① (가) 국가와는 수출입을 통해 활발하게 교역하는 한편 침공에 대비해 별무반을 만들었다.

② (나) 국가와는 지속적인 친선 관계를 유지하며 비단, 서적, 자기 등을 주로 수출하였다.

③ (다)는 국제 무역항으로 아랍 상인이 일본을 거쳐 왕래하며 고려를 서방에 알렸다.

④ (라) 국가와는 한때 군신 관계를 맺기도 하였으며 농기구, 곡식, 포목 등을 수출하였다.

22

2017년 지방직 9급

다음 상황이 나타난 시기에 볼 수 있는 모습으로 옳은 것은?

> 대외 무역이 발전하면서 예성강 어귀의 벽란도가 국제 무역항으로 번성했으며, 대식국(大食國)으로 불리던 아라비아 상인들도 들어와 수은·향료·산호 등을 팔았다.

① 해동통보와 은병(銀甁) 같은 화폐를 만들어 사용하였다.

② 인구·토지 면적 등을 기록한 장적(帳籍, 촌락 문서)이 작성되었다.

③ 개성의 송상은 전국에 송방(松房)이라는 지점을 개설해서 활동하였다.

④ 지방 장시의 객주와 여각은 상품의 매매뿐 아니라 숙박·창고·운송 업무까지 운영하였다.

문제풀이 고려의 대외 관계 난이도 중

(가)는 요(거란), (나)는 송, (다)는 금주(金州, 김해), (라)는 금(여진)이다.

④ 금(여진)은 거란(요)을 멸망시킨 후 고려에 군신 관계를 요구하였고, 당시 고려의 집권자였던 이자겸은 금의 사대 요구를 수용하였다(1126). 한편 고려는 여진(금)과의 무역에서 농기구, 곡식, 포목 등을 수출하였고, 은, 모피, 말 등을 수입하였다.

오답 분석

① 고려가 거란과 수출입을 통해 교역한 것은 맞지만, 별무반은 여진에 대비하기 위해 고려 숙종 때 조직한 군대였다. 거란의 침공에 대비하기 위해 고려에서 조직한 것은 광군이었다.

② 고려가 송과 지속적인 친선 관계를 유지하였던 것은 맞지만, 비단·서적·자기는 고려가 송에서 수입한 물품이다. 고려는 송에 종이, 인삼, 나전 칠기 등 수공업품과 토산물을 주로 수출하였다. 고려는 광종 때 송과의 무역을 본격적으로 시작하였으며, 송과의 무역은 고려의 대외 무역 가운데 가장 큰 비중을 차지하였다.

③ 고려 시대 국제 무역항으로, 아랍 상인도 왕래하며 고려를 서방에 알렸던 곳은 예성강 하구에 위치한 벽란도이다. 금주도 무역항이었으나 금주에서는 일본과의 무역이 제한적으로 이루어졌다.

문제풀이 고려 시대의 경제 상황 난이도 하

제시문에서 예성강 어귀의 벽란도가 국제 무역항으로 번성하였다는 것과 아라비아 상인들이 교역에 참여하였다는 것을 통해 고려 시대의 경제 상황에 대한 내용임을 알 수 있다.

① 고려 시대에는 건원중보, 해동통보, 은병(활구), 삼한통보 등의 화폐를 만들어 사용하였다. 건원중보는 고려 성종 때 주조된 최초의 화폐이며, 해동통보, 은병, 삼한통보는 고려 숙종 때 주조된 화폐이다.

오답 분석

② **통일 신라**: 인구·토지 면적 등을 기록한 장적(촌락 문서)은 통일 신라 시기에 작성되었다. 신라의 중앙 정부는 촌주로 하여금 호 수, 인구 수, 토지의 종류와 총 면적 등을 매년 조사하게 하고 3년마다 이를 문서로 작성하게 하여 조세 수취 자료로 활용하였다.

③ **조선 후기**: 개성의 송상이 전국에 송방이라는 지점을 개설하여 인삼을 재배하고 판매하는 등의 활동을 전개한 시기는 조선 후기이다.

④ **조선 후기**: 지방 장시의 객주와 여각이 상품의 매매와 숙박업·창고업·운송업에 종사한 것은 조선 후기에 볼 수 있는 경제 모습이다.

23

2014년 경찰직(2차)

고려는 국내 상업이 안정적으로 발전하면서 대외 무역 활동도 활발해졌다. 이에 대한 설명으로 옳지 않은 것은?

① 예성강 입구의 벽란도는 국제 무역항으로 번성하였으며, 송나라 상인뿐만 아니라 아라비아 상인까지 왕래하였다.

② 서해안의 해로를 통해 송나라로 종이, 인삼 등 수공업품과 토산물을 수출하는 한편, 왕실과 귀족의 수요품을 수입하였다.

③ 고려와의 무역을 추구했던 일본은 11세기 후반부터 수은, 황을 가지고 와서 식량, 인삼, 서적과 바꾸어갔다.

④ 북방의 거란과 여진에게는 은, 모피, 말을 수출하고, 고려는 농기구, 곡식을 수입하였다.

문제풀이 고려의 대외 무역 활동

난이도 하

④ 고려는 북방의 거란과 여진으로부터 은, 말, 모피 등을 수입하였고, 거란과 여진에 농기구, 식량 등을 수출하였다.

오답 분석

① 예성강 하구의 벽란도는 고려의 국제 무역항으로 번성하였으며, 이곳에서 송나라, 요(거란), 금(여진), 일본은 물론 아라비아 상인과의 교류도 활발하게 이루어졌다.

② 고려는 서해안의 해로를 이용하여 송나라에 종이, 인삼, 먹, 은, 나전 칠기 등의 수공업품과 토산물을 수출하였고, 왕실과 귀족의 수요품인 비단, 약재, 서적, 차 등을 송으로부터 수입하였다.

③ 고려는 일본과 11세기 후반 이후 왕래하였는데, 일본으로부터 수은과 황 등을 수입하였고, 곡식, 인삼, 서적 등을 일본에 수출하였다.

이것도 알면 **합격!**

고려 시대의 대외 무역 수출입품

구분	수입품	수출품
대송 무역	비단, 서적, 약재 등	금, 은, 인삼, 종이 등
여진·거란과의 무역	모피, 은, 말 등	농기구, 식량 등
대일 무역	황, 수은 등	곡식, 인삼, 서적 등
아라비아와의 무역	수은, 향료, 산호 등	금, 비단 등

24

2012년 서울시 9급

고려의 대외 문물 교류에 대한 다음 설명 중 옳은 것은?

① 고려와 가장 활발하게 교역을 한 나라는 거란이었다.

② 고려의 북진 정책으로 인해 여진과의 교류는 없었다.

③ 대식국인으로 불린 아라비아 상인들은 주로 요를 거쳐 고려와 교역하였다.

④ 고려는 송으로부터 비단, 약재, 책, 악기 등을 수입하였다.

⑤ 대외 무역이 발전함에 따라 청해진은 국제 무역항으로 번성하였다.

문제풀이 고려의 대외 문물 교류

난이도 하

④ 고려는 송으로부터 비단, 약재, 책, 악기, 서적 등 왕실과 귀족의 수요품을 수입하였고, 송에 금, 은, 나전 칠기, 화문석, 인삼, 먹 등 수공업품과 토산물을 주로 수출하였다.

오답 분석

① 고려와 가장 활발하게 무역 활동을 한 나라는 송이었다. 고려는 광종 때 송나라와 정식으로 국교를 맺었다.

② 고려는 여진과도 교류하였다. 여진은 은, 모피 등을 고려에 가지고 와서 농기구와 곡식 등으로 바꾸어 갔다.

③ 대식국인이라고 불렸던 아라비아 상인들은 주로 송을 거쳐 고려와 교역하였다. 이들은 고려에 수은, 산호, 향료 등을 수출하였고, 고려로부터 금, 비단 등을 수입하였다.

⑤ 고려 시대에는 예성강 하구의 벽란도가 국제 무역항으로 번성하였다. 청해진은 통일 신라 시대에 장보고의 요청에 따라 완도에 설치한 무역 기지였다.

이것도 알면 **합격!**

고려의 대송 무역

특징	조공 무역의 형태로, 고려의 대외 무역 중 가장 큰 비중을 차지함
무역로	• 북로: 벽란도 → 옹진 → 산둥 반도 → 덩저우 • 남로: 벽란도 → 군산도·흑산도 → 양쯔강의 밍저우

정답 21 ④ 22 ① 23 ④ 24 ④

2 | 고려의 사회

01

2015년 서울시 9급

다음의 밑줄 친 ㉠과 관련된 설명으로 가장 옳지 않은 것은?

> 원의 간섭을 받으면서 그에 의존한 고려의 왕권은 이전 시기에 비하여 상대적으로 안정되었고 ㉠ 중앙 지배층도 개편되었다. …… 그들은 왕의 측근 세력과 함께 권력을 잡아 농장을 확대하고 양민을 억압하여 노비로 삼는 등 사회 모순을 격화시켰다.

① ㉠은 가문의 권위보다는 현실적인 관직을 통하여 정치 권력을 행사하였다.

② 공민왕은 ㉠의 경제력을 약화시키기 위해 전민변정도감을 설치하였다.

③ ㉠은 사원 세력의 대표인 신돈과 연대하여 신진 사대부에 대항하였다.

④ ㉠에는 종래의 문벌 귀족 가문, 무신 정권기에 등장한 가문, 원과의 관계에서 성장한 가문 등이 포함되었다.

문제풀이 권문세족 난이도 중

제시문에서 원 간섭기에 농장을 확대하고 양민을 노비로 삼는 등의 사회 모순을 격화시켰던 ㉠은 원을 등에 업고 권력을 휘둘렀던 권문세족이다.

③ 승려 신돈은 권문세족을 비판하며 고려 사회를 개혁하고자 하였다. 신돈과 신진 사대부는 모두 공민왕의 개혁 정책에 동참하며 고려 말 사회 모순을 개혁하는 데 앞장섰다. 그러나 공민왕의 개혁 정책은 원의 압력과 권문세족의 반발로 신돈이 제거되고 공민왕이 시해되면서 실패하였다. 한편 신진 사대부는 이후 개혁의 주도 세력으로 성장하여 조선 왕조 건국에 기여하였다.

오답 분석

① 권문세족은 가문의 권위도 중시하였지만 이보다는 현실적인 관직을 통해 중앙 정계의 요직을 장악하여 정치 권력을 행사하였다. 또한 가문의 권위를 이용하여 음서 제도를 통해 신분을 세습하였다.

② 권문세족이 대농장을 소유하면서 사회적 폐단이 심화되었는데, 이에 공민왕은 전민변정도감을 설치하여 권문세족이 불법으로 빼앗은 토지와 노비를 환원시켜 권문세족의 경제적 기반을 약화시키려 하였다.

④ 권문세족은 기존의 문벌 귀족 가문 중 일부, 무신 정권기에 새롭게 권력을 잡은 가문, 원과의 관계에서 성장한 친원 세력 등 다양한 출신으로 구성되었다.

02

2021년 법원직 9급

(가) 세력에 대한 설명으로 가장 옳은 것은?

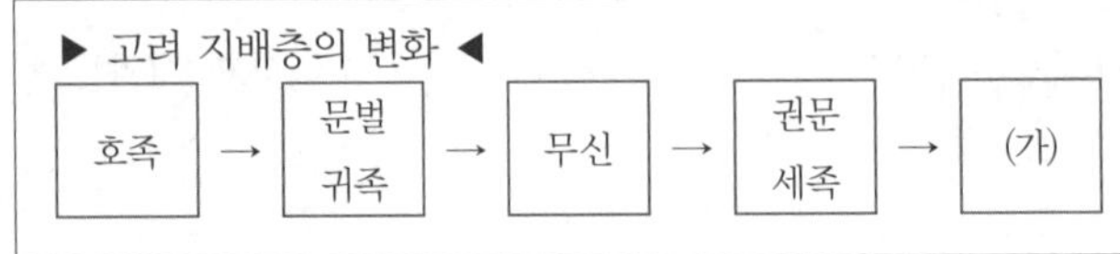
▶ 고려 지배층의 변화 ◀

호족 → 문벌 귀족 → 무신 → 권문 세족 → (가)

① 성리학을 통해 불교의 폐단을 지적하였다.

② 주로 음서를 통하여 관직에 진출하였다.

③ 권력을 앞세워 대규모 농장을 소유하였다.

④ 친원적 성향의 이들은 도평의사사를 장악하였다.

문제풀이 신진 사대부 난이도 하

제시된 자료에서 권문세족 이후에 집권한 고려 지배층인 (가)는 신진 사대부이다. 신진 사대부는 지방 향리 출신으로 무신 집권기부터 과거 등을 통해 중앙으로 진출하기 시작하였고, 공민왕 때부터 신진 사대부가 권문세족에 대항하는 개혁 주도 세력으로 성장하였다.

① 신진 사대부는 새로운 사상인 성리학을 수용하여 불교의 폐단을 지적하였다.

오답 분석

② **문벌 귀족, 권문세족**: 주로 음서를 통해 관직에 진출한 것은 문벌 귀족과 권문세족이다. 문벌 귀족은 과거와 음서를 통해 관직을 독점하였고, 중서문하성과 중추원의 재상이 되어 정국을 주도하였다. 한편 권문세족은 도평의사사, 첨의부, 밀직사 등의 고위 관직을 장악하고 음서를 통해 관직에 진출하여 신분을 세습하였다.

③ **무신, 권문세족**: 권력을 앞세워 대규모 농장을 소유한 것은 무신과 권문세족이다. 정변을 통해 정권을 장악한 무신들과, 원 간섭기에 성장한 권문세족은 대농장을 소유하여 사회 혼란을 야기하였다.

④ **권문세족**: 친원적 성향으로, 도평의사사를 장악한 것은 권문세족이다. 권문세족은 원 간섭기에 부원 세력이 성장한 고려 후기의 대표적인 지배 세력으로, 고위 관직을 독점하고 도평의사사(도당)를 장악하였다.

03

2017년 사회복지직 9급

다음 〈보기〉의 (   )에 들어갈 낱말을 바르게 나열한 것은?

> **보기**
> 고려의 지배층과 피지배층 사이에는 중류층이 자리잡고 있었다. 중앙 관청의 말단 서리인 (㉠), 궁중 실무 관리인 (㉡), 직업 군인으로 하급 장교인 (㉢) 등이 있었다.

	㉠	㉡	㉢
①	잡류	역리	군반
②	남반	군반	역리
③	잡류	남반	군반
④	남반	군반	잡류

문제풀이 고려의 중류층 난이도 중

③ 순서대로 나열하면 말단 서리인 ㉠은 잡류, 궁중 실무 관리인 ㉡은 남반, 직업 군인으로 하급 장교인 ㉢은 군반이다.

㉠ **잡류**: 고려 시대의 잡류는 중앙 관청의 말단 서리로 행정 실무에 종사하였다.

㉡ **남반**: 고려 시대의 남반은 궁중의 당직이나 국왕의 시종·호종(임금의 행차 때 어가 주위에서 임금을 모시는 행위)·경비, 간단한 왕명 전달 등의 궁중 실무를 담당한 내료직이었다. 남반은 중국 당나라의 제도에 기원을 둔 것으로, 문반은 동반, 무반은 서반이라 하여 왕의 동쪽과 서쪽에 각기 위치하였고, 궁궐에서 왕의 시중을 드는 관료는 남쪽에 위치하였기 때문에 남반이라 하였다.

㉢ **군반**: 고려 시대의 군반은 중앙의 직업 군인으로 군역을 세습적으로 담당하였다. 군반은 후삼국 시대의 왕건에게 협력한 호족들의 사병에 대하여 고려 건국 때 이들을 특정한 군역 담당자로 규정한 데에서 유래하였다.

오답 분석

- **역리**: 고려 시대의 역리는 지방의 역(驛)을 관리하였으며, 군사 정보 및 왕명을 전달하거나 사신의 영송과 접대를 주요 업무로 하였다.

04

2014년 국가직 9급

고려 시대에는 귀족·양반과 일반 양민 사이에 '중간 계층' 또는 '중류층'이라 불리는 신분층이 존재하였다. 이 신분층에 대한 설명으로 옳지 않은 것은?

① 남반은 궁중의 잡일을 맡는 내료직(內僚職)이다.

② 하급 장교들도 이 신분층에 포함되는 것으로 분류되고 있다.

③ 서리는 중앙의 각 사(司)에서 기록이나 문부(文簿)의 관장 등 실무에 종사하였다.

④ 향리에게는 양반으로 신분을 상승시킬 수 있는 길을 열어 놓지 않았다.

문제풀이 고려의 중류층 난이도 중

④ 고려 시대에 향리는 과거에 응시하여 고위 관직에 오를 수 있었다.

오답 분석

① 고려 시대의 남반은 궁중의 실무를 담당하였던 내료직(內僚職)이었다.

② 고려 시대에는 하급 장교인 군반도 중류층에 포함되었다. 그러나 하급 장교의 경우 군공을 세우면 무반으로의 신분 상승이 가능하였다.

③ 고려 시대의 서리는 중앙 관청에서 실무를 담당하였던 하급 관리로, 중앙의 각 사(司)에서 기록이나 문부(文簿, 나중에 자세하게 참고하거나 검토할 문서와 장부) 등을 관리하였다.

이것도 알면 **합격!**

고려의 중류층

구분	내용
하급 관리	서리(중앙 관청 실무 담당), 역리(지방의 역 관리), 잡류(중앙 관청의 말단 서리)
실무 관리	남반(궁중 실무 담당), 향리(지방 행정 실무 담당)
기술 관리	역관, 의관 등의 잡과 출신
직업 군인	군반(하급 장교의 경우 군공을 세우면 무반으로 신분 상승 가능)

정답 01 ③ 02 ① 03 ③ 04 ④

05

2024년 서울시 9급

고려 시대에 대한 설명으로 가장 옳지 않은 것은?

① 전민변정도감에서 노비 소유권 소송을 처리했다.

② 응방을 통해 왕실에서 경제적 이익을 추구하였다.

③ 전시과 제도를 통해 관료에게 전지와 시지를 지급하였다.

④ 호장은 국가에서 경제적 보수를 받지 않았다.

문제풀이 고려 시대의 사실 난이도 중

④ 고려 시대에 호장을 포함한 지방 향리들은 직역에 대한 경제적 보수로 외역전이라는 토지를 지급받았다.

오답 분석

① 고려 시대의 전민변정도감에서는 권문세족들이 강제로 빼앗은 토지와 노비 소유권 문제를 바로 잡기 위한 소송을 처리하여 권문세족의 경제적 기반을 약화시키고자 하였다. 한편, 전민변정도감은 원종, 충렬왕, 공민왕, 우왕 때 설치되는 등 권문세족의 반대로 설치와 폐지가 반복되었다.

② 고려 시대의 왕실은 응방을 통해 매(해동청)를 사육하거나 사냥하여 원에 조공품으로 보내는 등의 경제적 이익을 추구하였다.

③ 고려 시대에는 전시과 제도를 통해 관료에게 곡물을 수취할 수 있는 전지와 땔감을 얻을 수 있는 시지를 지급하였다.

06

2022년 법원직 9급

밑줄 친 '이들'에 대한 설명으로 가장 옳은 것은?

> <u>이들</u>의 첫 벼슬은 후단사이며, 두 번째 오르면 병사(兵史)·창사(倉史)가 되고, 세 번째 오르면 주·부·군·현의 사(史)가 되며, 네 번째 오르면 부병정(副兵正)·부창정(副倉正)이 되며, 다섯 번째 오르면 부호정(副戸正)이 되고, 여섯 번째 오르면 호정이 되며, 일곱 번째 오르면 병정·창정이 되고, 여덟 번째 오르면 부호장이 되고, 아홉 번째 오르면 호장(戸長)이 된다.
>
> -『고려사』

① 자손이 음서의 혜택을 받았다.

② 속현의 조세와 공물의 징수, 노역 징발 등을 담당하였다.

③ 수군, 조례, 역졸, 조졸 등으로 칠반천역이라고도 불렸다.

④ 수령의 행정 실무를 보좌하는 세습적인 아전으로 활동하였다.

문제풀이 고려 시대의 향리 난이도 중

제시문에서 부호장, 호장 등의 벼슬에 오를 수 있다는 내용을 통해 밑줄 친 '이들'이 고려 시대의 향리임을 알 수 있다.

② 고려 시대의 향리는 지방관이 파견되지 않은 속현의 조세와 공물의 징수, 노역 징발 등의 행정 실무를 담당하였다.

오답 분석

① 향리의 자손은 음서의 혜택을 받지 못하였다. 한편, 고려 시대의 음서는 왕족의 후예, 공신의 후손, 5품 이상 고위 관리의 자손을 대상으로 하였다.

③ **신량역천(조선)**: 수군, 조례, 역졸, 조졸 등으로 칠반천역이라고도 불린 신분은 조선 시대의 신량역천이다.

④ **향리(조선)**: 수령의 행정 실무를 보좌하는 세습적인 아전으로 활동한 신분은 조선 시대의 향리이다.

이것도 알면 **합격!**

고려와 조선의 향리

구분	고려의 향리	조선의 향리
공통점	직역 세습	
보수	외역전 지급받음	보수 없음
과거 응시	허용	문과 응시 제한
역할	실무 행정 담당	수령의 실무를 보좌하는 아전으로 격하

07

2021년 국가직 9급

고려 시대 향리에 대한 설명으로 옳은 것만을 모두 고르면?

> ㉠ 부호장 이하의 향리는 사심관의 감독을 받았다.
> ㉡ 상층 향리는 과거로 중앙 관직에 진출할 수 있었다.
> ㉢ 일부 향리의 자제들은 기인으로 선발되어 개경으로 보내졌다.
> ㉣ 속현의 행정 실무는 향리가 담당하였다.

① ㉠ ② ㉠, ㉡
③ ㉡, ㉢, ㉣ ④ ㉠, ㉡, ㉢, ㉣

난이도 중

④ 옳은 것을 모두 고르면 ㉠, ㉡, ㉢, ㉣ 이다.

㉠ 고려 시대에 부호장 이하의 향리는 사심관의 감독을 받았다. 고려 시대에는 중앙 고관을 출신 지역의 사심관으로 임명하였으며, 부호장 이하의 향리 임명권을 주어 이들을 감독하도록 하였다.

㉡ 고려 시대 상층 향리는 지방의 실질적 지배층으로, 과거를 통해 중앙 관료로 진출할 수 있었다.

㉢ 고려 시대 일부 향리의 자제들은 기인으로 선발되어 개경으로 보내졌다. 이는 지방 세력을 견제하기 위한 일종의 인질 제도로, 통일 신라의 상수리 제도를 계승한 것이다.

㉣ 고려 시대에는 지방관이 파견되지 않은 속현이나 속군의 행정 실무는 향리가 담당하였다. 향리는 주로 호구(戶口)를 관리하고 조세를 징수하는 등의 실질적인 행정 사무를 담당하였다.

 이것도 알면 **합격!**

고려 시대 향리의 종류

상층 향리 (호장, 부호장)	• 지방 호족 출신으로, 지방의 실질적인 지배층 • 과거를 통해 중앙 관리로 진출 가능
하층 향리	말단 행정직으로 직역 세습, 행정 실무 담당

08

2016년 지방직 9급

다음 ㉠의 주민에 대한 설명으로 옳은 것은?

> 고려 시기에 (㉠)은(는) 금, 은, 구리, 쇠 등 광산물을 채취하거나 도자기, 종이, 차 등 특정한 물품을 생산하여 국가에 공물로 바쳤다.

① 군현민과 같은 양인이지만 사회적 차별을 받았다.
② 죄를 지으면 형벌로 귀향을 시키는 처벌을 받았다.
③ 지방 호족 출신으로 지방 행정의 실무를 담당하였다.
④ 재산으로 간주되어 매매·상속·증여의 대상이 되었다.

 **문제풀이** 고려의 특수 행정 구역

난이도 하

고려 시기에 수공업이나 광업 생산에 종사하며 국가에 공물을 바친 ㉠의 주민은 고려의 특수 행정 구역인 소의 주민이다.

① 소(所)의 주민은 법제적으로 양인이었으나, 일반 양인보다 사회적·경제적 차별을 받았다.

오답 분석

② **귀족**: 관리가 죄를 지으면 형벌로 자신의 본관지로 귀향시켜 특권을 박탈하는 귀향형은 일정 신분 이상의 사람들이 죄를 지은 경우에 받는 형벌이었다.

③ **향리**: 지방 호족 출신으로 지방 행정의 실무를 담당한 것은 향리이다. 고려 시대에는 지방관이 파견되지 않은 속현이 많았는데, 향리는 이러한 속현을 비롯하여 특수 행정 구역인 향·부곡·소에서 지방관을 대신하여 조세, 공물 징수 등 실무를 담당했던 실질적인 지배층이었다.

④ **노비**: 재산으로 간주되어 매매·상속·증여의 대상이 된 것은 노비이다.

이것도 알면 **합격!**

고려 시대의 특수 집단민

- 구성: 향·부곡(농업 종사)·소민(수공업·광업,·농수산업 등에 종사), 진촌민·역촌민(육로, 수로 교통 종사)
- 경제적 차별: 일반 양민보다 더 과중한 조세와 역의 의무 부담
- 사회적 차별: 과거 응시 불가능, 거주 이전의 자유 ×, 국자감 입학 불가능

정답 05 ④ 06 ② 07 ④ 08 ①

09

2013년 국가직 9급

밑줄 친 '평량'과 '평량의 처'에 대한 설명으로 옳은 것을 〈보기〉에서 골라 바르게 짝지은 것은?

> 평량은 평장사 김영관의 사노비로 경기도 양주에 살면서 농사에 힘써 부유하게 되었다. 평량의 처는 소감 왕원지의 사노비인데, 왕원지는 집안이 가난하여 가족을 데리고 와서 의탁하고 있었다. 평량이 후하게 위로하여 서울로 돌아가기를 권하고는 길에서 몰래 처남과 함께 왕원지 부부와 아들을 죽이고, 스스로 그 주인이 없어졌음을 다행으로 여겼다.
>
> – 『고려사』 중에서

보기

㉠ 평량은 자신의 토지를 소유할 수 있었다.
㉡ 평량은 주인집에 살면서 잡일을 돌보았다.
㉢ 평량의 처는 국가에 일정량의 신공을 바쳤다.
㉣ 평량의 처는 매매·증여·상속의 대상이 되었다.

① ㉠, ㉡　② ㉠, ㉣
③ ㉡, ㉢　④ ㉢, ㉣

문제풀이 고려 시대의 노비 난이도 중

제시문에서 평량과 평량의 처는 노비이지만 본인 소유의 재산을 가지고 있으며, 거주지도 주인의 집이 아닌 본인 소유의 집에서 거주하고 있는 것을 통해 사노비 중에서 외거 노비임을 알 수 있다.

② 바르게 짝지은 것은 ㉠, ㉣이다.
㉠ 평량은 사노비 중 외거 노비이므로, 개인적으로 토지와 가옥을 소유할 수 있었다.
㉣ 평량의 처는 사노비로, 주인의 재산으로 취급되어 매매·증여·상속의 대상이 되었다.

오답 분석
㉡ 평량은 사노비 중 외거 노비이므로, 주인과 떨어져 생활하였다. 사노비 중 주인 집에 살면서 잡일을 돌보았던 노비는 솔거 노비이다.
㉢ 평량의 처는 사노비이므로 국가가 아닌 주인에게 신공을 바쳤다. 국가에 신공을 바쳤던 노비는 공노비 중 외거 노비이다.

이것도 알면 **합격!**

고려 시대 노비의 구성

구분	내용
공노비	• 입역 노비: 궁중·관청에 소속되어 잡역에 종사, 급료를 받음 • 외거 노비: 지방에 거주하며 농업에 종사, 관청(국가)에 신공 납부
사노비	• 솔거 노비: 주인 집에서 거주, 잡일 담당 • 외거 노비: 주인과 떨어져 독립 생활, 주인에게 신공 납부, 토지·가옥 등 소유 가능, 재산의 증식이 가능

10

2020년 국가직 9급

(가)에 들어갈 기관으로 옳은 것은?

> 5월에 조서를 내리기를 "개경 내의 사람들이 역질에 걸렸으니 마땅히 (가) 을/를 설치하여 이들을 치료하고, 또한 시신과 유골은 거두어 묻어서 비바람에 드러나지 않게 할 것이며, 신하를 보내어 동북도와 서남도의 굶주린 백성을 진휼하라."라고 하였다.
>
> – 『고려사』

① 의창
② 제위보
③ 혜민국
④ 구제도감

문제풀이 구제도감 난이도 중

제시문에서 역질에 걸린 사람들을 치료하고, 시신을 처리하며, 굶주린 백성을 진휼하는 역할을 한다고 한 것을 통해 구제도감임을 알 수 있다.

④ 구제도감은 예종 때, 개경에 전염병이 크게 유행하여 다수의 사망자가 발생하고 시체가 방치되자, 병자의 치료와 병사자 처리, 빈민 구제를 위해 임시로 설치한 구호 기관이다.

오답 분석
① **의창**: 백성을 구휼하기 위한 기관으로, 태조 때 설치한 흑창을 고려 성종 때 확대·개편한 것이다. 평상시 곡물 등을 저장하였다가 흉년에 빈민 구휼에 사용하였다.
② **제위보**: 고려 광종 때 설치한 일종의 재단으로, 일정 기금을 만들어 그 이자로 빈민을 구제하였다.
③ **혜민국**: 고려 예종 때 백성의 질병을 고치기 위해 설치된 기관으로, 백성들에게 의약품을 제공하였다.

11

2017년 경찰직(1차)

고려 시대 사회 모습에 대한 설명으로 가장 적절하지 않은 것은?

① 개경, 서경 및 각 12목에는 상평창을 두어 물가의 안정을 꾀하였다.

② 향도는 고려 후기에 이르러 자신들의 이익을 위하여 조직되는 향도에서 점차 신앙적인 향도로 변모되었다.

③ 기금을 마련한 뒤 이자로 빈민을 구제하는 제위보가 설치되었다.

④ 귀양형을 받은 사람이 부모상을 당하였을 때에는 유형지에 도착하기 전에 7일간의 휴가를 주어 부모상을 치를 수 있도록 하였다.

12

2020년 법원직 9급

다음과 같은 상황이 나타난 시기에 볼 수 있는 모습으로 가장 옳은 것은?

> 옹주는 지극히 예뻐하던 딸이 공녀로 가게 되자 근심하고 번민하다가 병이 생겼다. 결국 지난 9월에 세상을 떠나니 나이가 55세였다. 우리나라의 자녀들이 서쪽 원나라로 끌려가기를 거른 해가 없다. 비록 왕실의 친족과 같이 귀한 집안이라도 숨기지 못하였으며 어미와 자식이 한번 이별하면 만날 기약이 없다.
>
> – 수령 옹주 묘지명

① 몽골군을 물리치는 김윤후와 처인부곡민

② 농민의 토지를 빼앗아 농장을 확대하는 권문세족

③ 왕명을 받아 『삼국사기』를 편찬하는 김부식

④ 별무반과 함께 여진 정벌에 나서는 윤관

문제풀이 고려 시대 사회 모습

난이도 중

② 향도는 고려 초기에 불교 신앙 조직으로 불상이나 탑 등을 조성하였고, 위기가 닥칠 때를 대비하여 향나무를 땅에 묻는 매향 활동을 하였다. 고려 후기에 이르러 신앙적인 향도는 점차 자신들의 이익을 위한 조직으로 변모되어 마을 노역, 혼례와 상장례, 민속 신앙과 관련된 마을 제사 등 공동체 생활을 주도하는 농민 조직으로 발전하였다.

오답 분석

① 고려는 개경, 서경 및 각 12목에 물가 조절 기구인 상평창을 두어 풍년이면 곡물을 사들여 값을 올리고 흉년이면 팔아서 값을 내림으로써 물가의 안정을 꾀하였다.

③ 고려 광종 때 기금을 마련한 뒤 그 이자로 빈민을 구제하는 기구인 제위보가 설치되었다.

④ 고려에서는 귀양형을 받은 자가 부모상을 당할 경우 유형지에 도착하기 전에 7일간의 휴가를 주어 부모상을 치를 수 있게 하였다.

이것도 알면 **합격!**

고려 시대 향도의 활동

초기	• 신앙 조직 • 매향 활동, 불상과 석탑·사찰 등을 조성
후기	• 이익 집단 • 노역, 혼례와 상장례 등을 주관하는 대표적인 농민 공동체 조직

문제풀이 원 간섭기의 사회상

난이도 하

제시문에서 공녀로 원나라로 끌려갔다는 내용을 통해 원 간섭기임을 알 수 있다.

② 원 간섭기에는 권문세족이라는 정치 세력이 등장하였는데, 이들은 고위 관직을 독점하고, 농민의 토지를 빼앗아 대농장을 확대하는 등 사회 모순을 심화시켰다.

오답 분석

모두 원 간섭기 이전의 사실이다.

① 김윤후와 처인부곡민이 몽골군을 물리친 것은 몽골의 2차 침입 때이며, 무신 집권 시기의 사실이다.

③ 김부식이 왕명을 받아 『삼국사기』를 편찬한 것은 1145년(인종)의 일로 고려 문벌 귀족 사회 시기의 사실이다.

④ 윤관이 별무반과 함께 여진 정벌에 나선 것은 고려 예종 때의 일로 고려 문벌 귀족 사회 시기의 사실이다.

정답 09 ② 10 ④ 11 ② 12 ②

13

2017년 국가직 9급(10월 시행)

다음은 『고려사』의 일부 내용이다. 이 시기에 대한 설명으로 옳지 않은 것은?

> ㅇ 명학소를 충순현으로 승격시켰다. 수령까지 두어 위무하더니 태도를 바꿔 군대를 보내와서 토벌하니 어찌된 까닭인가?
> ㅇ 순비 허씨는 일찍이 평양공 왕현에게 시집가서 3남 4녀를 낳았는데, 왕현이 죽은 후 충선왕의 비가 되었다.
> ㅇ 윤수는 매와 사냥개를 잘 다루어 응방 관리가 되었으며, 그의 가문은 권세가가 되었다.

① 충선왕 대 이후에도 왕실 족내혼이 널리 행해졌다.

② 향리 이하의 층도 문·무반으로 신분 상승을 할 수 있었다.

③ 여성의 재혼을 규제하려는 움직임이 나타났다.

④ 향·소·부곡 등 특수 행정 구역이 주현으로 승격되기도 하였다.

문제풀이 고려 후기의 사회 모습 난이도 상

제시문에서 명학소를 충순현으로 승격시켰다는 내용을 통해 고려 무신 집권기임을 알 수 있으며, 순비 허씨가 충선왕의 비가 되었다는 내용과, 응방 관리가 되었다는 내용을 통해 고려 원 간섭기임을 알 수 있다. 따라서 제시문에서 설명된 시기는 고려 후기이다.

① 고려 후기 충선왕 대 이후에 왕실 족내혼은 널리 행해지지 못하였다. 충선왕은 교서를 통해 왕실 족내혼을 금지하고, 재상지종 15개 가문을 지정하여 귀족 가문과 왕실의 혼인을 장려하였으므로 충선왕 대 이후 왕실 족내혼의 비중은 감소되었을 것으로 추정된다.

오답 분석

② 고려 후기에는 향리 이하의 층이 전공을 세우거나 응방, 몽골어 통역 등을 통해 관직에 나가 신분 상승을 하는 경우가 있었다.

③ 고려 후기에 성리학이 고려에 소개되면서 여성의 재혼을 규제하려는 움직임이 나타났다.

④ 고려 후기에 대몽 항쟁 과정에서 부곡과 소 등의 특수 행정 구역이 일반 현으로 승격되는 일이 있었다. 대표적으로 몽골의 제2차 침입 당시 처인성 전투에서 김윤후의 지휘 하에 처인 부곡민들의 결사항전으로 승리하자, 처인 부곡은 처인현으로 승격되었다.

14

2015년 국가직 9급

고려 사회의 모습으로 옳지 않은 것은?

① 천민 출신인 이의민이 무신 정권의 최고 권력자가 되었다.

② 외거 노비가 재산을 늘려, 그 처지가 양인과 유사해질 수 있었다.

③ 지방 향리의 자제가 과거(科擧)를 통해 귀족의 대열에 진입할 수 있었다.

④ 향·부곡·소의 백성도 일반 군현민과 동일한 수준의 조세·공납·역을 부담하였다.

문제풀이 고려 사회의 모습 난이도 중

④ 고려 시대에 향·부곡·소에 거주하는 백성들은 신분적으로는 양인이었으나, 일반 군현민들보다 무거운 세금을 부담하였고, 과거 응시에도 제한을 받았으며, 거주 이전의 자유도 없었다.

오답 분석

① 고려 무신 집권기에는 천민 출신인 이의민이 정권의 최고 권력자가 되자 하극상의 풍조가 만연해졌고, 고려의 신분 제도가 동요하였다.

② 고려 시대의 외거 노비는 주인과 따로 지내면서 일정량의 신공을 주인에게 납부하는 노비로, 신분적으로는 주인에게 예속되었으나, 경제적으로는 재산의 증식이 가능하여 양인과 유사한 경제생활을 영위할 수 있었다.

③ 고려 시대에는 지방 향리의 자제가 과거 시험에 응시할 수 있었고, 이를 통해 중앙 귀족으로 진입할 수 있었다.

이것도 알면 **합격!**

고려 시대 노비의 특징

- 성(姓)의 소유 불가능
- 매매·증여·상속의 대상이 되었으며, 국역의 의무가 없었음
- 소유주가 다른 노와 비가 결혼할 수 있었으나, 같은 신분끼리만 결혼을 할 수 있었음(동색혼). 즉, 노비끼리만 혼인이 가능
- 신분 상승은 가능하였으나, 관직 진출은 불가능

15

2018년 경찰직(2차)

고려 시대 국가 운영을 위하여 시행한 사회 정책에 대한 설명으로 가장 적절하지 않은 것은?

① 고려는 개경과 서경 및 12목에 상평창을 설치하여 물가를 조절하였다.

② 고려는 흉년 등 어려운 때에 백성을 구제하기 위해 의창을 만들어 봄에 곡식을 빌려 주고 가을에 갚게 하였다.

③ 대비원은 환자를 진료하고 갈 곳이 없는 어려운 사람들을 돌보아 주었다.

④ 혜민서는 유랑자를 수용하고 구휼하였다.

문제풀이 고려 시대의 사회 정책 난이도 중

④ 혜민서는 고려 시대의 혜민국을 계승하여 조선 세조 때 설치된 관서로, 약 처방과 서민들의 질병 치료를 담당한 곳이다.

오답 분석

① 상평창은 고려 성종 때 개경, 서경, 12목에 설치된 물가 조절 기관이다. 상평창은 풍년에 곡식을 사들이고, 흉년에 싼값에 곡식을 판매하여 물가를 조절하였다.

② 의창은 춘대추납의 방법으로 빈민을 구휼하는 역할을 하는 기관으로 고려 성종이 태조 왕건 때 만들어진 흑창을 확대·개편하여 설치하였다.

③ 대비원은 환자의 진료와 빈민 구휼을 담당하던 기관이었다.

이것도 알면 **합격!**

고려 시대의 사회 안정책

흑창·의창	평상시 곡물·소금 등을 저장하였다가 흉년에 빈민 구휼에 사용(태조 때 흑창 → 성종 때 의창으로 개칭)
제위보(광종)	일정 기금을 만들어 그 이자로 빈민을 구제하는 기구
상평창(성종)	물가 조절 기구, 개경·서경·12목에 설치
동·서 대비원	개경(동·서쪽)에 설치, 음식 제공, 빈민 치료
혜민국(예종)	백성의 질병 치료·무료 약 처방
구제도감·구급도감	• 구제도감은 예종 때 설치, 구급도감은 고종 때 설치 • 빈민 구제를 위한 임시 기구로 설치

16

2015년 국가직 9급

고려의 농민을 위한 정책으로 옳지 않은 것은?

① 농민 자제의 과거를 위한 기금으로 광학보를 설치하였다.

② 개간지는 일정 기간 면세하여 줌으로써 농민의 부담을 경감해 주었다.

③ 재해를 당했을 때에는 세금을 감면해 농민 생활의 안정을 꾀하였다.

④ 농번기에는 잡역 동원을 금지하여 농사에 지장을 주지 않으려 하였다.

문제풀이 고려의 농민 정책 난이도 중

① 광학보는 고려 정종 때 승려의 장학금 마련을 위해 만든 장학 재단이다. 고려 시대에는 일정한 기금을 모아 그 이자를 공적 사업의 경비로 충당하는 보(寶)가 성행하였다.

오답 분석

② 고려 시대에는 권농 정책의 일환으로 황무지를 개간하거나 갈지 않고 버려 둔 진전을 새로 경작하는 경우 일정 기간 세금을 면제하여 농민들의 부담을 경감해주었다.

③ 고려 시대에는 재해를 당한 농민에게 세금을 감면해 주는 면재법을 실시하여 농민 생활의 안정을 도모하였다.

④ 고려 시대에는 농민 안정책의 일환으로 농번기에 잡역 동원을 금지하여 농사에 지장을 주지 않도록 하였다.

이것도 알면 **합격!**

고려의 농민 안정책

잡역 동원 금지	농번기에는 농민의 잡역 동원을 금지
면재법	자연재해로 피해를 입은 농민에게 피해 정도에 따라 조세·공납·역을 감면해 줌.
자모정식법	이자가 빌린 원금과 같은 액수가 되면 그 이상의 이자 수취 금지
토지 겸병 금지	귀족들의 토지 겸병을 금지

정답 13 ① 14 ④ 15 ④ 16 ①

17

2014년 국가직 9급

고려의 형률 제도에 대한 설명으로 옳은 것은?

① 주로 당나라의 것을 끌어다 썼으며, 때에 따라 고려의 실정에 맞는 율문도 만들었다.

② 행정과 사법이 명확하게 분리·독립되어 있었다.

③ 실형주의(實刑主義)보다는 배상제(賠償制)를 우위에 두고 있었다.

④ 기본적으로 태형(笞刑), 장형(杖刑), 도형(徒刑), 유형(流刑)의 4형 체계를 가지고 있었다.

문제풀이 고려의 형률 제도 난이도 중

① 고려 시대는 중국의 당률을 참고한 법률을 시행하였으나 대부분의 경우에는 관습법을 따랐다.

오답 분석

② 고려 시대에는 행정과 사법이 명확히 분리되어 있지 않아 지방관이 사법권을 행사하였다. 사법권이 행정권에서 분리된 것은 제2차 갑오개혁 때이다.

③ 고려 시대에 배상제는 음덕(蔭德)이 있거나 관품(官品)을 가지고 있는 경우, 사람을 과실로 살상한 경우 등에만 제한적으로 적용되었고, 실제로는 실형주의가 더 우위에 있었다.

④ 고려의 형벌은 태·장·도·유·사형의 5형 체제로 구성되어 있었다.

이것도 알면 **합격!**

고려 시대의 법률과 형벌

법률	중국 당률을 기반으로 한 71개조의 법률을 시행하였으나, 대부분 관습법을 따랐음(지방관이 사법권을 행사)
형벌	• 5종(5형): 태·장·도·유·사 • 반역죄·불효죄는 중죄로 처벌(유교 윤리 강조) • 귀양형을 받은 자가 부모상을 당하면 7일간의 휴가 집행 • 70세 이상 노부모를 두고 봉양할 가족이 없으면 형벌 집행 보류
형벌 대체	• 수속법: 가벼운 범죄일 경우 돈을 내면 처벌 면제 • 귀향형: 일정 신분 이상의 사람이 죄를 지은 경우 본관지로 돌려보내 중앙의 정치 권력과 연계성을 차단시킴

18

2015년 법원직 9급

다음의 형벌 제도가 시행되고 있던 시기의 사실로 가장 옳은 것은?

> • 감찰하는 관리 자신이 도적질하거나 감찰할 때에 재물을 받고 법을 어긴 자는 도형(徒刑)과 장형(杖刑)으로 논하지 말고 직전(職田)을 회수한 다음 귀향시킨다.
> • 승인(僧人)으로 사원의 미곡을 훔친 자는 귀향시켜 호적에 편제한다.
> • 관가의 물품을 무역한 자는 귀향형을 제외하고는 법에 따라 단죄한다.

① 노론과 소론의 대립으로 환국이 일어났다.

② 사위와 외손자에게도 음서의 혜택이 주어졌다.

③ 지방에서 성주, 장군이라 자칭한 세력이 일어났다.

④ 법전에 의해 형벌과 민사에 관한 사항을 규율하였다.

문제풀이 고려 시대의 사회 모습 난이도 하

제시문의 도형, 장형, 귀향형 등의 형벌 제도가 시행된 시기는 고려 시대이다.

② 고려 시대에는 음서의 혜택이 5품 이상의 고위 관료의 자손, 사위와 외손자에게까지도 적용되었다.

오답 분석

① **조선 후기:** 서인과 남인의 대립으로 조선 숙종 때 환국이 일어났다. 이후 정권을 장악한 서인이 노론과 소론으로 분화하여 서로 대립하였던 시기는 조선 후기이다.

③ **신라 하대:** 지방에서 성주, 장군이라 자칭하는 호족 세력이 성장한 시기는 신라 하대이다. 신라 하대에는 진골 귀족들의 왕위 쟁탈전으로 인하여 중앙 정부의 지방에 대한 통제력이 약화되었고, 지방에서는 민란이 빈번하게 발생하였으며, 경제력과 군사력을 갖춘 호족 세력이 성장하였다.

④ **조선 전기:** 『경국대전』, 『대명률』의 법전으로 형벌과 민사에 관한 사항을 규율한 시기는 조선 전기이다. 고려 시대의 기본법은 중국의 당률을 참조한 71개 조의 법률을 시행하였으나, 대부분의 경우 관습법을 따랐다.

19

2017년 지방직 7급

고려 사회에 대한 설명으로 옳은 것만을 모두 고른 것은?

> ㉠ 여성은 재혼이 가능하였다.
> ㉡ 여성은 호주가 될 수 없었다.
> ㉢ 부모의 재산은 아들과 딸의 구분 없이 고르게 상속되었다.
> ㉣ 결혼할 때 여성이 데려온 노비에 대한 소유권은 남편에게 귀속되었다.

① ㉠, ㉡
② ㉠, ㉢
③ ㉡, ㉣
④ ㉢, ㉣

문제풀이 고려 사회의 모습 난이도 하

② 옳은 것을 모두 고르면 ㉠, ㉢이다.
㉠ 고려 시대에는 여성의 재혼이 가능하였으며, 재혼한 경우에도 자식의 사회적 진출에 차별을 두지 않았다.
㉢ 고려 시대에는 자녀 균분 상속의 원칙으로 부모의 재산은 아들과 딸의 구분 없이 고르게 상속되었다.

오답 분석
㉡ 고려 시대에 여성은 호주가 될 수 있었으며, 호적에서도 남녀 간의 차별을 두지 않고 연령순으로 기록하였다.
㉣ 고려 시대에는 결혼 시 여성이 데려온 노비에 대한 소유권은 여성의 것이었다. 또한, 친정에서 가져온 재산도 여성이 관리할 수 있었다.

이것도 알면 **합격!**

고려 시대 여성의 지위

재산 상속	재산은 남녀 차별 없이 자녀들에게 균분 상속
호주와 호적	여성이 호주가 될 수 있었고, 호적·묘비에 연령순으로 기록
제사	• 아들이 없으면 딸이 제사를 담당 • 윤회 봉사(제사를 자녀들이 돌아가면서 지냄)를 실시
혼인	처가살이하는 경우도 많았음(솔서혼, 서류부가혼)
음서의 혜택	사위와 외손자에게까지 적용되었음
재가	여성의 재가 가능, 재가녀의 자식에 대한 사회적 차별 없음

20

2014년 서울시 9급

다음 자료에 나타난 시기의 가족 제도의 특징으로 옳은 것을 〈보기〉에서 모두 고른 것은?

> 지금은 남자가 장가들면 여자 집에 거주하여, 남자가 필요로 하는 것은 모두 처가에서 해결하고 있습니다. 그리하여 장인과 장모의 은혜가 부모의 은혜와 똑같습니다. 아아, 장인께서 저를 두루 보살펴 주셨는데 돌아가셨으니, 저는 장차 누구를 의지해야 합니까. -『동국이상국집』

> **보기**
> ㉠ 제사는 불교식으로 자녀들이 돌아가면서 지냈다.
> ㉡ 부계 위주의 족보를 편찬하면서 동성 마을을 이루어 나갔다.
> ㉢ 태어난 차례대로 호적에 기재하여 남녀 차별을 하지 않았다.
> ㉣ 아들이 없을 때에는 양자를 들이지 않고 딸이 제사를 지냈다.

① ㉠, ㉡
② ㉡, ㉢
③ ㉢, ㉣
④ ㉠, ㉢, ㉣
⑤ ㉡, ㉢, ㉣

문제풀이 고려 시대 가족 제도 난이도 하

제시문에서 남자가 장가들어 여자 집에 거주한다는 내용을 통해 처가살이 하는 경우가 많았던 고려 시대의 가족 제도임을 알 수 있다.

④ 옳은 것을 모두 고르면 ㉠, ㉢, ㉣이다.
㉠ 고려 시대에는 가정 내에서 여성의 지위가 남성과 거의 대등하였기 때문에 제사는 불교식으로 자녀들이 돌아가면서 지냈다.
㉢ 고려 시대에는 태어난 순서대로 호적을 기재하여 남성과 여성을 차별하지 않았다.
㉣ 고려 시대에는 아들이 없는 경우에 딸이 부모의 제사를 지냈다. 또한, 윤회 봉사라 하여 제사를 자녀들이 돌아가며 지냈으며, 상복에서도 처가와 외가의 차이를 두지 않았다.

오답 분석
㉡ **조선 후기**: 유교 윤리의 보급으로 양반들이 부계 위주의 족보를 편찬하면서 동성 마을을 이루었던 것은 조선 후기의 일이다. 조선 후기에는 가부장적 가족 제도가 정착되면서 부계와 모계가 함께 영향을 끼치는 가족 제도에서 부계 위주의 가족 제도로 변화하였다.

정답 17 ① 18 ② 19 ② 20 ④

03 고려의 문화

1 | 유학의 발달과 역사서의 편찬

01

2015년 지방직 9급

밑줄 친 '그'에 대한 설명으로 옳은 것은?

> 그는 송악산 아래의 자하동에 학당을 마련하여 낙성(樂聖), 대중(大中), 성명(誠明), 경업(敬業), 조도(造道), 솔성(率性), 진덕(進德), 대화(大和), 대빙(待聘) 등의 9재(齋)로 나누고 각각 전문 강좌를 개설토록 하였다. 그리하여 당시 과거 보려는 자제들은 반드시 먼저 그의 학도로 입학하여 공부하는 것이 상례로 되었다.

① 9경과 3사를 중심으로 교육하였다.

② 유교적 합리주의 사관에 기초하여 『삼국사기』를 편찬하였다.

③ 유교 사상을 치국의 근본으로 삼아 시무 28조의 개혁안을 올렸다.

④ 『소학』과 『주자가례』를 중시하고 권문세족과 불교의 폐단을 비판하였다.

02

2022년 서울시 9급(6월 시행)

고려 시대 왕들의 교육 제도 정비 내용으로 가장 옳은 것은?

① 숙종 대에 서적포라는 국립 출판사를 두어 책을 간행하였다.

② 예종 대에는 사립 학교 구재(九齋)를 설치하였다.

③ 문종은 양현고라는 장학 재단을 설치하여 운영하였다.

④ 고려의 국립 대학 국자감은 충선왕 대에 국학으로 개칭되었다.

문제풀이 최충 난이도 중

제시문에서 학당을 마련하여 9재로 나누어진 전문 강좌를 개설하였다는 것을 통해 밑줄 친 '그'가 최충임을 알 수 있다.

① 고려 중기에 최충은 사립 교육 기관인 문헌공도(9재 학당)를 설립하여 9경과 3사를 중심으로 교육하였다. 고려 중기에는 관학보다 사학에서 공부한 학생들이 과거에서 좋은 성적을 거두자 최충의 문헌공도를 비롯한 사학이 융성하였다.

오답 분석

② **김부식**: 유교적 합리주의 사관에 기초하여 우리나라 최고(最古)의 역사서인 『삼국사기』를 편찬한 인물은 김부식이다.

③ **최승로**: 유교 사상을 치국의 기본으로 한 시무 28조의 개혁안을 고려 성종에게 올린 인물은 최승로이다.

④ **신진 사대부**: 『소학』과 『주자가례』를 중시하였으며, 고려 말 집권 세력인 권문세족과 불교의 폐단을 비판한 이들은 신진 사대부이다.

이것도 알면 **합격!**

9재 학당(문헌공도)

설립	최충(해동공자, 문헌공)
교육	9개의 전문 강좌로 구성(9재)
의의	사학 융성, 고려의 유학 교육 진흥, 유학을 심화·발전시킴
한계	관학 위축, 문벌 귀족 사회의 확립으로 사회 보수화 초래

문제풀이 고려 시대의 교육 제도 정비 난이도 하

① 고려 숙종 대에는 서적 간행의 활성화를 위해 국자감에 서적포라는 국립 출판사를 두고 책을 간행하였다.

오답 분석

② 최충이 사립 학교인 구재(九齋)를 설치한 것은 고려 예종 대가 아닌 문종 대이다.

③ 사학의 융성으로 위축된 관학의 경제적 기반을 강화하기 위하여 양현고라는 장학 재단을 설치하여 운영한 것은 고려 문종 대가 아닌 예종 대이다.

④ 고려의 국립 대학인 국자감이 국학으로 개칭된 것은 충선왕 대가 아닌 충렬왕 대이다.

이것도 알면 **합격!**

관학 진흥책

숙종	국자감에 서적포 설치
예종	• 전문 강좌인 관학 7재 설치, 장학 재단인 양현고 설치 • 궁중에 청연각·보문각 등 설치
인종	경사 6학 정비, 7재에서 강예재 폐지, 지방에 향교 증설
충렬왕	• 공자 사당인 문묘 건립 • 양현고를 보강하기 위해 교육 기금인 섬학전 설치
공민왕	성균관을 순수한 유교 교육 기관으로 개편

03

2020년 법원직 9급

다음 자료와 관련된 고려 정부의 대응으로 가장 옳은 것은?

> 최충이 후진들을 모아 열심히 교육하니, 유생과 평민이 그의 집과 마을에 차고 넘치게 되었다. 마침내 9재로 나누었다. …… 이를 시중 최공의 도라고 불렀다. 의관자제로서 과거에 응시하려는 자들은 반드시 먼저 이 도에 속하여 공부하였다. …… 세상에서 12도라고 일컬었는데, 최충의 도가 가장 성하였다.

① 원으로부터 성리학을 수용하였다.

② 『주자가례』와 『소학』을 널리 보급하였다.

③ 국학에 처음으로 양현고를 설치하였다.

④ 만권당을 짓고 유명한 학자들을 초청하였다.

문제풀이 사학에 대한 고려 정부의 대응 난이도 하

제시문에서 최충이 사학을 열고 9재를 만들었으며, 이후 사학이 유행하여 사학 12도가 형성되었다는 내용을 통해 고려 중기 사학의 발달에 관한 것임을 알 수 있다. 사학은 유교 경전 교육을 중시하는 국자감과 달리, 과거에서 더 중시되는 제술 과목을 필수로 운영하여 과거를 준비하는 자들에게 더욱 선호되었다. 이렇게 사학이 융성하자 고려 정부는 관학을 진흥시키기 위한 정책을 추진하였다.

③ 고려는 예종 때 관학의 경제 기반을 강화하기 위하여 일종의 장학 재단인 양현고를 설치하였고, 또한 국자감(국학) 내에 전문 강좌인 7재를 설치하였다.

오답 분석

모두 고려의 관학 진흥 정책과 관련이 없다.

① 원으로부터 성리학이 수용된 것은 관학 진흥과는 관계가 없다. 성리학은 충렬왕 때 안향에 의해 고려에 전래되었다.

② 『주자가례』와 『소학』이 널리 보급된 것은 16세기 조선 시대 사림들에 의해서이다.

④ 만권당은 충선왕이 원의 수도인 연경에 설치한 학문 연구소로, 관학 진흥책과는 관련이 없다.

04

2019년 서울시 9급(6월 시행)

〈보기〉에서 밑줄 친 '그'가 활동하던 시대 상황에 대한 설명으로 가장 옳지 않은 것은?

> **보기**
>
> 그가 북산에서 나무하다가 공, 사노비를 불러 모아 모의하기를, "나라에서 경인, 계사년 이후로 높은 벼슬이 천한 노비에게서 많이 나왔으니, 장수와 재상이 어찌 씨가 따로 있으랴. 때가 오면 누구나 할 수 있는데, 우리들이 어찌 고생만 하면서 채찍 밑에 곤욕을 당해야 하겠는가?"라고 하니, 여러 노비들이 모두 그렇게 여겼다.
>
> -『고려사』

① 최충의 9재 학당을 비롯한 사학 12도가 융성하였다.

② 경주 일대에서 고려 왕조를 부정하는 신라 부흥 운동이 일어났다.

③ 정혜쌍수와 돈오점수를 주장하는 수선 결사 운동이 전개되었다.

④ 소(所)의 거주민은 금, 은, 철 등 광업품이나 수공업 제품을 생산하여 바치기도 하였다.

문제풀이 최충헌 집권기의 사실 난이도 중

제시문에서 공·사노비를 모아 경인년(무신 정변), 계사년(김보당의 난) 이래에 높은 벼슬이 노비에서 나왔음을 강조하며 신분 해방을 주장하는 내용을 통해 밑줄 친 '그'가 만적임을 알 수 있다. 만적은 최씨 무신 정권 시기의 권력자인 최충헌의 사노비로, 신분 해방을 목표로 반란을 모의하였으나 사전에 발각되어 실패하였다.

① 최충의 9재 학당(문헌공도) 등을 비롯한 사학 12도가 융성하였던 것은 고려 중기로, 최충헌(무신) 집권 시기 이전의 사실이다.

오답 분석

② 최충헌 집권 시기(1196~1219)에 경주 일대에서 이비·패좌가 신라 부흥을 표방하며 반란을 일으켰다(1202). 한편 최충헌 집권 이전인 이의민 집권기에도 운문과 초전에서 김사미, 효심 등이 신라 부흥을 표방하며 반란을 일으키기도 하였다.

③ 최충헌 집권기에 정혜쌍수와 돈오점수를 주장하는 지눌의 수선사 결사 운동이 전개되었다. 최충헌은 왕실 및 귀족과 결탁하여 무신 정권에 대항하던 교종을 억압하고 선종 중심의 조계종을 후원하였으며, 지눌의 수선사 결사 운동을 지원하였다.

④ 고려 시대에 특수 행정 구역인 소(所)의 거주민은 금, 은, 철 등의 광업품이나 종이 등의 수공업품, 차와 생강 등을 생산하여 국가에 바쳤다. 한편 향, 부곡, 소 등의 특수 행정 구역은 정중부 집권기에 공주 명학소에서 일어난 망이·망소이의 난을 계기로 점차 소멸되었으며, 조선 시대에 이르러 완전히 소멸되었다.

정답 01 ① 02 ① 03 ③ 04 ①

05

2021년 국가직 9급

밑줄 친 '유학자'에 대한 설명으로 옳은 것은?

> 풍기 군수 주세붕은 고려 시대 유학자의 고향인 경상도 순흥면 백운동에 회헌사(晦軒祠)를 세우고, 1543년에 교육 시설을 더해서 백운동 서원을 건립하였다.

① 해주 향약을 보급하였다.

② 원 간섭기에 성리학을 국내로 소개하였다.

③『성학십도』를 저술하여 경연에서 강의하였다.

④ 일본의 동정을 담은『해동제국기』를 저술하였다.

06

2022년 서울시 9급(2월 시행)

〈보기〉에서 이름과 활동을 옳게 짝지은 것은?

> **보기**
> ㉠ 이제현 – 만권당에서 원의 학자들과 교류하였다.
> ㉡ 안향 – 공민왕이 중영한 성균관의 대사성이 되었다.
> ㉢ 이색 – 충렬왕 때 고려에 성리학을 본격적으로 소개하였다.
> ㉣ 정몽주 – 역사서『사략』을 저술하였다.

① ㉠　　② ㉡

③ ㉢　　④ ㉣

문제풀이 안향 　난이도 하

제시문에서 풍기 군수 주세붕이 밑줄 친 유학자의 고향인 백운동에 서원을 건립하였다는 내용을 통해 밑줄 친 '유학자'가 안향임을 알 수 있다. 조선 중종 때 풍기 군수 주세붕은 우리나라에 성리학을 처음 소개한 안향을 제사 지내기 위해 우리나라 최초의 서원인 백운동 서원을 세웠다.

② 안향은 원 간섭기에 성리학을 국내에 처음으로 소개한 인물이다. 충렬왕 때 안향은 원에서『주자전서』와 공자와 주자의 초상화를 베껴 고려에 돌아와 국내에 처음으로 성리학을 소개하였다.

오답 분석

① **이이**: 해주 향약을 보급한 인물은 이이이다. 향약이 조선 중종 때 조광조에 의해 처음 시행된 이후 이이는 향약을 우리나라 실정에 맞게 토착화한 해주 향약을 만들어 보급하였다.

③ **이황**:『성학십도』를 저술하여 경연에서 강의한 인물은 이황이다. 이황은 성리학의 원리를 10개의 도식으로 설명한『성학십도』를 저술하고, 선조에게 올려 군주가 스스로 성학을 따를 것(성학군주론)을 주장하였다.

④ **신숙주**:『해동제국기』를 저술한 인물은 신숙주이다. 조선 세종 때 일본에 다녀온 신숙주는 성종 때 일본의 정치·외교 관계·사회·풍속·지리 등을 종합적으로 기록한『해동제국기』를 저술하였다(1471).

문제풀이 고려 시대의 성리학자 　난이도 중

① 옳은 것을 고르면 ㉠이다.

㉠ 이제현은 충선왕이 원의 수도인 연경(베이징)에 설립한 학문 연구소인 만권당에서 원의 학자들과 교류하면서 성리학에 대한 이해를 심화하였으며, 귀국 후 이색 등에게 영향을 주었다.

오답 분석

㉡ 공민왕이 중영(정비)한 성균관의 대사성이 된 인물은 이색이다. 이색은 원의 과거에 급제하고 돌아와 공민왕 때 성균관의 대사성이 되었으며, 정몽주·정도전 등을 가르치며 성리학을 확산시켰다.

㉢ 충렬왕 때 고려에 성리학을 본격적으로 소개한 인물은 안향이다. 안향은 충렬왕 때 원에서『주자전서』와 함께 공자와 주자의 초상화를 베껴 고려에 돌아와 국내에 처음으로 성리학을 소개하였다.

㉣ 역사서『사략』을 저술한 인물은 이제현이다. 이제현은 공민왕 때 정통 의식과 대의명분을 강조한 역사서인『사략』을 저술하였다.

이것도 알면 **합격!**

고려의 성리학 수용과 발전

구분	내용
수용	충렬왕 때 안향이 원에서『주자전서』를 들여오면서 소개됨
전수	백이정이 원에서 성리학을 배워 이제현, 박충좌 등에게 전수
전파	이제현이 원의 만권당에서 원의 학자들과 교류한 뒤, 귀국하여 이색 등에게 영향을 줌
확산	공민왕 때 이색이 정몽주, 권근, 정도전 등을 가르쳐 확산시킴

07

2022년 간호직 8급

(가), (나) 인물에 대한 설명으로 옳은 것은?

> 위화도 회군 후 신진 사대부는 사회 개혁을 둘러싸고 급진 개혁파와 온건 개혁파로 나뉘었다. 훗날 '동방 이학(理學)의 조(祖)'라고 불린 [(가)]을/를 중심으로 한 다수의 온건 개혁파는 고려 왕조를 유지하려 하였다. 반면 급진 개혁파인 [(나)]은/는 『불씨잡변』을 통해 불교를 비판하고 성리학을 새로운 통치 이념으로 제시하였다.

① (가)는 『조선경국전』을 편찬하였다.
② (가)는 과전법 실시를 주장하였다.
③ (나)는 『고려국사』를 편찬하였다.
④ (나)는 만권당에서 원의 학자들과 교류하였다.

08

2016년 국가직 9급

(가)와 (나)에 들어갈 역사서에 대한 설명으로 옳은 것은?

> • (가) 은(는) 현존하는 우리나라의 가장 오래된 역사서로 고려 인종 때 편찬되었다. 본기 28권, 연표 3권, 지 9권, 열전 10권 등 총 50권으로 구성되어 있다.
> • (나) 은(는) 충렬왕 때 한 승려가 일정한 역사 서술 체계에 구애받지 않고 자유로운 형식으로 저술한 역사서이다. 총 5권으로 구성되었으며, 민간 설화와 불교에 관한 내용들이 많이 수록되어 있다.

① (가) – 고조선의 역사를 중시하였다.
② (가) – 고구려 계승 의식을 강조하였다.
③ (나) – 민족적 자주 의식을 고양하였다.
④ (나) – 도덕적 합리주의를 표방하였다.

문제풀이 정몽주와 정도전

난이도 중

(가) 인물은 '동방 이학(理學)의 조(祖)'라고 불렸다는 것과 온건 개혁파라는 것을 통해 정몽주임을 알 수 있다.

(나) 인물은 급진 개혁파라는 것과 『불씨잡변』을 통해 불교를 비판하였다는 것을 통해 정도전임을 알 수 있다.

③ 정도전은 태조의 명을 받아 고려 시대의 역사를 편년체로 정리한 『고려국사』를 저술하였다. 『고려국사』는 현존하지 않으나 『고려사절요』에 전해지는 「사론」에 의하면, 『고려국사』가 성리학적 입장에서 고려 시대의 무신 정권, 불교의 폐단 등을 지적하며 조선 건국의 정당성을 강조하였음을 알 수 있다.

오답 분석

① **정도전**: 『조선경국전』을 편찬한 인물은 정도전이다. 『조선경국전』은 정도전이 국가의 운영을 위해 『주례(周禮)』의 6전 체제를 참고하여 국가를 통치하는 데 필요한 내용을 정리한 법전이다.

② **조준 등**: 과전법의 실시를 주장한 것은 조준 등의 혁명파 사대부이다. 혁명파 사대부들은 권문세족의 경제 기반을 약화시키고 자신들의 경제적 기반을 마련하기 위해 과전법을 시행하였다.

④ **이제현**: 원의 수도인 연경에 충선왕이 세운 만권당에서 원의 학자와 교류한 대표적인 인물은 고려 말의 유학자인 이제현이다.

문제풀이 『삼국사기』와 『삼국유사』

난이도 중

제시된 자료에서 (가)는 현존하는 우리나라의 가장 오래된 역사서라는 내용을 통해 고려 인종 때 김부식이 편찬한 『삼국사기』임을 알 수 있고, (나)는 민간 설화와 불교에 관한 내용이 많이 수록되었다는 내용을 통해 고려 충렬왕 때 승려 일연이 편찬한 『삼국유사』임을 알 수 있다.

③ 『삼국유사』는 불교사를 중심으로 고대의 민간 설화나 전래 기록을 수록하는 등 우리 고유의 문화와 전통을 중시하여 민족적 자주 의식을 고양하였다.

오답 분석

① 『삼국사기』에서는 삼국 이전의 상고사를 배제하여 고구려·백제와 연결되는 고조선·삼한의 존재를 알면서도 서술에서 삭제되었다.

② 『삼국사기』에는 신라 계승 의식이 반영되어 있다. 『삼국사기』의 본기에는 삼국의 역사가 공평하게 서술되어 있으나 지와 열전은 신라사에 치중되어 있고, 실제 서술에서도 고려가 신라를 계승하였음을 밝히고 있어 『삼국사기』에 신라 계승 의식이 반영되어 있음을 알 수 있다.

④ **『삼국사기』**: 도덕적 합리주의를 표방하여 편찬된 역사서는 『삼국사기』이다. 『삼국유사』는 우리 민족 고유의 문화와 전통을 중시하여 『삼국사기』에서 누락된 고대의 설화와 야사가 많이 기록되어 있다.

정답 05 ② 06 ① 07 ③ 08 ③

09

2021년 지방직 9급

다음 내용의 역사서에 대한 설명으로 옳은 것은?

> 왕께서는 "우리나라 사람들은 유교 경전과 중국 역사에 대해서는 자세히 말하는 사람이 있으나 우리나라의 사실에 이르러서는 잘 알지 못하니 매우 유감이다. 중국 역사서에 우리 삼국의 열전이 있지만 상세하게 실리지 않았다. 또한, 삼국의 고기(古記)는 문체가 거칠고 졸렬하며 빠진 부분이 많으므로, 이런 까닭에 임금의 선과 악, 신하의 충과 사악, 국가의 안위 등에 관한 것을 다 드러내어 그로써 후세에 권계(勸戒)를 보이지 못했다. 마땅히 일관된 역사를 완성하고 만대에 물려주어 해와 별처럼 빛나도록 해야 하겠다."라고 하셨습니다.

① 불교를 중심으로 신화와 설화를 정리하였다.
② 유교적인 합리주의 사관에 따라 기전체로 서술되었다.
③ 단군 조선을 우리 역사의 시작으로 본 통사이다.
④ 진흥왕의 명을 받아 거칠부가 편찬하였다.

문제풀이 『삼국사기』 난이도 하

제시문은 고려 인종 때 김부식이 쓴 『삼국사기』 서문이다.

② 『삼국사기』는 현존하는 우리나라 최고(最古)의 역사서로, 고려 초에 쓰여진 『구삼국사』를 바탕으로 유교적 합리주의 사관에 따라 기전체로 서술되었다.

오답 분석

① **『삼국유사』(고려)**: 불교를 중심으로 신화와 고대의 민간 설화를 정리한 역사서는 일연이 편찬한 『삼국유사』이다.

③ **『동국통감』(조선)**: 단군 조선을 우리 역사의 시작으로 보고 고려 말까지의 전 시대를 통사 체계로 구성한 역사서는 조선 성종 때 서거정 등이 편찬한 『동국통감』이다. 한편 김부식이 저술한 『삼국사기』에는 단군 조선에 관련된 내용이 들어 있지 않다.

④ **『국사』(신라)**: 진흥왕의 명을 받아 거칠부가 신라 왕조의 역사를 정리해 편찬한 역사서는 『국사』이다.

이것도 알면 **합격!**

『삼국사기』

편찬	1145년(고려 인종 23)에 왕명으로 김부식 등이 편찬
특징	• 유교적 합리주의 사관 반영 • 기전체로 서술(본기, 지, 표, 열전) • 신라 계승 의식을 반영
의의	우리나라에 현존하는 가장 오래된 역사서

10

2023년 지방직 9급

다음 글을 쓴 인물에 대한 설명으로 옳은 것은?

> 세상에서 동명왕의 신이(神異)한 일을 많이 말한다. …(중략)… 지난 계축년 4월에 『구삼국사』를 얻어 동명왕본기를 보니 그 신기한 사적이 세상에서 얘기하는 것보다 더하였다. 그러나 처음에는 믿지 못하고 귀신이나 환상이라고만 생각하였는데, 두세 번 반복하여 읽어서 점점 그 근원에 들어가니 환상이 아닌 성스러움이며, 귀신이 아닌 신성한 이야기였다.

① 사실의 기록보다 평가를 강조한 강목체 사서를 편찬하였다.
② 단군부터 고려 충렬왕 때까지의 역사를 서사시로 기록하였다.
③ 단군 신화와 전설 등 민간에서 전승되는 자료를 광범위하게 수록하였다.
④ 김부식의 『삼국사기』에 동명왕의 신이한 사적이 생략되어 있다고 평하였다.

문제풀이 이규보 난이도 하

제시문에서 동명왕본기를 보았다는 것과 점점 근원에 들어가니 귀신이 아닌 신성한 이야기라는 내용을 통해 이규보의 『동명왕편』 서문임을 알 수 있다. 『동명왕편』은 이규보가 고구려를 건국한 동명왕의 업적을 칭송한 영웅 서사시로, 『동국이상국집』에 수록되어 전한다.

④ 이규보는 김부식의 『삼국사기』에 고구려 동명왕(주몽)의 신이한 사적이 생략되어 있다고 평하였다. 이규보는 『구삼국사』의 내용과 당시 전해지는 구전 설화를 참고하여 동명왕의 업적을 서사시의 형태로 기록함으로써 고려가 위대한 고구려를 계승하고 있는 자부심을 널리 전하고자 하였다.

오답 분석

① 이규보는 사실의 기록보다 평가를 강조한 강목체 사서를 편찬하지 않았다. 한편, 강목체 사서를 편찬한 인물로는 『본조편년강목』을 편찬한 민지, 『동사강목』을 편찬한 안정복 등이 있다.

② **이승휴**: 단군부터 고려 충렬왕 때까지의 역사를 서사시로 기록한 인물은 이승휴이다. 이승휴는 상권에서는 중국의 역사를 7언시로, 하권에서는 단군부터 고려 충렬왕 때까지의 역사를 5언시 형식의 서사시로 기록한 『제왕운기』를 저술하였다.

③ **일연**: 단군 신화와 전설 등 민간에서 전승되는 자료를 광범위하게 수록한 인물은 일연이다. 일연은 단군 신화와 삼국의 건국 신화, 전설 등 민간에서 전승되는 자료를 광범위하게 수록한 『삼국유사』를 저술하였다.

11

2018년 국가직 9급

다음은 고려 시대 진화의 시이다. 이 시인과 교류를 통해 자부심을 공유한 인물의 작품은?

> 서쪽 송나라는 이미 기울고 북쪽 오랑캐는 아직 잠자고 있네. 앉아서 문명의 아침을 기다려라, 하늘의 동쪽에서 태양이 떠오르네.

① 『삼국사기』

② 『동명왕편』

③ 『제왕운기』

④ 『삼국유사』

문제풀이 이규보 난이도 상

제시문은 고려 시대의 시인 진화가 금나라에 사신으로 가면서 고려가 금나라보다 문화적으로 우월하다는 자신감을 표현하며 지은 시이다. 한편 진화와 교류를 통해 자부심을 공유한 인물은 이규보이다. 이규보와 진화는 고려의 대표적인 문장가로, 최충헌 집권기에 등용된 문신이다.

② 이규보는 『동명왕편』(1193)을 지어 고려가 고구려를 계승한 국가임을 밝히며 민족적 자부심을 고취시키고자 하였다.

오답 분석

① 『삼국사기』(1145)는 고려 인종 때 김부식 등이 왕명을 받아 저술한 우리나라에 현존하는 가장 오래된 역사서이다. 김부식은 유교적 합리주의 사관에 바탕을 두고 신라 계승 의식을 반영하여 기전체 역사서인 『삼국사기』를 편찬하였다.

③ 『제왕운기』(1287)는 고려 충렬왕 때 이승휴가 저술한 역사서이다. 이승휴는 『제왕운기』에서 우리나라의 역사를 단군부터 서술하면서, 우리나라의 역사를 중국과 대등하게 파악하려는 자주성을 드러내었다.

④ 『삼국유사』(1281)는 고려 충렬왕 때 승려 일연이 저술한 역사서이다. 일연은 『삼국유사』에 불교사를 중심으로 단군 신화 등의 건국 신화와 고대의 민간 설화, 전래 기록을 수록하였다.

12

2022년 소방간부후보생

(가)에 들어갈 내용으로 가장 적절한 것은?

> 세상에서는 동명왕(東明王)의 신통하고 이상한 일을 많이 말하니, 비록 시골의 어리석은 남녀들도 자못 그 일을 말할 수 있을 정도이다. 내가 일찍이 그 얘기를 듣고 웃으며 말하기를, "선사(先師) 공자께서는 괴력난신(怪力亂神)에 대해 말씀하지 않으셨으니, 동명왕의 일은 실로 황당하고 기괴하여 우리들이 얘기할 것이 못 된다."라고 하였다. …(중략)… 지난 계축년 4월에 [(가)]을/를 얻어 동명왕본기(東明王本紀)를 보니 그 신이한 사적이 세상에 전하는 것보다 더하였다. 그러나 처음에는 믿지 못하여 귀신이나 환상으로만 여겼는데, 세 번 반복하여 읽어서 점점 그 근원에 들어가니, 환상이 아니고 성스러움이며 귀(鬼)가 아니고 신(神)이었다. 하물며 국사(國史)는 사실 그대로 쓴 글이니 어찌 함부로 전하였겠는가.

① 『삼국사기』
② 『동국통감』
③ 『제왕운기』
④ 『구삼국사』
⑤ 『칠대실록』

문제풀이 『동명왕편』 난이도 중

제시문은 『동명왕편』의 서문으로, (가)에 들어갈 내용은 『구삼국사』이다.

④ 『동명왕편』은 이규보가 5언시체의 형식으로 쓴 서사시로, 고려 초기에 편찬된 역사서인 『구삼국사』에서 전해오는 내용을 참고하여 고구려의 시조인 동명왕(주몽)의 설화에 대해 저술하였다.

오답 분석

모두 『동명왕편』과는 관련이 없다.

① **『삼국사기』**: 『삼국사기』는 고려 인종 때 김부식 등이 왕명을 받아 편찬한 역사서로, 유교적 합리주의 사관에 기초하여 기전체로 서술되었다.

② **『동국통감』**: 『동국통감』은 조선 성종 때 서거정 등이 왕명을 받아 편찬한 역사서로, 고조선부터 고려 말까지의 역사를 정리하였다.

③ **『제왕운기』**: 『제왕운기』는 고려 충렬왕 때 이승휴가 저술한 역사서로, 중국과 구별되는 우리 역사의 독자성을 강조하였다.

⑤ **『칠대실록』**: 『칠대실록』은 거란의 침입으로 소실된 태조~목종까지의 기록을 고려 현종 때 황주량 등이 다시 편찬하기 시작한 역사서로, 덕종 때 완성되었다.

정답 09 ② 10 ④ 11 ② 12 ④

13

2022년 법원직 9급

밑줄 친 '이 책'에 대한 설명으로 가장 옳은 것은?

> 이 책은 보각국사 일연의 저서로 왕력(王歷)·기이(紀異)·흥법(興法)·탑상(塔像)·의해(義解)·신주(神呪)·감통(感通)·피은(避隱)·효선(孝善) 등 9편목으로 구성되어 있다. 여러 고대 국가의 역사, 불교 수용 과정, 탑과 불상, 고승들의 전기, 효도와 선행 이야기 등 불교사와 관련된 일화를 중심으로 서술한 것이 특징이다.

① 기전체 형식으로 서술되었다.

② 현존하는 가장 오래된 역사서이다.

③ 단군의 건국 이야기가 수록되었다.

④ 대의명분을 중시하는 성리학적 사관을 반영하였다.

문제풀이 『삼국유사』 난이도 하

제시문에서 보각국사 일연이 저술했다는 것과, 왕력·기이·흥법 등으로 구성되어 있으며, 불교사와 관련된 일화를 중심으로 서술하였다는 내용을 통해 밑줄 친 '이 책'이 『삼국유사』임을 알 수 있다.

③ 『삼국유사』에는 단군을 우리 민족의 시조로 설정하여 단군의 건국 이야기가 수록되어 있다.

오답 분석

① 기전체 형식으로 서술된 역사서로는 『삼국사기』가 있다. 한편, 『삼국유사』는 특정한 형식을 갖추지 않았으며, 일연이 각종 자료들을 선택적으로 수집하여 분류한 자유로운 형식으로 서술되었다.

② **『삼국사기』**: 현존하는 우리나라의 가장 오래된 역사서는 고려 인종 때인 1145년에 편찬된 『삼국사기』이다.

④ 대의명분을 중시하는 성리학적 사관이 반영된 대표적인 역사서로는 『사략』이 있다. 한편, 『삼국유사』에는 불교사를 중심으로 고대의 민간 설화 등 우리나라 고유 문화가 반영되어 있다.

14

2019년 국가직 9급

다음 내용이 실린 사서에 대한 설명으로 옳은 것은?

> 제왕이 장차 일어날 때는 하늘의 명령과 상서로운 기운을 받아서 반드시 보통 사람과는 다른 점이 있으니, 그런 뒤에야 능히 큰 변화를 타서 제왕의 지위를 얻고 대업을 이루었다. … (중략)… 삼국의 시조들이 모두 신이(神異)한 일로 탄생했음이 어찌 괴이하겠는가. 이것이 책 첫머리에 「기이(紀異)」편이 실린 까닭이며, 그 의도도 여기에 있는 것이다.

① 불교 승려의 전기를 수록한 고승전이다.

② 불교 중심의 고대 민간 설화를 수록하였다.

③ 고조선부터 고려 말까지의 역사를 정리하였다.

④ 유교적 사관에 기초하여 기전체로 서술하였다.

문제풀이 『삼국유사』 난이도 중

제시문에서 삼국의 시조들이 모두 신이한 일로 탄생한 것을 강조하며 책 첫머리에 「기이(紀異)」편을 실었다는 내용을 통해 일연이 편찬한 『삼국유사』임을 알 수 있다. 『삼국유사』는 「기이」, 「흥법」, 「탑상」, 「의해」, 「왕력」 등으로 구성되어 있다.

② 『삼국유사』는 불교사를 중심으로 고대의 민간 설화와 전래 기록을 수록한 역사서이다.

오답 분석

① **『해동고승전』**: 불교 승려의 전기를 수록한 고승전은 각훈이 저술한 『해동고승전』이다. 『해동고승전』은 삼국 시대 이래의 승려들의 전기를 기록한 것으로, 현재는 삼국 시대까지의 고승 30여 명에 관한 기록만 남아있다.

③ **『동국통감』**: 고조선부터 고려 말까지의 역사를 정리한 사서로는 조선 성종 때 서거정 등이 편찬한 『동국통감』이 있다.

④ **『삼국사기』**: 유교적 합리주의 사관에 기초하여 기전체로 서술된 역사서는 김부식이 편찬한 『삼국사기』이다.

15

2015년 서울시 9급

다음 자료가 기록된 사서에 대한 설명으로 옳은 것은?

> 곰과 호랑이가 찾아와 사람이 되기를 원하므로 환웅이 그들에게 쑥과 마늘을 주면서 "이것을 먹고 100일 동안 햇빛을 보지 않으면 사람이 될 것이다." 라고 하였다. 곰은 이를 지켜 여자의 몸이 되었으나 호랑이는 사람이 되지 못하였다. 환웅이 사람으로 변신하여 웅녀와 결혼하였다. 아들을 낳으니 이가 단군왕검이다.

① 「왕력」, 「기이」, 「흥법」, 「탑상」, 「의해」 등으로 구성되어 있다.
② 김부식을 비롯한 유학자들이 편찬한 역사서이다.
③ 현존하는 우리나라의 가장 오래된 역사서이다.
④ 삼국에서 고려까지 고승들의 전기를 정리하여 편찬한 책이다.

문제풀이 『삼국유사』 난이도 중

제시문의 곰이 100일 동안 쑥과 마늘만 먹고 여자가 되어 환웅과 결혼하여 단군왕검을 낳았다는 내용은 일연이 편찬한 『삼국유사』에 기록되어 있다.

① 『삼국유사』는 「왕력」, 「기이」, 「흥법」, 「탑상」, 「의해」 등으로 구성되어 있다. 단군 신화는 『삼국유사』의 「기이」편에 수록되어 있다.

오답 분석

②, ③ **『삼국사기』**: 김부식을 비롯한 유학자들이 인종의 명으로 편찬한 역사서는 『삼국사기』이다. 『삼국사기』는 우리나라에서 현존하는 가장 오래된 역사서로 1145년에 편찬되었다.

④ **『해동고승전』**: 삼국에서 고려까지 고승들의 전기를 정리한 책은 각훈의 『해동고승전』이다. 그러나 현존하는 부분에는 삼국 시대의 고승 30여 명에 관한 기록만 남아있다.

이것도 알면 **합격!**

『삼국유사』

편찬	1281년(충렬왕 7)에 일연이 편찬
특징	• 불교사를 중심으로 고대의 민간 설화나 전래 기록 수록 • 우리의 고유 문화와 전통 중시 • 단군을 우리 민족의 시조로 여겨 단군 신화 수록 • 14수의 신라 향가 수록
한계	체제의 통일성이 떨어지고 신빙성이 부족한 설화 다수 수록

16

2024년 지방직 9급

(가) 문화유산에 대한 설명으로 옳은 것은?

> (가) 은/는 1377년 청주 흥덕사에서 인쇄한 것이다. 독일 구텐베르크가 인쇄한 책보다 70여 년 앞서 간행된 것으로 밝혀졌다. 현재 유네스코 세계 기록 유산으로 등재되어 있다.

① 최윤의 등이 지은 의례서를 인쇄한 것이다.
② 몽골의 침략을 물리치려는 염원을 담고 있다.
③ 현존하는 금속활자본 중에서 가장 오래된 것이다.
④ 우리나라 풍토에 맞는 처방과 약재 등이 기록되어 있다.

문제풀이 『직지심체요절』 난이도 중

제시문에서 1377년 청주 흥덕사에서 인쇄한 것이며, 구텐베르크가 인쇄한 책보다 70여 년 앞서 간행된 것으로 밝혀졌다는 내용을 통해 (가) 문화유산이 『직지심체요절』임을 알 수 있다.

③ 『직지심체요절』은 서양 최초로 금속 활자 인쇄술을 발명한 구텐베르크의 것보다 약 70여 년 앞선 1377년에 인쇄된 것으로 밝혀져, 현존하는 금속 활자본 중에서 가장 오래된 것으로 공인 받았다.

오답 분석

① **『상정고금예문』**: 최윤의 등이 지은 의례서를 인쇄한 것은 『상정고금예문』이다. 『상정고금예문』은 고려 인종 때 최윤의 등이 고금의 예문(예의 자료)을 수집·고증하여 엮은 의례서로, 강화도 천도 당시 이 책을 가져오지 못하자 최우의 소장본을 바탕으로 강화도에서 금속 활자로 28부를 인쇄하였다.

② **재조대장경**: 몽골의 침략을 물리치려는 염원을 담고 있는 것은 재조대장경(팔만대장경)이다. 재조대장경은 최우 무신 집권기에 몽골이 침략해오자 이를 부처의 힘으로 극복하고자 하는 염원을 담아 강화도에 대장도감을 설치하여 제작하였다.

④ **『향약집성방』**: 우리나라 풍토에 맞는 처방과 약재 등이 기록되어 있는 것은 조선 세종 때 편찬된 의서인 『향약집성방』이다.

정답 13 ③ 14 ② 15 ① 16 ③

17

2022년 소방간부후보생

(가), (나) 시기 사이에 편찬된 서적으로 옳은 것은?

> (가) 몽골군이 침략하자, 조정은 부처님의 힘을 빌려 몽골군을 물리치기 위해 대장경을 제작하도록 하였다.
> (나) 세계에서 가장 오래된 금속 활자본으로 알려진 『직지』가 청주 흥덕사에서 제작되었다.

① 『동문선』
② 『균여전』
③ 『삼국유사』
④ 『불씨잡변』
⑤ 『선화봉사고려도경』

문제풀이 팔만대장경과 『직지』 제작 사이에 편찬된 서적 난이도 중

(가) 몽골군을 물리치기 위해 대장경(팔만대장경)을 제작하기 시작한 것은 1236년의 사실이다.

(나) 『직지』가 청주 흥덕사에서 제작된 것은 1377년의 사실이다.

③ (가)와 (나) 사이 시기인 1281년에 일연이 『삼국유사』를 편찬하였다. 『삼국유사』는 불교를 중심으로 고대 설화와 전래 기록을 수록한 역사서로, 「기이」, 「흥법」, 「탑상」, 「의해」, 「왕력」 등으로 구성되어 있다.

오답 분석

① **(나) 이후**: 『동문선』이 편찬된 것은 조선 성종 때인 1478년으로, (나) 이후의 사실이다. 『동문선』은 조선 성종 때 서거정과 노사신 등이 삼국 시대부터 조선 초까지의 뛰어난 시와 산문을 모아 편찬한 시문집이다.

② **(가) 이전**: 『균여전』이 편찬된 것은 고려 문종 때인 1075년으로, (가) 이전의 사실이다. 『균여전』은 혁련정이 지은 승려 균여의 전기이다.

④ **(나) 이후**: 『불씨잡변』이 편찬된 것은 조선 태조 때인 1398년으로, (나) 이후의 사실이다. 『불씨잡변』은 성리학의 입장에서 불교를 비판한 서적이다.

⑤ **(가) 이전**: 『선화봉사고려도경』이 편찬된 것은 고려 인종 때인 1123년으로, (가) 이전의 사실이다. 『선화봉사고려도경』은 송나라의 사신으로 고려에 온 서긍이 지은 서적으로, 견문한 고려의 여러 가지 실정을 그림과 글로 설명하였다.

18

2023년 계리직 9급

밑줄 친 (   )에 대한 설명으로 옳은 것은?

> 신이 (   )을/를 삼가 편수하여 두 권으로 나누어 깨끗이 써서 바칩니다. …(중략)… 예로부터 지금까지 황제들이 이어온 역사, 즉 중국은 반고로부터 금까지, 동국은 단군으로부터 우리 본조까지 그 시작한 근원을 책에서 두루 찾아내어, 같고 틀림을 비교하여 그 요긴함을 추려 풍영(諷詠)으로 시를 지으니 서로 계승하고 주고받으며 일어남이 손바닥을 가리키듯 분명합니다.

① 편년체와 강목체를 결합하여 서술하였다.
② 예맥, 옥저 등을 모두 단군의 후손으로 서술하였다.
③ 불교사를 중심으로 설화와 야사를 많이 서술하였다.
④ 정통론에 입각하여 마한, 신라를 정통 국가로 서술하였다.

문제풀이 『제왕운기』 난이도 중

제시문에서 중국은 반고로부터 금까지, 우리나라는 단군으로부터 본조(고려)까지 기록하여 비교하였으며, 풍영(시가 등을 읊조림)으로 시를 지었다는 것을 통해 고려 시대에 이승휴가 저술한 『제왕운기』임을 알 수 있다.

② 『제왕운기』에서는 예맥과 옥저 등을 모두 단군의 후손으로 서술하여 우리 민족이 단군을 시조로 하는 단일 민족임을 강조하였고, 이를 통해 우리나라의 역사를 중국과 대등하게 파악하려는 자주성을 드러내었다.

오답 분석

① **『본조편년강목』**: 편년체와 강목체를 결합하여 서술한 것은 『본조편년강목』이다. 『본조편년강목』은 고려 시대에 민지가 편년체와 강목체를 결합하여 서술한 역사서로, 문덕 대왕(태조 왕건의 증조부)부터 고려 고종까지의 역사를 기록하였다.

③ **『삼국유사』**: 불교사를 중심으로 설화와 야사를 많이 서술한 것은 『삼국유사』이다. 『삼국유사』는 고려 시대에 일연이 서술한 역사서로, 불교사를 중심으로 단군 신화 등의 건국 신화와 고대의 민간 설화, 야사 등을 수록하였다.

④ **『동사강목』**: 독자적인 정통론에 입각하여 마한, 신라를 정통 국가로 서술한 것은 『동사강목』이다. 『동사강목』은 조선 시대에 안정복이 서술한 역사서로, 단군 조선 → 기자 조선 → 마한 → 통일 신라 → 고려로 이어지는 독자적인 정통론을 세워 우리 역사를 체계화하였다.

19

2020년 국가직 9급

밑줄 친 '이 책'에 대한 설명으로 옳은 것은?

> 신(臣)이 이 책을 편수하여 바치는 것은 … (중략)… 중국은 반고부터 금국에 이르기까지, 동국은 단군으로부터 본조(本朝)에 이르기까지 처음 일어나게 된 근원을 간책에서 다 찾아보아 같고 다른 것을 비교하여 요점을 취하고 읊조림에 따라 장을 이루었습니다.

① 성리학적 유교 사관이 반영되어 대의명분을 강조하였다.
② 국왕, 훈신, 사림이 서로 합의하여 통사 체계를 구성하였다.
③ 원 간섭기에 중국과 구별되는 우리 역사의 독자성을 강조하였다.
④ 왕명으로 단군 조선에서 고려 말까지의 역사를 노래 형식으로 정리하였다.

20

2021년 국회직 9급

다음 역사서에 대한 설명으로 옳지 않은 것은?

①『제왕운기』– 중국과 우리나라의 역사를 운율시 형식으로 서술하였다.
②『편년통록』– 성리학적인 역사 인식이 반영되었다.
③『동명왕편』– 고려가 성인의 나라임을 알리기 위해 편찬하였다.
④『동국사략』– 저자 권근은 여왕을 여주(女主)로 폄하하였다.
⑤『삼국유사』– 신라 역사를 상고·중고·하고로 나누어 인식하였다.

문제풀이 『제왕운기』

난이도 중

제시문에서 중국은 반고부터 금국에 이르기까지, 우리나라는 단군으로부터 본조에 이르기까지 기록하여 비교하였으며, 요점을 취하고 읊조렸다는 것을 통해 밑줄 친 '이 책'이『제왕운기』임을 알 수 있다.『제왕운기』는 고려 후기 문신 이승휴가 편찬한 사서로, 상권에 중국의 역사를 7언시로, 하권에 우리나라 역사를 5언시로 운(韻)율감 있게 서술하였다.

③『제왕운기』는 원 간섭기인 충렬왕 때 편찬된 사서로, 중국과 구별되는 우리 역사의 독자성을 강조하였다.

오답 분석

① **『사략』**: 성리학적 유교 사관이 반영되어 대의명분을 강조한 고려 후기의 역사서로는 이제현의『사략』이 있다.
② **『동국통감』**: 국왕, 훈신, 사림이 공존하며, 서로 합의를 통해 단군 조선부터 고려 말 까지의 전시대를 통사(通史) 체계로 구성한 것은 조선 성종 때 편찬된『동국통감』이다.
④ **『동국세년가』**: 왕명으로 단군 조선에서 고려 말까지의 역사를 노래 형식으로 정리한 것은 세종 때 권제가 지은『동국세년가』이다.

문제풀이 우리나라의 역사서

난이도 상

②『편년통록』에는 성리학적인 역사 인식이 반영되지 않았다.『편년통록』은 고려 의종 때 편찬된 것으로, 안향에 의해 성리학을 수용하기 전에 편찬되었다.

오답 분석

①『제왕운기』는 고려 충렬왕 때 이승휴가 저술한 역사서로, 상권에서는 중국의 역사를 7언시로, 하권에서는 우리나라 역사를 5언시의 운율시 형식으로 서술하였다.
③『동명왕편』은 고려 명종 때 이규보가 고구려 동명왕에 대한 건국 설화를 5언시체의 형식으로 쓴 서사시로, 고려가 성인의 나라임을 알리기 위해 편찬하였다. 또한 고려가 천손의 후예인 고구려의 전통을 계승하고 있다는 자부심을 표현하였다.
④『동국사략』은 조선 태종 때 권근·하륜 등이 단군 조선에서 신라 말까지의 역사를 성리학적 사관을 바탕으로 정리한 편년체 통사이다. 성리학적 사관에 입각한『동국사략』에서는 제후의 명분에 맞지 않는다는 이유로 여왕을 여주로 폄하하였으며, 태후·태자 등의 칭호도 대비·세자로 낮추어 서술하였다.
⑤『삼국유사』는 고려 충렬왕 때 승려 일연이 편찬한 역사서로, 신라의 역사를 상고(혁거세 거서간~지증왕), 중고(법흥왕~진덕 여왕), 하고(무열왕~경순왕)으로 나누어 인식하였다.

정답 17 ③ 18 ② 19 ③ 20 ②

03 고려의 문화

2 | 불교 사상과 신앙의 발전

01

2019년 서울시 9급(2월 시행)

고려 시대 불교 문화에 대한 설명으로 가장 옳은 것은?

① 태조는 훈요 십조에서 전국에 비보사찰을 제한 없이 늘려 불국토를 이루도록 당부하였다.

② 현종 대에는 거란의 대장경을 수입하여 고려의 독자적인 초조대장경을 만들기 시작했고, 완료한 후 흥왕사에 보관하였다.

③ 광종 대 균여는 국청사를 중심으로 해동 천태종을 창시하고, 교종과 선종의 대립을 완화하기 위해 노력하였다.

④ 삼국 시대부터 있어 왔던 향도를 계승하여 신앙의 결속을 다졌으며, 매향 행위를 함으로써 내세의 복을 빌기도 했다.

문제풀이 고려 시대 불교 문화 난이도 중

④ 고려 시대에는 삼국 시대부터 있어 왔던 불교 신앙 조직인 향도를 계승하여 신앙의 결속을 다졌으며, 향나무를 땅에 묻는 매향 활동을 통해 내세의 복을 빌기도 했다. 한편 향도는 고려 후기로 가면서 점차 마을 공동 노역을 주도하는 마을 공동체 성격의 농민 조직으로 변화하였다.

오답 분석

① 태조 왕건은 훈요 10조에서 도선이 정해놓은 곳 이외에 함부로 절과 탑을 짓지 말 것을 당부하였다.

② 고려 현종 대에 거란의 침입을 불력으로 물리치고자 초조대장경의 조판을 시작한 것은 맞으나, 이때는 송나라의 대장경을 바탕으로 고려의 독자적인 대장경을 만든 것이다. 한편 완성된 초조대장경은 흥왕사에서 보관하였다가 대구 부인사로 옮겨 보관하던 중 몽골의 2차 침입 때 소실되었다.

③ 국청사를 창건하고 해동 천태종을 창시하여 교종과 선종의 대립을 완화하기 위해 노력한 승려는 의천이다. 광종 때 균여는 귀법사의 주지를 역임하였고, 북악파를 중심으로 남악파를 통합하여 화엄 교단을 정리하였다.

02

2017년 서울시 7급

밑줄 친 '이 승려'에 대한 설명으로 옳은 것을 〈보기〉에서 모두 고른 것은?

> <u>이 승려</u>는 고려 초기에 귀법사의 주지를 역임하였고, 남악파와 북악파의 통합을 위해 인유(仁裕)와 함께 큰 사찰의 승려를 찾아가 설득하여 화엄종파의 분쟁을 종식시켰다. 958년에는 시관(試官)이 되어 유능한 승려들을 많이 선발하였다.

보기

㉠ 『신편제종교장총록』을 편찬하였다.

㉡ 『천태사교의』를 저술하였다.

㉢ 성상융회를 주창하였다.

㉣ 향가를 지음으로써 국문학 사상 큰 업적을 남겼다.

① ㉠, ㉡ ② ㉡, ㉢

③ ㉡, ㉣ ④ ㉢, ㉣

문제풀이 균여 난이도 상

제시문에서 고려 초기에 귀법사의 주지를 역임하였고, 시관(試官)이 되었다는 내용이 언급되어 있으므로 밑줄 친 '이 승려'가 균여임을 알 수 있다.

④ 옳은 것을 모두 고르면 ㉢, ㉣이다.

㉢ 균여가 주창한 성상융회란 공(空)을 뜻하는 성(性)과 색(色)을 뜻하는 상(相)을 원만하게 융합시키는 이론으로서, 균여는 화엄 사상 속에 법상종의 사상을 융합하여 교종 내의 대립을 해소시키기 위해 주창하였다.

㉣ 균여는 대중에게 교리를 널리 알리고 대중의 교화를 위해 어려운 불경을 쉽게 풀어 쓴 『보현십원가』 등 향가를 지었는데,이 향가 11수는 우리나라 국문학의 향가 연구에 큰 업적을 남겼다.

오답 분석

㉠ **의천**: 우리나라·송·요·일본의 불교 자료들을 모은 목록인 『신편제종교장총록』을 편찬한 승려는 의천이다. 의천은 『신편제종교장총록』을 만들고, 초조대장경을 보완하기 위해 교장(속장경)을 간행하였다.

㉡ **제관**: 천태종의 기본 교리를 정리한 『천태사교의』를 저술한 승려는 제관이다. 제관은 고려 광종 때의 승려로, 중국에 건너가 천태학을 부흥시키는 데 크게 기여하였다.

03

2024년 법원직 9급

밑줄 친 '후(煦)'에 대한 설명으로 가장 옳은 것은?

> 후(煦)는 문종의 넷째 아들로서 송나라 황제와 이름이 같으므로 그것을 피하여 자(字)로 행세하였다. 문종이 여러 아들에게, "누가 승려가 되어 복전(福田)의 이익을 짓겠느냐?" 라고 물으니 후(煦)가, "상(上)의 명령대로 하겠다." 하고, 출가하여 영통사(靈通寺)에 거처하였다. 그는 송나라에 들어가 법을 구하려 했으나 문종이 허락하시 않았다. 하지만 후(煦)는 송나라로 들어가 황제를 만나 여러 절을 다니며 법을 묻겠다고 하였다.

① 교관겸수를 제창하였다.
② 『왕오천축국전』을 남겼다.
③ 유·불 일치설을 주장하였다.
④ 수선사 결사를 조직하였다.

문제풀이 의천 난이도 중

제시문에서 문종의 넷째 아들이라는 내용과 송나라로 들어가 황제를 만나 여러 절을 다니며 법을 묻겠다고 하였다는 내용을 통해 밑줄 친 '후(煦)'가 의천임을 알 수 있다. 의천은 고려 문종의 넷째 아들로, 출가하여 승려가 된 후 송으로 건너가 화엄종과 천태종을 배웠다. 이후 그는 귀국하여 해동 천태종을 개창하였다.

① 의천은 교종과 선종의 사상적 통합을 위해 이론의 연마와 수행을 함께 강조하는 교관겸수를 제창하였다. 또한, 내적인 공부와 외적인 공부를 모두 갖추어 조화를 이루어야 한다는 내외겸전을 주장하기도 하였다.

오답 분석

② **혜초**: 『왕오천축국전』을 남긴 인물은 혜초이다. 혜초는 인도와 중앙아시아를 순례한 뒤 그 지역의 풍습, 언어, 종교 등을 기록한 기행문인 『왕오천축국전』을 저술하였다.

③ **혜심**: 유·불 일치설을 주장한 인물은 혜심이다. 혜심은 불교와 유교 모두 도를 추구한다는 점에서 같다는 유·불 일치설을 주장하였으며, 이는 성리학이 고려 사회에 수용될 수 있는 사상적 토대가 되었다.

④ **지눌**: 수선사 결사를 조직한 인물은 지눌이다. 지눌은 명리에 집착하는 당시 불교계의 타락을 비판하고, 승려 본연의 자세인 독경, 선 수행, 노동에 힘쓰자고 주장하며 수선사 결사 운동을 전개하였다.

04

2023년 지방직 9급

밑줄 친 '그'에 대한 설명으로 옳은 것은?

> 그는 화엄종을 중심으로 교종을 통합하고 해동 천태종을 창시하여 선종까지 포섭하려 하였다. 그러나 그의 사후에 교단은 다시 분열되었고, 권력층과 밀착되어 타락하는 양상까지 나타났다.

① 이론적인 교리 공부와 실천적인 수행을 아우를 것을 주장하였다.
② 참선과 독경은 물론 노동에도 힘을 쓰자고 하면서 결사를 제창하였다.
③ 삼국 시대 이래 고승들의 전기를 정리하여 『해동고승전』을 편찬하였다.
④ 백련사를 결성하여 극락왕생을 기원하는 참회와 염불 수행을 강조하였다.

문제풀이 의천 난이도 중

제시문에서 화엄종을 중심으로 교종을 통합하고 해동 천태종을 창시하여 선종까지 포섭하려 하였다는 내용을 통해 밑줄 친 '그'가 의천임을 알 수 있다.

① 의천은 해동 천태종을 창시하여 교종을 중심으로 선종을 포섭하고자 하였고, 이론적인 교리 공부와 실천적인 수행을 아울러 강조한 교관겸수를 주장하였다.

오답 분석

② **지눌**: 참선과 독경은 물론 노동에도 힘을 쓰자고 하면서 결사를 제창한 인물은 지눌이다. 지눌은 당시 타락한 불교계의 각성을 촉구하고 승려 본연의 자세로 돌아가 참선과 독경, 노동에 힘쓸 것을 강조하면서 수선사 결사 운동을 전개하였다.

③ **각훈**: 삼국 시대 이래 고승들의 전기를 정리하여 『해동고승전』을 편찬한 인물은 각훈이다. 각훈은 왕명을 받아 삼국 시대부터 고려 고종 때까지 고승들의 전기를 정리한 『해동고승전』을 편찬하였는데, 현재는 삼국 시대의 고승 30여 명에 관한 기록만 남아있다.

④ **요세**: 백련사를 결성하여 극락왕생을 기원하는 참회와 염불 수행을 강조한 인물은 요세이다. 요세는 극락왕생을 기원하는 참회와 염불 수행을 강조하여 글을 읽지 못하거나 참선할 여유가 없었던 백성의 환영을 받았다.

정답 01 ④ 02 ④ 03 ① 04 ①

05

2023년 계리직 9급

빈칸에 들어갈 내용으로 옳지 않은 것은?

> 은하: '대각국사'라는 시호를 받은 인물에 대해 말해 보자.
> 다영: 문종의 넷째 아들로 11세에 출가했어.
> 서정: [   ]

① 지혜로써 사물을 관조하는 지관을 중시했어.

② 『천태사교의』를 간행하고 천태교학을 강의했어.

③ 송과 요의 대장경을 수집하여 초조대장경을 편찬했어.

④ 이론 연마와 수행을 함께 강조하는 교관겸수를 주장했어.

06

2019년 국회직 9급

밑줄 친 '그'의 활동에 대한 설명으로 옳은 것은?

> 그는 선종 2년 을축(1085) 4월에 불법을 구하기 위해 배를 타고 가서 백파(百派)를 도입하니, 대소(大小)·시종(始終)·원돈(圓頓) 등 5교가 각각 그 자리를 얻어 다시 제자리로 돌아갔다. 그런데 주나라에서 근원이 흘러 한나라에서 갈라졌으며, 진(晉)·위(魏)에서 넓어지고 수(隋)·당(唐)대에 넘쳐흘렀고, 송(宋)에서 물결쳐 해동에 깊이 고인 것이다.

① 젊은이들에게 세속 5계를 가르쳤다.

② 『대승기신론소』와 『금강삼매경론』을 저술하였다.

③ 교학 일변도에 반대하고 선법을 전파하였다.

④ 천태지관을 강조하는 백련 결사 운동을 전개하였다.

⑤ 이론과 실천을 병행하는 수행 방법을 중시하였다.

문제풀이 의천

난이도 상

제시문에서 '대각국사'라는 시호를 받았으며 문종의 넷째 아들이라는 내용을 통해 의천에 대한 설명임을 알 수 있다. 의천은 고려 문종의 넷째 아들로, 출가하여 승려가 된 후 송으로 건너가 화엄종과 천태종을 배웠다. 이후 그는 귀국하여 해동 천태종을 개창하고 교종과 선종의 대립을 완화하기 위해 노력하였다.

③ 초조대장경은 거란의 침입을 부처의 힘으로 극복하고자 고려 현종 때부터 편찬하기 시작한 대장경으로, 의천과는 관련이 없다. 한편, 의천은 송·요·일본 등의 불교 자료를 모은 목록인 『신편제종교장총록』을 편찬하고, 이를 바탕으로 초조대장경을 보완하기 위해 흥왕사에서 교장을 간행하였다.

오답 분석

① 의천은 지혜로써 사물을 관조(객관적으로 관찰)하는 지관(止觀)을 중시하였는데, 지관은 마음의 번뇌를 멈추고 자신의 진정한 마음을 관찰하는 것을 의미한다.

② 의천은 선종 때 해인사에서 광종 때의 승려 제관이 저술한 『천태사교의』를 간행하였으며, 숙종 때는 국청사의 초대 주지가 되어 천태교학을 강의하였다.

④ 의천은 교종과 선종의 사상적 통합을 위해 이론의 연마와 수행을 함께 강조하는 교관겸수를 주장하였다. 또한, 내적인 공부와 외적인 공부를 모두 갖추어 조화를 이루어야 한다는 내외겸전을 제창하였다.

문제풀이 의천

난이도 중

제시문에서 고려 선종(13대 왕) 때 불법을 구하기 위해 백파를 도입하니 5교(교종 5교)가 다시 제자리로 돌아갔다는 내용을 통해 밑줄 친 '그'가 의천임을 알 수 있다. 의천은 선종 때 송에 유학하여 화엄 사상과 천태 사상을 연구하였고, 귀국한 뒤 흥왕사를 근거지로 삼아 화엄종을 중심으로 교종을 통합하려 하였다. 또한 의천은 국청사에서 해동 천태종을 창시하고, 교종을 중심으로 선종을 통합하고자 하였다.

⑤ 의천은 이론의 연마와 실천을 아울러 강조하는 교관겸수의 수행 방법을 제창하였다.

오답 분석

① **원광**(신라): 젊은이들에게 세속 5계를 가르친 승려는 신라의 원광이다.

② **원효**(신라): 『대승기신론소』와 『금강삼매경론』을 저술하여 불교의 사상적 이해 기준을 확립한 승려는 신라의 원효이다.

③ 교학 일변도에 반대하고 선법을 전파한 것은 선종 계열 승려들이다. 의천은 교종 계열 승려이다.

④ **요세**(고려): 천태지관(천태종의 법화경을 바탕으로 한 수행법)을 강조하는 백련 결사 운동을 전개한 승려는 고려의 요세이다.

07

2018년 법원직 9급

(가), (나)를 주장한 승려들에 관한 설명으로 옳은 것은?

> (가) 교(敎)를 배우는 이는 대개 안의 마음을 버리고 외면에서 구하고, 선(禪)을 익히는 이는 인연을 잊고 안의 마음을 밝히기를 좋아하니, 모두 한쪽에 치우친 것으로 두 극단에 모두 막힌 것이다.
> (나) 지금의 불교계를 보면, 아침 저녁으로 하는 일들이 비록 부처의 법에 의지하였다고 하나, 자신을 내세우고 이익을 구하는 데 열중하여 세속의 일에 골몰한다. 도덕을 닦지 않고 옷과 밥만 허비하니, 비록 출가하였다고 하나 무슨 덕이 있겠는가?

① (가) – 천태종의 신앙 결사체인 백련사를 조직하였다.
② (가) – 중국에서 도입한 법안종을 중심으로 선종을 정리하였다.
③ (나) – 선을 중심으로 교학을 포용하고자 하였다.
④ (나) – 유교와 불교의 통합을 시도하며 유불 일치설을 주장하였다.

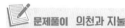

문제풀이 의천과 지눌 난이도 하

제시문 (가)는 교(敎)와 선(禪) 어느 한쪽에 치우치지 말고 동시에 수행할 것을 강조한 '교관겸수'에 대한 내용으로서 대각 국사 의천의 주장이다. (나)는 불교의 타락상을 비판하며 승려 본연의 자세로 돌아가기를 강조하는 『권수정혜결사문』의 내용으로 보조 국사 지눌의 주장이다.

③ 지눌은 선종을 중심으로 교종을 포용하고자 선(선종)과 교학(교종)이 근본적으로 하나라는 선교 일치를 주장하였다. 또한 그는 선정과 지혜를 함께 닦아야 한다는 정혜쌍수를 주장하였다.

오답 분석
① **요세**: 천태종의 신앙 결사체인 백련사를 조직한 승려는 요세이다. 천태종의 승려인 요세는 자신의 행동을 진정으로 참회하는 것을 강조하는 법화 신앙을 중심으로 전라남도 강진의 만덕사에서 백련 결사를 조직하였다.
② 승려 혜거 등을 통해 중국에서 도입한 법안종을 중심으로 선종을 정리하고자 한 인물은 광종이다. 한편 의천은 화엄종을 중심으로 교종 통합을 시도하였다.
④ **혜심**: 유교와 불교의 통합을 시도하며 유불 일치설을 주장한 승려는 혜심이다. 혜심은 유불 일치설을 통해 심성의 도야를 강조하여 이후 성리학을 수용할 수 있는 사상적 토대를 마련하였다.

08

2016년 국회직 9급

(가), (나) 인물에 대한 설명으로 옳은 것을 〈보기〉에서 모두 고른 것은?

> (가) 국청사를 중심으로 해동 천태종을 개창하였으며, 수행 방법으로 교관겸수를 제시하였다.
> (나) 수선사 결사를 통해 불교계를 개혁하고자 하였으며, 수행 방법으로 정혜쌍수를 제시하였다.

> **보기**
> ㉠ (가) – 무애가를 지어 불교의 대중화에 힘썼다.
> ㉡ (가) – 불교 경전에 대한 주석서를 모아 교장(敎藏)을 편찬하였다.
> ㉢ (나) – 『화엄일승법계도』를 지어 화엄 사상을 정리하였다.
> ㉣ (나) – 돈오점수를 바탕으로 한 꾸준한 수행을 강조하였다.

① ㉠, ㉢
② ㉡, ㉢
③ ㉡, ㉣
④ ㉠, ㉡, ㉢
⑤ ㉠, ㉡, ㉣

문제풀이 의천과 지눌 난이도 중

(가)는 국청사를 중심으로 해동 천태종을 개창하였으며, 수행 방법으로 교관겸수를 제시한 의천에 대한 설명이다.
(나)는 타락한 불교계를 개혁하고자 수선사 결사 운동을 전개하였으며 수행 방법으로 정혜쌍수를 제시한 지눌에 대한 설명이다.

③ 옳은 설명을 모두 고르면 ㉡, ㉣이다.
㉡ 의천은 초조대장경을 보완하기 위해 우리나라와 송, 요, 일본의 불교 자료를 모아 『신편제종교장총록』을 편찬하였고, 이를 토대로 교장(속장경)을 편찬하였다.
㉣ 지눌은 선과 교학이 근본적으로 둘이 아니라는 정혜쌍수와 내가 곧 부처임을 깨닫고 꾸준한 수행으로 깨달음을 확인할 것을 강조하는 돈오점수를 주장하고 선종을 중심으로 교종을 통합하고자 하였다.

오답 분석
㉠ **원효**(신라): 불교의 이치를 담은 노래인 무애가를 지어 불교 대중화에 힘쓴 인물은 통일 신라의 승려 원효이다.
㉢ **의상**(신라): 『화엄일승법계도』를 저술하여 모든 존재가 상호 의존적인 관계에 있으면서 서로 조화를 이루고 있다는 화엄 사상을 정립한 인물은 통일 신라의 승려 의상이다.

정답 05 ③ 06 ⑤ 07 ③ 08 ③

09
2014년 지방직 9급

밑줄 친 '나'에 대한 설명으로 옳지 않은 것은?

> 나는 도(道)를 구하는 데 뜻을 두어 덕이 높은 스승을 두루 찾아 다녔다. 그러다가 진수대법사 문하에서 교관(敎觀)을 대강 배웠다. 법사께서는 강의하다가 쉬는 시간에도 늘 "관(觀)도 배우지 않을 수 없고, 경(經)도 배우지 않을 수 없다."라고 제자들에게 훈시하였다. 내가 교관에 마음을 다 쏟는 까닭은 이 말에 깊이 감복하였기 때문이다.

① 해동 천태종을 창시하였다.

② 이론과 실천의 양면을 강조하였다.

③ 교종의 입장에서 선종을 통합하였다.

④ 정혜쌍수로 대표되는 결사 운동을 일으켰다.

문제풀이 의천
난이도 중

제시문은 의천의 『대각국사문집』으로, '교관', '관을 배우지 않을 수 없고', '경도 배우지 않을 수 없다', '교관에 마음을 쏟는다' 등의 내용을 통해 알 수 있다. 의천이 이야기하는 '교(敎)'는 교리와 형식을, '관(觀)'은 참선과 수양을 의미한다. 의천은 교와 관 모두 수양해야 한다는 교관겸수를 제창하며 교종과 선종의 사상적 통합을 추구하였다.

④ 정혜쌍수를 주장하며 수선사 결사 운동을 일으킨 것은 지눌이다. 지눌은 순천 송광사를 중심으로 수선사 결사 운동을 전개하여 개혁적 승려들과 지방민들의 호응을 얻었다.

오답 분석

①, ③ 의천은 교종을 중심으로 선종을 통합하기 위해 국청사를 창건하고 해동 천태종을 창시하였다. 그러나 의천이 죽은 후에 교단이 다시 분열되고, 귀족 중심의 불교가 지속되었다.

② 의천은 이론의 연마와 실천을 함께 강조하는 교관겸수를 제창하며 교종과 선종의 통합을 추구하였다.

이것도 알면 **합격!**

의천의 교단 통합 운동

구분	내용
교종 통합(1차)	• 교종 내 여러 종파들을 통합하기 위한 노력 • 흥왕사를 근거지로 삼고 화엄종 중심의 교종 통합 시도
교선 통합(2차)	• 교종 중심으로 선종을 통합하기 위한 노력(교관겸수·내외겸전) • 국청사를 창건하고 해동 천태종 창시

10
2024년 서울시 9급(2월 시행)

〈보기〉의 글을 쓴 인물에 대한 설명으로 가장 옳은 것은?

> **보기**
> 이 모임이 파한 연후에 마땅히 명예와 이익을 버리고 산림에 은둔하여 동사(同社)를 결성하고 항상 선정을 익히고 지혜를 고르게 하기에 힘쓰고 예불과 독경을 하고 나아가서는 노동하기에도 힘쓰자. 각기 소임에 따라 경영하고 인연에 따라 심성을 수양하여 한평생을 자유롭게 지내며, 멀리 달사와 진인의 고행을 좇는다면 어찌 기쁘지 않으리오.

① 불교사를 중심으로 설화와 야사를 수록한 역사책을 저술하였다.

② 돈오점수와 정혜쌍수를 바탕으로 결사 운동을 전개하였다.

③ 천태종을 개창하였고, 교종을 중심으로 선종을 통합하고자 하였다.

④ 통일 신라 이전 고승 30여 명의 전기를 지었다.

문제풀이 지눌
난이도 상

제시문에서 항상 선정을 익히고 지혜를 고르게 하기에 힘쓰고 예불과 독경을 하고 나아가서는 노동하기에도 힘쓰자는 내용을 통해 지눌이 쓴 글임을 알 수 있다. 지눌은 독경, 선 수행, 노동 등 승려 본연의 자세로 돌아갈 것을 주장하는 「권수정혜결사문」을 작성하였다.

② 지눌은 단번에 깨달은 바를 꾸준히 수행하자는 돈오점수와 선과 교학을 나란히 수행하되 선을 중심으로 교학을 포용하자는 정혜쌍수를 바탕으로 순천 송광사(길상사 → 수선사 → 송광사)에서 수선사 결사 운동을 전개하였다.

오답 분석

① **일연**: 불교사를 중심으로 설화와 야사를 수록한 역사책인 『삼국유사』를 저술한 인물은 일연이다.

③ **의천**: 해동 천태종을 개창하였고, 교종을 중심으로 선종을 통합하고자 한 인물은 의천이다.

④ **각훈**: 고승들의 전기를 정리한 『해동고승전』을 지은 인물은 각훈이다. 각훈은 왕명을 받아 삼국 시대부터 고려 고종 때까지 고승들의 전기를 정리한 『해동고승전』을 편찬하였는데, 현재는 삼국 시대의 고승 30여 명에 관한 기록만 남아있다.

11

2022년 간호직 8급

다음 글을 쓴 인물에 대한 설명으로 옳지 않은 것은?

> 하루는 같이 공부하는 사람 10여 인과 약속하였다. 마땅히 명예와 이익을 버리고 산림에 은둔하여 같은 모임을 맺자. 항상 선을 익히고 지혜를 고르는 데 힘쓰고, 예불하고 경전을 읽으며 힘들여 일하는 것에 이르기까지 각자 맡은 바 임무에 따라 경영한다.
>
> -『권수정혜결사문』

① 선종 중심으로 교종을 통합하려는 사상 체계를 정립하였다.

② 단박에 깨달음을 얻고 깨달은 후에도 꾸준히 수행해야 한다고 주장하였다.

③ 깨달음을 얻기 위해 참선을 하되 교리 공부를 함께할 것을 제안하였다.

④ 교단을 통합, 정리하는 것이 불교계의 폐단을 바로잡는 우선 과제라고 생각하였다.

문제풀이 지눌 난이도 상

제시된 『권수정혜결사문』을 쓴 인물은 고려 시대의 승려 지눌이다. 지눌은 대구 팔공산의 거조사에서 불교의 타락상을 비판하며 승려 본연의 자세로 돌아가기를 강조하는 내용의 『권수정혜결사문』을 선포하고, 정혜결사를 결성하였다.

④ 교단을 통합, 정리하는 것이 불교계의 폐단을 바로잡는 우선 과제라고 생각한 인물은 보우이다.

오답 분석

①, ③ 지눌은 선종을 중심으로 교종을 통합하려는 선·교 일치의 사상 체계를 정립하였으며, 깨달음을 얻기 위해 참선을 하되 교리 공부를 함께 할 것을 제안하였다.

② 지눌은 단박에 깨달음을 일컫는 돈오를 주장하면서, 사람들이 오래 익혀 온 잘못된 습관을 고치려면 깨달은 후에도 꾸준히 수행해야 한다는 점수를 아울러 주장하였다.

이것도 알면 **합격!**

지눌의 선교 통합 노력
- 이론
  - 정혜쌍수: 선과 교학이 근본적으로 둘이 아님(철저한 수행 선도)
  - 돈오점수: 내가 곧 부처라는 깨달음을 얻기 위한 노력과 함께 꾸준한 수행으로 깨달음을 확인할 것을 강조
- 성과: 선종을 중심으로 교종을 포용하여 선교 일치 사상 완성

12

2016년 지방직 9급

다음 내용을 주장한 인물에 대한 설명으로 옳은 것은?

> - 한 마음(一心)을 깨닫지 못하고 한없는 번뇌를 일으키는 것이 중생인데, 부처는 이 한 마음을 깨달았다. 깨닫는 것과 깨닫지 못하는 것은 오직 한 마음에 달려 있으니 이 마음을 떠나서 따로 부처를 찾을 수 없다.
> - 먼저 깨치고 나서 후에 수행한다는 뜻은 못의 얼음이 전부 물인 줄은 알지만 그것이 태양의 열을 받아 녹게 되는 것처럼 범부가 곧 부처임을 깨달았으나 불법의 힘으로 부처의 길을 닦게 되는 것과 같다.

① 국청사를 창건하고 천태종을 창시하였다.

② 부석사를 창건하고 화엄 사상을 선양하였다.

③ 불교계를 개혁하기 위해 수선사 결사를 주도하였다.

④ 『십문화쟁론』을 저술하여 종파 간의 사상적 대립을 조화시키고자 하였다.

문제풀이 지눌 난이도 중

제시된 자료는 지눌의 『권수정혜결사문』으로, 지눌은 선과 교학이 근본에 있어 둘이 아니라는 사상 체계인 정혜쌍수를 바탕으로 내가 곧 부처라는 깨달음과 꾸준한 수행으로 깨달음을 확인할 것을 아울러 강조한 돈오점수를 주장하였다.

③ 지눌은 명리에 집착하는 당시 불교계의 타락을 비판하고, 승려 본연의 자세인 독경, 선 수행, 노동에 힘쓰자는 개혁 운동인 수선사 결사 운동을 전개하였다.

오답 분석

① **의천**(고려): 국청사를 창건하고 천태종을 창시한 인물은 고려의 승려 의천이다. 의천은 흥왕사를 근거지로 삼고 화엄종을 중심으로 교종 통합을 시도하였으며, 선종 통합을 위해 국청사를 창건하고 해동 천태종을 창시하였다.

② **의상**(신라): 부석사를 창건하고 화엄 사상을 선양한 인물은 통일 신라의 승려 의상이다. 의상은 『화엄일승법계도』를 저술하여 모든 존재가 상호 의존적인 관계에 있으면서 서로 조화를 이루고 있다는 화엄 사상을 정립하고, 해동 화엄종을 창시하였다.

④ **원효**(신라): 『십문화쟁론』을 저술하여 종파 간의 사상적 대립을 조화시키고자 한 인물은 통일 신라의 승려 원효이다. 원효는 모든 것이 한마음에서 나온다는 일심(一心) 사상을 바탕으로 종파들간의 사상적 대립을 조화시키고 분파 의식을 극복하기 위해 『십문화쟁론』(화쟁 사상)을 저술하였다.

정답 09 ④ 10 ② 11 ④ 12 ③

13

2017년 지방직 9급(6월 시행)

(가)와 (나)의 인물에 대한 〈보기〉의 설명으로 옳은 것은?

> (가)는 "교(敎)를 배우는 이는 대개 안의 마음을 버리고 외면에서 구하고, 선(禪)을 익히는 이는 인연을 잊고 안의 마음을 밝히기를 좋아하니, 모두 한쪽에 치우친 것으로 두 극단에 모두 막힌 것이다."라고 주장하였다.
> (나)는 "정(定)은 본체이고 혜(慧)는 작용이다. 작용은 본체를 바탕으로 존재하므로 혜가 정을 떠나지 않고, 본체가 작용을 가져오게 하므로 정은 혜를 떠나지 않는다."라고 주장하였다.

보기

ㄱ (가)와 (나)는 서로 다른 방법으로 교종과 선종의 통합을 시도하였다.
ㄴ (가)와 (나)는 지방 호족과 연합하여 신라 정부의 권위를 약화시켰다.
ㄷ (가)는 불교와 유교 모두 도를 추구한다는 점에서 같다는 유·불 일치설을 주장하였다.
ㄹ (나)는 수선사 결성을 제창하여 불교계의 개혁을 추진하였다.

① ㄱ, ㄴ　② ㄱ, ㄹ
③ ㄴ, ㄷ　④ ㄴ, ㄹ

문제풀이 의천과 지눌　난이도 중

(가)는 교와 선의 어느 한 쪽에 치우치는 것은 두 극단에 모두 막힌 것이라는 내용을 통해 교관겸수를 주장한 의천에 대한 설명임을 알 수 있다.
(나)는 정과 혜가 서로 떠나지 않는다는 내용을 통해 정혜쌍수를 주장한 지눌에 대한 설명임을 알 수 있다.

② 옳은 것을 고르면 ㄱ, ㄹ이다.

ㄱ 의천과 지눌은 모두 교종과 선종의 통합을 시도하였는데, 의천은 교종 계통인 해동 천태종을 창시하고 교종을 중심으로 선종을 통합하려 하였다. 반면 지눌은 선종 계통의 조계종을 바탕으로 선종과 교종을 통합하려 하였다.

ㄹ 지눌은 불교계의 타락상을 비판하며 수선사(순천 송광사)를 중심으로 독경, 선 수행, 노동 등 승려 본연의 자세로 돌아가자는 개혁 운동인 수선사 결사를 제창하였다.

오답 분석

ㄴ 지방 호족과 연합하여 신라 정부의 권위를 약화시킨 것은 신라 하대의 선종 계통 승려들이다. 의천과 지눌 모두 고려 중기의 승려이므로 관련이 없다.

ㄷ **혜심**: 불교와 유교 모두 도를 추구한다는 점에서 같다는 유·불 일치설을 주장한 승려는 혜심이다. 혜심의 유·불 일치설은 고려 후기에 성리학이 수용되는 사상적 토대가 되었다.

14

2017년 서울시 9급

밑줄 친 '그'에 대한 설명으로 옳은 것은?

> 그는 『묘종초』를 설법하기 좋아하여 언변과 지혜가 막힘이 없었고, 대중에게 참회를 닦기를 권하였다. … (중략) … 대중의 청을 받아 교화시키고 인연을 맺은 지 30년이며, 결사에 들어온 자들이 3백여 명이 되었다.

① 강진의 토호 세력의 도움을 받아 백련사를 결성하였다.
② 불교계 폐단을 개혁하기 위해 9산 선문의 통합을 주장하였다.
③ 이론의 연마와 실천을 아울러 강조하는 교관겸수를 제창하였다.
④ 깨달은 후에도 꾸준한 실천이 필요하다는 돈오점수를 중시하였다.

문제풀이 요세　난이도 상

제시문에서 대중에게 참회를 닦기를 권하였다는 법화 신앙의 내용과, 대중을 교화하고 그를 따르는 결사가 있었다는 내용을 통해 밑줄 친 '그'가 고려 시대의 승려 요세임을 알 수 있다.

① 요세는 강진 만덕사(백련사)에서 강진의 토호 세력의 도움을 받아 백련 결사를 제창하였다. 요세의 백련 결사는 불교의 실천성을 강조하였기 때문에 지방민의 적극적인 호응을 얻을 수 있었다.

오답 분석

② **보우**: 불교계 폐단을 개혁하기 위해 9산 선문의 통합을 주장하였던 인물은 고려 시대의 승려 보우이다. 고려 말기에는 불교가 귀족 세력과 연결되어 세속화되면서 폐단이 발생하였고, 결사 운동이 쇠퇴하였다. 이에 보우는 9산 선문의 통합과 불교계의 혁신 운동을 전개하였으나 실패하였다.

③ **의천**: 이론의 연마와 실천을 아울러 강조하는 교관겸수를 제창하였던 인물은 고려 시대의 승려 의천이다. 의천은 교관겸수와 함께 내외겸전을 제창하며 교종과 선종의 사상적 통합을 추구하였다.

④ **지눌**: 깨달은 후에도 꾸준한 실천이 필요하다는 돈오점수를 중시하였던 인물은 고려 시대의 승려 지눌이다. 지눌은 단번에 깨달음을 일컫는 돈오를 지향처로 삼으면서도 사람들이 오래 익혀 온 잘못된 습관을 고치려면 깨달은 후에 꾸준한 실천이 필요하다는 의미에서 '점수'를 아울러 강조하였다.

15

2019년 지방직 9급

다음 ㉠ ~ ㉣에 들어갈 인물을 바르게 연결한 것은?

> ㅇ (㉠)는/은 『신편제종교장총록』을 편찬하였다.
> ㅇ (㉡)는/은 원의 불교인 임제종을 들여와서 전파시켰다.
> ㅇ (㉢)는/은 강진에 백련사를 결사하여 법화 신앙을 내세웠다.
> ㅇ (㉣)는/은 『목우자수심결』을 지어 마음을 닦고자 하였다.

	㉠	㉡	㉢	㉣
①	수기	보우	요세	지눌
②	의천	각훈	요세	수기
③	의천	보우	요세	지눌
④	의천	요세	각훈	수기

문제풀이 고려 시대의 승려 난이도 중

③ 들어갈 인물을 바르게 나열하면 ㉠ 의천, ㉡ 보우, ㉢ 요세, ㉣ 지눌이다.

㉠ 의천은 고려와 송, 요의 대장경에 대한 불교 자료들을 모은 목록인 『신편제종교장총록』을 편찬하였다. 또한 의천은 『신편제종교장총록』을 완성한 후 흥왕사에 교장도감을 두어 목록에 따라 교장(속장경)을 간행하였다.

㉡ 보우는 고려 후기에 원으로부터 선종 종파인 임제종을 들여와 전파시켰다. 이후 임제종은 조선 시대 선종 불교의 주류가 되었다.

㉢ 요세는 강진의 만덕사(백련사)에서 자신의 행동을 진정으로 참회하는 법화 신앙에 중점을 둔 백련 결사를 제창하였다.

㉣ 지눌은 『목우자수심결』을 지어 선 수행의 요체인 마음을 닦는 비결(수심결)로 선과 교학을 나란히 수행하되 선을 중심으로 교학을 포용하자는 정혜쌍수와, 단번에 깨달은 바를 꾸준히 수행하자는 돈오점수를 내세웠다.

오답 분석

- **수기**: 수기는 고려 고종 때의 승려로, 개태사의 주지였으며 재조대장경의 편집과 교정을 주도하였다.
- **각훈**: 각훈은 고려 무신 집권기에 활동한 승려로, 고려 고종의 명에 따라 삼국 시대 이래의 승려들의 전기를 기록한 『해동고승전』을 편찬하였다.

16

2019년 서울시 9급(6월 시행)

고려 시대 불교계의 동향과 관련된 설명으로 가장 옳지 않은 것은?

① 백련 결사를 제창한 요세는 참회와 수행에 중점을 두는 등 복잡한 이론보다 종교적 실천을 강조했다.

② 재조대장경은 고려 전기에 만들어졌던 대장경 판목이 거란의 침입으로 불타버렸기 때문에 무신 집권기에 다시 만든 것이다.

③ 각훈은 삼국 시대 이래 승려들의 전기를 정리하여 『해동고승전』을 지었다.

④ 지눌은 깨달음과 더불어 실천을 강조하는 돈오점수를 주장했다.

문제풀이 고려 시대 불교계의 동향 난이도 중

② 재조대장경은 거란이 아닌 몽골의 침입으로 소실된 초조대장경의 판목을 대신하여 다시 제작한 것이다. 당시 집권자였던 최우는 강화도에 대장도감을 설치하고 재조대장경을 제작하여 부처의 힘으로 몽골의 침입을 극복하고자 하였다. 한편 초조대장경은 고려 현종 때 부처의 힘으로 거란의 침입을 극복하기 위하여 제작되기 시작하였고, 고려 선종 때 완성된 후 대구 부인사에서 보관하던 중 몽골의 침입으로 소실되었다.

오답 분석

① 강진 만덕사(백련사)에서 백련 결사를 제창한 요세는 자신의 행동에 대한 참회를 강조하는 법화 신앙을 중심으로 복잡한 이론보다는 종교적 수행과 실천을 강조하였다.

③ 각훈은 삼국 시대 이래 우리나라 승려들의 전기를 정리한 『해동고승전』을 저술하였으며, 현재 그 일부만 전해지고 있다.

④ 지눌은 깨달음(돈오)과 더불어 꾸준한 수행(점수)으로 깨달음을 확인할 것을 강조하는 돈오점수를 주장하였다.

정답 13 ② 14 ① 15 ③ 16 ②

17

2018년 국가직 9급

다음 (가)에 대한 설명으로 옳지 않은 것은?

> 예전에 성종이 [(가)] 시행에 따르는 잡기가 정도(正道)에 어긋나는데다가 번거롭고 요란스럽다 하여 이를 모두 폐지하였다. … (중략) … 이것을 폐지한 지가 거의 30년이나 되었는데, 이때에 와서 정당문학 최항이 청하여 이를 부활시켰다.

① 국제 교류의 장이었다.

② 정월 보름에 개최되었다.

③ 토속 신에게 제사를 지냈다.

④ 훈요 10조에서 시행할 것을 강조하였다.

문제풀이 팔관회

난이도 중

제시된 자료에서 성종 때 (가)의 시행에 따른 잡기가 정도(正道)에 어긋난다 하여 폐지하였던 것을 30여 년 후 부활시켰다는 내용을 통해 (가)가 팔관회임을 알 수 있다. 팔관회는 우리나라의 토착 신앙과 도교의 행사에 불교가 결합된 국가 행사로, 고려 성종 때 불교 행사인 연등회와 함께 폐지되었다가, 고려 현종 때 다시 시행되었다.

② 정월 보름에 개최된 것은 불교 행사인 연등회이다. 한편 팔관회의 경우 서경에서는 10월 15일에, 개경에서는 11월 15일에 개최되었다.

오답 분석

① 팔관회가 개최되면 송나라, 탐라, 여진, 아라비아 등 여러 나라의 사신과 상인들이 방문하여 국제 무역이 이루어지기도 하였다.

③ 팔관회에서는 부처뿐 아니라 하늘, 산신, 물의 신, 용신 등의 토속 신에게 제사를 지내며 나라의 안녕과 평화를 기원하였다.

④ 태조 왕건은 훈요 10조에서 연등회와 더불어 팔관회의 시행을 강조하였으며, 이에 따라 연등회와 팔관회는 고려의 중요 의례로 자리잡았다.

이것도 알면 합격!

태조 왕건의 연등회와 팔관회 개최 당부

> 나(태조 왕건)의 소원은 연등과 팔관에 있는 바 연등은 부처를 제사하고, 팔관은 하늘과 5악·명산·대천·용신 등을 봉사하는 것이니, 후세의 간사한 신하가 신위와 의식 절차를 늘리거나 줄이자고 건의하지 못하게 하라.

사료 분석 | 고려의 태조 왕건은 훈요 10조에서 연등회와 팔관회를 성대하게 개최할 것을 강조하였다.

18

2017년 법원직 9급

다음 (가) 행사에 대한 설명으로 가장 옳은 것은?

> ㅇ 연등은 부처를 섬기는 것이고, (가)은/는 하늘의 신령과 5악, 명산, 대천, 용신을 섬기는 것이다. 후세에 간신이 가감을 건의하는 자가 있으면, 마땅히 이를 금지시키도록 하라.
> – 훈요 10조
>
> ㅇ 우리나라는 봄에 연등을 베풀고, 겨울에는 (가)을/를 열어 널리 사람을 동원하고 노역이 매우 번다하오니 원컨대 이를 감하여 백성들이 힘을 펴게 하소서. – 시무 28조

① 소격서가 행사를 주관하였다.

② 향음주례와 향사례의 절차가 진행되었다.

③ 외국 상인에게 무역의 장이 되기도 하였다.

④ 향나무를 땅에 묻는 매향 활동이 이루어졌다.

문제풀이 팔관회

난이도 하

제시문에서 (가)가 하늘의 신령과 5악, 명산 등을 섬기는 것과 시무 28조에서 (가)를 감하라는 내용을 통해, 연등회와 함께 고려의 국가적 행사로 치러졌던 팔관회임을 알 수 있다. 태조 왕건은 훈요 10조에서 연등회와 팔관회를 성대하게 개최할 것을 당부하였으나 최승로는 시무 28조에서 연등회와 팔관회를 비판하여 고려 성종 때 일시적으로 중단되었다.

③ 팔관회에서는 각국의 사신들이 특산물 등을 바쳤으며, 각국의 상인들이 몰려와 국가 간의 거래가 이루어지는 무역의 장이 되기도 하였다.

오답 분석

① 소격서가 주관한 행사는 도교식 제사인 초제이다.

② 향음주례, 향사례는 조선 시대에 서원과 향교에서 진행된 유교 행사이다.

④ 내세의 복을 위해 향나무를 땅에 묻는 매향 활동은 향도에서 주관하였다.

이것도 알면 합격!

고려의 불교 행사

구분	연등회	팔관회
성격	불교 행사	도교와 토착 신앙 행사에 불교가 결합
개최 장소	전국	개경과 서경
시기	1월 15일(→ 2월 15일)	개경: 11월 15일 / 서경: 10월 15일
특징	다과를 차리고 군신이 함께 즐김	• 국가와 왕실의 태평을 기원 • 외국 상인에게 무역의 장이 되기도 함

19

2018년 지방직 9급

고려에서 행한 국가 제사에 대한 설명으로 옳지 않은 것은?

① 예종 때에 도관(道觀)인 복원궁을 세워 초제를 올렸다.
② 숙종 때에 기자(箕子) 사당을 세워 국가에서 제사하였다.
③ 성종 때에 사직(社稷)을 세워 지신과 오곡 신에게 제사를 지냈다.
④ 태조 때에 환구단(圜丘壇)에서 풍년을 기원하는 제사를 올렸다.

문제풀이 고려에서 행한 국가 제사 난이도 상

④ 환구단에서 풍년을 기원하는 제사를 올린 것은 고려의 성종 때부터이다. 고려 성종은 환구단(圜丘壇)에서 농사가 잘 되기를 기원하고, 고려의 태조 왕건을 배향하였다.

오답 분석

① 고려 예종 때 개경의 북쪽에 도교 사원인 복원궁을 건립하고, 하늘에 나라의 안녕과 왕실의 평안을 기원하는 초제를 지냈다.
② 고려 숙종 때 고려가 유교적으로 교화된 근원을 기자로 파악하며 서경(평양)에 기자 사당을 세우고 국가적으로 제사를 지냈다.
③ 고려 성종 때 사직단을 세워 토지의 신과 곡식의 신에게 국가의 안녕과 곡식의 풍요를 기원하는 제사를 지냈다.

20

2017년 국가직 9급(4월 시행)

다음에 나타난 사상에 대한 설명으로 옳지 않은 것은?

> 신(臣)들이 서경의 임원역 지세를 관찰하니, 이곳이 곧 음양가들이 말하는 매우 좋은 터입니다. 만약 궁궐을 지어서 거처하면 천하를 병합할 수 있고, 금나라가 폐백을 가지고 와 스스로 항복할 것이며, 36국이 모두 신하가 될 것입니다.

① 서경 천도 운동의 배경이 되었다.
② 문종 때 남경 설치의 배경이 되었다.
③ 하늘에 제사 지내는 초제의 사상적 근거가 되었다.
④ 공민왕과 우왕 때 한양 천도 주장의 근거가 되었다.

문제풀이 풍수지리 사상 난이도 중

제시문에서 서경의 임원역 지세를 관찰하니 매우 좋은 터라는 내용과 이곳에 궁궐을 지어 거처하면 금나라가 스스로 항복할 것이라는 내용이 언급되어 있으므로, 고려 인종 때 묘청 등의 서경파가 풍수지리 사상을 근거로 하여 주장한 서경 길지설임을 알 수 있다.

③ 하늘에 제사 지내는 초제의 사상적 근거가 되었던 것은 풍수지리 사상이 아닌 도교이다. 도교에서는 여러 신을 모시면서 재앙을 물리치고 복을 비는 행사를 개최하였으며, 나라의 안녕과 왕실의 번영을 기원하는 국가적 행사도 자주 열렸으며, 궁중에서는 하늘에 제사 지내는 초제가 성행하였다.

오답 분석

① 풍수지리 사상을 토대로 한 서경 길지설은 묘청, 정지상 등 서경파가 전개한 서경 천도 운동의 이론적 근거가 되었다. 서경파는 이자겸의 난으로 궁궐이 불타고 민심이 흉흉해지자 개경의 땅 기운이 약해졌다는 풍수지리 사상을 이용하여 고려 인종에게 서경으로 천도할 것을 건의하였고, 이를 받아들인 인종은 서경에 대화궁이라는 궁궐을 지었다.
② 고려 문종 때에는 북진 정책의 퇴조와 함께 풍수지리 사상에 근거한 한양 명당설이 대두하였는데, 그 결과 한양이 남경으로 승격되었으며 숙종 때에는 남경에 궁궐이 건립되어 왕이 몇 달씩 머물기도 하였다.
④ 풍수지리 사상을 토대로 한 남경(한양) 명당설은 고려 말 공민왕과 우왕 때 한양 천도를 주장하는 근거가 되었다.

정답 17 ② 18 ③ 19 ④ 20 ③

3 | 과학 기술과 문학의 발달

01

2016년 서울시 9급

고려 시대의 대장경을 설명한 것으로 가장 옳지 않은 것은?

① 대장경이란 경(經)·율(律)·논(論) 삼장으로 구성된 불교 경전을 말한다.

② 초조대장경의 제작은 거란의 침입을 받으면서 시작되었다.

③ 의천은 송과 금의 대장경 주석서를 모아 속장경을 편찬하였다.

④ 초조대장경과 속장경은 몽골의 침입으로 소실되었다.

문제풀이 고려 시대의 대장경 난이도 중

③ 의천은 고려의 대장경에 대한 주석서를 포함하여 송과 요(거란), 일본의 대장경 주석서를 모아 속장경을 편찬하였다. 의천이 속장경을 간행한 시기는 고려 선종 대부터 숙종 대까지로, 1102년에 완성되었다. 여진족이 금을 세운 것은 고려 예종 때인 1115년으로 의천이 속장경을 편찬할 당시에는 아직 금나라가 건국되지 않았다.

오답 분석

① 대장경은 경(經, 경전)·율(律, 계율)·논(論, 해석)의 삼장으로 구성되었으며, 불교 경전을 집대성한 것이다.

② 초조대장경은 고려 현종 때 거란의 침입을 받았던 고려가 부처의 힘을 빌려 거란을 물리치고자 간행한 것이다. 초조대장경은 대구 부인사에서 보관하던 중 몽골의 2차 침입(1232) 때 소실되었으며, 현재 인쇄본 중 일부를 일본 난젠지(南禪寺)에서 보관하고 있다.

④ 초조대장경과 속장경(교장)은 몽골의 침입으로 소실되었다. 몽골의 2차 침입 때 초조대장경이 불에 타 소실되었고, 이때 속장경마저 소실되었다. 현재 속장경은 활자본의 일부와 목록이 송광사와 일본의 도다이지(東大寺)에 보관되어 있다.

02

2016년 지방교행직

밑줄 친 ㉠, ㉡에 대한 설명으로 옳은 것은?

> 고려 시대에는 불교 사상에 대한 이해가 깊어지면서 불교 관련 저술을 모아 체계적으로 정리한 대장경이 만들어졌다. ㉠ 현종 때의 경판이 임진년 몽골의 침입으로 불타 버렸고, 이에 왕이 신하들과 더불어 다시 발원하여 도감을 세우고 16년 만에 ㉡ 새 경판을 완성하였다.

① ㉠ – 합천 해인사에 소장되었다.

② ㉠ – 교장도감에서 제작한 경판이다.

③ ㉡ – 유네스코 세계 기록유산으로 등재되었다.

④ ㉡ – 불교 경전 주석서를 수집하여 간행한 속장경이다.

문제풀이 대장경 난이도 중

제시된 자료의 밑줄 친 ㉠은 거란의 침입을 부처의 힘으로 극복하기 위해 만들었던 초조대장경이고, ㉡은 몽골의 침략으로 소실된 초조대장경을 대신해 부처의 힘으로 몽골 침입을 극복하고자 다시 제작된 재조대장경(팔만대장경)이다.

③ 재조대장경(팔만대장경)은 2007년에 유네스코 세계 기록유산으로 등재되었다.

오답 분석

① 재조대장경: 합천 해인사에 소장되어 있는 것은 재조대장경이다. 초조대장경은 대구 부인사에서 보관하던 중 몽골의 2차 침입으로 소실되었다. 현재 인쇄본 중 일부를 일본 난젠지(南禪寺)에서 보관하고 있다.

② 속장경: 교장도감에서 제작한 경판은 속장경이다. 속장경은 초조대장경을 보완하기 위해 의천의 주도로 흥왕사에 교장도감을 설치하고 조판한 것으로, 송·요·일본의 불교 경전 주석서를 모아 간행하였다.

④ 재조대장경은 경(經, 경전)·율(律, 계율)·논(論, 해석) 삼장으로 구성된 정식 대장경이다.

03

2019년 기상직 9급

다음 밑줄 친 '그 일'을 통해 조성된 문화유산에 대한 설명으로 옳은 것은?

> 이제 집정자와 문무백관 등과 함께 큰 서원(誓願)을 발하여 이미 담당 관사(官司)를 두어 그 일을 경영하게 하였습니다. 처음의 역사(役事)를 살펴보았더니, 옛날 현종 2년(1011)에 거란주(契丹主)가 크게 군사를 일으켜 와서 정벌하자 현종은 남쪽으로 피난하고, 거란 군사는 송악성에 주둔하고 물러가지 않았습니다. 현종은 이에 여러 신하들과 함께 더할 수 없는 큰 서원을 발하여 대장경 판본을 판각하자 거란 군사가 스스로 물러갔습니다. 그렇다면 대장경도 같고 전후로 판각한 것도 같으며, 군신이 함께 서원한 것도 또한 동일한데, 어찌 그때만 거란 군사가 스스로 물러가고 지금의 달단(達旦)은 그렇지 않겠습니까?
>
> - 『동국이상국집』

① 1995년 유네스코 세계 문화유산에 등재되었다.
② 국보 제32호로 현재 합천 해인사에 보관되어 있다.
③ 대구 부인사에 보관되었다가 몽골 침입 때 소실되었다.
④ 송과 요 등의 대장경 주석서를 모아 교장도감에서 간행하였다.

04

2018년 서울시 9급(6월 시행)

고려의 문화에 대한 설명 중 가장 옳은 것은?

① 고려의 귀족 문화를 대표하는 백자는 상감 기법을 이용한 것이다.
② 고려는 세계 최초로 금속 활자를 발명하였다.
③ 팔만대장경판은 거란의 침입을 물리치기 위한 염원을 담아 만든 것이다.
④ 고려는 불교 국가여서 유교 문화가 발전하지 못하였다.

문제풀이 재조대장경

난이도 중

제시문에서 처음의 역사를 살펴보면 현종 때 대장경(초조대장경) 판본을 판각하자 거란 군사가 물러갔다는 내용과, 대장경도 같고 전후로 판각한 것도 동일하다는 내용을 통해 밑줄 친 '그 일'을 통해 조성된 문화유산이 재조대장경임을 알 수 있다. 고려 정부는 몽골(달단)의 침입으로 초조대장경이 소실되자, 이를 대신해 재조대장경을 조성하여 부처의 힘으로 몽골의 침입을 극복하고자 하였다.

② 재조대장경(팔만대장경)은 국보 제32호로, 현재 합천 해인사 장경판전에 보관되어 있다.

오답 분석

① **합천 해인사 장경판전**: 1995년에 유네스코 세계 문화유산에 등재된 것은 재조대장경을 보관하고 있는 합천 해인사 장경판전이다. 재조대장경(팔만대장경)은 정밀성과 글씨의 아름다움을 인정받아 2007년에 유네스코 세계 기록유산에 등재되었다.
③ **초조대장경**: 대구 부인사에 보관되었다가 몽골 침입 때 소실된 문화유산은 초조대장경이다.
④ **교장(속장경)**: 의천이 송과 요 등의 대장경 주석서를 모아 교장도감에서 간행한 것은 교장(속장경)이다.

문제풀이 고려의 문화

난이도 하

② 고려는 세계 최초로 금속 활자를 발명하여 『상정고금예문』과 『직지심체요절』 등의 금속 활자 인쇄본을 편찬하였다. 『상정고금예문』은 고려 인종 때 최윤의 등이 왕명을 받아 제작한 의례서인데, 몽골의 침입으로 강화도로 천도하는 과정에서 이 책을 가지고오지 못하자 당시 집권자였던 최우가 다시 금속 활자로 인쇄하도록 하였다는 기록이 남아있다(1234). 또한 『직지심체요절』은 고려 우왕 때 청주 흥덕사에서 간행된 현존하는 가장 오래된 금속 활자본으로, 현재는 프랑스 국립 도서관에서 보관 중이다.

오답 분석

① 고려의 귀족 문화를 대표하며, 상감 기법이 이용된 자기는 백자가 아닌 청자이다. 고려의 청자는 11세기부터 무늬가 없는 순수 청자를 중심으로 발전하였으며, 12세기 중엽부터는 나전 칠기와 은입사 기술을 응용한 상감 기법을 자기 제작에 접목시켜 고려만의 독특한 상감 청자를 생산하였다.
③ 팔만대장경판은 거란이 아닌 몽골의 침입을 물리치기 위해 만들어졌다. 거란의 침입을 물리치기 위한 염원을 담아 만든 것은 초조대장경이다.
④ 고려는 불교를 숭상하던 국가였으나, 유교를 정치 이념으로 채택하여 국가 운영 측면에서 유교 문화가 발전하였다.

정답 01 ③ 02 ③ 03 ② 04 ②

05

2012년 서울시 9급

고려 시대의 금속 활자에 대한 다음 설명 중 옳지 않은 것은?

① 금속 활자는 한 번 만들면 여러 종류의 책을 쉽게 찍을 수 있었다.
② 고종 21년(1234)에 『상정고금예문』을 인쇄했다는 기록이 있다.
③ 프랑스에 있는 『직지심체요절』은 청주 용두사에서 간행했다.
④ 공양왕은 서적원을 설치하여 활자의 주조와 인쇄를 맡게 했다.
⑤ 『직지심체요절』은 구텐베르크의 금속 활자보다 시기가 앞선다.

문제풀이 고려 시대의 금속 활자 난이도 중

③ 『직지심체요절』은 청주 흥덕사에서 간행되었다. 구한 말 프랑스 공사로 근무하던 플랑시는 한국에서 수집한 다른 장서와 함께 『직지심체요절』을 프랑스로 가져갔고, 이후 파리의 골동품 수집가에게 넘겨졌다가 프랑스 국립 도서관에 기증되어 현재까지 국립 도서관에서 보관 중이다.

오답 분석

① 금속 활자는 한 번 만들어 두면 여러 종류의 책을 쉽게 찍을 수 있는 장점이 있다. 고려 시대에는 세계 최초로 금속 활자 인쇄술이 발명되었다.
② 이규보의 『동국이상국집』에는 몽골의 침입을 받아 강화도로 천도한 시기인 1234년에 『상정고금예문』이 인쇄되었다는 기록이 존재한다. 이는 서양의 금속 활자보다 200여 년 앞선 것이나, 현전하지 않는다.
④ 서적원은 공양왕 때 서적에 관한 사무를 관장하던 기관인 서적점을 개칭한 것으로, 조선 초까지 활자 제작과 인쇄를 담당하였다.
⑤ 1377년에 청주 흥덕사에서 간행된 『직지심체요절』은 서양 최초로 금속 활자 인쇄술을 발명한 구텐베르크의 것보다 앞선 시기의 금속 활자 인쇄물로, 현존하는 세계 최고(最古)의 금속 활자본으로 공인 받았다.

이것도 알면 **합격!**

『상정고금예문』

편찬	고려 인종 때 최윤의 등이 편찬한 의례서
인쇄(간행)	몽골과 전쟁 중이던 강화도 피난 시에 금속 활자로 재인쇄
의의	서양의 금속 활자보다 200여 년 앞선 금속 활자본(현재는 전해지지 않으며, 『동국이상국집』에 기록상으로만 존재)

06

2017년 경찰직(1차)

고려 시대 문화에 대한 설명 중 옳은 것을 모두 고른 것은?

> ㉠ 임춘은 술을 의인화한 『국순전』을 저술하여 현실을 풍자했다.
> ㉡ 이제현은 삼국 시대부터 고려 시대까지의 유명한 시화를 모은 『백운소설』을 저술하였다.
> ㉢ 이규보는 흥미 있는 사실, 불교, 부녀자들의 이야기를 수록한 『보한집』을 저술하였다.
> ㉣ 이인로는 『파한집』에서 개경, 평양, 경주 등 역사적 유적지의 풍속과 풍경 등을 묘사하였다.
> ㉤ 박인량의 『역옹패설』은 고려 시대의 대표적 설화 문학에 해당한다.

① ㉠, ㉢
② ㉡, ㉣
③ ㉠, ㉣
④ ㉠, ㉢, ㉤

문제풀이 고려 시대의 문학 난이도 상

③ 옳은 것을 모두 고르면 ㉠, ㉣이다.
㉠ 임춘은 술을 의인화한 가전체 작품인 『국순전』을 저술하여 소아배들의 득세와 뛰어난 인물들이 오히려 소외되는 현실을 풍자, 비판하였다.
㉣ 이인로는 『파한집』에서 개경, 평양, 경주 등 역사적 유적지의 풍속과 풍경 등을 묘사하였다.

오답 분석

㉡ 이제현은 『백운소설』이 아닌 『역옹패설』을 저술하였다. 『백운소설』은 이규보의 시화 등을 모아 정리한 시화집이다.
㉢ 『보한집』은 이규보가 아닌 최자가 저술한 시화집이다.
㉤ 『역옹패설』은 이제현이 저술한 시화·잡록집이다. 박인량은 역사서인 『고금록』을 저술하였으나, 현존하지는 않는다.

이것도 알면 **합격!**

고려 시대의 패관 문학

『수이전』	최초의 설화집, 『삼국유사』 등에 일부 수록되어 전해짐
『파한집』(이인로)	역대 문인들의 시화에 얽힌 이야기와 평양·개성의 풍속 등 수록
『보한집』(최자)	이인로의 파한집을 보충한 수필체의 시화집
『백운소설』(이규보)	떠도는 시화와 민간 구전 수록
『역옹패설』(이제현)	이제현의 시문집인 『익재난고』 권말에 수록

07

2012년 경찰직(3차)

고려 시대 과학 기술에 대한 다음 설명 중 가장 적절하지 않은 것은?

① 고려 초에는 당의 선명력을 사용하였으나, 충선왕 때에는 원의 수시력을 받아들였다.

② 토지 측량 기구인 인지의와 규형을 제작하여 토지 측량과 지도 제작에 활용하였다.

③ 최무선은 중국인 이원에게서 염조 만드는 기술을 배워 화약 제조법을 터득하였다.

④ 태의감에 의학 박사를 두어 의학을 가르치고, 의원을 뽑는 의과를 시행하였다.

문제풀이 고려 시대의 과학 기술 난이도 중

② 인지의와 규형은 조선 세조 때 제작된 토지 측량 기구이다.

오답 분석

① 고려 초기에는 신라 때부터 사용한 당의 선명력을 그대로 사용하였으나, 충선왕 때에는 원의 수시력을 채택하여 사용하였다. 이후 공민왕 때에는 명의 대통력을 사용하였다.

③ 고려 말 최무선은 왜구의 침입을 격퇴하기 위해서는 화약 무기의 사용이 필요하다고 생각하여 화약 제조 기술을 습득하기 위해 노력하였다. 당시 중국에서는 화약 제조 기술을 비밀에 부쳤으나 최무선의 끈질긴 노력으로 원나라 사람 이원으로부터 화약의 원료인 염초 제조 비법을 전수받아 결국 화약 제조법을 터득하였다.

④ 고려 시대에는 중앙에 태의감을 설치하여 의학 교육을 실시하였고, 지방의 향교에는 의학 박사를 파견하여 의학 교육을 담당하게 하였다. 또한, 의원을 뽑는 의과를 실시하여 고려 의학이 발전할 수 있는 바탕이 마련되었다.

08

2012년 기상직 9급

다음은 어느 관청에 대한 설명이다. 이와 관련된 학문과 관계가 없는 것은?

> 고려 말부터 조선 초까지 천문·역수·측후·각루 등의 일을 맡아보던 관청으로 천변지이를 관측하여 기록하고, 역서를 편찬하며, 절기와 날씨를 측정하고 시간을 관장하던 곳이었다.
>
> 

① 

② 

③ 

④ 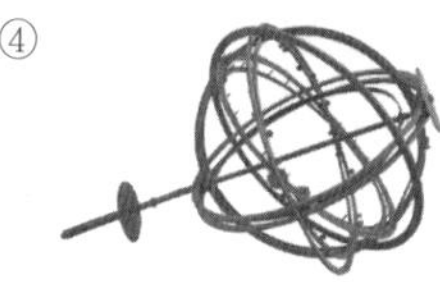

문제풀이 시대별 천문 관측 관청·기구 난이도 중

제시된 자료는 고려 말부터 조선 초까지 천문과 역법을 담당한 관청인 서운관(사천대)에 대한 설명이다. 서운관의 관리는 첨성대에서 관측 업무를 수행하였는데 일식, 혜성, 태양 흑점 등에 관한 관측 기록이 풍부하게 남아 있다.

① 청동 거울인 잔무늬 거울은 제사를 지낼 때 사용되었을 뿐 천문 관측과는 관련이 없다.

오답 분석

② 제시된 사진은 신라 선덕 여왕 때 세워진 천문대인 첨성대이다.

③ 제시된 사진은 개성에 위치한 고려 시대의 첨성대이다. 고려 시대에 천문과 역법을 담당하던 관청인 사천대의 관리는 이곳에서 관측 업무를 수행하였다.

④ 제시된 사진은 조선 시대에 제작된 천체 관측 기구인 혼천의로, 지전설을 주장한 조선 후기 실학자인 홍대용이 제작한 것이다. 이 혼천의는 물을 사용해 움직이던 기존의 혼천의와 달리 톱니바퀴를 연결해 움직였으며, 천체의 운행과 그 위치를 측정하는 천문 시계의 구실을 하였다.

정답 05 ③ 06 ③ 07 ② 08 ①

03 고려의 문화

4 | 귀족 문화의 발달

01

2021년 서울시 9급(특수 직렬)

〈보기〉에서 고려 시대 회화 작품을 모두 고른 것은?

보기

㉠ 고사관수도　　㉡ 부석사 조사당 벽화

㉢ 예성강도　　㉣ 송하보월도

① ㉠, ㉢　　② ㉠, ㉣

③ ㉡, ㉢　　④ ㉡, ㉣

문제풀이 고려 시대의 회화 작품　　난이도 상

③ 옳은 것을 모두 고르면 ㉡, ㉢이다.

㉡ 부석사 조사당 벽화는 고려 말의 작품으로, 고려 시대 불화의 특징을 잘 나타내고 있으며 현재 우리나라에 남아 있는 건물 벽화 중 가장 오래된 작품이다.

㉢ 예성강도는 고려 중기의 화가인 이령의 작품으로, 문헌상의 기록으로만 전할 뿐 실물 작품은 현존하지 않는다.

오답 분석

㉠ **고사관수도**: 조선 전기의 화가인 강희안의 대표작으로, 깎아 자른듯한 절벽을 배경으로 엎드려 수면을 바라보며 명상을 하는 선비의 유유자적한 모습을 담고 있다.

㉣ **송하보월도**: 조선 전기의 화가인 이상좌의 대표작으로, 바위틈에 뿌리 박고 비바람을 이겨 내고 있는 늙은 소나무를 통하여 강인한 정신과 굳센 기개를 표현하였다.

이것도 알면 **합격!**

고려 시대의 회화

전기	• 도화원에 소속된 전문 화원들의 그림이 대표적 • 이령(예성강도), 이광필(삼한도) 등
후기	• 사군자 중심의 문인화 유행, 시화 일치론(회화의 문학화) • 공민왕의 천산대렵도(원대 북화의 영향을 받음) • 왕실과 권문세족의 구복적 요구에 따라 불화가 많이 그려짐(혜허의 양류관음도)

02

2024년 국가직 9급

밑줄 친 '이 나라'의 문화유산으로 옳지 않은 것은?

송나라 사신 서긍은 그의 저술에서 이 나라 자기의 빛깔과 모양에 대해, "도자기의 빛깔이 푸른 것을 사람들은 비색이라고 부른다. 근래에 와서 만드는 솜씨가 교묘하고 빛깔도 더욱 예뻐졌다. 술그릇의 모양은 오이와 같은데, 위에 작은 뚜껑이 있고 연꽃이나 엎드린 오리 모양을 하고 있다. 또, 주발, 접시, 사발, 꽃병 등도 있었다."라고 하였다.

① 안동 봉정사 극락전

② 구례 화엄사 각황전

③ 예산 수덕사 대웅전

④ 영주 부석사 무량수전

문제풀이 고려의 문화유산　　난이도 하

제시문에서 송나라 사신 서긍이 자신의 저술에서 도자기의 빛깔이 푸른 것을 사람들은 비색이라고 부른다는 내용을 통해 고려 청자임을 알 수 있다. 따라서 밑줄 친 '이 나라'는 고려이다.

② 구례 화엄사 각황전은 조선 후기의 대표적인 불교 건축물로, 다층 건물이나 내부가 하나로 통하는 구조로 되어 있다.

오답 분석

① 안동 봉정사 극락전은 주심포 양식과 맞배 지붕, 배흘림 기둥 양식으로 고려 시대에 지어진 목조 건축물로, 우리나라에서 현존하는 가장 오래된 목조 건물로 보고 있다.

③ 예산 수덕사 대웅전은 주심포 양식과 맞배 지붕, 배흘림 기둥 양식으로 고려 시대에 지어진 목조 건축물, 균형 잡힌 외관과 잘 짜여진 각 부분이 치밀하게 배치되어 있다.

④ 영주 부석사 무량수전은 주심포 양식과 팔작 지붕, 배흘림 기둥 양식으로 고려 시대에 다시 지어진 목조 건축물로, 신라의 의상이 왕명을 받아 창건하였다.

이것도 알면 **합격!**

고려시대의 주요 불교 건축물

- 안동 봉정사 극락전: 주심포 양식, 맞배 지붕, 배흘림 기둥, 현존하는 우리나라 최고(最古)의 목조 건축물
- 예산 수덕사 대웅전: 주심포 양식, 맞배 지붕, 배흘림 기둥
- 영주 부석사 무량수전: 주심포 양식, 팔작 지붕, 배흘림 기둥
- 황해 성불사 응진전: 다포 양식, 맞배 지붕, 배흘림 기둥

03

2023년 국가직 9급

고려 시대 문화유산에 대한 설명으로 옳지 않은 것은?

① 황해도 사리원 성불사 웅진전은 다포 양식의 건물이다.

② 월정사 8각 9층 석탑은 원의 석탑을 모방하여 제작하였다.

③ 여주 고달사지 승탑은 통일 신라의 팔각원당형 양식을 계승하였다.

④ 『직지심체요절』은 세계 기록유산으로 등재된 현존하는 가장 오래된 금속 활자본이다.

 **문제풀이** 고려 시대의 문화유산 　난이도 하

(해당 문제는 ①번 선택지의 오타로 인해 복수 정답으로 처리되었습니다.)

① 대표적인 고려 시대의 다포 양식 건물은 성불사 웅진전이 아닌 황해도 사리원 성불사 응진전이다. 한편, 다포 양식은 공포가 기둥 위뿐만 아니라 기둥 사이에도 짜여 있는 양식으로 원의 영향을 받았으며, 주로 웅장한 지붕을 얹거나 건물을 화려하게 꾸밀 때 사용되었다.

② 월정사 8각 9층 석탑은 원이 아닌 송의 석탑을 모방하여 제작된 다각 다층 탑이다. 한편, 원의 석탑을 모방하여 제작된 탑은 경천사지 10층 석탑이다.

오답 분석

③ 여주 고달사지 승탑은 고려 시대의 승탑으로, 통일 신라 승탑의 전형적인 형태인 팔각원당형 양식을 계승하였다.

④ 『직지심체요절』은 고려 우왕 때 청주 흥덕사에서 간행된 것으로, 유네스코 세계 기록유산으로 등재된 현존하는 가장 오래된 금속 활자본이다.

 이것도 알면 **합격!**

월정사 8각 9층 석탑

- 국보 48-1호, 강원도 평창군에 위치
- 고려 전기에 제작됨
- 송의 영향을 받은 다각 다층 탑
- 2단의 기단 위에 탑신부와 상륜부를 세웠으며, 탑 앞에는 월정사 석조보살좌상(국보 48-2호)이 있음

04

2020년 경찰직(1차)

다음 일이 있었던 시대의 문화에 대한 설명으로 가장 적절하지 않은 것은?

> 박유가 왕에게 글을 올려 말하기를 "[중략] 청컨대 여러 신하, 관료들로 하여금 여러 처를 두게 하되, 품계에 따라 그 수를 줄이도록 하여 보통 사람에 이르러서는 1인 1첩을 둘 수 있도록 하며 여러 처에게서 낳은 자식들도 역시 본가가 낳은 아들처럼 벼슬을 할 수 있게 하기를 원합니다."라고 하였다. [중략] 당시 재상들 가운데 그 부인을 무서워하는 자들이 있었기 때문에 그 건의는 결국 실행되지 못하였다.

① 단아하고 균형 잡힌 석등이 꾸준히 만들어졌으며 법주사 쌍사자 석등이 대표적인 작품이다.

② 다포 양식 건물이 등장하여 지붕을 웅장하게 얹거나 건물을 화려하게 꾸밀 때 쓰였다.

③ 자기 제작에 상감 기법이 개발되어 무늬를 내는 데 활용되었으나 원 간섭기 이후에는 퇴조하였다.

④ 이 시대에는 불화가 많이 그려졌는데 혜허의 관음보살도가 유명하다.

 **문제풀이** 고려 시대의 문화 　난이도 중

제시문에서 박유가 왕에게 글을 올렸다는 것, 당시 재상들 가운데 그 부인을 무서워하는 자들이 있어서 1인 1첩이 실시되지 못했다는 내용을 통해 고려 시대임을 알 수 있다.

① 법주사 쌍사자 석등과 같이 단아하고 균형 잡힌 석등이 만들어진 시기는 고려 시대가 아닌 통일 신라 때이다.

오답 분석

② 고려 후기에는 원의 영향을 받아 다포 양식이 등장하여 지붕을 웅장하게 얹거나 건물을 화려하게 꾸밀 때 사용되었다.

③ 고려 시대에는 자기 제작에 상감 기법이라는 독창적인 기법이 개발되어 무늬를 내는 데 활용되었으나, 원 간섭기 이후에는 퇴조하였다.

④ 고려 후기에는 왕실과 권문세족의 구복적 요구에 따라 불화가 많이 그려졌으며, 혜허의 관음보살도(양류관음도)가 대표적이다.

정답 01 ③ 02 ② 03 ①, ② 04 ①

05

2022년 국가직 9급

다음 설명에 해당하는 문화유산은?

> 이 건물은 주심포 양식에 맞배 지붕 건물로 기둥은 배흘림 양식이다. 1972년 보수 공사 중에 공민왕 때 중창하였다는 상량문이 나와 우리나라에서 가장 오래된 목조 건물로 보고 있다.

① 서울 흥인지문

② 안동 봉정사 극락전

③ 영주 부석사 무량수전

④ 합천 해인사 장경판전

문제풀이 안동 봉정사 극락전 난이도 하

제시문에서 주심포 양식에 맞배 지붕 건물로 지어졌고, 우리나라에서 가장 오래된 목조 건물이라는 내용을 통해 안동 봉정사 극락전에 대한 내용임을 알 수 있다.

② 안동 봉정사 극락전은 고려 시대에 주심포 양식과 맞배 지붕, 배흘림 기둥 양식으로 지어진 목조 건축물로, 1972년 보수 공사 과정에서 공민왕 때 중수(1363)하였다는 상량문(새로 짓거나 고친 집의 내력과 그 까닭 등을 적어둔 글)**이 발견되어 우리나라에서 현존하는 가장 오래된 목조 건물로 보고 있다.**

오답 분석

① **서울 흥인지문**: 서울 흥인지문은 조선 전기에 지어진 한양의 도성 4대문 중 동쪽의 대문이다.

③ **영주 부석사 무량수전**: 영주 부석사 무량수전은 주심포 양식과 팔작 지붕, 배흘림 기둥 양식으로 지어진 고려 시대의 목조 건축물이다.

④ **합천 해인사 장경판전**: 합천 해인사 장경판전은 고려 시대 때 제작된 팔만대장경을 보관하기 위해 조선 전기에 만들어진 건축물로, 1995년에 유네스코 세계 문화유산으로 등재되었다.

06

2013년 서울시 9급

다음에서 설명하는 사찰과 관련이 있는 것은?

> 이 절은 의상이 세웠으며, 공포가 주심포 양식인 유명한 건축물이 있고, 조사당에는 고려 시대의 사천왕상 벽화가 유명하다.

① 거대한 미륵보살 입상이 있다.

② 신라 양식을 계승한 불상이 있다.

③ 지눌이 수선사 결사 운동을 전개하였다.

④ 금속 활자인 『직지심체요절』이 간행되었다.

⑤ 김부식이 지은 대각국사비가 세워져 있다.

문제풀이 영주 부석사 난이도 중

제시문에서 의상이 세웠으며 주심포 양식의 건축물이라는 내용을 통해 이 절이 부석사임을 알 수 있다. 영주 부석사는 의상이 당에서 돌아와 창건한 사찰로, 부석사 무량수전과 부석사 소조 아미타여래 좌상이 있다.

② 부석사 무량수전에는 신라 양식을 계승하여 제작한 부석사 소조 아미타여래 좌상이 있다.

오답 분석

① 부석사와 거대한 미륵보살 입상은 관련이 없다. 거대한 미륵보살 입상은 신라 말~고려 초에 유행하였던 불상 양식으로, 충남 논산 관촉사 석조 미륵보살 입상이 대표적이다.

③ **송광사**: 지눌이 수선사 결사 운동을 전개한 사찰은 순천 송광사이다.

④ **흥덕사**: 세계 최고(最古)의 금속 활자본인 『직지심체요절』이 간행된 사찰은 청주 흥덕사이다.

⑤ **영통사**: 김부식이 지은 대각국사비가 세워진 사찰은 개성 영통사이다. 대각국사비는 대각국사 의천의 일대 행적을 기록한 비석이다.

이것도 알면 **합격!**

고려의 건축

주심포식 건물	안동 봉정사 극락전, 영주 부석사 무량수전, 예산 수덕사 대웅전
다포식 건물	황해도 사리원 성불사 응진전, 함경남도 안변 석왕사 응진전

07

2022년 간호직 8급

(가)에 들어갈 문화유산의 명칭으로 옳은 것은?

> 원 간섭기에 만들어진 불탑으로서 현재 국립 중앙 박물관에 보관 중인 [(가)]은 라마교의 영향을 받았고, 화강암이 아닌 대리석으로 만들었다.

① 익산 미륵사지 석탑

② 경주 불국사 3층 석탑

③ 개성 경천사지 10층 석탑

④ 평창 월정사 8각 9층 석탑

문제풀이 개성 경천사지 10층 석탑

난이도 중

제시된 자료에서 원 간섭기에 만들어진 불탑으로서 현재 국립 중앙 박물관에 보관 중이라는 것을 통해 (가)가 개성 경천사지 10층 석탑임을 알 수 있다.

③ 개성 경천사지 10층 석탑은 원 간섭기인 충목왕 때 라마교(티벳 불교)의 영향을 받아 제작된 석탑으로, 일반적으로 사용하는 화강암이 아닌 대리석으로 제작되었다.

오답 분석

① 익산 미륵사지 석탑은 백제 무왕 때 건립된 것으로 추정되는 현존하는 우리나라 최고(最古)의 석탑으로, 목탑에서 석탑으로 넘어가는 과도기의 탑이기 때문에 목탑의 양식이 많이 남아 있다.

② 경주 불국사 3층 석탑은 통일 신라 경덕왕 때 제작된 석탑으로, 이층 기단 위에 삼층의 탑신부를 얹은 전형적인 통일 신라의 양식을 띠고 있다.

④ 평창 월정사 8각 9층 석탑은 고려 전기에 제작된 석탑으로, 송의 영향을 받은 다각 다층 탑이다.

이것도 알면 **합격!**

고려의 석탑

전기	• 개성 불일사 5층 석탑: 고구려의 영향을 받음 • 평창 월정사 8각 9층 석탑: 송의 영향을 받은 다각 다층탑
후기	개성 경천사지 10층 석탑: 원의 석탑을 본떴으며, 라마교의 영향을 받음 → 원각사지 10층 석탑(조선)에 영향을 줌

08

2020년 국가직 7급

(가) 왕대에 볼 수 없었던 조형물은?

> 대리석으로 만든 10층 석탑으로 원래는 경천사에 세워졌다. 이후 원위치에서 불법 반출되어 일본으로 건너갔다가 반환되는 우여곡절을 겪기도 했다. 이 석탑은 표면에 새겨진 명문에 의하여 [(가)] 왕대에 건립된 것으로 알려져 있다.

① 불국사 다보탑

② 원각사 10층 석탑

③ 법천사 지광국사탑

④ 관촉사 석조미륵보살입상

문제풀이 충목왕 대에 볼 수 있는 조형물

난이도 중

제시된 자료에서 10층 석탑으로 원래는 경천사에 세워졌다는 부분과 불법 반출되어 일본으로 건너갔다가 반환되었다는 내용을 통해 개성 경천사지 10층 석탑임을 알 수 있다. 개성 경천사지 10층 석탑은 충목왕 시기인 1348년에 건립되었으며, 조선 세조 때 만들어진 서울 원각사지 10층 석탑에 영향을 주었다.

② 서울 원각사지 10층 석탑은 조선 시대 세조 시기에 만들어진 탑으로 고려 시대 후기인 충목왕 시기에는 볼 수 없는 조형물이다.

오답 분석

모두 충목왕 때 볼 수 있는 문화 유산이다.

① 경주 불국사 다보탑은 신라 중대에 만들어진 탑이다.

③ 원주 법천사지 지광국사탑은 고려 시대 중기에 만들어진 탑이다.

④ 논산 관촉사 석조 미륵보살 입상은 고려 시대 초기에 만들어진 불상이다.

정답 05 ② 06 ② 07 ③ 08 ②

09

2019년 법원직 9급

(가)~(마)가 제작된 시기의 순서대로 바르게 묶은 것은?

① (가) – (나) – (다) – (라) – (마)
② (나) – (가) – (다) – (라) – (마)
③ (가) – (나) – (마) – (다) – (라)
④ (나) – (가) – (다) – (마) – (라)

문제풀이 고대와 고려 시대의 탑 난이도 중

(가)는 신라 중대에 제작된 불국사 3층 석탑, (나)는 백제 무왕 때 제작된 익산 미륵사지 석탑, (다)는 신라 하대에 제작된 쌍봉사 철감선사 승탑, (라)는 고려 후기(원 간섭기)에 제작된 경천사지 10층 석탑, (마)는 고려 전기에 제작된 평창 월정사 8각 9층 석탑이다.

④ 석탑이 제작된 순서대로 나열하면 (나) 익산 미륵사지 석탑(7세기 백제 무왕) → (가) 불국사 3층 석탑(신라 중대) → (다) 쌍봉사 철감선사 승탑(신라 하대) → (마) 평창 월정사 8각 9층 석탑(고려 전기) → (라) 경천사지 10층 석탑(고려 후기)이다.

(나) **익산 미륵사지 석탑**: 백제 무왕 때 제작된 익산 미륵사지 석탑은 목탑의 양식을 본떠 만든 석탑으로, 우리나라에 현존하는 가장 오래된 탑이다.

(가) **불국사 3층 석탑**: 신라 중대 경덕왕 때에 제작된 불국사 3층 석탑은 이층 기단 위에 삼층의 탑신부를 얹은 전형적인 통일 신라의 석탑 양식이다.

(다) **쌍봉사 철감선사 승탑**: 신라 하대에 선종의 영향을 받아 제작된 쌍봉사 철감선사 승탑은 전형적인 팔각원당형의 모습을 하고 있다.

(마) **평창 월정사 8각 9층 석탑**: 고려 전기에 제작된 평창 월정사 8각 9층 석탑은 송의 영향을 받은 다각 다층탑이다.

(라) **경천사지 10층 석탑**: 고려 후기(원 간섭기)에 제작된 경천사지 10층 석탑으로, 조선 세조 때 제작된 원각사지 10층 석탑에 영향을 주었다.

10

2014년 기상직 9급

아래 각 석탑의 특징에 대한 설명으로 가장 적절한 것은?

① (가) – 석재를 벽돌 모양으로 만들어 쌓은 신라 시대의 대표적인 탑이다.
② (나) – 신라 말 선종이 유입되면서 나타난 양식으로 팔각원당형의 승탑이다.
③ (다) – 3층 석탑의 기단과 탑신에 부조로 불상을 새겨 장식성이 강하다.
④ (라) – 원의 석탑을 본 뜬 것으로 원각사지 10층 석탑에 영향을 주었다.

문제풀이 우리나라의 석탑 난이도 상

(가)는 백제의 익산 미륵사지 석탑, (나)는 신라의 다보탑, (다)는 신라의 쌍봉사 철감선사 승탑, (라)는 고려의 경천사지 10층 석탑이다.

④ 고려의 경천사지 10층 석탑은 원의 석탑을 본떠 만든 것으로 이후 조선 세조 때 만들어진 원각사지 10층 석탑에 영향을 주었다.

오답 분석

① **분황사 모전 석탑**: 석재를 벽돌 모양으로 만들어 쌓은 신라의 대표적인 탑은 분황사 모전 석탑이다. 익산 미륵사지 석탑은 백제의 탑으로, 목탑의 모습을 많이 지니고 있어 목탑에서 석탑으로 넘어가는 과도기를 잘 보여주는 석탑이다.

② **쌍봉사 철감선사 승탑 등**: 신라 하대에 선종의 유행으로 나타난 팔각원당형의 승탑 중 대표적인 승탑은 쌍봉사 철감선사 승탑이다. 신라의 다보탑은 일반적인 통일 신라 시대의 석탑과는 다른 특이한 형태로 예술성이 높고 빼어난 건축술이 반영된 석탑이다.

③ **진전사지 3층 석탑**: 3층 석탑의 기단과 탑신에 부조로 불상을 새겨 장식성이 강한 것이 특징인 석탑은 양양 진전사지 3층 석탑이다. 이러한 석탑 양식은 신라 하대에 유행하였다.

11

2014년 국가직 7급

다음 유물에 대한 설명으로 적절하지 않은 것은?

> 색이 푸른데 사람들은 이를 비색(翡色)이라 한다. 근년에 들어와 제작이 공교해지고 광택이 더욱 아름다워졌다. 술병의 형태는 참외와 같은데, 위에는 작은 뚜껑이 있고 마치 연꽃에 엎드린 오리 모양이다.

① 강진과 부안이 생산지로 유명하였다.
② 왕실과 관청 및 귀족들이 주로 사용하였다.
③ 송나라 사신 서긍이 그 아름다움을 극찬하였다.
④ 신라 말기 상감 청자가 제작되면서 무늬가 한층 다양해졌다.

문제풀이 고려 청자 난이도 하

제시문에서 술병의 색이 푸르고(비색) 광택이 더욱 아름다워졌다는 내용을 통해 고려 청자에 대한 설명임을 알 수 있다.

④ 그릇 표면에 무늬를 새겨 넣은 청자인 상감 청자는 고려 시대인 12세기 중엽에 만들어졌다.

오답 분석
① 고려 청자는 자기를 만들 수 있는 흙과 연료가 풍부한 지역에서 생산되었는데, 특히 전라도 강진과 부안이 생산지로 유명하였다.
② 고려 청자는 왕실과 관청 및 귀족들이 사용하였는데, 주로 귀족들의 생활 도구와 불교 의식용 도구로 사용되었다.
③ 송나라의 사신 서긍은 고려를 방문한 뒤 저술한 『고려도경』에서 고려 청자의 아름다움을 묘사하였다.

이것도 알면 **합격!**

고려의 청자

11세기 (순수 청자)	• 고려 자기만의 독자적인 경지 개척, 순수 비취색이 나는 청자 • 다양한 형태, 고상한 무늬가 특징
12세기 (상감 청자)	• 상감법 개발: 자기 표면을 파내고 그 자리를 백토나 흑토로 메워 무늬를 내는 방법 • 원료와 연료가 풍부한 강진과 부안 지역에서 생산
원 간섭기	• 원으로부터 북방 가마 기술 도입 • 청자의 빛깔 퇴조, 소박한 분청사기로 변화

12

2015년 기상직 7급

고려 시대 문화에 대한 설명으로 옳지 않은 것은?

① 사대부의 성장으로 경기체가로 불리는 새로운 문학이 등장했다.
② 일반 서민층에서는 장가로 불리는 새로운 민요풍의 가요가 유행했다.
③ 안동 봉정사의 극락전은 지금 남아 있는 고려 시대 건물 가운데 가장 오래된 것이다.
④ 문인화가 등장하였으며, 김시의 그림 가운데 한림제설도와 동자견려도 등이 유명하다.

문제풀이 고려 시대의 문화 난이도 중

④ 문인화가 등장한 것은 고려 시대가 맞지만, 김시는 조선 중기의 문인 화가이다. 그의 대표작으로는 안견의 화풍에 영향을 받은 한림제설도와 절파(浙派)계 화풍을 따른 동자견려도가 있다.

오답 분석
① 고려 후기에는 새롭게 성장한 신진 사대부들이 향가 형식을 계승한 새로운 시가인 경기체가를 창작하였다. 경기체가의 대표작으로는 한림별곡, 관동별곡, 죽계별곡 등이 있다.
② 고려 후기에는 일반 백성들 사이에서 장가라고 불리는 작자 미상의 새로운 민요풍의 가요가 유행하였다. 장가는 고려 가요 또는 속요라고도 불렸으며 대표작으로는 청산별곡, 가시리, 쌍화점 등이 있다.
③ 안동 봉정사의 극락전은 현존하는 고려 시대 건물 중 최고(最古)의 목조 건축물로 공포가 기둥 위에만 있는 주심포 양식으로 지어졌다.

정답 09 ④ 10 ④ 11 ④ 12 ④

13

2015년 경찰직(1차)

고려 시대의 문화에 대한 설명으로 가장 적절하지 않은 것은?

① 12세기 중엽에는 고려의 독창적인 상감법이 개발되어 도자기에 활용되었다.

② 관촉사의 석조 미륵보살 입상은 부석사 소조 아미타여래 좌상과는 달리, 신라 시대 양식을 계승한 것이다.

③ 상감 청자는 강화도에 도읍한 13세기 중엽까지 주류를 이루었으나 원 간섭기 이후에는 제작 기법이 퇴조하였다.

④ 봉정사 극락전은 현존하는 가장 오래된 목조 건축물이다.

14

2014년 법원직 9급

다음 답사 계획 중 답사 장소와 답사의 주안점이 옳게 연결된 것은?

고려 문화의 향기를 찾아서

	주제	소주제	답사지	주안점
(가)	불교	결사 운동	강진 만덕사	조계종 발달
(나)	공예	자기 기술	부안·강진 도요지	상감 청자 제작법
(다)	건축	목조 건축	안동 봉정사	다포 양식 건물
(라)	인쇄술	금속 활자	청주 흥덕사	『상정고금예문』 인쇄

① (가)

② (나)

③ (다)

④ (라)

문제풀이 고려 시대의 문화

난이도 중

② 관촉사 석조 미륵보살 입상은 고려 시대의 지역적 특색이 반영된 대형 석불이다. 이와 달리 부석사 소조 여래 좌상은 신라의 전통 양식을 계승하여 만들어진 불상이다.

오답 분석

① 고려에서는 12세기 중엽에 고려만의 독창적인 상감법이 도자기에 활용되어 상감 청자가 만들어졌다.

③ 상감 청자는 13세기 중엽까지 주류를 이루었으나, 원 간섭기 이후 원으로부터 북방 가마의 기술이 도입되면서 청자의 빛깔이 퇴조하였고, 점차 소박한 분청사기로 바뀌어 갔다.

④ 안동 봉정사 극락전은 우리나라에서 현존하는 가장 오래된 목조 건축물로 송의 영향을 받은 주심포 양식으로 지어졌다.

이것도 알면 **합격!**

고려 시대의 불상

대형 철불 양식	하남 하사창동 철조 석가여래 좌상(광주 춘궁리 철불)
거대 불상 양식	• 논산 관촉사 석조 미륵보살 입상 • 논산 개태사지 석조 여래 삼존 입상 • 안동 이천동 마애여래 입상
신라 전통 양식 계승	영주 부석사 소조 아미타여래 좌상

문제풀이 고려 시대의 문화

난이도 중

② 고려의 상감 청자는 자기를 만들 수 있는 흙이 생산되고, 연료가 풍부했던 전라도 강진과 부안에서 많이 만들어졌다.

오답 분석

① 조계종 승려였던 지눌의 수선사 결사 운동은 전남 송광사에서 이루어졌다. 강진의 만덕사는 천태종 승려인 요세의 백련 결사 운동이 이루어진 곳이다.

③ 안동 봉정사 극락전은 주심포 양식으로 지어진 건물이다. 다포 양식의 건물로 대표적인 것으로는 사리원 성불사 응진전이 있다.

④ 청주 흥덕사에서는 『직지심체요절』이 인쇄되었다. 『상정고금예문』은 강화도에서 인쇄되었다.

이것도 알면 **합격!**

고려 시대의 금속 활자 인쇄술

『상정고금예문』	• 고려 인종 때 최윤의 등이 지은 의례서 • 강화도로 천도할 때 가지고 오지 못하자 최우가 보관하던 것을 강화도에서 금속 활자로 인쇄했다는 기록이 『동국이상국집』에 남아 있음 • 서양의 금속 활자 인쇄보다 200여 년이나 앞서 이루어진 것이나, 현존하지 않음
『직지심체요절』	• 청주 흥덕사에서 간행(1377) • 현존하는 세계 최고(最古)의 금속 활자본

15
2014년 법원직 9급

다음 풍속이 유행할 무렵에 있었던 문화적 사실로 가장 옳은 것은?

- 증류 방식의 술인 소주가 등장하였다.
- 임금의 음식을 가리키는 '수라'라는 말이 사용되었다.
- 남자들 사이에서 머리의 뒷부분만 남겨놓고 주변의 머리털을 깎아 나머지 모발을 땋아서 등 뒤로 늘어뜨리는 머리 스타일이 나타났다.

① 최충이 9재 학당을 세웠다.
② 김부식이 『삼국사기』를 편찬하였다.
③ 의천이 해동 천태종을 창시하였다.
④ 개성에 경천사지 10층 석탑이 세워졌다.

문제풀이 원 간섭기의 문화적 사실 난이도 하

제시문에서 소주가 등장하고 남자들 사이에서 변발이 유행하였다는 내용을 통해 몽골풍이 유행하던 원 간섭기임을 알 수 있다.

④ 경천사지 10층 석탑은 원 간섭기인 충목왕 때 원의 영향을 받아 만들어진 것으로, 현재 국립 중앙 박물관에 소장되어 있다.

오답 분석
모두 고려 중기의 문화적 사실이다.
① 고려 문종 때의 유학자였던 최충은 관직에서 물러난 후에 사학인 9재 학당을 설립하여 유학 교육을 진흥시켰다.
② 고려 인종 때의 유학자였던 김부식은 왕명을 받아 현존하는 우리나라 최고(最古)의 역사서인 『삼국사기』를 편찬하였다.
③ 고려 문종의 아들로 승려가 된 의천은 화엄종을 중심으로 교종을 통합하려 하였으며, 교종을 중심으로 선종을 통합하기 위해 해동 천태종을 창시하였다.

이것도 알면 **합격!**

몽골풍과 고려양

구분	내용
몽골풍	• 원 간섭기에 고려 상류 사회에서 유행한 원의 풍속과 문화 • 몽골어, 몽골식 복장, 변발 등 • 수라, 진지, 연지곤지
고려양	• 원의 상류 사회에서 유행한 고려의 풍속과 제도 • 고려 의복, 고려 그릇, 음식 등이 유행

16
2012년 지방직(상) 9급

고려 시대의 건축과 조형 예술에 대한 설명으로 옳지 않은 것은?

① 초기에는 광주 춘궁리 철불 같은 대형 철불이 많이 조성되었다.
② 지역에 따라서 고대 삼국의 전통을 계승한 석탑이 조성되기도 하였다.
③ 팔각원당형의 승탑이 많이 만들어졌는데, 그 대표적인 예로 법천사 지광 국사 현묘탑을 들 수 있다.
④ 후기에는 사리원의 성불사 응진전과 같은 다포식 건물이 출현하여 조선 시대 건축에 큰 영향을 끼쳤다.

문제풀이 고려 시대의 건축과 조형 예술 난이도 중

③ 법천사 지광 국사 현묘탑은 팔각원당형에서 벗어난 평면 방형의 조형미가 뛰어난 승탑이었다. 고려 시대의 전형적인 팔각원당형의 승탑으로 대표적인 것은 여주 고달사지 승탑이다.

오답 분석
① 고려 초기에는 하남 하사창동 철조 석가여래 좌상과 같은 대형 철불과 관촉사 석조 미륵보살 입상, 논산 개태사지 석조 여래 삼존 입상 등 거대 불상이 제작되었다.
② 고려의 석탑은 신라 양식을 계승하며 다양한 형태로 제작되었는데, 지역에 따라서는 고대 삼국의 전통을 계승한 석탑이 조성되었다.
④ 고려 후기에는 원의 영향을 받아 다포식 건물인 황해도 사리원의 성불사 응진전, 석왕사 응진전 등이 건립되었다. 이 건축 양식은 이후 조선 시대의 건축에도 영향을 주었다.

이것도 알면 **합격!**

고려의 승탑

구분	내용
신라 양식 계승	신라 후기 승탑의 전형적인 형태인 팔각원당형을 계승(여주 고달사지 승탑)
특이한 형태의 승탑	전형적인 팔각원당형을 벗어나 특이한 형태를 띠면서도 조형미가 뛰어난 승탑 제작(홍법 국사 실상탑)
석종형 승탑	인도 불탑의 영향을 받은 소박한 석종형의 승탑(보제존자 석종)

정답 13 ② 14 ② 15 ④ 16 ③

최빈출 다지선다 문제로 단원 마무리

01 고려의 정치 (1)

밑줄 친 '왕'대 사실로 옳지 않은 것을 모두 고른 것은?

2020년 국가직 7급

> 왕이 노비를 조사하여 그 시비를 가려내게 하자, (노비들이) 그 주인을 등지는 자가 많아지고, 윗사람을 능멸하는 풍조가 성행하였다. 사람들이 모두 탄식하고 원망하자, 대목왕후가 간곡히 간(諫)하였으나 받아들이지 않았다.
>
> -『고려사』

① 광덕, 준풍 등의 연호를 사용하였다. 21. 서울시 9급(특수)

② 쌍기의 건의로 과거제를 실시하였다. 15. 서울시 9급

③ 12목을 설치하고 지방관을 파견하였다. 15. 서울시 9급

④ 물가 조절을 위해 상평창을 설치하였다. 19. 지방직 9급

⑤ 균여를 귀법사 주지로 삼아 불교를 정비하였다. 21. 국가직 9급

⑥ 역분전이라는 토지 제도를 처음으로 시행하였다. 19. 지방직 7급

⑦ 국자감에 7재를 두어 관학을 부흥하고자 하였다. 21. 국가직 9급

⑧ 광군 30만을 조직하여 거란의 침략에 대비하였다. 19. 지방직 9급

⑨ 승려인 신돈을 등용하여 전민변정도감을 설치하였다. 15. 서울시 9급

⑩ 호족을 견제하기 위해 사심관과 기인 제도를 마련하였다. 15. 서울시 9급

⑪ 관료 제도를 안정시키기 위해 공복(公服)을 등급에 따라 제정하였다. 22. 서울시 9급(2월)

정답 및 해설

정답

③, ④, ⑥, ⑦, ⑧, ⑨, ⑩

자료분석

노비를 조사하여 그 시비를 가려내게 함 → 노비안검법 → 고려 광종

선택지 체크

① 고려 광종 ② 고려 광종 **③ 고려 성종 ④ 고려 성종** ⑤ 고려 광종 **⑥ 고려 태조 ⑦ 고려 예종 ⑧ 고려 정종(3대) ⑨ 고려 공민왕 ⑩ 고려 태조** ⑪ 고려 광종

01 고려의 정치 (2)

다음 괄호 안에 들어갈 국왕과 관련되는 내용을 모두 고른 것은?

2014년 국가직 9급

> (   )이 원나라의 제도를 따라 변발(辮髮)을 하고 호복(胡服)을 입고 전상(殿上)에 앉아 있었다. 이연종이 간하려고 문밖에서 기다리고 있었더니, 왕이 사람을 시켜 물었다. …… 답하기를 "변발과 호복은 선왕의 제도가 아니오니, 원컨대 전하께서는 본받지 마소서."라고 하니, 왕이 기뻐하면서 즉시 변발을 풀어 버리고 그에게 옷과 요를 하사하였다.
>
> -『고려사』

① 연구 기관인 만권당을 설립하였다. 14. 서울시 9급

② 정치도감을 두어 부원 세력을 척결하였다. 16. 서울시 9급

③ 홍건적의 침입으로 왕이 복주로 피신하였다. 22. 법원직 9급

④ 정동행성 이문소를 폐지하고 요동 지방을 공략하였다. 14. 국가직 9급

⑤ 도병마사를 도평의사사로 개편하여 국정을 총괄하게 하였다. 16. 국가직 9급

⑥ 기철 일파를 제거하고 쌍성총관부의 관할 지역을 수복하였다. 20. 지방직 9급

⑦ 신돈을 등용하고 전민변정도감을 설치하여 권신들을 억압했다. 18. 경찰직(3차)

⑧ 왕권을 강화하고 개혁을 주도하기 위한 기구로 사림원을 두었다. 16. 서울시 9급

⑨ 권문세족의 경제 기반을 무너뜨리기 위해서 과전법을 시행하였다. 14. 국가직 9급

정답 및 해설

정답

③, ④, ⑥, ⑦

자료분석

원의 풍습인 변발과 호복을 즉시 풀어 버림 → 반원 정책 추진 → 고려 공민왕

선택지 체크

① 고려 충선왕 ② 고려 충목왕 **③ 고려 공민왕 ④ 고려 공민왕** ⑤ 고려 충렬왕 **⑥ 고려 공민왕 ⑦ 고려 공민왕** ⑧ 고려 충선왕 ⑨ 고려 공양왕

02 고려의 경제·사회

㉠, ㉡의 거주민에 대한 설명으로 옳은 것을 모두 고른 것은?

2019년 지방직 7급

> ㅇ 이제 살펴보건대, 신라가 주·군을 설치할 때 그 전정(田丁), 호구(戶口)가 현의 규모가 되지 못하는 곳에는 ㉠, ㉡을/를 두어 소재지의 읍에 속하게 하였다.
>
> – 『신증동국여지승람』
>
> ㅇ 지난 왕조 때 5도와 양계에 있던 역과 진에서 역을 부담한 사람과 ㉡의 사람은 모두 고려 태조 때의 명령을 거역한 사람이므로, 고려는 이들에게 천하고 힘든 일을 맡게 했다.
>
> – 『태조실록』

① 향리층의 지배를 받았다. 19. 지방직 7급

② 자손이 음서의 혜택을 받았다. 22. 법원직 9급

③ 관직의 진출에 제한을 받지 않았다. 19. 지방직 7급

④ 성리학을 통해 불교의 폐단을 지적하였다. 21. 법원직 9급

⑤ 백정이라고 불렸으며 조·용·조를 면제받았다. 19. 지방직 7급

⑥ 군현민과 같은 양인이지만 사회적 차별을 받았다. 16. 지방직 9급

⑦ 죄를 지으면 형벌로 귀향을 시키는 처벌을 받았다. 16. 지방직 9급

⑧ 지방 호족 출신으로 지방 행정의 실무를 담당하였다. 16. 지방직 9급

⑨ 개인의 소유물로 인정되어 매매나 증여, 상속의 대상이 되었다. 19. 지방직 7급

⑩ 친원적 성향의 이들은 도평의사사를 장악하였다. 21. 법원직 9급

정답 및 해설

정답

①, ⑥

자료분석

주·군을 설치할 때 현의 규모가 되지 못함 + 고려 태조 때 명령을 거역한 사람 + 천하고 힘든 일을 맡게 함 → ㉠ 향, ㉡ 부곡

선택지 체크

① 향·부곡 ② 음서의 혜택을 받지 못함 ③ 관직 진출에 제한을 받음 ④ 신진 사대부 ⑤ 더 많은 세금을 부담, 백정은 일반 농민을 지칭 **⑥ 향·부곡** ⑦ 귀족 ⑧ 향리 ⑨ 노비 ⑩ 권문세족

03 고려의 문화

다음과 같은 역사 인식에 따라서 편찬된 역사서에 대한 설명으로 옳은 것을 모두 고른 것은?

2013년 국가직 9급

> 대저 옛 성인은 예악으로 나라를 일으키고 인의로 가르쳤으며 괴력난신(怪力亂神)은 말하지 않았다. 그러나 제왕이 장차 일어날 때는 부명(符命)과 도록(圖籙)을 받게 되므로 반드시 남보다 다른 일이 있었다. 그래야만 능히 큰 변화를 타고 대업을 이룰 수 있는 것이다. …… 그러니 삼국의 시조가 모두 신비하고 기이한 일을 연유하여 태어났다는 것을 어찌 괴이하다 할 수 있겠는가. 이것이 신이(神異)로써 이 책의 앞 머리를 삼은 까닭이다.

① 『동국이상국집』에 수록되어 전한다. 17. 기상직 7급

② 불교를 중심으로 신화와 설화를 정리하였다 21. 지방직 9급

③ 예맥, 옥저 등을 모두 단군의 후손으로 서술하였다. 23. 계리직 9급

④ 현존하는 우리나라의 역사서 가운데 가장 오래된 것이다. 12. 국가직 9급

⑤ 동명왕의 건국 설화를 5언시체로 재구성하여 서술하였다. 14. 국가직 7급

⑥ 기전체로 서술되어 본기, 지, 열전 등으로 나누어 구성되었다. 12. 국가직 9급

⑦ 삼국에서 고려까지 고승들의 전기를 정리하여 편찬한 책이다. 15. 서울시 9급

⑧ 우리의 고유 문화와 전통을 중시하였으며 단군 신화를 수록하였다. 13. 국가직 9급

⑨ 고구려 계승 의식보다는 신라 계승 의식이 좀 더 많이 반영되었다고 평가된다. 12. 국가직 9급

⑩ 조선 초기에 새 왕조의 정통성에 대한 명분을 밝힐 목적으로 썼다. 14. 국회직 9급

정답 및 해설

정답

②, ⑧

자료분석

신이(神異)로써 이 책의 앞 머리를 삼음 → 『삼국유사』

선택지 체크

① 『동명왕편』 **② 『삼국유사』** ③ 『제왕운기』 ④ 『삼국사기』 ⑤ 『동명왕편』 ⑥ 『삼국사기』 ⑦ 『해동고승전』 **⑧ 『삼국유사』** ⑨ 『삼국사기』 ⑩ 『고려국사』

공무원시험전문 해커스공무원
gosi.Hackers.com

조선 전기 출제 경향

1. 주요 직렬별 출제 비중(2019 ~ 2024)

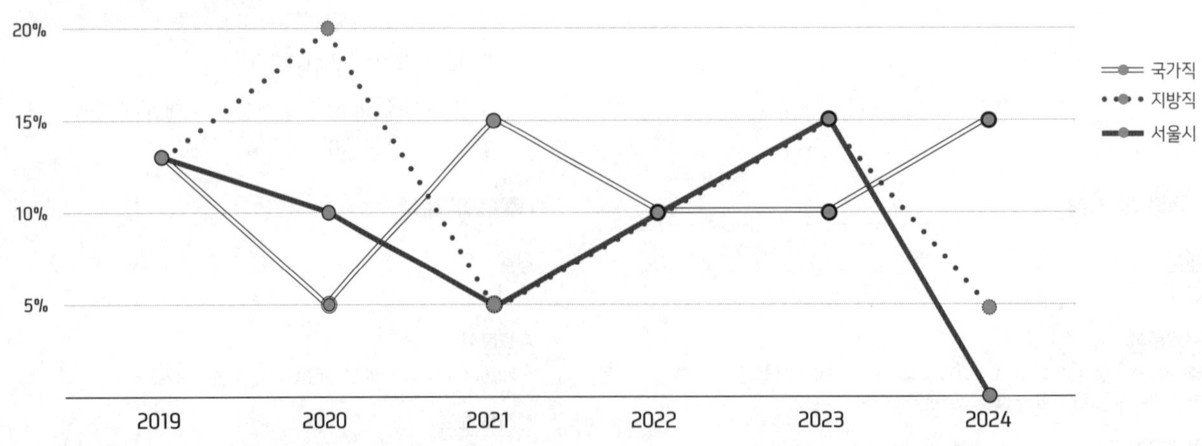

조선 전기는 국가직과 지방직 시험에서 평균 2문제씩 출제되고 있으며, 서울시 시험에서는 2021년부터 출제 비중이 꾸준히 증가하다가 2024년 시험에서는 출제되지 않았습니다.

IV. 조선의 발전

01 조선 전기의 정치
02 조선 전기의 경제·사회
03 조선 전기의 문화

2. 주요 직렬별 최근 출제 경향 및 학습 방법

국가직	국가직 시험에서는 주로 정치사와 문화사에 대한 문제가 자주 출제되고 있습니다. 2024년 국가직 9급 시험에서는 세조 대의 사실, 성종 재위 기간에 편찬된 서적, 병자호란 이후의 사실을 묻는 문제가 무난하게 출제되었습니다. ▶ 조선 전기 주요 왕의 업적을 문화사와 연결 지어 꼼꼼히 학습해야 합니다. ▶ 조선 전기 사화의 전개 과정 및 순서와 이황, 이이, 조광조 등의 주요 인물에 대해서도 꼼꼼히 학습해야 합니다.
지방직	지방직 시험의 경우 평균 2문제 정도가 출제되고 있습니다. 2024년 지방직 9급 시험에서는 광해군 재위 시기의 사실을 묻는 문제가 무난하게 출제되었습니다. ▶ 조선 전기 주요 왕의 업적과 재위 시기의 사실에 대해 포괄적으로 학습해야 합니다.
서울시*	서울시 시험에서는 국왕의 업적이나 주요 사건에 대한 문제가 자주 출제되는 편이며 2021년부터 꾸준히 출제 비중이 증가하였으나, 2024년 서울시 9급 시험에서는 1문제도 출제되지 않았습니다. ▶ 조선 전기 주요 사건의 순서를 묻는 문제가 출제될 수 있으니, 각 사건이 언제 일어났는지 반드시 알아두어야 합니다.

* 서울시 9급(특수직렬) 문제는 인사혁신처에서 출제한 문제가 아니고, 서울시에서 자체 출제한 문제입니다.

1 | 조선의 건국과 발전

01

2019년 지방직 9급

밑줄 친 '그'에 대한 설명으로 옳지 않은 것은?

> 그와 남은이 임금을 뵈옵고 요동을 공격하기를 요청하였고, 그리하여 급하게 『진도(陣圖)』를 익히게 하였다. 이보다 먼저 좌정승 조준이 휴가를 받아 집에 있을 때, 그와 남은이 조준을 방문하여, "요동을 공격하는 일은 지금 이미 결정되었으니 공(公)은 다시 말하지 마십시오."라고 말하였다.

① 만권당에서 원의 학자들과 교류하였다.
② 맹자의 역성 혁명론을 조선 건국에 적용하였다.
③ 한양 도성의 성문과 궁궐 등의 이름을 지었다.
④ 『경제문감』을 저술하여 재상 중심의 정치를 주장하였다.

문제풀이 정도전 난이도 중

제시된 자료에서 남은과 함께 임금에게 요동을 공격하기를 요청하고 『진도』를 익히게 하였다는 내용을 통해 밑줄 친 '그'가 정도전임을 알 수 있다. 태조 때 명나라가 정도전이 작성한 표전의 내용을 문제 삼으며 정도전의 압송을 요구하자, 정도전은 요동 정벌을 계획하며 진법서인 『진도』를 편찬하여 군사를 훈련시켰다. 그러나 제1차 왕자의 난으로 정도전이 이방원에게 제거되면서 요동 정벌은 이루어지지 않았다.

① 원나라의 수도 연경에 세워진 만권당에서 원의 학자들과 교류한 대표적인 인물은 고려 말의 학자인 이제현이다.

오답 분석

② 고려 말 정도전을 비롯한 조준, 남은 등의 혁명파 사대부는 민심을 잃은 통치자를 다른 덕이 있는 자로 교체할 수 있다는 맹자의 역성 혁명론을 조선 건국에 적용하였다.
③ 정도전은 한양 도성을 설계하면서 경복궁 근정전 등 궁궐의 이름과 도성의 4대문(흥인지문, 숭례문, 돈의문, 숙정문)의 이름을 지었다.
④ 정도전은 『경제문감』을 저술하여 조선 왕조의 정치 조직과 행정안을 제시하고, 재상 중심의 정치 운영을 강조하였다.

02

2017년 국가직 9급(4월 시행)

밑줄 친 '그'에 대한 설명으로 옳은 것은?

> 그는 이성계를 추대하여 조선 왕조를 개창한 공으로 개국 1등 공신이 되었으며, 의정부를 중심으로 하는 재상 중심의 관료 정치를 주창하였다. 그리고 『불씨잡변』을 저술하여 불교의 사회적 폐단을 비판하였다.

① 왜구의 소굴인 쓰시마 섬을 정벌하였다.
② 백성들의 윤리서인 『삼강행실도』를 편찬하였다.
③ 여진족을 두만강 밖으로 몰아내고 6진을 개척하였다.
④ 『조선경국전』을 편찬하여 왕조의 통치 규범을 마련하였다.

문제풀이 정도전 난이도 하

제시문에서 이성계를 추대하여 조선 왕조를 개창하였다는 내용과 의정부를 중심으로 하는 재상 중심의 관료 정치를 주창하였으며, 『불씨잡변』을 저술하여 불교의 사회적 폐단을 비판하였다는 내용을 통해 밑줄 친 '그'가 정도전임을 알 수 있다.

④ 정도전은 『조선경국전』을 편찬하여 조선 왕조의 통치 규범을 종합적으로 제시하였다.

오답 분석

① **박위, 김사형, 이종무 등**: 왜구의 소굴인 쓰시마 섬(대마도)을 정벌한 인물에는 박위(고려 창왕), 김사형(조선 태조), 이종무(조선 세종) 등이 있다.
② **설순 등**: 모범이 될만한 충신·효자·열녀의 행실을 모아 만든 윤리서인 『삼강행실도』를 편찬한 인물에는 조선 세종 때의 설순 등이 있다.
③ **김종서**: 여진족을 두만강 밖으로 몰아내고 두만강 하류에 6진(종성·온성·회령·경원·경흥·부령)을 개척한 인물은 조선 세종 때의 김종서이다.

이것도 알면 **합격!**

정도전의 저서

『조선경국전』, 『경제문감』	재상 중심의 국가 운영 주장
『불씨잡변』	성리학의 입장에서 불교 비판
『고려국사』	• 태조의 명을 받아 고려 시대의 역사를 편년체로 정리 • 조선 건국의 정당성을 강조

03

2023년 국회직 9급

다음 주장에 근거한 정책으로 적절한 것은?

> 임금의 자질에는 어리석은 자질도 있고 현명한 자질도 있으며, 강력한 자질도 있고 유약한 자질도 있어서 한결같지 않다. 임금의 아름다운 점은 따르고 나쁜 점은 바로 잡으며, 옳은 일은 받들고 옳지 않은 것은 막아서, 임금이 가장 올바른 경지에 들어가게 해야 한다.
>
> –「조선경국전」

① 경연의 실시　② 군주제 타파
③ 직전법 실시　④ 호포제 시행
⑤ 6조 직계제 시행

04

2022년 법원직 9급

밑줄 친 '그'에 대한 설명으로 옳은 것을 〈보기〉에서 모두 고른 것은?

> 참찬문하부사 하륜 등이 청하였다. "정몽주의 난에 만일 그가 없었다면, 큰일이 거의 이루어지지 못하였을 것이고, 정도전의 난에 만일 그가 없었다면, 또한 어찌 오늘이 있었겠습니까? …… 청하건대, 그를 세워 세자를 삼으소서." 임금이 말하기를, "경 등의 말이 옳다."하고, 드디어 도승지에게 명하여 도당에 전지하였다. "…… 나의 동복(同腹)아우인 그는 개국하는 초에 큰 공로가 있었고, 또 우리 형제 4, 5인이 성명(性命)을 보전한 것이 모두 그의 공이었다. 이제 명하여 세자를 삼고, 또 내외의 여러 군사를 도독하게 한다."

보기

㉠ 영정법을 도입하였다.
㉡ 호패법을 시행하였다.
㉢ 『경국대전』을 편찬하였다.
㉣ 6조 직계제를 실시하였다.

① ㉠, ㉡　② ㉠, ㉢
③ ㉡, ㉣　④ ㉢, ㉣

문제풀이 재상 중심의 관료 정치에 근거한 정책

난이도 중

제시문에서 임금의 자질에는 어리석은 자질도 있고 현명한 자질도 있다는 내용과 임금이 가장 올바른 경지에 들어가게 하여야 한다는 내용을 통해 재상 중심의 관료 정치에 대한 내용임을 알 수 있다. 정도전은 『조선경국전』에서 재상이 임금을 올바른 길로 이끌어 왕도정치를 하여야 한다고 주장하였다.

① 경연은 조선 시대에 신하들이 임금에게 유교의 경서와 사서를 가르치기 위해 시행되었으며, 이는 임금을 올바른 길로 이끌어 왕도 정치를 실현하기 위함이었다.

오답 분석

모두 재상 중심의 관료 정치와는 관련이 없다.

② 군주제 타파는 19세기 후반 이후 지식인들이 주장한 내용으로, 대표적으로 군주제를 타파하고 공화정체 국가 수립을 주장한 단체로는 신민회가 있다.

③ 직전법은 관리들의 토지 세습으로 경기도의 과전이 부족해지자 세조 때 현직 관리에게만 수조권을 시급한 토지 제도이다.

④ 호포제는 흥선 대원군 집권 시기에 군정의 문란을 해결하기 위해 양반도 군포를 부담하게 한 제도이다.

⑤ 6조 직계제는 6조의 업무를 의정부를 거치지 않고 직접 왕에게 재가를 받도록 하는 제도로, 국왕 중심의 통치 체제를 강화하기 위해 시행되었다.

문제풀이 태종 이방원

난이도 하

제시문에서 정도전의 난(제1차 왕자의 난)을 진압하였다는 것과, 왕(정종)의 동복아우로 개국에 큰 공로가 있어 세자가 되었다는 것을 통해 밑줄 친 '그'가 태종 이방원임을 알 수 있다.

③ 옳은 것을 모두 고르면 ㉡, ㉣이다.

㉡ 태종은 농민의 이탈을 방지하고, 안정적인 조세 징수와 군역 부과를 위해 16세 이상의 남자에게 호패(일종의 신분증)를 가지고 다니게 하는 호패법을 시행하였다.

㉣ 태종은 6조의 업무를 의정부를 거치지 않고 직접 왕에게 재가를 받도록 하는 6조 직계제를 실시하여 국왕 중심의 통치 체제를 강화하였다.

오답 분석

㉠ **인조**: 전세를 풍흉에 관계없이 토지 1결당 미곡 4~6두로 고정한 영정법을 도입한 왕은 인조이다.

㉢ **세조~성종**: 『경국대전』은 세조 때부터 편찬되기 시작하여 성종 때 완성·반포되었다. 『경국대전』은 「이전」, 「호전」, 「예전」, 「병전」, 「형전」, 「공전」의 6전으로 구성된 조선의 기본 법전이다.

정답 01 ① 02 ④ 03 ① 04 ③

05

2022년 간호직 8급

밑줄 친 '왕'의 업적으로 옳은 것은?

> 왕은 6조 직계제를 시행하여 6조에서 의정부를 거치지 않고 곧바로 왕에게 재가를 받도록 함으로써 의정부의 힘을 약화시켰다. 또한 사간원을 독립시켜 대신들을 견제하였으며, 사병을 없애고 사원이 소유한 토지를 몰수하였다.

① 「정간보」를 창안하였다.
② 계미자를 주조하였다.
③ 『동국병감』을 간행하였다.
④ 천상열차분야지도를 돌에 새겼다.

문제풀이 태종의 업적 난이도 하

제시문에서 6조 직계제를 시행하였다는 것과, 사간원을 독립시켰다는 것을 통해 밑줄 친 '왕'이 태종임을 알 수 있다.

② 태종은 활자의 주조와 인쇄를 담당하는 주자소를 설치하여 금속 활자인 계미자를 주조하였다.

오답 분석
① **세종**: 소리의 장단과 높낮이를 표현할 수 있는 새로운 악보인 「정간보」를 창안한 왕은 세종이다.
③ **문종**: 고조선부터 고려 말까지의 우리나라 전쟁사를 체계적으로 정리한 『동국병감』을 간행한 왕은 문종이다.
④ **태조**: 고구려의 천문도를 바탕으로 별자리를 그린 천상열차분야지도를 돌에 새긴 왕은 태조 이성계이다.

이것도 알면 **합격!**

태종의 주요 업적

왕권 강화책	6조 직계제 실시, 사간원 독립
경제 정책	• 사원 정리: 사원의 토지와 노비 몰수 • 양전 사업: 20년마다 토지를 측량하여 양안 작성 • 호적 작성: 호구를 조사하여 3년마다 호적 작성
사회 정책	• 인보법, 호패법 실시 • 신문고 설치
문화 정책	주자소 설치: 계미자 주조

06

2019년 서울시 9급(6월 시행)

조선 태종 대의 주요 정책에 대한 설명으로 가장 옳은 것은?

① 사섬서를 두어 지폐인 저화를 발행하였다.
② 상평통보를 발행하여 화폐 경제를 촉진하였다.
③ 지계를 발급하여 토지 소유권을 공고히 하였다.
④ 연분 9등법과 전분 6등법을 시행하여 조세 제도를 개편하였다.

문제풀이 태종의 정책 난이도 중

① 태종 이방원은 사섬서를 설치하고 지폐인 저화를 발행하였으나 널리 유통되지는 못하였다. 저화는 고려 말 공양왕 때 원나라의 지폐인 보초를 모방하여 발행되었으나 유통되지 않았고, 이후 조선 태종 때 다시 발행·유통되었으나 화폐 가치의 불안정 등으로 널리 유통되지 못하였다.

오답 분석
② 상평통보가 발행·유통된 것은 조선 후기의 사실이다. 상평통보는 인조 때 주조되어 개성을 중심으로 통용되었고, 숙종 때에는 상평통보가 법화로 채택되었다.
③ **고종**: 지계를 발급하여 토지 소유권을 공고히 하고자 한 것은 대한 제국의 고종이다. 대한 제국 시기에 고종은 양전 사업을 실시하고 토지 소유권 증명서인 지계를 발급하였다.
④ **세종**: 연분 9등법과 전분 6등법의 공법을 시행하여 조세 제도를 개편한 것은 세종이다. 전분 6등법은 토지를 비옥도에 따라 6등급으로 구분한 것이고, 연분 9등법은 수확한 해의 풍흉의 정도에 따라 9등급(상상년~하하년)으로 구분하고 조세 액수를 토지 1결당 최고 20두에서 최저 4두를 징수한 것이다.

07

2018년 지방교행직

(가) 인물의 업적으로 옳은 것은?

> 왕세자를 세우는 것은 나라의 근본을 정하는 일이다. (가) 은/는 문무의 자질을 겸비하고 뛰어난 덕을 갖추었으며, 상왕께서 개국(開國)하던 때에 대의를 주장하였다. 또한 형인 과인을 호위하여 큰 공을 세웠으므로 이에 (가) 을/를 왕세자로 삼는다.

① 사간원을 독립시켜 대신을 견제하였다.
② 사림을 등용하여 훈구의 독주를 막았다.
③『경국대전』을 편찬하여 통치 체제를 정비하였다.
④ 이조 전랑의 3사 관리 추천 관행을 폐지하였다.

08

2023년 지방직 9급

조선 세종 대에 있었던 사실로 옳지 않은 것은?

① 갑인자를 주조하였다.
② 화통도감을 설치하였다.
③ 역법서인『칠정산』을 편찬하였다.
④ 간의를 만들어 천체를 관측하였다.

문제풀이 태종의 업적

난이도 중

제시문에서 상왕(태조 이성계)께서 개국(開國)하던 때에 대의를 주장하였다는 것과 형(정종)인 자신을 호위하여 큰 공을 세웠기 때문에 왕세자로 삼는다는 내용을 통해 (가)가 태종 이방원임을 알 수 있다.

① 태종은 문하부를 혁파하여 재신을 의정부에 합치고, 낭사를 사간원으로 독립시켜 대신들을 견제하였다.

오답 분석

② **성종**: 사림을 등용하여 훈구의 독주를 막은 인물은 성종이다. 성종은 김종직 등의 사림파를 주로 3사의 언관직에 등용하여 훈구 세력의 독주를 견제하였다.

③ 조선의 최고 법전인『경국대전』은 세조 때 편찬이 시작되어 성종 때 완성되었다.『경국대전』은 이·호·예·병·형·공전의 6전으로 구성되어 있으며, 조선 후기까지 기본 법전의 골격을 이루었다.

④ **영조**: 이조 전랑의 3사 관리 추천 관행을 폐지한 인물은 영조이다. 영조는 이조 전랑이 자신의 후임자를 천거할 수 있는 권한과 3사의 관원들을 임명할 수 있는 권한을 폐지하였다.

문제풀이 조선 세종 대에 있었던 사실

난이도 하

② 화통도감을 설치한 것은 세종 때가 아닌 고려 우왕 때이다. 화통도감은 화약 및 화기 제조를 담당하는 관청으로, 최무선의 건의로 설치되었다.

오답 분석

① 세종 때는 경자자, 갑인자, 병진자 등의 여러 활자를 주조하였다. 한편, 갑인자는 기존의 경자자가 가늘고 빽빽하여 보기가 어려워지자 좀 더 큰 활자가 필요하다고 하여 갑인년(1434)에 왕명으로 주조된 활자이다.

③ 세종 때는 역법서인『칠정산』을 편찬하였다.『칠정산』은 우리나라 최초로 한양을 기준으로 천체 운동을 정확하게 계산한 역법서로,「내편」은 중국의 수시력을,「외편」은 아라비아의 회회력을 참고하여 제작하였다.

④ 세종 때는 경복궁에 간의대를 축조하고 천문 관측 기기인 간의를 만들어 천체를 관측하였다.

이것도 알면 **합격!**

세종 대의 과학 기술의 발달

배경	부국강병과 민생 안정을 위한 과학 기술의 중요성 인식
천문학	• 혼의와 간의(천문 관측), 자격루와 앙부일구(시간 측정), 측우기(강우량 측정) •『칠정산』: 서울을 기준으로 천체 운동을 계산한 역법서
활자 인쇄술	• 갑인자, 경자자, 병진자 주조 • 밀랍 대신 식자판을 조립하여 인쇄 능률 향상

정답 05 ② 06 ① 07 ① 08 ②

09

2022년 지방직 9급

밑줄 친 '왕'의 업적으로 옳은 것은?

> 풍토에 따라 곡식을 심고 가꾸는 법이 다르니, 고을의 경험 많은 농부를 각 도의 감사가 방문하여 농사짓는 방법을 알아본 후 아뢰라고 왕께서 명령하셨다. 이어 왕께서 정초와 변효문 등을 시켜 감사가 아뢴 바 중에서 꼭 필요하고 중요한 것만을 뽑아 『농사직설』을 편찬하게 하셨다.

① 공법을 제정하였다.
② 한양으로 도읍을 옮겼다.
③ 『경국대전』을 완성하였다.
④ 조광조를 등용하여 개혁 정치를 실시하였다.

문제풀이 세종의 업적 난이도 하

제시문에서 정초와 변효문 등을 시켜 『농사직설』을 편찬하게 하였다는 것을 통해 밑줄 친 '왕'이 세종임을 알 수 있다.

① 세종은 전분 6등법과 연분 9등법의 공법을 제정하여 조세 제도를 개편하였다. 전분 6등법은 토지를 비옥도에 따라 6등급으로 구분한 것이고, 연분 9등법은 수확한 해의 풍흉의 정도에 따라 군현의 토지를 9등급으로 구분하고 조세 액수를 토지 1결당 4~20두로 정한 것이다.

오답 분석

② **태조**: 한양으로 도읍을 옮긴 왕은 태조 이성계이다. 태조는 1392년에 개경에서 조선을 건국한 뒤 1394년에 한양으로 도읍을 옮기면서 한양 도성 및 경복궁을 비롯한 궁궐과 관아·4대문·종묘와 사직 등을 건설하였다.

③ **성종**: 『경국대전』을 완성한 왕은 성종이다. 성종은 세조 때 편찬을 시작한 『경국대전』을 완성하여 반포하였다.

④ **중종**: 조광조를 등용하여 개혁 정치를 실시한 왕은 중종이다. 중종은 반정으로 왕위에 오른 후, 공신 세력을 견제하기 위해 조광조 등의 신진 사림을 등용하여 개혁 정치를 실시하였다.

10

2021년 국회직 9급

다음 사건이 발생한 왕의 재위 기간 중에 일어난 역사적 사실로 옳은 것만을 모두 고르면?

> 병조에서 아뢰기를, "이번에 설치하는 경원부와 영북진에 우선 성벽을 쌓고 토관의 제도를 마련한 뒤, 그 도의 주민 중에서 1,100호는 영북진에, 1,100호는 경원부에 이주시켜야 합니다. …(중략)… 만약 그 도 안에서 이주시킬 수 있는 호가 2,200호가 못 된다면 충청도, 강원도, 경상도, 전라도 등의 도에서 자원하여 이주할 사람을 모집하되, 양민이라면 그곳의 토관직을 주어 포상해야 합니다. …(중략)…" 라고 하니, 그대로 따랐다.

> ㉠ 사병을 혁파하였다.
> ㉡ 공법을 실시하였다.
> ㉢ 경회루를 건설하였다.
> ㉣ 『삼강행실도』를 편찬하였다.

① ㉠, ㉡
② ㉠, ㉢
③ ㉡, ㉢
④ ㉡, ㉣
⑤ ㉢, ㉣

문제풀이 세종 재위 기간의 사실 난이도 중

제시문에서 경원부와 영북진에 성벽을 쌓고 토관의 제도를 마련한다는 것과, 충청도, 강원도, 경상도, 전라도 등의 도에서 자원하여 이주할 사람을 모집한다는 내용을 통해 사민 정책이 실시된 세종 때임을 알 수 있다. 세종은 사민 정책을 실시하여 남부 지방의 일부 주민을 북방으로 이주시켜 압록강과 두만강 이남 지역을 개발하였으며, 그 지방의 유력자를 토관으로 임명하여 민심을 수습하려 하였다.

④ 옳은 것을 모두 고르면 ㉡, ㉣이다.
㉡ 세종 때는 합리적인 조세 수취를 위해 토지 비옥도를 기준으로 하는 전분 6등법과 풍흉을 기준으로 하는 연분 9등법의 공법을 실시하였다. 이때 조세 액수는 1결당 최고 20두에서 최저 4두까지 징수하였다.
㉣ 세종 때는 백성들을 교화시키기 위해 모범이 될 만한 충신, 효자, 열녀 등의 행적을 그림으로 그리고 설명을 붙인 『삼강행실도』를 편찬하였다.

오답 분석

㉠ **정종**: 사병을 혁파한 것은 정종 재위 기간의 사실이다. 정종 때 세자로 책봉된 이방원(태종)은 사병을 모두 혁파하고 중앙·지방의 군권을 삼군부로 집중시켜 국왕이 군사권을 장악할 수 있도록 하였다.

㉢ **태종**: 경회루를 건설한 것은 태종 재위 기간의 사실이다. 태종은 경복궁 내에 경회루를 건설하여, 외국 사신 접견 및 연회를 베푸는 장소로 사용하였다.

11

2024년 법원직 9급

(가), (나) 사이 시기에 있었던 사실로 가장 옳은 것은?

> (가) 봉화백(奉化伯) 정도전·의성군(宜城君) 남은과 부성군(富城君) 심효생(沈孝生) 등이 여러 왕자들을 해치려 꾀하다가 성공하지 못하고 형벌에 복종하여 참형을 당하였다.
>
> (나) 상왕이 말하기를, "만일 물리치지 못하고 항상 침노만 받는다면, 한(漢)나라가 흉노에게 욕을 당한 것과 무엇이 다르겠는가. …… 구주(九州)에서 온 왜인만은 구류하여 경동하는 일이 없게 하라. 또 우리가 약한 것을 보이는 것은 불가하니, 후일의 환이 어찌 다함이 있으랴." 하고, 곧 이종무를 삼군 도체찰사로 명하여, 중군을 거느리게 하였다.

① 경연이 폐지되었다.

② 홍문관이 설치되었다.

③ 6조 직계제가 시행되었다.

④ 위화도 회군이 단행되었다.

문제풀이 제1차 왕자의 난과 대마도 정벌 사이의 사실 난이도 중

(가)는 정도전, 남은과 심효생 등이 여러 왕자들을 해치려 꾀하다가 성공하지 못하고 참형을 당하였다는 내용을 통해 태조 때 일어난 제1차 왕자의 난(1398)임을 알 수 있다.

(나)는 구주에서 온 왜인만은 구류하라는 것과 이종무를 삼군 도체찰사로 임명하였다는 내용을 통해 세종 때의 대마도 정벌(1419)임을 알 수 있다.

③ (가), (나) 사이 시기인 1414년에 태종은 6조의 업무를 의정부를 거치지 않고 직접 왕에게 재가를 받도록 하는 6조 직계제를 시행하여 국왕 중심의 통치 체제를 강화하였다.

오답 분석

① **(나) 이후**: 임금에게 유학의 경서를 강론하는 경연이 폐지된 것은 세조 때인 1456년으로, (나) 시기 이후의 사실이다. 세조 때 집현전 일부 학자들이 단종 복위를 도모한 것이 발각되자 집현전을 폐지하고, 경연도 폐지하였다

② **(나) 이후**: 홍문관이 설치된 것은 성종 때인 1478년으로, (나) 시기 이후의 사실이다. 홍문관은 집현전을 계승하여 설치된 것으로, 성종 때 경연과 학술·언론 기능이 부여되면서 집현전의 기능을 계승한 언론 기관의 역할을 하게 되었다.

④ **(가) 이전**: 위화도 회군이 단행된 것은 고려 우왕 때인 1388년으로, (가) 시기 이전의 사실이다. 고려 우왕 때 요동 정벌을 추진하자 이성계는 4불가론을 주장하며 요동 정벌에 반대하였으나, 우왕과 최영의 강요로 요동 정벌이 시행되었다. 이에 요동 정벌을 위해 출병했던 이성계는 위화도에서 군대를 돌려 우왕과 최영을 몰아내고 권력을 장악하였다.

12

2020년 지방직 9급

(가) 시기에 있었던 일로 옳은 것은?

① 과전법 공포

② 이시애의 반란

③ 『농사직설』 편찬

④ 정도전의 요동 정벌 추진

문제풀이 이종무의 대마도 정벌과 공법 시행 사이의 사실 난이도 중

제시된 시기인 (가)는 이종무의 대마도 정벌(1419)과 공법(전분 6등법·연분 9등법) 시행(1444) 사이의 시기이며, 이 기간은 세종의 재위 기간(1418~1450)에 해당하므로 세종의 업적을 고르면 된다.

③ (가) 시기인 1429년(세종 11)에는 정초 등에 의해 『농사직설』이 편찬되었다. 『농사직설』은 농민들이 실제 경험한 농법을 종합(씨앗 저장법, 토질 개량법, 모내기법 등)하여 우리나라의 풍토에 맞는 독자적인 농법을 정리한 농서이다.

오답 분석

① **(가) 이전**: 과전법은 (가) 시기 이전인 1391년에 공포되었다. 고려 말 위화도 회군으로 정권을 장악한 이성계와 신진 사대부는 권문세족이 소유하던 대농장을 해체하고, 자신들의 경제적 기반을 마련하고자 과전법을 실시하였다.

② **(가) 이후**: 이시애의 반란은 (가) 시기 이후인 1467년 세조 때에 일어났다. 세조가 중앙 집권을 강화하기 위해 각지에 수령을 파견하자 이시애가 지역 차별과 호패법의 강화 등 중앙 집권화에 반발하며 난을 일으켰다.

④ **(가) 이전**: 정도전의 요동 정벌 추진은 (가) 시기 이전인 조선 태조 때의 일이다. 태조 때 명나라가 정도전이 작성한 표전의 내용을 문제 삼으며 정도전의 압송을 요구하자, 정도전은 요동 정벌을 계획하며 진법서인 『진도』를 편찬하는 등 요동 정벌을 위한 준비를 하였다. 그러나 제1차 왕자의 난으로 정도전이 이방원에게 제거되면서 요동 정벌은 이루어지지 않았다.

정답 09 ① 10 ④ 11 ③ 12 ③

13

2019년 지방직 9급

다음 정책을 추진한 국왕 대에 있었던 사실로 옳은 것은?

> 옛적에 관가의 노비는 아이를 낳은 지 7일 후에 입역(立役)하였는데, 아이를 두고 입역하면 어린 아이에게 해로울 것이라 걱정하여 100일간의 휴가를 더 주게 하였다. 그러나 출산에 임박하여 일하다가 몸이 지치면 미처 집에 도착하기 전에 아이를 낳는 경우가 있다. 만일 산기에 임하여 1개월 간의 일을 면제하여 주면 어떻겠는가. 가령 저들이 속인다 할지라도 1개월까지야 넘길 수 있겠는가. 상정소(詳定所)로 하여금 이에 대한 법을 제정하게 하라.

① 사형의 판결에는 삼복법을 적용하였다.
② 주자소를 설치하여 계미자를 주조하였다.
③ 국방력 강화를 위해 진관 체제를 실시하였다.
④ 도평의사사를 개편하여 의정부를 설치하였다.

14

2017년 지방직 9급(12월 시행)

다음과 같은 명을 내린 왕에 대한 설명으로 옳은 것은?

> 삼강은 인도의 근본이니, 군신·부자·부부의 도리를 먼저 알아야 할 것이다. 이제 내가 유신에게 명하여 고금의 사적을 편집하고 아울러 그림을 붙여 만들어 이름을 '삼강행실'이라 하고, 인쇄하게 하여 서울과 외방에 널리 펴고자 한다.

① 압록강과 두만강 지역에 4군 6진을 설치하였다.
② 훈구 세력을 견제하기 위해 사림을 적극 중용하였다.
③ 『국조오례의』를 편찬하여 국가의 예법과 절차를 정하였다.
④ 토지 등급을 대부분 하등으로 정하여 전세를 경감해 주었다.

문제풀이 세종 대의 사실 난이도 중

제시문에서 관가의 노비가 아이를 낳으면 100일간의 휴가를 더 주게 하였다는 내용을 통해 노비의 출산 휴가를 늘려주었던 세종 대임을 알 수 있다. 세종은 기존에 노비가 출산을 하면 주었던 7일간의 휴가를 100일로 연장하였고, 출산이 임박한 노비에게 1개월의 휴가를 지급하였으며, 출산한 노비의 남편에게도 30일간의 휴가를 주도록 하였다.

① 세종 대 사형에 대한 판결에는 3심을 거치도록 하는 삼복법을 적용하였다.

오답 분석

② **태종:** 주자소를 설치하고 구리로 계미자를 주조한 것은 태종 대의 사실이다. 한편 세종 때는 주자소에서 계미자의 단점을 보완한 경자자, 갑인자 등을 주조하였다.

③ **세조:** 국방력 강화를 위해 군사 제도를 정비하여 진관 체제를 실시한 것은 세조 대부터이다. 진관 체제는 지역 단위의 방위 체제로, 각 도에 한 두 개의 병영을 두고, 병영 밑에 여러 개의 거진을 설치하여 거진의 수령이 그 지역의 군대를 통제하는 체제였다.

④ **정종:** 도평의사사를 개편하여 의정부를 설치한 것은 정종 대의 사실이다.

문제풀이 세종 난이도 중

제시문에서 군신·부자·부부의 도리(삼강)를 강조하고, 사적에 그림을 붙여 이름을 '삼강행실'이라 한다는 내용을 통해 『삼강행실도』의 편찬에 대한 내용임을 알 수 있다. 『삼강행실도』를 편찬하도록 명을 내린 왕은 조선 세종이다.

① 세종은 최윤덕을 압록강 지역에, 김종서를 두만강 지역에 파견하여 여진족을 몰아내고, 4군 6진을 설치하여 압록강에서 두만강을 경계로 하는 오늘날의 국경선을 확보하였다.

오답 분석

② **성종:** 훈구 세력을 견제하기 위해 사림을 적극 중용한 왕은 성종이다. 성종은 김종직과 그의 문하의 사림파를 3사 언관직에 적극 등용하여 훈구 세력을 견제하였다.

③ **성종:** 『국조오례의』를 편찬하여 국가의 예법과 절차를 정한 왕은 성종이다. 성종은 『국조오례의』를 통해 국가의 여러 행사에 필요한 길례·가례·빈례·군례·흉례의 예법과 절차 등을 정하였다.

④ **인조:** 토지 등급을 대부분 하등으로 정하여 전세를 경감해 준 왕은 인조이다. 인조는 영정법을 실시하여 전세를 풍흉에 관계 없이 최저율의 세액인 토지 1결당 4~6두로 고정하여 전세를 경감해 주었다.

15

2015년 서울시 9급

다음 제도의 시행에 대한 설명으로 옳은 것은?

> 6조에서 올라오는 모든 일을 영의정, 좌의정, 우의정이 중심이 되는 의정부에서 논의하여 합의된 사항을 국왕에게 올려 결재받게 하였다.

① 이 제도의 시행으로 국왕이 재상들을 직접 통솔할 수 있게 되어 왕권 강화에 기여하였다.

② 무력으로 집권한 태종과 세조는 이 제도를 이용하여 초기의 불안한 왕권을 안정시켰다.

③ 민본 정치를 추구한 정도전은 이 제도를 폐지하고 6조의 업무를 국왕에게 직접 보고하게 하였다.

④ 세종은 안정된 왕권과 경제력을 바탕으로 이 제도를 시행하여 왕권과 신권의 조화를 추구하였다.

문제풀이 의정부 서사제 난이도 중

제시문에서 6조에서 올라오는 일을 의정부에서 논의하여 합의한 이후 국왕에게 올려 결재받게 하였다는 내용을 통해 의정부 서사제임을 알 수 있다.

④ 세종은 정치 체제를 6조 직계제에서 의정부 서사제로 바꾸었으며, 이로 인해 최고 관부인 의정부의 권한이 강해지게 되었다. 이러한 정책은 세종 때 왕권이 안정되고 조선의 경제력이 상승하였기 때문에 가능하였는데, 세종은 의정부 서사제를 통해 의정부의 3정승과 함께 국정을 처리하며 왕권과 신권의 조화를 추구하였다.

오답 분석

① **6조 직계제**: 왕권 강화 정책의 일환으로 실시하였던 정책은 6조 직계제이다. 의정부 서사제는 의정부의 3정승이 합의를 통하여 국가의 업무를 처리하도록 하였기 때문에 왕권 강화 정책과는 거리가 멀다.

② **6조 직계제**: 태종과 세조는 무력을 통해 집권하였기 때문에 왕권을 강화하여 집권 초기의 불안한 왕권을 안정시키고자 하였다. 따라서 행정을 담당하는 6조가 모든 업무를 직접 왕에게 보고하는 6조 직계제를 실시하였다.

③ 민본 정치를 추구한 정도전은 재상 중심의 정치를 실시할 것을 주장하였다.

16

2019년 법원직 9급

(가), (나) 사이의 시기에 있었던 사실로 가장 옳은 것은?

> (가) 의정부의 여러 일을 나누어 6조에 귀속시켰다. …… 처음에 왕은 의정부의 권한이 막중함을 염려하여 이를 없앨 생각이 있었지만, 신중히 여겨 서둘지 않았다가 이때에 이르러 단행하였다. 의정부가 관장한 일은 사대 문서와 중죄수의 심의에 관한 것뿐이었다.
>
> (나) 상왕이 나이가 어려 무릇 조치하는 바는 모두 대신에게 맡겨 논의 시행하였다. 지금 내가 명을 받아 왕통을 물려받아 군국 서무를 아울러 자세히 듣고 헤아려 다 조종의 옛 제도를 되살린다. 지금부터 형조의 사형수를 뺀 모든 서무는 6조가 저마다 직무를 맡아 직계한다.

① 4군 6진을 개척하였다.

② 대립의 만연으로 군포 징수제가 점차 확산되었다.

③ 직전법을 폐지하고 관리들에게 녹봉만 지급하였다.

④ 홍문관을 두어 주요 관리들을 경연에 참여하게 하였다.

문제풀이 태종과 세조 사이의 사실 난이도 중

(가)는 의정부의 여러 일을 나누어 6조에 귀속시켰으며, 의정부는 사대 문서와 중죄수의 심의에 관한 일만 관장하였다는 것을 통해 태종이 실시한 6조 직계제의 내용임을 알 수 있다.

(나)는 상왕(단종)이 어려 내(세조)가 왕통을 물려받았으며, 형조의 사형수를 뺀 모든 서무를 6조에 직계하였다는 것을 통해 세조가 실시한 6조 직계제의 내용임을 알 수 있다.

① (가)와 (나) 사이 시기인 세종 때 압록강 지역에 최윤덕을, 두만강 지역에 김종서를 파견하여 여진을 몰아내고 4군 6진을 개척하였다. 이를 통해 압록강에서 두만강을 경계로 하는 오늘날의 국경선이 확정되었다.

오답 분석

② **(나) 이후**: 다른 사람을 사서 군역을 대신하게 하는 대립의 만연으로 군포 징수제가 점차 확산된 것은 (나) 이후인 15세기 후반~16세기의 사실이다.

③ **(나) 이후**: 직전법이 폐지된 것은 (나) 이후인 명종 때이다. 직전법이 폐지되면서 수조권에 입각한 토지 지급 방식이 사라지게 되었고 관리들은 녹봉만 지급받게 되었다.

④ **(나) 이후**: 홍문관을 두어 주요 관리들을 경연에 참여하게 한 것은 (나) 이후인 성종 때이다. 홍문관은 성종 때 경연과 학술·언론 기능이 부여되면서 집현전의 기능을 계승한 언론 기관의 역할을 하게 되었다.

정답 13 ① 14 ① 15 ④ 16 ①

17

2024년 국가직 9급

조선 세조 대에 있었던 사실로 옳은 것만을 모두 고르면?

> ㉠ 사병을 혁파하였다.
> ㉡ 집현전을 폐지하였다.
> ㉢ 『경국대전』을 완성하였다.
> ㉣ 6조 직계제를 시행하였다.

① ㉠, ㉢

② ㉠, ㉣

③ ㉡, ㉢

④ ㉡, ㉣

문제풀이 세조 대의 사실 난이도 하

④ 옳은 것을 모두 고르면 ㉡, ㉣이다.

㉡ 세조 때 집현전 일부 학자들이 단종 복위를 도모한 것이 발각되자 집현전을 폐지하고, 임금에게 유학의 경서를 강론하는 경연을 폐지하였다.

㉣ 세조는 국왕 중심의 통치 체제를 강화하기 위하여 세종 때부터 실시하였던 의정부 서사제를 폐지하고, 6조의 업무를 의정부를 거치지 않고 직접 왕에게 재가를 받도록 하는 6조 직계제를 시행하였다.

오답 분석

㉠ **정종**: 사병을 혁파한 것은 정종 대의 사실이다. 정종 때 세자로 책봉된 이방원(태종)은 사병을 모두 혁파하고 중앙·지방의 군권을 삼군부로 집중시켜 국왕이 군사권을 장악할 수 있도록 하였다.

㉢ **성종**: 『경국대전』을 완성한 것은 성종 대의 사실이다. 성종 대에는 세조 때부터 편찬되기 시작한 『경국대전』을 완성하여 반포함으로써 조선의 기본 통치 방향을 확립하였다.

18

2022년 법원직 9급

(가) 인물에 대한 설명으로 가장 옳은 것은?

> • 황보인, 김종서 등이 역모를 품고 몰래 안평 대군과 연결하고, 환관들과 은밀히 내통하여 날짜를 정하여 반란을 꾀하고자 하였다. 이에 (가) 와 정인지, 한확, 박종우, 한명회 등이 그 기미를 밝혀 그들을 제거하였다.
> • (가) 이/가 명하기를, "집현전을 없애고, 경연을 정지하며, 거기에 소장하였던 서책은 모두 예문관에서 관장하게 하라."라고 하였다.

① 전민변정도감을 설치하였다.

② 『석보상절』을 한글로 번역하여 편찬하였다.

③ 불교 종파를 선·교 양종으로 병합하였다.

④ 정여립 모반 사건을 계기로 기축옥사를 일으켰다.

문제풀이 수양 대군(세조) 난이도 상

제시문에서 황보인, 김종서 등이 역모를 품고 안평 대군과 연결하자 그들을 제거했다는 것과, 집현전을 없애고 경연을 정지한다는 내용을 통해 (가) 인물이 수양 대군(세조)임을 알 수 있다.

② 수양 대군은 세종의 명으로 석가모니의 일대기와 주요 설법을 정리하고, 이를 한글로 번역하여 『석보상절』을 편찬하였다(1447).

오답 분석

① **원종·충렬왕·공민왕·우왕**(고려): 권세가에게 빼앗긴 토지나 농민을 되찾아 바로잡기 위해 전민변정도감이 처음 설치된 것은 고려 원종 때이다. 이후 전민변정도감은 권문세족의 반대로 설치와 폐지가 반복되었는데, 충렬왕, 공민왕, 우왕 때 설치되었다.

③ **세종**(조선): 불교 종파를 선·교 양종으로 병합한 인물은 세종이다. 세종은 불교 종파를 선·교 양종으로 정리하고, 전국의 사원 수를 36개만 허용하는 선·교종 36본산제를 실시하였다.

④ **정철**(조선): 정여립 모반 사건을 계기로 기축옥사를 일으킨 인물은 정철이다. 서인인 정철은 정여립 모반 사건을 의도적으로 확대하여 반대파인 동인을 제거하는 기축옥사를 일으켰다.

19

2022년 서울시 9급(6월 시행)

〈보기〉와 관련된 왕에 대한 설명으로 가장 옳은 것은?

> **보기**
> - 종친을 정치에 참여시켜 왕실의 울타리를 튼튼하게 만들었다.
> - 진관 체제를 실시하여 변방 중심의 방어 체제를 전국적인 지역 중심 방어 체제로 바꾸었다.
> - 퇴직 관료에게도 지급하던 과전을 현직 관료에게만 지급하는 직전법으로 바꾸었다.
> - 호적 사업과 호패법을 강화하고 보법을 실시하였다.

① 왕자들의 권력 투쟁이 일어난 경복궁을 피하여 응봉산 자락에 창덕궁을 새로 건설하였다.

② 이종무를 파견하여 왜구의 소굴인 쓰시마(대마도)를 정벌하게 하였다.

③ 조카를 몰아내고 왕위를 차지했으나, 왕권을 안정시키고 중앙 집권 체제를 강화하는 데 기여하였다.

④『경국대전』 편찬을 완료하여 반포하고, 우리나라 통사인『동국통감』 편찬을 완료했다.

문제풀이 세조 난이도 중

제시된 자료에서 진관 체제를 실시하고 과전을 직전법으로 바꾸었으며, 보법을 실시하였다는 내용을 통해 세조에 대한 설명임을 알 수 있다.

③ **세조(수양 대군)는 조카인 단종을 몰아내고 왕위를 차지하였으나, 6조 직계제를 부활시키고 이시애의 난을 진압하는 등 왕권을 안정시키고 중앙 집권 체제를 강화하는 데 기여하였다.**

오답 분석

① **태종**: 왕자들의 권력 투쟁이 일어난 경복궁을 피하여 응봉산 자락에 창덕궁을 새로 건설한 왕은 태종이다.

② **세종**: 이종무를 파견하여 왜구의 소굴인 쓰시마(대마도)를 정벌하게 한 왕은 세종이다.

④ **성종**: 세조 때부터 시작된『경국대전』의 편찬을 완료하여 반포하고, 고조선부터 고려 말까지의 역사를 정리한 우리나라 통사인『동국통감』의 편찬을 완료한 왕은 성종이다.

이것도 알면 **합격!**

세조의 업적

왕권 강화 정책	6조 직계제를 부활시킴, 집현전 폐지,『경국대전』편찬 시작
군사 제도 정비	중앙군인 5위 정비, 진관 체제 실시
문화 정책	• 간경도감을 설치하여 불교 경전 간행, 원각사지 10층 석탑 건립 • 인지의와 규형 발명

20

2022년 소방간부후보생

(가) 왕에 대한 설명으로 옳은 것은?

> 「호전」과 「형전」은 이미 간행되어 있었으나, 나머지 네 가지 법전은 미처 교정을 다 마치지 못하였는데, (가) 께서 갑자기 승하하신 이후에 …(중략)… 마침내 금상께서 하시던 일을 마무리하시어 완성된 법전을 나라 안에 반포하셨다.

① 계미자를 주조하였다.

② 진관 체제를 실시하였다.

③ 삼포왜란을 진압하였다.

④『향약집성방』을 편찬하였다.

⑤ 부민고소금지법을 신설하였다.

문제풀이 세조 난이도 중

제시문에서 「호전」과 「형전」은 간행하였지만, 나머지 네 가지 법전은 미처 교정을 다 마치지 못하였다는 내용을 통해 (가) 왕이 세조임을 알 수 있다.

② **세조는 군사 제도를 정비하여 진관 체제를 실시하였다. 진관 체제는 지역 단위의 방위 체제로, 각 도에 한두 개의 병영을 두고, 병영 밑에 여러 개의 거진을 설치하여 거진의 수령이 그 지역의 군대를 통제하게 한 것이다.**

오답 분석

① **태종**: 활자의 주조를 담당하던 관청인 주자소를 설치하여 계미자를 주조한 왕은 태종이다.

③ **중종**: 부산포, 제포(내이포), 염포의 삼포에 거주하던 왜인들이 조선 정부의 무역 통제에 반발하여 일으킨 삼포왜란을 진압한 왕은 중종이다.

④ **세종**: 『향약집성방』을 편찬한 왕은 세종이다.『향약집성방』은 우리 풍토에 맞는 약재와 치료법을 정리한 의학 서적으로, 국산 약재와 각종 병에 대한 치료 방법 등을 소개하였다.

⑤ **세종**: 부민고소금지법을 신설한 왕은 세종이다. 부민고소금지법은 하급 서리가 상급 관리를 고소하거나, 일반 백성들이 수령을 고소하는 것을 금지한 법이다.

정답 17 ④ 18 ② 19 ③ 20 ②

21

2021년 국가직 9급

밑줄 친 '왕'에 대한 설명으로 옳은 것은?

> 1919년 3월 1일 탑골 공원에서 민족 대표 33인이 서명한 독립 선언서가 낭독되었다. 이 공원에 있는 탑은 왕이 세운 것으로 경천사 10층 석탑의 영향을 받았다.

① 우리나라 전쟁사를 정리한 『동국병감』을 편찬하였다.

② 우리나라 역대 문장의 정수를 모은 『동문선』을 편찬하였다.

③ 6조 직계제를 실시하여 국왕 중심의 정치 체제를 구축하였다.

④ 한양으로 다시 천도하면서 이궁인 창덕궁을 창건하였다.

문제풀이 세조 난이도 하

제시문에서 탑골 공원에 있으며 경천사 10층 석탑의 영향을 받았다는 내용을 통해 공원에 있는 탑이 원각사지 10층 석탑임을 알 수 있으며, 원각사지 10층 석탑은 조선 세조 때 건립되었으므로 밑줄 친 '왕'은 세조임을 알 수 있다.

③ 세조는 6조의 업무를 의정부를 거치지 않고 직접 왕에게 재가를 받도록 하는 6조 직계제를 실시하여 국왕 중심의 정치 체제를 구축하였다.

오답 분석

① **문종**: 고조선부터 고려 말까지의 우리나라 전쟁사를 정리한 『동국병감』을 편찬한 왕은 조선 문종이다.

② **성종**: 삼국 시대부터 조선 초까지 우리나라의 시와 산문 중 뛰어난 작품을 선별하여 『동문선』을 편찬한 왕은 조선 성종이다.

④ **태종**: 조선 정종 때 개경으로 옮겼던 수도를 한양으로 다시 옮기면서 경복궁의 이궁으로 창덕궁을 창건한 왕은 조선 태종이다.

22

2020년 국회직 9급

〈보기1〉의 밑줄 친 '이 왕'의 업적으로 옳은 것만을 〈보기2〉에서 모두 고르면?

> **보기1**
>
> 이 왕의 정치 가운데 가장 중요한 것은 보법에 의한 군역 제도의 개혁과 직전법의 실시에 의한 토지 제도의 혁신이었다. 보법은 군역의 평준화에 따른 국방 강화에 목적이 있었고, 직전법은 관리들의 경제력을 약화시키는 대신 국가 재정을 강화하는 데 목적이 있었다.

> **보기2**
>
> ㉠ 상서사에서 맡고 있던 인사권을 이조와 병조에 귀속시켜 6조의 기능을 강화하였다.
>
> ㉡ 6조 판서들이 국왕에게 직접 보고하는 제도를 부활하여 왕권을 강화하였다.
>
> ㉢ 문하부의 낭사를 사간원으로 독립시켜 언론 기능을 강화하고 대신들을 견제하도록 하였다.
>
> ㉣ 국경 지대에서 시행되던 방어 체제를 전국으로 확대하여 지역 중심 방어 체제로 개편하였다.

① ㉠, ㉡ ② ㉠, ㉢

③ ㉡, ㉢ ④ ㉡, ㉣

⑤ ㉢, ㉣

문제풀이 세조의 업적 난이도 중

제시문에서 왕의 정치 가운데 가장 중요한 것이 보법에 의한 군역 제도의 개혁과 직전법의 실시에 의한 토지 제도의 혁신이라는 것을 통해 밑줄 친 '이 왕'이 세조임을 알 수 있다.

④ 옳은 것만을 모두 고르면 ㉡, ㉣이다.

㉡ 세조는 세종 때부터 실시하였던 의정부 서사제를 폐지하고, 6조의 판서들이 국왕에게 직접 보고하도록 하는 6조 직계제를 부활하여 왕권을 강화하였다.

㉣ 세조는 국경 지대에서 시행되던 방어 체제인 군익도 체제를 전국으로 확대하여, 지역 중심의 방어 체제인 진관 체제로 개편하였다. 진관 체제는 각 도에 한두 개의 병영을 두어 병사가 관할 지역 군대를 장악하는 한편, 병영 아래에는 여러 개의 거진을 설치하여 거진의 수령이 그 지역 군대를 통제하게 하는 지역 단위 방어 체제이다.

오답 분석

㉠ **태종**: 상서사에서 맡고 있던 인사권을 이조와 병조에 귀속시켜 6조의 기능을 강화한 왕은 태종이다. 태종은 고려 말기부터 문무 관리의 인사 행정을 관장하던 상서사를 개편하여 인사권을 이조와 병조에 귀속시킴으로써 6조의 기능을 강화하였다. 이후 상서사는 국왕의 인장, 마패 등을 관장하는 업무만을 담당하였으며, 세조 때 상서원으로 개칭되었다.

㉢ **태종**: 문하부의 낭사를 사간원으로 독립시켜 언론 기능을 강화하고 대신들을 견제하도록 한 왕은 태종이다.

23

2014년 사회복지직 9급

다음은 조선 건국 후 법령을 집대성한 『경국대전』 서문의 일부이다. 이를 반포한 국왕에 대한 설명으로 옳지 않은 것은?

> 천지가 광대하여 만물이 덮여 있고 실려 있지 않은 것이 없으며, 사시의 운행으로 만물이 생육되지 않은 것이 없으며, 성인이 제도를 만드심에 만물이 기쁘게 보이지 않은 것이 없으니, 진실로 성인이 제도를 만드심은 천지·사시와 같은 것이다.

① 직전제 실시 이후 심해진 관리들의 수탈을 방지하기 위하여 관수 관급제를 시행하였다.

② 법전 편찬에 심혈을 기울여 『조선경국전』, 『경제육전』 등도 간행하였다.

③ 왕권을 안정시키고 사림 정치의 기반을 조성하였다.

④ 성균관에 존경각을 짓고 서적을 소장하게 하였다.

24

2021년 경찰직(1차)

(가)~(라) 시기에 있었던 사실로 옳은 것만을 〈보기〉에서 고른 것은?

세종 즉위 ↓	문종 즉위 ↓	성종 즉위 ↓	중종 즉위 ↓	명종 즉위 ↓
(가)	(나)	(다)	(라)	

보기

㉠ (가) – 계미자 주조　　㉡ (나) – 『고려사절요』 편찬

㉢ (다) – 도첩제 폐지　　㉣ (라) – 소수 서원 사액

① ㉠, ㉡　　② ㉠, ㉣

③ ㉡, ㉢　　④ ㉢, ㉣

문제풀이 성종　　난이도 중

『경국대전』은 세조 때 편찬을 시작하여 성종 때 완성되어 반포된 조선의 법전이다.

② 『조선경국전』, 『경제육전』 등의 법전이 간행된 것은 태조 때이다. 『조선경국전』은 정도전이 개인적으로 저술한 사찬 법전이며, 『경제육전』은 법령을 모아 편찬한 조선 시대 최초의 공식 성문 법전이다.

오답 분석

① 성종은 관리들이 농민으로부터 직접 조세를 거둘 때 과다하게 수취하는 일이 잦아지자, 국가가 농민으로부터 직접 조를 거둔 후에 관리에게 나누어주는 관수 관급제를 시행하였다. 이로 인해 관료들이 수조권을 빌미로 토지와 농민을 지배하는 방식이 사라지고, 국가의 토지 지배력이 강화되었다.

③ 성종은 왕권을 안정시키고 훈구 세력을 견제하기 위하여 김종직 등의 사림을 중앙 정계에 적극적으로 등용하였으며, 이후 사림 정치가 시행될 수 있는 기반을 조성하였다.

④ 성종은 성균관 유생들의 학문 연구를 고취시키기 위하여 성균관에 도서관인 존경각을 짓게 하였다. 존경각에는 여러 서적을 소장해두도록 하고 이를 이용할 수 있도록 하였다.

문제풀이 조선 전기의 사실(세종~명종)　　난이도 중

(가) 세종 즉위(1418) ~ 문종 즉위(1450)

(나) 문종 즉위(1450) ~ 성종 즉위(1469)

(다) 성종 즉위(1469) ~ 중종 즉위(1506)

(라) 중종 즉위(1506) ~ 명종 즉위(1545)

③ (가)~(라) 시기에 있었던 사실로 옳은 것을 고르면 ㉡, ㉢이다.

㉡ (나) 시기인 문종 때는 김종서 등에 의해 고려 시대의 역사를 편년체로 기록한 『고려사절요』가 편찬되었다(1452). 『고려사절요』는 기전체로 서술된 『고려사』를 보완하고자 고려 시대의 역사를 편년체로 기록한 역사서이다.

㉢ (다) 시기인 성종 때는 승려가 출가할 때 국가가 허가증을 발급하여 신분을 공인해주는 제도인 도첩제가 폐지되었다(1492). 성종은 유교적 이상 정치를 추구하기 위해 도첩제를 폐지하여 승려의 출가를 금지하였다.

오답 분석

㉠ **(가) 이전**: 주자소에서 구리 활자인 계미자가 주조된 것은 태종 때인 1403년으로, (가) 이전의 사실이다.

㉣ **(라) 이후**: 주세붕이 안향을 제사 지내기 위해 설립한 백운동 서원이 이황의 건의로 소수 서원으로 사액된 것은 명종 때인 1550년으로, (라) 이후의 사실이다.

정답 21 ③ 22 ④ 23 ② 24 ③

2 | 통치 체제의 정비

01

2022년 국가직 9급

조선 시대의 관청에 대한 설명으로 옳은 것은?

① 사간원 – 교지를 작성하였다.

② 한성부 –『시정기』를 편찬하였다.

③ 춘추관 – 외교 문서를 작성하였다.

④ 승정원 – 국왕의 명령을 출납하였다.

문제풀이 조선 시대의 관청 난이도 하

④ 승정원은 국왕의 명령을 출납하는 일종의 비서 기구이다. 승정원은 국왕의 직속 기구로, 도승지 이하 6명의 승지가 6조를 각각 분담하였다.

오답 분석

① **예문관**: 국왕의 교지를 작성한 관청은 예문관이다. 한편, 사간원은 왕에게 간쟁과 논박을 하며 정사를 비판하는 역할을 하였다.

② **춘추관**: 『시정기』를 편찬한 관청은 춘추관이다. 춘추관은 역사서의 편찬과 보관을 담당한 관서로, 각 관청에서 작성한 업무 일지인 『등록』을 모아 정기적으로 『시정기』를 편찬하였다. 한편, 한성부는 서울의 행정과 치안 및 관련 재판을 담당하였다.

③ **승문원**: 외교 문서를 작성한 관청은 승문원이다. 승문원은 외교 문서를 작성하고, 외교 문서에 쓰이는 문체인 이문의 교육을 담당하였다.

 이것도 알면 **합격!**

승정원

승정원(承政院)은 임금의 후설(喉舌, 목구멍과 혀)이 되는 곳으로서 그 임무가 매우 중요하고 임금과 가깝기 때문에, 나라에서 이를 중시하여 당상관으로 이조나 대사간을 거쳐야 겨우 이를 맡을 수 있었다. …… 승정원은 왕명을 출납하므로 그 책임이 가장 막중하여, 승지에 임명되는 자는 마치 신선과 같아서 세속 사람들이 '은대 학사'라고 부른다.

– 이유원, 『임하필기』

사료 분석 | 승정원은 국왕의 비서 기구로 왕명 출납을 담당하였으며, 정원, 후원, 은대, 대언사라고 불렸다.

02

2019년 국가직 9급

다음은 어떤 인물에 대한 연보이다. 밑줄 친 ㉠~㉣의 설명으로 옳은 것은?

1566년(31세)	㉠ 사간원 정언에 제수되다.
1568년(33세)	㉡ 이조 좌랑이 되었으나 외할머니 이씨의 병환 소식을 듣고 사퇴하다.
1569년(34세)	동호 독서당에 머물면서 『동호문답』을 찬진하다.
1574년(39세)	㉢ 승정원 우부승지에 제수되어 「만언봉사」를 올리다.
1575년(40세)	㉣ 홍문관 부제학에서 사퇴하고 『성학집요』를 편찬하다.

① ㉠ – 왕명을 출납하면서 왕의 비서 기관의 업무를 하였다.

② ㉡ – 삼사의 관리를 추천하는 권한이 있었다.

③ ㉢ – 왕의 정책을 간쟁하고 관원의 비행을 감찰하였다.

④ ㉣ – 서적 출판 및 간행의 업무를 전담하였다.

 문제풀이 조선의 중앙 정치 조직 난이도 중

제시된 자료는 『동호문답』, 『성학집요』를 저술한 율곡 이이의 연보이다.

② 이조의 정6품 좌랑은 정5품 정랑과 함께 이조 전랑으로 불리었으며, 이조 전랑에게는 삼사(사간원, 사헌부, 홍문관)의 관리를 추천·선발할 권한(통청권)이 있었다. 또한 이조 전랑에게는 후임자 추천권(자대권)과 재야의 인재를 추천할 수 있는 권한(낭천권)이 부여되는 등 그 권한이 매우 강하였으며, 이러한 이유 때문에 선조 때 이조 전랑의 임명을 둘러싸고 동·서 분당이 일어나기도 하였다.

오답 분석

① **승정원**: 왕명 출납을 담당하면서 왕의 비서 기관의 업무를 한 것은 승정원이다. 사간원은 왕의 정책을 간쟁하는 역할을 하였다.

③ **양사(사간원, 사헌부)**: 왕의 정책을 간쟁한 것은 사간원, 관원의 비행을 감찰한 것은 사헌부로, 사간원과 사헌부는 양사라고 불리었으며, 사간원과 사헌부의 관원인 대간은 5품 이하 관리 임명에 대한 동의권(서경권)을 행사하였다. 한편 사간원·사헌부·홍문관의 삼사는 권력의 독점과 부정을 방지하는 조선 시대의 언론 기관이었다.

④ **교서관**: 궁중의 서적 출판 및 간행의 업무를 전담한 것은 교서관이다. 홍문관은 국왕의 정책에 대한 자문을 담당한 기관으로, 경연과 서연을 주관하였다.

03

2021년 지방직 9급

(가)에 들어갈 기구로 옳은 것은?

> ○ 무릇 관직을 받은 자의 고신(임명장)은 5품 이하일 때는 (가) 과/와 사간원의 서경(署經)을 고려하여 발급한다.
> ○ (가) 는/은 시정(時政)을 논하고, 모든 관원을 규찰하며, 풍속을 바르게 하는 등의 일을 맡는다.
>
> -『경국대전』

① 사헌부
② 교서관
③ 승문원
④ 승정원

04

2020년 법원직 9급

다음 밑줄 친 부분과 관련 깊은 통치 기구에 해당하는 것을 〈보기〉에서 모두 고른 것은?

> 유교 이념에 바탕을 둔 정치를 강조한 조선은 국정 운영 과정에서 왕권과 신권의 조화를 추구하는 한편, 권력이 어느 한편으로 집중되는 문제를 막기 위한 체제를 갖추어 나갔다.

보기
㉠ 사간원 ㉡ 승정원
㉢ 사헌부 ㉣ 춘추관

① ㉠, ㉡ ② ㉠, ㉢
③ ㉡, ㉢ ④ ㉡, ㉣

문제풀이 사헌부 난이도 하

제시문에서 관직을 받는 자가 5품 이하일 때 서경을 한다는 내용과 모든 관원을 규찰하고 풍속을 바르게 하는 등의 일을 맡는다는 내용을 통해 (가)에 들어갈 기구가 사헌부임을 알 수 있다.

① 사헌부는 시정 논의, 관리 감찰 및 탄핵, 풍속 교정 등을 담당한 기구로, 사간원과 함께 양사라고 불리었으며, 사헌부와 사간원의 관원인 대간은 5품 이하 관리 임명에 대한 동의권(서경권)을 행사하였다.

오답 분석
② **교서관**: 교서관은 궁중의 서적을 간행하고 제사 때 쓰이는 향과 제사용 축문·도장 등을 담당한 관청이다.
③ **승문원**: 승문원은 외교 문서를 작성하고, 외교 문서에 쓰이는 문체인 이문의 교육을 담당한 관청이다.
④ **승정원**: 승정원은 국왕의 비서 기구로 왕명 출납 업무를 담당한 관청이다.

문제풀이 조선 시대의 삼사 난이도 하

조선은 권력의 독점과 부정을 방지하기 위하여 언론 기관인 삼사를 두었다. 조선 시대의 삼사는 사헌부, 사간원, 홍문관을 합쳐 부른 말이다.

② 옳은 것을 모두 고르면 ㉠, ㉢이다.
㉠ 사간원은 왕에게 간쟁과 논박을 하며 정사를 비판하는 역할을 하는 관서로, 정3품 대사간을 중심으로 운영되었다.
㉢ 사헌부는 관리의 비리를 감찰하는 관서로, 종2품 대사헌을 중심으로 운영되었다.

오답 분석
㉡ 승정원은 국왕의 비서 기구로 왕명의 출납을 담당하였으며, 도승지 이하 6명의 승지가 6조를 각각 분담하였다.
㉣ 춘추관은 역사서의 편찬과 보관을 담당한 관서로, 각 관청에서 작성한 업무 일지인 『등록』을 모아 『시정기』를 정기적으로 편찬하였다.

이것도 알면 **합격!**

삼사

구성	• 사헌부: 관리 비리 감찰 • 사간원: 왕에게 간쟁과 논박을 하며 정사 비판 • 홍문관: 문필 활동을 하면서 언론 기능 담당
특징	• 삼사의 언론 활동은 왕, 고관들이 함부로 막을 수 없었고, 이를 위해 풍문거핵(소문에 근거를 두고 탄핵), 불문언근(어떤 발언을 하더라도 출처를 묻지 않음) 등의 규정이 존재하였음

정답 01 ④ 02 ② 03 ① 04 ②

05

2015년 법원직 9급

(가) ~ (다) 통치 기구에 관한 설명으로 가장 옳지 않은 것은?

> (가) 시정을 논하여 바르게 이끌고, 모든 관원을 살피며, 풍속을 바로잡고, 원통하고 억울한 일을 밝히며, 건방지고 거짓된 행위를 금하는 등의 일을 맡는다.
> (나) 임금에게 간언하고, 정사의 잘못을 논박하는 직무를 관장한다.
> (다) 궁궐 안에 있는 경적(經籍)을 관리하고, 문서를 처리하며, 왕의 자문에 대비한다. 모두 경연(經筵)을 겸임한다.
>
> -「경국대전」

① (가)는 발해의 중정대와 비슷한 기능을 수행하였다.

② (나)가 하였던 일을 고려 시대에 담당한 기관은 삼사였다.

③ (다)는 집현전을 계승하여 설치하였으며 옥당으로 일컬어졌다.

④ (가), (나), (다)는 왕권의 독주와 권신의 대두를 막는 역할을 하였다.

문제풀이 삼사

난이도 중

(가) 기구는 관원을 살피고, 풍속을 바로 잡는 일을 하였던 사헌부이다.

(나) 기구는 임금에게 간언하고 논박하는 일을 하였던 사간원이다.

(다) 기구는 경적을 관리하고 경연을 겸임하였던 홍문관이다.

② 고려 시대의 삼사는 화폐와 곡식의 출납에 대한 회계를 담당하였던 관청이다. 반면에 조선 시대의 삼사는 권력의 독점과 부정 방지 및 잘못된 정책에 대해 비판하는 언론 기관이었다.

오답 분석

① 사헌부는 발해의 중정대와 비슷하게 관리의 비리 감찰 등의 기능을 담당하였다.

③ 홍문관은 집현전을 계승하여 성종 때 설치된 것으로, 옥당, 옥서, 영각이라고 불렸다. 홍문관은 성종 때 경연과 학술·언론 기능이 부여되면서 집현전의 기능을 계승한 언론 기관의 역할을 하게 되었다.

④ 사헌부, 사간원, 홍문관을 합쳐 삼사라 불렀으며, 삼사는 언론 활동을 통해 왕권의 독주와 권신의 대두를 막는 역할을 하였다.

06

2019년 서울시 7급(10월 시행)

〈보기〉와 같은 역할을 담당한 조선 시대 정치 기구에 대한 설명으로 가장 옳지 않은 것은?

> **보기**
> - 궁중의 서적과 문서를 관리하고, 국왕의 자문에 응하며, 경연(經筵)을 주관하였다.
> - 매일 아침 신하들이 임금에게 정사를 보고하던 상참(常參) 등에 참여하여 국정에 대한 의견을 제출하였다.

① 옥당이라고 불리기도 하였다.

② 사간원·사헌부와 함께 삼사를 구성하였다.

③ 외교 문서와 「사초」를 작성하였다.

④ 소속 관원은 청요직이라 하여 선망의 대상이었다.

문제풀이 홍문관

난이도 하

제시문에서 국왕의 자문에 응하며 경연을 주관하였다는 것을 통해 홍문관에 대한 설명임을 알 수 있다. 홍문관은 궁중의 서적과 문서를 관리하고, 국왕의 자문에 응하였다. 또한 홍문관은 사간원, 사헌부와 함께 3사로 불리며 언론 기관의 역할을 담당하였다.

③ 외교 문서 작성을 담당한 조선 시대의 정치 기구는 승문원이며, 「사초」를 작성한 기구는 춘추관이다. 한편 「사초」의 작성을 담당한 춘추관의 사관(史官)은 예문관(임금의 교지 작성 담당)의 관원이 겸임하였다.

오답 분석

① 홍문관은 옥당, 옥서, 영각이라고도 불렸다.

② 홍문관은 사간원, 사헌부와 함께 삼사로 불렸으며 삼사는 언론 활동을 담당하였다.

④ 홍문관의 관원은 판서나 정승으로의 진출이 유리한 청요직이어서 조선 시대 관리들이 선망하는 자리였다.

이것도 알면 **합격!**

6조의 이칭

이조	동전(東銓)·천관(天官)	병조	하관(夏官)·서전(西銓)
호조	지관(地官)·지부(地部)	형조	추관(秋官)·추조(秋曹)
예조	남궁(南宮)·춘관(春官)·의조(儀曹)	공조	동관(冬官)·수부(水府)·예작(例作)

07

2022년 서울시 9급(2월 시행)

조선 시대 지방 행정에 대한 설명으로 가장 옳지 않은 것은?

① 전국 모든 군현에 수령이 파견되었다.

② 향리는 6방으로 나누어 실무를 맡았다.

③ 중앙에서 유향소를 통해 경재소를 통제하였다.

④ 인구를 늘리는 것이 수령의 중요한 임무 중 하나였다.

문제풀이 조선 시대의 지방 행정

난이도 중

③ 조선 시대에는 중앙(한양)에 경재소를 설치하여 현직 중앙 관료로 하여금 자기 출신 지역의 유향소를 통제하도록 하였다.

오답 분석

① 조선 시대에는 전국 모든 군현에 지방관인 수령이 파견되었으며, 이에 따라 속현이 폐지되고, 향·부곡·소의 특수 행정 구역이 소멸되었다.

② 조선 시대의 향리는 지방 각 군현의 관아에서 중앙의 6조에 상응하는 6방(이·호·예·병·형·공) 체제로 나뉘어 수령의 행정 실무를 보좌하였다.

④ 조선 시대의 수령 7사에 따르면 인구를 늘리는 것이 수령의 중요한 임무 중 하나였다. 수령 7사는 지방관(수령)이 지방에서 해야 할 업무를 제시한 것으로, 백성들을 편하게 일하면서 살 수 있게 하여 사람들이 모여들게 할 것(호구를 늘리는 일)을 강조하였다.

이것도 알면 **합격!**

고려와 조선의 지방 행정 조직 비교

구분	고려	조선
조직	일반 행정 구역(5도 - 안찰사)과 군사 행정 구역(양계 - 병마사) 분리	일원적 조직(8도 - 관찰사)
특징	• 주현보다 속현의 수가 더 많음 • 향·부곡·소 존재	• 모든 군현에 지방관 파견(속현 소멸) • 향·부곡·소의 소멸
향리	지방의 실질적 지배자	수령을 보좌하는 아전으로 격하

08

2023년 법원직 9급

(가)에 들어갈 내용으로 옳은 것을 〈보기〉에서 모두 고른 것은?

> 평택 현감 변징원이 하직하니, 임금이 그를 내전으로 불러 만났다. 임금이 변징원에게 "그대는 이미 수령을 지냈으니, 백성을 다스리는 데 무엇을 먼저 하겠는가?"라고 물었다. 이에 변징원이 "마땅히 칠사(七事)를 먼저 할 것입니다."라고 하였다. 임금이 "칠사라는 것은 무엇인가?"라고 질문하니, 변징원이 대답하기를, ______(가)______
>
> -『성종실록』

보기

㉠ 호구를 늘리는 것입니다.

㉡ 농상(農桑)을 성하게 하는 것입니다.

㉢ 역을 고르게 부과하는 것입니다.

㉣ 사송(詞訟)을 간략하게 하는 것입니다.

① ㉠　② ㉠, ㉡

③ ㉠, ㉡, ㉢　④ ㉠, ㉡, ㉢, ㉣

문제풀이 수령 7사

난이도 중

제시문에서 왕이 수령을 지낸 변징원에게 백성을 다스리는 데 무엇을 먼저 할지에 대하여 묻자 칠사(七事)를 먼저 할 것이라고 대답하는 내용을 통해 (가)에 들어갈 내용이 수령 7사임을 알 수 있다. 수령 7사는 조선 시대에 지방관인 수령이 지방 통치에 힘써야 할 일곱 가지 업무를 제시한 것이다.

④ 옳은 것을 모두 고르면 ㉠, ㉡, ㉢, ㉣이다.

㉠, ㉡, ㉢, ㉣ 수령 7사에서는 백성을 편하게 일하면서 살 수 있게 하여 호구를 늘릴 것과 농사철에 맞추어 씨를 뿌리게 하여 농업과 양잠이 잘되게 할 것을 강조하였다. 또한 부역을 시키는 데 차별이 없이 고르게 할 것, 사송(소송)을 간략하게 할 것 등을 강조하였다.

이것도 알면 **합격!**

수령 7사

1. 농사철에 맞추어 씨를 뿌리게 할 것(농상성)
2. 유생에게 경전을 교육하고 제술을 시험하여 유학 및 문학에 정진을 도모할 것(학교흥)
3. 사송의 처리를 간편하게 하여 심의와 판결을 신속하게 할 것(사송간)
4. 용모를 잘 관찰하여 간사스럽고 교활한 자를 없앨 것(간활식)
5. 때를 맞춰 군사 훈련을 실시하고 기강을 엄히 할 것(군정수)
6. 백성들을 편하게 일하면서 살 수 있게 하여 사람들이 모여 들게 할 것(호구증)
7. 부역을 시키는 데 차별 없이 공평하고 균등하게 부과할 것(부역균)

정답 05 ② 06 ③ 07 ③ 08 ④

09

2017년 국가직 9급(4월 시행)

다음 제도를 시행한 목적에 해당하는 것만을 〈보기〉에서 모두 고른 것은?

> ○ 무릇 민호(民戶)는 그 이웃과 더불어 모으되, 가족 숫자의 다과(多寡)와 재산의 빈부에 관계없이 다섯 집마다 한 통(統)을 만들고, 통 안에 한 사람을 골라서 통수(統帥)로 삼아 통 안의 일을 맡게 한다.
> ○ 1리(里) 마다 5통 이상에서 10통까지는 소리(小里)를 삼고, … (중략) … 리(里) 안에서 또 이정(里正)을 임명한다.
>
> -『비변사등록』

보기

㉠ 농민들의 도망과 이탈 방지
㉡ 부세와 군역의 안정적인 확보
㉢ 재지사족 중심의 향촌 자치 활성화
㉣ 향권을 둘러싼 구향과 신향 간의 향전 억제

① ㉠, ㉡
② ㉠, ㉣
③ ㉡, ㉢
④ ㉢, ㉣

문제풀이 오가작통법의 시행 목적 난이도 중

제시문에서 다섯 집마다 한 통(統)을 만들고, 통 안에 한 사람을 골라 통수로 삼는다는 내용을 통해 조선 시대에 실시된 오가작통법임을 알 수 있다. 오가작통법은 5가구를 1통으로 편성하고 통 내 가호에 연대 책임을 부과하여 농민의 거주지 이탈, 절도 등을 방지하고 더불어 세금 수취의 편의를 위해 시행된 제도였다.

① 오가작통법을 시행한 목적을 모두 고르면 ㉠, ㉡이다.
㉠ 조선 정부는 오가작통법을 실시하여 한 통에 속해 있는 가호에 연대 책임을 부과하여 농민들의 도망과 이탈을 방지하고자 하였다.
㉡ 조선 정부는 오가작통법을 통해 조세 수취 대상자들을 파악하여 부세와 군역을 안정적으로 확보하고자 하였다.

오답 분석
㉢ 재지사족 중심의 향촌 자치를 활성화하기 위해 시행된 제도는 향약과 유향소 등이며, 이는 오가작통법의 시행 목적과는 관련이 없다.
㉣ 조선 후기 향권을 둘러싼 구향과 신향 간의 향전을 억제하기 위해 정부는 관권 위주의 향촌 통제책을 실시하며 사족을 견제하였으나, 이는 오가작통법의 시행 목적과는 관련이 없다.

10

2018년 법원직 9급

(가), (나) 시기의 지방 행정 제도에 대한 설명으로 옳은 것은?

> (가) 5도 양계를 중심으로 지방 제도가 마련되었다.
> (나) 전국을 8도로 나누고, 그 아래에 부·목·군·현을 설치하였다.

① (가) – 5도에 관찰사가 파견되었다.
② (가) – 모든 군현에 수령이 파견되었다.
③ (나) – 유향소를 설치하여 수령을 보좌하였다.
④ (나) – 향리는 행정·사법·군사권을 행사하는 국왕의 대리인이다.

문제풀이 고려와 조선의 지방 행정 제도 난이도 중

(가) 시기는 5도 양계를 중심으로 지방 제도가 마련되었다는 내용을 통해 고려 시대임을 알 수 있다.

(나) 시기는 전국을 8도로 나누고, 그 아래에 부·목·군·현을 설치하였다는 내용을 통해 조선 시대임을 알 수 있다.

③ 조선 시대에는 지방 사족들을 중심으로 구성된 향촌 자치 기구인 유향소가 설치되어 수령을 보좌하고, 향리를 규찰하며 향촌의 풍속을 교정하는 역할을 하였다.

오답 분석
① 고려 시대에 5도에 파견된 것은 관찰사가 아닌 안찰사이다. 고려는 5도에 안찰사를 파견하여 도내의 군현을 순찰하게 하였고, 양계에는 병마사를 파견하여 주진군의 지휘권을 부여한 뒤 국경을 수비하였다. 한편 관찰사는 조선 시대에 8도에 파견되어 수령을 지휘·감독하고 백성들의 생활을 살폈다.
② 모든 군현에 수령이 파견된 것은 조선 시대의 사실이다. 고려 시대에는 지방관이 파견된 주군·주현보다 파견되지 못한 속군·속현이 더 많았던 반면, 조선 시대에는 모든 군현에 지방관이 파견되면서 속현이 폐지되고, 향·소·부곡의 특수 행정 구역이 소멸되었다.
④ 조선 시대에 행정·사법·군사권을 행사하는 국왕의 대리인은 향리가 아닌 수령이다. 고려 시대의 향리는 지방의 행정 업무를 담당하던 향촌 사회의 실질적인 지배 세력이었으나, 조선 시대에는 향리의 지위가 수령을 보좌하는 세습적인 아전으로 격하되었다.

11

2021년 서울시 9급(특수 직렬)

〈보기〉의 제도가 처음 시행된 시기의 군사 제도에 대한 설명으로 가장 옳은 것은?

> **보기**
> 경성과 지방의 군사에 보인을 지급하는데 차등이 있다. 장기 복무하는 환관도 2보를 지급한다. 장정 2인을 1보로 하고, 갑사에게는 2보를 지급한다. 기병, 수군은 1보 1정을 준다. 보병, 봉수군은 1보를 준다. 보인으로서 취재에 합격하면 군사가 될 수 있다.

① 중앙군을 5군영으로 편성하였다.
② 2군 6위가 중앙과 국경을 수비하였다.
③ 지방군은 진관 체제를 바탕으로 조직되었다.
④ 양반부터 노비까지 모두 속오군에 편입시켰다.

12

2014년 기상직 9급

조선의 군사 제도의 변천에 대한 설명으로 옳은 것만을 〈보기〉에서 고른 것은?

> **보기**
> ㉠ 지방군을 육군과 수군으로 나누어 군사 요지인 영과 진에 배치하였다.
> ㉡ 세조 이후에는 지역 단위의 방어 전략인 진관 체제를 실시하였다.
> ㉢ 임진왜란이 발생하자 진관을 폐지하고 제승방략 체제를 수립하였다.
> ㉣ 병자호란 이후에는 진관을 복구하고 속오법에 따라 군대를 편제하였다.

① ㉠, ㉡　　② ㉠, ㉣
③ ㉡, ㉢　　④ ㉢, ㉣

문제풀이 조선 전기의 군사 제도

난이도 중

제시문에서 군사에게 보인을 지급한다는 내용을 통해 조선 전기의 군역 제도임을 알 수 있다. 조선 전기에는 모든 양인 정남을 현역병으로 복무하는 정군과 정군에 대한 재정적인 부담을 지는 보인으로 편성하였다.

③ 조선 전기에는 지방군이 진관 체제를 바탕으로 조직되었다. 진관 체제는 지역 단위의 방어 체계로, 각 도마다 병영을 두어 병마절도사가 관할 지역의 군대를 통솔하였다. 또한 병영 아래에는 여러 개의 진을 설치하여 진의 수령이 그 지역 군대를 통제하였다.

오답 분석

① **조선 후기**: 중앙군을 5군영으로 편성한 것은 조선 후기이다. 조선 후기에는 중앙군을 훈련도감, 어영청, 총융청, 수어청, 금위영의 5개 군영으로 편성하였다.
② **고려 시대**: 2군 6위가 중앙과 국경을 수비한 것은 고려 시대이다. 고려 시대의 중앙군은 국왕의 친위 부대인 2군과, 수도 경비와 국경 방어를 담당한 6위로 구성되었다.
④ **조선 후기**: 양반부터 노비까지 모두 속오군에 편입시킨 것은 조선 후기이다. 속오군은 임진왜란 중에 정비된 지방 방어 체제로, 양반부터 노비까지 모두 편입되었다. 이들은 평상시에 생업에 종사하다가, 적이 침입하면 전투에 동원되었다.

문제풀이 조선의 방어 체제

난이도 중

① 옳은 것을 모두 고르면 ㉠, ㉡이다.
㉠ 조선의 지방군은 육군과 수군으로 구분되었고, 국방상 요지에 설치된 영이나 진에 배치되어 영진군이라고도 불렸다.
㉡ 세조 이후부터 지역 단위의 방어 체제인 진관 체제를 실시하였다.

오답 분석

㉢ 제승방략 체제는 임진왜란이 일어나기 전인 16세기 후반에 수립되었다.
㉣ 임진왜란 이후에 진관이 복구되었고, 속오법에 따라 군대를 편제하였다.

 이것도 알면 **합격!**

조선의 방어 체제

영진군·익군 체제	• 조선 초기에 시행 • 영진군: 해안과 국경 등 군사 요지에 영과 진을 설치 • 익군: 평안도와 함경도에 속해있는 몇 개의 군을 군익도로 나누고 각 도를 중익·좌익·우익의 3익으로 편성
진관 체제	• 15세기 세조 이후부터 시행 • 각 도에 1 ~ 2개의 병영을 두고, 병영 아래에 여러 개의 거진을 설치하여 거진의 수령이 그 지역 군대를 통세 • 큰 규모의 적이 침입할 때 취약
제승방략 체제	• 16세기 후반(임진왜란 직전)부터 시행 • 유사시에 각 읍의 수령들이 본진을 떠나 지정된 지역으로 가서 방어 • 임진왜란을 거친 후 다시 진관 체제로 복구됨

정답 09 ① 10 ③ 11 ③ 12 ①

13

2023년 지방직 9급

(가), (나)에 들어갈 말을 바르게 연결한 것은?

> 조선 시대 과거 제도에는 문과·무과·잡과가 있었는데, 이 가운데 문과를 가장 중시하였다. 『경국대전』에 따르면 문과 시험 업무는 [(가)]에서 주관하고, 정기 시험인 식년시는 [(나)]마다 실시하는 것이 원칙이었다.

	(가)	(나)
①	이조	2년
②	이조	3년
③	예조	2년
④	예조	3년

14

2022년 서울시 9급(6월 시행)

조선 시기의 과거 제도에 대한 설명으로 가장 옳지 않은 것은?

① 생원과 진사를 선발하는 사마시의 1차 시험(초시)에서는 합격자의 수를 각 도의 인구 비율로 배분하였다.

② 문과의 정기 시험에는 현직 관원도 응시할 수 있었고, 합격하면 관품을 1~4계 올려주었다.

③ 조선 시기에는 고려 시기와 달리 과거를 보지 않고 관직으로 진출할 수 있는 음서 제도가 폐지되었다.

④ 무과 식년시는 3년에 한 번씩 시행했고, 서얼도 응시할 수 있었다.

문제풀이 조선 시대의 문과

난이도 상

④ (가), (나)에 들어갈 말을 바르게 연결하면 (가) 예조, (나) 3년이다.

(가) 조선 시대의 과거 제도 중 문과 시험 업무는 예조에서 주관하였다. 예조는 조선 시대에 예악·제사·조빙·학교·과거 등의 업무를 담당한 기관으로, 과거 시험 중 문과의 시행을 주관하였다. 한편, 무과의 경우 병조, 잡과는 해당 관청에서 주관하였다.

(나) 조선 시대에 정기적으로 시행된 과거 시험인 식년시는 3년마다 실시되는 것이 원칙이었다. 12지 가운데 자(子)·묘(卯)·오(午)·유(酉)가 드는 해를 식년(式年)이라고 칭하며, 3년에 한 번씩 돌아오는 이 해에 정기적으로 과거 시험을 실시하였다. 한편, 정기 시험인 식년시 외에 부정기적으로 실시되는 증광시(나라에 경사가 있을 때 실시)와 알성시(임금이 문묘를 참배할 때 성균관에서 실시) 등의 별시가 있었다.

오답 분석

· **이조**: 조선 시대의 이조는 문관의 인사 고과 및 포상 등의 업무를 담당하는 기구로, 동전(東銓)·천관(天官) 등으로 불리기도 하였다.

이것도 알면 합격!

조선의 문과 시행

주관	예조에서 주관
시행 시기	• 정기 시험인 식년시는 3년마다 실시하는 것이 원칙 • 부정기적으로 실시되는 증광시, 알성시 등이 있었음
응시 자격	• 법제상 양인 이상이면 누구나 응시 가능 • 탐관오리의 아들, 재가녀의 자손, 서얼 등은 응시 제한

문제풀이 조선 시대의 과거 제도

난이도 중

③ 조선 시대에도 과거를 보지 않고 관직으로 진출할 수 있는 음서 제도가 존재하였다. 하지만 조선 시대에는 고려 시대와 달리 음서의 대상이 축소되었으며, 과거에 합격하지 않으면 고위 관직으로 승진하기가 어려웠다.

오답 분석

① 조선 시대에 생원·진사를 선발하는 사마시의 1차 시험인 초시에서는 합격자의 수를 각 도의 인구 비율로 배분하여 생원·진사를 각각 약 700명씩 선발하였다.

② 조선 시대 문과의 정기 시험에는 현직 관원도 응시할 수 있었고, 합격하는 경우 최대 4단계까지 승진할 수 있었다.

④ 조선 시대에 무과의 식년시는 3년에 한 번씩 시행되었으며, 문과와는 달리 양반의 첩에게서 태어난 서얼도 응시할 수 있었다.

이것도 알면 합격!

조선의 무과와 잡과 시행

무과	• 병조에서 주관 • 주로 서얼과 중간 계층이 응시 • 소과(예비 시험) 없음, 바로 대과 실시 • 대과(문과와 동일한 방식): 초시 → 복시 → 전시
잡과	• 기술관을 선발하는 시험으로 초시와 복시의 절차로 진행 • 초시는 해당 관청, 복시는 해당 관청과 예조에서 주관

15

2013년 서울시 9급

다음과 관련이 있는 시험에 대한 설명으로 옳은 것은?

> 이 시험은 식년시, 증광시, 알성시로 나누어 실시하였으며, 소과를 거쳐 대과에서는 초시, 복시, 전시로 합격자를 선발하였다.

① 식년시는 해마다 실시되었다.
② 초시에서 33명을 선발하였다.
③ 백정 농민이 주로 응시하였다.
④ 재가한 여자의 손자는 응시할 수 없었다.
⑤ 생원시 합격만으로는 관리가 될 수 없었다.

16

2017년 국가직 7급(8월 시행)

고려와 조선 시대 과거 제도에 대한 설명으로 옳은 것을 모두 고른 것은?

> ㉠ 고려 시대에는 제술업이 명경업보다 중시되어 그 합격자를 중용하였다.
> ㉡ 고려 시대 국자감시는 국자감의 학생만을 대상으로 치르는 시험이었다.
> ㉢ 조선 시대에 잡과에 합격한 기술관은 해당 관청에서 최고 정3품까지 승진할 수 있었다.
> ㉣ 조선 시대의 음서 대상도 고려 시대와 동일하여 음서를 통하여 고위 관리까지 진출하였다.

① ㉠, ㉢
② ㉠, ㉣
③ ㉡, ㉢
④ ㉢, ㉣

문제풀이 문과

난이도 하

제시문에서 소과를 거쳐 대과를 치루고 대과에서 초시, 복시, 전시 순으로 시험을 치루고 합격한 사람을 관리로 선발한다는 내용을 통해 과거 시험 중 문관을 뽑는 문과임을 알 수 있다.

④ 재가녀의 손자는 문과에 응시할 수 없었다. 조선 시대에는 천인을 제외하고는 법제상 양인 이상이면 누구나 과거 응시가 가능하였으나 문과의 경우 탐관오리 아들, 재가녀의 자손, 서얼 등은 응시할 수 없었다.

오답 분석

① 식년시는 3년에 한 번씩 실시되는 정기 시험이었다.
② 초시에서 33명을 선발하는 시험은 없다. 문과 중 소과의 초시에서는 인구 비율에 따라 생원과 진사를 각각 약 700명씩 선발하고, 대과의 초시에서는 인구 비율에 따라 약 240여 명을 선발하였다. 이후 대과의 복시에서 성적 순으로 33명을 선발하였다.
③ 농민을 백정이라 부른 것은 고려 시대이고, 조선 시대에 문과는 주로 양반 자제들이 응시하였다.
⑤ 생원시 합격만으로도 하급 관리가 될 수 있었다. 다만 고급 관리가 되기 위해서는 문과에 응시하여야 했다.

문제풀이 고려와 조선의 과거 제도

난이도 중

① 옳은 것을 모두 고르면 ㉠, ㉢이다.
㉠ 고려 시대에는 유교 경전에 대한 시험인 명경업보다 문학적 재능과 정책을 시험하는 제술업이 더욱 중시되었다.
㉢ 조선 시대에는 신분과 직종에 따라 품계를 제한하는 한품서용제가 적용되어 기술관과 서얼은 최고 정3품 당하관까지 승진할 수 있었다. 이 외에도 토관과 향리는 정5품, 서리는 정7품으로 승진이 제한되어 있었다.

오답 분석

㉡ 고려 시대의 국자감시는 과거(예부시)의 예비 시험으로, 국자감의 학생뿐 아니라 향시(계수관시) 합격자, 12공도의 생도 등을 대상으로 하였다.
㉣ 조선 시대의 음서는 그 대상이 5품 이상의 관리였던 고려와는 달리 공신이나 2·3품 이상의 관리로 제한되었다. 또한 음서 출신자는 승진에 제한이 있어서 고위 관직으로 승진하기 위해서는 문과에 합격하여야 했다.

이것도 알면 **합격!**

특별 채용 제도

음서	수로 2품 이상의 고관 자손 대상, 문과 불합격 시 고관으로 승진이 어려움
취재	간단한 시험을 거쳐 서리 또는 하급 관리(실무직)로 선발
천거	• 3품 이상 고관(문관: 3품 이상, 무관: 2품 이상)의 추천을 받은 관리 등용 • 대개 기존 관리를 대상으로 실시(현량과가 대표적)

정답 13 ④ 14 ③ 15 ④ 16 ①

01 조선 전기의 정치

3 | 사림의 대두와 붕당 정치의 전개

01

2013년 국가직 9급

조선 전기 사림(士林)에 대한 설명으로 옳지 않은 것은?

① 재야에서 공론을 주도하는 지도자로서 산림(山林)이 존중되었다.

② 향촌 자치를 내세우며, 도덕과 의리를 바탕으로 한 왕도 정치를 강조하였다.

③ 3사의 언관직을 차지하고, 자신들의 의견을 공론으로 표방하였다.

④ 중소 지주적인 배경을 가지고, 지방 사족이 영남과 기호 지방을 중심으로 성장하였다.

02

2018년 지방직 7급

다음과 관련된 사건에 대한 설명으로 옳은 것은?

> '조룡(祖龍)이 어금니와 뿔을 휘두른다'고 한 것은 세조를 가리켜 시황제에 비긴 것이요, '회왕을 찾아내어 민망(民望)에 따랐다'고 한 것은 노산군을 가리켜 의제(義帝)에 비긴 것이고, '그 인의를 볼 수 있다'고 한 것은 노산을 가리킨 것이니 의제의 마음에 비추어 말한 것이다.

① 폐비 윤씨 사건에 관련된 자들과 사림 세력이 제거되었다.

② 훈구 세력은 조광조 일파를 모함하여 죽이거나 유배 보냈다.

③ 훈구 세력이 사관 김일손의 사초 내용을 문제 삼아 사림을 축출하였다.

④ 훈구 세력이 폭정을 일삼던 연산군을 몰아내고, 중종을 왕으로 세웠다.

문제풀이 조선 전기의 사림

난이도 중

① 산림은 조선 후기에 등장하여 공론을 주도하였다. 산림이란 뛰어난 학식과 덕망을 갖추어 유학자들의 존경을 받고, 재야에서 공론을 주도하여 중앙 정치에 영향력을 행사한 인물들을 의미한다. 산림은 본래 청나라에 대한 굴욕(병자호란) 등의 이유로 관직으로 나아가지 않았으나, 인조 대부터 국가로부터 관직을 제수 받는 등 본격적으로 정계에 진출하였다.

오답 분석

② 사림은 정치적으로 향촌 자치를 내세웠고, 도덕과 의리를 바탕으로 하는 왕도 정치를 강조하였다.

③ 사림은 3사의 언관직에 진출하여 훈구 세력을 견제하고, 자신들의 의견을 공론으로 표방하며 개혁 정치를 실시하였다.

④ 사림은 경제적으로 중소 지주였고, 영남과 기호 지방을 중심으로 성장하였다.

이것도 알면 **합격!**

사림

기원	고려 말 온건파 사대부
경제적 기반	영남·기호 지방의 중소 지주
정치적 성향	향촌 자치를 내세우며 도덕과 의리를 바탕으로 하는 왕도 정치 강조
학풍	경학 중시, 성리학 이외의 사상 배척

문제풀이 무오사화

난이도 하

제시문에서 노산군(단종)을 의제에 빗대었다는 것을 통해 김종직이 작성한 「조의제문」에 대한 내용임을 알 수 있으며, 이를 계기로 일어난 사건은 무오사화이다.

③ 무오사화는 사관 김일손이 스승 김종직의 「조의제문」을 「사초」에 기록한 것을 훈구 세력이 문제를 삼으며 일어났다(1498). 결국 김종직은 부관참시 당하였고, 김일손은 사형에 처해지는 등 사림 세력이 정계에서 축출되었다.

오답 분석

① **갑자사화**: 폐비 윤씨의 사사 사건과 관련된 훈구 세력과 사림 세력이 제거된 사건은 갑자사화이다. 연산군 측근의 척신 세력인 임사홍 등이 연산군 생모인 폐비 윤씨 사사 사건을 연산군에게 고발하면서 이 사건을 주도한 훈구 세력은 물론 연루된 사림 세력도 피해를 입은 갑자사화가 일어났다(1504).

② **기묘사화**: 훈구 세력이 조광조 중심의 사림 세력을 모함하여 죽이거나 유배 보낸 사건은 기묘사화이다. 조광조의 급진적인 개혁으로 훈구와 사림의 갈등이 심화된 상황에서 조광조 등이 반정 공신들의 위훈 삭제를 주장하자 훈구 세력은 조광조가 반역을 모의하였다는 '주초위왕' 사건을 꾸며 기묘사화를 일으켰다(1519).

④ **중종반정**: 훈구 세력의 주도로 폭정을 일삼던 연산군을 몰아내고, 중종을 왕으로 세운 사건은 중종반정(1506)이다.

03

2023년 법원직 9급

다음 사건과 관련 있는 내용으로 가장 옳은 것은?

> 왕이 어머니 윤씨가 왕비 자리에서 쫓겨나고 죽은 것이 성종의 후궁인 엄씨와 정씨의 참소 때문이라 여기고, 밤에 그들을 궁정에 결박해 놓고 손으로 함부로 치고 짓밟았다.
>
> -『조선왕조실록』

① 수양 대군이 단종을 내쫓고 왕위에 올랐다.

② 조광조를 비롯한 많은 사림이 피해를 입었다.

③ 연산군이 훈구파들을 제거하고 권력을 강화하였다.

④ 이조 전랑의 임명 문제를 둘러싸고 사림 간 대립이 일어났다.

04

2022년 법원직 9급

밑줄 친 '개혁'의 사례로 가장 옳은 것은?

> 사진 속 건물은 조광조의 학문과 덕행을 추모하기 위해 설립된 심곡서원이다. 그는 사림의 여론을 바탕으로 왕도 정치를 실현하기 위한 <u>개혁</u>을 추진하였으나 훈구 대신들의 반발로 사사되었다. 그러나 선조 때 사림이 정치 주도권을 장악하면서 신원되었고, 그를 추모하는 서원이 여러 곳에 설립되었다.

① 현량과 실시

② 비변사 폐지

③ 9재 학당 설립

④ 삼정이정청 설치

문제풀이 갑자사화

난이도 중

제시문에서 왕(연산군)이 어머니 윤씨가 왕비 자리에서 쫓겨나 죽은 것이 성종의 후궁들의 참소 때문이라 여겨 그들을 짓밟았다는 내용을 통해 갑자사화에 대한 내용임을 알 수 있다.

③ 갑자사화는 연산군 때 임사홍 등이 왕의 어머니인 폐비 윤씨 사사 사건의 경위를 고발하면서 발생한 사건으로, 이때 연산군은 폐비 윤씨 사사 사건을 주도한 훈구파들을 제거하고 권력을 강화하였다.

오답 분석

① 수양 대군(세조)이 조카인 단종을 내쫓고 왕위에 오른 것은 갑자사화와 관련이 없다. 수양 대군은 계유정난을 일으켜 김종서, 황보인, 안평 대군 등을 제거하고 권력을 장악하였다. 이후 수양 대군은 단종의 양위를 받아 세조로 즉위하였다.

② **기묘사화**: 조광조를 비롯한 많은 사림이 피해를 입은 것은 기묘사화이다. 기묘사화는 중종 때 조광조가 위훈 삭제 등 급진적인 개혁 정책을 추진하자, 이에 반발한 훈구가 조광조가 반역을 모의했다는 '주초위왕' 사건을 꾸며 일으킨 사건이다. 이로 인해 조광조는 사약을 받고 죽었으며, 많은 사림이 정계에서 제거되었다.

④ 이조 전랑의 임명 문제를 둘러싸고 사림 간 대립이 일어난 것은 선조 때 일어난 사실로, 갑자사화와는 관련이 없다. 선조 때 이조 전랑의 임명 문제와 공론을 둘러싸고 사림 간의 대립이 심화되었고, 이후 사림은 심의겸을 중심으로 한 서인과 김효원을 중심으로 한 동인으로 분화되었다.

문제풀이 조광조의 개혁 정치

난이도 하

① 조광조는 중종 때 등용되어 왕도 정치를 실현하기 위해 현량과 등과 같은 급진적인 개혁을 추진하였다. 현량과는 중앙과 지방의 관리들이 후보자를 추천하고, 이들을 모아 왕이 참석한 자리에서 시정의 문제에 대한 대책으로 시험을 본 뒤 관리로 선발하는 일종의 천거제이다.

오답 분석

② **흥선 대원군**: 비변사를 폐지한 것은 고종 때 흥선 대원군이다. 흥선 대원군은 국정 전반을 담당하던 비변사를 폐지하고, 의정부와 삼군부의 기능을 부활시켜 각각 정치와 군사의 최고 기관으로 삼았다.

③ **최충(고려)**: 9재 학당을 설립한 인물은 고려 시대의 유학자 최충이다. 최충은 관직에서 물러난 후에 사학인 9재 학당을 설립하여 유학 교육을 진흥시켰다.

④ **철종**: 삼정이정청을 설치한 인물은 철종이다. 철종 때 임술 농민 봉기가 일어나자 정부에서는 삼정의 문제를 해결하기 위하여 삼정이정청을 설치(1862)하였으나, 얼마 지나지 않아 폐지되면서 근본적인 해결책을 마련하지 못하였다.

정답 01 ① 02 ③ 03 ③ 04 ①

05

2021년 국가직 9급

(가) 인물에 대한 설명으로 옳은 것은?

> (가) 이/가 올립니다. "지방의 경우에는 관찰사와 수령, 서울의 경우에는 홍문관과 육경(六卿), 그리고 대간(臺諫) 들이 모두 능력 있는 사람을 천거하게 하십시오. 그 후 대궐에 모아 놓고 친히 여러 정책과 관련된 대책 시험을 치르게 한다면 인물을 많이 얻을 수 있을 것입니다. 이는 역대 선왕께서 하지 않으셨던 일이요, 한나라의 현량과와 방정과의 뜻을 이은 것입니다. 덕행은 여러 사람이 천거하는 바이므로 반드시 헛되거나 그릇되는 일이 없을 것입니다."

① 기묘사화로 탄압받았다.

② 「조의제문」을 사초에 실었다.

③ 문정 왕후의 수렴청정을 지지하였다.

④ 연산군의 생모 윤씨를 폐비하는 데 동조하였다.

문제풀이 조광조 난이도 하

제시문에서 한나라의 현량과와 방정과의 뜻을 이어 능력있는 사람을 천거하게 하자는 내용을 통해 (가) 인물이 조광조임을 알 수 있다. 조광조는 중앙과 지방의 관리들이 능력 있는 인재를 천거한 후, 이들을 모아 왕이 보는 가운데 정책과 관련한 대책 시험을 보게 하는 현량과를 통해 신진 사림을 등용하고자 하였다.

① 조광조는 성리학 이념을 바탕으로 하는 도학 정치를 주장하며 위훈 삭제 등의 급진적 개혁을 시도하였으나, 위훈 삭제에 반발한 훈구 세력이 일으킨 기묘사화로 탄압받았다. 기묘사화로 인해 조광조는 유배되어 곧 사약을 받고 죽었으며, 그를 따르던 대부분의 사림도 정계에서 제거되었다.

오답 분석

② **김일손**: 세조의 왕위 찬탈을 비난한 「조의제문」을 「사초」에 실은 인물은 김일손이다. 사림 세력인 김일손이 스승 김종직의 「조의제문」을 『실록』의 초안인 「사초」에 실었고, 이로 인해 무오사화가 일어났다.

③ **윤원형 등**: 문정 왕후의 수렴청정을 지지한 인물은 윤원형 등의 소윤(명종의 외척)이다. 명종이 어린 나이로 즉위하자 명종의 어머니인 문정 왕후가 수렴청정을 하였고, 문정 왕후의 동생인 윤원형 등이 정국을 주도하였다.

④ **한명회·김굉필 등**: 연산군의 생모 윤씨를 폐비하는 데 동조한 인물은 한명회를 비롯한 훈구 세력과 김굉필 등의 사림 세력이다. 연산군이 즉위한 이후 윤씨 폐비 사건에 동조한 신하들이 처벌되었는데, 대표적으로 한명회가 부관참시되고, 김굉필이 처형당하였다(갑자사화).

06

2022년 국가직 9급

밑줄 친 '사건'의 명칭은?

> 중종에 의해 등용된 조광조는 현량과를 통해 사림을 대거 등용하였다. 그는 3사의 언관직을 통해 개혁을 추진해 나갔고, 위훈 삭제를 주장하기도 하였다. 이러한 움직임은 반발을 불러일으켰으며, 중종도 급진적인 개혁 조치에 부담을 느껴 조광조 등을 제거하였다. 이 <u>사건</u>으로 사림은 큰 피해를 입었다.

① 갑자사화 ② 기묘사화

③ 무오사화 ④ 을사사화

문제풀이 기묘사화 난이도 하

제시문에서 조광조가 위훈 삭제를 주장하였으며, 중종도 급진적인 개혁 조치에 부담을 느껴 조광조 등을 제거하였다는 내용을 통해 밑줄 친 '사건'이 기묘사화임을 알 수 있다.

② 기묘사화는 중종 때 조광조가 위훈 삭제 등 급진적인 개혁 정책을 추진하자 이에 반발한 훈구가 조광조가 반역을 모의했다는 '주초위왕' 사건을 꾸며 일으킨 사건이다. 이로 인해 조광조는 유배되어 곧 사약을 받고 죽었으며, 그를 따르던 대부분의 사림이 정계에서 제거되었다.

오답 분석

① **갑자사화**: 갑자사화는 연산군 때 임사홍 등이 폐비 윤씨(연산군의 모친) 사사 사건의 경위를 고발하면서 이와 관련된 훈구와 사림이 제거된 사건이다.

③ **무오사화**: 무오사화는 연산군 때 김일손이 스승인 김종직의 「조의제문」을 『실록』의 초안인 「사초」에 기록한 것을 훈구가 문제 삼아 김일손 등 다수의 사림이 숙청된 사건이다.

④ **을사사화**: 을사사화는 명종이 즉위한 후 명종의 외척인 소윤 세력(윤원형 등)이 선왕인 인종의 외척인 대윤 세력(윤임 등)을 역적으로 몰아 숙청한 사건이다.

07

2014년 서울시 9급

다음 사건을 일어난 순서대로 나열한 것으로 옳은 것은?

> ㉠ 김종직의 무덤을 파헤쳐 시신을 참수하였다.
> ㉡ 조광조가 능주로 귀양가서 사약을 받고 죽었다.
> ㉢ 명종을 해치려 했다는 이유로 윤임 일파가 몰락하였다.
> ㉣ 연산군은 생모 윤씨의 폐비 사건에 관여한 사림을 몰아냈다.

① ㉠ → ㉡ → ㉢ → ㉣

② ㉠ → ㉣ → ㉡ → ㉢

③ ㉡ → ㉠ → ㉢ → ㉣

④ ㉡ → ㉢ → ㉣ → ㉠

⑤ ㉢ → ㉡ → ㉠ → ㉣

08

2020년 서울시 9급(특수 직렬)

〈보기〉의 조선 시대 사건을 시간 순으로 바르게 나열한 것은?

> **보기**
> ㉠ 기묘사화　　㉡ 을묘왜변
> ㉢ 계유정난　　㉣ 무오사화

① ㉠ - ㉡ - ㉢ - ㉣

② ㉡ - ㉢ - ㉣ - ㉠

③ ㉢ - ㉣ - ㉠ - ㉡

④ ㉣ - ㉠ - ㉡ - ㉢

문제풀이 사화의 전개 　난이도 중

② 순서대로 나열하면 ㉠ 무오사화(1498) → ㉣ 갑자사화(1504) → ㉡ 기묘사화(1519) → ㉢ 을사사화(1545)가 된다.

㉠ 무오사화: 김일손이 스승 김종직의 「조의제문」(세조의 왕위 찬탈을 비판한 글)을 「사초」에 기록한 것이 원인이 되어 무오사화가 일어났다. 이로 인해 많은 사림들이 처벌을 받았고, 이미 죽은 김종직은 무덤을 파헤쳐 참수하는 부관참시를 당했다.

㉣ 갑자사화: 연산군 측근의 척신 세력이 연산군 생모인 폐비 윤씨 사사 사건을 연산군에게 알린 것이 직접적인 원인이 되어 갑자사화가 일어났다. 이로 인해 폐비 윤씨 사사 사건을 주도한 훈구는 물론, 연루된 사림도 피해를 입었다.

㉡ 기묘사화: 조광조의 급진적인 개혁으로 훈구와 사림의 갈등이 심화된 상황에서 조광조 등이 반정 공신들의 위훈 삭제를 주장한 것이 원인이 되어 기묘사화가 일어났다. 이로 인해 중앙 조정에 진출한 대부분의 사림들이 제거되었고, 조광조는 전라도 능주(전라남도 화순)로 유배되어 곧 사약을 받고 죽었다.

㉢ 을사사화: 명종이 즉위한 후 명종의 외척인 소윤 일파(윤원형 등)가 전왕(前王)인 인종의 외척인 대윤 일파(윤임 등)를 역적으로 몰아 대거 숙청하면서 을사사화가 일어났다. 을사사화는 외척 간의 세력 다툼이었으나 이와 연계된 사림들이 막대한 피해를 입었다.

문제풀이 조선 시대사의 전개 　난이도 하

③ 시간 순으로 바르게 나열하면 ㉢ 계유정난(1453) → ㉣ 무오사화(1498) → ㉠ 기묘사화(1519) → ㉡ 을묘왜변(1555)이 된다.

㉢ 계유정난: 나이 어린 단종이 즉위한 뒤 김종서, 황보인 등이 정권을 주도하면서 왕권이 약해지자, 수양 대군은 김종서, 황보인, 안평 대군 등을 제거하는 계유정난(1453)을 일으켜 권력을 장악하였다. 이후 수양 대군은 단종의 양위를 받아 세조로 즉위하였다.

㉣ 무오사화: 연산군 때 사림파인 김일손이 자신의 스승인 김종직이 쓴 「조의제문」을 「사초」에 기록하였는데, 훈구파가 「조의제문」이 세조의 왕위 찬탈을 비난하는 글이라고 문제 삼았으며, 이에 많은 사림이 화를 입은 무오사화(1498)가 발생하였다.

㉠ 기묘사화: 중종 때의 사림파인 조광조는 위훈 삭제 등의 급진적인 개혁을 추진하여 훈구파와 갈등을 빚은 상황에서 기묘사화(1519)가 일어나 조광조를 비롯한 사림들이 제거되었다.

㉡ 을묘왜변: 삼포왜란(1510) 이후 조선 정부가 왜에 대한 무역 통제를 강화하자, 명종 때 이에 반발한 왜인들이 선박 70여 척을 동원하여 전라도 남쪽 해안을 침략한 을묘왜변(1555)이 발생하였다.

정답 05 ① 06 ② 07 ② 08 ③

09

2020년 지방직 9급

다음 사건이 일어난 왕의 재위 기간에 대한 설명으로 옳은 것은?

> 임꺽정은 양주 백정으로, 성품이 교활하고 날래고 용맹스러웠다. 그 무리 수십 명이 함께 다 날래고 빨랐는데, 도적이 되어 민가를 불사르고 소와 말을 빼앗고, 만약 항거하면 몹시 잔혹하게 사람을 죽였다. 경기도와 황해도의 아전과 백성들이 임꺽정 무리와 은밀히 결탁하여, 관에서 잡으려 하면 번번이 먼저 알려주었다.

① 동인과 서인의 붕당이 형성되었다.
② 문정 왕후가 수렴청정하며 불교를 옹호하였다.
③ 삼포에서 4~5천 명의 일본인이 난을 일으켰다.
④ 조광조가 내수사 장리의 폐지, 소격서 폐지 등을 주장하였다.

문제풀이 명종 재위 기간의 사실 난이도 중

제시문은 임꺽정의 난에 대한 내용으로 명종 때의 사실이다. 임꺽정은 백정 출신 도적으로, 황해도와 경기 일대에서 주로 활동하였다.

② 명종이 어린 나이로 즉위하자 명종의 어머니인 문정 왕후가 수렴청정을 하였다. 이때 문정 왕후는 불교를 옹호하여 승려 보우를 중용하고, 승과를 다시 실시하였다.

오답 분석

① **선조**: 동인과 서인의 붕당이 형성된 것은 선조 때이다. 사림은 선조 때에 명망이 높고 신진 사림의 신망을 받던 김효원과 왕실의 외척이면서 기성 사림의 신망을 받던 심의겸이 이조 전랑직을 두고 대립하다가 동인과 서인으로 분열되었다.

③ **중종**: 삼포에서 4~5천 명의 일본인이 난을 일으킨 것은 중종 때이다. 중종 때 부산포, 제포(내이포), 염포의 삼포에 거주하던 왜인들은 조선 정부의 무역 통제에 반발하여 난(삼포왜란, 1510)을 일으켰다.

④ **중종**: 조광조가 내수사 장리의 폐지, 소격서 폐지 등을 주장한 것은 중종 때이다. 조광조는 성리학 이념을 바탕으로 하는 통치 사상인 도학 정치(왕도 정치)를 강조하며, 농민들에게 고리대를 거두고 있던 내수사의 장리를 폐지하고, 도교 행사를 주관하는 소격서의 폐지를 주장하는 등 급진적인 개혁을 단행하였다.

10

2019년 법원직 9급

자료의 '○○왕'의 재위 시기에 있었던 일로 가장 옳은 것은?

> 사신은 논한다. …… 저들 도적이 생겨나는 것은 도적질하기를 좋아해서가 아니다. 굶주림과 추위에 몹시 시달리다가 부득이 하루라도 더 먹고 살기 위해 도적이 되는 자가 많기 때문이다. 그렇다면 백성을 도적으로 만든 자가 과연 누구인가? 권세가의 집은 공공연히 벼슬을 사려는 자들로 시장을 이루고 무뢰배들이 백성을 약탈한다. 백성이 어찌 도적이 되지 않겠는가?
>
> -『○○실록』

① 위훈 삭제를 감행한 사림 세력들이 제거되었다.
② 대비의 복상 문제로 두 차례 예송이 전개되었다.
③ 외척 간의 세력 다툼으로 을사사화가 발생하였다.
④ 정여립 모반 사건을 계기로 동인은 남인과 북인으로 나뉘었다.

문제풀이 명종 재위 시기의 사실 난이도 중

제시문에서 부득이하게 먹고 살기 위해 도적이 되는 자가 많으며, 권세가의 집에 벼슬을 사려는 자들로 시장을 이룬다는 것을 통해 명종 때 일어난 임꺽정의 난과 관련된 내용임을 알 수 있다. 명종의 즉위로 권력을 잡은 윤원형 등에 의해 전개된 매관매직과 백성에 대한 수탈은 임꺽정의 난이 일어나는 배경이 되었다.

③ 명종 때 명종의 외척인 소윤(윤원형 일파) 세력과 인종의 외척인 대윤(윤임 일파) 세력 간에 다툼으로 소윤에 의해 대윤 세력이 숙청되고, 이에 연루된 사림 세력까지 피해를 입은 을사사화가 발생하였다.

오답 분석

① **중종**: 위훈 삭제를 감행한 조광조 등의 사림 세력들이 훈구 세력에 의해 제거된 기묘사화는 중종 재위 시기에 일어났다.

② **현종**: 자의 대비가 효종과 효종 비의 죽음에 대해 몇 년간 상복을 입을지에 대해 서인과 남인이 두 차례의 예송 논쟁을 벌인 것은 현종 재위 시기이다.

④ **선조**: 정여립 모반 사건을 계기로 동인이 남인과 북인으로 나뉜 것은 선조 재위 시기이다.

11

2020년 국회직 9급

다음 지문의 작가가 속한 붕당에 대한 설명으로 옳은 것은?

> 江湖(강호)애 病(병)이 깁퍼 竹林(듁님)의 누엇더니,
> 關東(관동) 八百里(팔ᄇᆡᆨ니)에 方面(방면)을 맛디시니,
> 어와 聖恩(셩은)이야 가디록 罔極(망극)ᄒᆞ다.
>
> -『관동별곡(關東別曲)』

① 이황과 조식의 문인으로 이루어져 있다.
② 이조 전랑 자리를 두고 다툰 김효원을 추종하는 세력이다.
③ 광해군을 세자로 책봉하자고 건의한 사건으로 피해를 입었다.
④ 정여립 모반 사건에 연루되어 많은 사람들이 실각하였다.
⑤ 선조가 사망하고 광해군이 즉위하자 실권을 장악하였다.

문제풀이 서인

난이도 상

제시된 『관동별곡』을 저술한 인물은 정철이며, 정철은 선조 때 서인에 속한 인물이다.

③ 서인은 선조 때 정철이 광해군을 세자로 책봉할 것을 건의한 건저 문제로 인해 피해를 입었다. 서인인 정철이 선조에게 광해군을 세자로 책봉할 것을 건의하자 이에 분노한 선조는 정철을 파직하고, 여러 서인 인물들을 모두 외직으로 쫓아버렸다.

오답 분석

① **동인**: 이황과 조식의 문인으로 이루어져 있었던 붕당은 동인이다. 동인에 속한 인물들은 대부분 이황과 조식의 학풍을 계승한 영남학파로 이루어져 있었다.
② **동인**: 선조 때 심의겸과 이조 전랑 자리를 두고 다툰 김효원을 추종하는 세력으로 구성된 붕당은 동인이다. 선조 때는 신진 사림과 기성 사림이 이조 전랑 임명 문제와 척신 정치 청산 문제를 두고 서로 갈등하였는데, 이때 김효원을 중심으로 한 신진 사림이 동인을 형성하고, 심의겸을 중심으로 한 기성 사림이 서인을 형성하였다.
④ **동인**: 정여립 모반 사건에 연루되어 많은 사람들이 실각한 붕당은 동인이다. 정여립 모반 사건은 정여립이 급진적인 일부 동인과 연결하여 대동계라는 비밀결사를 조직하고 역성 혁명을 준비하였다는 혐의로 처형되고, 이에 연루된 동인들이 대거 제거된 사건이다.
⑤ **북인**: 선조가 사망하고 광해군이 즉위하자 실권을 장악한 붕당은 북인이다. 북인은 임진왜란 당시 의병장을 많이 배출하였으며, 이후 선조가 사망하고 광해군이 즉위하자 정국을 주도하였다.

12

2019년 기상직 9급

(가) ~ (다) 자료에 나타난 사건을 발생 순서대로 옳게 나열한 것은?

> (가) 임금께서 전지(傳旨)를 내리기를, "…… 지금 그 제자 김일손이 찬수한 「사초」 내에 부도(不道)한말로 선왕조의 일을 터무니없이 기록하고, 또 그 스승 김종직의 「조의제문」을 실었다."
> (나) 기축년 10월2일 황해 감사 한준의 비밀 장계가 들어왔다. …… 그 내용은, 수찬을 지낸 전주에 사는 정여립이 모반하여 괴수가 되었는데, 그 일당인 안악에 사는 조구가 밀고한 것이었다.
> (다) 윤임은 화심(禍心)을 품고 오래도록 흉계를 쌓아 왔다. 처음에는 동궁(東宮)이 외롭다는 말을 주창하여 사림들 사이에 의심을 일으켰고, 중간에는 정유삼흉(丁酉三兇)의 무리와 결탁하여 국모를 해치려고 꾀하였고, …… 이에 윤임·유관·유인숙 세 사람에게는 사사(賜死)만 명한다.

① (가) - (나) - (다)
② (가) - (다) - (나)
③ (나) - (가) - (다)
④ (다) - (나) - (가)

문제풀이 사화와 붕당 정치의 전개

난이도 중

(가) 김일손이 스승 김종직의 「조의제문」을 『실록』의 초안인 「사초」에 실었다는 내용을 통해 연산군 때 김일손을 비롯한 다수의 사림 세력이 숙청당한 무오사화임을 알 수 있다.
(나) 정여립이 모반하여 괴수가 되었다는 내용을 통해 선조 때 일어난 정여립 모반 사건임을 알 수 있다.
(다) 흉계를 꾸민 윤임 등에게 사사를 명한 내용을 통해 명종 때 일어난 을사사화임을 알 수 있다.

② 사건을 순서대로 나열하면 (가) 무오사화(연산군, 1498) → (다) 을사사화(명종, 1545) → (나) 정여립 모반 사건(선조, 1589)이 된다.

(가) **무오사화**: 연산군 때 김일손이 스승인 김종직이 쓴 「조의제문」(세조의 왕위 찬탈을 비난하는 글)을 『실록』의 초안인 「사초」에 실은 것을 빌미로 훈구 세력이 사림 세력을 대거 숙청하는 무오사화가 일어났다(1498).
(다) **을사사화**: 중종의 뒤를 이어 즉위한 인종이 일찍 죽고, 명종이 즉위하면서 인종의 외척(대윤)과 명종의 외척(소윤) 간의 권력 다툼이 발생하였다. 이에 소윤(윤원형 일파)이 대윤(윤임 일파)을 역적으로 몰아 숙청하는 과정에서 이와 연계된 사림 세력도 큰 피해를 입었다(1545).
(나) **정여립 모반 사건**: 선조 때에 정여립이 급진적인 대동계라는 비밀 결사를 조직하고 역성 혁명을 준비하였다는 혐의로 처형되고, 이 사건에 연루된 동인들이 대거 제거되었다(기축옥사, 1589). 이후 기축옥사를 주도한 서인 정철은 건저(建儲) 문제(세자 책봉 문제)로 선조의 미움을 받아 탄핵되었고, 동인은 정철에 대한 처벌 문제를 둘러싸고 남인(온건파)과 북인(강경파)으로 나뉘었다.

정답 09 ② 10 ③ 11 ③ 12 ②

13

2017년 경찰직(1차)

조선 시대 사림 세력의 분화 과정에 대한 설명이다. ㉠부터 ㉣까지의 설명 중 가장 적절하지 않은 것은?

> 선조가 즉위하면서 사림 세력이 대거 중앙 정계로 진출하여 정국을 주도하게 되었다. 사림 세력은 척신 정치의 잔재를 어떻게 청산할 것인가를 둘러싸고 갈등을 겪다가 김효원을 지지하는 (㉠) 세력과 심의겸을 지지하는 (㉡) 세력으로 나뉘었다. 이 후 (㉠) 세력은 정여립 모반 사건 등을 계기로 온건파인 (㉢) 세력과 급진파인 (㉣) 세력으로 나뉘었다.

① ㉠과 ㉡은 이조 전랑 자리를 놓고 서로 경쟁하였다.
② ㉢이 ㉡을 역모로 몰아 정권을 독점한 경신환국 이후 ㉢은 ㉡에 대한 처벌 등의 문제로 분열되었다.
③ 현종 때 두 차례의 예송이 발생하면서 ㉡과 ㉢사이에 대립이 격화되었고, 이때 ㉡은 상대적으로 신권을 강조하였다.
④ 임진왜란이 끝난 뒤 ㉣이 집권하여 광해군 때까지 정국을 주도하였다.

문제풀이 사림 세력의 분화 난이도 중

제시문에서 김효원을 지지했던 ㉠은 동인, 심의겸을 지지했던 ㉡은 서인이다. 이후 동인 세력은 정여립 모반 사건 등을 계기로 온건파인 ㉢ 남인과 급진파(강경파)인 ㉣ 북인으로 분화되었다.

② 경신환국은 ㉡ 서인이 ㉢ 남인을 역모로 몰아 정권을 독점한 사건이며, 이후 ㉡ 서인은 ㉢ 남인에 대한 처벌 등의 문제로 온건파인 소론과 강경파인 노론으로 분열되었다.

오답 분석

① ㉠ 동인과 ㉡ 서인은 3사 관리의 인사권과 후임자 추천권 등의 권한을 가지고 있었던 이조 전랑의 자리를 두고 서로 경쟁하였다.
③ 현종 때 두 차례 예송이 발생하면서 ㉡ 서인과 ㉢ 남인 사이에 대립이 격화되었고, 이때 ㉡ 서인은 상대적으로 신권을, ㉢ 남인은 왕권을 강조하였다.
④ 임진왜란이 끝난 뒤 임진왜란 시기에 의병 활동을 주도했던 ㉣ 북인이 집권하여 광해군 때까지 정국을 주도하였다.

14

2015년 지방직 9급

다음 사건으로 인하여 발생한 역사적 사실은?

> 심충겸이 장원 급제를 하자 전랑으로 천거하려고 하였다. 김효원이 "외척은 쓸 수 없다." 하며 막으니, 심의겸이 "외척이 원흉의 문객보다는 낫지 않으냐." 하였다. 이때 김효원 편을 드는 사람들은 "효원의 말은 공론에서 나온 것이다. 그런데 의겸이 사사로운 혐의로 좋은 선비를 배척하니 매우 옳지 못하다." 하였다.

① 동인과 서인으로의 분화
② 남인과 북인으로의 분화
③ 노론과 소론으로의 분화
④ 서인과 남인 간의 예송 논쟁

문제풀이 동인과 서인의 분화 난이도 중

제시문은 심의겸과 김효원이 이조 전랑의 임명 문제로 대립하는 내용으로, 이는 사림이 동인과 서인으로 분화되는 계기가 되었다.

① 이조 전랑의 임명 문제와 공론을 둘러싸고 사림 간의 갈등이 심화되었고, 이후 사림은 심의겸을 중심으로 한 서인과 김효원을 중심으로 한 동인으로 분화되었다.

오답 분석

② 선조 때 발생한 정여립 모반 사건과 정철의 건저의(세자 책봉 건의) 사건을 계기로 동인이 온건파인 남인과 강경파인 북인으로 분화되었다.
③ 숙종 때의 경신환국 이후 서인은 상대 붕당인 남인에 대한 처벌과 정책 수립 과정에서 송시열 중심의 노장 세력인 노론과 윤증 중심의 신진 세력인 소론으로 분화되었다.
④ 현종 때 서인과 남인은 효종의 계모인 자의 대비의 상복 문제를 둘러싸고 2차례의 예송 논쟁을 전개하였다.

이것도 알면 **합격!**

사림의 분화

정계 진출	선조 즉위 이후 사림 세력이 중앙 정계로 진출하여 정국 주도
분화 원인	척신 정치의 잔재 청산 문제, 이조 전랑 임명 문제
결과	• 신진 사림(동인, 김효원): 척신 정치 개혁에 적극적 • 기성 사림(서인, 심의겸): 척신 정치 개혁에 소극적

15

2015년 서울시 9급

다음의 사건과 관련된 설명으로 옳은 것은?

> 김효원이 과거에 장원으로 급제하여 이조 전랑의 물망에 올랐으나, 그가 윤원형의 문객이었다 하여 심의겸이 반대하였다. 그 후에 심충겸(심의겸의 동생)이 장원 급제를 하여 이조 전랑에 천거되었으나, 외척이라 하여 김효원이 반대하였다.
>
> -『연려실기술』

① 외척들의 반발로 이 사건에 관련된 훈구 세력과 사림 세력이 제거되었다.

② 심의겸 쪽에는 정치의 도덕성을 강조한 서경덕, 이황, 조식의 문인들이 가세하였다.

③ 이이, 성혼의 문인들은 주기론(主氣論)에 입각하여 양쪽을 모두 비판하며 타협안을 제시하였다.

④ 이 사건 이후 사림을 중심으로 정치적, 학문적 견해 차이에 따른 붕당 정치가 나타났다.

16

2015년 국가직 9급

조선 전기(15～16세기) 중앙 정치에 대한 설명으로 옳지 않은 것은?

① 붕당은 정치적 이념과 학문적 경향에 따라 결집되었다.

② 삼사는 권력의 독점과 부정을 방지하는 데 기여하였다.

③ 사화로 갈등이 격화되면서, 정국이 급격하게 전환되는 환국 정치가 시작되었다.

④ 합리적인 인사 행정 제도가 갖추어져 이전 시기보다 관료제적 성격이 강해졌다.

문제풀이 동인과 서인의 분화

난이도 중

제시문에서 이조 전랑의 임명 문제로 김효원과 심의겸이 대립하는 내용을 통해 사림의 동·서 분당에 대한 자료임을 알 수 있다.

④ 사림은 이조 전랑(인사권 담당)의 임명 문제로 인한 갈등 이후 정치적·학문적 견해 차이에 따라 동인과 서인으로 분화되었고, 이로 인해 붕당 정치가 나타났다.

오답 분석

① 외척들의 반발로 대윤 세력과 관련된 훈구와 사림 세력이 제거된 사건은 명종 때 일어난 을사사화이다.

② 심의겸을 지지하는 것은 서인으로, 서인에는 이이, 성혼의 문인들이 가담하였다. 정치의 도덕성을 강조하는 서경덕, 이황, 조식의 문인들은 동인을 형성하였다.

③ 이이와 성혼의 문인들은 서인에 가담함으로써 붕당의 모습이 형성되었다.

이것도 알면 **합격!**

동인과 서인

구분	동인	서인
출신 배경	신진 사림(김효원 지지)	기성 사림(심의겸 지지)
정치 개혁	척신 정치 개혁에 적극적	척신 정치 개혁에 소극적
학문 계승	이황, 조식, 서경덕	이이, 성혼
학파	영남 학파	기호 학파

문제풀이 조선 전기의 중앙 정치

난이도 중

③ 환국 정치가 시작된 것은 조선 후기인 숙종 때이다. 조선 전기에는 훈구와 사림의 갈등으로 사화가 발생하였고, 이후 정권을 장악한 사림 내부의 분열을 계기로 붕당 정치가 시작되었다.

오답 분석

① 조선 전기에는 정치적 이념과 학문적 경향에 따라 사림 세력이 결집한 붕당이 형성되었고, 이는 붕당 정치로 이어졌다.

② 조선 전기에 사헌부, 사간원, 홍문관으로 구성된 언론 기관인 삼사는 권력의 독점과 부정을 방지하였다.

④ 조선 전기에는 권력의 집중과 부정을 막기 위한 상피제, 인사의 공정성을 확보하기 위한 서경 제도, 관리의 승진 또는 좌천의 근거로 근무 성적 평가를 활용하는 등 보다 합리적인 인사 행정 제도가 갖추어졌다. 이로 인해 조선 시대에는 고려 시대보다 관료적 성격이 더욱 강화되었다.

정답 13 ② 14 ① 15 ④ 16 ③

4 | 대외 관계의 전개와 양난의 극복

01

2022년 국회직 9급

(가), (나) 시기 사이에 있었던 사실로 옳은 것은?

> (가) (대마도) 도주에게는 해마다 쌀과 콩을 합하여 200석을 주기로 하였다. 세견선은 50척으로 하였다.
> (나) 도주 세견선을 25척으로 감하고, 도주에게 내려준 세사미두 200석 중에 100석을 감하였다.

① 삼포왜란이 일어났다.
② 을묘왜변이 발발하였다.
③ 강화도 조약이 체결되었다.
④ 백두산 정계비가 세워졌다.
⑤ 일본에 회답 겸 쇄환사가 파견되었다.

02

2016년 서울시 9급

조선 전기 일본과 관계된 주요 사건이다. (가)~(라) 각 시기에 있었던 사건으로 옳지 않은 것은?

	1392	1419	1510	1592	
	(가)	(나)	(다)	(라)	
	조선 건국	쓰시마 토벌	3포 왜란	임진왜란	

① (가) – 부산포, 제포, 염포 등 3포를 개항하였다.
② (나) – 계해약조를 체결하여 쓰시마 주의 제한적 무역을 허락하였다.
③ (다) – 왜선이 침입하여 을묘왜변을 일으켰다.
④ (라) – 조선은 포로의 송환 교섭을 위해 일본에 사신을 파견하였다.

문제풀이 계해약조와 임신약조 사이에 있었던 사실 — 난이도 상

(가)는 대마도주에게 해마다 쌀과 콩을 합하여 200석을 주고, 세견선은 50척으로 하였다는 내용을 통해 세종 때 체결된 계해약조(1443)임을 알 수 있다.

(나)는 세견선은 25척으로 감하고, 도주에게 내려준 세사미두 200석 중에 100석을 감한다는 내용을 통해 중종 때 체결된 임신약조(1512)임을 알 수 있다.

① (가)와 (나) 사이 시기인 1510년에 부산포, 제포(내이포), 염포의 삼포에 거주하던 왜인들이 조선 정부의 무역 통제에 반발하여 난(삼포왜란)을 일으켰다.

오답 분석
모두 (나) 이후의 사실이다.
② 삼포왜란 이후 조선 정부가 왜에 대한 무역 통제를 강화하자, 명종 때 이에 반발한 왜인들이 선박 70여 척을 동원하여 전라도 남쪽 해안을 침략한 을묘왜변(1555)이 발발하였다.
③ 운요호 사건을 계기로 부산 외 2개 항구를 개항한다는 내용 등을 명시한 강화도 조약(조·일 수호 조규, 1876)이 체결되었다.
④ 숙종 때 서쪽으로 압록강, 동쪽으로 토문강을 경계로 조선과 청의 국경을 정한 백두산 정계비가 건립(1712)되었다.
⑤ 일본에 회답 겸 쇄환사가 파견된 것은 세 차례로, 선조 때인 1607년, 광해군 때인 1617년, 인조 때인 1624년의 사실이다. 회답 겸 쇄환사는 조선이 일본에서 보낸 국서에 회답 국서를 전하고, 임진왜란 때 잡혀간 사람 등을 돌려받기 위해 파견한 사절이다.

문제풀이 조선 전기 일본과 관계된 주요 사건 — 난이도 중

① 3포 개항(1426)은 (나)에 있었던 사건으로, 세종 때 조선 정부는 대마도주의 요청에 따라 부산포, 제포(진해), 염포(울산)의 3포를 개방하여 무역을 허용하였다.

오답 분석
② **계해약조 체결**: 3포 개항 이후 교역량이 지나치게 증가하자 세종 때 세견선 50척, 세사미두 200석으로 무역 규모를 제한하는 계해약조를 체결하였다(1443).
③ **을묘왜변**: 조선이 임신약조(중종), 정미약조(명종) 등을 통해 일본에 대한 무역 통제를 강화하자, 명종 때 일본의 서부 지방에 사는 연해민들이 70여 척의 배를 이끌고 전라도 남쪽 지방에 침입하였다(을묘왜변, 1555). 그 결과, 국교가 일시적으로 단절되었고 비변사가 상설 기구화되었다.
④ **포로 송환 교섭을 위해 사신 파견(1604)**: 조선은 임진왜란 때 일본으로 잡혀간 조선인들을 데려오기 위하여 사신을 파견하였다(1604). 당시 일본에 사신으로 파견된 사명 대사 유정은 일본과 강화를 맺고 조선인 포로 3,500여 명을 데리고 귀국하였다(1605).

 이것도 알면 **합격!**

조선 초기 여진·일본과의 대외 관계

여진	• 강경책: 방비 강화, 4군 6진 개척, 여진족 본거지 토벌 • 회유책: 여진족 귀순 장려, 국경 무역 허용(무역소 설치)
일본	• 강경책: 왜구의 침략에 대비, 쓰시마 섬 정벌 • 회유책: 3포 개항, 계해약조 체결(무역 규모 제한)

03

2023년 국가직 9급

(나) 시기에 일어난 사실로 옳은 것은?

(가) 삼포왜란이 발발하였다.
↓
(나)
↓
(다) 임진왜란이 발발하였다.

① 을사사화가 일어났다.
② 『경국대전』이 반포되었다.
③ 『향약집성방』이 편찬되었다.
④ 금속 활자인 갑인자가 주조되었다.

04

2023년 서울시 9급

〈보기〉의 사건을 시간순으로 바르게 나열한 것은?

보기

㉠ 이여송이 거느린 5만여 명의 명나라 지원군이 조선군과 합하여 평양성을 탈환하였다.
㉡ 왜군이 총공격을 가해오자 이순신 함대는 한산도 앞바다로 적을 유인하여 대파하였다.
㉢ 권율이 행주산성에서 1만여 명의 병력으로 전투를 벌여 3만여 명의 병력으로 공격해 온 일본군을 물리쳤다.
㉣ 진주에서 목사 김시민이 3,800여 명의 병력으로 2만여 명의 일본군을 맞아 성을 방어하는 데 성공했다.

① ㉡ – ㉣ – ㉠ – ㉢
② ㉡ – ㉣ – ㉢ – ㉠
③ ㉣ – ㉡ – ㉠ – ㉢
④ ㉣ – ㉡ – ㉢ – ㉠

문제풀이 삼포왜란과 임진왜란 사이의 사실

난이도 중

제시된 자료에서 (가) 삼포왜란이 발발한 것은 1510년이고, (다) 임진왜란이 발발한 것은 1592년이다. 따라서 (나) 시기는 1510년~1592년이다.

① (나) 시기인 1545년에 명종의 외척인 소윤 세력(윤원형 등)이 선왕인 인종의 외척인 대윤 세력(윤임 등)을 역적으로 몰아 숙청한 을사사화가 일어났다. 을사사화는 외척 간의 세력 다툼이었으나 이와 연계된 사림들이 막대한 피해를 입었다.

오답 분석
모두 (가) 이전의 사실이다.

② 『경국대전』이 반포된 것은 성종 때인 1485년이다. 『경국대전』은 「이전」, 「호전」, 「예전」, 「병전」, 「형전」, 「공전」의 6전으로 구성된 조선의 기본 법전으로, 세조 때부터 편찬되기 시작하였으나 성종 때 완성되어 반포되었다.

③ 『향약집성방』이 편찬된 것은 세종 때인 1433년이다. 『향약집성방』은 우리 풍토에 알맞은 약재와 치료 방법 등을 소개한 의서이다.

④ 주자소에서 금속 활자인 갑인자가 주조된 것은 세종 때인 1434년이다. 세종 때에는 태종 때 제작된 계미자를 개량한 갑인자, 경자자 등의 금속 활자가 주조되었으며, 밀랍 대신 식자판을 조립하는 방법이 창안되어 인쇄 능률이 크게 향상되었다.

문제풀이 임진왜란의 전개 과정

난이도 중

① 시간순으로 바르게 나열하면 ㉡ 한산도 대첩(1592. 7.) → ㉣ 진주 대첩(1차 진주성 전투, 1592. 10.) → ㉠ 평양성 탈환(1593. 1.) → ㉢ 행주 대첩(1593. 2.)이 된다.

㉡ **한산도 대첩**: 왜군이 총공격을 가해오자 이순신 함대는 한산도 앞바다로 적을 유인한 뒤, 학이 날개를 펼치는 모습인 학익진 전법으로 대파하였다(1592. 7.).

㉣ **진주 대첩(1차 진주성 전투)**: 호남으로 가는 길목인 진주에서 목사 김시민은 3,800여 명의 병력으로 2만여 명의 일본군을 맞아 성을 방어하는 데 성공했다(1592. 10.).

㉠ **평양성 탈환**: 이여송이 거느린 5만여 명의 명나라 지원군은 유성룡이 이끄는 조선군과 연합하여 왜군으로부터 평양성을 탈환하였다(1593. 1.)

㉢ **행주 대첩**: 한양을 수복하기 위하여 군대를 이끌고 북상하던 전라도 관찰사 권율은 행주산성에서 1만여 명의 병력으로 전투를 벌여 3만여 명의 병력으로 공격해 온 일본군을 물리쳤다(1593. 2.)

정답 01 ① 02 ① 03 ① 04 ①

05

2023년 지방직 9급

밑줄 친 '곽재우'에 대한 설명으로 옳지 않은 것은?

> 여러 도에서 의병이 일어났다. …(중략)… 도내의 거족(巨族)으로 명망 있는 사람과 유생 등이 조정의 명을 받들어 의(義)를 부르짖고 일어나니 소문을 들은 자들은 격동하여 원근에서 이에 응모하였다. …(중략)… 호남의 고경명·김천일, 영남의 곽재우·정인홍, 호서의 조헌이 가장 먼저 일어났다.
>
> – 『선조수정실록』

① 홍의장군이라 칭하였다.

② 의령을 거점으로 봉기하였다.

③ 행주산성에서 일본군을 크게 무찔렀다.

④ 익숙한 지리를 활용한 기습 작전으로 일본군에 타격을 주었다.

문제풀이 곽재우

난이도 중

제시문의 밑줄 친 곽재우는 임진왜란 당시 활약한 대표적인 의병장으로, 1차 진주성 전투(진주 대첩) 등에서 활약하였다.

③ 행주산성에서 일본군을 크게 무찔렀던 인물은 권율이다. 권율은 한양(서울)을 되찾기 위해 북상하다가 행주산성에서 일본군에 포위되었으나, 관군과 백성들을 지휘하여 일본군을 크게 무찔렀다.

오답 분석

① 곽재우는 임진왜란 때 여러 전투에서 붉은 옷을 입고 의병을 지휘하며 스스로 홍의장군이라 칭하였다.

②, ④ 곽재우는 임진왜란이 일어나자 경상도 의령을 거점으로 봉기하였으며, 의령, 창녕, 진주 등 주로 낙동강 일대의 지역에서 활동하며 익숙한 지리를 활용한 기습 작전으로 일본군에 타격을 주었다.

이것도 알면 **합격!**

임진왜란 때 활약한 주요 의병

곽재우	• 경상도 의령에서 의병을 일으킴, 홍의장군이라 불림 • 제1차 진주성 전투에 참여
김천일	• 전라도 나주에서 의병을 일으킴 • 제2차 진주성 전투에 참여
고경명	전라도 담양에서 의병을 일으킴
정인홍	경상도 합천에서 의병을 일으킴
조헌	충청도 옥천에서 의병을 일으킴

06

2019년 지방직 9급

다음 자료에 나타난 상황과 관련 있는 사건은?

> 경성에는 종묘, 사직, 궁궐과 나머지 관청들이 또한 하나도 남아 있는 것이 없으며, 사대부의 집과 민가들도 종루 이북은 모두 불탔고 이남만 다소 남은 것이 있으며, 백골이 수북이 쌓여서 비록 치우고자 해도 다 치울 수 없다. 경성의 수많은 백성들이 도륙을 당했고 남은 이들도 겨우 목숨만 붙어 있다. 굶어 죽은 시체가 길에 가득하고 진제장(賑濟場)에 나아가 얻어먹는 자가 수천 명이며 매일 죽는 자가 60~70명 이상이다.
>
> – 성혼, 『우계집』에서

① 병자호란

② 임진왜란

③ 삼포왜란

④ 이괄의 난

문제풀이 임진왜란

난이도 중

제시문에서 경성에 종묘·사직·궁궐이 하나도 남아 있지 않으며, 사대부의 집과 민가들도 모두 불탔다는 내용을 통해 임진왜란 당시의 상황임을 알 수 있다.

② 임진왜란은 1592년부터 1598년까지 2차례에 걸쳐 조선에 침입한 일본과의 전쟁으로, 1차 침입은 임진년에 일어나 임진왜란이라 부르며, 2차 침입은 정유년에 일어나 정유재란이라 부른다. 임진왜란으로 경복궁, 창덕궁, 창경궁과 종묘, 사직과 불국사 등의 문화재가 소실되었고 수많은 인명 피해가 발생하였다.

오답 분석

① **병자호란**: 병자호란(1636)은 세력을 확대한 후금이 국호를 청으로 바꾸고 조선에 군신 관계를 요구하였으나, 청의 요구에 대해 조선에서는 척화 주전론이 우세해지자 청나라가 조선에 침입한 사건이다. 인조는 남한산성으로 피신하여 청군에 대항하였으나 결국 항복하고, 청과 군신 관계를 체결하였다.

③ **삼포왜란**: 삼포왜란(1510)은 조선 중종 때 3포에서 거주하고 있던 왜인들이 일으킨 난으로, 이 사건을 계기로 비변사가 임시 기구로 설치되었다.

④ **이괄의 난**: 이괄의 난(1624)은 인조반정에 공을 세운 이괄이 논공행상에 불만을 품고 일으킨 난이다. 반란이 실패하자 잔당들이 후금과 내통하여 정묘호란이 일어나는 배경이 되었다.

07

2020년 국회직 9급

임진왜란 당시의 사건들을 오래된 시기 순으로 옳게 나열한 것은?

> ㉠ 이순신이 이끄는 수군이 옥포에서 첫 승리를 거두었다.
> ㉡ 진주성이 함락되고 수많은 사람들이 살상되었다.
> ㉢ 권율이 행주산성에서 대승을 거두었다.
> ㉣ 평양성을 일본군에게서 탈환하였다.

① ㉠ - ㉡ - ㉢ - ㉣
② ㉠ - ㉢ - ㉣ - ㉡
③ ㉠ - ㉣ - ㉢ - ㉡
④ ㉡ - ㉠ - ㉣ - ㉢
⑤ ㉡ - ㉣ - ㉠ - ㉢

문제풀이 임진왜란의 주요 전투

난이도 중

③ 시기 순으로 나열하면 ㉠ 옥포 해전(1592. 5.) → ㉣ 평양성 탈환(1593. 1.) → ㉢ 행주 대첩(1593. 2.) → ㉡ 2차 진주성 전투(1593. 6.)가 된다.

㉠ **옥포 해전**: 옥포에서 이순신이 이끄는 수군이 일본군과의 전투에서 첫 승리를 거두었다(1592. 5.).

㉣ **평양성 탈환**: 유성룡과 명나라 장군 이여송이 이끄는 조·명 연합군이 일본군으로부터 평양성을 탈환하였다(1593. 1.).

㉢ **행주 대첩**: 행주 산성에서 권율 장군의 지휘하에 관군과 백성들이 합심하여 일본군의 공격을 격퇴하여 일본군의 북상을 저지하였다(1593. 2.).

㉡ **2차 진주성 전투**: 휴전 협상 중에 일본군이 1차 진주성 전투의 패배에 대한 보복으로 진주성을 다시 공격하였다. 이때 김천일 등이 이끄는 관군과 의병이 맞서 싸웠으나 결국 패배하였고 많은 사람들이 살상되었다(1593. 6.).

이것도 알면 **합격!**

임진왜란의 주요 전투

1592년	4월	임진왜란 발발(부산포) → 충주 탄금대 전투 패배(신립 전사)
	5월	한성 함락, 옥포 해전 승리, 사천 해전 승리
	7월	한산도 대첩(학익진 전법) 승리
	10월	진주 대첩 승리(1차, 김시민 전사)
1593년	1월	조·명 연합군의 평양성 탈환
	2월	행주 대첩 승리(권율 지휘, 관군과 농민 합세)

08

2018년 지방직 9급

다음 사건을 발생한 순서대로 바르게 나열한 것은?

> ㉠ 이순신이 명량에서 일본 수군을 격파하였다.
> ㉡ 의주로 피난했던 국왕 일행이 한성으로 돌아왔다.
> ㉢ 권율이 행주산성에서 일본군의 공격을 격파하였다.
> ㉣ 원균이 이끄는 조선 수군이 칠천량에서 크게 패배하였다.

① ㉡ → ㉢ → ㉠ → ㉣
② ㉡ → ㉢ → ㉣ → ㉠
③ ㉢ → ㉡ → ㉠ → ㉣
④ ㉢ → ㉡ → ㉣ → ㉠

문제풀이 임진왜란의 전개 과정

난이도 중

④ 순서대로 나열하면 ㉢ 행주 대첩(1593. 2.) → ㉡ 선조의 한성 귀환(1593. 10.) → ㉣ 칠천량 해전(1597. 7.) → ㉠ 명량 해전(1597. 9.)이 된다.

㉢ **행주 대첩**: 행주산성을 지키던 권율은 백성들과 함께 합심하여 일본군의 공격을 막아내었다(1593. 2.).

㉡ **선조의 한성 귀환**: 행주 대첩 이후 명나라와 일본 간의 휴전 협상이 진행되면서 일본군이 남쪽으로 철수하고 조·명 연합군이 한양을 수복하였다(1593. 4.). 이후 의주로 피난하였던 선조는 한성으로 돌아왔다(1593. 10.).

㉣ **칠천량 해전**: 명나라와 일본간의 휴전 협상이 결렬되자 일본군이 조선을 재침입한 정유재란이 발발(1597)하였다. 이에 원균이 일본 수군을 상대하였지만 칠천량에서 크게 패배하였다(1597. 7.).

㉠ **명량 해전**: 칠천량 해전 이후 이순신이 12척의 배를 이끌고 울돌목(명량)에서 일본 수군을 격파하였다(1597. 9.).

이것도 알면 **합격!**

정유재란의 주요 전투

1597년	1월	3년 여에 걸친 휴전 협상 결렬 → 일본군의 재침(정유재란 발발)
	7월	칠천량 해전에서 조선군 대패(원균)
	9월	직산 전투에서 승리, 명량 해전 승리
1598년	11월	일본군 철수, 노량 해전 승리(이순신 전사)

정답 05 ③ 06 ② 07 ③ 08 ④

09

2022년 법원직 9급

자료를 통해 알 수 있는 전쟁의 영향으로 가장 옳은 것은?

> 건주(建州)의 여진족이 왜적을 무찌르는 데 2만 명의 병력을 지원하겠다고 하자, 명군 장수 형군문이 허락하려 하였다. 그러나 명 사신 양포정은 만약 이를 허락한다면 명과 조선의 병력, 조선의 산천 형세를 여진족이 알게 될 수 있다고 하여 거절하였다.

① 4군 6진이 개척되었다.
② 일본의 도자기 문화가 발달하였다.
③ 부산포, 제포, 염포에 왜관이 설치되었다.
④ 황룡사 9층 목탑 등 문화재가 소실되었다.

10

2015년 법원직 9급

(가), (나) 사이의 시기에 있었던 사실로 가장 옳은 것은?

> (가) 적선이 바다를 덮어오니 부산 첨사 정발은 마침 절영도에서 사냥을 하다가, 조공하러 오는 왜라 여기고 대비하지 않았는데 미처 진(鎭)에 돌아오기도 전에 적이 이미 성에 올랐다. 이튿날 동래부가 함락되고 부사 송상현이 죽었다.
> (나) 정주 목사 김진이 아뢰기를, "금나라 군대가 이미 선천·정주의 중간에 육박하였으니 장차 얼마 후에 안주에 도착할 것입니다."하였다. 임금께서 묻기를, "이들이 명나라 장수 모문룡을 잡아가려고 온 것인가, 아니면 전적으로 우리나라를 침략하기 위하여 온 것인가?"하니, 장만이 아뢰기를, "듣건대 홍태시란 자가 매번 우리나라를 침략하고자 했다고 합니다."하였다.

① 임시 기구로 비변사를 설치하였다.
② 사화가 일어나 사림이 피해를 입었다.
③ 탕평파를 중심으로 정국이 운영되었다.
④ 광해군의 정책에 반발하여 반정이 일어났다.

문제풀이 임진왜란의 영향

난이도 중

제시문에서 여진족이 왜적을 무찌르는 데 병력을 지원하겠다고 하였으나, 명이 이를 거절했다는 것을 통해 임진왜란에 대한 내용임을 알 수 있다.

② 임진왜란 때 일본은 조선의 우수한 도자기 기술자들을 포로로 잡아갔는데, 이를 바탕으로 일본의 도자기 문화가 크게 발달하게 되었다.

오답 분석
모두 임진왜란과는 관련이 없다.

① 4군 6진이 개척된 것은 조선 세종 때 실시한 대여진 정책이다. 조선은 초기에 여진족에 대해서 포섭책을 추진하는 한편 강경책도 함께 시행하였는데, 대표적인 예가 세종 때 최윤덕과 김종서 등을 파견하여 4군 6진을 개척한 것이다.
③ 부산포, 제포, 염포에 왜관이 설치(3포 개항)된 것은 조선 세종 때 실시한 대일본 정책이다.
④ 황룡사 9층 목탑 등의 문화재가 소실된 것은 고려 시대에 있었던 몽골의 3차 침입 때이다.

이것도 알면 **합격!**

임진왜란의 영향

조선	• 국토가 황폐화되고, 인구가 크게 감소함 • 경복궁 등의 수많은 문화재 소실
중국	명이 쇠퇴하고 북방의 여진족 성장
일본	일본의 도자기 문화, 성리학 발전, 에도 막부 성립

문제풀이 임진왜란과 정묘호란 사이의 사실

난이도 중

(가)는 왜군이 부산에 상륙하여 동래부를 함락하고 동래 부사를 죽였다는 내용을 통해 임진왜란(1592)임을 알 수 있다.
(나)는 임금(인조)이 금나라(후금)가 명나라 장수 모문룡을 잡는다는 명분으로 조선을 침략한 것인지 묻는 내용을 통해 정묘호란(1627)임을 알 수 있다.

④ (가), (나) 사이 시기인 1623년에 서인은 광해군의 중립 외교 정책에 반발하여 인조반정을 일으켰다.

오답 분석
① **(가) 이전**: 비변사는 3포 왜란(1510, 중종)을 계기로 여진족과 왜구의 침입에 대비하기 위해 임시 회의 기구로 설치되었다.
② **(가) 이전**: 성종 때 중앙 정계로 사림이 진출한 이후 연산군, 중종, 명종 때 사화가 발생하였다.
③ **(나) 이후**: 영조는 탕평파를 중심으로 정국을 운영하였다.

이것도 알면 **합격!**

정묘호란의 배경

친명 배금 정책	인조반정으로 정권을 장악한 서인 정권의 친명 배금 정책
모문룡의 가도 주둔 사건	후금의 요동 공격으로 명나라 장수 모문룡이 조선으로 쫓겨오자 조선 정부는 모문룡의 가도 주둔을 지원함
이괄의 잔당이 후금을 자극	인조반정 후 논공행상에 불만을 품은 이괄 등이 난을 일으켰는데, 그 잔당들이 후금과 내통하여 전쟁을 자극함

11

2024년 법원직 9급

(가)와 (나) 사이에 있었던 사실로 가장 옳은 것은?

> (가) 명군 도독 이여송이 대병력의 관군을 거느리고 곧바로 평양성 밖에 다다라 제장에게 부서를 나누어 본성을 포위하였습니다. …… 조선의 장군들이 군사를 거느리고 가서 매복하고 함께 대로로 나아가니 왜적들은 사방으로 도망가다가 복병의 요격을 입었습니다.
>
> (나) 화의가 나라를 망친 것은 이제 오늘의 일이 아니고 옛날부터 그러하였으나 오늘날처럼 심한 적은 없었습니다. 명은 우리나라에는 부모의 나라이고 노적은 우리나라에는 부모의 원수입니다. …… 어찌 차마 이런 시기에 다시 화의를 제창할 수 있겠습니까?

① 강홍립이 이끄는 조선군은 후금에 항복하였다.
② 신립 장군은 충주에서 일본군에게 패배하였다.
③ 인조는 삼전도에 나가 굴욕적인 항복을 하였다.
④ 조선은 왜구의 약탈을 근절하고자 대마도를 정벌하였다.

12

2016년 서울시 7급

다음 내용이 포함된 조약으로 옳은 것은?

> 1. 대마도주(對馬島主)의 세사미두(歲賜米豆)는 100석으로 한다.
> 1. 대마도주의 세견선(歲遣船)은 20척으로 한다.
> 1. 왜관의 체류 시일은 대마도주가 특별히 보낸 사람은 110일, 기타 세견선은 85일이고, 표류인 등을 송환할 때는 55일로 한다.

① 기유약조
② 임신약조
③ 정미약조
④ 계해약조

문제풀이 평양성 탈환과 주전론 대두 사이의 사실 　난이도 중

(가)는 명군 도독 이여송이 관군을 거느리고 평양성 밖에 다다라 본성을 포위하였다는 내용을 통해 임진왜란 중 조·명 연합군이 평양성을 탈환(1593)한 사건임을 알 수 있다.

(나)는 화의가 나라를 망친 것은 어제 오늘의 일이 아니라는 내용과 명은 우리나라에는 부모의 나라이고 노적은 부모의 원수라는 내용을 통해 병자호란(1636) 직전에 대두된 주전론임을 알 수 있다.

① (가)와 (나) 사이 시기인 1619년에는 강홍립이 이끄는 조선군은 후금에 항복하였다. 명과 후금 사이에서 중립 외교를 펼치던 광해군은 명이 조선에 군사를 요청하자 강홍립을 파견하면서 상황에 따라 유연하게 대처하도록 명하였다. 이에 강홍립은 조선과 명의 연합군이 후금과의 전투에서 패배하자, 조선군의 출병이 부득이 이루어졌다는 사실을 밝히며 군사를 이끌고 후금에 항복하였다.

오답 분석

② **(가) 이전**: 신립이 충주에서 일본군에게 패배한 것은 임진왜란 때인 1592년으로, (가) 시기 이전의 사실이다.

③ **(나) 이후**: 인조가 삼전도에 나가 굴욕적인 항복한 것은 1637년으로, (나) 시기 이후의 사실이다. 후금이 국호를 청으로 바꾸고 조선에 군신 관계를 요구해오자, 조선 정부는 주전론과 주화론으로 국론이 분열되었고, 결국 주전론이 우세해지면서 병자호란이 일어났다. 이에 인조는 남한산성으로 피신하여 청군에 대항하였으나, 결국 삼전도에 나가 청 태종 앞에서 굴욕적인 항복을 하고 청과 군신 관계를 맺었다.

④ **(가) 이전**: 조선 시대에 왜구의 약탈을 근절하고자 대마도를 정벌한 것은 세종 때인 1419년으로, (가) 시기 이전의 사실이다.

문제풀이 기유약조 　난이도 중

제시된 자료에서 세사미두 100석, 세견선 20척 등의 제한된 범위 내에서 교섭을 한다는 내용을 통해 기유약조임을 알 수 있다. 기유약조는 임진왜란 이후 조선과의 관계가 단절된 상황에서 일본 에도 막부의 요청으로 1609년 광해군 때 체결된 것으로, 제한된 범위 내에서 교섭을 허용하였다.

① 기유약조는 임진왜란 이후 관계가 단절되었던 일본과의 교섭을 제한적으로 허용한 조약이다. 이 조약에 따라 일본과의 교역은 1년에 세사미두 100석, 세견선 20척으로 제한되었으며, 조선에 입국하는 일본인의 배는 대마도주의 문인을 소지해야 했고, 일본 상인의 활동 지역은 부산의 왜관으로 제한되었다.

오답 분석

② **임신약조**: 임신약조는 1512년 중종 때 일본과 체결한 조약으로, 3포 중 제포만 개항하고, 세견선 25척, 세사미두 100석으로 무역 규모를 제한하였다.

③ **정미약조**: 정미약조는 1547년 명종 때 사량진 왜변(1544, 중종 39)으로 중단되었던 일본과의 통교를 엄격한 통제 하에 재개한 조약으로, 세견선 25척, 일본인에 대한 철저한 통제를 주 내용으로 하고 있다.

④ **계해약조**: 계해약조는 1426년 세종 때 3포(부산포·제포·염포)를 개항한 이후 지나치게 무역량이 증가하자, 1443년에 일본과의 무역량을 최대 세견선 50척, 세사미두를 200석으로 제한한 조약이다.

정답 09 ② 10 ④ 11 ① 12 ①

13

2024년 지방직 9급

밑줄 친 '왕'의 재위 기간에 있었던 사실로 옳은 것은?

> 당초에 강홍립 등이 압록강을 건너게 된 것은 <u>왕</u>이 명 조정의 지원군 요청을 거부하기 어려워 출사시킨 것이었다. 우리나라는 애초부터 그들을 원수로 대하지 않아 싸울 뜻이 없었다. 그래서 <u>왕</u>이 강홍립에게 비밀리에 명령을 내려 오랑캐와 몰래 통하게 하였던 것이다.

① 전국에 대동법을 실시하였다.

② 허준이 『동의보감』을 편찬하였다.

③ 자의 대비의 복상 문제로 예송이 일어났다.

④ 청과 국경을 정하기 위해 백두산 정계비를 세웠다.

문제풀이 광해군 재위 시기의 사실 난이도 중

제시문에서 강홍립에게 비밀리에 명령을 내려 오랑캐와 몰래 통하게 하였다는 내용을 통해 밑줄 친 '왕'이 광해군임을 알 수 있다. 명과 후금 사이에서 중립 외교를 펼치던 광해군은 후금의 침략을 받은 명이 조선에 군사를 요청하자 도원수로 강홍립을 파견하면서 상황에 따라 유연하게 대처하도록 명하였다.

② 광해군 재위 시기에 허준이 우리나라의 전통 한의학을 체계적으로 정리한 의서인 『동의보감』을 편찬하였다.

오답 분석

① **숙종**: 전국에 대동법을 실시한 것은 숙종 때이다. 대동법은 광해군 때 경기도에서 처음 실시되었으며, 이후 숙종 때 평안도·함경도·제주도를 제외한 전국으로 확산·실시되었다.

③ **현종**: 자의 대비의 복상 문제로 예송이 일어난 것은 현종 때이다. 현종 때 효종과 효종비의 죽음에 대해 인조의 계비인 자의 대비가 몇 년간 상복을 입어야 하는지를 둘러싸고 서인과 남인 사이에 두 차례의 예송(기해예송, 갑인예송)이 일어났다.

④ **숙종**: 청과 국경을 정하기 위해 백두산 정계비를 세운 것은 숙종 때이다. 숙종 때 조선의 대표 박권과 청의 대표 목극동이 백두산 일대를 답사한 뒤 국경을 확정한 백두산 정계비를 세웠다.

14

2022년 소방직

밑줄 친 '왕'의 재위 기간에 있었던 사실로 옳지 않은 것은?

> 후금이 명에 대하여 전쟁을 포고하자, 명은 조선에 원군을 요청하였다. <u>왕</u>은 강홍립을 도원수로 삼아 군대를 이끌고 명을 지원하게 하되, 적극적으로 나서지 말고 상황에 따라 대처하도록 명령하였다. 조·명 연합군이 후금군에 패하자 강홍립은 후금에 항복하였다. 이후에도 명의 원군 요청은 계속되었지만, <u>왕</u>은 이를 적절히 거절하면서 후금과 친선을 꾀하는 중립적인 정책을 취하였다.

① 허준이 『동의보감』을 완성하였다.

② 경기도에 한하여 대동법을 실시하였다.

③ 국방력 강화를 위해 5군영 체제를 완비하였다.

④ 기유약조를 체결하여 제한된 범위의 교섭을 허용하였다.

문제풀이 광해군 재위 기간의 사실 난이도 하

제시문에서 후금이 명에 전쟁을 선포하자 명이 조선에 원군을 요청하였으며, 강홍립을 파견하여 명을 지원하게 하였다는 것과 후금과 친선을 꾀하는 중립적인 정책을 취하였다는 내용을 통해 밑줄 친 '왕'이 광해군임을 알 수 있다.

③ 국방력 강화를 위해 5군영 체제를 완비한 것은 숙종 때의 사실이다. 숙종 때는 병조판서인 김석주의 건의에 따라 국왕의 호위와 수도의 방위를 주 목적으로 하는 금위영을 설치하여 5군영 체제를 완비하였다.

오답 분석

모두 광해군 재위 기간에 일어난 사실이다.

① 허준은 선조의 명을 받아 『동의보감』을 편찬하기 시작하였으며, 광해군 때 이를 완성하였다. 『동의보감』은 우리나라의 전통 한의학을 체계적으로 정리한 의서이다.

② 대동법은 광해군 때 처음으로 경기도에서 시험적으로 시행되었다. 이후 대동법은 인조 때 강원도, 효종 때 충청도와 전라도 연해를 거쳐, 숙종 때에 이르러 함경도와 평안도, 제주도를 제외한 전국에서 실시되었다.

④ 광해군 때 대마도주와 기유약조를 체결하여 제한된 범위의 교섭을 허용하였다. 기유약조에는 세사미두 100석, 세견선은 20척으로 무역 규모를 제한하였으며, 부산포만을 개항하고 왜관 이외의 일본인 거류를 금지하는 등의 내용을 담고 있다.

15

2021년 법원직 9급

(가), (나) 사이의 시기에 있었던 사실로 가장 옳은 것은?

> (가) 기묘사화가 일어나 사림이 피해를 입었다.
> (나) 서인이 반정을 일으켜 정권을 장악하였다.

① 동인이 남인과 북인으로 분화하였다.

② 환국을 거치며 노론과 소론이 갈라섰다.

③ 1차 예송에서 승리한 서인이 집권하였다.

④ 조광조가 훈구 세력의 위훈 삭제를 주장하였다.

문제풀이 기묘사화와 인조반정 사이의 사실 난이도 중

(가)는 중종 때 조광조의 개혁에 반발한 훈구 세력들이 '주초위왕' 사건을 꾸며 조광조 일파(사림)를 제거한 기묘사화(1519)이다.

(나)는 서인이 중립 외교와 폐모살제(광해군이 계모인 인목대비를 유폐시키고 이복 동생인 영창 대군을 살해한 사건)를 빌미로 광해군과 북인 정권을 몰아내고 인조를 왕으로 세운 인조반정(1623)이다.

① (가)와 (나) 사이 시기인 선조 대에 정여립 모반 사건과 정철의 건저 문제를 계기로 동인이 남인과 북인으로 분화하였다. 정여립 모반 사건(기축옥사, 1589)으로 동인의 원한을 사게 된 정철이 이후 건저 문제(세자 책봉 문제, 1591)로 선조의 미움을 받아 탄핵되었을 때, 정철에 대한 처벌 문제를 둘러싸고 동인이 온건파인 남인과 강경파인 북인으로 분화하였다.

오답 분석

② **(나) 이후**: 환국으로 노론과 소론이 갈라선 것은 (나) 이후의 사실이다. 숙종 때의 경신환국(1680) 이후 남인에 대한 처벌을 놓고 서인이 강경파인 노론과 온건파인 소론으로 분리되었다.

③ **(나) 이후**: 1차 예송(기해예송, 1659)에서 승리한 서인이 집권한 것은 (나) 이후의 일이다. 효종이 죽은 후 인조의 계비인 자의 대비의 복상 기간을 둘러싸고 1차 예송이 벌어졌다. 이때 서인은 1년설(기년설), 남인은 3년설을 주장하였는데, 서인의 주장이 받아들여지면서 서인이 집권하게 되었다.

④ **(가) 이전**: 조광조가 훈구 세력의 위훈 삭제를 주장(1519)한 것은 (가) 이전의 사실이다. 조광조 등이 중종반정 공신들 중 거짓 공훈을 삭제하자는 위훈 삭제를 주장하자, 이에 반발한 훈구 세력에 의해 조광조 등 신진 사림이 제거되는 기묘사화가 일어났다.

16

2017년 국가직 9급(10월 시행)

다음 상소 이후에 나타난 사실로 옳지 않은 것은?

> 윤집(尹集)이 상소하기를 "화의가 나라를 망친 것은 어제 오늘의 일이 아니고 옛날부터 그러하였으나 오늘날처럼 심한 적은 없었습니다. 명나라는 우리나라에 있어서 부모의 나라이고 노적은 우리나라에 있어서 부모의 원수입니다. …… 지난날 성명께서 크게 분발하시어 의리에 의거하여 화의를 물리치고 중외에 포고하고 명나라에 알리시니, 온 동토(東土) 수천 리가 모두 크게 기뻐하여 서로 고하기를 '우리가 오랑캐가 됨을 면하였다.'고 하였습니다."
>
> –『인조실록』

① 소현 세자는 청에서 서양의 문물에 관심을 가지고, 천문 관련 서적 등을 가져왔다.

② 조선은 청과 굴욕적인 형제의 맹약을 맺었다.

③ 조선은 복수설치(復讐雪恥)를 과제로 삼았다.

④ 숭정처사(崇禎處士), 대명거사(大明居士)로 자처하며 출사를 거부하는 인물이 있었다.

문제풀이 주전론 이후의 사실 난이도 중

제시문은 윤집의 상소로, 병자호란(1636) 직전에 청이 군신 관계를 요구해 온 상황에서 청과 싸우자고 주장하는 주전론의 내용을 담고 있다. 정묘호란(1627) 이후 후금이 국호를 청이라 하고, 형제 관계였던 조선에 군신 관계를 요구해오자 조선 정부는 주전론과 주화론으로 국론이 분열되었고, 결국 주전론이 우세해지면서 병자호란이 일어나게 되었다.

② 조선이 청과 굴욕적인 형제의 맹약을 맺은 것은 정묘호란(1627) 때의 일로, 윤집의 상소 이전의 일이다.

오답 분석

① 병자호란의 결과, 주전론을 주장한 윤집을 포함한 3학사(홍익한, 윤집, 오달제)와 소현 세자, 봉림 대군은 청에 인질로 끌려갔다. 이때 소현 세자는 청에 머무르면서 서양의 문물에 관심을 가지게 되었고, 조선에 천문 관련 서적 등을 가져왔다.

③ 병자호란 이후 조선은 복수설치(청에게 복수를 하고 치욕을 씻자는 입장)를 당면 과제로 삼아 북벌 운동을 전개하였다.

④ 병자호란 이후 숭정처사(명나라 마지막 황제인 숭정제를 숭배하며 청을 배척)와 대명거사(명을 떠받들고 청을 배척)를 자처하며 출사를 거부하는 인물들이 있었다. 대표적으로 김시온은 관직 제수에 끝내 응하지 않고 숭정처사라 자처하였으며, 이희량도 대명거사라 자처하며 관직을 거부하였다.

정답 13 ② 14 ③ 15 ① 16 ②

17

2024년 국가직 9급

다음 사건 이후에 있었던 사실로 옳은 것은?

> 홍서봉 등이 한(汗)의 글을 받아 되돌아왔는데, 그 글에, "대청국의 황제는 조선의 관리와 백성들에게 알린다. 짐이 이번에 정벌하러 온 것은 원래 죽이기를 좋아하고 얻기를 탐해서가 아니다. 본래는 늘 서로 화친하려고 했는데, 그대 나라의 군신이 먼저 불화의 단서를 야기시켰다."라고 하였다.

① 삼전도비가 세워졌다.
② 이괄이 난을 일으켰다.
③ 인조가 강화도로 피난하였다.
④ 정봉수가 용골산성에서 항전하였다.

18

2023년 지방직 9급

(가) 시기에 있었던 사실로 옳지 않은 것은?

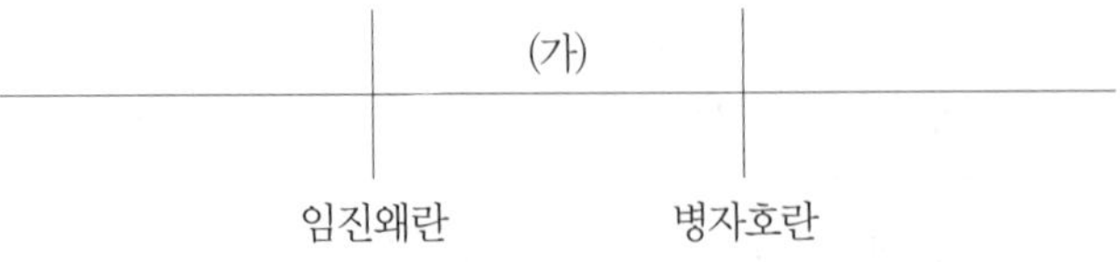

① 인조반정이 발생하였다.
② 영창 대군이 사망하였다.
③ 강홍립이 후금에 항복하였다.
④ 청에 인질로 끌려갔던 봉림 대군이 귀국하였다.

문제풀이 병자호란 이후의 사실 난이도 중

제시문에서 대청국의 황제가 이번에 정벌하러 왔다는 내용을 통해 병자호란에 대한 설명임을 알 수 있다. 후금은 나라 이름을 청으로 바꾸고 조선에 군신 관계를 요구하였다. 그러나 조선에서는 주전론이 우세해 청의 요구를 거부하자, 청 태종은 직접 군사를 이끌고 조선을 침략하였다(병자호란, 1636).

① 병자호란 이후인 1637년에 삼전도비가 세워졌다. 병자호란 때 남한산성에서 항전을 계속하던 인조는 결국 1637년 1월에 삼전도(현재 서울 송파구 부근)로 나아가 청 태종 앞에 무릎을 꿇고 굴욕적인 항복을 하였다. 그 결과 많은 신하들과 왕자들이 인질로 붙잡혀 갔고, 삼전도에 대청 황제의 공덕을 기리는 삼전도비(대청 황제 공덕비)가 세워졌다.

오답 분석
모두 병자호란 이전의 사실이다.

② 이괄이 난을 일으킨 것은 1624년의 사실이다. 인조반정 후 논공행상에 대한 불만을 가진 이괄은 난을 일으켰으나 실패하였다.
③ 인조가 강화도로 피난한 것은 정묘호란 때인 1627년의 사실이다. 후금이 광해군을 위해 보복한다는 명분으로 정묘호란을 일으켜 황해도 평산까지 쳐들어 오자 인조는 강화도로 피난하였다.
④ 정봉수가 용골산성에서 항전한 것은 정묘호란 때인 1627년의 사실이다. 정묘호란 때에는 용골산성에서 정봉수가, 의주에서 이립 등이 의병을 일으켜 후금에게 항전하였다.

문제풀이 임진왜란과 병자호란 사이의 사실 난이도 하

제시된 자료에서 임진왜란은 1592년에 발생하였으며, 병자호란은 1636년에 발생하였다. 따라서 (가) 시기는 1592~1636년이다.

④ 청에 인질로 끌려갔던 봉림 대군(이후 효종)이 귀국한 것은 1645년 5월로, (가) 시기 이후의 사실이다. 병자호란의 결과 소현 세자와 봉림 대군은 청에 인질로 끌려가게 되었고, 이후 1644년에 명이 망하게 되자 청은 소현 세자의 귀국을 허락하였다. 소현 세자는 1645년 2월에 먼저 귀국하였지만 두 달 만에 사망하였고, 봉림 대군은 1645년 5월에 귀국하였다.

오답 분석
모두 (가) 시기에 있었던 사실이다.

① 인조반정은 1623년에 발생하였다. 인조반정은 서인이 광해군을 폐위시키고 인조를 왕으로 옹립한 사건이다.
② 선조의 계비 인목대비의 아들인 영창 대군은 1614년에 사망하였다. 서자 출신으로 왕위에 오른 광해군은 이이첨 등 대북파의 요청에 따라 정비의 소생으로 왕권을 위협하던 이복 동생인 영창 대군을 제거하였다.
③ 강홍립은 1619년에 후금에 항복하였다. 명과 후금 사이에서 중립 외교를 펼치던 광해군은 명이 조선에 군사를 요청하자 강홍립을 파견하면서 상황에 따라 유연하게 대처하도록 명하였다. 이에 강홍립은 조선과 명의 연합군이 전투에서 패배하자, 조선군의 출병이 부득이 이루어졌다는 사실을 밝히며 군사를 이끌고 후금에 항복하였다.

19

2017년 사회복지직 9급

밑줄 친 내용과 관련된 사실로 가장 옳지 않은 것은?

> 전일 ㉠ 세자가 심양에 있을 때 집을 지어 고운 빨간 빛의 흙을 발라서 단장하고, 또 ㉡ 포로로 잡혀간 조선 사람들을 모집하여 둔전을 경작해서 곡식을 쌓아 두고는 그것으로 진기한 물품과 무역을 하느라 ㉢ 관소의 문이 마치 시장 같았으므로, ㉣ 임금이 그 사실을 듣고 불평스럽게 여겼다.

① ㉠ 세자 – 북경에서 아담 샬과 만나 교류하였다.

② ㉡ 포로 – 귀국한 여성 중에는 가족들의 천대와 멸시를 받는 이도 있었다.

③ ㉢ 관소 – 심양관은 외교적 기능을 담당하기도 하였다.

④ ㉣ 임금 – 전쟁의 치욕을 벗기 위해 북벌론을 적극 추진하였다.

문제풀이 병자호란 이후의 상황 난이도 중

제시문에서 '세자가 심양에 있을 때', '포로로 잡혀간 조선 사람들' 등을 통해 병자호란 이후의 상황임을 알 수 있다. 따라서 밑줄 친 ㉠ 세자는 병자호란의 결과 청으로 압송된 소현 세자, ㉡ 포로는 병자호란 때 잡혀간 조선인 포로, ㉢ 관소는 청나라 수도 심양에 볼모로 잡혀간 소현 세자와 봉림 대군 등이 거주하였던 심양관, ㉣ 임금은 병자호란 때 조선의 임금이었던 인조이다.

④ 전쟁의 치욕을 벗기 위해 북벌론을 적극 추진한 임금은 효종(봉림 대군)이다. 효종은 '청을 정벌하자'는 북벌 계획을 수립한 후 청에 대해 적대적이던 송시열, 송준길, 이완 등을 중용하여 군대를 양성하였으며, 어영청을 강화하고 성곽을 수리하는 등 적극적인 북벌 정책을 추진하였다.

오답 분석

① 병자호란의 결과 청나라에 볼모로 잡혀간 소현 세자는 북경에서 선교사 아담 샬과 만나 교류하며 서양 과학 기술에 대한 이해를 높이게 되었다. 이후 소현 세자는 조선으로 귀국할 때 아담 샬에게 선물 받은 천문·과학·천주교 서적과 자명종, 지구의, 천구의 등을 가지고 왔다.

② 청은 피난 중인 사대부 집안의 부녀자들을 포로로 집아갔는데, 이후 송환된 부녀자들 중에는 정절을 잃었다 하여 가족들의 천대와 멸시를 받는 이도 있었다.

③ 심양관에 거주하였던 소현 세자 일행은 인질의 신분이었지만, 청과 조선의 연락을 담당하고, 조선의 입장을 청에 전달하는 등 외교적 업무도 수행하였다.

20

2023년 계리직 9급

밑줄 친 (　　)의 행적에 대한 설명으로 옳은 것은?

> (　　)은/는 본국에 돌아온 지 얼마 되지 않아 병을 얻었고, 병이 난지 수일 만에 죽었다. 온몸이 전부 검은빛이었고, 이목구비의 일곱 구멍에서는 모두 선혈이 흘러나왔다. 검은 천으로 그 얼굴 반쪽만 덮어놓았으나, 곁에 있는 사람도 그 얼굴빛을 분변할 수 없어서 약물에 중독되어 죽은 사람과 같았다.
>
> –『조선왕조실록』

① 청에 복수하고 치욕을 갚기 위해 북벌을 주장하였다.

② 청을 왕래하며 얻은 경험으로 『의산문답』 등을 저술하였다.

③ 서양인 신부 아담 샬과 교류하면서 서양 문물을 들여왔다.

④ 에도 막부에게서 울릉도와 독도가 조선 영토임을 확인하는 문서를 받아왔다.

문제풀이 소현 세자 난이도 상

제시문에서 본국에 돌아온 지 얼마 되지 않아 병을 얻어 수일 만에 죽었으며, 얼굴빛을 분변할 수 없어서 약물에 중독되어 죽은 사람과 같았다는 내용을 통해 밑줄 친 괄호 안에 들어갈 인물이 소현 세자임을 알 수 있다. 『조선왕조실록』에 의하면 소현 세자는 청에서 귀국한 지 얼마 지나지 않아 갑자기 사망하였는데, 이목구비 등에서 출혈이 있었다고 기록하고 있어 은연중에 소현 세자가 독살되었음을 시사하였다.

③ 소현 세자는 서양인 신부 아담 샬과 교류하면서 서양 문물을 적극 수용하였고, 볼모 생활이 끝나고 조선으로 귀국할 때 서양 문물들을 가지고 들어왔다.

오답 분석

① **효종**: 청에 복수하고 치욕을 갚기 위해 북벌을 주장한 인물은 효종이다. 한편, 소현 세자는 청의 존재를 인정하면서 청의 왕족 등과 친교를 맺고 양국 관계를 정상화하는 데 노력하였다.

② **홍대용**: 청을 왕래하며 얻은 경험으로 『의산문답』 등을 저술한 인물은 홍대용이다. 『의산문답』은 홍대용이 실옹과 허자의 대화 형식을 빌려 지구가 자전한다는 지전설과 지구가 우주의 중심이 아니라 무수한 별 중 하나라는 무한 우주론을 바탕으로 중국 중심의 세계관을 비판한 책이다.

④ **안용복**: 에도 막부에게서 울릉도와 독도가 조선 영토임을 확인하는 문서를 받아온 인물은 안용복이다.

정답 17 ① 18 ④ 19 ④ 20 ③

1 | 조선 전기의 경제

01

2023년 서울시 9급

〈보기〉의 밑줄 친 '법'에 대한 설명으로 가장 옳은 것은?

> **보기**
>
> 12월에 새 왕이 즉위하자, 대사헌(大司憲) 조준(趙浚) 등이 또 상소하여 토지 제도에 대해 논하여 말하기를, "하늘이 재앙을 내린 것을 후회하시어 흉악한 무리들을 이미 멸망시켰으며 신돈(辛旽)이 이미 제거되었으니, 마땅히 사전(私田)을 모두 없애 이 민(民)이 부유하고 장수하는 영역을 여는 것, 이것이 그 기회입니다. …… 이를 규정된 법으로 정하셔서 백성과 더불어 다시 시작하십시오. ……"라고 하였다.
>
> 3년 5월 도평의사사(都評議使司)에서 토지를 지급하는 법을 정할 것을 청하니, 그 의견대로 하였다.

① 전지와 시지를 지급하였다.

② 경기 지역의 토지만 지급하였다.

③ 현직 관리에게만 토지를 지급하였다.

④ 토지에 부과하는 세금을 4~6두로 고정하였다.

문제풀이 과전법 난이도 하

제시문에서 조준 등이 상소하였고, 도평의사사에서 토지를 지급하는 법을 정할 것을 청하였다는 내용을 통해 밑줄 친 '법'이 과전법임을 알 수 있다.

② 과전법은 경기 지역만을 대상으로 18관등에 따라 전·현직 관리들에게 최고 150결에서 최하 10결까지의 과전에 대한 수조권을 지급한 토지 제도이다.

오답 분석

① **전시과**: 전지와 시지를 지급한 것은 고려 시대의 전시과이다. 전시과는 관리들에게 관직 복무와 직역에 대한 대가로 토지(수조권)를 지급한 제도로, 관리에게 전지(곡물을 재배하는 토지)와 시지(땔감을 얻을 수 있는 토지)를 차등적으로 지급하였다.

③ 과전법은 현직 관리뿐만 아니라 전직 관리에게도 지급되었다. 이후 직전법 시행으로 현직 관리에게만 토지의 수조권을 지급하였다.

④ **영정법**: 토지에 부과하는 세금을 4~6두로 고정한 것은 영정법이다. 영정법은 세종 때 제정된 공법의 판정이 복잡하고 제대로 운영되지 못하자, 인조 때 토지에 부과하는 세금인 전세를 풍흉에 관계없이 1결당 미곡 4~6두로 고정시킨 제도이다.

02

2015년 서울시 7급

조선 시대 과전법 제도에 대한 설명으로 옳지 않은 것을 ㉠~㉤ 중에서 모두 고른 것은?

> 과전은 ㉠ 18등급으로 나누어 경기 지방의 전지와 시지를 지급하였는데, 이때 관리들에게 준 토지는 ㉡ 소유권을 지급한 것이다. 이 토지를 ㉢ 받은 자가 죽거나 반역을 하면 국가에 반납하도록 정해져 있었다. ㉣ 공신전은 세습을 할 수 없었으나, 죽은 관료의 가족에 대해서는 생계를 유지할 수 있도록 하기 위하여 받았던 토지 중 일부를 ㉤ 수신전, 휼양전 등으로 다시 지급하여 세습이 가능하도록 하였다.

① ㉠, ㉡　② ㉠, ㉡, ㉢

③ ㉠, ㉡, ㉣　④ ㉢, ㉤

문제풀이 과전법 난이도 중

③ 옳지 않은 것을 모두 고르면 ㉠, ㉡, ㉣이다.

㉠ 과전법은 18등급으로 나누어 경기 지방의 전지만 지급하였고, 시지는 지급하지 않았다.

㉡ 과전법은 토지에 대해 세금을 수취할 수 있는 수조권을 지급하였다.

㉣ 공신전은 국가에 공을 세운 관리에게 지급한 것으로, 세습이 가능하였다.

오답 분석

㉢ 과전법은 원칙적으로 과전의 세습을 허용하지 않아 과전을 받은 자가 죽거나 반역을 하면 국가에 반납해야 했다.

㉤ 과전법은 원칙적으로 세습이 금지되었지만 죽은 관리들의 가족들이 생계를 유지할 수 있도록 수신전, 휼양전의 명목으로 지급되어 사실상 세습이 가능하였다.

이것도 알면 **합격!**

과전법

배경	권문세족의 토지 겸병으로 재정 궁핍
목적	• 신진 사대부의 경제적 기반 마련 • 국가 재정 확충
내용	• 경기 지방에 한해 전지만 지급 • 원칙: 관리가 사망하거나 반역할 경우 국가에 반납, 세습할 수 없음 → 예외적으로 수신전, 휼양전 등의 명목으로 세습 허용

03

2014년 기상직 9급

다음 토지 제도의 실시에 따른 변화상에 대한 설명으로 옳은 것은?

> • 중앙의 관료들에게 사전(私田)이라는 명목으로 과전을 지급하였다.
> • 죽은 관료의 가족 생계를 위하여 수신전, 휼양전을 지급하였다.
> • 특별히 공이 있는 신하에게 공신전이나 별사전을 지급하였다.
> • 지방 전주(田主)들의 수조지를 몰수하고 군전(軍田)을 지급하였다.

> ㉠ 사전의 소유권은 전객(佃客)에게 있었고, 수조권은 전주에게 있었다.
> ㉡ 농민의 생활 안정을 위하여 농민의 토지 소유권을 보장하고 10분의 1세를 공정하게 하여 병작제가 법적으로 허용되었다.
> ㉢ 세습되는 토지가 많아져 관료들에게 지급할 토지가 점차 부족하게 되었다.
> ㉣ 관계(官階)만 있고 관직이 없는 사람들은 수조권을 갖지 못하게 되었다.

① ㉠, ㉡ ② ㉠, ㉢ ③ ㉡, ㉢ ④ ㉡, ㉣

문제풀이 과전법 난이도 중

제시문에서 중앙의 관료들에게 과전을 지급하고, 죽은 관료의 가족 생계를 위해 수신전과 휼양전을 지급하였다는 내용을 통해 제시문의 토지 제도가 과전법임을 알 수 있다.

② 옳은 것을 모두 고르면 ㉠, ㉢이다.

㉠ 과전법에서 사전의 소유권은 전객에게 있었고, 수조권은 전주가 가지고 있었다.

㉢ 과전법에서 토지 세습은 원칙적으로 허용되지 않았으나 죽은 관리의 가족들의 생계를 위해 수신전, 휼양전 등의 명목으로 세습이 허용되었다. 이로 인해 점차 지급해야 할 토지가 부족해졌다.

오답 분석

㉡ 병작제는 토지가 없는 농민이 지주에게 토지를 빌리고 그 대가로 수확량의 절반(1/2)을 바치는 일종의 소작 제도로, 과전법 체제 하에서는 병작제가 법적으로 금지되었다.

㉣ 과전법 체제 하에서는 수조권의 지급 대상이 전·현직 관리였기 때문에 관직이 없고 관계만 있는 사람에게도 수조권이 지급되었다.

04

2013년 법원직 9급

다음 표의 (가)에 들어갈 제도에 대한 설명으로 옳은 것은?

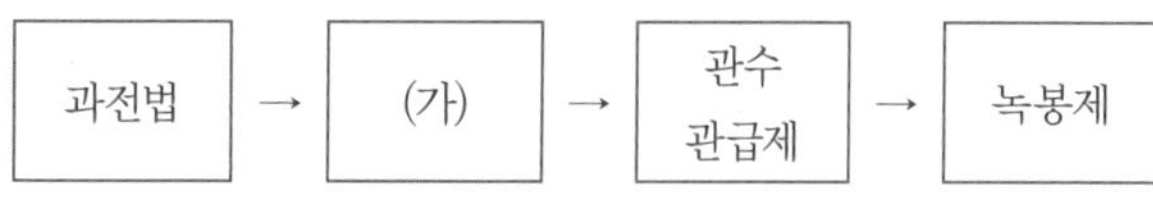

과전법 → (가) → 관수 관급제 → 녹봉제

① 해당 지역의 조세와 역 징발권을 부여하였다.
② 현직 관리에 한하여 수조권을 지급하였다.
③ 국가에서 직접 세금을 거두어 관리에게 지급하였다.
④ 인품과 관품에 따라 전지와 시지를 지급하였다.

문제풀이 직전법 난이도 중

주어진 표에서 과전법과 관수 관급제 사이에 실시되었다는 것을 통해 (가) 제도가 직전법임을 알 수 있다.

② 직전법은 관리들의 토지 세습으로 경기도의 과전이 부족해지자 세조 때 실시된 토지 제도로, 현직 관리에게만 수조권을 지급하였다.

오답 분석

① **식읍·녹읍**: 해당 지역의 조세와 역 징발권을 부여한 것은 고대의 식읍과 녹읍이다. 식읍과 녹읍을 받은 귀족들은 해당 지역의 조세를 수취하는 것은 물론 농민의 노동력도 징발할 수 있었다.

③ **관수 관급제**: 국가에서 직접 세금을 거두어 관리에게 지급한 것은 성종 때 실시된 관수 관급제이다.

④ **시정 전시과**: 인품과 관품에 따라 전지와 시지를 지급한 것은 고려 시대의 시정 전시과이다.

이것도 알면 **합격!**

직전법(1466)

배경	신진 관리에게 지급할 토지가 부족해짐
내용	• 현직 관리에게만 수조권 지급 • 수신전과 휼양전 폐지
한계	• 관리들의 토지 사유화 → 농장 확대 초래 • 농민에 대한 관리들의 수조권 남용 심화

정답 01 ② 02 ③ 03 ② 04 ②

05

2024년 서울시 9급(2월 시행)

〈보기〉의 (가)~(라)에 대한 설명으로 가장 옳은 것은?

보기

조선 왕조 개창 당시 관리의 경제적 기반을 보장하기 위해 [(가)]을/를 시행하였다. 이는 경기 지방의 토지를 대상으로 했으며, 관리 사후 지급받은 토지를 국가에 반납하는 것이었다. 하지만 관리 사후 아내가 재혼하지 않았으면 그 전부 혹은 일부를 [(나)](으)로 지급했으며, 부모가 모두 죽고 자손이 20세 미만이면 이들의 부양을 위해 [(다)](으)로 주어졌다. 이후 세조는 이러한 제도를 고쳐 [(라)]을/를 시행하여, 그 지급 대상을 축소했다.

① (가)는 '과전법'으로, 현직 관리에게만 지급한 것이다.

② (나)는 '전시과'로, 전지와 시지를 나누어 주는 것이다.

③ (다)는 '구분전'으로, 수조권을 지급하는 것이다.

④ (라)는 '직전법'으로, 그 시행에 따라 수신전이 폐지되었다.

문제풀이 조선 전기의 토지 제도

난이도 중

(가)는 조선 왕조 개창 당시 관리의 경제적 기반을 보장하기 위해 시행하였다는 내용을 통해 과전법임을 알 수 있다.

(나)는 관리 사후 아내가 재혼하지 않았으면 지급하였다는 내용을 통해 수신전임을 알 수 있다.

(다)는 부모가 모두 죽고 20세 미만의 자손에게 주어졌다는 내용을 통해 휼양전임을 알 수 있다.

(라)는 세조가 고쳐 시행하여 그 지급 대상을 축소했다는 내용을 통해 직전법임을 알 수 있다.

④ (라)는 세조 때 시행된 '직전법'으로, 현직 관리에게만 토지의 수조권을 지급하였다. 이에 따라 죽은 관리들의 가족들에게 지급되었던 수신전과 휼양전이 폐지되었다.

오답 분석

① (가)가 '과전법'인 것은 맞지만, 과전법은 전·현직 관리 모두에게 토지의 수조권을 지급하였다.

② (나)는 '수신전'이다. 한편, 전시과는 고려 시대에 관리에게 관직 복무에 대한 대가로 전지(논밭)와 시지(땔감을 얻을 수 있는 땅)를 지급한 제도이다.

③ (다)는 '휼양전'이다. 한편, 구분전은 고려 시대에 하급 관리나 군인의 유가족에게 수조권을 지급한 토지이다.

06

2016년 경찰직(1차)

다음 (가)~(다)는 조선 시대의 토지 제도에 대한 내용이다. 이에 대한 설명으로 가장 적절한 것은?

(가) 국가 재정을 확충하고 신진 사대부의 경제적 기반을 확보하기 위해 만들었다.
(나) 과전의 세습 등으로 관료에게 지급할 토지가 부족해지자 현직 관리에게만 수조권을 지급하였다.
(다) 지방 관청에서 그 해의 생산량을 조사하여 거두고 관리들에게 나누어 주었다.

① (가)는 경기 지방을 비롯한 전국의 토지로 지급하였는데, 받은 사람이 죽거나 반역을 하면 국가에 반환하도록 정해져 있었다.

② (가)는 관료에게 전지와 시지에 대한 수조권을 함께 지급하였다.

③ (나)는 (다)가 시행된 이후에 폐지되었다.

④ (다)가 실시되어 국가의 토지 지배권이 약화되었다.

문제풀이 조선 시대의 토지 제도

난이도 중

(가)는 고려 말 혁명파 사대부의 주도하에 국가 재정 확충과 신진 사대부의 경제적 기반 마련을 목적으로 실시된 토지 제도인 과전법이다.

(나)는 과전의 세습 등으로 관리에게 지급할 토지가 부족해지자 세조 때 현직 관리에게만 토지를 지급하도록 한 토지 제도인 직전법이다.

(다)는 성종 때 지방 관청에서 그 해의 생산량을 조사한 후, 국가가 농민으로부터 직접 조를 거두어 관리에게 나누어 준 토지 제도인 관수 관급제이다.

③ 직전법은 관수 관급제(1470)가 시행된 이후인 1556년 명종 때 폐지되었다. 관수 관급제가 시행된 이후에도 농장이 계속 확대되는 폐단이 발생하자 명종은 직전법을 폐지하고 관리들에게 녹봉만 지급하였다.

오답 분석

① 과전법은 경기 지역에 한정하여 과전을 지급하였다. 또한, 과전법 하에서는 원칙적으로 과전의 세습이 금지되었기 때문에 받은 관리가 죽거나 반역을 하면 국가에 반환해야 했다.

② 과전법은 18관등에 따라 전·현직 관리들에게 최고 150결에서 최하 10결까지의 과전에 대한 수조권을 지급하였는데, 전지만 지급하고 시지는 지급하지 않았다.

④ 국가가 농민으로부터 직접 조를 거둔 뒤 관리에게 나누어 주는 관수 관급제가 실시되면서 양반 관료들이 수조권을 빌미로 토지와 농민을 지배하는 방식이 사라지게 되었고, 국가의 토지에 대한 지배권이 강화되었다.

07

2015년 국가직 9급

과전법과 그 변화에 대한 설명으로 옳지 않은 것은?

① 수신전, 휼양전을 죽은 관료의 가족에게 지급하였다.

② 공음전을 5품 이상의 관료에게 주어 세습을 허용하였다.

③ 세조 대에 직전법으로 바꾸어 현직 관리에게만 수조권을 지급하였다.

④ 성종 대에는 관수 관급제를 실시하여 전주의 직접 수조를 지양하였다.

문제풀이 과전법의 변천 내용 난이도 중

② 공음전은 고려 시대의 토지 제도이다. 고려 시대에는 5품 이상의 고위 관료에게 공음전을 지급하여 이를 세습할 수 있도록 하였다.

오답 분석

① **과전법**: 과전법은 원칙상 세습이 불가능하였지만 죽은 관료의 가족들이 생계를 유지할 수 있도록 토지 중 일부를 수신전, 휼양전으로 다시 지급하여 실질적으로 세습이 허용되었다.

③ **직전법**: 관리에게 지급할 토지가 부족해지자, 세조 때 수신전, 휼양전을 폐지하고 현직 관리에게만 수조권을 지급하는 직전법이 실시되었다.

④ **관수 관급제**: 직전법 실시 이후 관료들의 수조권 남용이 심화되자 성종 때 국가가 전주(관리)의 수조권을 대행하는 관수 관급제를 실시하였다.

 이것도 알면 **합격!**

관수 관급제 실시와 직전법 폐지

관수 관급제 실시 (성종)	• 국가가 직접 농민으로부터 세금을 거둔 뒤 관리에게 지급 • 양반들이 수조권을 빌미로 토지와 농민을 지배하는 방식이 사라지고, 국가의 토지 지배력 강화 • 퇴직 이후를 걱정하게 된 관리들의 토지 소유 욕구를 자극하여 농장이 확대되고 소작농 증가
직전법 폐지 (명종)	• 농장이 확대되자 직전법을 폐지하고 관리들에게 녹봉만 지급 • 수조권에 입각한 토지 지배 관계가 해체되고, 소유권에 바탕을 둔 지주 전호제가 더욱 확대

08

2012년 지방직(상) 9급

다음 조선 전기의 토지 제도에 대한 설명으로 옳지 않은 것은?

> (가) 지방 관청에서 그 해의 생산량을 조사하고 조(租)를 거두어 관리에게 나누어 주었다.
> (나) 국가 재정과 관직에 진출한 신진 사대부의 경제적 기반을 확보하기 위해 만들었다.
> (다) 과전의 세습 등으로 관료에게 지급할 토지가 부족해지자 현직 관리에게만 토지를 지급하였다.

① (가)가 실시되어 국가의 토지 지배권이 한층 강화되었다.

② (나)에서 사전은 처음에 경기 지방에 한정하여 지급하였다.

③ (다)가 폐지됨에 따라 지주 전호제 관행이 줄어들었다.

④ 시기 순으로 (나), (다), (가)의 순서로 실시되었다.

문제풀이 조선 전기의 토지 제도 난이도 중

(가)는 관리가 직접 수취하는 것이 아니라 지방 관청에서 생산량을 조사하고 조를 거두어 나누어 주었다는 것을 통해 관수 관급제임을 알 수 있다.

(나)는 국가 재정과 신진 사대부의 경제적 기반을 확보하기 위해 제정했다는 것을 통해 과전법임을 알 수 있다.

(다)는 과전의 세습으로 인해 관료에게 지급할 토지가 부족해지자 현직 관리에게만 토지를 지급했다는 내용을 통해 직전법임을 알 수 있다.

③ 직전법이 폐지되면서 수조권에 입각한 토지 지배 관계가 해체되었고, 소유권에 바탕을 둔 지주 전호제의 관행이 강화되었다.

오답 분석

① 관수 관급제가 실시되면서 관료들이 수조권을 빌미로 토지와 농민을 지배하는 방식이 사라지고, 국가의 토지 지배력이 강화되었다.

② 전국의 토지를 대상으로 한 전시과와 달리 과전법은 경기 지방을 대상으로 실시되었다.

④ (나) 과전법(1391) → (다) 직전법(1466) → (가) 관수 관급제(1470)의 순서로 실시되었다.

정답 05 ④ 06 ③ 07 ② 08 ③

09

2017년 지방직 9급(6월 시행)

밑줄 친 '제도'에 대한 설명으로 옳은 것은?

> 국왕이 말했다. "나는 일찍부터 이 <u>제도</u>를 시행해 여러 해의 평균을 파악하고 답험(踏驗)의 폐단을 영원히 없애려고 해왔다. 신하들부터 백성까지 두루 물어보니 반대하는 사람은 적고 찬성하는 사람이 많았으므로 백성의 뜻도 알 수 있다."

① 토지의 비옥도에 따라 조세를 차등 징수하였다.

② 풍흉에 상관없이 1결당 4~6두를 조세로 징수하였다.

③ 토지 소유자에게 1결당 미곡 12두를 조세로 징수하였다.

④ 토지 소유자에게 수확량의 10분의 1을 조세로 징수하였다.

10

2014년 법원직 9급

(가) 국왕의 경제 정책으로 가장 옳은 것은?

> 조선은 개국 후에도 여전히 고려 때 사용하였던 중국의 역법을 썼으나 우리 실정에 맞지 않는 점이 있었다. (가)이(가) 즉위한 후 정인지, 정초 등에게 명하여 한양을 기준으로 천체의 운행을 관측하도록 하고, 수시력과 회회력을 자세히 살펴 우리의 실정에 맞게 바로 잡아 『칠정산』 내편과 『칠정산』 외편을 만들게 하였다.

① 대동법을 실시하였다.

② 과전법을 직전법으로 바꾸었다.

③ 시전 상인들의 금난전권을 없앴다.

④ 전분 6등법과 연분 9등법을 시행하였다.

문제풀이 공법

난이도 중

제시문에서 답험의 폐단을 없애려고 해왔다는 점과 신하와 백성의 의견을 두루 물었다는 내용을 통해 밑줄 친 '제도'가 세종 때 실시된 공법임을 알 수 있다. 공법은 답험 과정에서 발생하는 중간 수탈 등 기존의 답험손실법이 갖고 있는 폐해를 개선하기 위해 세종이 실시한 조세 수취 제도이다.

① 세종은 공법을 실시하여 토지를 비옥도에 따라 6등급으로 구분(전분 6등법)하였으며, 수확한 연도의 풍흉에 따라 9등급으로 구분(연분 9등법)하여 1결당 4~20두의 조세를 수취하였다.

오답 분석

② **영정법**: 풍흉에 상관없이 토지 1결당 4~6두를 조세로 징수하는 제도는 인조 때 실시된 영정법이다.

③ **대동법**: 토지 소유자에게 1결당 미곡 12두를 수취하는 것은 광해군 때 처음 실시된 대동법이다.

④ 토지 소유자에게 수확량의 10분의 1을 조세로 징수한 것은 공법 이전에 실시된 조선의 조세 제도이다. 공법 하에서는 1결당 최고 20두에서 최하 4두를 징수하였다.

이것도 알면 **합격!**

공법

전분 6등법	토지 비옥도 기준으로 6등급으로 나눔(풍흉과 무관)
연분 9등법	풍흉에 따라 9등급으로 나눔

문제풀이 세종의 경제 정책

난이도 중

제시문에서 한양을 기준으로 천체의 운행을 관측하고 기록하여 우리의 실정에 맞게 『칠정산』을 편찬하였다는 내용을 통해 (가) 국왕이 세종임을 알 수 있다.

④ 세종은 토지의 비옥함과 풍흉의 정도에 따라 조세를 납부하는 공법(전분 6등법, 연분 9등법)을 제정하여 조세 액수를 1결당 최고 20두에서 최하 4두로 정하였다.

오답 분석

① **광해군**: 대동법은 광해군 때 경기도에서 처음 실시되었고, 숙종 때 전국으로 확대 실시되었다.

② **세조**: 과전법을 직전법으로 바꾼 것은 세조이다. 과전법 하에서 수신전, 휼양전을 통해 사실상 토지 세습이 가능해지자 신진 관리들에게 지급할 토지가 부족해졌고, 이에 현직 관리에게만 토지를 지급하는 직전법을 실시하였다.

③ **정조**: 시전 상인들의 금난전권을 없애는 신해통공은 정조 때 반포되었다. 정조는 시전 상인과 난전들의 갈등으로 물가가 상승하여 오히려 일반 백성들이 피해를 입자 육의전을 제외한 시전 상인들의 금난전권을 철폐하였다.

11

2022년 법원직 9급

(가)~(라) 제도를 시행된 순서대로 바르게 나열한 것은?

> (가) 그 사람의 성품과 행동의 선악, 공로의 크고 작음을 참작하여 역분전을 차등 있게 주었다.
> (나) 문무의 백관으로부터 부병(府兵)과 한인(閑人)에 이르기까지 과(科)에 따라 받지 않은 자가 없었으며, 또한 과에 따라 땔나무를 베어낼 땅도 지급하였다.
> (다) 경기는 사방의 근본이니 마땅히 과전을 설치하여 사대부를 우대한다. 무릇 경성에 거주하여 왕실을 시위(侍衛)하는 자는 직위의 고하에 따라 과전을 받는다.
> (라) 경상도·전라도·충청도는 상등, 경기도·강원도·황해도 3도는 중등, 함길도·평안도는 하등으로 삼으며 …… 각 도의 등급과 토지 품질의 등급으로써 수세하는 수량을 정한다.

① (가) – (나) – (다) – (라)
② (가) – (나) – (라) – (다)
③ (나) – (가) – (다) – (라)
④ (나) – (다) – (라) – (가)

12

2023년 법원직 9급

다음 사건이 일어난 시기에 볼 수 있는 모습으로 가장 옳은 것은?

> 전제상정소에서 다음과 같이 논의하였다. "우리나라는 지질의 고척(膏瘠)이 남쪽과 북쪽이 같지 아니합니다. 하지만 그 전품(田品)의 분등(分等)을 8도를 통한 표준으로 계산하지 않고 있습니다. 다만 1도(道)로써 나누었기 때문에 납세의 경중(輕重)이 다릅니다. 부익부 빈익빈이 심해지니 옳지 못한 일입니다. 여러 도의 전품을 통고(通考)하여 6등급으로 나눈다면 전품이 바로잡힐 것이며 조세도 고르게 될 것입니다." 임금은 이를 그대로 따랐다.

① 3포 왜란으로 입은 피해를 걱정하는 어부
② 벽란도에서 송나라 선원과 흥정하는 상인
③ 『농가집성』의 내용을 읽으며 공부하는 농부
④ 불법적인 상행위를 감시하는 경시서 관리

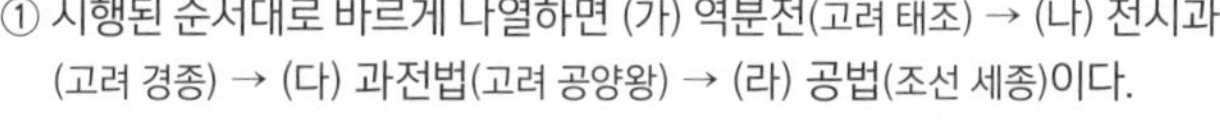

문제풀이 우리나라의 토지 제도 난이도 중

① **시행된 순서대로 바르게 나열하면 (가) 역분전(고려 태조) → (나) 전시과(고려 경종) → (다) 과전법(고려 공양왕) → (라) 공법(조선 세종)이다.**

(가) **역분전(고려 태조)**: 역분전은 고려 태조 왕건 때 시행한 것으로, 후삼국 통일 전쟁에 공이 있는 사람들에게 논공행상의 성격으로 지급하였다.

(나) **전시과(고려 경종)**: 전시과는 고려 시대에 관리에게 관직 복무에 대한 대가로 전지와 시지를 지급한 제도로, 고려 경종 때 시정 전시과로 처음 시행되었다. 전시과는 이후 목종(개정 전시과)과 문종(경정 전시과) 때 두 차례 개편되었으며, 공양왕 때 과전법이 시행되기 전까지 유지되었다.

(다) **과전법(고려 공양왕)**: 과전법은 고려 공양왕 때 이성계와 신진 사대부의 주도하에 시행된 것으로, 경기 지역에 한정하여 전·현직 관리에게 토지(전지)에 대한 수조권을 지급하였다.

(라) **공법(조선 세종)**: 공법은 조선 세종 때 합리적인 조세 수취 방식을 마련하기 위해 시행한 것으로, 토지 비옥도를 기준으로 하는 전분 6등법과 풍흉을 기준으로 하는 연분 9등법이 있었다.

문제풀이 세종 재위 시기에 볼 수 있는 모습 난이도 중

제시문에서 전제상정소에서 전품(토지의 등급)을 6등급으로 나눌 것을 논의하여 임금이 그대로 따랐다는 내용을 통해 전분 6등법이 시행된 세종 때의 사실임을 알 수 있다. 세종은 공법을 실시하여 토지를 비옥도에 따라 6등급으로 구분(전분 6등법)하였으며, 수확한 연도의 풍흉에 따라 9등급으로 구분(연분 9등법)하여 1결당 4~20두의 조세를 수취하였다.

④ **세종 때는 경시서를 통해 불법적인 상행위를 감시하였다. 한편 경시서는 고려 시대에 시전을 관장하기 위해 처음 설치되었으며, 조선 시대까지 계승되었으나 세조 때 평시서로 개칭되었다.**

오답 분석
모두 세종 재위 시기에는 볼 수 없는 모습이다.

① **중종**: 3포 왜란이 일어난 것은 중종 재위 시기의 사실이다. 중종 때 부산포, 제포(내이포), 염포의 3포에 거주하던 왜인들이 조선 정부의 무역 통제에 반발하여 3포 왜란을 일으켰다.

② **고려 시대**: 예성강 하류의 무역항인 벽란도에서 송나라 선원과 교역을 한 것은 고려 시대의 사실이다.

③ **효종**: 『농가집성』이 편찬된 것은 효종 재위 시기의 사실이다. 한편, 세종 재위 시기에는 우리나라 풍토에 맞는 농법을 정리한 『농사직설』이 편찬되었다.

정답 09 ① 10 ④ 11 ① 12 ④

13
2021년 국가직 9급

밑줄 친 '이 농법'에 대한 설명으로 옳은 것만을 모두 고르면?

> 대개 이 농법을 귀중하게 여기는 이유는 다음과 같다. 두 땅의 힘으로 하나의 모를 서로 기르는 것이고, …(중략)… 옛 흙을 떠나 새 흙으로 가서 고갱이를 씻어 내어 더러운 것을 제거하는 것이다. 무릇 벼를 심는 논에는 물을 끌어들일 수 있는 하천이나 물을 댈 수 있는 저수지가 꼭 필요하다. 이러한 것이 없다면 볏논이 아니다.
> – 『임원경제지』

> ㉠ 세종 때 편찬된 『농사직설』에도 등장한다.
> ㉡ 고랑에 작물을 심도록 하였다.
> ㉢ 『경국대전』의 수령칠사 항목에서도 강조되었다.
> ㉣ 직파법보다 풀 뽑는 노동력을 절약할 수 있었다.

① ㉠, ㉡ ② ㉠, ㉣
③ ㉡, ㉢ ④ ㉢, ㉣

14
2014년 방재안전직 9급

조선 전기의 농업 경제에 대한 설명으로 옳지 않은 것은?

① 밭농사는 조, 보리, 콩의 2년 3작이 행해졌다.
② 풍년이건 흉년이건 관계없이 전세를 토지 1결당 미곡 4두로 고정시켰다.
③ 시비법도 발달하여 밑거름과 덧거름을 주게 되면서, 경작지를 묵히지 않고 계속해서 농사지을 수 있었다.
④ 우리나라 풍토에 맞는 씨앗의 저장법, 모내기법 등 농민의 실제 경험을 종합하여 농서를 편찬하였다.

문제풀이 이앙법
난이도 하

제시문에서 옛 흙을 떠나 새 흙으로 간다는 것과 논에 물을 댈 수 있는 하천이나 저수지가 꼭 필요하다는 내용을 통해 밑줄 친 '이 농법'이 이앙법임을 알 수 있다.

② 옳은 것을 모두 고르면 ㉠, ㉣ 이다.

㉠ 세종 때 편찬된 『농사직설』에서는 이앙법을 소개하고 있다. 이앙법은 조선 전기에도 소개되었으나 가뭄에 취약하다는 단점 때문에 일부 남부 지방에 제한적으로 실시되었으며, 수리 시설이 어느 정도 확충된 조선 후기에 이르러서야 전국적으로 보급되었다.

㉣ 이앙법은 못자리에서 모를 어느 정도 키운 다음 논으로 옮겨 심는 방법이기 때문에 씨를 논에 직접 뿌리는 직파법보다 풀 뽑는 노동력을 절약할 수 있었다.

오답 분석

㉡ **견종법**: 고랑에 작물을 심도록 한 것은 조선 후기에 보급된 밭농사 재배법인 견종법에 대한 설명이다. 견종법은 이랑에 작물을 심도록 하는 농종법에 비하여 가뭄에 강하고, 제초가 쉽다는 장점이 있다.

㉢ 『경국대전』이 편찬된 조선 전기에는 가뭄에 취약한 이앙법을 권장하지 않았으므로 수령칠사에 이앙법과 관련된 내용은 없다. 한편 수령칠사는 조선 시대 지방관인 수령이 해야 하는 일곱 가지 업무를 제시한 것으로 ① 농업과 양잠 장려(농상성), ② 교육의 진흥(학교흥), ③ 소송을 간명하게 함(사송간), ④ 간교한 풍속을 없앰(간활식), ⑤ 군사 훈련 실시(군정수), ⑥ 호구를 늘림(호구증), ⑦ 부역의 균등(부역균)이 있다.

문제풀이 조선 전기의 농업 경제
난이도 중

② 전세를 토지 1결당 미곡 4두로 고정시킨 것은 영정법으로, 이는 조선 후기 인조 때 실시되었다. 조선 전기에는 전세로 수확량의 10분의 1을 내다가 세종 때 공법이 실시되면서 1결당 최고 20두에서 최저 4두까지 징수하였다.

오답 분석

① 조선 전기에는 밭농사에서 조, 보리, 콩을 돌려가며 농사 짓는 2년 3작의 윤작법이 널리 보급되었다.

③ 조선 전기에는 시비법이 발달하여 휴경지가 감소하면서 연작(連作)이 가능해졌다.

④ 조선 전기인 세종 때 농민들의 실제 영농 경험을 토대로 『농사직설』이 편찬되었다.

이것도 알면 **합격!**

조선 전기의 농업 기술 발달

밭농사	• 2년 3작의 윤작법 보급(조, 보리, 콩) • 과수 재배 확대, 목화 재배의 전국화
논농사	일부 남부 지방에서 제한적으로 이앙법 실시
농법	• 시비법이 발달하여 연작이 가능해지고 휴경지 감소 • 농기구 개량, 저수 시설 확충 • 『농사직설』, 『금양잡록』 등의 농서 간행

15

2013년 국가직 9급

다음 민요에서 보이는 경제 활동에 대한 조선 전기의 모습을 설명한 것으로 옳지 않은 것은?

> 짚신에 감발차고 패랭이 쓰고
> 꽁무니에 짚신 차고 이고 지고
> 이 장 저 장 뛰어가서
> 장돌뱅이들 동무들 만나 반기며
> 이 소식 저 소식 묻고 듣고
> 목소리 높여 고래고래 지르며
> ……
> 손잡고 인사하고 돌아서네
> 다음 날 저 장에서 다시 보세

① 15세기 후반 이후 장시는 점차 확대되었다.

② 보부상은 장시에서 농산물, 수공업 제품 등을 판매하였다.

③ 정부가 조선통보를 유통시킴으로써 동전 화폐 유통이 활발해졌다.

④ 농업 생산력의 발달에 힘입어 지방에서 장시가 증가하였다.

문제풀이 조선 전기의 경제 활동

난이도 중

제시문에서 '이 장 저 장 뛰어가서'와 '다음날 저 장에서 다시 보세'를 통해 장시와 보부상에 관한 내용임을 알 수 있다.

③ 화폐 유통이 활발해진 것은 조선 후기에 상품 화폐 경제가 발달하면서부터이다. 조선 후기 숙종 때 상평통보가 주조되어 널리 유통되었다. 조선통보는 세종·인조 때 주조된 화폐로, 널리 유통되지 못하였다.

오답 분석

①, ④ 장시는 15세기 후반부터 등장하기 시작하여 서울 근교와 지방에서 농업 생산력의 발달에 힘입어 증가하였고, 16세기 중엽에 이르러 전국적으로 확대되었다.

② 조선 전기에 보부상은 장시에서 농산물, 수공업 제품, 수산물, 약재 등을 판매·유통하였다.

이것도 알면 합격!

장시와 보부상

장시	• 발생: 15세기 후반 농업 생산력이 풍부한 전라도 지방에서 등장 • 발전: 서울 근교와 지방에서 증가, 16세기 중엽 전국적으로 확대 • 정부는 농민들이 상업에 몰릴 것을 염려하여 통제
보부상	• 생산자와 소비자를 이어주는 역할을 한 행상 • 전국의 장시에서 활동하였음 • 농산물, 수공업 제품, 수산물, 약재 등을 판매·유통

16

2012년 서울시 9급

조선 전기 경제 정책에 대한 다음 설명 중 옳지 않은 것은?

① 조선은 유교적 민본 정치의 핵심이 되는 민생 안정을 위하여 농본주의 정책을 펼쳤다.

② 조선 전기에는 국가가 적극적으로 상공업 활동을 권장하여 사회 발전을 꾀하였다.

③ 조선 초에는 국가 재정의 기반이 되는 수취 체제를 정비하여 양인으로부터 전세와 공납을 징수하고 역을 징발하였다.

④ 세종 때 전분 6등법, 연분 9등법을 실시하여 전조(田租)를 토지의 비옥도나 풍흉에 따라 차등 징수하였다.

⑤ 관리는 수조권을 가진 과전을 지급받았는데, 관리가 죽으면 반납해야 했다.

문제풀이 조선 전기의 경제 정책

난이도 중

② 조선 전기에는 농업 중심의 자급자족적인 경제 정책을 표방하고 억상 정책을 실시하였기 때문에 상공업의 발전이 부진하였다.

오답 분석

① 조선은 애민을 중시하는 왕도 정치의 이상을 실현하고 민생 안정을 위해 농본주의 정책을 전개하였다.

③ 조선 초에는 조세, 공납, 역 등 국가 재정의 기반이 되는 수취 체제를 정비하여 양인으로부터 세금을 징수하였다.

④ 세종은 토지의 비옥도를 기준으로 한 전분 6등법과 그 해의 풍흉을 기준으로 한 연분 9등법을 제정하여 조세를 징수하였다.

⑤ 과전법 하에서 과전은 지급받은 관리가 죽으면 반납하는 것이 원칙이었으나, 수신전, 휼양전 등의 명목으로 토지가 세습되었다.

이것도 알면 합격!

조선 전기의 수취 제도

조세(전세)	토지에 부과되는 세금으로, 쌀과 콩 등으로 납부
공납	• 특산물 등의 현물을 각 가호마다 부과 • 상공(정기), 별공(부정기), 진상(지방 특산물을 국왕에게 상납)으로 구분 → 전세보다 농민에게 더 큰 부담으로 작용
역	• 16세 이상의 정남에게 부과 • 군역과 요역으로 구분

정답 13 ② 14 ② 15 ③ 16 ②

2 | 조선 전기의 사회

01

2018년 서울시 7급(3월 시행)

<보기>의 (갑)은 조선 시대 신분층에 대한 설명이다. (갑)에 대한 내용으로 가장 옳지 않은 것은?

> **보기**
> 무릇 (갑)의 매매는 관청에 신고해야 하며 사사로이 몰래 사고 팔았을 때는 관청에서 (갑)과 그 대가로 받은 물건을 모두 몰수한다. 나이 16세 이상 50세 이하는 값이 저화 4천 장이고, 15세 이하 50세 이상은 3천 장이다. -「경국대전」

① 재산으로 취급되어 매매나 상속의 대상이 되었다.

② 부모 모두가 (갑)일 경우에만 그 자녀도 (갑) 신분이 되었다.

③ 주인과 떨어져 독립된 생활을 하며 신공(身貢)을 바치기도 했다.

④ 국가에 소속된 경우 관청의 잡무 처리와 물품 제작에 참여했다.

문제풀이 조선 시대의 노비 난이도 중

제시문에서 (갑)에 대한 매매 규정과 연령에 따른 가격이 정해져 있는 것을 통해 (갑)이 조선 시대 천민 계층인 노비임을 알 수 있다.

② 조선 시대의 노비는 부모 중 어느 한쪽이라도 노비이면, 자식도 노비가 되는 일천즉천의 원칙을 적용 받았다. 한편 조선 후기 영조 때에는 노비의 신분과 소속을 모친에 따라 정해지도록 한 노비종모법을 시행하였다.

오답 분석

① 조선 시대 천민층의 대다수를 차지한 노비는 재산으로 취급되어 매매·상속·증여의 대상이 되었다.

③ 조선 시대 사노비 중에 외거 노비의 경우 주인과 떨어져서 독립된 생활을 하면서 주인에게 신공을 바치고 양민과 같은 생활을 하기도 하였다.

④ 조선 시대에 국가에 소속된 공노비 중 입역 노비의 경우 관청에서 잡무를 처리하며 노역에 동원되거나, 물품 제작에 참여하였다.

이것도 알면 **합격!**

조선 시대의 노비

구분		내용
공노비	입역 노비	• 관청에서 노역에 동원된 노비 • 지방에 사는 노비가 중앙에 올라오기도 함(선상 노비)
	납공 노비	농업에 종사, 노역 대신 신공을 관청에 납부
사노비	솔거 노비	주인집에 거주하며 잡역 담당
	외거 노비	독립된 생활을 하며 주인에게 노동력을 제공하는 대신 신공을 납부

02

2018년 서울시 9급(6월 시행)

조선 시대 신분제에 대한 설명으로 가장 옳지 않은 것은?

① 중앙 관직에 진출할 수 있던 고려 시대의 향리와 달리 조선의 향리는 수령을 보좌하는 아전으로 격하되었다.

② 유교의 적서 구분에 의해 서얼에 대한 차별이 심했기 때문에 서얼은 관직에 진출하지 못하였다.

③ 백사공, 백정 등은 법적으로는 양인으로 취급되기도 했으나 노비처럼 천대받으며 특수 직업에 종사하였다.

④ 순조는 공노비 중 일부를 양인으로 해방시켜 주었다.

문제풀이 조선 시대의 신분제 난이도 중

② 조선 시대의 서얼들은 무과나 잡과를 통해 관직에 진출할 수 있었다. 조선 시대의 서얼들은 양반의 첩에서 난 소생들을 말하며 중인과 같은 대우를 받았다. 이들은 서얼차대법(서얼금고법)에 의해 문과에는 응시가 불가능했으나 무과나 잡과 등을 통해 관직에 진출할 수 있었다.

오답 분석

① 고려 시대의 향리들은 지방의 실질적인 지배층이었고 과거 응시 자격이 부여되었던 반면, 조선 시대의 향리들은 수령을 보좌하고 행정 실무를 담당하는 아전으로 격하되었으며, 과거 응시가 크게 제한되었다.

③ 조선 시대에는 수군, 역졸, 봉수군, 뱃사공 등 신분상으로는 양인에 속하지만 천한 일에 종사하는 신량역천이 존재하였다. 한편 조선 초기에 정부는 도축업 등에 종사하던 백정들을 일반 백성으로 정착시키기 위해 노력하였으나, 이러한 노력에도 불구하고 사회적 천대 등으로 인해 이들은 점차 천민화되었다.

④ 18세기 후반에는 공노비들의 도망과 합법적인 신분 상승으로 인하여 노비안에 노비들의 이름만 적혀있을 뿐 실질적인 신공을 받을 수 없게 되자, 순조는 공노비 중 6만 6천여 명을 양인으로 해방시켰다.

03

2013년 국가직 7급

조선 전기의 신분 제도에 대한 설명으로 옳지 않은 것은?

① 공노비는 유외(流外)잡직으로 불리는 하급 기술관직을 가질 수 있었다.

② 서얼은 『경국대전』에 의해 문과 응시가 가능했지만 실제로는 제약을 받았다.

③ 지위가 높은 문무 관원의 자손에게는 음서와 대가(代加) 등의 혜택이 주어졌다.

④ 국역 노동이 끝난 공장(工匠)들은 시장을 상대로 필요한 물품을 만들어 판매하여 이득을 취하였다.

04

2023년 국회직 9급

다음 (가) 신분에 대한 설명으로 옳은 것만을 〈보기〉에서 모두 고르면?

> (가) 은/는 농사를 짓거나 장사를 하지 않아도 살 수가 있다. 또 조금만 공부를 하면 크게는 문과에 오르고 작아도 진사 벼슬은 할 수 있다. 문과의 홍패는 길이 2자 남짓한 것이지만 백물이 구비되어 있어 그야말로 돈자루인 것이다. …… 또한 마을 사람들을 불러내어 자기 밭의 김을 먼저 매게 하는데 어느 누구든지 (가) 의 말을 듣지 않으면 코로 잿물을 먹인다. 또한 상투를 붙들어 매고 수염을 자르는 등 갖은 형벌을 가하여도 감히 원망할 수 없다.

보기
㉠ 법적으로 규정된 신분이었다.
㉡ 전현직 문반 관직자들로 제한되었다.
㉢ 유향소를 통해 향촌 사회에서 영향력을 행사할 수 있었다.
㉣ 향안(鄕案) 입록을 두고 향촌 사회에서 서로 다투기도 하였다.

① ㉠, ㉢ ② ㉠, ㉣ ③ ㉡, ㉢
④ ㉡, ㉣ ⑤ ㉢, ㉣

문제풀이 조선 전기의 신분 제도 난이도 중

② 서얼은 『경국대전』에 의거해 법적으로 문과 응시가 불가능하였다. 15세기 초까지 서얼은 과거 응시에 큰 제약이 없었으나 『경국대전』에서 차별을 법제화한 이후 문과에 응시하는 것이 금지되었고, 간혹 무반직에 급제하여도 한품서용이라 하여 승진이 제한되었다.

오답 분석

① 조선 전기에 공노비는 관품이 없는 관직을 뜻하는 유외잡직이라는 하급 기술관으로 진출할 수 있었다.

③ 조선 전기에 고위 관리의 자손들은 음서와 대가의 혜택을 받았다. 여기서 대가란 관원인 자신에게 가산된 품계(산계)를 아들, 사위, 동생, 조카 등 친척 가운데 한 사람에게 더해줄 수 있는 것이었다.

④ 조선 전기의 공장(관장)들은 자신의 책임량을 초과한 수공업품에 대해서 일정한 공장세를 납부하면 민간에 팔 수 있었다.

이것도 알면 **합격!**

조선의 신분 제도

구분	내용
양반	본래 관직(문반, 무반)을 가진 사람을 의미하였으나 점차 지배 신분층으로 정착
중인	• 중인(기술관, 향리 등): 직역 세습, 같은 신분끼리 혼인 • 서얼은 『경국대전』에 의해 문과 응시 금지
상민	백성의 대다수로 농민, 수공업자, 상인 등으로 구성
천민	대다수인 노비는 재산으로 취급되어 매매·상속의 대상이 됨

문제풀이 양반 난이도 중

제시문에서 농사를 짓거나 장사를 하지 않아도 살 수가 있었으며, 조금만 공부를 하면 문과에 오르고 작아도 진사 벼슬을 할 수 있다는 내용을 통해 (가) 신분이 양반임을 알 수 있다.

⑤ 옳은 것을 모두 고르면 ㉢, ㉣이다.

㉢ 양반은 유향소를 통해 수령 감시 및 보좌, 향리 규찰, 풍속 교정 등을 수행하며 향촌 사회에서 영향력을 행사할 수 있었다.

㉣ 양반은 지방 사족의 명단인 향안에 입록(등록)되어야 비로소 양반으로서의 대우는 물론 좌수·별감의 향임에도 선출되고 향촌 사회에서 영향력을 행사할 수 있었기 때문에 향안 입록을 두고 서로 다투기도 하였다.

오답 분석

㉠ 양반은 법적으로 규정된 신분이 아니다. 양반은 본래 관직을 가진 사람을 의미하였으나, 조선 후기에는 하나의 사회적 신분으로 여겨졌다. 조선 후기로 갈수록 양반의 특권이 강화되면서 지배층인 양반과 피지배층인 상민 간에 차별을 두는 반상 제도가 일반화되어 양반·중인·상민·천민의 네 신분층이 정착되었다. 하지만 법적으로는 여전히 모든 구성원을 양인과 천인으로 구분하는 양천제였다.

㉡ 양반은 전현직 문반 관식자뿐만 아니라 무반 관직자들도 포함되었다.

정답 01 ② 02 ② 03 ② 04 ⑤

05

2021년 국회직 9급

조선 시대의 법전과 법률 제도에 대한 설명으로 옳지 않은 것은?

① 성종은 기본 법전인 『경국대전』을 완성하여 반포하였다.

② 의금부는 왕명을 받아 중죄인을 심문하는 사법 기관이었다.

③ 지방에서 관찰사와 수령은 관할 구역의 사법권을 가졌다.

④ 백성은 상언·격쟁을 통하여 왕에게 억울함을 호소할 수 있었다.

⑤ 고종 때 통치 규범을 재정리하여 『대전통편』을 편찬하였다.

06

2016년 사회복지직 9급

다음 자료의 ㉠에 해당하는 것은?

> 호조에서 아뢰기를, ㉠ 은(는) 진제(賑濟)와 환상(還上)을 위해 설치한 것이고, 국고(國庫)는 군국(軍國)의 수요에 대비한 것입니다. 최근 몇 년 사이에 여러 번 흉년이 들어, 백성의 생활이 오로지 진제와 환상만 바라고 있으니, 이 때문에 ㉠ 이(가) 넉넉하지 못하므로 부득이 국고로 지급하여 구휼하게 되어 군수(軍需)가 점차로 거의 없어지게 되니 진실로 염려할 만한 일입니다.
>
> -『세종실록』

① 흑창

② 의창

③ 광학보

④ 제위보

문제풀이 조선 시대의 법전과 법률 제도

난이도 중

⑤ 『대전통편』은 고종 때가 아닌 정조 때 편찬되었다. 정조 때 『경국대전』과 『속대전』 및 그 뒤의 법령을 통합하여 왕조의 통치 규범을 전반적으로 재정리한 『대전통편』이 편찬되었다. 한편, 고종 때는 『대전회통』과 『육전조례』가 편찬되었다.

오답 분석

① 성종은 세조 때부터 편찬되기 시작한 『경국대전』을 완성하여 반포하였다. 『경국대전』은 이·호·예·병·형·공전의 6전으로 구성되어 있으며, 조선 후기까지 기본 법전의 골격을 이루었다.

② 의금부는 국왕 직속의 사법 기관으로, 왕명을 받아 대역·모반죄 등 왕권의 안위와 관계된 중죄인들의 심문·처결을 담당하였다.

③ 조선 시대에 지방에서 관찰사와 수령은 중앙 정부로부터 사법·행정·군사권에 관한 광범위한 권한을 위임 받았다.

④ 조선 시대에 백성은 글로써 왕에게 호소하는 상언과, 왕이 지나가는 길에 징이나 꽹가리 등으로 주의를 집중시킨 다음 자신의 사연을 아뢰는 격쟁을 통하여 억울함을 호소할 수 있었다.

문제풀이 조선의 사회 정책 (의창)

난이도 하

② 의창은 춘궁기에 빈민들에게 식량과 종자를 무이자로 빌려 주고 추수기에 이를 회수하는 제도였는데, 흉년 등의 이유로 원곡이 부족하게 되어 점차 그 기능을 제대로 수행하지 못하게 되었다.

오답 분석

① **흑창**: 흑창은 고려 태조 때 빈민 구제를 위해 설치된 진휼 기관으로, 춘궁기에 곡식을 나눠 주고 추수 후에 갚게 했던 빈민 구제 기관이었다. 흑창은 고려 성종 때 의창으로 확대·개편되었다.

③ **광학보**: 광학보는 고려 정종 때 승려들의 면학을 위해 마련한 일종의 장학 재단이었다.

④ **제위보**: 제위보는 고려 광종 때 일정 기금을 조성하여 그 이자로 빈민을 구제하기 위해 설치한 기관으로, 보의 기금으로 빈민을 구호하고 질병의 치료를 담당하였다.

이것도 알면 **합격!**

조선 시대의 사회 정책

환곡 제도	의창	춘궁기에 빈민들에게 양식과 종자를 빌려 주고 가을에 원곡만을 회수
	상평창	물가 조절 기구(곡가를 조절하여 일반 농민 보호)
사창 제도		• 양반 지주를 중심으로 하는 향촌 자치적인 구휼 제도 • 각종 재난에 대비

07

2012년 경찰직(1차)

다음 보기와 관련된 조선 시대 조직으로 가장 적절한 것은?

> 경남 사천에서 발견된 사천 매향비는 향나무를 묻고 세운 것으로, 내세의 행운과 국태민안(國泰民安)을 기원하는 내용을 담고 있다.

① 두레
② 향약
③ 향도
④ 동계

08

2022년 법원직 9급

밑줄 친 '이 기구'에 대한 설명으로 가장 옳지 않은 것은?

> • 앞서 이 기구의 사람들이 향중(鄕中)에서 권위를 남용하여 불의한 짓을 행하니, 그 폐단이 많았습니다. 그래서 선왕께서 폐지하였던 것입니다. 간사한 아전을 견제하고 풍속을 바로잡는 것은 수령이 해야 할 일인데, 만약 모두 이 기구에 위임한다면 수령은 할 일이 없지 않겠습니까?
> • 전하께서 다시 이 기구를 세우고 좌수와 별감을 두도록 하였는데, 나이가 많고 덕망이 높은 자를 추대하여 좌수로 일컫고, 그 다음으로 별감이라 하여 한 고을을 규찰하고 관리하게 하였다.
>
> -『성종실록』

① 경재소를 통해 중앙의 통제를 받았다.
② 향촌 사회의 풍속을 교화하는 데 기여하였다.
③ 수령을 보좌하고 향리를 감찰하는 역할을 하였다.
④ 전통적 공동 조직에 유교 윤리를 가미하여 만들었다.

문제풀이 향도 난이도 하

제시문에서 사천 매향비를 세우고 내세의 행운, 나라의 태평함과 백성의 편안함(국태민안)을 기원하였던 조직은 향도이다. 향나무를 묻는 행위인 매향은 위기가 닥쳤을 때 미륵을 만나 구원받고자 하는 백성들의 염원을 표출한 것이었다.

③ 향도는 삼국 시대부터 있어 왔던 불교 신앙 조직으로, 고려 전기에는 주로 불상이나 탑 등을 조성하여 신앙의 결속을 다졌으며, 고려 후기에 혼례와 상장례, 마을 제사 등 공동체 생활을 주도하는 농민 조직으로 발전되었다. 향도는 조선 시대에도 이어져 상(喪)이나 어려운 일이 있을 때 상부상조하는 역할을 하였는데, 특히 상여를 메는 사람인 상두꾼도 향도에서 유래되었다.

오답 분석
① **두레**: 두레는 공동으로 노동하는 일종의 작업 공동체였다.
② **향약**: 향약은 전통적 공동 조직과 미풍양속을 계승하면서, 삼강오륜을 중심으로 한 유교 윤리를 가미하여 풍속 교화 및 질서 유지에 알맞게 구성한 향촌 자치 규약이었다. 향약은 중종 때 조광조가 처음 시행하였으며, 이후 이황과 이이의 노력으로 전국적으로 확산되었다.
④ **동계**: 동계는 본래 양반 사족들의 자치 조직으로, 사족들은 동계를 통해 향촌에서 촌락민에 대한 지배력을 강화하였다. 임진왜란 이후에는 양반과 평민층이 함께 참여하는 상하합계의 형태로 전환되었다.

문제풀이 유향소 난이도 중

제시문에서 향중(향촌 내)에서 권위를 남용하고, 좌수와 별감을 두도록 하였다는 내용을 통해 밑줄 친 '이 기구'가 유향소임을 알 수 있다.

④ 전통적 공동 조직에 유교 윤리를 가미하여 만든 것은 향약이다. 향약은 전통적 공동 조직에 삼강오륜을 중심으로 한 유교 윤리를 가미하여 만든 향촌 자치 규약이다.

오답 분석
① 유향소는 경재소를 통해 중앙의 통제를 받았다. 경재소는 유향소와 정부 사이의 연락을 담당하던 기구로, 중앙의 현직 고관이 출신 지역의 유향소를 통제하였다.
②, ③ 유향소는 지방 사족이 향촌 자치를 위하여 설치한 기구로, 향촌 사회의 풍속을 교화하는 데 기여하였으며, 수령을 보좌하고 향리를 감찰하는 역할을 하였다.

이것도 알면 **합격!**

유향소와 경재소

유향소	• 지방 사족들을 중심으로 구성된 향촌 자치 기구 • 좌수와 별감을 임원으로 선출 • 수령 감시 및 보좌, 향리 규찰, 풍속 교정 등의 기능 수행
경재소	• 유향소를 통제하기 위하여 수도에 설치, 그 지방 출신의 중앙 고관을 책임자로 임명 • 유향소와 중앙 정부 사이의 연락 기능 담당

정답 05 ⑤ 06 ② 07 ③ 08 ④

09

2022년 소방간부후보생

(가)에 대한 설명으로 옳은 것은?

> 주부군현(州府郡縣)에는 대부분 지역 토착민 가운데 같은 성씨를 가진 유력 집단인 토성이 있습니다. 토성 출신 가운데 도성에 살면서 관직에 있는 자들의 모임이 있습니다. 이곳에서는 자신의 고향에 거주하는 토성 중에서 강직하고 명석한 자들을 선택하여 (가) 에 두고 간사한 관리의 범법 행위를 조사하고 살피는 등 풍속을 바로 잡았는데, 그 유래가 이미 오래되었다고 합니다.

① 좌수와 별감을 중심으로 운영되었다.
② 임기제와 상피제가 엄격히 적용되었다.
③ 부호장을 임명하고 행정 전반을 총괄하였다.
④ 인재를 모아 교육하고 이름난 선비를 추모하였다.
⑤ 전통적 농민 조직에 유교 윤리가 가미되어 만들어졌다.

문제풀이 유향소 난이도 하

제시문에서 자신의 고향에 거주하는 토성(지방 사족) 중에서 선택한다는 것과 간사한 관리의 범법 행위를 조사하고 살핀다는 내용을 통해 (가)는 유향소임을 알 수 있다.

① 유향소는 지방 사족들의 향촌 자치 기구로, 좌수와 별감을 중심으로 운영되었다. 또한, 수령을 보좌하고 향리를 감찰하는 역할을 하였으며 향촌 사회의 풍속을 교화하는 데 기여하였다.

오답 분석

② 유향소는 지방 사족들을 중심으로 구성된 향촌 자치 기구로, 임기제와 상피제를 적용받지 않았다. 임기제(관찰사 1년, 수령 5년)와 상피제(자기 출신지의 지방관으로 임명하지 않는 제도)는 관료제를 최대한 공정하고 투명하게 운영하기 위해 지방관에게 적용하던 제도이다.

③ **사심관**: 부호장을 임명하고 해당 지역의 행정 전반을 총괄한 것은 고려 시대의 사심관이다.

④ **서원**: 인재를 모아 교육하고 이름난 선비를 추모한 것은 조선 시대의 서원이다.

⑤ **향약**: 전통적 농민 조직에 삼강오륜을 중심으로 한 유교 윤리가 가미되어 만들어진 것은 조선 시대의 향약이다. 향약은 중종 때 조광조가 처음 소개하였으며, 이후 이황과 이이의 노력으로 전국적으로 확산되었다.

10

2015년 국가직 9급

조선 전기(15~16세기) 사림의 향촌을 주도하기 위한 동향으로 옳지 않은 것은?

① 도덕과 의례의 기본 서적인 『소학』을 보급하였다.
② 향사례(鄕射禮), 향음주례(鄕飮酒禮)의 실시를 주장하였다.
③ 향회를 통해서 자신들의 결속을 다지고, 향촌을 교화하였다.
④ 촌락 단위의 동약을 실시하고, 문중 중심으로 서원과 사우를 많이 세웠다.

문제풀이 조선 전기 사림의 향촌 사회 운영 난이도 중

④ 동약을 실시하고, 서원과 사우가 많이 세워진 것은 조선 후기의 일이다. 조선 후기에는 양반들이 군현 단위로 농민을 지배하기 어려워지자 촌락 단위의 동약을 실시하였다. 또한 양반들의 결속력을 다지기 위해 전국에 많은 동족 마을이 만들어졌고, 이에 따라 문중을 중심으로 서원, 사우가 많이 세워졌다.

오답 분석

① 조선 전기의 사림들은 성리학적 사회 질서를 유지하기 위해 도덕과 의례의 기본 서적인 『소학』을 보급하였다.

② 조선 전기의 사림들은 향촌 사회 교화와 결속력 강화를 위해 향음주례(술을 마시는 의식), 향사례(활을 쏘는 행사)의 시행을 주장하였다.

③ 조선 전기의 사림은 자신들의 결속을 다지고 지방민을 통제하기 위해 총회인 향회를 운영하였다.

 이것도 알면 **합격!**

향촌 사회에서 사족들의 지위 유지 장치

향안	향촌 사회에서 농민을 지배하였던 지방 사족의 명단으로, 임진왜란 전후에 각 군현에서 보편적으로 작성
향회	향안에 오른 사족들의 총회로, 이를 통해 사족들은 자신들의 결속을 다지고, 지방민을 통제하며 향촌 전반에 영향력 행사
향규	향회의 운영 규칙

11

2013년 국가직 9급

다음 조직에 대한 설명으로 옳지 않은 것은?

> 가입하기를 원하는 자에게는 반드시 먼저 규약문을 보여주고, 몇 달 동안 실행할 수 있는가를 스스로 헤아려 본 뒤에 가입하기를 청하게 한다. 가입을 청하는 자는 반드시 단자에 참가하기를 원하는 뜻을 자세히 적어 모임이 있을 때에 진술하고, 사람을 시켜 약정(約正)에게 바치면 약정은 여러 사람에게 물어서 좋다고 한 다음에야 글로 답하고, 다음 모임에 참여하게 한다.
>
> -『율곡전서』

① 향촌 사회의 질서를 유지하고 치안을 담당하는 향촌의 자치 기능을 맡았다.

② 전통적 미풍양속을 계승하면서 삼강오륜을 중심으로 한 유교 윤리를 가미하였다.

③ 어려운 일이 생겼을 때에 서로 돕는 역할을 하였고, 상두꾼도 이 조직에서 유래하였다.

④ 지방 유력자가 주민을 위협, 수탈하는 배경을 제공하는 부작용도 있었다.

문제풀이 향약

난이도 중

제시문에서 가입을 원하는 자에게 규약문을 보여주고 이를 이행하기로 하면 약정에게 바치도록 한다는 내용을 통해 이 조직이 향약임을 알 수 있다.

③ 상두꾼은 향도에서 유래되었다. 삼국 시대부터 존재하였던 향도는 조선 시대에도 계속 이어져 상(喪)이나 어려운 일이 생겼을 때 서로 돕는 활동을 주로 하였다.

오답 분석

①, ② 향약은 전통적 공동 조직과 미풍양속을 계승하면서 삼강오륜을 중심으로 한 유교 윤리를 통해 향촌 사회의 질서를 유지하고 치안을 담당하는 등 향촌의 자치적 기능을 수행하였다.

④ 향약은 지방 사림의 지위를 강화하였지만 한편으로는 지방 유력자에 의한 주민 수탈의 기반을 제공하는 부작용도 있었다.

이것도 알면 **합격!**

향약

기원	중종 때 조광조가 시작 → 이황(예안 향약), 이이(서원 향약, 해주 향약)
구성	• 간부: 도약정(회장), 부약정(부회장), 약정(임원), 직월(총무), 유사 • 구성원: 양반에서 천민까지 전체 향촌민을 포함(여성, 노비도 포함)
역할	사림의 지위 강화, 조선 사회의 풍속 교화, 질서 유지, 치안 담당
폐단	지방 유력자(토호·양반)의 주민 수탈의 기반 제공

12

2014년 사회복지직 9급

다음은 현존하는 우리나라 족보들 가운데 가장 오래된 족보의 기재 방식을 설명한 것이다. 이 족보가 편찬되었을 무렵의 가족 제도에 대한 추론으로 옳은 것만을 〈보기〉에서 모두 고른 것은?

> • 자녀는 출생 순서에 따라 기재하였다.
> • 딸이 재혼하였을 경우 후부(後夫)라 하여 재혼한 남편의 성명을 기재하였다.
> • 자녀가 없는 사람은 무후(無後)라 기재하였고, 양자를 들인 사례는 거의 없다.

> **보기**
> ㉠ 적서의 차별이 없었을 것이다.
> ㉡ 친영 제도가 일반화되었을 것이다.
> ㉢ 형제가 돌아가면서 제사를 지냈을 것이다.
> ㉣ 재산 상속에서 아들과 딸의 차별이 없었을 것이다.

① ㉠, ㉡ ② ㉠, ㉣

③ ㉡, ㉢ ④ ㉢, ㉣

문제풀이 조선 중기의 가족 제도

난이도 중

제시문에서 현존하는 가장 오래된 족보라는 점과 족보에 자녀를 출생 순서에 따라 기재하고 양자를 들인 사례가 거의 없다는 내용을 통해 가부장적인 가족 제도가 확립되지 않은 조선 중기의 가족 제도임을 알 수 있다.

④ 옳은 것을 모두 고르면 ㉢, ㉣이다.

㉢ 조선 중기에는 가부장적인 가족 제도가 확립되지 않았기 때문에 장남이 부모의 제사를 도맡아 지내지 않고, 형제가 돌아가면서 부모의 제사를 지냈다.

㉣ 제사는 재산 상속을 받는 자녀들의 의무였기 때문에, 형제가 돌아가면서 부모의 제사를 지낸 조선 중기에는 재산 상속에서 아들과 딸을 차별하지 않았다. 다만 집안의 대를 잇는 자식에게는 다른 형제들에 비하여 상속분을 1/5 더 주었다.

오답 분석

㉠ 조선 중기에는 적서에 대한 차별을 법제화한 『경국대전』의 반포로 서얼은 문과의 응시, 제사, 재산 상속 등에서 차별을 받았다.

㉡ **조선 후기:** 신랑이 신부 집에서 예식을 치른 후에 곧바로 신랑의 집에서 생활하는 친영 제도는 조선 후기에 이르러 정착되었다. 조선 중기까지는 남자가 여자의 집에서 처가살이를 하는 경우가 적지 않았다.

정답 09 ① 10 ④ 11 ③ 12 ④

1 민족 문화의 융성

01

2015년 경찰간부후보생

다음의 내용과 관련된 설명으로 옳은 것은?

> 나랏 말이 중국과 달라서 문자로 서로 통하지 못한다. 고로 어리석은 백성들이 말하고 싶은 바가 있어도 마침내 그 뜻을 펴지 못하는 이가 많다. 내 이를 매우 딱하게 여겨 새로 스물 여덟 글자를 만들어 내노니 사람마다 쉽게 익히어 나날이 사용이 편리하도록 함에 있다.

① 이전부터 사용했던 발음이 유사한 한자에서 글자의 모양을 따왔다.

② 양반 관료층의 적극적인 지지를 받아 이루어졌다.

③ 세종은 이후 모든 서적을 훈민정음을 써서 편찬하도록 했다.

④ 한글로 풀이한 『삼강행실도』 등을 간행하여 유교 윤리를 보급하였다.

문제풀이 한글 창제

난이도 중

제시문에서 문자가 서로 통하지 못하여 새롭게 스물 여덟 글자를 만들었다는 내용을 통해 한글 창제와 관련된 내용임을 알 수 있다.

④ 조선 성종 때 『삼강행실도』를 한글로 풀이한 언해본이 간행되어 유교 윤리가 백성들에게 보급되었다. 『삼강행실도』는 한글이 창제되기 이전 세종 시기에 편찬된 윤리서로, 우리나라와 중국의 서적에서 군신·부자·부부의 삼강에 모범이 될만한 충신·효자·열녀의 행실을 모아 그림을 그리고 설명을 덧붙인 것이다.

오답 분석

① 한글의 ㄱ, ㄴ, ㅅ, ㅁ, ㅇ 등 기본 자음 은 발음 기관을 본떠서 만들었다.

② 한글 창제에 대해 최만리, 하위지 등의 양반 관료층은 중국의 글자를 버리는 것은 오랑캐와 같아지는 것이라며 반대하였다.

③ 세종 때 한글이 창제된 이후 「용비어천가」, 「월인천강지곡」, 『석보상절』 등이 한글로 간행되었으나 모든 서적을 한글로 간행하도록 하지는 않았다.

이것도 알면 **합격!**

세종의 한글 창제

> 이달에 임금이 친히 언문 28자를 지었는데, …… 글자는 비록 쉽고 간단하지만 표현할 수 있는 것이 무궁무진하였으니, 이를 '백성을 가르치는 바른 소리'라고 일렀다.

사료 분석 | 세종은 새롭게 28자의 글자를 창제하고, 그 이름을 '백성을 가르치는 바른 소리'라는 뜻의 훈민정음이라 하였다.

02

2018년 지방교행직

다음 교육 기관에 대한 설명으로 옳은 것은?

> 우리 태조께서 즉위하시고 국학(國學)을 동북쪽에 설립하였는데, 그 규모와 제도가 완전하지 않은 것이 없었다. 건물을 지어 스승과 제자가 강학하는 장소로 삼고, 이를 명륜당이라고 하였다. 학관(學官)은 대사성 이하 몇 사람을 두는데, 아침에 북을 울리어 학생을 뜰 아래 도열시키고, 한 번 읍한 다음에 명륜당에 올라 경(經)을 가지고 논쟁하며, 군신, 부자, 장유, 부부, 붕우의 도를 강론하였다.

① 흥선 대원군에 의해 철폐되었다.

② 유학부와 기술학부로 구성되었다.

③ 사학 12도의 융성으로 위축되었다.

④ 공자의 위패를 모신 대성전을 두었다.

문제풀이 성균관

난이도 중

제시문에서 국학(國學)을 동북쪽에 설립하고, 강학 장소로 명륜당을 지었으며, 학관(學官)으로 대사성 등을 두었다는 내용을 통해 조선 최고의 교육 기관인 성균관임을 알 수 있다.

④ 성균관에는 유교 경전을 공부하기 위한 명륜당 이외에도 공자의 위패를 모시는 대성전이 있었다. 이외에도 중국과 우리나라의 선현을 모시는 동무와 서무 등의 사당이 있었으며, 학생들이 머무는 기숙사인 동재와 서재, 존경각이라는 도서관 등이 있었다.

오답 분석

① **서원**: 흥선 대원군에 의해 철폐된 교육 기관은 서원이다. 흥선 대원군은 본래 선현들에게 제사를 지내고 후진을 양성하는 사립 학교인 서원이 지방 양반이 백성을 수탈하는 근거지로 변질되자 전국 600여 개의 서원을 47개소만 남기고 모두 철폐하였다.

② **국자감**: 유학부와 기술학부로 구성된 것은 고려의 최고 교육 기관인 국자감이다. 국자감은 국자학·태학·사문학을 가르치는 유학부와 율학·서학·산학을 가르치는 기술학부로 구성되어 있었다.

③ **국자감**: 최충의 문헌공도를 포함한 사학 12도의 융성으로 위축된 것은 고려 시대의 관학 기관인 국자감이다. 이에 고려 예종은 국자감을 7재로 정비하고 장학 재단인 양현고를 설치하였으며, 고려 인종은 국자감의 교육 과정을 경사 6학으로 정비하면서 관학을 진흥시키고자 하였다.

03
2018년 서울시 7급(6월 시행)

〈보기〉의 (가)에 대한 설명으로 가장 옳은 것은?

> **보기**
> “(가)를 역을 피하는 곳으로 삼거니와, 어쩌다 글을 아는 자가 있어도 도리어 (가)에 이름을 두는 것을 부끄럽게 여겨 온갖 방법으로 교묘히 피하므로, 훈도·교수가 되는 자가 초동(樵童)·목수(牧豎)의 나머지를 몰아다가 그 부족한 수를 채워 살아갈 길을 도모하고 있습니다.” 「중종실록」

① 군현의 인구 비례로 정원을 배정하였다.
② 천민도 입학이 허가되었다.
③ 국가의 사액을 받으면 면세의 특권이 주어졌다.
④ 성적이 우수한 자는 문과 복시에 바로 응시할 수 있었다.

04
2019년 국가직 9급

(가) 교육 기관에 대한 설명으로 옳은 것은?

> 주세붕이 비로소 [(가)] 을/를 창건할 적에 세상에서 자못 의심했으나, 그의 뜻은 더욱 독실해져 무리들의 비웃음을 무릅쓰고 비방을 극복하여 전례 없던 장한 일을 이루었습니다. …(중략)… 최충, 우탁, 정몽주, 길재, 김종직, 김굉필 같은 이가 살던 곳에 [(가)] 을/를 건립하게 될 것입니다.
> – 「퇴계집」

① 지방의 군현에 있던 유일한 관학이다.
② 선비와 평민의 자제에게 『천자문』 등을 가르쳤다.
③ 성적 우수자는 문과의 초시를 면제해 주었다.
④ 학문 연구와 선현의 제사를 위해 설립된 사설 교육 기관이다.

문제풀이 향교
난이도 중

제시된 자료에서 역으로 피하는 곳으로 삼는다는 내용과 훈도·교수가 살아갈 길을 도모한다는 내용을 통해 (가)가 향교임을 알 수 있다. 조선 시대의 지방 중등 교육 기관인 향교에는 중앙에서 교수와 훈도가 파견되었으며, 향교에 소속된 학생들에게는 군역을 면제해 주었다.

① 향교의 정원은 군현의 크기와 인구에 비례하여 90명~30명으로 차등을 두어 배정되었다.

오답 분석
② 향교에는 양인의 자제만 입학이 허용되었으며, 천민의 입학은 허가되지 않았다.
③ **서원**: 국가의 사액(임금이 사당이나 서원 등의 이름을 지어서 새긴 액자를 내리는 일)을 받으면 면세의 특권이 주어진 교육 기관은 서원이다.
④ **성균관**: 성적이 우수한 자가 문과 복시에 바로 응시할 수 있었던 교육 기관은 성균관이다.

이것도 알면 **합격!**

조선 시대의 향교

특징	• 성현에 대한 제사와 유생들의 교육·지방민의 교화 담당 • 부·목·군·현에 각각 하나씩 설립됨
입학	• 자격: 양인의 신분으로, 8세 이상의 남성 • 정원: 각 군현의 인구 비례에 따라 책정
교육	중앙에서 교관인 교수와 훈도를 향교에 파견하여 교육

문제풀이 서원
난이도 하

제시문에서 주세붕이 창건하였으며, 최충, 정몽주, 김종직 등이 살던 곳에 건립될 것이라는 내용을 통해 (가) 교육 기관이 서원임을 알 수 있다. 최초의 서원은 중종 때 풍기 군수 주세붕이 설립한 백운동 서원이며, 백운동 서원은 명종 때 이황의 건의로 소수 서원으로 사액되었다.

④ 서원은 학문의 연구와 선현의 제사를 위해 설립된 사설 교육 기관이며, 향촌 사회의 교화와 결속력 강화를 위해 향음주례, 향사례 등을 주관하기도 하였다.

오답 분석
① **향교**: 지방의 군현에 있던 유일한 관학은 향교이다. 향교는 전국의 부·목·군·현에 각각 설립되었으며, 중앙에서 교수와 훈도를 파견하였다.
② **서당**: 선비와 평민의 자제에게 『천자문』, 『동몽선습』 등을 가르친 것은 초등 교육을 담당하는 사립 교육 기관인 서당이다.
③ **성균관**: 성적 우수자에게 문과(대과)의 초시를 면제해 준 것은 국립 고등 교육 기관인 성균관이다.

이것도 알면 **합격!**

조선 시대의 서원

기원	주세붕이 세운 백운동 서원(1543, 중종)이 시초 → 이황의 건의로 최초의 사액 서원(소수 서원)으로 공인(1550, 명종)
역할	성리학 연구, 선현에 대한 제사와 교육의 역할 담당
영향	유교 윤리 보급, 향촌 사림 결집 및 강화

정답 01 ④ 02 ④ 03 ① 04 ④

05

2023년 계리직 9급

〈보기〉에서 조선 시대 교육 제도에 대한 설명으로 옳은 것을 모두 고른 것은?

보기

㉠ 성균관은 조선 왕조 최고의 교육 기관이다.
㉡ 기술 교육은 잡학이라 불렀는데 해당 관서에서 가르쳤다.
㉢ 향교는 훌륭한 유학자들을 제사 지내고, 성리학을 연구하는 사립 교육 기관이다.
㉣ 국가에서 전국의 모든 군현에 서원을 설치하여 종6품의 교수나 종9품의 훈도를 파견하기도 하였다.

① ㉠, ㉡
② ㉢, ㉣
③ ㉠, ㉡, ㉢
④ ㉠, ㉡, ㉣

문제풀이 조선 시대 교육 제도 난이도 하

① 옳은 것을 모두 고르면 ㉠, ㉡이다.

㉠ 성균관은 한양에 설치된 조선 왕조 최고의 유학 교육 기관이다. 성균관에는 유학을 가르치는 강학당인 명륜당, 공자의 위패를 모시고 제사를 지내는 대성전 등의 시설이 있었다.

㉡ 조선 시대에 기술 교육은 잡학이라 불렀는데 각 과목별로 해당 관서에서 기술을 가르쳤으며, 지방 기술 교육의 경우 각 지방 관아에서 교육하였다.

오답 분석

㉢ 훌륭한 유학자들을 제사 지내고, 성리학을 연구하는 사립 교육 기관은 향교가 아닌 서원이다. 한편, 향교는 각 지방에 세워진 국립 교육 기관이다.

㉣ 국가에서 전국의 모든 군현에 설치하여 종6품의 교수나 종9품의 훈도를 파견하기도 한 것은 서원이 아닌 향교이다.

이것도 알면 **합격!**

조선 시대의 기술 교육(잡학)

종류	담당 관청	종류	담당 관청
의학	전의감	천문학(음양과)	관상감
역학(통역)	사역원	도학	소격서
산학	호조	서학(그림)	도화서
율학(법률)	형조	악학(음악)	장악원

06

2017년 사회복지직 9급

조선 시대의 교육 제도에 관한 설명으로 옳지 않은 것은?

① 왕세자는 궁 안의 시강원에서 교육을 받았다.
② 성균관에는 생원이나 진사만 입학할 수 있었다.
③ 서울에는 서학, 동학, 남학, 중학이 설치되었다.
④ 향교의 교생 가운데 시험 성적이 나쁜 사람은 군역에 충정되기도 하였다.

문제풀이 조선 시대의 교육 제도 난이도 중

② 조선 시대의 성균관에는 원칙적으로 소과에 합격한 15세 이상의 생원과 진사가 입학할 수 있었던 것은 맞지만, 정원이 미달일 경우 4부 학당의 성적 우수자(승보시 합격자) 등이 입학하기도 하였다.

오답 분석

① 조선 시대에 왕세자는 왕세자 교육을 담당한 관청인 시강원에서 교육을 받았다.

③ 조선 시대에 서울에는 중등 교육 기관으로 서학, 동학, 남학, 중학의 4부 학당(4학)이 설치되었다. 4학은 지방의 중등 교육 기관인 향교와 달리 문묘(文廟, 공자 사당)가 없었던 순수 교육 기관이었다.

④ 조선 시대에 향교에서는 시험을 실시하여 성적 우수자는 소과(생원·진사시)의 초시를 면제해주고, 성적 미달자는 군역을 수행하도록 하였다.

이것도 알면 **합격!**

조선 시대의 성균관

특징	서울에 위치한 조선 최고의 교육 기관
입학	• 원칙적으로 15세 이상의 생원·진사(소과 합격자)가 입학 • 정원이 미달인 경우 승보시에 합격한 자 등이 입학 가능
구조	대성전(문묘의 정전, 공자 사당), 동무·서무(공자의 제자와 중국·우리나라 선현들의 사당), 명륜당(강의실), 동재·서재(기숙사) 등으로 구성
특전	성적 우수자는 대과(문과) 초시 면제

07

2019년 지방직 7급

조선 시대 기록 문화에 대한 설명으로 옳지 않은 것은?

① 실록청에서 「사초」·『시정기』·『승정원일기』 등을 바탕으로 『실록』을 편찬하였다.

② 임진왜란 이전에 『실록』은 4부를 만들어 한양의 춘추관과 전주·성주·충주의 사고에 보관하였다.

③ 후대 왕에게 본보기로 제공하고자 국왕의 언행을 『실록』에서 가려 뽑아 『국조보감』을 편찬하였다.

④ 국왕과 대신이 국정을 논의할 때 예문관 한림이 사관으로 참가하여 『시정기』를 작성하였다.

08

2023년 법원직 9급

(가) 지역에 대한 설명으로 옳은 것을 〈보기〉에서 모두 고른 것은?

> 몽골의 대군이 경기 지역으로 침입하자 최이가 재추 대신들을 모아 놓고 (가) 천도를 의논하였다. 사람들은 옮기기를 싫어하였으나 최이의 세력이 두려워서 감히 한마디도 발언하는 자가 없었다. 오직 유승단이 "작은 나라가 큰 나라를 섬기는 것은 도리에 맞는 일이니, 예로써 섬기고 믿음으로써 사귀면 그들도 무슨 명목으로 우리를 괴롭히겠는가? 성곽과 종사를 내버리고 섬에 구차히 엎드려 세월을 보내면서 장정들을 적의 칼날에 죽게 만들고, 노약자들을 노예로 잡혀가게 하는 것은 국가를 위한 계책이 아니다."라고 반대하였다.

보기

㉠ 동녕부가 설치되었다.

㉡ 『조선왕조실록』 사고가 세워졌다.

㉢ 망이·망소이의 난이 일어났다.

① ㉠ ② ㉠, ㉡

③ ㉡ ④ ㉡, ㉢

문제풀이 조선 시대의 기록 문화 난이도 중

④ 국왕과 대신이 국정을 논의할 때 예문관 한림이 사관으로 참가하여 작성한 것은 「사초」이다. 『시정기』는 춘추관에서 「사초」와 각 관서에서 기록한 『등록』 등을 모아 정기적으로 정리한 자료이다.

오답 분석

① 조선 시대에는 왕의 사후 춘추관 내에 설치된 실록청에서 「사초」·『시정기』·『승정원일기』 등을 바탕으로 『실록』이 편찬되었다.

② 임진왜란이 일어나기 이전에는 『실록』을 4부로 제작한 후, 춘추관과 성주, 충주, 전주의 사고(史庫)에서 보관하였다. 그러나 임진왜란 때 전주 사고본을 제외한 모든 『실록』이 소실되면서 조선 후기에는 사고를 다섯 곳으로 정비한 후 『실록』을 보관하였다.

③ 조선 시대에는 후대 왕에게 본보기로 남겨주기 위해 『실록』에서 역대 왕들의 훌륭한 언행을 뽑아 『국조보감』을 편찬하였다.

문제풀이 강화도 난이도 하

제시문에서 몽골의 대군이 경기 지역으로 침입하자 최이(최우)가 재추 대신들을 모아 놓고 천도를 의논하였다는 내용을 통해 (가) 지역이 강화도임을 알 수 있다.

③ 옳은 것을 모두 고르면 ㉡이다.

㉡ 강화도에는 『조선왕조실록』 보관을 위한 5대 사고 중 하나인 마니산 사고(정족산 사고)가 세워졌다. 『조선왕조실록』은 세종 때부터 4대 사고(춘추관·성주·충주·전주 사고)에 보관하였으나, 임진왜란 때 전주 사고를 제외한 사고들이 소실되자, 광해군 때 5대 사고(춘추관·오대산·태백산·마니산·묘향산 사고)로 옮겨 보관하였다. 이후 마니산 사고에 화재가 발생하여 많은 서적들이 소실되자 새로 정족산 사고를 짓고 역대 실록과 서적 등을 보관하였다.

오답 분석

㉠ **평양**: 동녕부가 설치된 지역은 평양이다. 고려 시대에 몽골이 자비령 이북 지역을 통치하기 위해 1270년에 평양에 동녕부를 설치하였으며, 동녕부는 충렬왕 때인 1290년에 고려에 반환되었다.

㉢ **공주**: 망이·망소이의 난이 일어난 지역은 공주이다. 고려 시대에 공주 명학소에서 망이와 망소이가 신분 차별에 반대하여 난을 일으켰다.

정답 05 ① 06 ② 07 ④ 08 ③

09

2018년 서울시 9급(6월 시행)

조선 전기에 편찬된 서적으로 가장 옳지 않은 것은?

① 『본조편년강목』

② 『의방유취』

③ 『삼국사절요』

④ 『농사직설』

문제풀이 조선 전기에 편찬된 서적 난이도 하

① 『본조편년강목』은 고려 충숙왕 때 편찬된 역사서이다. 『본조편년강목』은 민지가 편찬한 우리나라 최초의 강목체 사서로, 고려 태조 왕건의 증조부부터 고종 때까지의 역사를 서술하였다.

오답 분석

② 『의방유취』는 조선 전기 세종 때 편찬된 의서로, 중국과 국내 의서 153종을 참고하여 집현전 학자와 의관이 3년간의 연구 끝에 완성한 의학 백과사전이다.

③ 『삼국사절요』는 조선 전기 성종 때 편찬된 역사서로, 노사신과 서거정 등이 왕명을 받아 단군 조선부터 삼국의 멸망까지 편년체로 서술한 역사서이다.

④ 『농사직설』은 조선 전기 세종 때 편찬된 농서로, 삼남 지방 농민들의 경험을 토대로 우리나라의 풍토에 맞는 농법을 정리한 책이다.

10

2012년 서울시 9급

밑줄 친 '이 책'은 무엇인가?

> 이 책은 세조 때에 편찬에 착수하였는데, 서거정 등이 고조선에서 고려 말까지의 역사를 정리한 편년체 역사서이다.

① 『동국통감』

② 『동국사략』

③ 『동사강목』

④ 『해동역사』

⑤ 『고려사절요』

문제풀이 『동국통감』 난이도 중

제시문에서 서거정 등이 고조선에서 고려 말까지의 역사를 편년체로 기록했다는 내용을 통해 밑줄 친 '이 책'이 『동국통감』임을 알 수 있다.

① 『동국통감』은 세조 때 편찬이 시작되어 성종 때 편찬된 편년체 사서로, 서거정 등이 단군 조선부터 고려 말까지의 역사를 서술하였다.

오답 분석

② **『동국사략』**: 『동국사략』은 16세기에 박상이 편찬한 역사서로 단군 조선부터 고려 시대까지의 역사를 기록하고 있다.

③ **『동사강목』**: 『동사강목』은 조선 후기의 실학자 안정복이 단군 조선부터 고려 시대까지의 역사를 기록한 사서이다.

④ **『해동역사』**: 『해동역사』는 조선 후기의 실학자 한치윤이 단군 조선부터 고려 시대까지 다룬 사서이다.

⑤ **『고려사절요』**: 『고려사절요』는 조선 전기 문종 때 김종서 등이 고려 시대의 역사를 편년체로 정리한 사서이다.

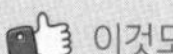

이것도 알면 **합격!**

15세기에 편찬된 역사서

『고려사』(1451)	고려의 역사를 자주적 입장에서 기전체로 기록
『고려사절요』(1452)	고려의 역사를 편년체로 기록
『동국통감』(1485)	고조선부터 고려 말까지의 역사를 편년체로 기록

11
2014년 사회복지직 9급

다음 서적들에 대한 설명 중 옳지 않은 것은?

① 『해동고승전』은 삼국 시대 이래 고려 시대까지 승려 30여 명의 계통을 밝힌 책이다.

② 『동명왕편』은 이규보가 쓴 것으로 고구려 건국 영웅인 동명왕의 업적을 칭송한 서사시이다.

③ 『제왕운기』는 우리 역사의 서술을 단군부터 시작하여 중국의 역사만큼 유구하다고 보았다.

④ 『동국통감』은 고조선부터 고려 말까지의 역사를 편년체로 서술하였다.

문제풀이 우리나라의 역사서 　난이도 중

① 『해동고승전』은 고려 후기의 교종 승려 각훈이 삼국 시대 이래 승려들의 계통이 아닌 전기를 수록한 것이며, 현재는 삼국 시대의 승려 30여 명에 대한 내용만 전해진다.

오답 분석

② 『동명왕편』은 고려 후기에 이규보가 저술한 것으로, 고구려 건국의 영웅인 동명왕(주몽)의 업적을 칭송한 일종의 영웅 서사시이다. 이규보는 『동명왕편』에서 고구려의 계승 의식을 반영하고, 고구려의 전통을 노래하였다.

③ 『제왕운기』는 고려 후기에 이승휴가 편찬한 것으로, 우리나라의 역사를 단군에서부터 서술하면서 우리 역사를 중국사와 대등하게 파악하는 자주성을 나타내었다.

④ 『동국통감』은 조선 전기에 서거정 등이 편찬한 역사서로, 고조선부터 고려 말까지의 역사를 편년체로 서술하였다.

이것도 알면 **합격!**

『해동고승전』

편찬	• 고려 무신 정권기 교종 승려 각훈이 왕명에 따라 편찬(1215) • 교종(화엄종)의 전통을 확립하기 위해 편찬
특징	• 삼국 시대 승려 30여 명의 전기만 전해짐 • 한국 불교를 중국 불교와 대등한 입장에서 파악하여 민족 문화에 대한 자주성을 보여줌

12
2019년 서울시 7급(10월 시행)

〈보기〉의 ㉠에 해당하는 것은?

> **보기**
>
> 왕께서 집현전 부제학 신(臣) 설순에게 명하여 편찬하는 일을 맡게 하였습니다. 이에 동방 고금의 서적에 기록되어 있는 것을 모두 열람하여 효자·충신·열녀로서 우뚝이 높아서 기술할 만한 자를 각각 1백 인을 찾아내었습니다. 그리하여 앞에는 형용을 그림으로 그리고, 뒤에는 사실을 기록하였으며, 모두 시를 붙였습니다. …… 편찬을 마치니, ㉠ (이)라고 이름을 하사하시고, 주자소로 하여금 인쇄하여 길이 전하게 하였습니다.

① 『입학도설』

② 『국조오례의』

③ 『소학』

④ 『삼강행실도』

문제풀이 『삼강행실도』 　난이도 하

제시문에서 효자·충신·열녀로서 책에 기술할 만한 자를 찾아내어 앞에는 그림으로 그리고 뒤에는 사실을 기록하였다는 것을 통해 ㉠이 세종 때 편찬된 『삼강행실도』임을 알 수 있다.

④ 『삼강행실도』는 세종 때 충신, 효자, 열녀 등의 행적을 널리 알려 백성들을 교화시키기 위해 그림을 그리고 설명을 붙여 쉽게 알아볼 수 있도록 만들어진 윤리서이다.

오답 분석

① **『입학도설』**: 『입학도설』은 권근이 저술한 성리학 입문서로 성리학의 기본적인 지식을 쉽게 알리기 위하여 그림을 넣어 설명한 책이다.

② **『국조오례의』**: 『국조오례의』는 세종 때 편찬을 시작하여 성종 때 완성된 의례서로, 오례의 예법(길례·가례·빈례·군례·흉례)과 국가의 여러 행사에 필요한 의례를 정리한 것이다.

③ **『소학』**: 중국 송나라의 주자가 소년들에게 유학의 기본을 가르치기 위해 만든 책이다.

정답 09 ① 10 ① 11 ① 12 ④

13

2019년 서울시 9급(2월 시행)

밑줄 친 '이것'에 대한 설명으로 옳지 않은 것은?

> 이것은 조선 시대 법령의 기본이 된 법전이다. 조선 건국 초의 법전인 『경제육전』의 원전과 속전, 그리고 그 뒤의 법령을 종합하여 만든 통치의 기본이 되는 통일 법전이다. (……) 편제와 내용은 『경제육전』과 같이 6분 방식에 따랐고, 각 전마다 필요한 항목으로 분류하여 규정하였다.

① 성종 때 완성되었다.

② 조준이 편찬을 주도하였다.

③ 이·호·예·병·형·공전으로 나뉘어 정리되었다.

④ 세조 때 만세 불변의 법전을 만들기 위해 편찬을 시작하였다.

문제풀이 『경국대전』 난이도 하

제시문에서 조선 시대 법령의 기본이 된 법전으로, 『경제육전』과 그 뒤의 법령을 종합하여 만든 통치의 기본이 되는 통일 법전이며, 편제와 내용은 6분 방식에 따랐다는 내용을 통해 밑줄 친 '이것'이 『경국대전』임을 알 수 있다.

② 조준이 편찬을 주도한 법전은 태조 때 반포된 『경제육전』이다. 『경국대전』은 최항, 노사신, 강희맹 등의 주도로 편찬되었다.

오답 분석

①, ④ 『경국대전』의 편찬 사업은 세조 때 만세 불변의 법전을 만들기 위한 목적으로 시작되어, 이후 성종 때 완성·반포되었다.

③ 『경국대전』은 「이전」·「호전」·「예전」·「병전」·「형전」·「공전」의 6전 체제로 구성되었다.

이것도 알면 **합격!**

조선 전기의 법전

『조선경국전』	태조 때 정도전이 편찬, 6전 체제로 나누어 서술
『경제문감』	태조 때 정도전이 편찬
『경제육전』	태조 때 조준이 법령을 모아서 편찬한 최초의 통일 법전
『경국대전』	• 세조 때 편찬하기 시작하여 성종 때 완성 • 조선의 기본 법전으로, 법률 체계의 골격 형성

14

2012년 지방직(하) 9급

다음은 어떤 책의 서문이다. 이 책에 대한 설명으로 옳은 것은?

> 세조께서 일찍이 말씀하셨다. "우리 조종의 심후하신 인덕과 크고 아름다운 규범이 훌륭한 전장(典章)에 퍼졌으니…… 또 여러 번 내린 교지가 있어 법이 아름답지 않은 것은 아니지만, 관리들이 재주가 없고 어리석어 제대로 받들어 행하지 못한다. …… 이제 손익을 헤아리고 회통할 것을 산정하여 만대 성법을 만들고자 한다."

① 국가 통치 규범을 확립한 『경국대전』이다.

② 국가 행사 때 사용될 의례 규범서인 『국조오례의』이다.

③ 후대에 모범이 될 만한 역대 국왕의 행적을 기록한 『국조보감』이다.

④ 효자, 충신, 열녀 등의 사례를 뽑아서 만든 백성들의 윤리서인 『삼강행실도』이다.

문제풀이 『경국대전』 난이도 하

제시문에서 세조 때 법 이외의 여러 차례 내린 교지로 관리들이 법을 시행하는데 어려움을 겪자 만대 성법을 만들고자 한다는 내용을 통해 세조 때 편찬하기 시작하여 성종 때 완성한 조선의 기본 법전인 『경국대전』임을 알 수 있다.

① 『경국대전』은 이·호·예·병·형·공의 6전으로 구성되었는데, 이를 통해 조선은 국가의 통치 규범을 확립할 수 있었다.

오답 분석

② **『국조오례의』**: 『국조오례의』는 국가의 여러 행사에 필요한 의례(군례·빈례·길례·가례·흉례)를 정리한 것으로, 세종 때 편찬하기 시작하여 성종 때 완성된 의례 규범서이다.

③ **『국조보감』**: 『국조보감』은 후대 왕에게 본보기로 남겨 주기 위해 『실록』에서 역대 왕들의 훌륭한 언행을 뽑아 기록한 편년체 사서이다.

④ **『삼강행실도』**: 『삼강행실도』는 모범이 될 만한 충신, 효자, 열녀 등의 행적을 모아 그림으로 그리고 설명을 붙인 윤리서이다.

15

2024년 국가직 9급

밑줄 친 '왕'의 재위 기간에 편찬된 서적으로 옳은 것은?

> ○ 왕은 집현전을 계승한 홍문관을 설치하고 중단되었던 경연을 다시 열었다.
> ○ 왕은 훈구 세력을 견제하기 위해 사림 세력을 등용하였다.

① 『대전통편』

② 『동사강목』

③ 『동국여지승람』

④ 『훈민정음운해』

문제풀이 성종 재위 기간에 편찬된 서적 난이도 중

제시문에서 홍문관을 설치하고 경연을 다시 열었다는 내용과 훈구 세력을 견제하기 위해 사림 세력을 등용하였다는 내용을 통해 밑줄 친 '왕'이 성종임을 알 수 있다. 성종은 홍문관에 경연과 학술·언론 기능을 부여하여 집현전의 기능을 계승한 언론 기관의 역할을 하게 하였으며, 훈구 세력을 견제하기 위해 김종직 등의 사림 세력을 등용하였다.

③ 성종 재위 기간에 노사신, 강희맹 등이 군현의 연혁·지세·인물·풍속 등을 자세하게 서술한 인문 지리서인 『동국여지승람』이 편찬되었다.

오답 분석

① **정조:** 『대전통편』은 정조 때 편찬된 법전으로, 『경국대전』, 『속대전』 및 그 이후의 법령들을 통합하여 왕조의 통치 규범을 전반적으로 재정리하였다.

② **정조:** 『동사강목』은 정조 때 편찬된 역사서로, 안정복이 고조선으로부터 고려 말까지의 역사를 강목체 형식의 편년체 통사로 편찬하였다.

④ **영조:** 『훈민정음운해』는 영조 때 편찬된 국어 음운 연구서로, 신경준이 훈민정음의 음운 원리를 풀이하여 설명하였다.

16

2019년 국가직 9급

밑줄 친 '성상(聖上)'대에 편찬된 서적에 대한 설명으로 옳은 것은?

> 세조가 신하들에게 말씀하시기를, "법의 과목(科目)이 너무 번잡하고 앞뒤가 맞지 않았기 때문에 상세히 살펴 다듬어 자손만대의 성법(成法)을 만들고자 한다."라고 하셨다. 형전(刑典)과 호전(戶典)은 이미 반포되어 시행하고 있으나 나머지 네 법전은 미처 교정을 마치지 못했다. 이에 성상(聖上)께서 세조의 뜻을 받들어 여섯 권의 법전을 완성하게 하여 중외에 반포하셨다.

① 『동국병감』은 고조선에서 고려 말까지의 전쟁을 정리한 병서이다.

② 『동몽선습』은 중국과 우리나라의 역사를 담은 아동 교육서이다.

③ 『삼강행실도』는 모범적인 효자·충신·열녀를 다룬 윤리서이다.

④ 『국조오례의』는 국가의 여러 행사에 필요한 의례를 정비한 의례서이다.

문제풀이 성종 대에 편찬된 서적 난이도 중

제시된 자료에서 세조의 뜻을 받들어 여섯 권의 법전을 완성하게 했다는 내용을 통해 밑줄 친 '성상'이 성종임을 알 수 있다. 성종 대에는 6전으로 구성된 『경국대전』을 완성하여 반포함으로써 조선의 기본 통치 방향을 확립하였다.

④ 성종 대에 신숙주, 정척 등이 제사 의식인 「길례」, 관례와 혼례 등의 「가례」, 사신 접대 의례인 「빈례」, 군사 의식에 해당하는 「군례」, 상례 의식인 「흉례」의 다섯 가지 의식(오례)을 정리한 의례서인 『국조오례의』를 편찬하였다.

오답 분석

① **문종:** 고조선에서 고려 말까지의 전쟁을 정리한 병서인 『동국병감』은 문종 때 편찬되었다.

② **중종:** 오륜의 중요성과 중국과 우리나라의 역사를 담은 아동 교육서인 『동몽선습』은 중종 때 박세무에 의해 편찬되었다.

③ **세종:** 모범이 될 만한 효자, 충신, 열녀를 다룬 윤리서인 『삼강행실도』는 세종 때 편찬되었다.

정답 13 ② 14 ① 15 ③ 16 ④

17

2013년 경찰직(2차)

다음의 밑줄 친 '왕'의 재위 기간에 있었던 사실로 가장 적절한 것은?

> 왕의 명으로 이 책을 완성하였다. 그 내용은 제사에 대한 길례, 왕실의 관례와 혼례에 대한 가례, 사신 접대에 대한 빈례, 군사 의식에 대한 군례, 상례 의식에 대한 흉례이다.

① 『이륜행실도』가 간행되었다.

② 『동국여지승람』이 편찬되었다.

③ 『신찬팔도지리지』가 편찬되었다.

④ 천상열차분야지도가 제작되었다.

문제풀이 성종 대의 서적 난이도 중

제시문에서 길례, 가례, 빈례, 군례, 흉례의 오례에 대한 내용을 담았다는 것을 통해 『국조오례의』에 대한 내용임을 알 수 있으며, 『국조오례의』를 완성한 밑줄 친 '왕'은 성종이다. 『국조오례의』는 세종의 명으로 편찬에 착수했으나 완성하지 못하였고, 다시 세조가 강희맹 등에 명하여 편찬하게 했으나 탈고하지 못하다가 성종 때 신숙주와 정척 등에 의해 완성되었다.

② 『동국여지승람』은 성종 때 노사신, 강희맹 등이 저술한 최대의 인문 지리서이다. 이 책에는 군현의 연혁·지세·인물·풍속·성씨·고적·산물 등이 자세히 수록되어 있다.

오답 분석

① **중종**: 『이륜행실도』는 중종 때 간행된 윤리서로, 연장자와 연소자(장유유서), 친구 사이(붕우유신)에서 지켜야 할 윤리를 강조하였다.

③ **세종**: 『신찬팔도지리지』는 세종 때 편찬된 인문 지리서로, 현전하지는 않으나, 이 책을 바탕으로 편찬된 『세종실록』 「지리지」를 통해 전국 8도의 지리·역사·정치·사회·경제·산업·군사·교통 등이 수록되어 있던 서적이었음을 유추할 수 있다.

④ **태조**: 천상열차분야지도는 태조 때 제작된 천문도로, 권근 등이 고구려 천문도의 탁본을 바탕으로 만든 것이다.

18

2014년 계리직 9급

다음에서 서술하는 인물 ㉠에 대한 설명으로 옳은 것은?

> 이 책은 ㉠이/가 1443년의 계해약조 이후 조금씩 이완되는 일본에 대한 통제를 다시 강화하기 위하여 성종 때에 편찬하였다. 일본과 유구국(琉球國)의 지리·국정·풍속 외에도 교빙(交聘)의 연혁이나 통상에 관한 규정을 모아, 조선 초기의 일본에 대한 인식을 정리한 것이다.

① 집현전 출신 학자로, 『해동제국기』라는 책을 편찬하였다.

② 소격서를 폐지하여 도교적 의식을 거행하지 못하도록 하였다.

③ 사육신 가운데 한 인물로, 단종의 복위 운동에 참여하였다가 죽임을 당하였다.

④ 중국의 이상적인 정치 규범인 『주례』를 참조하여 『조선경국전』을 편찬하였다.

문제풀이 신숙주 난이도 중

제시문에서 일본에 대해 통제를 다시 강화하기 위하여 성종 때 편찬하였으며, 책의 내용이 조선 초기의 일본에 대한 인식을 정리한 것이라는 내용을 통해 '이 책'이 『해동제국기』임을 알 수 있다. 따라서 ㉠은 『해동제국기』를 편찬한 신숙주이다.

① 신숙주는 집현전 출신의 학자로, 세종 때 서장관으로 일본을 다녀온 후 성종 때 일본에 관한 견문기인 『해동제국기』를 저술하였다. 신숙주의 『해동제국기』에는 일본과 류큐, 쓰시마 섬 등의 지세 및 조선과의 관계나 문물, 풍습 등이 기록되어 있다.

오답 분석

② **조광조**: 소격서를 폐지하여 도교적 의식을 거행하지 못하도록 한 인물은 조광조이다. 조광조는 성리학적 통치 규범을 확립하기 위해 도교 의식을 행하던 소격서의 폐지를 끈질기게 주장하였고, 그 결과 1518년(중종)에 소격서가 폐지되었다.

③ **성삼문, 박팽년 등**: 단종 복위 운동을 전개한 사육신에는 성삼문, 박팽년, 하위지, 유응부, 유성원, 이개 등이 있다. 신숙주는 계유정난 때 수양대군(세조)의 편을 들었기 때문에 사육신에 포함되지 않는다.

④ **정도전**: 중국의 『주례』를 참조하여 『조선경국전』을 편찬한 인물은 정도전이다. 정도전은 『주례』의 6전 체제를 참고하여 『조선경국전』을 「치전」·「부전」·「예전」·「정전」·「헌전」·「공전」의 6전 체제로 나누어 각각의 소관 업무를 서술하였고, 이후 『경제문감』을 편찬하여 「치전」을 보완하였다.

19

2018년 국가직 9급

밑줄 친 '국왕'의 재위 기간에 있었던 일로 옳은 것은?

> 지금 국왕께서 풍속을 바꾸려는 데에 뜻이 있으므로 신은 지극하신 뜻을 받들어 완악한 풍속을 고치고자 합니다. … (중략) … 이륜행실(二倫行實)로 말하면 신이 전에 승지가 되었을 때에 간행할 것을 청했습니다. 삼강이 중한 것은 아무리 어리석은 부부라도 모두 알고 있으나, 붕우·형제의 이륜에 이르러서는 평범한 사람들이 제대로 모르는 경우가 있습니다.

① 주세붕이 백운동 서원을 세웠다.
② 김시습이 『금오신화』를 저술하였다.
③ 『국조오례의』가 편찬되고 『동국여지승람』이 만들어졌다.
④ 문화와 제도를 유교식으로 갖추기 위해 집현전을 창설하였다.

20

2023년 국회직 9급

시대별 불교에 대한 설명으로 옳은 것은?

① 고대 삼국 중 백제가 가장 먼저 수용했다.
② 고구려 제가 회의와 신라 화백 회의의 사상적 배경이 되었다.
③ 신라 원효는 부석사에서 화엄 사상을 설파하며 화엄종을 열었다.
④ 조선 초 승과 시험 제도를 실시하고, 승려들에게 도첩을 발급했다.
⑤ 고려 광종은 균여를 통해 교종과 선종을 화엄종 중심으로 통합했다.

문제풀이 중종 재위 기간의 사실

난이도 중

제시된 자료에서 이륜행실(二倫行實)을 간행할 것을 청했다는 내용을 통해 밑줄 친 '국왕'이 조선 중종임을 알 수 있다. 중종은 김안국의 건의에 따라 백성의 교화를 목적으로 『이륜행실도』를 편찬하였다.

① 조선 중종 때는 풍기 군수 주세붕이 우리나라에 성리학을 처음 소개한 안향을 제사 지내기 위해 우리나라 최초의 서원인 백운동 서원을 세웠다. 이후 명종 때 풍기 군수로 부임한 이황의 건의로 백운동 서원이 소수 서원으로 사액되면서 최초의 사액 서원이 되었다.

오답 분석

② 김시습이 『금오신화』를 저술한 것은 세조~성종 때로 추정된다. 우리나라 최초의 한문 소설인 『금오신화』는 평양, 경주, 개성 등 옛 도읍지를 배경으로 우리나라 고유 신앙과 연결된 민중의 생활 감정 등을 표현하였다.

③ **성종**: 『국조오례의』가 편찬되고 『동국여지승람』이 만들어진 것은 조선 성종 때이다. 조선 성종 때에는 국가의 주요 행사인 길례, 혼례, 빈례, 군례, 흉례 등 '오례'에 관해 정리한 『국조오례의』가 편찬되었으며, 군현의 연혁, 지세, 인물, 풍속, 성씨 등을 수록한 관찬 인문 지리서인 『동국여지승람』이 편찬되었다.

④ **세종**: 문화와 제도를 유교식으로 갖추기 위해 집현전을 확대·창설한 것은 조선 세종 때이다. 세종은 고려 때부터 있었던 학문 연구 기관인 집현전의 기능을 확대하고, 유학자를 양성하였다.

문제풀이 시대별 불교

난이도 하

④ 조선 초에는 승과 시험 제도를 실시하고, 국가가 승려의 신분을 공인해 주는 도첩을 발급해주었다. 한편, 도첩제는 성종 때 폐지되었고, 승과는 중종 때 폐지되었다(명종 때 일시적으로 부활).

오답 분석

① 고대 삼국 중 불교를 가장 먼저 수용한 것은 고구려이다. 고구려는 소수림왕 때인 372년에 전진에서 온 순도로부터 불경과 불상을 전달받고 삼국 중 가장 먼저 불교를 수용하였다. 한편, 백제는 침류왕 때인 384년에 마라난타를 통해 불교를 수용하였고, 신라는 법흥왕 때인 527년에 이차돈의 순교를 계기로 불교를 수용하였다.

② 고구려의 제가 회의와 신라의 화백 회의는 부족적 전통에 따라 형성된 귀족 합의 기구로, 불교와는 관련이 없다.

③ 부석사에서 화엄 사상을 설파하며 화엄종을 열었던 승려는 원효가 아니라 의상이다. 의상은 당에서 유학하고 돌아와 부석사, 낙산사 등의 사찰을 창건하였고, 모든 만물이 서로 조화를 이루고 있다는 화엄 사상을 설파하였다.

⑤ 고려 광종이 균여를 통해 화엄종을 중심으로 통합하고자 하였던 것은 교종이다. 당시 교종 내의 종파가 북악파와 남악파로 분열되어 서로 대립하자 광종은 귀법사를 창건하고, 균여를 초대 주지로 삼아 북악파를 중심으로 남악파를 합쳐서 교종을 통합하고자 하였다.

정답 17 ② 18 ① 19 ① 20 ④

2 | 성리학의 발달

01

2021년 소방직

(가) 인물에 대한 설명으로 옳은 것은?

> (가) 은/는 『성학십도』와 『주자서절요』 등을 저술하여 주자의 학설을 당시 사회 현실에 맞게 체계화하였다. 특히 『성학십도』는 태극도 등 10개의 그림과 설명이 들어가 있는 책으로, 당시 임금이었던 선조가 성군(聖君)이 되기를 바라는 마음에서 지어 올린 것이라고 한다.

① 여전론을 주장하였다.
② 강화 학파를 형성하였다.
③ 일본의 성리학 발달에 영향을 주었다.
④ '이'와 '기'를 통일적으로 이해하면서 '기'를 중시하였다.

문제풀이 이황 난이도 중

제시문에서 『성학십도』와 『주자서절요』 등을 저술하였다는 내용을 통해 (가) 인물이 이황임을 알 수 있다. 이황은 성리학의 주요 원리를 10개의 도식(그림)으로 설명한 『성학십도』를 지어 16세의 나이에 왕위에 오른 선조에게 바쳤는데, 그는 이 저술에서 군주 스스로 성학을 따를 것(성학군주론)을 강조하였다. 이 외에도 이황은 『주자서절요』, 『전습록논변』 등의 저술을 남겼다.

③ 이황의 사상은 임진왜란 이후 일본에 전해져 일본의 성리학 발달에 영향을 주었다.

오답 분석
① **정약용**: 마을을 단위로 하여 토지를 공동으로 소유·경작하고, 그 수확량을 노동량에 따라 분배하자는 여전론을 주장한 인물은 정약용이다.
② **정제두**: 강화 학파를 형성한 인물은 정제두이다. 정제두는 양명학을 본격적으로 수용하여 학문적으로 체계화하였으며, 강화도에서 후학을 양성하면서 강화 학파를 형성하였다.
④ **이이**: 이(理)와 기(氣)를 통일적으로 이해하면서, 상대적으로 기의 역할을 강조한 인물은 일원론적 이기이원론을 주장한 이이이다. 한편, 이황은 이귀기천의 관점에서 상대적으로 기보다 이의 역할을 강조하였다.

02

2020년 법원직 9급

밑줄 친 '그'에 대한 설명으로 가장 옳은 것은?

> 그의 사상은 사림이 구체제를 비판하고 훈척과 투쟁하던 시기를 바탕으로 하고 있다. 또한 왕 스스로가 인격과 학식을 수양하기 위해 부단히 노력해야 한다는 점을 강조하였다. 그의 사상이 일본에 전파되면서 일본에서는 그를 '동방의 주자'라고 부르기도 하였다.

① 기호 학파를 형성하였다.
② 강화 학파를 형성하였다.
③ 『성학집요』를 저술하였다.
④ 『성학십도』를 저술하였다.

문제풀이 이황 난이도 하

제시문에서 왕이 스스로 노력해야 한다는 점을 강조하였고, 일본에서 '동방의 주자'라고 불렀다는 것을 통해 밑줄 친 '그'가 이황임을 알 수 있다.

④ 이황은 선조가 즉위하자 군왕의 도에 대해 설명한 『성학십도』를 올렸다. 이황은 『성학십도』에서 성리학의 원리를 10개의 도식으로 설명하였으며, 군주 스스로 성학을 따를 것(성학군주론)을 주장하였다.

오답 분석
① 기호 학파를 형성한 것은 이이의 제자들(조헌, 김장생 등)이다. 이황의 제자들(김성일, 유성룡 등)은 영남 학파를 형성하였다.
② **정제두**: 강화 학파를 형성한 사람은 정제두이다. 정제두는 강화도에서 후학을 양성하면서 양명학 연구에 몰두하여 강화 학파를 형성하였다.
③ **이이**: 『성학집요』를 저술한 사람은 이이이다. 이이는 『성학집요』에서 현명한 신하가 군주에게 성학을 가르쳐 그 기질을 변화시켜야 한다고 주장하였다.

03

2018년 서울시 9급(6월 시행)

왕의 수신 교과서인 『성학십도』를 집필한 인물에 대한 설명으로 가장 옳은 것은?

① 아동용 수신서인 『동몽선습』을 편찬하였다.

② 그의 학설을 따르는 이들이 처음에는 서인을 형성하였다.

③ 기(氣)보다는 이(理)를 중시했고, 『예안향약』을 만들었다.

④ 『주자대전』의 중요 부분을 발췌하여 『주자문록』을 편찬하였다.

문제풀이 이황 난이도 중

③ 왕의 수신 교과서인 『성학십도』를 집필한 이황은 이언적을 계승하여 주리론을 집대성하고, 기보다는 이의 절대성을 강조하였다. 또한 이황은 경북 안동의 예안 지방에서 조광조가 소개한 중국의 『여씨향약』을 토대로 『예안향약』을 만들어 보급하였다.

오답 분석

① **박세무**: 아동용 수신서인 『동몽선습』을 편찬한 인물은 16세기 중종 때의 유학자 박세무이다. 박세무는 『동몽선습』에서 오륜(五倫)의 중요성을 설명하고, 중국 및 한반도의 역사를 약술하였다.

② 이황의 학설을 따르던 영남 학파는 동인을 형성하였다. 서인은 이이와 성혼 등의 학풍을 계승한 기호 학파를 중심으로 형성되었다.

④ **기대승**: 『주자대전』을 발췌하여 『주자문록』을 편찬한 인물은 이황과 사단·칠정과 이·기의 관계를 두고 논쟁을 펼쳤던 기대승이다. 한편 이황은 『주자대전』을 발췌하여 『주자서절요』를 편찬하였다.

이것도 알면 **합격!**

『성학십도』

> 이제 이 도(圖)와 해설을 만들어 겨우 열 폭밖에 되지 않는 종이에 풀어 놓았습니다만, …… 나라를 다스리는 근원이 모두 여기에 갖추어져 있사오니, 오직 전하께서는 이에 유의하시어 여러 번 반복하여 공부하소서

사료 분석 | 이황은 성리학의 원리를 10개의 도식으로 설명한 『성학십도』를 저술하여 선조에게 바치며, 군주 스스로 성학을 따를 것을 주장하였다.

04

2016년 국가직 9급

밑줄 친 '이 사람'에 대한 설명으로 옳은 것은?

> <u>이 사람</u>은 34세에 문과에 급제하여 관직 생활을 시작하였지만 곧 모친상을 당하여 3년간 상복을 입었다. 삼년상이 끝나고 관직에 복귀하였으나 을사사화 등으로 조정이 어지러워지자 이내 관직 생활의 뜻을 접고, 1546년 40대 중반의 나이에 향리로 퇴거하여 학문 연구에 전념하였다. 이후 경상도 풍기 군수로 있으면서 주세붕이 창설한 백운동 서원에 대한 사액을 청원하여 실현을 보게 되었으니, 이것이 조선 왕조 최초의 사액 서원인 '소수 서원'이다.

① 서리망국론을 부르짖으며 당시 서리의 폐단을 강력하게 비판하였다.

② 아홉 차례의 과거 시험에 모두 장원하여 '구도장원공'이라는 별칭을 얻었다.

③ 주희의 성리설을 받아들였으며, 이기 철학에서 이(理)의 절대성을 주장하였다.

④ 우주 자연은 기(氣)로 구성되어 있으며, 기는 영원불멸하면서 생명을 낳는다고 보았다.

문제풀이 이황 난이도 중

제시문에서 백운동 서원에 대한 사액을 청원하였다는 내용을 통해 밑줄 친 '이 사람'이 이황임을 알 수 있다. 주세붕이 세운 백운동 서원(1543, 중종)은 이황의 건의를 통해 최초의 사액 서원(소수 서원)으로 공인되었다.

③ 이황은 주희의 성리설을 받아들였으며, 이기 철학에서 불완전한 기(氣)보다 완전한 이(理)를 중시하였다.

오답 분석

① **조식**: 선조에게 올린 『무진봉사』에서 서리망국론을 주장하여 당시 서리의 폐단을 강력하게 비판한 인물은 조식이다.

② **이이**: 과거 시험에 9번 장원 급제하여 '구도장원공'이라는 별칭을 얻은 인물은 이이이다.

④ **서경덕**: 우주 자연이 기(氣)로 구성되어 있으며, 기는 영원불멸하면서 생명을 낳는다고 주장한 인물은 서경덕이다. 서경덕은 이(理)보다는 기(氣)를 중심으로 세계를 이해하였고, 불교와 노장 사상에 개방적이었다.

이것도 알면 **합격!**

이황의 저서

『성학십도』	군주 스스로가 노력하여 성학을 따를 것을 제시
『주자서절요』	『주자대전』 중에서 중요한 부분을 뽑아 편찬
『전습록논변』	왕수인(왕양명)의 『전습록』을 조목별로 비판

정답 01 ③ 02 ④ 03 ③ 04 ③

05

2022년 지방직 9급

밑줄 친 '저'에 대한 설명으로 옳은 것은?

> 올해 초가을에 비로소 저는 책을 완성하여 그 이름을 『성학집요』라고 하였습니다. 이 책에는 임금이 공부해야 할 내용과 방법, 정치하는 방법, 덕을 쌓아 실천하는 방법과 백성을 새롭게 하는 방법이 실려 있습니다. 또한 작은 것을 미루어 큰 것을 알게 하고 이것을 미루어 저것을 밝혔으니, 천하의 이치가 여기에서 벗어나지 않을 것입니다. 따라서 이것은 저의 글이 아니라 성현의 글이옵니다.

① 예안 향약을 만들었다.
② 『동호문답』을 저술하였다.
③ 백운동 서원을 건립하였다.
④ 왕자의 난 때 죽임을 당했다.

문제풀이 이이 난이도 하

제시문에서 『성학집요』를 지었다는 내용을 통해 밑줄 친 '저'가 이이임을 알 수 있다. 이이는 『성학집요』를 저술하여 현명한 신하가 군주에게 성학을 가르쳐 그 기질을 변화시켜야 한다고 주장하였다.

② 이이는 『동호문답』을 저술하여 왕도 정치의 이상을 문답 형식으로 정리하였으며, 방납의 폐단을 시정하기 위한 방안으로 수미법의 실시를 주장하였다.

오답 분석

① **이황**: 예안 향약을 만든 인물은 이황이다. 이황은 조광조가 소개한 중국의 여씨 향약을 토대로 경북 안동의 예안 지방에서 예안 향약을 만들어 보급하였다.
③ **주세붕**: 백운동 서원을 건립한 인물은 주세붕이다. 주세붕은 중종 때 풍기 군수로 부임한 후, 안향을 제사 지내기 위해 우리나라 최초의 서원인 백운동 서원을 건립하였다.
④ **정도전, 남은 등**: 왕자의 난 때 죽임을 당한 인물은 정도전, 남은 등이다. 정도전이 요동 정벌을 추진하며 사병을 혁파하려 하자, 이에 반발한 이방원이 제1차 왕자의 난(1398)을 일으켜 정도전, 남은 등을 제거하였다.

06

2022년 소방간부후보생

(가) 인물에 대한 설명으로 옳은 것은?

> 왕이 말하기를, "혹자는 (가) 을/를 가리켜 당(黨)을 만들었다고 하는데 이러한 말로 어찌 나의 뜻을 움직일 수 있겠는가. 아! 참으로 군자라면 당이 있는 것을 걱정하지 말고, 그 당이 적을까를 걱정해야 할 것이다. 나 역시 주희의 설을 본받아 (가) 와/과 성혼의 당에 들어가기를 원하는 바이다."라고 하였다.

① 『가례집람』을 집필하였다.
② 「조의제문」을 작성하였다.
③ 『동호문답』을 저술하였다.
④ 강화 학파를 형성하였다.
⑤ 인물성이론을 정립하였다.

문제풀이 이이 난이도 중

제시문은 이이가 붕당을 만들었다고 비판한 것을 왕인 선조가 반박하는 내용으로, (가) 인물이 이이임을 알 수 있다.

③ 이이는 『동호문답』을 저술하였다. 『동호문답』은 이이가 왕도 정치의 이상을 문답 형식으로 서술하여 선조에게 올린 글로, 이 글에서 이이는 공납을 현물 대신 쌀로 징수하자는 수미법을 주장하였다.

오답 분석

① **김장생**: 예학을 조선의 현실에 맞게 정리한 『가례집람』을 집필한 인물은 김장생이다.
② **김종직**: 세조의 왕위 찬탈을 비난한 「조의제문」을 작성한 인물은 김종직이다. 김종직의 「조의제문」으로 인하여 연산군 때 무오사화가 일어났다.
④ **정제두**: 강화 학파를 형성한 사람은 정제두이다. 정제두는 강화도에서 후학을 양성하면서 양명학 연구에 몰두하여 강화 학파를 형성하였다.
⑤ **한원진 등**: 인간과 사물의 본성이 다르다는 인물성이론을 정립한 인물은 한원진, 윤봉구, 권상하 등의 호론 학자들이다.

이것도 알면 **합격!**

율곡 이이

- 주기론 주장, 서인에 영향을 줌
- 10만 양병설, 수미법 주장, 해주 향약 실시
- 『격몽요결』, 『동호문답』, 『성학집요』, 『기자실기』, 『만언봉사』, 「김시습전」 등을 저술함
- 아홉 차례의 과거 시험에 모두 장원하여 '구도장원공'이라는 별칭을 얻음

07

2019년 서울시 7급(2월 시행)

〈보기〉의 인물 ㉠에 대한 설명으로 가장 옳은 것은?

> **보기**
> 명나라 사신 왕경민이 "항상 기자가 동쪽으로 온 사적에 대해 알 수 없는 것이 한스럽다. 조선에 기록된 것이 있으면 보고 싶다."라고 하니, (㉠)이(가) 전에 본인이 저술한 『기자실기』를 주었다.

① 백운동 서원에 소수 서원이라는 편액을 하사받도록 하였다.

② 『성학집요』와 『격몽요결』 등을 집필하였다.

③ 유성룡, 김성일, 장현광 등 주로 영남 학자들에게 그의 학설이 계승되었다.

④ 일평생 처사로 지내며 독창적인 유기 철학을 수립하였다.

문제풀이 이이 난이도 중

제시문에서 명나라 사신에게 본인이 저술한 『기자실기』를 주었다는 내용을 통해 ㉠ 인물이 이이임을 알 수 있다.

② 이이는 현명한 신하가 군주에게 성학을 가르쳐 그 기질을 변화시켜야 한다고 주장한 『성학집요』와, 성리학 초심자들을 가르치기 위한 아동 수신서로 『격몽요결』 등을 집필하였다.

오답 분석

① **이황**: 국왕(명종)에게 건의하여 주세붕이 세운 백운동 서원에 소수 서원이라는 편액을 하사받도록 한 인물은 이황이다.

③ **이황**: 유성룡, 김성일, 장현광 등의 영남 학자들은 이황의 학통을 계승하였다. 이이의 주기설은 조헌·김장생 등의 기호 학파 학자들에게 계승되었다.

④ **서경덕**: 일평생 벼슬에 나아가지 않고 처사로 지내며 독창적인 유기 철학(기일원론)을 수립한 인물은 서경덕이다.

이것도 알면 **합격!**

『성학십도』와 『성학집요』

『성학십도』	『성학집요』
이황이 저술	이이가 저술
군주 스스로가 성학을 따를 것을 제시	현명한 신하가 성학을 군주에게 가르쳐 그 기질을 변화시켜야 한다고 주장

08

2017년 서울시 9급

밑줄 친 '이 책'의 저자에 대한 설명으로 옳은 것은?

> <u>이 책</u>은 왕과 사대부를 위해 왕도 정치의 규범을 체계화한 것으로 통설, 수기, 정가, 위정, 성현도통 등으로 구성되어 있다. <u>이 책</u>은 성리학의 정치 이론서인 『대학연의』를 보완함으로써 조선의 사상계에 널리 영향을 미쳤다.

① 경과 의를 근본으로 하는 실천적 성리학풍을 강조하였다.

② 기대승과 8차례 편지를 통해 4단과 7정에 대한 논쟁을 벌였다.

③ 이보다 기를 중심으로 세계를 이해하고 노장 사상에 개방적이었다.

④ 사림이 추구하는 왕도 정치가 기자에서 시작되었다는 평가를 담은 『기자실기』를 저술하였다.

문제풀이 이이(『성학집요』) 난이도 상

제시문에서 왕도 정치의 규범을 체계화한 것으로, 통설(通說), 수기(修己), 정가(正家), 위정(爲政), 성현도통(聖賢道統)으로 구성되어 있고, 『대학연의』를 보완하였다는 내용을 통해 밑줄 친 '이 책'은 이이가 저술한 『성학집요』임을 알 수 있다.

④ 이이는 사림이 추구하는 왕도 정치가 기자에서 시작되었다는 평가를 담은 『기자실기』를 저술하였다.

오답 분석

① **조식**: 경과 의를 근본으로 하는 실천적 성리학풍을 강조하였던 인물은 조식이다.

② **이황**: 기대승과 8차례 편지를 통해 4단과 7정에 대한 논쟁을 벌였던 인물은 이황이다.

③ **서경덕**: 이보다 기를 중심으로 세계를 이해하고 노장 사상에 개방적이었던 인물은 서경덕이다.

이것도 알면 **합격!**

『성학집요』

> 제왕의 학문은 기질을 바꾸는 것보다 절실한 것이 없고, 제왕의 정치는 정성을 다해 어진 이를 등용하는 것보다 우선하는 것이 없을 것입니다.

사료 분석 | 이이는 『성학집요』를 저술하여 현명한 신하가 군주에게 성학을 가르쳐 그 기질을 변화시켜야 한다고 주장하였다.

정답 05 ② 06 ③ 07 ② 08 ④

09

2013년 지방직 9급

(가)와 (나)의 인물에 대한 설명으로 옳은 것은?

> (가) 주자의 이론에 조선의 현실을 반영하여 나름대로의 체계를 세우고자 하였다. 그의 사상은 도덕적 행위의 근거로서 인간 심성을 중시하고, 근본적이며 이상주의적인 성격이 강하였다. 대표적인 저서로 『성학십도』가 있다.
> (나) 현실적이며 개혁적인 성격을 가지고 있었다. 그는 『성학집요』 등을 저술하여 16세기 조선 사회의 모순을 극복하는 방안으로 통치 체제의 정비와 수취 제도의 개혁 등 다양한 개혁 방안을 제시하였다.

① (가)의 사상은 일본 성리학 발전에 영향을 끼쳤다.
② (가)는 도학의 입문서인 『격몽요결』을 저술하였다.
③ (나)는 왕에게 주청하여 소수 서원이라는 편액을 하사받았다.
④ (나)는 향촌 사회의 도덕적 질서를 안정시키기 위해 예안 향약을 만들었다.

문제풀이 이황과 이이 난이도 하

(가)는 『성학십도』를 저술한 이황이고, (나)는 『성학집요』를 저술한 이이이다.

① 이황의 사상은 임진왜란 이후 일본에 전해져 일본 성리학 발전에 큰 영향을 미쳤다.

오답 분석
② **이이**: 『격몽요결』은 이이의 저서로, 일종의 학문 입문서이다.
③ **이황**: 백운동 서원의 사액을 주청하여 소수 서원이라는 편액을 하사받은 사람은 이황이다.
④ **이황**: 예안 향약은 이황이 경북 안동의 예안 지방에서 시행하기 위해 중국의 여씨 향약을 본떠서 만든 향약이다. 한편 이이는 해주 향약을 실시하였다.

이것도 알면 **합격!**

이황과 이이

구분	이황	이이
계열	주리론	주기론
특징	• 도덕적 행위의 근거로 인간의 심성 중시 • 근본적, 이상주의적 • 경(敬)의 실천 중시	• 현실주의, 개혁주의적 • 다양한 개혁 방안 제시(10만 양병, 수미법 등)

10

2013년 서울시 9급

다음 (가), (나)의 인물에 대한 설명으로 옳은 것은?

> (가) 이(理)를 강조하였으며, 『주자서절요』, 『성학십도』 등을 저술하였다.
> (나) 기(氣)를 강조하였으며, 『동호문답』, 『성학집요』 등을 저술하였다.

① (가)의 문인과 성혼의 문인들이 결합해 기호 학파를 형성하였다.
② (나)는 근본적이고 이상주의적 성격이 강하였다.
③ (가)의 사상이 일본의 성리학 발전에 큰 영향을 주었다.
④ (나)는 군주 스스로 성학을 따를 것을 주장하였다.
⑤ (가), (나) 모두 노장 사상에 대해 포용적인 자세를 취하였다.

문제풀이 이황과 이이 난이도 중

(가)는 이를 강조하고, 『주자서절요』와 『성학십도』를 저술하였다는 것을 통해 이황임을 알 수 있다.

(나)는 기를 강조하고, 『동호문답』과 『성학집요』를 저술하였다는 것을 통해 이이임을 알 수 있다.

③ 이황의 사상은 임진왜란 이후 일본에 전해져 일본 성리학 발전에 영향을 주었다.

오답 분석
① **이이**: 성혼의 문인들과 결합하여 기호 학파를 형성한 것은 이이의 문인들이다. 이황의 문인들은 영남 학파를 형성하였다.
② **이황**: 근본적이고 이상주의 성격이 강한 것은 이황의 사상이다. 이이의 사상은 현실적이고 사회 개혁적인 성격을 띠었다.
④ **이황**: 『성학십도』에서 군주 스스로가 성학을 따를 것을 제시한 인물은 이황이다. 이이는 『성학집요』에서 현명한 신하가 성학을 군주에게 가르쳐 그 기질을 변화시킬 것을 제시하였다.
⑤ **서경덕·조식 등**: 노장 사상에 대해 포용적인 자세를 취한 것은 서경덕과 조식 등이다.

11

2018년 국가직 9급

조선 성리학의 학설이나 동향을 시기순으로 바르게 나열한 것은?

> ㉠ 현실 세계를 구성하는 기를 중시하여 경장(更張)을 주장하였다.
> ㉡ 우주를 무한하고 영원한 기로 보는 '태허(太虛)설'을 제기하였다.
> ㉢ 정지운의 『천명도』 해석을 둘러싸고 사단칠정 논쟁이 시작되었다.
> ㉣ 향약 보급 운동과 함께 일상에서의 실천 윤리가 담긴 『소학』을 중시하였다.

① ㉡ → ㉠ → ㉣ → ㉢
② ㉡ → ㉣ → ㉠ → ㉢
③ ㉣ → ㉡ → ㉢ → ㉠
④ ㉣ → ㉢ → ㉡ → ㉠

12

2017년 서울시 7급

밑줄 친 '이 사람'에 대한 설명으로 옳은 것은?

> 이 사람은 1501년에 출생하여 1572년에 타계한 경상우도를 대표하는 유학자이다. 그의 학문 사상 지표는 경(敬)과 의(義)이다. 마음이 밝은 것을 경(敬)이라 하고 밖으로 과단성 있는 것을 의(義)라고 하였다. 이러한 그의 주장은 바로 '경'으로써 마음을 곧게 하여 수양하는 기본으로 삼고 의로써 외부 생활을 처리하여 나간다는 생활 철학을 표방한 것이었다.

① 문인들이 주로 북인이 되었다.
② 이황과 사단 칠정 논쟁을 벌였다.
③ 『동호문답』, 『만언봉사』 등을 저술하였다.
④ 일본의 성리학 발전에 큰 영향을 끼쳤다.

문제풀이 조선 성리학의 학설과 동향 — 난이도 상

③ 순서대로 나열하면 ㉣ 조광조의 향약 보급 운동(중종) → ㉡ 서경덕의 태허설(인종) → ㉢ 이황과 기대승의 사단칠정 논쟁(명종) → ㉠ 이이의 경장설(선조)이 된다.

㉣ 조광조의 향약 보급 운동: 중종에 의해 중용된 조광조는 유교적 실천 윤리가 담긴 『소학』을 중시하였으며, 백성을 교화시키기 위해 중국의 『여씨향약』을 소개하여 보급하고자 하였다.

㉡ 서경덕의 태허설: 주기론의 선구자인 서경덕은 우주를 존재와 비존재, 생성과 소멸의 연속성을 가진 무한하고 영원한 기(氣)와 허(虛)로 인식하는 태허설을 인종 때 제기하였다.

㉢ 이황과 기대승의 사단칠정 논쟁: 명종 때 이황과 기대승은 정지운의 『천명도설(천명도)』에 대한 해석을 둘러싸고 8년간 사단칠정(四端七情) 논쟁을 전개하였다. 이 논쟁은 사단과 칠정, 이와 기에 대한 논쟁으로, 결국 이황이 자신의 학설을 수정하며 마무리되었다.

㉠ 이이의 경장론: 이이는 선조 때 경험적 현실 세계를 중시하면서 국가도 달라진 시대에 맞게 제도를 개혁해야 한다는 경장론을 주장하였다. 이이는 선조에게 자신의 경장론을 담은 『동호문답』이나 『만언봉사』 등을 올리며 10만 양병설, 수미법 등의 사회 개혁론을 제시하였다.

문제풀이 남명 조식 — 난이도 중

제시문에서 경상우도를 대표하는 유학자라는 내용과 학문 사상의 지표가 경(敬)과 의(義)라는 내용을 통해 밑줄 친 '이 사람'이 남명 조식임을 알 수 있다. 남명 조식은 경(敬)과 의(義)를 근본으로 하는 실천적 성리학을 강조하였다.

① 조식의 학풍을 따르는 문인들로는 곽재우, 정인홍 등이 있었는데, 이들은 주로 북인이 되었다. 북인은 임진왜란 때 의병장으로 활동하였으며, 광해군 집권 시기에 정국을 주도하였다.

오답 분석

② **기대승**: 이황과 사단 칠정 논쟁을 벌인 인물은 기대승이다. 사단 칠정 논쟁은 사단과 칠정이 '이에 속하는가, 기에 속하는가'와 '이가 발동할 수 있는가, 없는가'에 대한 논쟁으로, 이황은 이기이원론적 주장을 펼쳤으며, 기대승은 이기일원론적 주장을 펼쳤다.

③ **이이**: 『동호문답』, 『만언봉사』 등을 저술한 인물은 이이이다. 『동호문답』은 이이가 왕도 정치에 대한 경륜을 문답체로 서술하여 선조에게 올린 글이며, 『만언봉사』는 선조에게 올린 시무 관련 상소문이었다.

④ **이황**: 일본의 성리학에 큰 영향을 끼친 인물은 이황이다. 근본적이며 이상주의적인 성격이 강하였던 이황의 사상은 임진왜란 이후 일본에 전해져 일본의 성리학 발전에 영향을 주었다.

정답 09 ① 10 ③ 11 ③ 12 ①

3 | 신앙·과학·예술의 발달

01

2017년 지방직 9급(6월 시행)

조선 시대 도성 한양에 대한 설명으로 옳지 않은 것은?

① 경복궁 근정전의 이름은 정도전이 지었다.

② 경복궁의 동쪽에 사직이, 서쪽에 종묘가 각각 배치되었다.

③ 유교 사상인 인·의·예·지 덕목을 담아 도성 4대문의 이름을 지었다.

④ 도성 밖 10리 안에는 개인의 무덤을 쓰거나 벌채를 하지 못하도록 규제하였다.

02

2018년 국가직 9급

밑줄 친 '이 지도'에 대한 설명으로 옳지 않은 것은?

> 1402년 제작된 이 지도는 조선 학자들에 의해 제작된 세계 지도이다. 권근의 글에 의하면 중국에서 수입한 '성교광피도'와 '혼일강리도'를 기초로 하고, 우리나라와 일본의 지도를 합해서 제작하였다고 한다.

① 유럽과 아프리카 대륙까지 묘사하였다.

② 중국이 세계의 중심이라는 중화 사상이 반영되었다.

③ 이 지도의 작성에는 이슬람 지도학의 영향이 있었다.

④ 우리나라에 해당하는 부분은 백리척을 사용하여 과학화에 기여하였다.

문제풀이 조선 시대 한양 난이도 상

② 조선 시대의 도성인 한양의 구조는 정궁인 경복궁을 중심으로 그 왼쪽(동쪽)에는 왕실 조상의 위패를 모신 종묘를 배치하고, 오른쪽(서쪽)에는 토지신에게 제사를 지내는 장소인 사직단을 둔 형태이다. 이는 중국 고대부터 이어져 오던 원칙인 '좌묘우사'에 근거한 것이며, 좌우의 방향은 통치자가 궁궐에서 남쪽을 바라보고 있을 때를 기준으로 한다. 한편, '전조후시'의 원칙에 따르면 궁궐을 중심으로 조정은 앞쪽에, 시장은 궁궐 뒤쪽에 배치되어야 한다.

오답 분석

① 한양을 설계한 정도전은 임금이 부지런히 정치에 임할 것을 염원하며 경복궁의 정전 이름을 근정전(勤政殿)이라고 지었다.

③ 한양의 도성 4대문은 유교에서 오행의 덕목인 인(仁)·의(義)·예(禮)·지(智)·신(信) 가운데, 인·의·예·지의 4가지 덕목을 담아 이름을 지어 동쪽의 대문은 흥인지문, 서쪽의 대문은 돈의문, 남쪽의 대문은 숭례문이라 하였다. 나머지 북쪽의 대문에는 풍수지리설과 음양오행설을 반영하여 지(智)자를 쓰지 않고 숙청문(숙정문)이라 하였다. 한편 오행의 덕목 중 신(信)은 한양의 중심인 보신각의 이름에 반영하였다. 이처럼 조선 시대에는 한양의 도성 건축물 이름에 유교 덕목을 반영하였다.

④ 조선 시대에는 도성으로부터 10리까지의 지역을 한성부 관할로 편입하고, 그 지역에서는 개인의 무덤을 쓰거나 벌채를 하지 못하도록 규제하였다.

문제풀이 혼일강리역대국도지도 난이도 하

제시된 자료에서 중국에서 수입한 '혼일강리도' 등을 기초로 하였으며, 우리나라와 일본의 지도를 합해서 1402년에 제작하였다는 내용을 통해 밑줄 친 '이 지도'가 혼일강리역대국도지도임을 알 수 있다. 혼일강리역대국도지도는 조선 태종 때 김사형과 이회 등이 제작하고 권근이 발문을 작성한 지도로, 원나라에서 들여온 성교광피도와 혼일강리도에 일본에서 가져온 지도를 합해서 완성하였다.

④ 100리 척을 사용하여 과학화에 기여한 지도는 정상기가 제작한 동국지도이다. 조선 후기의 지리학자인 정상기는 영조 때 우리나라 최초로 100리척을 사용한 동국지도를 제작하였다.

오답 분석

① 혼일강리역대국도지도는 중국, 한반도, 일본과 함께 유럽과 아프리카 대륙까지 묘사되어 있다.

② 혼일강리역대국도지도는 중국이 중앙에 위치해 있으며 실제 크기보다 크게 그려져 있어 중국이 세계의 중심이라는 중화 사상이 반영되어있음을 알 수 있다.

③ 혼일강리역대국도지도는 이슬람 지도학의 영향을 받아 제작된 원나라의 세계 지도에 우리나라와 일본의 지도를 더해 제작되었다.

03

2023년 국가직 9급

조선 시대 지도와 천문도에 대한 설명으로 옳지 않은 것은?

① 대동여지도는 거리를 알 수 있도록 10리마다 눈금을 표시하였다.

② 혼일강리역대국도지도는 중국에서 들여온 곤여만국전도를 참고하였다.

③ 천상열차분야지도는 하늘을 여러 구역으로 나누고 별자리를 표시한 그림이다.

④ 동국지도는 정상기가 실제 거리 100리를 1척으로 줄인 백리척을 적용하여 제작하였다.

문제풀이 조선 시대 지도와 천문도 난이도 중

② 혼일강리역대국도지도는 중국에서 들여온 곤여만국전도를 참고하지 않았다. 혼일강리역대국도지도는 조선 전기 태종 때 이회, 이무 등이 제작한 세계 지도로, 중국에서 곤여만국전도를 들여오기 이전에 제작되었다. 한편 곤여만국전도는 마테오 리치가 제작한 세계 지도로, 선조 때 이광정에 의해 우리나라에 전래되었다.

오답 분석

① 대동여지도는 철종 때 김정호가 제작한 전국 지도로 산맥, 하천, 포구 등을 정밀하게 표시하였으며, 거리를 알 수 있도록 10리마다 눈금을 표시하였다.

③ 천상열차분야지도는 고구려의 천문도를 바탕으로 태조 때 제작된 천문도로, 하늘을 여러 개의 구역으로 나누고 별자리를 표시하였다.

④ 동국지도는 영조 때 정상기가 제작한 지도로, 우리나라에서 처음으로 실제 거리 100리를 1척으로 줄인 백리척을 적용하여 제작하였다.

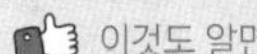

이것도 알면 **합격!**

혼일강리역대국도지도

- 태종 2년(1402)에 이회, 이무 등이 제작한 세계 지도
- 중화 사상에 입각하여 중국과 조선을 실제보다 크게 그렸고, 유럽 및 아프리카를 매우 작게 표현(아메리카는 없음)
- 현존하는 동양에서 가장 오래된 세계 지도

04

2019년 기상직 9급

다음 작품의 소재가 된 기기가 처음 만들어진 시기의 사실로 옳은 것은?

> 무엇을 하든간에 / 때를 아는 것보다 중한 것이 없겠거늘
> 밤에는 경루가 있지만 / 낮에는 알 길이 없더니
> 구리를 부어 기구를 만드니 / 형체는 가마솥과 같고
> 반경에 원거를 설치하여 / 남과 북이 마주하게 하였다
> 구멍이 꺾임을 따라도는 것은 / 점을 찍어서 그러하다
> 내면에는 도수를 그어 / 주천의 반이 되고
> 귀신의 몸을 그리기는 / 어리석은 백성 때문이요
> 각과 분이 또렷한 것은 / 햇볕이 통하기 때문이요
> 길가에 두는 것은 / 구경꾼이 모이는 때문이니
> 이로 비롯하여 / 백성이 작흥할 것을 알게 되리라

① 폭탄의 일종인 비격진천뢰가 만들어졌다.

② 개량된 금속 활자인 갑인자가 주조되었다.

③ 100리 척을 사용한 동국지도가 제작되었다.

④ 민간에 떠도는 한담을 모은 『필원잡기』가 편찬되었다.

문제풀이 세종 시기의 사실 난이도 중

제시된 자료에서 낮에 때(시간)를 알 수 없었으나 구리로 가마솥 같은 형체의 기구를 만들었더니, 햇볕을 통해 각과 분이 또렷하게 구분되었다는 내용을 통해 작품의 소재가 된 기기가 앙부일구(해시계)임을 알 수 있으며, 앙부일구가 처음 만들어진 것은 세종 때이다.

② 세종 때 개량된 금속 활자인 갑인자가 주조되었다. 세종 때에는 태종 때 제작된 계미자를 개량한 갑인자, 경자자 등의 금속 활자가 주조되었으며, 밀랍 대신 식자판을 조립하는 방법이 창안되어 인쇄 능률이 크게 향상되었다.

오답 분석

① **선조**: 비격진천뢰는 선조 때 이장손이 만든 포탄으로, 임진왜란 때 왜군을 격퇴하는데 활용되기도 하였다.

③ **영조**: 우리나라에서 처음으로 100리 척을 사용한 동국지도는 영조 때 정상기에 의해 제작되었다.

④ **성종**: 민간에 떠도는 한담(설화)을 모아 서거정이 간행한 『필원잡기』는 성종 때 편찬되었다.

정답 01 ② 02 ④ 03 ② 04 ②

05

2023년 계리직 9급

밑줄 친 '왕'의 재위 기간에 있었던 사실로 옳은 것은?

> 왕이 이순지, 김담 등에게 명하여 선명력과 수시력 등의 역법을 참조하여 새로운 역법을 만들게 하였다. 이 역법은 「내편」과 「외편」으로 구성되었다.

① 『월인석보』를 언해하여 간행하였다.

② 『이륜행실도』를 편찬하여 보급하였다.

③ 『국조오례의』와 『경국대전』 등을 완성하였다.

④ 『향약채취월령』과 『의방유취』 등을 편찬하였다.

문제풀이 세종 재위 기간의 사실 난이도 중

제시문에서 선명력과 수시력 등의 역법을 참조하여 새로운 역법을 만들게 하였으며, 이 역법이 「내편」과 「외편」으로 구성되었다는 내용을 통해 『칠정산』에 대한 내용임을 알 수 있으며, 『칠정산』이 편찬된 것은 조선 세종 때이다.

④ 세종 때는 우리나라 자생 약재를 소개한 약재 이론서인 『향약채취월령』과 동양 의학을 집대성한 의학 백과사전인 『의방유취』 등을 편찬하였다.

오답 분석

① **세조**: 『월인석보』를 언해하여 간행하였던 것은 세조 재위 기간의 사실이다. 세조 때는 세종이 지은 「월인천강지곡」과 세조가 수양 대군 시절에 지은 『석보상절』을 합친 『월인석보』를 한글로 언해하여 간행하였다.

② **중종**: 『이륜행실도』를 편찬하여 보급한 것은 중종 재위 기간의 사실이다. 중종 때는 연장자와 연소자, 친구 사이에서 지켜야 할 윤리를 강조한 『이륜행실도』를 편찬하여 보급하였다.

③ **성종**: 『국조오례의』와 『경국대전』 등을 완성한 것은 성종 재위 기간의 사실이다. 성종 때는 국가와 왕실의 행사 의식을 규범화한 『국조오례의』와 세조 때부터 편찬하기 시작한 조선의 기본 법전인 『경국대전』 등을 완성하였다.

06

2017년 국가직 9급(10월 시행)

밑줄 친 '왕'이 재위하던 시기에 편찬되지 않은 것은?

> 지금 우리 왕께서도 밝은 가르침을 계승하시고 다스리는 도리를 도모하시어 더욱 백성들의 일에 뜻을 두셨다. 여러 지방의 풍토가 같지 않아 심고 가꾸는 방법이 지방에 따라서 차이가 있기 때문에 옛 글의 내용과 모두 같을 수가 없었다. 이에 각 도의 감사들에게 명령하시어, 주·현의 노농(老農)을 방문하여 그 땅에서 몸소 시험한 결과를 자세히 듣게 하시었다. 또 신 정초(鄭招)에게 명하시어 말의 순서를 보충케 하시고, 신 종부소윤 변효문(卞孝文) 등이 검토해 살피고 참고하게 하여, 그 중복된 것은 버리고 절실하고 중요한 것은 취해서 한 편의 책을 만들었다.

① 『향약제생집성방』

② 『향약집성방』

③ 『향약채취월령』

④ 『의방유취』

문제풀이 세종 재위 시기에 편찬된 서적 난이도 상

제시문에서 주·현의 노농을 방문하여 그 땅에서 시험한 결과를 듣게 하였다는 것을 통해 세종 때 편찬된 『농사직설』에 대한 내용임을 알 수 있다.

① 『향약제생집성방』은 조선 태조 때 권중화·조준·김사형 등이 편찬한 의학서이다.

오답 분석

모두 세종 때 편찬된 의학서이다.

② **『향약집성방』**: 세종 때 편찬된 『향약집성방』은 우리 풍토에 맞는 약재와 치료 방법을 개발·정리한 의서이다.

③ **『향약채취월령』**: 세종 때 편찬된 『향약채취월령』은 약재 이론서로, 유효통·노중례 등이 왕명을 받아 편찬하였다.

④ **『의방유취』**: 세종 때 편찬된 『의방유취』는 동양 의학을 집대성한 의학 백과사전이다.

이것도 알면 **합격!**

세종 대에 편찬된 의서

서적	내용
『향약채취월령』	약재 이론서, 우리나라의 자생 약재 소개
『향약집성방』	우리나라 풍토에 맞는 약재와 치료 방법을 개발·정리
『태산요록』	태산(임산부)과 어린 아이의 질병 치료에 관한 의서
『의방유취』	의학 백과사전

07

2016년 지방직 9급

밑줄 친 '왕'의 재위 기간에 있었던 사실로 옳지 않은 것은?

> 왕이 이순지, 김담 등에게 명하여 중국의 선명력, 수시력 등의 역법을 참조하여 새로운 역법을 만들게 하였다. 이 역법은 「내편」과 「외편」으로 구성되었다. 「내편」은 수시력의 원리와 방법을 해설한 것이며 「외편」은 회회력(이슬람력)을 해설 편찬한 것이다.

① 천체 관측 기구인 혼의, 간의 등을 제작하였다.

② 경기 지역의 농사 경험을 토대로 『금양잡록』을 편찬하였다.

③ 경자자(庚子字), 갑인자(甲寅字) 등 금속 활자를 주조하였다.

④ 우리 풍토에 맞는 약재와 치료법을 정리한 『향약집성방』을 편찬하였다.

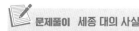

문제풀이 세종 대의 사실 난이도 중

제시문에서 중국의 역법을 참조하여 새로운 역법을 만들었으며, 이 역법이 「내편」과 「외편」으로 구성되었다는 것을 통해 『칠정산』에 대한 내용임을 알 수 있으며, 『칠정산』이 편찬된 것은 조선 세종 때이다. 『칠정산』의 「내편」은 중국의 수시력과 대통력을, 「외편」은 아라비아의 회회력을 참고로 하여 제작되었다.

② 경기 지역의 농사 경험을 토대로 『금양잡록』을 편찬한 것은 조선 성종 재위 기간에 있었던 사실이다. 『금양잡록』은 강희맹이 금양(경기도 시흥)에서 직접 농사 지은 경험을 토대로 저술한 농서로, 80여 종의 작물이 가진 특성과 재배법 등을 논하였다.

오답 분석

① 세종 때 천체 관측 기구인 혼의, 간의, 혼천의 등이 제작되었다.

③ 세종 때 경자자(庚子字), 갑인자(甲寅字) 등의 금속 활자가 주조되어 이전의 태종 때 주조된 계미자에 비해 인쇄가 편리해졌다. 또한 세종 때 밀랍 대신 식자판을 조립하는 방법이 창안되어 인쇄 능률이 향상되었다.

④ 세종 때 우리 풍토에 맞는 약재와 치료법을 정리한 『향약집성방』이 편찬되었다.

08

2016년 경찰직(2차)

다음 밑줄 친 왕의 재위 시절에 있었던 과학 기술의 발달에 대한 설명 중 적절하지 않은 것은?

> 우리 주상 전하가 근신(近臣)에게 … (중략) … 명령하여 편찬하는 일을 맡게 하였다. … (중략) … 가만히 생각건대, 임금과 어버이와 부부의 인륜인 충·효·절의의 도는 하늘이 내려 준 천성으로서 사람마다 같은 것이니, 천지의 시작과 더불어 생겨났고 천지가 끝날 때까지 없어지지 않는다. -『삼강행실도』

① 중국의 수시력과 아라비아의 회회력을 참고하여 우리나라 역사상 최초로 서울을 기준으로 천체 운동을 정확하게 계산한 역법서인 『칠정산』을 만들었다.

② 주자소를 설치하고 구리로 계미자를 주조하여 종전보다 두 배 정도의 인쇄 능률을 올렸다.

③ 우리 풍토에 알맞은 약재와 치료 방법을 개발·정리하여 『향약집성방』을 편찬하고, 『의방유취』라는 의학 백과사전을 간행하였다.

④ 화약 무기의 제작과 그 사용법을 정리한 『총통등록』을 편찬하였다.

문제풀이 세종 대의 과학 기술 난이도 중

제시문은 충신, 효자, 열녀 등의 행적을 그림으로 그리고 설명을 붙인 『삼강행실도』의 내용 중 일부로, 『삼강행실도』를 편찬한 왕은 세종이다.

② 주자소를 설치하고 구리로 계미자를 주조한 것은 조선 태종 때의 일이다. 세종 때는 경자자·갑인자 등의 금속 활자를 주조하였다.

오답 분석

① 세종 때 만들어진 『칠정산』은 중국의 수시력을 참고하여 「내편」을, 아라비아의 회회력을 참고하여 「외편」을 제작하였다. 『칠정산』은 최초로 서울을 기준으로 천체 운동을 정확하게 계산한 역법서이다.

③ 세종 때 우리 풍토에 알맞은 약재와 치료 방법을 개발·정리한 『향약집성방』이 편찬되었고, 동양 의학이 집대성된 『의방유취』라는 의학 백과사전이 간행되었다.

④ 세종 때 화약 무기의 제작법과 사용법을 정리한 병서인 『총통등록』이 편찬되었다.

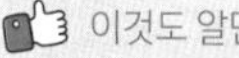

이것도 알면 **합격!**

조선 전기의 병서

『진법서(진도)』(태조)	• 요동 정벌을 위해 정도전이 편찬 • 독특한 전술과 부대 편성 방법 정리
『총통등록』(세종)	화약 무기의 제조법·사용법 정리
『동국병감』(문종)	고조선 ~ 고려 말 전쟁사 정리

정답 05 ④ 06 ① 07 ② 08 ②

09

2020년 서울시 9급(특수 직렬)

〈보기〉에서 설명하는 책의 제목으로 가장 옳은 것은?

> **보기**
> - 1433년(세종 15)에 편찬되었다.
> - 각종 병론(病論)과 처방을 적었다.
> - 전통적인 경험에 기초했다.
> - 조선의 약재를 중시했다.

① 『향약집성방』

② 『동의보감』

③ 『금양잡록』

④ 『칠정산』

문제풀이 『향약집성방』 난이도 하

제시문에서 1433년(세종 15)에 편찬되었고, 각종 병(病, 질병)과 처방에 관련된 내용을 기록하였으며, 조선의 약재를 중시하고 전통적인 경험에 기초했다는 것을 통해 세종 때 편찬된 『향약집성방』임을 알 수 있다.

① 『향약집성방』은 세종 때에 저술된 의학서로, 국산 약재와 각종 병에 대한 치료 방법 등을 소개하였다.

오답 분석

② 『동의보감』은 허준이 광해군 때에 편찬한 의학서로, 우리의 전통 한의학을 체계적으로 정리한 의서이다. 『동의보감』은 2009년에 유네스코 세계 기록유산으로 지정되었다.

③ 『금양잡록』은 강희맹이 성종 때 편찬한 농서로, 금양(지금의 경기도 시흥)에서 직접 농사 지은 경험을 토대로 저술한 농서이다.

④ 『칠정산』은 세종 때에 만들어진 역법서로, 우리나라 역사상 최초로 한양을 기준으로 천체 운동을 정확히 계산하였다.

10

2023년 서울시 9급

〈보기〉의 ㉠에 들어갈 책으로 가장 옳은 것은?

> **보기**
> 세종이 예문제학 정인지 등에 명하여 ___㉠___을/를 지었다. 처음에 고려 최성지가 충선왕을 따라 원나라에 들어가서 『수시력』을 얻어 돌아와서 추보하여 사용하였다. 그러나 일월교식(일식과 월식이 같이 생기는 것)과 오행성이 움직이는 도수에 관해 곽수경의 산술을 알지 못하였다. 조선이 개국해서도 역법은 『수시력』을 그대로 썼다. 『수시력』에 일월교식 등이 빠졌으므로 임금이 정인지·정초·정흠지 등에게 명하여 추보하도록 하니 ……
>
> – 『연려실기술』

① 『향약채취월령』 ② 『의방유취』

③ 『농사직설』 ④ 『칠정산내외편』

문제풀이 『칠정산내외편』 난이도 하

제시문에서 세종이 정인지 등에게 명하여 지었다는 것과 『수시력』에 빠진 내용을 추보(역법에 따라 계산하는 것)하게 하였다는 것 등을 통해 ㉠에 들어갈 책이 『칠정산내외편』임을 알 수 있다. 『칠정산내외편』에서 '칠정(七政)'은 일곱 천체, 즉 태양, 달, 오행성(수성, 화성, 목성, 토성, 금성)을 가리키고, '산(算)'은 계산한다는 뜻이다.

④ 『칠정산내외편』은 세종 때 한양을 기준으로 천체 운동을 계산한 역법서이다. 세종은 중국의 역법이 우리 실정에 맞지 않자 정인지, 정초 등에게 명하여 한양을 기준으로 천체의 운행을 관측하도록 하고, 원의 수시력과 아라비아의 회회력 등을 자세히 살펴 우리의 실정에 맞게 바로잡아 『칠정산』 내편과 『칠정산』 외편을 편찬하였다.

오답 분석

① **『향약채취월령』**: 『향약채취월령』은 세종 때 왕명을 받은 유효통 등이 백성들의 향약 채취와 활용을 위하여 간행한 의서이다. 『향약채취월령』은 우리나라에 자생하는 약재의 이름과 효능, 채취 방법 등을 소개하였으며, 우리나라의 약재를 한자명과 함께 이두로 표기하여 백성들이 쉽게 알아볼 수 있도록 하였다.

② **『의방유취』**: 『의방유취』는 조선 세종 때까지의 중국과 우리나라의 최신 의학 이론을 집대성한 의학 백과사전이다.

③ **『농사직설』**: 『농사직설』은 세종 때 왕명을 받은 정초, 변효문 등이 우리나라의 풍토에 맞는 농법을 정리한 농서이다. 『농사직설』은 우리나라의 농민들이 실제 경험한 농법을 종합하였으며, 벼의 재배법과 밭작물의 파종법 등을 수록하였다.

11

2013년 지방직 9급

밑줄 친 '왕'이 재위한 시기의 사실로 옳지 않은 것은?

> 왕은 원나라의 수시력을 참고하여 역법을 만들게 하였다. 그 책의 말미에 동지·하지 후의 일출·일몰 시각과 밤낮의 길이를 나타낸 표가 실려 있는데, 우리나라 역사상 최초로 한양을 기준으로 하여 계산한 것이다.

① 집현전을 설치하여 제도, 문물, 역사에 대한 연구와 편찬 사업을 전개하였다.

② 공법 제정 시 조정의 신하와 지방의 촌민에 이르기까지 18만 명의 의견을 물었다.

③ 불교 종파를 선교 양종으로 병합하고 사원이 가지고 있던 토지와 노비를 정비하였다.

④ 육전 상정소를 설치하고 조선 왕조의 체계적인 법전인 『경국대전』을 편찬하기 시작하였다.

문제풀이 세종 대의 사실 난이도 중

제시문에서 우리나라 역사상 최초로 한양을 기준으로 하여 천체 운동을 계산하였다는 것을 통해 『칠정산』과 관련된 내용임을 알 수 있으며, 『칠정산』은 세종 재위 기간에 만들어졌다.

④ 육전 상정소를 설치하고 조선 왕조의 체계적인 법전인 『경국대전』을 편찬하기 시작한 것은 세조 때이다. 『경국대전』은 세조 때 편찬되기 시작하여 성종 때 완성되었는데, 성종은 『경국대전』을 반포함으로써 조선 사회의 기본 통치 방향과 이념을 제시하였다.

오답 분석

① 세종 때는 학문 연구 기관인 집현전이 설치되어 제도, 문물, 역사에 대한 연구와 편찬 사업이 전개되었다.

② 세종 때는 연분 9등법과 전분 6등법의 공법을 정할 때 조정의 신하와 지방의 촌민에 이르기까지 의견을 묻는 등 전국적인 여론 조사를 실시하였다.

③ 세종 때는 불교 종파를 선·교 양종으로 정리하고, 전국의 사원 수를 36개만 허용하는 선·교종 36본산제를 실시하였고, 사원이 가지고 있던 토지와 노비를 재정비하였다.

12

2024년 서울시 9급(2월 시행)

조선 시대의 과학 기술과 관련된 설명으로 가장 옳지 않은 것은?

① 측우기를 사용하여 강우량을 측정하였다.

② 휴대용으로 작은 앙부일구를 제작하였다.

③ 당시 동아시아 의학을 종합한 의서인 『의방유취』가 편찬되었다.

④ 향약을 이용하여 처방할 수 있는 방법을 기록한 『향약구급방』이 편찬되었다.

문제풀이 조선 시대의 과학 기술 난이도 하

④ 향약(우리나라에서 나는 약이나 약재)을 이용하여 처방할 수 있는 방법을 기록한 『향약구급방』이 편찬된 것은 고려 시대이다. 『향약구급방』은 고려 고종 때 편찬된 현존하는 우리나라 최고(最古)의 의학서로, 각종 질병에 대한 처방법과 국산 약재 180여 종을 소개하고 있다. 한편, 조선 세종 때 우리 풍토에 맞는 약재와 치료법을 정리한 의서인 『향약집성방』이 편찬되었다.

오답 분석

① 조선 시대에는 세종 때 만들어진 측우기를 사용하여 강우량을 과학적으로 측정하였다.

② 조선 시대에는 세종 때 만들어진 해시계인 앙부일구를 통해 시간을 측정하였으며, 앙부일구는 휴대용으로도 제작되어 현재까지 전해져 오고 있다.

③ 조선 세종 때 당시 중국과 국내 의서 등을 참고하여 동아시아 의학을 종합한 의학 백과사전인 『의방유취』가 편찬되었다.

정답 09 ① 10 ④ 11 ④ 12 ④

13

2015년 기상직 9급

조선 전기 과학 기술의 발달에 대한 설명으로 옳지 않은 것은?

① 간의와 혼천의 등 천체 관측 기구를 제작하였다.

② 세종 대에 만든 갑인자는 글자가 아름답고 인쇄하기 편한 우수한 활자이다.

③『조선왕조실록』에는 계절의 변화와 1년의 길이를 측정하기 위해 규형을 설치하였다는 기록이 있다.

④ 한양의 관상감과 각 지방의 군현에 측우기를 설치하여 강우량을 측정하였다.

문제풀이 조선 전기 과학 기술의 발달 난이도 중

③ 계절의 변화와 1년의 길이를 측정하기 위해 조선 세종 때 제작된 천체 관측 기구는 규표이다. 규표는 그림자를 측정하여 정확한 절기와 1년의 길이를 측정하는 데 쓰였다. 한편, 세조 때 제작된 규형은 인지의와 함께 토지 측량과 지도 제작에 사용되었다.

오답 분석

① 조선 전기에는 천체 관측 기구인 혼의(혼천의)와 간의(간소화된 혼천의)가 제작되었다.

② 조선 전기 세종 때 만들어진 갑인자는 글자가 아름답고, 인쇄가 편리한 금속 활자였다. 이외에도 세종 때는 경자자, 병진자 등의 금속 활자가 주조되었으며, 밀랍 대신 식자판을 조립하는 방법이 창안되어 인쇄 능률이 크게 향상되었다.

④ 조선 전기 세종 때에는 한양의 관상감(서운관)과 각 지방 군현에 측우기를 설치하여 강우량을 측정하였다.

이것도 알면 **합격!**

조선 전기의 과학 기술

태조	천상열차분야지도(천문도)
세종	간의대(천문대), 혼천의·간의(천문 관측 기구), 자격루(물시계), 앙부일구·현주일구·천평일구(해시계), 측우기(강우량 측정 기구), 규표(방위·절기·시각 측정 기구)
세조	인지의와 규형(토지 측량 기구)

14

2022년 소방직

다음 자료에 해당하는 서적으로 옳은 것은?

> **〈농서 소개〉**
> - 1492년(성종 23)에 간행
> - 곡물 이름을 이두와 한글로 표기
> - 저자가 직접 농사를 지어 보고 저술
> - 당시 경기도 지역의 관행 농법을 정리

① 『구황촬요』 ② 『금양잡록』

③ 『농사직설』 ④ 『농상집요』

문제풀이 『금양잡록』 난이도 하

제시된 자료에서 1492년 성종 때 간행되었으며, 저자가 직접 농사를 지어 보고 저술하였으며, 경기도 지역의 관행 농법을 정리하였다는 것을 통해 『금양잡록』에 대한 내용임을 알 수 있다.

②『금양잡록』은 강희맹이 조선 성종 때인 1492년에 금양(지금의 경기도 시흥)에서 직접 농사지은 경험을 토대로 저술한 농서로, 80여 종의 작물이 가진 특성과 재배법 등을 정리하였으며, 각종 곡물의 이름을 한자명과 함께 이두와 한글로 표기하였다.

오답 분석

① **『구황촬요』**: 『구황촬요』는 조선 명종 때인 1554년에 간행된 서적으로, 영양실조로 중태에 빠진 사람들을 구하는 방법과 식용이 가능한 식물의 조제법, 흉년에 대비하는 방법 등을 정리하였다.

③ **『농사직설』**: 『농사직설』은 조선 세종 때인 1429년에 정초 등이 간행한 농서로, 씨앗의 저장법, 토질의 개량법, 모내기법 등 농촌에서의 실제 경험을 바탕으로 우리의 실정에 맞는 독자적인 농법을 정리하였다.

④ **『농상집요』**: 『농상집요』는 중국 원나라에서 화북 지방의 농법 등을 정리한 농서로, 고려 후기 이암에 의해 우리나라에 전래되었다.

15

2014년 서울시 9급

조선 시대 과학 기술의 발전에 대한 다음의 설명 중 옳지 않은 것은?

① 조선 초기 농업 기술의 발전 성과를 반영한 영농의 기본 지침서는 세종 대 편찬된 『농가집성』이었다.

② 세종 대 해와 달 그리고 별을 관측하기 위해 간의대(簡儀臺)라는 천문대를 운영하였다.

③ 세종 대 동양 의학에 관한 서적과 이론을 집대성한 의학 백과사전인 『의방유취』가 편찬되었다.

④ 문종 대 개발된 화차(火車)는 신기전이라는 화살 100개를 설치하고 심지에 불을 붙이는 일종의 로켓포였다.

⑤ 조선 초기 140여 명의 인쇄공이 소속된 최대 인쇄소는 교서관이었다.

문제풀이 조선 시대 과학 기술의 발전 난이도 중

① 『농가집성』은 조선 후기 효종 때 편찬된 농서이다. 세종 때 편찬된 농서는 『농사직설』로, 씨앗의 저장법, 토질의 개량법, 모내기법 등 농촌에서의 실제 경험을 바탕으로 우리의 실정에 맞는 독자적인 농법을 정리한 농서이다.

오답 분석

② 세종 때에는 천체 관측을 위해 간의대라는 천문대를 운영하였다.

③ 세종 때에는 동양 의학을 집대성한 의학 백과사전인 『의방유취』가 편찬되었다.

④ 문종 때 개발된 화차에는 바퀴가 달려 있었고, 신기전이라는 화살 100개를 발사할 수 있었다.

⑤ 조선 초기의 가장 큰 인쇄소는 경적의 간행을 담당하는 교서관이었는데, 여기에는 140여 명의 인쇄공이 소속되어 있었다.

이것도 알면 **합격!**

조선 전기의 농서

『농사직설』	• 세종 때 정초, 변효문 등이 편찬 • 우리의 실정에 맞는 독자적인 농법 정리
『금양잡록』	• 성종 때 강희맹이 편찬 • 금양(경기도 시흥)에서 직접 농사지은 경험을 토대로 저술 • 80여 종의 작물이 가진 특성과 재배법 등을 정리

16

2019년 지방직 9급

다음 서적을 편찬된 시기순으로 바르게 나열한 것은?

ㄱ 『의방유취』
ㄴ 『동의보감』
ㄷ 『향약구급방』
ㄹ 『향약집성방』

① ㄱ → ㄴ → ㄷ → ㄹ

② ㄱ → ㄷ → ㄴ → ㄹ

③ ㄷ → ㄱ → ㄹ → ㄴ

④ ㄷ → ㄹ → ㄱ → ㄴ

문제풀이 우리나라의 역대 의서 난이도 상

④ 편찬된 순서대로 나열하면 ㄷ 『향약구급방』(고려 고종) → ㄹ 『향약집성방』(조선 세종) → ㄱ 『의방유취』(조선 세종) → ㄴ 『동의보감』(조선 광해군)이다.

ㄷ 『향약구급방』은 고려 고종(무신 집권기) 때 편찬된 것으로, 현존하는 우리나라 최고(最古)의 의서이다.

ㄹ 『향약집성방』은 1433년 세종 때 편찬된 것으로, 우리 풍토에 알맞은 약재와 치료 방법 등을 정리한 의서이다.

ㄱ 『의방유취』는 1445년 세종 때 편찬된 것으로, 우리나라와 중국의 역대 의서를 인용하여 동양 의학을 집대성한 의학 백과사전이다.

ㄴ 『동의보감』은 1610년 광해군 때 편찬된 것으로, 허준이 우리나라의 전통 한의학을 체계적으로 정리한 의서이며, 그 우수성을 인정받아 유네스코 세계 기록유산에 등재되었다.

정답 13 ③ 14 ② 15 ① 16 ④

17

2020년 국가직 9급

조선 전기 문화에 대한 설명으로 옳은 것은?

① 『어우야담』을 비롯한 야담, 잡기류가 성행하였다.

② 유서(類書)로 불리는 백과사전이 널리 편찬되었다.

③ 『동문선』이 편찬되어 우리 문학의 독자성을 강조하였다.

④ 중인층을 중심으로 시사가 결성되어 문학 활동을 벌였다.

문제풀이 조선 전기의 문화

난이도 상

③ 조선 전기 성종 때 『동문선』이 편찬되어 우리 문학의 독자성을 강조하였다. 『동문선』은 서거정, 노사신 등이 삼국 시대부터 조선 초까지 시와 산문 중 뛰어난 작품을 선별하여 편찬한 시문집이다.

오답 분석

① 『어우야담』을 비롯한 야담, 잡기류가 성행한 것은 조선 후기의 일이다. 『어우야담』은 광해군 때 유몽인이 저술한 설화집으로, 조선 후기 성행한 야담류의 효시이다. 야담이란 한문으로 기록된 비교적 짤막한 길이의 잡다한 이야기를 의미하고, 잡기는 여러 가지 사물에 관해 기술한 것을 뜻한다.

② 유서로 불리는 백과사전이 널리 편찬된 것은 조선 후기의 일이다. 대표적인 유서(백과사전)로는 이수광의 『지봉유설』이 있다.

④ 중인층을 중심으로 시사가 결성되어 활발하게 문학 활동을 벌인 것은 조선 후기의 일이다. 조선 후기 문학 활동에 참여한 중인들은 위항인이라고 불렸으며, 이들은 시사를 조직하고, 자신들의 시를 모은 시집을 편찬하는 등 활발한 문학 활동을 전개하였다.

18

2020년 지방직 9급

다음 글에서 설명하고 있는 문화유산은?

> 이곳은 원래 성종의 형인 월산대군(月山大君)의 집이 있던 곳으로, 선조가 임진왜란 뒤 임시 거처로 사용하면서 정릉동 행궁으로 불리었고, 광해군 때는 경운궁이라 하였다. 아관 파천 후 고종이 이곳에 머물렀다. 주요 건물로는 중화전, 함녕전, 석조전 등이 있다.

① 경복궁

② 경희궁

③ 창덕궁

④ 덕수궁

문제풀이 덕수궁

난이도 하

제시문에서 아관파천 이후 고종이 머물렀으며, 주요 건물로 중화전, 함녕전, 석조전 등이 있다는 것을 통해 덕수궁에 대한 내용임을 알 수 있다.

④ 덕수궁은 임진왜란 이후 선조가 머물면서 정릉동 행궁으로 불리었고, 광해군 때 경운궁이라 불렸다. 이후 순종에게 양위한 고종이 이곳에 머물면서 고종의 장수를 빈다는 의미에서 덕수궁으로 개칭되었다.

오답 분석

① **경복궁**: 경복궁은 조선 태조 때(1395) 건립된 궁으로, 조선의 법궁이며, 북궐이라고도 불린다. 임진왜란 때 소실되었고, 흥선 대원군 때에 이르러 중건되었다. 대표적인 전각으로는 근정전 등이 있다.

② **경희궁**: 경희궁은 서궐이라고도 불리며, 광해군 때(1617)에 건립된 궁이다. 대표적인 전각으로는 숭정전, 자정전 등이 있다.

③ **창덕궁**: 창덕궁은 동궐이라고도 불리며, 태종 때(1405)에 건립된 궁으로 임진왜란 이후 소실된 경복궁을 대신하여 법궁의 역할을 수행하였다. 대표적인 전각으로 인정전, 선정전, 대조전 등이 있으며, 1997년 유네스코 세계 문화유산으로 지정되었다.

19

2018년 서울시 9급(3월 시행)

〈보기〉에서 조선 전기 건축물을 모두 고른 것은?

> 보기
> ㉠ 무위사 극락전　　㉡ 법주사 팔상전
> ㉢ 금산사 미륵전　　㉣ 해인사 장경판전

① ㉠, ㉣　　② ㉡, ㉣
③ ㉢, ㉣　　④ ㉠, ㉢

문제풀이 조선 전기 건축물 난이도 중

① 조선 전기 건축물을 모두 고르면 ㉠, ㉣이다.

㉠ 무위사 극락전은 15세기에 만들어진 대표적인 건축물로 맞배 지붕과 주심포 양식으로 건축되었다.

㉣ 해인사 장경판전은 고려 시대 때 제작된 팔만대장경을 보관하기 위해 15세기에 만들어진 건축물이다. 해인사 장경판전은 조선 건축 기술의 집약체라고 할 수 있는데, 특히 내부의 흙바닥에는 숯과 회, 소금, 모래 등을 섞어 습도를 유지하였으며 창문의 위치와 크기를 달리하여 원활하게 통풍이 되도록 하였다.

오답 분석

모두 조선 후기인 17세기의 건축물이다.

㉡ **법주사 팔상전**: 보은 법주사 팔상전은 조선 후기인 17세기에 지어졌다. 현존하는 우리나라 유일의 목탑인 법주사 팔상전은 총 5층으로 구성되어있으며, 내부는 하나로 통하는 통층 구조로 되어있다.

㉢ **금산사 미륵전**: 김제 금산사 미륵전은 조선 후기인 17세기에 지어졌다. 금산사 미륵전은 팔작 지붕과 다포 양식이 사용되었으며 내부는 3층의 통층 구조로 되어있다.

20

2014년 국가직 9급

밑줄 친 '이 농서'가 처음 편찬된 시기의 문화에 대한 설명으로 옳은 것은?

> 『농상집요』는 중국 화북 지방의 농사 경험을 정리한 것으로서 기후와 토질이 다른 조선에는 도움이 될 수 없었다. 이에 농사 경험이 풍부한 각 도의 농민들에게 물어서 조선의 실정에 맞는 농법을 소개한 이 농서가 편찬되었다.

① 현실 세계와 이상 세계를 표현한 몽유도원도가 그려졌다.
② 선종의 입장에서 교종을 통합한 조계종이 성립되었다.
③ 윤휴는 주자의 사상과 다른 모습을 보여 사문난적으로 몰렸다.
④ 진경 산수화와 풍속화가 유행하였다.

문제풀이 조선 전기의 문화 난이도 중

제시문에서 조선의 실정에 맞는 농법을 소개하기 위해서 각 도의 농민들에게서 농사 경험을 듣고 이를 정리하여 편찬한 밑줄 친 '이 농서'는 『농사직설』이며, 『농사직설』이 편찬된 시기는 조선 전기 세종 대이다.

① 몽유도원도는 조선 전기 세종 때 안견이 그린 것으로, 자연스러운 현실 세계와 환상적인 이상 세계를 표현한 작품이었다.

오답 분석

② **고려 시대**: 선종의 입장에서 교종을 통합한 조계종이 성립된 것은 고려 시대로, 승려 지눌에 의해 융성하였다.

③ **조선 후기**: 윤휴는 조선 후기에 활동한 학자로 주자의 사상과는 다른 모습을 보여 유교의 질서와 학문을 어지럽힌다는 사문난적으로 몰렸다.

④ **조선 후기**: 진경 산수화와 풍속화가 유행한 것은 조선 후기의 일이다. 대표적인 진경 산수화 화가로는 정선이 있으며 풍속 화가로는 김홍도, 신윤복 등이 있다.

 이것도 알면 **합격!**

몽유도원도

조선 전기의 화가 안견이 안평 대군의 꿈 내용을 토대로 자연스러운 현실 세계와 환상적인 이상 세계를 표현한 걸작

정답 17 ③ 18 ④ 19 ① 20 ①

21

2011년 지방직 9급

고려·조선 시대 음악에 대한 설명으로 옳은 것은?

① 고려 시대 향악은 주로 제례 때 연주되었다.

② 고려 시대에는 동동, 대동강, 오관산 등이 창작 유행되었다.

③ 조선 시대에는 「정간보」를 만들어 음악의 원리와 역사를 체계화하였다.

④ 조선 시대 가사, 시조, 가곡 등은 아악을 발전시켜 연주한 것이다.

문제풀이 고려와 조선 시대의 음악

난이도 중

② 동동, 대동강, 오관산 등은 고려 시대에 창작된 대표적인 음악들이다.

오답 분석

① 고려 시대에 제례 때 연주된 것은 아악으로, 이는 송에서 들어온 뒤 제례악으로 채택되었다.

③ 조선 세종 때 창안된 「정간보」는 소리의 장단과 높낮이를 표현할 수 있는 악보이다. 음악의 원리와 역사 등을 체계화한 음악 이론서는 『악학궤범』이다.

④ 조선 시대에는 민간에서도 당악과 향악을 속악으로 발달시켜 가사·시조·가곡 등 우리말로 된 노래들을 연주 음악이나 민요에 활용하였다.

 이것도 알면 **합격!**

조선 전기의 음악

15세기	• 세종 때 박연이 아악을 체계화, 아악이 궁중 음악으로 발전 • 세종 때 여민락 등의 악곡이 작곡되었고, 소리의 장단과 높낮이를 표현할 수 있는 새로운 악보인 「정간보」 창안 • 성종 때 성현이 음악의 원리와 역사 등을 정리한 음악 이론서인 『악학궤범』 편찬
16세기	민간에서도 당악과 향악을 속악으로 발전시켜 가사, 시조, 가곡 등 우리말 노래를 연주 음악이나 민요에 활용

22

2021년 국가직 9급

우리나라 세계 유산과 세계 기록유산에 대한 설명으로 옳은 것만을 모두 고르면?

> ㉠ 공주 송산리 고분군에는 전축분인 6호분과 무령왕릉이 있다.
> ㉡ 양산 통도사는 금강계단 불사리탑이 있는 삼보 사찰이다.
> ㉢ 남한산성은 병자호란 때 인조가 피난했던 산성이다.
> ㉣ 『승정원일기』는 역대 왕의 훌륭한 언행을 『실록』에서 뽑아 만든 사서이다.

① ㉠, ㉡

② ㉡, ㉢

③ ㉠, ㉡, ㉢

④ ㉠, ㉢, ㉣

문제풀이 우리나라 세계 유산과 세계 기록유산

난이도 하

③ 옳은 것을 모두 고르면 ㉠, ㉡, ㉢이다.

㉠ 공주 송산리 고분군은 2015년에 공주시, 부여군, 익산시의 여러 백제 문화재들과 함께 유네스코 세계 문화유산으로 선정되었다. 이곳에는 중국 남조의 영향을 받은 전축분(벽돌무덤)인 송산리 6호분과 무령왕릉(송산리 7호분)이 있다.

㉡ 양산 통도사는 2018년에 영주 부석사, 보은 법주사 등과 함께 유네스코 세계 문화유산으로 선정된 곳으로, 신라 승려 자장이 중국 유학을 마치고 귀국한 뒤 창건한 절이다. 양산 통도사에는 자장이 중국에서 가져온 석가모니의 사리를 봉안하기 위하여 금강계단과 불사리탑이 조성되어 있다. 한편, 양산 통도사는 합천 해인사, 순천 송광사와 함께 삼보 사찰(불(佛)·법(法)·승(僧)의 세 가지 보물을 간직하고 있는 사찰)이라 불린다.

㉢ 남한산성은 2014년에 유네스코 세계 문화유산으로 선정된 곳으로, 조선 시대에 한양 방어 및 유사시 임시 수도의 역할을 담당하였으며, 청나라가 조선을 침입한 병자호란 당시 인조가 피난했던 곳이다.

오답 분석

㉣ 역대 왕의 훌륭한 언행을 『실록』에서 뽑아 만든 사서는 『승정원일기』가 아니라 『국조보감』이다. 한편 『승정원일기』는 왕의 비서 기관인 승정원에서 왕과 신하 간에 오고 간 문서와 왕의 일과를 기록한 것으로, 2001년에 유네스코 세계 기록유산으로 등재되었다.

23
2020년 지방직 9급

세계유산으로 등재된 것이 아닌 것은? (2019년 12월 31일 기준)

① 종묘

② 화성

③ 한양 도성

④ 남한산성

24
2013년 국가직 9급

㉠~㉣에 대한 설명으로 옳지 않은 것은?

> 유네스코가 세계 문화유산으로 등재한 우리나라의 문화유산은 ㉠종묘, 해인사 장경판전, 불국사와 석굴암, 수원 화성, 창덕궁, 경주 역사 유적 지구, ㉡고창·화순·강화의 고인돌 유적, 안동 하회 마을과 경주 양동 마을, 조선 시대 왕릉 등이다. 또 훈민정음, ㉢『조선왕조실록』, 『승정원일기』, ㉣『직지심체요절』, 해인사 고려대장경판 및 제경판, 조선 왕조 『의궤』, 『동의보감』, 『일성록』, 5·18 민주화 운동 기록물 등이 유네스코의 세계 기록유산으로 등재되어 있다.

① ㉠ – 조선 시대 왕과 왕비의 신주를 모셨다.

② ㉡ – 청동기 시대의 돌무덤이다.

③ ㉢ – 태조에서 철종 때까지의 역사를 편년체로 기록하였다.

④ ㉣ – 병인양요 때 프랑스 군에게 약탈당하였다.

문제풀이 한국의 유네스코 세계유산
난이도 중

③ 한양 도성은 서울의 주위를 에워싸고 있는 조선 시대의 도성으로, 세계유산으로 지정되지 않았다.

오답 분석

① 종묘는 조선 시대 역대의 왕과 왕비 및 추존된 왕과 왕비의 신주를 모신 왕가의 사당으로, 1995년 유네스코 세계유산에 등재되었다.

② 화성은 정조가 사도세자의 묘를 수원으로 옮기면서 축조한 성곽으로, 1997년 유네스코 세계유산에 등재되었다.

④ 남한산성은 조선 시대에 유사시를 대비하여 임시 수도로서 역할을 담당하도록 건설된 산성으로, 2014년 유네스코 세계유산에 등재되었다.

이것도 알면 **합격!**

유네스코 세계 문화유산

종묘	조선의 왕과 왕비의 신주를 모시고 제사를 지내는 사당
수원 화성	정조가 건설하려던 이상 도시로 군사적·상업적 기능 보유
남한산성	병자호란 때 인조가 피난한 산성 도시
산사, 한국의 산지 승원	영주 부석사, 안동 봉정사, 보은 법주사 등 7곳의 사찰
한국의 서원	영주 소수 서원, 안동 도산 서원, 안동 병산 서원 등 9곳의 서원

문제풀이 유네스코 세계 문화유산에 등재된 문화유산
난이도 하

④ 병인양요 때 프랑스 군에게 약탈당한 문화유산은 외규장각에 보관되어 있던 『의궤』 등이다. 『직지심체요절』은 초대 주한 프랑스 공사였던 플랑시가 구입하여 간 것으로, 현재 프랑스 국립 도서관에 보관되어 있다.

오답 분석

① 종묘는 조선 시대 역대의 왕과 왕비의 신주를 모신 사당이다.

② 고창·화순·강화의 고인돌 유적은 청동기 시대 지배층의 무덤인 고인돌이 집중 분포되어 있는 곳이다.

③ 『조선왕조실록』은 태조에서 철종 때까지의 역사를 편년체로 기록한 것이다.

이것도 알면 **합격!**

유네스코 세계 기록유산

『조선왕조실록』	태조~철종까지의 통치 내용을 기록한 편년체 역사서
『직지심체요절』	현존하는 세계에서 가장 오래된 금속 활자 인쇄본
『승정원일기』	승정원에서 업무 내용을 일지 형식으로 기록
『의궤』	조선 왕실의 주요 행사에 대한 기록
『동의보감』	광해군 때 허준이 편찬한 백과사전식 의서
『일성록』	• 정조가 세손 시절부터 쓰던 개인 일기가 즉위 이후 공식 국정 일기로 전환 • 조선의 국왕(정조~순종)들이 국정 운영에 참고할 목적으로 씀

정답 21 ② 22 ③ 23 ③ 24 ④

최빈출 다지선다 문제로 단원 마무리

01 조선 전기의 정치 (1)

다음 주장을 한 국왕이 추진한 정책으로 옳은 것을 모두 고른 것은? 2017년 법원직 9급

> 내가 일찍이 송도에 있을 때 의정부를 없애자는 의논이 있었으나, 지금까지 겨를이 없었다. 지난 겨울에 대간에서 작은 허물로 인하여 의정부를 없앨 것을 청하였으나 윤허하지 않았었다. 지난번에 좌정승이 말하기를 "중국에도 승상부가 없으니 의정부를 폐지해야 한다."라고 하였다. 내가 골똘히 생각해보니 모든 일이 내 한 몸에 모이면 결재하기가 힘은 들겠지만, 임금인 내가 어찌 고생스러움을 피하겠는가.

① 공법을 제정하였다. 22. 지방직 9급

② 경연을 폐지하였다. 17. 법원직 9급

③ 집현전을 설치하였다. 17. 법원직 9급

④ 호패법을 실시하였다. 17. 법원직 9급

⑤ 『경국대전』을 완성하였다. 24. 국가직 9급

⑥ 역법서인 『칠정산』을 편찬하였다. 23. 지방직 9급

⑦ 사간원을 독립시켜 대신을 견제하였다. 18. 지방교행직

⑧ 주자소를 설치하여 계미자를 주조하였다. 19. 지방직 9급

⑨ 국방력 강화를 위해 진관 체제를 실시하였다. 19. 지방직 9급

⑩ 압록강과 두만강 지역에 4군 6진을 설치하였다. 17. 지방직 9급(12월)

정답 및 해설

정답

④, ⑦, ⑧

자료분석

송도(개경) + 의정부를 폐지 → 6조 직계제 → 태종

선택지 체크

① 세종 ② 세조 ③ 세종 **④ 태종** ⑤ 성종 ⑥ 세종 **⑦ 태종 ⑧ 태종** ⑨ 세조 ⑩ 세종

01 조선 전기의 정치 (2)

〈보기〉의 ㉠에 들어갈 인물과 관련된 서술로 옳지 않은 것을 모두 고른 것은? 2019년 서울시 7급(10월 시행)

> **보기**
>
> 반정에 의해 왕위에 오른 중종은 한동안 공신들의 그늘에서 벗어나지 못하였다. 중종은 재위 8년 무렵 반정 3인방이 모두 사망하면서, 기존의 훈구 세력을 대체할 수 있는 새로운 정치 파트너를 구했다. 그때 중종의 눈에 들어온 ㉠ 은(는) 사림파의 선두 주자였다. 그는 1510년 과거에 장원으로 합격하고, 1515년 별시에 급제하여 국왕인 중종의 마음을 사로잡았다. 이후 왕을 측근에서 보필하는 핵심 요직을 두루 거쳤고, 1518년 대사헌에 오르는 파격적인 승진을 거듭하였다.

① 문정 왕후의 수렴청정을 지지하였다. 21. 국가직 9급

② 안향을 배향한 백운동 서원을 세웠다. 17. 기상직 7급

③ 방납의 폐단을 시정할 것을 주장하였다. 19. 서울시 7급(10월)

④ 한양 도성의 성문과 궁궐 등의 이름을 지었다. 19. 지방직 9급

⑤ 『소학』과 향약(鄕約)의 보급을 위해 노력하였다. 19. 서울시 7급(10월)

⑥ 도교 행사를 금지하기 위해 소격서를 폐지하였다. 16. 소방직

⑦ 여진족을 두만강 밖으로 몰아내고 6진을 개척하였다. 17. 국가직 9급(4월)

⑧ 『경제문감』을 저술하여 재상 중심의 정치를 주장하였다. 19. 지방직 9급

⑨ 「조의제문」을 사초에 실었다. 21. 국가직 9급

⑩ 위훈 삭제로 구세력을 제거하고 신진 세력 중심으로 정치판을 재편하려 하였다. 19. 서울시 7급(10월)

정답 및 해설

정답

①, ②, ④, ⑦, ⑧, ⑨

자료분석

사림파의 선두 주자 + 중종의 마음을 사로잡음 → ㉠ 조광조

선택지 체크

① 윤원형 등 ② 주세붕 ③ 조광조 **④ 정도전** ⑤ 조광조 ⑥ 조광조 **⑦ 김종서 ⑧ 정도전 ⑨ 김일손** ⑩ 조광조

02 조선 전기의 경제·사회

〈보기〉의 문제점을 해결하기 위해 시행한 토지 제도에 대한 설명으로 옳은 것을 모두 고른 것은? 2018년 서울시 7급(6월 시행)

> **보기**
>
> 조정의 사대부들이 겉모양으로는 서로 사이가 좋으나, 마음속으로는 시기하여 심지어 은밀하게 중상하는 지경에까지 이르렀으니, 이것은 사전이 함정이 되었기 때문입니다. 근년에 이르러 겸병이 더욱 심하여져서 간악하고 흉악한 무리들은 주(州)를 타넘고 군(郡)을 포괄하며 산과 내를 표지로 삼아 모두 가리켜 조업전(祖業田)이라고 하면서 서로 물리치며 서로 빼앗으니, 한 이랑의 주인이 5~6명을 넘고 1년에 조(租)를 거두는 것이 8~9차례에 이릅니다.
>
> –『고려사』

① 현직 관리에게만 토지가 지급되었다. 18. 서울시 7급(6월)

② 해당 지역의 조세와 역 징발권을 부여하였다. 13. 법원직 9급

③ 토지에 부과하는 세금을 4~6두로 고정하였다. 23. 서울시 9급

④ 국가에서 직접 세금을 거두어 관리에게 지급하였다. 13. 법원직 9급

⑤ 수신전, 휼양전을 죽은 관료의 가족에게 지급하였다. 15. 국가직 9급

⑥ 수조율은 공전·사전을 막론하고 1결당 30두로 정하였다. 16. 지방직 7급

⑦ 지방 거주의 한량품관에게 군전으로 5결 혹은 10결씩 지급하였다. 16. 지방직 7급

⑧ 관료 등급을 18등급으로 나누어 전지와 시지를 지급하였으며, 시지는 14등까지만 주었다. 18. 서울시 7급(6월)

⑨ 전국의 토지가 재분배 되었으며, 관료들은 경기도 땅에서 최고 150결, 최하 10결의 토지를 수조지로 받았다. 18. 서울시 7급(6월)

정답 및 해설

정답

⑤, ⑥, ⑦, ⑨

자료분석

겸병이 더욱 심함 + 산과 내를 표지로 삼아 서로 빼앗음 → 권문세족의 토지 겸병 → 과전법

선택지 체크

① 경정 전시과, 직전법 ② 식읍, 녹읍 ③ 영정법 ④ 관수 관급제 **⑤ 과전법 ⑥ 과전법 ⑦ 과전법** ⑧ 경정 전시과 **⑨ 과전법**

03 조선 전기의 문화

다음과 같이 주장한 인물에 대한 설명으로 옳은 것을 모두 고른 것은? 2018년 국가직 7급

> 예로부터 나라의 역사가 중기에 이르면 인심이 반드시 편안만 탐해 나라가 점점 쇠퇴한다. 그때 현명한 임금이 떨치고 일어나 천명을 연속시켜야만 국운이 영원할 수 있다. 우리나라도 200여 년을 지내 지금 중쇠(中衰)에 이미 이르렀으니, 바로 천명을 연속시킬 때이다.

①『동호문답』,『만언봉사』등을 저술하였다. 17. 서울시 7급

② 예안 향약을 만들었다.

③『성학집요』와『격몽요결』등을 집필하였다. 19. 서울시 7급(2월)

④ 경과 의를 근본으로 하는 실천적 성리학풍을 창도하였다. 18. 국가직 7급

⑤ 일평생 처사로 지내며 독창적인 유기 철학을 수립하였다. 19. 서울시 7급(2월)

⑥ 기대승과 8차례 편지를 통해 4단과 7정에 대한 논쟁을 벌였다. 17. 서울시 9급

⑦ 왕이 지켜야 할 왕도 정치 규범을 체계화한『성학십도』를 지었다. 18. 국가직 7급

⑧ 서리망국론을 부르짖으며 당시 서리의 폐단을 강력하게 비판하였다. 16. 국가직 9급

⑨ 삼강오륜의 윤리를 설명하고 중국과 우리나라의 역사를 적은『동몽선습』을 지었다. 18. 국가직 7급

⑩ 우리 역사에서 기자의 행적을 주목하고 그 전통을 계승하기 위해『기자실기』를 지었다. 18. 국가직 7급

정답 및 해설

정답

①, ③, ⑩

자료분석

우리나라도 200여 년을 지내 중쇠에 이미 이르렀음 → 이이

선택지 체크

① 이이 ② 이황 **③ 이이** ④ 조식 ⑤ 서경덕 ⑥ 이황 ⑦ 이황 ⑧ 조식 ⑨ 박세무 **⑩ 이이**

공무원시험전문 해커스공무원
gosi.Hackers.com

조선 후기 출제 경향

1. 주요 직렬별 출제 비중(2019~2024)

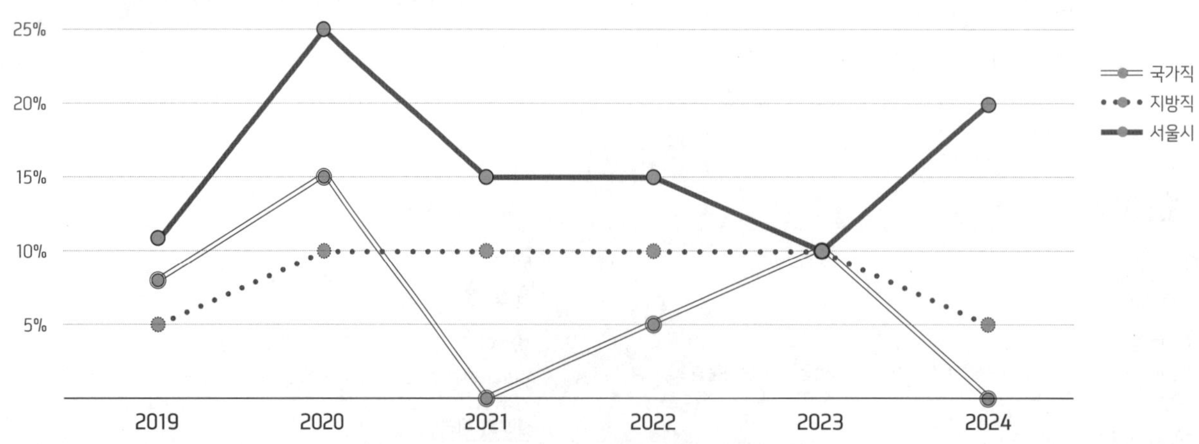

조선 후기는 국가직과 지방직 시험의 경우 평균 1~2문제씩 출제되고 있으며, 서울시 시험의 경우 전년도에 비해 출제 비중이 크게 상승하였습니다.

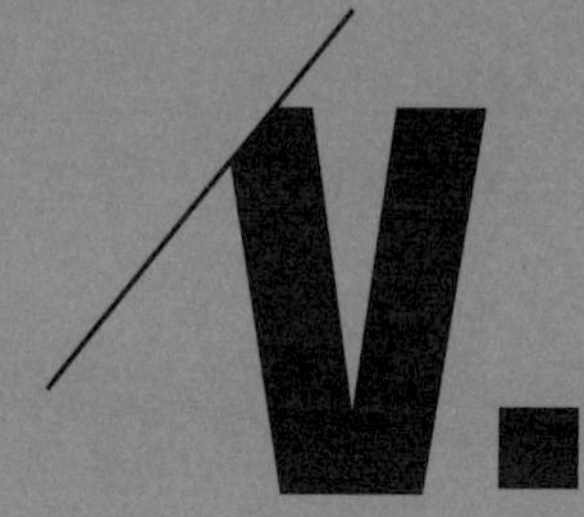

V. 조선의 변화

01 조선 후기의 정치
02 조선 후기의 경제
03 조선 후기의 사회
04 조선 후기의 문화

2. 주요 직렬별 최근 출제 경향 및 학습 방법

국가직	국가직의 경우 최근 3개년간 출제 비중이 높아지는 추세였으나, 2024년에는 한 문제도 출제되지 않았습니다. ▶ 조선 후기의 경제적·사회적 변화를 조선 전기와 비교하며 학습해야 합니다. ▶조선 시대 붕당의 상황은 시기와 집권 세력을 구분해야 합니다.
지방직	지방직 시험의 경우 평균적으로 2문제씩 출제되고 있으며, 2024년 지방직 9급 시험에서는 박제가에 대한 묻는 문제가 쉽게 출제되었습니다. ▶ 조선 후기에 주요 사건의 특징과 전개 과정을 조선 전기와 연결 지어 학습해 두어야 합니다. ▶ 조선 후기 실학자들의 사상 및 저서를 꼼꼼히 암기해야 합니다.
서울시*	서울시 시험의 경우 국가직과 지방직 시험에 비해 비교적 출제 비중이 높은 편입니다. 2024년 서울시 9급 시험에서는 정치사·사회사·문화사의 다양한 부분에서 4문제가 출제되었습니다. ▶ 조선 후기의 주요 국왕 중 특히 숙종, 영조, 정조의 업적에 대해 꼼꼼히 비교 학습해야 합니다. ▶ 조선 후기의 신분제의 변화, 천주교의 등장과 탄압 등 사회 변화의 흐름과 내용들을 정리해 두어야 합니다.

* 서울시 9급(특수직렬) 문제는 인사혁신처에서 출제한 문제가 아니고, 서울시에서 자체 출제한 문제입니다.

1 | 통치 체제의 변화

01

2022년 서울시 9급(2월 시행)

〈보기〉의 (가) 기구에 대한 설명으로 가장 옳은 것은?

> **보기**
> 임시로 (가) 를 설치하였는데, … 이것은 일시적인 전쟁 때문에 설치한 것으로서, 국가의 중요한 모든 일을 다 맡긴 것은 아니었다. 그런데 오늘에 와서 … 의정부는 한갓 헛이름만 지니고 6조는 모두 그 직임을 상실하였다.

① 오직 군사 문제만을 다루었다.
② 고종 대에 폐지되었다.
③ 세종 대에 설치되었다.
④ 임진왜란이 끝난 후 위상이 추락하였다.

문제풀이 비변사 난이도 하

제시된 자료에서 일시적인 전쟁 때문에 설치하였다는 것과 의정부와 6조가 모두 그 직임을 상실하였다는 내용을 통해 (가) 기구가 비변사임을 알 수 있다.

② 비변사는 고종 대에 흥선 대원군에 의해 폐지되었다. 흥선 대원군은 세도 정치 시기의 핵심 기구인 비변사를 폐지하고, 의정부와 삼군부의 기능을 부활시켜 각각 정치와 군사의 최고 기관으로 삼았다.

오답 분석
① 비변사는 임진왜란 이후 군사 문제뿐만 아니라 외교, 재정, 사회, 인사 문제 등의 국정 전반을 관할하였다.
③ 비변사는 세종이 아닌 중종 때 삼포왜란을 계기로 여진족과 왜구의 침입을 대비하기 위한 임시 기구로 처음 설치되었다.
④ 비변사는 임진왜란 이후 군사 및 정무 전반을 관할하며 위상이 높아졌고, 기존에 국가 정책을 결정하던 의정부와 정책을 실행하던 6조는 유명무실화되었다.

02

2019년 기상직 9급

(가) 기구에 대한 설명으로 옳지 않은 것은?

> 성묘조(成廟朝)에 건주위의 역에 임시로 (가) 을/를 설치하였는데, 재신으로서 이 일을 맡은 사람을 지변재상(知邊宰相)이라고 불렀습니다. 그러나 이것은 일시적인 전쟁 때문에 설치한 것으로서 국가의 중요한 모든 일들을 참으로 다 맡긴 것은 아니었습니다. 그런데 오늘에 와서는 큰일이건 작은 일이건 중요한 것으로 취급되지 않는 것이 없습니다. 그 결과 정부는 한갓 헛이름만 지니고 육조는 모두 그 직임을 상실하였습니다. 명칭은 '변방의 방비를 담당하는 것'이라고 하면서 과거 시험에 대한 판하(判下)나 비빈(妃嬪)을 간택하는 등의 일까지도 모두 여기를 경유하여 나옵니다.
> －「효종실록」

① 흥선 대원군 집권 이후에 폐지되었다.
② 명종 때 삼포왜란을 계기로 상설 기구가 되었다.
③ 현직의 3정승이 우두머리인 도제조를 겸임하기도 하였다.
④ 기구가 강화됨에 따라 의정부와 6조의 기능이 약화되었다.

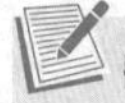

문제풀이 비변사 난이도 하

제시문에서 일시적인 전쟁 때문에 임시로 설치하였으며, 그 명칭이 '변방의 방비를 담당하는 것'이라고 하면서 과거 시험이나 비빈의 간택 등 모든 일에 관여한다는 내용을 통해 (가)가 비변사임을 알 수 있다. 성종 때 왜구와 여진에 대한 대책을 세우기 위해 국방 문제에 정통한 관료들을 소집하였으며, 이들을 가리켜 지변사재상이라 불렀고, 이후 중종 때 일어난 삼포왜란을 계기로 지변사재상들의 임시 회의 기구로 비변사가 설치되었다.

② 비변사는 중종 때 발생한 삼포왜란을 계기로 임시 회의 기구로 설치되었으며, 이후 명종 때 일어난 을묘왜변을 계기로 상설 기구화되었다.

오답 분석
① 비변사는 고종 때 흥선 대원군의 왕권 강화 정책에 의해 폐지되었다.
③ 비변사는 도제조 - (부)제조 - 낭관(낭청) 등의 관원들로 구성되었으며, 우두머리인 도제조는 전직 혹은 현직 3정승(영의정, 좌의정, 우의정)이 겸임하였다. 한편 도제조는 비변사, 훈련도감, 선혜청 등 중요 국가 기관에 두었던 정1품 자문직의 명칭이다.
④ 비변사는 임진왜란 이후 군사 문제뿐만 아니라 외교, 재정, 사회, 인사 문제 등 거의 모든 정무를 총괄하게 되면서 의정부와 6조의 기능은 유명무실화 되었다.

03

2018년 서울시 9급(3월 시행)

〈보기〉에서 설명하고 있는 기구에 대한 설명으로 가장 옳은 것은?

> **보기**
>
> 재신(宰臣)으로서 이 일을 맡은 사람을 지변재상(知邊宰相)이라고 불렀습니다. 그러나 이것은 일시적인 전쟁 때문에 설치한 것으로 국가의 중요한 모든 일들을 참으로 다 맡긴 것은 아니었습니다. 오늘에 와서 큰 일이건 작은 일이건 중요한 것으로 취급되지 않는 것이 없는데, 정부는 한갓 헛이름만 지니고 육조는 모두 그 직임을 상실하였습니다. 명칭은 '변방의 방비를 담당하는 것'이라고 하면서 과거에 대한 판하(判下)나 비빈(妃嬪)을 간택하는 등의 일까지도 모두 여기를 경유하여 나옵니다.
>
> –『효종실록』

① 대원군에 의해 기능이 강화되었다.
② 의정부의 기능을 약화시켰다.
③ 붕당 정치의 폐단을 막기 위해 설치되었다.
④ 왜구의 침입에 대비하여 16세기 초 상설 기구로 설치되었다.

04

2019년 국회직 9급

조선 시대 훈련도감에 대한 설명으로 옳지 않은 것은?

① 조선 전기 임시 기구로 설립되어 임진왜란을 계기로 상설 기구화 되었다.
② 포수(砲手), 살수(殺手), 사수(射手)로 구성되었다.
③ 급료를 지급하는 상비군 제도였다.
④ 명나라 척계광이 저술한『기효신서』의 영향으로 설치되었다.
⑤ 1881년(고종 18) 군제 개혁으로 별기군이 설치되면서 폐지되었다.

문제풀이 비변사

난이도 중

제시문에서 일시적인 전쟁 때문에 설치하였다는 것과 기구의 명칭이 변방의 방비를 담당함을 의미함에도 불구하고 점차 비빈의 간택 등에도 관여하였다는 내용을 통해 비변사에 대한 설명임을 알 수 있다.

② 비변사는 임진왜란 이후 구성원이 확대되고 기능이 강화되면서 국가 최고 정무 기구로 발전하였으며, 이로 인해 의정부와 6조 중심의 행정 체제가 유명무실화 되었다. 이후 세도 정치기를 거치며 비변사의 권위는 더욱 강화되었다.

오답 분석

① 대원군에 의해 기능이 강화된 것은 의정부와 삼군부이다. 흥선 대원군은 세도 정치를 타파하고 왕권을 강화하기 위해 비변사를 축소·폐지한 뒤 의정부와 삼군부의 기능을 부활시켰다.
③ 비변사는 외적의 침입을 대비하기 위해 설치된 기구로, 임진왜란 이후 최고 정무 기구가 되었다.
④ 비변사는 16세기 초에 상설 기구가 아닌 임시 기구로 설치되었다. 비변사는 조선 중종 때 일어난 삼포왜란(1510)을 계기로 임시로 설치되었으며, 명종 때 을묘왜변(1555)을 겪으면서 상설 기구화 되었다.

문제풀이 훈련도감

난이도 하

① 훈련도감은 임진왜란 기간 중 유성룡의 건의에 따라 왜군에 대응하기 위한 임시 기구로 설치(1593)되었다. 훈련도감은 종래 5위가 담당하던 국왕의 호위와 수도 방어를 대신하게 되었고, 숙종 때 5군영 체제가 완비되면서 중앙군의 핵심 역할을 담당하게 되었다.

오답 분석

② 훈련도감은 포수(조총)·살수(창·검)·사수(활)의 삼수병으로 편제되었다.
③ 훈련도감은 장기간 근무를 하고 일정한 급료를 지급받은 상비군으로, 의무병이 아닌 직업 군인의 성격을 갖고 있었다.
④ 훈련도감은 명나라 장수 척계광이 저술한 병서인『기효신서』의 군사 편제와 훈련 방법을 바탕으로 조직·운영되었다.
⑤ 훈련도감은 고종 때 군제 개혁으로 신식 군대인 별기군이 설치(1881)되면서 폐지되었다(1882).

이것도 알면 **합격!**

훈련도감

설치	임진왜란 중 유성룡의 건의로 설치
구성	포수(총)·사수(활)·살수(칼과 창)의 삼수병으로 구성
특징	장기간 근무를 하고 일정한 급료를 받는 상비군
폐지	고종 때 신식 군대인 별기군이 설치되자 1882년에 폐지됨

정답 01 ② 02 ② 03 ② 04 ①

05

2018년 법원직 9급

다음 군사 조직에 대한 설명으로 가장 옳은 것은?

> 국왕의 행차가 서울로 돌아왔으나, …… 이때에 임금께서 도감을 설치하여 군사를 훈련시키라고 명하시고 나를 그 책임자로 삼으시므로, …… 얼마 안 되어 수천 명을 얻어 조총 쏘는 법과 창, 칼 쓰는 기술을 가르치게 하였다. 또 당번을 정하여 궁중을 숙직하게 하고, 국왕의 행차가 있을 때 이들로써 호위하게 하니 민심이 점차 안정되었다. -『서애집』

① 갑사와 정군으로 구성되었다.

② 포수, 사수, 살수로 조직되었다.

③ 제승방략 체제에 맞는 군사 조직이었다.

④ 신분 구분 없이 노비에서 양반까지 편성되었다.

문제풀이 훈련도감 난이도 중

제시문에서 군사를 훈련시킬 도감의 설치를 명받았다는 것과 조총 쏘는 법과 창·칼 쓰는 기술을 가르치게 하였다는 것을 통하여 훈련도감에 대한 내용임을 알 수 있다. 훈련도감은 임진왜란 기간 중 서애 유성룡의 건의로 설치되어 국왕의 호위와, 궁궐을 수비하는 역할을 담당하였다.

② 훈련도감은 포수(조총)·사수(활)·살수(창·검)의 삼수병으로 조직된 군사 조직으로, 훈련도감 소속 병사들은 장기간을 근무하고 일정 급료를 받는 상비군이었다.

오답 분석

① **5위**: 갑사와 정군으로 구성된 것은 조선 전기의 군사 조직인 5위이다. 5위는 궁궐과 수도를 경비하는 조선 전기의 중앙군으로, 정군을 중심으로 직업 군인인 갑사나 특수병으로 구성되어 있었다.

③ 제승방략 체제는 임진왜란 당시 효과를 거두지 못한 지방 방어 체계로 임진왜란 중 설치된 훈련도감과는 관련이 없다. 조선은 임진왜란이 전개되고 있는 상황에서 중앙에는 훈련도감을 설치하였으며, 지방 방어 체계를 진관 체제로 복구하고 지방군을 속오법에 따라 속오군 체제로 정비하였다.

④ **속오군**: 신분 구분 없이 노비에서 양반까지 편성된 것은 속오군이다. 속오군은 평상시에는 생업에 종사하다가 농한기에 군사 훈련을 받고, 적이 침입해오면 전투에 동원되는 군사 조직이었다.

06

2024년 국가직 9급

(가) ~ (라)를 시기순으로 바르게 나열한 것은?

> (가) 13도 창의군이 결성되었다.
> (나) 지방군은 10정으로 조직하였다.
> (다) 친위 부대인 장용영을 설치하였다.
> (라) 중앙군은 2군 6위제로 운영하였다.

① (나) → (라) → (가) → (다)

② (나) → (라) → (다) → (가)

③ (라) → (나) → (가) → (다)

④ (라) → (나) → (다) → (가)

문제풀이 시기별 군사 조직 난이도 중

② 시기순으로 나열하면 (나) 10정(통일 신라) → (라) 2군 6위(고려) → (다) 장용영(1793, 정조) → (가) 13도 창의군(1907, 순종)이 된다.

(나) **10정**: 지방군을 10정으로 조직한 것은 통일 신라 시대이다. 통일 신라는 신문왕 때 군사 조직을 정비하여 중앙군인 9서당과 지방군인 10정을 조직하였다.

(라) **2군 6위**: 중앙군을 2군 6위제로 운영한 것은 고려 시대이다. 고려 시대에는 중앙군으로 국왕의 친위 부대인 2군(응양군·용호군)과, 수도 경비와 국경 방어를 담당한 6위(신호위·좌우위·흥위위·금오위·천우위·감문위)로 구성하였다.

(다) **장용영**: 국왕의 친위 부대인 장용영을 설치한 것은 조선 후기 정조 때이다. 정조는 국왕의 친위 부대인 장용영을 설치하여 군사권을 장악하고, 왕권을 뒷받침하는 군사적 기반으로 삼았다.

(가) **13도 창의군**: 13도 창의군이 결성된 것은 조선 후기 순종 때이다. 고종이 일본에 의해 강제 퇴위 당하고, 대한 제국의 군대가 해산되자 이인영, 허위 등의 양반 의병장 중심으로 연합 의병 부대인 13도 창의군이 결성되었다. 이들은 서울 진공 작전을 전개하였으나 일본군에게 패배하였다.

07

2020년 지방직 7급

다음의 군사 제도를 시대 순으로 바르게 나열한 것은?

> (가) 중앙군인 5위를 두어 궁궐과 수도를 방어하게 하였다.
> (나) 10정을 두었는데, 9주 가운데 8주에 1정씩 배치하고, 국경 지대인 한주(漢州)에는 2개의 정을 두었다.
> (다) 금위영이 설치되면서 5군영 체제가 갖추어졌다.
> (라) 국왕의 친위 부대인 2군, 수도 및 국경 방어를 담당하는 6위로 구성되었다.

① (가) → (라) → (나) → (다)
② (가) → (라) → (다) → (나)
③ (나) → (가) → (다) → (라)
④ (나) → (라) → (가) → (다)

08

2017년 국가직 7급(10월 시행)

밑줄 친 '왕'의 재위 기간 중에 있었던 사실로 옳은 것은?

> 최명길이 마침내 국서를 가지고 비변사에서 다시 수정하였다. 예조판서 김상헌이 밖에서 들어와 그 글을 보고는 통곡하면서 찢어 버리고, 왕께 아뢰기를 "명분이 일단 정해진 뒤에는 적이 반드시 우리에게 군신의 의리를 요구할 것이니 성을 나가는 일을 면하지 못할 것입니다. … (중략) … 깊이 생각하소서."라고 하였다.

① 수도 외곽의 방어를 위하여 총융청을 설치하였다.
② 훈련도감을 신설하고 포수, 사수, 살수 등 삼수병을 두었다.
③ 북벌 계획에 따라 어영청을 정비하여 화포병과 기병을 늘렸다.
④ 도성을 수비하기 위해 기병과 훈련도감군의 일부를 주축으로 금위영을 설치하였다.

문제풀이 시대별 군사 제도

난이도 하

④ 시대 순으로 나열하면 (나) 통일 신라의 10정 → (라) 고려 시대의 2군 6위 → (가) 조선 전기의 5위 → (다) 조선 후기의 5군영 체제가 된다.

(나) **통일 신라의 10정**: 통일 신라의 지방군인 10정은 북쪽 국경 지대인 한주(한산주)에만 2정이 편성되었고, 나머지 여덟 주에는 각각 1정씩 배치되었다.

(라) **고려 시대의 2군 6위**: 고려의 중앙군인 2군 6위는 국왕의 친위 부대인 2군(응양군, 용호군)과 수도와 국경 방어(좌우위, 신호위, 흥위위), 경찰(금오위), 의장대(천우위), 궁궐과 성문 수비(감문위) 등의 역할을 수행하는 6위로 구성되었다.

(가) **조선 전기의 5위**: 조선 전기의 중앙군인 5위는 궁궐과 수도를 방어하였으며 정군을 중심으로 직업 군인인 갑사나 특수병으로 구성되어 있었다.

(다) **조선 후기의 5군영 체제**: 조선 후기 숙종 때 국왕의 호위와 수도인 한양을 방어하기 위한 군사 조직인 금위영이 설치되면서 훈련도감, 어영청, 총융청, 수어청, 금위영의 5군영 체제가 갖추어졌다.

문제풀이 인조 재위 기간의 사실

난이도 중

제시문에서 예조판서 김상헌이 최명길의 국서를 찢어버리고, 적이 우리에게 군신의 의리를 요구할 것이니 성(남한산성)을 나가는 일을 면하지 못할 것이라는 내용을 통해 병자호란 때의 상황임을 알 수 있으며, 밑줄 친 '왕'이 인조임을 알 수 있다.

① 인조 재위 기간에 수도 외곽의 방어를 위하여 총융청이 설치되었다. 총융청은 5군영 중 하나로, 이괄의 난 직후에 설치되었으며 북한산성 및 경기 북부 일대의 수비를 담당하였다.

오답 분석

② **선조**: 훈련도감을 신설하고 포수, 사수, 살수 등 삼수병을 둔 것은 선조 때의 일이다. 임진왜란 초기에 패전을 거듭하자 조선은 임진왜란 도중 중앙군을 재정비하여 삼수병의 직업 군인으로 편성된 훈련도감을 설치하였다.

③ **효종**: 북벌 계획에 따라 어영청이 정비되고 화포병과 기병이 늘어난 것은 효종 때의 일이다. 어영청은 인조 때 설치되었지만, 효종 때 북벌 정책의 일환으로 병력이 늘어났다.

④ **숙종**: 금위영이 설치된 것은 숙종 때의 일이다. 금위영은 국왕 호위와 수도 방어를 위해 설치된 군영으로, 기병과 훈련도감군의 일부를 주축으로 하였다. 한편, 숙종 때 금위영이 설치되면서 5군영 체제가 완성되었다.

정답 05 ② 06 ② 07 ④ 08 ①

09

2022년 서울시 9급(2월 시행)

〈보기〉의 글에 대한 설명으로 가장 옳지 않은 것은?

> **보기**
> 우리나라는 실로 신종 황제의 은혜를 입어 임진왜란 때 나라가 폐허가 되었다가 다시 존재하게 되었고 백성은 거의 죽었다가 다시 소생하였으니, 우리나라의 나무 한 그루와 풀 한 포기와 백성의 터럭 하나하나에도 황제의 은혜가 미치지 않은 것이 없습니다. 그런즉 오늘날 크게 원통해 하는 것이 온 천하에 그 누가 우리와 같겠습니까?

① 송시열이 제출하였다.

② 효종에게 올린 글이다.

③ 북벌 정책에 대해 논하였다.

④ 청의 문물 수용을 건의하였다.

문제풀이 송시열의 「기축봉사」

난이도 하

제시문에서 신종 황제의 은혜를 입어 임진왜란 때 나라가 폐허가 되었다가 다시 존재하게 되었다는 내용을 통해 송시열이 효종에게 올린 「기축봉사」의 내용임을 알 수 있다. 송시열은 「기축봉사」에서 임진왜란 때 조선을 도운 명나라 신종의 은혜를 강조하였으며, 북벌론을 주장하였다.

④ 송시열은 청의 문물 수용을 건의하지 않았다. 청의 선진 문물을 수용하자는 것은 북학론으로, 박지원, 박제가, 홍대용 등의 북학파가 주장하였다.

오답 분석

①, ②, ③ 「기축봉사」는 송시열이 효종에게 올린 글로써, 임진왜란 때 도움을 준 명에 대한 의리를 지키고 병자호란의 치욕을 씻기 위해 오랑캐인 청에 복수하자는 북벌 정책에 대해 논하였다.

이것도 알면 **합격!**

송시열

효종	「기축봉사」를 올려 명에 대한 의리와 북벌을 강조 - 존주대의(尊周大義): 명나라는 중화이고, 청나라는 오랑캐임 - 복수설치(復讐雪恥): 청나라에게 당한 수치를 복수하고 설욕함 (북벌 주장)
현종	기해예송 때 '체이부정(적자이나 장자가 아님을 의미)'을 명분으로 기년설 주장
숙종	희빈 장씨의 소생(훗날 경종)을 원자로 정하는 것에 반대 → 기사환국

10

2018년 지방직 9급

밑줄 친 '대의(大義)'를 이루기 위해 효종이 한 일로 옳은 것은?

> 병자년 일이 완연히 어제와 같은데, 날은 저물고 갈 길은 멀다고 하셨던 성조의 하교를 생각하니 나도 모르게 눈물이 솟는구나. 사람들은 그것을 점점 당연한 일처럼 잊어가고 있고 <u>대의(大義)</u>에 대한 관심도 점점 희미해져 북녘 오랑캐를 가죽과 비단으로 섬겼던 일을 부끄럽게 생각지 않고 있으니 그것을 생각한다면 그 아니 가슴 아픈 일인가. -「조선왕조실록」

① 남한산성을 복구하고 어영청을 확대하였다.

② 훈련별대를 정초군과 통합하여 금위영을 발족시켰다.

③ 명과 후금 사이에서 실리를 추구하는 중립 외교 정책을 펼쳤다.

④ 호위청, 총융청, 수어청 등의 부대를 창설하여 국방력을 강화하였다.

문제풀이 효종의 북벌 운동

난이도 중

제시된 자료에서 병자년의 일과 오랑캐를 가죽과 비단으로 섬겼던 일이라는 내용을 통해 조선 인조 때 일어난 병자호란과 관련된 내용임을 알 수 있으며, 밑줄 친 '대의(大義)'가 효종 때 제기된 북벌론임을 알 수 있다. 조선 효종 때는 병자호란의 치욕을 씻고 오랑캐인 청나라에게 복수하자는 북벌론이 제기되었다.

① 효종은 즉위 이후 오랑캐인 청나라를 정벌하자는 북벌 운동을 전개하여 인조 때 설치된 어영청을 중심으로 화포병과 기병 등을 증원하였고, 남한산성의 성곽을 수리하는 등 군사력을 강화하였다.

오답 분석

② **숙종**: 훈련별대와 정초군을 통합하여 금위영을 발족한 것은 숙종이다. 숙종은 훈련도감 소속의 별대(별동대)와 정초군을 합하여 국왕 호위 및 궁궐 수비를 담당한 금위영을 조직하였다.

③ **광해군**: 명과 후금 사이에서 중립 외교 정책을 펼친 것은 광해군이다. 임진왜란 이후 명의 세력이 약해지고, 후금이 강해지자 광해군은 두 국가 사이에서 실리를 추구하는 중립 외교를 전개하였다.

④ **인조**: 호위청, 총융청, 수어청 등의 부대를 창설하여 국방력을 강화한 것은 인조이다. 인조는 궁중의 호위를 위해 호위청을 설치하고, 이괄의 난 이후 북한산성과 경기 북부의 수비를 위해 총융청을 조직하였으며, 남한산성과 경기 남부를 수비하기 위해 수어청을 창설하였다.

11
2021년 경찰직(1차)

(가), (나)의 현실 인식을 가진 세력에 대한 설명으로 옳지 않은 것은?

> (가) 오늘날에 시세를 헤아리지 않고 경솔히 오랑캐와 관계를 끊다가 원수는 갚지 못하고 패배에 먼저 이르게 된다면, 또한 선왕께서 수치를 참고 몸을 굽혀 종사를 연장한 본의가 아닙니다. 삼가 원하건대 전하께서는 마음을 굳게 정하시기를 '이 오랑캐는 임금과 아버지의 큰 원수이니, 맹세코 차마 한 하늘 밑에 살 수 없다.'고 하시어 원한을 축적하십시오.
>
> (나) 우리를 저들과 비교해 본다면 진실로 한 치의 나은 점도 없다. 그럼에도 단지 머리를 깎지 않고 상투를 튼 것만 가지고 스스로 천하에 제일이라고 하면서 지금은 옛날의 중국이 아니라고 말한다. 그 산천은 비린내 노린내 천지라고 나무라고, 그 인민은 개나 양이라고 욕을 하고, 그 언어는 오랑캐 말이라고 모함하면서, 중국 고유의 훌륭한 법과 아름다운 제도마저 배척해 버리고 만다.

① (가) – 명 황제의 제사를 지내기도 하였다.
② (가) – 북벌에 필요한 군사력을 강화하고자 하였다.
③ (나) – 화이론에 따라 국제 문제를 해결하고자 하였다.
④ (나) – 청의 중국 지배 현실을 인정해야 한다고 주장하였다.

문제풀이 북벌론과 북학론 난이도 중

(가)는 선왕께서 수치를 참고 몸을 굽혔다는 것과 오랑캐는 임금과 아버지의 큰 원수라고 서술한 내용을 통해 오랑캐인 청나라에 복수하기 위해 북벌을 준비하자는 송시열의 북벌론임을 알 수 있다.

(나)는 저들과 비교해 한 치의 나은 점이 없음을 말하고, 중국 고유의 훌륭한 법과 아름다운 제도를 배척해 버리고 만다는 내용을 통해 지금 중국의 주인인 청나라를 오랑캐라고 배척하는 것이 아니라 청나라의 훌륭한 법과 제도 등을 수용하자고 주장한 박지원의 북학론임을 알 수 있다.

③ 화이론에 따라 국제 문제를 해결하고자 한 것은 (가) 북벌론을 주장한 세력의 입장이다. 화이론은 중화를 받들고 오랑캐를 물리친다는 사상으로 북벌론을 주장한 세력은 명을 중화로, 청을 오랑캐로 여겼다.

오답 분석
① 명 황제의 제사를 지낸 것은 북벌론을 주장한 세력이다. 북벌론을 주장한 세력은 존화주의적 명분론에 입각하여 만동묘를 설치하고 임진왜란 때 조선을 도와준 명나라 황제 신종과 마지막 황제인 의종의 제사를 지내기도 하였다.
② 북벌에 필요한 군사력을 강화하고자 한 것은 북벌론을 주장한 세력이다. 효종은 북벌을 추진하기 위하여 송시열, 이완 등을 중용하였으며, 군대를 양성하고 어영청의 병력을 증가시켰다.
④ 청의 중국 지배 현실을 인정해야 한다고 주장한 것은 북학론을 주장한 세력이다. 북학론을 주장한 세력은 청을 오랑캐로 무시할 것이 아니라 청의 중국 지배를 인정하며 청나라의 문물을 받아들이자고 주장하였다.

12
2018년 서울시 9급(6월 시행)

〈보기〉의 조선 시대의 국방 정책을 시간 순으로 바르게 나열한 것은?

> 보기
> ㉠ 서울 주변의 네 유수부가 서울을 엄호하는 체제를 구축하였다.
> ㉡ 금위영을 발족시켜 5군영 제도가 성립되었다.
> ㉢ 하멜이 가져온 조총 기술을 도입하여 서양식 무기를 제조하였다.
> ㉣ 수도 방어 체계를 강화하고 『수성윤음』을 반포하였다.

① ㉠ → ㉡ → ㉢ → ㉣
② ㉡ → ㉣ → ㉠ → ㉢
③ ㉢ → ㉡ → ㉣ → ㉠
④ ㉣ → ㉢ → ㉠ → ㉡

문제풀이 조선 후기 국방 정책의 변화 난이도 중

③ 순서대로 나열하면 ㉢ 하멜의 서양식 무기 제조(효종) → ㉡ 5군영 제도 성립(숙종) → ㉣ 『수성윤음』 반포(영조) → ㉠ 4유수부 체제 구축(정조)이다.

㉢ **하멜의 서양식 무기 제조**: 효종 때인 1653년에 제주도에 표류한 하멜은 훈련도감에 배속되었고, 조선 정부는 하멜이 가져온 조총 제작 기술을 도입하여 서양식 무기를 제조하였다.
㉡ **5군영 제도 성립**: 숙종 때인 1682년에 국왕의 호위와 수도인 한양을 방어하기 위한 군사 조직인 금위영이 설치되었다. 이를 통해 훈련도감, 어영청, 총융청, 수어청, 금위영의 5군영 제도가 성립되었다.
㉣ **『수성윤음』 반포**: 영조 때인 1751년에 『수성윤음』을 반포하여 한양 내에 거주하는 백성들을 거주지에 따라 훈련도감, 금위영, 어영청의 군영에 각각 배속하고, 유사시 도성을 수비하도록 하여 수도 방어 체계를 강화하였다.
㉠ **4유수부 체제 구축**: 정조 때인 1793년에 수원 유수부를 설치하면서 4유수부 체제가 구축되었다. 유수부는 조선 시대에 군사적 요충지에 설치한 행정 구역으로, 개성, 강화, 수원, 광주에 설치되었다.

정답 09 ④ 10 ① 11 ③ 12 ③

2 | 정쟁의 격화와 탕평·세도 정치

01

2023년 지방직 9급

조선 시대 붕당의 상황에 대한 설명으로 옳지 않은 것은?

① 선조 대 – 사림이 동인과 서인으로 분열하였다.

② 광해군 대 – 북인이 집권하였다.

③ 인조 대 – 남인이 정권을 독점하였다.

④ 숙종 대 – 서인이 노론과 소론으로 갈라졌다.

문제풀이 조선 시대 붕당의 상황 난이도 중

③ 인조 때는 인조반정을 통해 정권을 잡은 서인이 남인 일부와 함께 국정을 운영하였다.

오답 분석

① 선조 때는 척신 정치의 청산 문제 등을 둘러싸고 사림이 동인과 서인으로 분열하면서 붕당 정치가 시작되었다. 김효원을 중심으로 한 신진 사림은 척신 정치의 청산을 강조하며 동인을 형성하였고, 척신 정치 청산에 소극적이었던 심의겸을 중심으로 한 기성 사림은 서인을 형성하였다.

② 광해군 때는 북인이 집권하였다. 북인은 임진왜란 때 적극적으로 의병에 참여하고 일본과 끝까지 싸워야 한다는 주전론을 내세우며 세력을 확장하였고, 광해군 즉위 이후에는 집권하여 정국을 주도하였다.

④ 숙종 때 경신환국을 통해 정국을 주도한 서인은 남인에 대한 처벌을 둘러싸고 강경론을 주장한 송시열 중심의 노론과 온건론을 주장한 윤증 중심의 소론으로 갈라졌다.

02

2021년 서울시 9급(특수 직렬)

〈보기〉의 사건들을 일어난 순서대로 바르게 나열한 것은?

> 보기
> ㉠ 남인이 제2차 예송을 통해 집권하였다.
> ㉡ 노론과 소론이 민비를 복위하는 과정을 거쳐 집권하였다.
> ㉢ 서인은 허적이 역모를 꾸몄다고 고발하여 남인을 축출하고 집권하였다.
> ㉣ 남인은 장희빈이 낳은 왕자가 세자로 책봉되는 과정을 거쳐 집권하였다.

① ㉠ – ㉢ – ㉣ – ㉡　　② ㉡ – ㉣ – ㉢ – ㉠

③ ㉢ – ㉠ – ㉡ – ㉣　　④ ㉣ – ㉢ – ㉠ – ㉡

문제풀이 붕당 정치의 전개 난이도 하

① 시간 순서대로 나열하면 ㉠ 2차(갑인) 예송(1674) → ㉢ 경신환국(1680) → ㉣ 기사환국(1689) → ㉡ 갑술환국(1694)이다.

㉠ **2차(갑인) 예송**: 현종 때 효종비가 죽자 인조의 계비인 자의 대비의 복상 기간을 둘러싸고 2차(갑인) 예송이 전개되었다(1674). 이때 서인은 9개월설(대공설), 남인은 1년설(기년설)을 주장하였는데, 남인의 주장이 받아들여짐으로써 서인의 세력이 약화되고 남인이 집권하게 되었다.

㉢ **경신환국**: 숙종 때 서인이 남인인 허적의 서자 허견이 역모를 꾀하였다고 고발하여 경신환국이 발생하였다(1680). 이에 허적·윤휴 등의 남인이 대거 축출되었으며, 서인이 집권하게 되었다.

㉣ **기사환국**: 숙종 때 희빈 장씨가 낳은 왕자의 세자 책봉 문제를 계기로 기사환국이 발생하였다(1689). 이때 서인이 축출되고 남인이 집권하였으며, 서인 계열인 인현 왕후가 폐위되고 남인 계열인 희빈 장씨가 왕비로 책봉되었다.

㉡ **갑술환국**: 숙종 때 서인에서 분화된 노론과 소론이 폐비 민씨(인현 왕후)의 복위 운동을 전개하자 남인이 이를 탄압하였는데, 숙종이 노론과 소론의 편을 들어 남인이 몰락하고 노론과 소론이 재집권하였다(1694). 이때, 인현 왕후가 복위되고 장씨가 희빈으로 강등되었다.

03

2022년 법원직 9급

(가) 붕당에 대한 설명으로 옳은 것만을 〈보기〉에서 모두 고른 것은?

> (가) 은/는 반정을 주도하여 정권을 잡은 이후 훈련도감을 비롯하여 새로 설치된 어영청, 총융청, 수어청의 병권을 장악하여 권력 유지의 기반으로 삼았다.

> **보기**
> ㉠ 북벌론을 주장하였다.
> ㉡ 인목 대비의 폐위를 주장하였다.
> ㉢ 조식 학파를 중심으로 형성되었다.
> ㉣ 예송 논쟁으로 남인과 대립하였다.

① ㉠, ㉡ ② ㉠, ㉣
③ ㉡, ㉢ ④ ㉢, ㉣

04

2024년 법원직 9급

(가), (나) 집단에 대한 설명으로 가장 옳은 것은?

> 효종의 사망과 관련하여 인조의 계비 자의 대비의 복제(服制)가 쟁점이 되었다. (가) 은/는 효종이 적장자가 아니라는 근거를 들어 왕과 사대부에게 같은 예가 적용되어야 한다는 입장을 내세웠다. 반면 (나) 은/는 왕에게는 일반 사대부와 다른 예가 적용되어야 한다고 주장하였다.

① (가) – 인조반정으로 몰락하였다.
② (가) – 경신환국으로 정권을 장악하였다.
③ (나) – 노론과 소론으로 분화되었다.
④ (나) – 송시열을 중심으로 세력을 확대하였다.

문제풀이 서인

난이도 하

제시문에서 반정을 주도하여 정권을 잡은 이후, 훈련도감, 어영청, 총융청, 수어청의 병권을 장악하였다는 것을 통해 (가) 붕당이 서인임을 알 수 있다.

② 옳은 것을 모두 고르면 ㉠, ㉣이다.

㉠ 송시열, 송준길 등 서인은 병자호란 이후 청에 대한 적개심과 문화적인 우월감을 바탕으로 북벌론을 주장하였다.

㉣ 서인은 효종의 왕위 계승에 대한 정통성을 둘러싸고 예송 논쟁으로 남인과 대립하였다. 예송 논쟁은 효종과 효종비의 장례에 자의 대비의 복상 기간을 둘러싼 논쟁이었는데, 이때 왕과 사대부는 같은 예법을 따라야 한다(천하동례)며 신권을 강화하려는 서인과, 왕과 사대부는 다른 예법을 따라야 한다(왕자례부동사서)며 왕권을 강화하려는 남인이 서로 대립하였다.

오답 분석

㉡ 서인은 인목 대비의 폐위를 주장하지 않았다. 북인 중 대북에 속한 이이첨 등은 후궁의 아들로 즉위한 광해군의 왕권 강화를 위해 선조의 계비이자 영창 대군의 어머니인 인목 대비의 폐위를 주장하였다.

㉢ **북인**: 조식 학파를 중심으로 형성된 붕당은 북인이다. 조식의 학풍을 따르는 문인들로는 곽재우, 정인홍 등이 있었는데, 이들은 주로 북인이 되었다.

문제풀이 서인과 남인

난이도 중

(가)는 효종이 적장자가 아니라는 근거를 들어 왕과 사대부에게 같은 예가 적용되어야 한다는 입장을 내세웠다는 내용을 통해 서인임을 알 수 있다.

(나)는 왕에게는 일반 사대부와 다른 예가 적용되어야 한다고 주장하였다는 내용을 통해 남인임을 알 수 있다.

② 서인은 숙종 때 일어난 경신환국으로 정권을 장악하였다. 경신환국은 숙종 때 서인이 남인인 허적의 서자 허견이 모반을 꾀하였다는 고발을 하고, 이로 인해 남인의 영수인 허적과 윤휴 등이 처형된 사건으로, 서인이 정권을 장악하는 계기가 되었다.

오답 분석

① **북인**: 인조반정으로 몰락한 것은 북인이다. 북인은 광해군 때 정국을 주도하였으나, 서인이 주도한 인조반정으로 광해군이 폐위되면서 몰락하였다.

③ **서인**: 노론과 소론으로 분화된 것은 서인이다. 서인은 경신환국으로 정권을 잡은 후 남인에 대한 처벌을 둘러싸고 강경론을 주장하는 노론과 온건론을 주장하는 소론으로 분화되었다.

④ **노론**: 송시열을 중심으로 세력을 확대한 것은 노론이다. 노론은 대의명분과 민생 안정을 강조하였으며, 주자 중심의 성리학을 절대시하였다.

정답 01 ③ 02 ① 03 ② 04 ②

05

2017년 법원직 9급

다음 자료는 예송의 전개 과정을 정리한 것이다. (가), (나) 세력에 대한 설명으로 가장 옳은 것은?

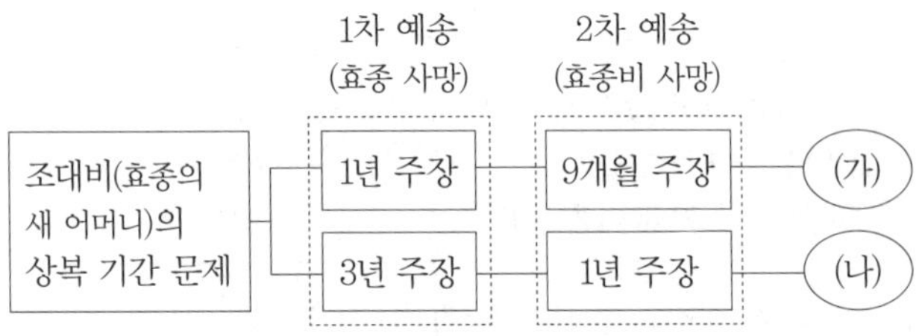

① (가)는 명과 후금 사이에서 중립 외교를 폈다.

② (가)는 숙종 때 노론과 소론으로 분화되었다.

③ (나)의 주장은 1차, 2차 예송에서 모두 채택되었다.

④ 이 논쟁 직후 (나)에 의해 사화가 발생하여 정국이 혼란해졌다.

06

2023년 국가직 9급

다음과 같이 상소한 인물이 속한 붕당에 대한 설명으로 옳은 것만을 모두 고르면?

> 상소하여 아뢰기를, "신이 좌참찬 송준길이 올린 차자를 보았는데, 상복(喪服) 절차에 대하여 논한 것이 신과는 큰 차이가 있었습니다. 장자를 위하여 3년을 입는 까닭은 위로 '정체(正體)'가 되기 때문이고 또 전중(傳重: 조상의 제사나 가문의 법통을 전함)하기 때문입니다. …(중략)… 무엇보다 중요한 것은 할아버지와 아버지의 뒤를 이은 '정체'이지, 꼭 첫째이기 때문에 참최 3년복을 입는 것은 아닙니다."라고 하였다. – 『현종실록』

> ㉠ 기사환국으로 정권을 장악하였다.
> ㉡ 인조반정을 주도하여 집권 세력이 되었다.
> ㉢ 정조 시기에 탕평 정치의 한 축을 이루었다.
> ㉣ 이이와 성혼의 문인을 중심으로 형성되었다.

① ㉠, ㉡

② ㉠, ㉢

③ ㉡, ㉣

④ ㉢, ㉣

문제풀이 서인과 남인 난이도 하

(가) 1차 예송 때 효종의 새 어머니인 조대비의 상복 기간을 1년으로, 2차 예송 때는 9개월로 주장한 세력은 서인이다.

(나) 조대비의 상복 기간에 대하여 1차 예송 때는 3년, 2차 예송 때는 1년을 주장한 세력은 남인이다.

② 서인은 숙종 때 경신환국으로 정권을 잡은 후 남인에 대한 처벌을 둘러싸고 노론과 소론으로 분화되었다.

오답 분석

① 명과 후금 사이에서 중립 외교를 전개한 것은 광해군이며, 이때의 집권 세력은 북인이었다.

③ 남인의 주장은 2차 예송에서만 채택되었다. 1차 예송에서는 서인의 1년설이 채택되었다.

④ 사화는 조선 전기에 훈구와 사림의 갈등으로 발생한 사건이다. 예송 논쟁 이후에는 서인과 남인 사이에 환국이 발생하였다.

문제풀이 남인 난이도 상

제시문에서 상복 절차에 대하여 논했다는 내용과, 할아버지(인조)와 아버지(효종)의 뒤를 이은 '정체'이지, 꼭 첫째이기 때문에 3년복을 입는 것은 아니라는 내용을 통해 기해예송 때 자의 대비(조대비)가 3년복을 입어야 한다고 주장한 남인임을 알 수 있다.

② 옳은 것을 모두 고르면 ㉠, ㉢이다.

㉠ 남인은 숙종 때 희빈 장씨 아들(경종)의 원자(왕의 적장자) 책봉 문제로 발생한 기사환국으로 정권을 장악하였다. 기사환국 때 남인 계열인 희빈 장씨의 아들을 원자로 책봉하는 문제에 대해 송시열 등의 서인이 반대하자 숙종이 서인을 몰아내고 서인 계열인 인현 왕후를 폐출시키면서, 남인이 정권을 장악하게 되었다.

㉢ 남인은 정조 때 탕평 정치의 한 축을 이루었다. 정조는 적극적인 탕평책인 준론 탕평을 실시하여 영조 통치 후반에 강해진 외척 세력을 억누르고, 노론, 소론, 남인을 고루 등용하였다.

오답 분석

㉡ **서인**: 인조반정을 주도하여 광해군과 북인 세력을 몰아내고 집권 세력이 된 붕당은 서인이다.

㉣ **서인**: 이이와 성혼의 문인을 중심으로 형성된 붕당은 서인이다. 서인은 이이와 성혼 등의 학풍을 계승한 기호 학파를 중심으로 형성되었으며, 남인은 이황의 학풍을 계승한 영남 학파를 중심으로 형성되었다.

07

2023년 법원직 9급

밑줄 친 '신'이 속한 붕당에 대한 설명으로 가장 옳은 것은?

> 소현 세자가 일찍 세상을 뜨고 효종이 인조의 제2 장자로서 종묘를 이었으니, 대왕대비께서 효종을 위하여 3년의 상복을 입어야 할 것은 예제로 보아 의심할 것이 없는데, 지금 그 기간을 줄여 1년으로 했습니다. 대체로 3년의 상복은 장자를 위하여 입는데 그가 할아버지, 아버지의 정통을 이을 사람이기 때문입니다. 지금 효종으로 말하면 대왕대비에게는 이미 적자이고, 또 왕위에 올라 존엄한 몸인데, 그의 복제에서는 3년 상복을 입을 수 없는 자와 동등하게 되었으니, 어디에 근거를 둔 것인지 신(臣)은 모르겠습니다.

① 노론과 소론으로 분열되었다.
② 기사환국을 통해 재집권하였다.
③ 인목 대비의 폐위를 주장하였다.
④ 성혼의 학파를 중심으로 형성되었다.

08

2014년 지방직 9급

조선 후기 예송에 대한 설명으로 옳지 않은 것은?

① 갑인예송에서 남인은 조대비가 9개월 복의 상복을 입어야 한다고 주장하였다.
② 기해예송은 서인의 주장대로 조대비가 효종을 위해 1년 복을 입는 것으로 결정되었다.
③ 기해예송은 효종이 사망하자 조대비가 상복을 3년 복으로 입을 것인가, 1년 복으로 입을 것인가를 둘러싸고 일어났다.
④ 갑인예송은 효종비가 사망하자 조대비가 상복을 1년 복으로 입을 것인가, 9개월 복으로 입을 것인가를 둘러싸고 일어났다.

문제풀이 남인

난이도 중

제시문에서 효종이 인조의 제2 장자로서 종묘를 이었으니, 대왕대비께서 효종을 위하여 3년의 상복을 입어야 할 것은 의심할 것이 없다는 것과 효종이 대왕대비에게는 이미 적자이고, 왕위에 올라 존엄한 몸이라는 내용을 통해 밑줄 친 '신'이 속한 붕당이 남인임을 알 수 있다. 남인은 예송 논쟁 때 왕에게는 사대부와 다른 예가 적용되므로, 왕위를 계승한 효종 및 효종비의 장례는 장자의 예법을 따라야 한다고 주장하였다.

② 남인은 희빈 장씨 아들(경종)의 원자 책봉 문제로 발생한 기사환국 때 재집권하였다. 기사환국 때 숙종이 희빈 장씨의 아들을 원자로 책봉하려는 자신의 뜻에 반대한 송시열 등의 서인을 제거하면서 남인이 다시 정권을 장악하게 되었다.

오답 분석

① **서인**: 노론과 소론으로 분열된 붕당은 서인이다. 서인은 경신환국으로 정권을 잡은 후 남인에 대한 처벌을 둘러싸고 강경파인 노론과 온건파인 소론으로 분열되었다.
③ **북인**: 인목 대비의 폐위를 주장한 붕당은 광해군 때 집권한 북인이다.
④ **소론**: 성혼의 학파를 중심으로 형성된 붕당은 소론이다. 소론은 윤증을 중심으로 성리학에 대한 탄력적 이해를 시도하였으며, 노론의 성리학 절대화를 비판하며 양명학을 수용하기도 하였다.

문제풀이 예송 논쟁

난이도 중

① 갑인예송에서 남인은 조대비(자의 대비 조씨)가 9개월 복의 상복이 아닌 1년 복을 입어야 한다고 주장하였다.

오답 분석

②, ③ 기해예송은 효종의 죽음에 대해 조대비가 몇 년간 상복을 입어야 하는지를 둘러싸고 발생한 논쟁으로 이때 남인은 3년설, 서인은 1년설을 주장하였다. 한편 기해예송에서는 서인의 주장이 받아들여졌다.
④ 갑인예송은 효종비의 죽음에 대해 조대비가 몇 년간 상복을 입어야 하는지를 둘러싸고 일어난 논쟁으로, 이때 남인은 1년 복을, 서인은 9개월 복을 주장하였다.

이것도 알면 **합격!**

예송 논쟁

구분	서인	남인
기본 입장	왕과 사대부는 같은 예법을 따라야 함(신권 강화론)	왕은 사대부와 다른 예법을 따라야 함(왕권 강화론)
기해예송 (1차, 효종 사후)	기년설(1년설) → 채택	3년설
갑인예송 (2차, 효종비 사후)	대공설(9개월설)	기년설(1년설) → 채택

정답 05 ② 06 ② 07 ② 08 ①

09

2014년 사회복지직 9급

다음 중 같은 국왕 대에 일어난 사실들로 바르게 짝지은 것은?

(가) 적극적인 북벌 운동을 계획하고 어영청을 2만여 명으로 확대하였다.
(나) 서인이 송시열을 영수로 하는 노론과 윤증을 중심으로 하는 소론으로 갈라졌다.
(다) 대외적으로 명과 후금의 싸움에 휘말리지 않으면서 실리적인 외교 정책을 펼쳤다.

㉠ 하멜이 가져온 조총의 기술을 활용하여 서양식 무기를 제조하였다.
㉡ 후금의 태종이 광해군을 위한다는 명분으로 황해도 평산까지 쳐들어 왔다.
㉢ 대동법을 처음으로 경기도에 시행하였다.
㉣ 백두산 정계비를 세워 서쪽으로 압록강, 동쪽으로 토문강을 경계로 삼았다.

① (가) - ㉣
② (가) - ㉡
③ (나) - ㉠
④ (다) - ㉢

문제풀이 붕당 정치기의 조선 난이도 중

(가)는 적극적인 북벌 운동을 계획하고, 어영청을 2만여 명으로 확대하였다는 내용을 통해 효종 때, (나)는 서인이 노론과 소론으로 분열되었다는 내용을 통해 숙종 때, (다)는 명과 후금 사이에 실리적인 외교 정책을 취했다는 내용을 통해 광해군 때 일어난 사실임을 알 수 있다.

④ 광해군 때 대동법이 경기도 지방에서 처음 실시되었고, 이후 숙종 때 전국적으로 실시되었다.

오답 분석

㉠ **효종:** 하멜이 가져온 조총 기술을 활용해 서양식 무기를 제조한 것은 효종 때의 일이다. 효종은 이를 바탕으로 북벌 계획을 추진하였다.

㉡ **인조:** 후금의 태종이 광해군을 위해 보복한다는 명분으로 황해도 평산까지 쳐들어 온 것은 정묘호란으로, 이는 인조 때 발생하였다.

㉣ **숙종:** 백두산 정계비를 세워 청과의 경계를 확정한 것은 숙종 때의 일이다. 숙종 때 조선과 청은 대표를 파견하여 국경을 확정하고 서쪽으로 압록강, 동쪽으로 토문강을 경계로 하는 정계비를 건립하였으나 이후 정계비 구문 해석을 둘러싸고 영토 분쟁이 발생하였다.

10

2020년 지방직 9급

(가)와 (나) 사이의 시기에 있었던 일로 옳은 것은?

(가) 남인들이 대거 관직에서 쫓겨나고 허적과 윤휴 등이 처형되었다.
(나) 인현 왕후가 복위되고 노론과 소론이 정계에 복귀하였다.

① 송시열과 김수항 등이 처형당하였다.
② 서인과 남인이 두 차례에 걸쳐 예송을 전개하였다.
③ 서인 정치에 한계를 느낀 정여립이 모반을 일으켰다.
④ 청의 요구에 따라 조총 부대를 영고탑으로 파견하였다.

문제풀이 경신환국과 갑술환국 사이의 사실 난이도 중

제시된 (가)는 남인들이 쫓겨나고 허적과 윤휴 등이 처형되었다는 내용을 통해 경신환국(1680)임을 알 수 있다. (나)는 인현 왕후가 복위되고 노론과 소론이 정계에 복귀하였다는 내용을 통해 갑술환국(1694)임을 알 수 있다.

① 송시열과 김수항 등이 처형당한 것은 기사환국(1689)으로 (가)와 (나) 사이의 시기에 있었던 사실이다. 기사환국은 희빈 장씨 아들(경종)의 세자 책봉 문제로 인해 일어난 환국으로, 남인이 집권하게 되었다.

오답 분석

모두 (가) 이전의 사실이다.

② 서인과 남인이 효종의 왕위 계승에 대한 정통성을 둘러싸고 두 차례의 예송 논쟁을 벌인 것은 현종 때의 일이다. 1차 예송(기해예송, 1659) 때는 효종 사후 자의 대비의 복상 기간을 둘러싸고 남인은 3년설, 서인은 1년설(기년설)을 주장하여 서인의 주장이 받아들여졌다. 한편 2차 예송(갑인예송, 1674) 때는 효종비 사후 자의 대비의 복상 기간을 둘러싸고 남인은 1년설(기년설), 서인은 9개월설(대공설)을 주장하여 남인의 주장이 받아들여졌다.

③ 정여립이 모반을 일으킨 것은 선조 때이다. 정여립 모반 사건은 정여립이 급진적인 일부 동인과 연결하여 대동계라는 비밀결사를 조직하고 역성혁명을 준비하였다는 혐의로 처형되고, 이에 연루된 동인들이 대거 제거된 사건이다.

④ 청의 요구에 따라 조총 부대를 영고탑으로 파견한 것(나선 정벌)은 효종 때의 일이다.

11

2012년 법원직 9급

(가) ~ (라)에 들어갈 내용으로 옳은 것은?

경신 환국 (숙종 6)	→	기사 환국 (숙종 15)	→	갑술 환국 (숙종 20)	→	신임사화 (경종 1~2)	→	이인좌의 난 (영조 4)
(가)		(나)		(다)		(라)		소론 강경파 주도

① (가) – 왕위 계승 문제를 둘러싼 소론의 노론 공격

② (나) – 남인이 역모 혐의를 받아 몰락하고 서인 정권 수립

③ (다) – 폐비 민씨의 복위로 서인 정권 재수립

④ (라) – 장희빈의 소생이 세자가 되면서 남인 재집권

문제풀이 숙종과 경종 대의 붕당 정치 난이도 중

③ 갑술환국 때 폐비 민씨가 복위되고 당시 중전이었던 장씨가 희빈으로 강등되면서 남인이 몰락하고 서인이 재집권하였다.

오답 분석

① **(라)**: 왕위 계승 문제를 둘러싸고 소론이 노론을 공격한 것은 (라) 신임사화이다. 당시 소론은 경종을 지지하였고, 노론은 연잉군(영조)을 지지하며 서로 대립하고 있었는데, 소론 강경파가 노론이 경종을 암살하고 연잉군을 옹립하려 한다고 고발하여 김창집, 이이명 등 노론 4대신을 비롯한 노론의 대다수가 제거되었다.

② **(가)**: 남인이 허적의 서자 허견 등의 역모 혐의를 받아 몰락하고 서인이 대거 등용된 것은 (가) 경신환국이다.

④ **(나)**: 장희빈의 소생이 세자가 되면서 남인이 재집권한 것은 (나) 기사환국이다. 기사환국 때 남인 계열이었던 희빈 장씨의 아들의 세자 책봉 문제에 대해 서인이 반대하자 숙종은 서인을 몰아내고 남인을 재등용하였다. 이때 송시열은 세자 책봉을 반대하는 상소를 올렸다가 제주도로 유배되었다.

12

2019년 기상직 9급

다음 밑줄 친 '왕'의 재위 기간에 있었던 사실로 옳은 것은?

> 오랫동안 세자가 없다가 무진년에 귀인 장씨가 아들을 낳자 <u>왕</u>께서 아주 사랑하여 세자 탄생의 예로써 높이려 하였다. 그러나 송시열과 김수항이 불만의 말을 하자 <u>왕</u>께서 아주 싫어하셨다. 사람들은 김수항과 송시열이 당할 재앙이 이에서 싹텄다고 하였다.

① 나선 정벌에 조총 부대가 파견되었다.

② 효장 세자의 후사(後嗣)로서 왕위에 올랐다.

③ 청과의 경계를 정한 백두산 정계비가 세워졌다.

④ 후금의 침입에 대비하여 어영청을 설치하였다.

문제풀이 숙종 재위 시기의 사실 난이도 하

제시문에서 장씨가 낳은 아들(경종)을 세자 탄생의 예로써 높이려 하자 송시열 등이 불만을 말하였으며, 이것이 송시열 등이 당할 재앙의 원인이 되었다는 내용을 통해 밑줄 친 '왕'이 숙종임을 알 수 있다. 숙종이 후궁 장씨가 낳은 아들을 원자(정식 책봉이 이루어지지 않은 왕세자)로 정한 것에 송시열 등의 서인들이 반발하자 숙종은 서인을 정계에서 축출하고 남인을 등용하였으며(기사환국), 이 과정에서 인현 왕후가 폐비되고 희빈 장씨가 왕비로 승격되었다.

③ 숙종 때 조선과 청 사이에 국경 문제를 해결하기 위해 양국 대표가 백두산 일대를 답사한 뒤 국경을 확정한 백두산 정계비를 세웠다.

오답 분석

① **효종**: 청의 나선(러시아) 정벌에 조총 부대를 파견한 왕은 효종이다. 효종은 러시아 정벌을 위한 청의 원병 요청에 따라 두 차례에 걸쳐 조총 부대를 파견하였다[1654(1차, 변급), 1658(2차, 신유)].

② **정조**: 효장 세자의 후사로서 왕위에 오른 왕은 정조이다. 효장 세자는 영조의 맏아들이자 사도 세자의 형으로 어린 나이에 사망한 인물인데, 영조는 정조를 당쟁의 과정에서 뒤주에 갇혀 죽은 사도 세자(정조의 친부) 대신 효장 세자의 양자로서 왕위를 잇게 하여 왕위 계승의 정통성을 강화하였다.

④ **인조**: 후금의 침임에 대비하기 위하여 어영청을 설치한 왕은 인조이다.

정답 09 ④ 10 ① 11 ③ 12 ③

13

2019년 법원직 9급

(가)~(라)를 일어난 순서대로 바르게 나열한 것은?

> (가) 정여립 모반 사건을 계기로 사림 세력이 갈라졌다.
> (나) 공신들을 견제하기 위해 지방의 사림을 대거 등용하였다.
> (다) 언론을 장악하고 왕권을 견제하던 사림 세력을 탄압하였다.
> (라) 일당 전제화에 따라 공론보다 개인이나 가문의 이익을 우선시하였다.

① (가) – (다) – (라) – (나)
② (나) – (다) – (가) – (라)
③ (다) – (가) – (나) – (라)
④ (라) – (가) – (나) – (다)

14

2022년 지방직 9급

밑줄 친 '나'가 국왕으로 재위하던 기간에 있었던 일은?

> 팔순 동안 내가 한 일을 만약 <u>나</u> 자신에게 묻는다면
> 첫째는 탕평책인데, 스스로 '탕평'이란 두 글자가 부끄럽다.
> 둘째는 균역법인데, 그 효과가 승려에게까지 미쳤다.
> 셋째는 청계천 준설인데, 만세에 이어질 업적이다.
> …(하략)…
>
> –『어제문업(御製問業)』

① 장용영이 창설되었다.
② 나선 정벌이 단행되었다.
③ 홍경래의 난이 발생하였다.
④『동국문헌비고』가 편찬되었다.

문제풀이 붕당 정치의 전개

난이도 중

② 순서대로 나열하면 (나) 사림의 등용(성종) → (다) 사화의 발생(연산군~명종) → (가) 동인의 남·북 분당(선조) → (라) 붕당 정치의 변질(숙종)이다.

(나) **사림의 등용**: 성종은 훈구 세력을 견제하고 왕권을 강화하기 위해 김종직 등 사림 세력을 대거 등용하였다.

(다) **사화의 발생**: 사림 세력이 중앙 정계로 진출해 주로 전랑과 3사의 언관직을 장악하며 훈구 세력을 비판하고 왕권을 견제하자, 연산군~명종 대 사림 세력이 화를 당하는 사화가 발생하였다. 사화는 4차례 발생하였는데, 연산군 때 무오사화(1498)와 갑자사화(1504), 중종 때 기묘사화(1519), 명종 때 을사사화(1545)가 있었다.

(가) **동인의 남·북 분당**: 선조 때 정여립이 대동계라는 비밀 결사를 조직하고 모반을 준비하였다는 혐의를 받고 처형(정여립 모반 사건, 1589)되었는데, 이 과정에서 국청을 주도한 서인 정철이 사건을 의도적으로 확대하여 많은 동인 계열 인사들이 제거되었다. 이후 건저(建儲) 문제(세자 책봉 문제)로 선조의 미움을 받은 정철이 탄핵되었을 때, 정철에 대한 처벌 문제를 둘러싸고 동인은 강경파인 북인과 온건파인 남인으로 분열되었다.

(라) **붕당 정치의 변질**: 숙종 때 한 붕당을 일거에 내몰고 다른 붕당에게 정권을 위임하는 환국 정치가 전개되었으며, 이로 인해 상호 견제와 비판을 통한 붕당 간의 균형이 무너지고 특정 붕당이 정권을 독점하는 일당 전제화의 추세가 나타났다.

문제풀이 영조 재위 기간의 사실

난이도 하

제시문에서 탕평책을 실시하였고, 균역법을 실시하였으며, 청계천을 준설하였다는 것을 통해 밑줄 친 '나'가 영조임을 알 수 있다.

④ 영조 재위 기간에는 우리나라의 역대 문물 제도를 분류하고 정리한 백과사전인 『동국문헌비고』가 편찬되었다.

오답 분석

① **정조**: 장용영이 창설된 것은 정조 때이다. 정조는 국왕의 친위 부대인 장용영을 창설하여 왕권을 강화하고자 하였다.

② **효종**: 나선 정벌이 단행된 것은 효종 때이다. 효종 때 청의 요청으로 러시아 정벌을 위해 두 차례에 걸쳐 청에 조총 부대를 파견하였다[1654(1차, 변급), 1658(2차, 신유)].

③ **순조**: 홍경래의 난이 발생한 것은 순조 때이다. 세도 정치 시기에 평안도 지역의 차별 대우에 반발한 몰락 양반 홍경래가 난을 일으켜 청천강 이북을 점령하였으나, 5개월 만에 관군에 의해 진압되었다.

 이것도 알면 **합격!**

영조 때의 편찬 사업

『동국문헌비고』	우리나라의 역대 문물 제도를 분류하고 정리한 백과사전
『속대전』	『경국대전』 편찬 이후 공포된 새로운 법령을 정리한 법전
『속오례의』	『국조오례의』를 보완한 의례서

15

2022년 간호직 8급

밑줄 친 '왕'의 재위 기간에 있었던 사실로 옳은 것은?

> 왕이 명정전에 나아가 양역의 변통에 대해 대신들에게 말하기를 "호포나 결포나 모두 구애되는 사단은 있기 마련이다. 이제 납부할 포를 한 필로 감하고자 하니 한 필을 감하고 난 후 부족해질 재정을 보충할 대책을 강구하도록 하라."라고 하였다.

① 초계문신제를 실시하였다.
② 『속대전』, 『속오례의』 등을 편찬하였다.
③ 삼정이정청을 설치하여 농민의 부담을 완화하려 하였다.
④ 청과 조선 사이의 국경을 확정하고자 백두산 정계비를 세웠다.

문제풀이 영조 재위 기간의 사실 난이도 하

제시문에서 납부할 포를 한 필로 감한다는 것을 통해 영조 때 실시된 균역법임을 알 수 있다. 조선 후기에 군역의 폐단을 시정하기 위해 호포, 결포 등의 주장이 제기되었고, 영조 때 군포를 2필에서 1필로 줄이는 감필론을 채택하고, 결포론의 일부를 수용하여 균역법을 실시하였다.

② 영조 때 『경국대전』 이후의 법령을 모아 정리한 『속대전』과 『국조오례의』를 보완한 의례집인 『속오례의』 등을 편찬하여 문물 제도를 정비하였다.

오답 분석
① **정조**: 신진 인물이나 중·하급 관리 중에서 유능한 문신들을 재교육하여 인재를 양성하는 초계문신제를 실시한 것은 정조 때이다.
③ **철종**: 삼정이정청을 설치해 삼정의 문란을 시정하고, 농민의 부담을 완화하려 한 것은 철종 때이다.
④ **숙종**: 청과 조선 사이의 국경을 확정하고자 백두산 정계비를 세운 것은 숙종 때이다. 숙종 때 간도 지역을 둘러싸고 청과 국경 분쟁이 발생하자 청의 목극등과 조선의 박권이 만나 백두산 일대를 답사하고 백두산 정계비를 건립하여 국경선을 확정하였다.

16

2022년 국회직 9급

밑줄 친 왕의 재위 시기에 있었던 사실로 옳은 것은?

> 왕은 임금이 신민의 부모와 같다는 군부일체론(君父一體論)을 강조하였으며, 당파의 시비를 가리지 않고 어느 당파이든 온건하고 타협적인 인물을 등용하여 왕권에 순종시키는 데에 주력하였다. 또한, 기유처분(己酉處分)으로 노·소론 내 온건론자들을 고르게 등용해 초기의 탕평책의 기초를 마련하였는데, 이때 인사 정책으로 쌍거호대(雙擧互對)의 방식을 취하였다.

① 대동법을 전국으로 확산시켰다.
② 창덕궁 안에 대보단을 설치하였다.
③ 재야 산림의 공론을 인정하지 않았다.
④ 대유둔전이라는 국영 농장을 설치하였다.
⑤ 관료의 재교육을 위해 초계문신제를 시행하였다.

문제풀이 영조 재위 시기에 있었던 사실 난이도 상

제시문에서 기유처분(己酉處分)으로 노·소론 내 온건론자들을 고르게 등용해 초기의 탕평책의 기초를 마련하였다는 내용을 통해 밑줄 친 '왕'은 영조임을 알 수 있다.

③ 영조 때는 붕당 정치의 폐단을 없애기 위해 재야 산림의 공론을 인정하지 않았고, 붕당의 본거지인 서원을 대폭 정리하였다.

오답 분석
① **숙종**: 대동법을 전국으로 확산시킨 것은 숙종 때이다. 대동법은 광해군 때 경기도에서 처음 실시되었으며, 이후 숙종 때 평안도·함경도·제주도를 제외한 전국으로 확산되었다.
② **숙종**: 창덕궁 안에 대보단을 설치한 것은 숙종 때이다. 대보단은 임진왜란 때 조선을 도와준 명나라 황제를 제사 지내기 위하여 창덕궁 안에 설치한 제단이다.
④ **정조**: 대유둔전이라는 국영 농장을 설치한 것은 정조 때이다. 대유둔전은 수원 백성들의 일자리를 창출하고, 화성의 관리 비용을 충당하기 위하여 설치된 국영 농장이다.
⑤ **정조**: 관료의 재교육을 위해 초계문신제를 시행한 것은 정조 때이다. 초계문신제는 37세 이하의 당하관 중 젊고 유능한 문신들을 선발하여 규장각에서 교육을 시키고, 40세가 되면 졸업시키는 제도였다.

정답 13 ② 14 ④ 15 ② 16 ③

17 2021년 서울시 9급(특수 직렬)

〈보기〉의 밑줄 친 '이 법'을 제정한 왕의 업적으로 옳은 것은?

> **보기**
> 임진왜란 이후 군역 대신 군포를 징수하여 1년에 2필을 납부하게 하였다. 그런데 군적이 제대로 정리되지 않았고, 지방관의 농간까지 겹쳐 실제 납부액이 훨씬 많았다. 이에 이 법을 제정하여 군포 부담을 절반으로 줄여 주었다.

① 『속대전』을 편찬하였다.
② 『대전통편』을 편찬하였다.
③ 『대전회통』을 편찬하였다.
④ 『경국대전』을 편찬하였다.

문제풀이 영조의 업적 난이도 중

제시문에서 군포를 1년에 2필씩 납부하였는데, 군포 부담을 절반으로 줄여 주었다는 것을 통해 밑줄 친 '이 법'이 영조 때 시행된 균역법임을 알 수 있다.

① 영조는 『경국대전』 시행 이후에 공포된 법령 중에서 시행할 수 있는 법령만을 추려내서 통일 법전인 『속대전』을 편찬하였다.

오답 분석

② **정조**: 『대전통편』을 편찬한 왕은 정조이다. 정조는 『경국대전』과 『속대전』 및 그 뒤의 법령들을 통합하여 왕조의 통치 규범을 전반적으로 재정리한 『대전통편』을 편찬하였다.

③ **흥선 대원군**: 『대전회통』을 편찬한 것은 고종 때 흥선 대원군이다. 흥선 대원군은 통치 기강을 바로 세우고자 조선의 법전을 정리한 『대전회통』을 편찬하였다.

④ **성종**: 『경국대전』을 편찬한 왕은 성종이다. 세조 때 육전상정소를 설치하고 「호전」과 「형전」을 간행하는 등 『경국대전』의 편찬을 시작하였고, 성종 때 이르러 이를 완성하여 반포하였다.

18 2020년 법원직 9급

밑줄 친 '그'에 대한 설명으로 옳은 것을 〈보기〉에서 모두 고른 것은?

> 그는 균역법을 시행하여 백성들에게 큰 부담이 되었던 군역 부담을 줄여주었고, 형벌 제도를 개선하여 가혹한 형벌을 금지하였다.

> **보기**
> ㉠ 청계천 정비　　㉡ 『속대전』 편찬
> ㉢ 『탁지지』 편찬　　㉣ 초계문신제 실시

① ㉠, ㉡　　② ㉠, ㉢
③ ㉡, ㉢　　④ ㉡, ㉣

문제풀이 영조 난이도 하

제시문에서 균역법을 시행하였고, 형벌 제도를 개선하여 가혹한 형벌을 금지하였다는 내용을 통해 밑줄 친 '그'가 영조임을 알 수 있다. 영조는 균역법을 시행하여 1년에 2필씩 부담하던 군포를 1년에 1필로 경감하였다. 또한 형벌 제도를 개선하여 압슬형, 낙형 등 가혹한 형벌을 금지하였고, 사형수에 대한 삼심제를 엄격하게 시행하였다.

① 옳은 것을 모두 고르면 ㉠, ㉡이다.
㉠ 영조는 준천사를 설치하여 청계천 준설 사업을 추진함으로써 홍수 때 범람을 막아 주거환경을 개선하였다.
㉡ 영조는 『경국대전』 시행 이후 공포된 법령 중 시행할 법령만 추려내서 통일 법전인 『속대전』을 편찬하였다.

오답 분석

㉢ **정조**: 호조의 사례를 수집하여 정리한 『탁지지』를 편찬한 왕은 정조이다.

㉣ **정조**: 신진 인물이나 중·하급 관리 중에서 유능한 문신들을 재교육하여 인재를 양성하는 초계문신제를 시행한 왕은 정조이다. 초계문신제는 37세 이하의 당하관 중 젊고 유능한 문신들을 선발하여 규장각에 맡겨 교육을 시키고, 40세가 되면 졸업시키는 제도였다.

19

2019년 서울시 9급(2월 시행)

영조의 정책에 대한 서술로 옳은 것을 〈보기〉에서 모두 고르면?

> **보기**
> ㉠ 형벌 제도를 개선해 가혹한 악형을 없앴다.
> ㉡ 서얼 출신의 학자를 검서관에 기용하고 공노비의 해방을 추진하는 등 서얼과 노비에 대한 차별을 개선하기 위해 노력하였다.
> ㉢ 균역법을 시행하여 양반과 상민이 똑같이 군포를 부담하게 하였다.
> ㉣ 청계천 준설 사업으로 일자리를 만들어주고 홍수에 대비하게 하였다.

① ㉠, ㉣　　② ㉡, ㉢
③ ㉠, ㉡, ㉢　　④ ㉠, ㉢, ㉣

20

2016년 지방직 9급

다음 정책을 시행한 왕에 대한 설명으로 옳은 것은?

> • 『속대전』을 편찬하여 법령을 정비하였다.
> • 사형수에 대한 삼복법(三覆法)을 엄격하게 시행하였다.
> • 신문고 제도를 부활시켜 백성들의 억울함을 풀어주고자 하였다.

① 신해통공을 단행해 상업 활동의 자유를 확대하였다.
② 삼정이정청을 설치해 농민의 불만을 해결하려 하였다.
③ 붕당의 폐단을 제거하기 위해 서원을 대폭 정리하였다.
④ 환곡제를 면민이 공동 출자하여 운영하는 사창제로 전환하였다.

문제풀이 영조의 정책

난이도 중

① 영조의 정책으로 옳은 것은 ㉠, ㉣이다.
㉠ 영조는 형벌 제도를 개선하여 압슬형, 낙형 등의 가혹한 형벌을 폐지하고, 사형수에 대한 삼심제를 엄격하게 시행하도록 하였다.
㉣ 영조는 준천사를 설치하고 청계천 준설 사업을 추진함으로써 서민들에게 일자리를 제공하고 홍수에 대비하게 하여 주거 환경을 개선하였다.

오답 분석

㉡ **정조**: 박제가, 유득공, 이덕무 등 서얼 출신 학자를 규장각 검서관에 기용하고 공노비의 해방을 추진하는 등 서얼과 노비에 대한 차별을 개선하기 위해 노력한 왕은 정조이다. 한편, 공노비의 해방이 이루어진 것은 순조 때로, 중앙 관서에 소속된 노비 6만 6천여 명을 해방시켰다(1801).
㉢ 영조가 농민들의 군포 부담을 줄이기 위하여 균역법을 시행한 것은 맞지만, 균역법은 양인에게 부과된 군포의 액수를 1년에 2필에서 1필로 줄인 제도로, 양반에게는 군포를 징수하지 않았다. 본래 상민에게만 부과된 군포를 양반에게도 징수한 것은 고종 때 흥선 대원군이 실시한 호포제이다.

이것도 알면 **합격!**

영조의 정책

탕평 정책	완론 탕평, 탕평비 건립, 서원 정리, 이조 전랑의 권한 축소
개혁 정책	균역법 실시(군포 1년에 2필 → 1필), 준천사 설치, 가혹한 형벌(압슬형, 낙형) 폐지, 삼복법(삼심제) 시행, 신문고 제도 부활

문제풀이 영조의 업적

난이도 중

제시문에서 『속대전』을 편찬하여 법령을 정비하고, 사형수에 대한 삼복법(삼심제)을 엄격하게 시행하였으며, 신문고 제도를 부활시킨 왕은 영조이다.

③ 영조는 붕당의 폐단을 제거하기 위해 서원을 대폭 정리하였다. 이외에도 영조는 붕당의 기반을 제거하기 위해 산림의 존재를 부정하였으며, 이조 전랑의 권한을 축소하기 위해 이조 전랑의 3사 선발권(통청권) 및 후임자 추천권(자대권)을 폐지하였다.

오답 분석

① **정조**: 신해통공을 단행하여 사상들의 자유로운 상업 활동을 보장한 왕은 정조이다. 당시 금난전권으로 사상들의 활동이 억압되고 물가가 상승하자 정조는 육의전을 제외한 시전 상인들의 금난전권을 금지하는 신해통공을 반포하였다.
② **철종**: 삼정이정청을 설치해 삼정의 문란을 시정하고, 농민의 불만을 해결하려 한 왕은 철종이다.
④ **흥선 대원군**: 국가에서 곡식을 빌려주고 이자를 걷는 환곡제를 향촌 자치적으로 운영하는 사창제로 전환한 것은 고종 때 흥선 대원군이다.

정답 17 ① 18 ① 19 ① 20 ③

21

2015년 국가직 9급

다음의 기록이 보이는 왕대의 정치 변화를 바르게 설명한 것은?

> (왕이) 양역을 절반으로 줄이라고 명하셨다. 왕이 말하였다. "호포나 결포는 모두 문제점이 있다. 이제는 1필로 줄이는 것으로 온전히 돌아갈 것이니 경들은 대책을 강구하라."

① 특정 붕당이 정권을 독점하는 일당 전제화의 추세가 대두되었다.
② 왕위 계승에 대한 정통성과 관련하여 두 차례의 예송이 발생하였다.
③ 정치 집단은 소수의 가문 출신으로 좁아지면서 그 기반이 축소되었다.
④ 붕당을 없애자는 논리에 동의하는 관료들을 중심으로 탕평 정국을 운영하였다.

문제풀이 영조 대의 정치 변화 난이도 중

제시문에서 양역을 절반으로 줄여 1필로 하였다는 내용을 통해 균역법을 시행한 영조에 대한 설명임을 알 수 있다.

④ 영조 때는 온건하고 타협적인 탕평파를 중심으로 탕평 정국을 운영하였다. 한편 영조는 붕당의 뿌리를 제거하고자 공론의 주재자로 인식되던 산림의 존재를 부정하였고, 붕당의 본거지인 서원을 대폭 정리하였다. 또한 이조 전랑의 권한을 약화시키기 위해 그들이 자신의 후임자를 천거하는 권한(자대권)과 3사의 관리를 선발하던 관행(통청권) 등을 혁파하였다.

오답 분석

① **숙종**: 특정 붕당이 정권을 독점하는 일당 전제화의 추세가 대두된 것은 숙종 때의 일이다. 숙종 때의 환국 정치로 견제와 균형을 통한 상호공존이라는 붕당 정치의 원칙이 무너지고, 특정 붕당이 정권을 독점하는 일당 전제화의 추세가 나타났다.
② **현종**: 왕위 계승에 대한 정통성과 관련하여 2차례의 예송이 발생한 것은 현종 때의 일이다. 현종 때 효종과 효종비의 죽음에 대해 자의 대비가 몇 년 간 상복을 입어야 하는지를 둘러싸고 기해예송과 갑인예송이 발생하였다.
③ **순조·헌종·철종**: 정치 집단이 소수 가문 출신으로 좁아진 것은 순조, 헌종, 철종 때의 세도 정치에 대한 설명이다. 세도 정치 시기에는 안동 김씨, 풍양 조씨와 같은 일부 가문이 고위 관직을 독점하며 권력을 장악하였고, 그 이하의 관리들은 행정 실무만 담당하였다.

22

2022년 법원직 9급

(가), (나) 국왕에 대한 설명으로 가장 옳은 것은?

> • (가) 은/는 붕당의 이익을 대변하던 이조 전랑의 후임자 천거권과 3사 관리 선발 관행을 혁파하고, 탕평 의지를 내세우기 위해 성균관 앞에 탕평비를 세웠다.
> • (나) 은/는 초계문신제를 실시하여 개혁 세력을 육성하였으며, 통공 정책을 실시하여 육의전을 제외한 시전의 금난전권을 폐지하였다.

① (가) – 장용영을 설치하여 군사권을 장악하였다.
② (가) – 조선과 청의 국경을 정하는 백두산 정계비를 세웠다.
③ (나) –『대전통편』을 편찬하여 법령을 정비하였다.
④ (나) – 삼정의 문란을 개혁하기 위해 삼정이정청을 설치하였다.

문제풀이 영조와 정조 난이도 하

(가)는 이조 전랑의 후임자 천거권과 3사 관리 선발 관행을 혁파한 것과, 성균관 앞에 탕평비를 세웠다는 내용을 통해 영조임을 알 수 있다.

(나)는 초계문신제를 실시한 것과, 육의전을 제외한 시전의 금난전권을 폐지하였다는 것을 통해 정조임을 알 수 있다.

③ 정조는『경국대전』,『속대전』및 그 이후의 법령들을 모아『대전통편』을 편찬하여 법령을 정비하였다.

오답 분석

① **정조**: 장용영을 설치하여 군사권을 장악한 왕은 정조이다. 정조는 국왕의 친위 부대인 장용영을 설치하여 군사권을 장악하고, 왕권을 뒷받침하는 군사적 기반으로 삼았다.
② **숙종**: 조선과 청의 국경을 정하는 백두산 정계비를 세운 왕은 숙종이다. 숙종 때 조선과 청은 대표를 파견하여 국경을 확정하고 서쪽으로 압록강, 동쪽으로 토문강을 경계로 하는 백두산 정계비를 세웠다.
④ **철종**: 삼정의 문란을 개혁하기 위해 삼정이정청을 설치한 왕은 철종이다. 철종 때 임술 농민 봉기가 일어나자 삼정의 문란을 개혁하기 위해 삼정이정청을 설치하고 농민의 불만을 해결하려 하였다.

23

2017년 국가직 9급(4월 시행)

(가) ~ (라) 시기에 있었던 사실로 옳은 것은?

	(가)	(나)	(다)	(라)	
연산군 즉위	중종 즉위	효종 즉위	영조 즉위	정조 즉위	

① (가) – 현량과를 실시하였다.

② (나) – 무오사화와 갑자사화가 일어났다.

③ (다) – 두 차례에 걸친 예송이 일어났다.

④ (라) – 신해통공으로 금난전권을 폐지하였다.

24

2024년 서울시 9급(2월 시행)

〈보기〉의 정책을 실시한 왕에 대한 설명으로 가장 옳은 것은?

> **보기**
> - 창덕궁에 규장각을 설치하고 개혁 정치의 중심 공간으로 삼았다.
> - 화성을 건설하고 자주 화성 행차에 나섰다.
> - 시전 상인의 금난전권을 폐지하는 신해통공을 추진하였다.

① 『병학통』과 『무예도보통지』를 편찬하였다.

② 『속대전』과 『속오례의』 등을 편찬하여 문예 부흥의 기틀을 마련하였다.

③ 백두산 아래에 정계비를 설치하여 청나라와 경계선을 정하였다.

④ 1760년 청계천 준설 사업을 실시하였다.

문제풀이 연산군~정조 대의 사실

난이도 하

③ (다) 시기인 현종(1659 ~ 1674) 때 효종과 효종비의 죽음에 관해 효종의 계모인 자의 대비의 상복 기간을 둘러싸고 서인과 남인 사이에서 2차례의 예송 논쟁이 일어났다. 효종 사후에 발생한 1차 예송(기해예송)에서는 남인이 3년설, 서인이 1년설(기년설)을 주장하였는데 서인의 주장이 받아들여졌다. 이후 효종비 사후에 발생한 2차 예송(갑인예송)에서는 서인이 9개월설(대공설), 남인이 1년설을 주장하였는데, 이때 남인의 주장이 받아들여졌다.

오답 분석

① **(나) 시기**: 조광조의 건의로 현량과가 실시된 것은 중종 때로, (나) 시기의 일이다. 현량과는 학문과 덕행이 뛰어난 인재를 천거한 후 대책만으로 시험하여 관리로 등용한 제도였는데, 이를 통해 신진 사림이 대거 등용되었다.

② **(가) 시기**: 무오사화와 갑자사화가 일어난 것은 연산군 때로, (가) 시기의 일이다. 무오사화는 사림파 김일손이 스승 김종직의 「조의제문」을 『실록』의 초안인 「사초」에 수록한 것이 원인이 되어 발생한 사건으로, 사림 세력이 큰 피해를 입은 사건이었다. 한편 갑자사화는 연산군이 자신의 친모인 폐비 윤씨의 죽음과 관련된 훈구 세력과 사림 세력들을 제거한 사건이었다.

④ **(라) 시기 이후**: 신해통공으로 금난전권을 폐지한 것은 정조 때로, (라) 시기 이후의 일이다. 정조는 신해통공을 반포하여 육의전을 제외한 시전 상인의 금난전권(난전을 단속할 수 있는 권리)을 폐지하고, 사상의 자유로운 상업 활동을 보장하였다.

문제풀이 정조

난이도 하

제시문에서 규장각을 설치하였다는 것과 화성을 건설하였다는 것, 시전 상인의 금난전권을 폐지하는 신해통공을 추진하였다는 내용을 통해 정조에 대한 설명임을 알 수 있다.

① 정조는 군사 훈련 교범인 『병학통』과 24가지의 전투 동작을 그림과 글로 설명한 종합 무예서인 『무예도보통지』를 편찬하였다.

오답 분석

② **영조**: 『경국대전』 이후의 법령을 모아 정리한 『속대전』과 『국조오례의』를 보완한 의례집인 『속오례의』 등을 편찬한 왕은 영조이다.

③ **숙종**: 백두산 아래에 정계비를 설치하여 청나라와 경계선을 정한 왕은 숙종이다. 숙종 때 간도 지역을 둘러싸고 청과 국경 분쟁이 발생하자 청의 목극등과 조선의 박권이 만나 백두산 일대를 답사하고 백두산 정계비를 건립하여 국경선을 확정하였다.

④ **영조**: 1760년에 청계천 준설 사업을 실시한 왕은 영조이다. 영조는 준천사를 설치하고 청계천 준설 사업을 추진함으로써 서민들에게 일자리를 제공하고, 홍수를 대비하게 하여 주거환경을 개선하였다.

정답 21 ④ 22 ③ 23 ③ 24 ①

25

2024년 법원직 9급

밑줄 친 '국왕'에 대한 설명으로 가장 옳지 않은 것은?

> 국왕은 현륭원(顯隆園)을 수원에 봉안하고 1년에 한 번씩 참배할 준비를 하였다. 옛 규례에는 한강을 건널 때 용배[龍舟]를 사용하였으나, 그 방법이 불편한 점이 많다 하여 배다리의 제도로 개정하고 묘당으로 하여금 그 세목을 만들어 올리게 하였다. 그러나 뜻에 맞지 않았기에 국왕은 주교지남(舟橋指南)을 편찬하였다.

① 탕평비를 세웠다.
② 장용영을 설치하였다.
③ 『무예도보통지』를 간행하였다.
④ 초계문신제도를 시행하였다.

26

2023년 국회직 9급

다음 밑줄 친 '왕'의 재위 시기에 있었던 사실로 옳은 것은?

> 왕이 대사성 김방행에게 이르기를, "성균관 시험의 시험지 중에 만일 조금이라도 『패관잡기』에 관련되는 답이 있으면 비록 전편이 주옥같을지라도 하고(下考)로 처리하고 이어 그 사람의 이름을 확인하여 과거를 보지 못하도록 하여 조금도 용서가 없어야 할 것이다. 내일 승보시(陞補試)를 보일 때 여러 선비를 모아두고 직접 이 뜻을 일러주어 실효가 있게 하라. …… 일전에 남공철의 대책(對策) 중에도 소품(小品)을 인용한 몇 구절이 있었다. …… 오늘 이 하교가 있었음을 듣고서 마음을 고쳐먹고 다시 올바른 길로 가기 전에는 그가 비록 대궐에 들더라도 감히 경연에 오르지는 못할 것이다. 남공철의 지제교 직함을 우선 떼도록 하라. …… 정관(政官)으로 하여금 문신 중에서 그런 문체를 쓰는 자들을 자세히 살펴 다시는 교수(敎授)의 후보자로 추천하지 말도록 하라." 하였다.

① 『만기요람』이 편찬되었다.
② 『대전통편』이 편찬되었다.
③ 『경국대전』이 편찬되었다.
④ 『국조오례의』가 편찬되었다.
⑤ 『동국여지승람』이 편찬되었다.

문제풀이 정조

난이도 중

제시문에서 현륭원을 수원에 봉안하였다는 내용과 한강을 건널 때 배다리의 제도로 개정하였다는 내용을 통해 밑줄 친 '국왕'이 정조임을 알 수 있다.

① 탕평비를 세운 왕은 영조이다. 영조는 성균관 입구에 붕당의 폐단을 경계하라는 내용이 담긴 탕평비를 세워 탕평 정치의 의지를 드러냈다.

오답 분석

② 정조는 국왕의 친위 부대인 장용영을 설치하여 왕권을 강화하고자 하였다.

③ 정조는 종합 무예서인 『무예도보통지』를 간행하였다. 『무예도보통지』는 정조의 명에 따라 이덕무, 박제가, 백동수 등이 편찬한 책으로, 전투 동작을 그림과 글로 설명한 것이 특징이다.

④ 정조는 신진 인물이나 중·하급 관리 중에서 유능한 인사를 재교육하는 초계문신제도를 시행하였다.

이것도 알면 **합격!**

정조의 왕권 강화 정책

초계문신제 시행	신진 인물이나 중·하급 관리 중 유능한 인사 재교육
규장각 설치	자신의 개혁을 뒷받침할 수 있는 정치 기구로 육성
장용영 설치	국왕의 친위 부대로 왕권을 뒷받침하는 군사적 기반 마련
수령 권한 강화	수령이 향약을 직접 주관하게 하여 지방 사족의 향촌 지배력을 줄이고 수령의 권한을 강화

문제풀이 정조 재위 시기의 사실

난이도 중

제시문에서 『패관잡기』에 관련되는 답이 있으면 그 사람의 이름을 확인하여 과거를 보지 못하도록 하였다는 내용을 통해 밑줄 친 '왕'이 정조임을 알 수 있다. 정조는 『패관잡기』나 명말 청초의 중국 문인들의 문집에 영향을 받아 유행하던 신문체를 금지하고 기존의 고문체를 사용하도록 하였다(문체반정).

② 정조 재위 시기에 『경국대전』과 『속대전』 및 그 뒤의 법령을 통합하여 왕조의 통치 규범을 전반적으로 재정리한 『대전통편』이 편찬되었다.

오답 분석

① **순조**: 『만기요람』이 편찬된 것은 순조 때이다. 『만기요람』은 순조의 명으로 서영보·심상규 등이 18세기 후반부터 19세기 초에 이르는 조선 왕조의 재정과 군정에 관한 내용을 정리한 책이다.

③, ④, ⑤ **성종**: 『경국대전』, 『국조오례의』, 『동국여지승람』이 편찬된 것은 성종 때이다. 성종 재위 시기에는 세조 때부터 편찬하기 시작한 조선의 기본 법전인 『경국대전』과 국가와 왕실의 행사 의식을 규범화한 『국조오례의』, 군현의 연혁·지세·인물·풍속·성씨 등을 수록한 인문 지리서인 『동국여지승람』이 편찬되었다.

27

2023년 서울시 9급

〈보기 1〉의 밑줄 친 '이 왕'이 시행한 정책을 〈보기 2〉에서 모두 고른 것은?

> **보기 1**
> 이 왕은 반대 세력을 무력으로 제압하고 자신의 신변을 보호하기 위한 친위 부대로 장용영을 설치하였다. 장용영은 기존에 국왕의 호위를 담당하던 숙위소를 폐지하고 새롭게 조직을 갖추어 편성된 부대다.

> **보기 2**
> ㉠ 탕평의 의지를 반영하여 성균관 입구에 탕평비를 세웠다.
> ㉡ 상공업을 진흥시키기 위해 통공 정책을 단행하였다.
> ㉢ 젊은 관료의 재교육을 위해 초계문신제도를 시행하였다.

① ㉡　　② ㉢
③ ㉡, ㉢　　④ ㉠, ㉡, ㉢

28

2022년 소방간부후보생

밑줄 친 ㉠이 시행된 시기의 상황으로 가장 적절한 것은?

> 도성 안에 거주하는 사람과 도성 주변에 사는 자들은 모두 같은 국가의 백성이니, 행상과 좌판의 물품이 있고 없는 것을 매매하는 것은 떳떳한 일입니다. 그런데 시전에 속해 있지 않다고 하여 자신의 물건을 가지고 매매하는 자를 쫓아내어 도성 내에 발을 붙일 수 없게 하는 것은 도리가 아닙니다. 이도 저도 모두 백성인데 마땅히 ㉠ 왕의 새로운 정책에 따르는 것이 옳지 않겠습니까.

① 금위영이 설치되어 5군영 체제가 갖춰졌다.
② 청에 대한 반발로 북벌 정책이 시작되었다.
③ 수령이 군현 단위의 향약을 직접 주관하였다.
④ 이인좌의 난을 계기로 노론이 정권을 차지하였다.
⑤ 왕위 계승의 정통성 문제를 둘러싸고 예송이 촉발되었다.

문제풀이 정조가 시행한 정책

난이도 하

제시문에서 자신의 신변을 보호하기 위한 친위 부대로 장용영을 설치하였다는 내용을 통해 밑줄 친 '이 왕'이 정조임을 알 수 있다.

③ 옳은 것을 모두 고르면 ㉡, ㉢이다.

㉡ 정조는 상공업을 진흥시키기 위해 육의전을 제외한 시전 상인이 소유하고 있던 금난전권(정부의 허가를 받지 않은 상업 행위를 하는 난전을 단속할 수 있는 권한)을 폐지하여 자유로운 상업 활동을 보장하는 통공 정책을 단행하였다.

㉢ 정조는 유능한 인재를 양성하고, 젊은 관료의 재교육을 위해 초계문신제도를 시행하였다. 초계문신제도는 37세 이하의 당하관 중 젊고 재능 있는 문신들을 선발하여 규장각에서 위탁 교육을 시키고, 40세가 되면 졸업시키는 제도이다.

오답 분석

㉠ **영조**: 탕평의 의지를 반영하여 성균관 입구에 탕평비를 세운 왕은 영조이다. 영조는 성균관 입구에 붕당의 폐단을 경계하라는 내용이 담긴 탕평비를 세워 탕평 정치의 의지를 드러내고, 온건하고 타협적인 인물을 고루 등용하는 완론 탕평을 시행하였다.

문제풀이 신해통공 시행 시기의 상황

난이도 중

제시문은 금난전권에 대해 비판하는 내용으로, 밑줄 친 ㉠은 정조 때 시행된 신해통공이다. 정조는 신해통공을 시행하여 육의전을 제외한 시전 상인들의 금난전권을 폐지하고, 사상의 자유로운 상업 활동을 보장하였다.

③ 정조 때는 수령이 군현 단위의 향약을 직접 주관하도록 하여 수령의 권한을 강화하였다. 이를 통해 정조는 지방 사족의 향촌 지배를 억제하고 지방에 대한 국가의 통제권을 강화하고자 하였다.

오답 분석

① **숙종**: 금위영이 설치되어 훈련도감, 어영청, 총융청, 수어청, 금위영의 5군영 체제가 갖춰진 것은 숙종 때이다.

② **효종**: 청에 대한 반발로 청을 정벌하자는 북벌 정책이 시작된 것은 효종 때이다.

④ **영조**: 소론 강경파와 일부 남인 등이 주도한 이인좌의 난을 계기로 노론이 정권을 차지한 것은 영조 때이다.

⑤ **현종**: 왕위 계승의 정통성 문제를 둘러싸고 두 차례 예송(1차 기해예송, 2차 갑인예송)이 촉발된 것은 현종 때이다.

정답 25 ① 26 ② 27 ③ 28 ③

29

2021년 지방직 9급

밑줄 친 '왕'의 재위 기간에 있었던 사실로 옳은 것은?

> 왕은 노론과 소론, 남인을 두루 등용하였으며 젊은 관료들을 재교육하기 위해 초계문신제를 시행하였다. 또 서얼 출신의 유능한 인사를 규장각 검서관으로 등용하였다.

① 동학이 창시되었다.

② 『대전회통』이 편찬되었다.

③ 신해통공이 시행되었다.

④ 홍경래의 난이 발생하였다.

30

2020년 서울시 9급(특수 직렬)

〈보기〉의 정책이 시행된 왕대에 대한 설명으로 가장 옳은 것은?

> **보기**
>
> 백성들이 육전[육의전(六矣廛)] 이외에는 허가받은 시전 상인들과 같이 장사를 할 수 있도록 하셨다. 채제공이 아뢰기를 "(전략) 마땅히 평시서(平市署)로 하여금 20, 30년 사이에 새로 벌인 영세한 가게 이름을 조사해 내어 모조리 없애도록 하고, 형조와 한성부에 분부하여 육전이 아니라면 난전이라 하여 잡혀 오는 자들을 처벌하지 말도록 할 뿐만 아니라 잡아 온 자를 처벌하시면, 장사하는 사람들은 서로 매매하는 이익이 있을 것이고 백성들도 가난에 대한 걱정이 없어질 것입니다. 그 원망은 신이 스스로 감당하겠습니다."라고 하니 왕께서 따랐다.

① 법령을 정비하여 『속대전』을 편찬하였다.

② 청과 국경선을 정하고 백두산 정계비를 세웠다.

③ 조세 제도를 개편하여 영정법을 시행하였다.

④ 인재를 양성하기 위해 초계문신제를 시행하였다.

문제풀이 정조 재위 기간의 사실

난이도 하

제시문에서 젊은 관료들을 재교육하기 위해 초계문신제를 시행하였고, 서얼 출신의 유능한 인사를 규장각 검서관으로 등용하였다는 내용을 통해 밑줄 친 '왕'이 정조임을 알 수 있다.

③ 정조 때는 시전 상인들이 난전을 단속할 수 있는 권리인 금난전권을 폐지하는 신해통공이 시행되었다. 정조는 금난전권으로 사상들의 활동이 억압되고 물가가 상승하자 육의전을 제외한 시전 상인들의 금난전권을 폐지하였고, 이로 인해 사상들의 자유로운 상업 활동이 보장되었다.

오답 분석

① **철종**: 최제우에 의해 동학이 창시된 것은 철종 때의 일이다(1860).

② **고종**: 법전인 『대전회통』이 편찬(1865)된 것은 고종 때의 일이다. 정조 때는 왕조의 통치 규범을 전반적으로 재정리한 법전인 『대전통편』이 편찬되었다.

④ **순조**: 홍경래의 난이 발생(1811)한 것은 순조 때의 일이다. 세도 정치 시기에 평안도 지역의 차별 대우가 극심해지자 이에 반발한 몰락 양반인 홍경래가 난을 일으켜 청천강 이북을 점령하였으나 5개월 만에 관군에 의해 진압되었다.

문제풀이 정조 때의 사실

난이도 하

제시문에서 백성들이 육의전을 제외한 시전 상인들과 같이 장사를 할 수 있게 했다는 것을 통해 육의전을 제외한 시전 상인들의 금난전권을 폐지한 신해통공(1791)임을 알 수 있으며, 신해통공이 시행된 것은 정조 때이다.

④ 정조 때는 인재를 양성하기 위해 초계문신제를 시행하였다. 초계문신제는 신진 인물이나 중·하급 관리 중에서 유능한 문신들을 재교육하여 인재를 양성하도록 하는 제도이다.

오답 분석

① **영조**: 법령을 정비하여 『속대전』을 편찬한 것은 영조 때이다. 영조는 『경국대전』 시행 이후 공포된 법령 중 시행할 법령만 추려내서 통일 법전인 『속대전』을 편찬하였다.

② **숙종**: 청과 국경선을 정하고 백두산 정계비를 세운 것은 숙종 때이다. 숙종 때 간도 지역을 둘러싸고 청과 국경 분쟁이 발생하자 청의 목극등과 조선의 박권이 만나 백두산 일대를 답사하고 백두산 정계비를 건립하여 국경선을 확정하였다.

③ **인조**: 조세 제도를 개편하여 영정법을 시행한 것은 인조 때이다. 인조는 영정법을 실시하여 전세를 풍흉에 관계없이 토지 1결당 4~6두로 고정하였다.

31

2019년 법원직 9급

밑줄 친 왕의 재위 시기에 있었던 사실로 가장 옳은 것은?

> 왕은 서얼과 노비에 대한 차별을 완화하였으며, 민생의 안정과 문화 부흥에도 힘썼다. 또, 전통 문화를 계승하면서 중국과 서양의 과학 기술을 받아들였다. 그 밖에, 외교 문서를 정리한 『동문휘고』, 병법서인 『무예도보통지』 등을 편찬하여 문물 제도를 재정비하였다.

① 북벌 운동이 전개되었다.
② 산림의 존재를 부정했다.
③ 3사의 관리 추천권을 없앴다.
④ 수령이 향약을 주관하여 권한이 강화되었다.

문제풀이 정조 재위 시기의 사실 난이도 중

제시문에서 서얼과 노비에 대한 차별을 완화하였으며, 외교 문서를 정리한 『동문휘고』, 병법서인 『무예도보통지』 등을 편찬하였다는 내용을 통해 밑줄 친 왕이 정조임을 알 수 있다. 정조는 이덕무, 박제가 등 서얼 출신 인물들을 규장각 검서관에 임명하고, 도망 노비를 찾아주던 노비추쇄관을 폐지하는 등 서얼과 노비에 대한 차별을 완화하였으며, 문물 제도의 정비를 위해 각종 편찬 사업을 전개하였다.

④ 정조 때는 수령의 권한을 강화하기 위하여 군현 단위의 향약을 수령이 직접 주관하도록 하였다. 이를 통해 정조는 지방 사족의 향촌 지배를 억제하고 지방에 대한 국가의 통제권을 강화하고자 하였다.

오답 분석

① **효종**: 청에게 원수를 갚자는 북벌 운동이 전개된 것은 효종 때이다. 이후 북벌론은 현종~숙종 때 윤휴 등의 남인에 의해 제기되기도 하였다.
② **영조**: 붕당 정치의 폐단을 없애기 위해 공론의 주재자로 인식되던 산림의 존재를 부정하고 서원을 대폭 정리한 것은 영조 때이다.
③ **영조**: 이조 전랑의 권한을 축소하기 위해 이조 전랑의 후임자 추천권(자대권), 3사 관리 추천권(통청권) 등을 없앤 것은 영조 때이다.

32

2018년 국가직 9급

다음과 같이 주장한 인물에 대한 설명으로 옳은 것은?

> 달은 하나이나 냇물의 갈래는 만 개가 된다. … (중략) … 나는 그 냇물이 세상 사람들이라는 것을 안다. 빛을 받아 비추어서 드러나는 것은 사람들의 상이다. 달이라는 것은 태극이요, 태극은 나이다.

① 『해동농서』를 편찬하도록 하였다.
② 갑인예송에서 왕권을 강조하며 기년복을 주장하였다.
③ 이순신에게 현충이라는 시호를 내리고 강감찬 사당을 건립하였다.
④ 민간의 광산 개발 참여를 허용하는 설점수세제를 처음 실시하였다.

문제풀이 정조 난이도 상

제시된 자료는 정조가 지은 「만천명월주인옹자서」이다. 정조는 「만천명월주인옹자서」에서 자신을 달로 비유하고 수많은 백성들을 냇물의 갈래로 표현하여 군주의 초월성을 강조하고, 모든 백성들을 보살피고자 하는 자신의 정치 철학을 나타내었다.

① 정조는 서호수에게 우리나라 농학을 중심으로 중국의 농업 기술을 수용하여 체계화한 농업 기술서인 『해동농서』를 편찬하도록 하였다. 『해동농서』에서는 우리나라의 자연 환경과 중국의 자연 환경이 다름을 지적하고, 각자 지역 조건에 맞는 농법을 선택하여 개량할 것을 주장하였다.

오답 분석

② **허적 등**: 갑인예송에서 왕권을 강조하며 기년복을 주장한 것은 허적 등의 남인이다. 허적 등의 남인 세력은 현종 때 발생한 갑인예송(1674)에서 왕실의 예법이 사대부와 다름을 강조하며 효종비의 장례에 대하여 자의대비(인조의 계비)의 상복 기간을 기년복(1년복)으로 할 것을 주장하였다.
③ **숙종**: 이순신의 사당에 현충이라는 시호를 내리고 강감찬 사당을 건립한 것은 숙종이다. 숙종은 아산에 이순신 사당을 건립하고 현충이라는 시호를 내렸으며, 의주에는 강감찬 사당을 건립하였다.
④ **효종**: 민간의 광산 개발 참여를 허용하는 설점수세제를 처음 실시한 것은 효종이다. 효종은 국가 재정을 보충하고 중국과의 무역을 활성화하기 위해 민간의 광산 경영을 허가하고 세금을 거두는 설점수세제를 시행하였다.

정답 29 ③ 30 ④ 31 ④ 32 ①

33

2012년 국가직 9급

밑줄 친 '국왕'의 정책으로 옳지 않은 것은?

> 국왕께서 왕위에 즉위한 첫 해에 맨 먼저 도서집성 5천여 권을 연경의 시장에서 사오고, 또 옛날 홍문관에 간직했던 책과 강화부 행궁에 소장했던 책과 명에서 보내온 책들을 모았다. …… 창덕궁 안 규장각 서남쪽에 열고관을 건립하여 중국본을 저장하고, 북쪽에는 국내본을 저장하니, 총 3만 권 이상이 되었다.

① 통치 규범을 재정리하기 위하여 『대전통편』을 편찬하였다.

② 당파와 관계없이 인물을 등용하는 완론 탕평을 실시하였다.

③ 당하관 관료의 재교육을 위해 초계문신제도를 시행하였다.

④ 왕권을 강화하기 위해 장용영이라는 친위 부대를 창설하였다.

34

2021년 법원직 9급

(가), (나)에 대한 설명으로 옳은 것을 〈보기〉에서 모두 고른 것은?

> 숙종 때에 이르러 여러 차례 (가) 이/가 발생하면서 붕당 간의 대립은 더욱 격화되었다. 숙종은 집권 붕당이 바뀔 때마다 상대 당의 인사들을 정계에서 축출하였다. 숙종 말년에 노론과 소론은 왕위 계승을 놓고 대립하였을 뿐만 아니라 왕권을 위협하기까지 하였다. 이후 연이어 즉위한 영조와 정조는 붕당 정치의 폐해를 줄이기 위해 (나) 을/를 시행하였다.

보기

㉠ (가)에 들어갈 용어는 예송이다.
㉡ (나)에 들어갈 용어는 탕평책이다.
㉢ (가)의 과정에서 송시열이 죽임을 당하였다.
㉣ (나)의 정책을 펴기 위해 5군영을 설치하였다.

① ㉠, ㉡ ② ㉠, ㉢

③ ㉡, ㉢ ④ ㉡, ㉣

문제풀이 정조의 정책

난이도 중

제시문에서 도서집성 5천여 권을 연경(북경)의 시장에서 사왔다는 내용을 통해 『고금도서집성』을 중국(청)에서 수입해 온 정조에 대한 설명임을 알 수 있다.

② 완론 탕평을 실시한 왕은 영조이다. 영조는 이미 정권을 장악하고 있던 노론뿐 아니라, 비주류였던 소론·남인도 고루 등용하는 탕평책을 펼쳤는데, 대체로 각 당파의 온건한 세력을 중심으로 등용하였다고 해서 완론 탕평이라 부른다.

오답 분석

① 정조는 『경국대전』, 『속대전』 및 그 이후의 법령들을 모아 『대전통편』을 편찬하였다(1785).

③ 정조는 37세 이하의 당하관 중에서 유능한 문신을 뽑아 규장각에서 교육받게 한 후 40세가 되면 졸업시켜 배운 것을 국정에 활용하도록 한 초계문신제를 시행하였다.

④ 정조는 국왕의 친위 부대인 장용영을 설치하여 왕권을 강화하고자 하였다.

이것도 알면 **합격!**

초계문신제 시행

> 문신으로 승문원에 분관(문과 급제자 중 승문원에서 실무를 익히도록 배치)된 사람들 가운데 참상이나 참외를 막론하고 정부에서 상의하여 37세 이하로 한하여 초계한다.
> - 『정조실록』

사료 분석 | 초계문신제는 37세 이하의 당하관 중 젊고 유능한 문신들을 선발하여 규장각에서 재교육시키는 제도였다.

문제풀이 환국과 탕평책

난이도 중

제시문에서 (가)는 숙종이 집권 붕당이 바뀔 때마다 상대 당의 인사들을 정계에서 축출하였다는 내용을 통해 환국임을 알 수 있고, (나)는 영조와 정조가 붕당 정치의 폐해를 줄이기 위해 시행하였다는 내용을 통해 탕평책임을 알 수 있다.

③ 옳은 것을 모두 고르면 ㉡, ㉢ 이다.

㉡ (나)에 들어갈 용어는 탕평책이다. 영조와 정조는 붕당 정치의 폐해를 줄이기 위해 탕평책을 실시하였다. 영조는 붕당의 시비를 가리는 것이 아닌, 온건하고 타협적인 인물들로 구성된 탕평파를 등용하는 완론 탕평을 실시하였으며, 정조는 각 붕당의 입장을 떠나 의리와 명분에 합치되고 능력 있는 사람을 중용하는 적극적인 탕평인 준론 탕평을 실시하였다.

㉢ 기사환국(1689)에서 송시열이 죽임을 당하였다. 숙종이 희빈 장씨가 낳은 아들을 원자(세자 책봉을 받기 전인 왕의 적장자)로 정한 것에 송시열 등의 서인들이 반발하자, 숙종은 서인을 정계에서 축출하고 남인을 등용하였다(기사환국). 이 과정에서 송시열은 세자 책봉을 반대하는 상소를 올렸다가 제주도에 유배된 후 사사되었다.

오답 분석

㉠ (가)에 들어갈 용어는 예송이 아닌 환국이다. 예송은 현종 때 효종과 효종비 사후에 자의 대비(인조의 계비)의 복상 기간을 두고 서인과 남인 사이에 발생한 논쟁으로, 두 차례의 예송 결과 남인의 우세 속에 서인이 공존하는 정국이 경신환국 전까지 유지되었다.

㉣ 탕평책과 5군영 설치는 관련이 없다. 5군영은 탕평책이 실시되기 이전인 숙종 때 금위영이 설치(1682)되면서 완비되었다.

35

2019년 국회직 9급

다음 사건들을 오래된 시기 순으로 옳게 나열한 것은?

㉠ 신해통공 ㉡ 균역법 제정 ㉢ 이인좌의 난 ㉣ 백두산 정계비 건립

① ㉠ - ㉣ - ㉡ - ㉢
② ㉢ - ㉠ - ㉡ - ㉣
③ ㉢ - ㉣ - ㉠ - ㉡
④ ㉣ - ㉡ - ㉢ - ㉠
⑤ ㉣ - ㉢ - ㉡ - ㉠

36

2022년 국가직 9급

(가)~(라) 국왕 대에 있었던 사실로 옳지 않은 것은?

조선 시대 국가를 운영하는 핵심 법전인 『경국대전』은 세조 대에 그 편찬이 시작되어 (가) 대에 완성되었다. 이후 여러 차례의 전쟁으로 혼란에 빠진 국가 체제를 수습하고 새로운 정치·사회적 변화에 대응하기 위해 법전 정비가 필요하게 되었다. 이에 따라 (나) 대에 『속대전』을 편찬하였으며, (다) 대에 『대전통편』을, 그리고 (라) 대에는 『대전회통』을 편찬하였다.

① (가) – 홍문관을 두어 집현전을 계승하였다.
② (나) – 서원을 붕당의 근거지로 인식하여 대폭 정리하였다.
③ (다) – 사도 세자의 무덤을 옮기고 화성을 축조하였다.
④ (라) – 삼정의 문란을 바로잡기 위해 삼정이정청을 설치했다.

문제풀이 숙종~정조 시기의 사건

난이도 중

⑤ **순서대로 나열하면 ㉣ 백두산 정계비 건립**(숙종, 1712) → **㉢ 이인좌의 난**(영조, 1728) → **㉡ 균역법 제정**(영조, 1750) → **㉠ 신해통공**(1791)**이 된다.**

㉣ **백두산 정계비 건립**: 숙종 때 조선과 청 사이에 국경 문제를 해결하기 위해 양국 대표가 백두산 일대를 답사한 뒤 국경을 확정한 백두산 정계비를 세웠다(1712).

㉢ **이인좌의 난**: 영조 즉위 후 권력에서 배제된 소론 강경파와 이인좌 등 남인 일부가 경종의 죽음에 영조가 관련되었음을 주장하며 반란을 일으켰다(이인좌의 난, 1728). 한편 이인좌의 난을 진압한 영조는 기유처분(1729)을 발표하여 붕당을 타파하고 노론과 소론을 고루 등용할 것을 선언하였다.

㉡ **균역법 제정**: 영조는 군역의 폐단을 시정하고 백성들의 군포 부담을 줄이기 위해 1년에 2필씩 징수하던 군포를 1필로 줄이는 균역법을 시행하였다(1750).

㉠ **신해통공**: 정조는 신해통공을 반포(1791)하여 육의전을 제외한 시전 상인들의 금난전권을 폐지하고 사상의 자유로운 상업 활동을 보장하였다.

문제풀이 성종·영조·정조·고종 대의 사실

난이도 중

제시문에서 『경국대전』이 완성되었다는 내용을 통해 (가)는 성종임을 알 수 있으며, 『속대전』을 편찬하였다는 내용을 통해 (나)는 영조, 『대전통편』을 편찬하였다는 내용을 통해 (다)는 정조, 『대전회통』을 편찬하였다는 내용을 통해 (라)는 고종임을 알 수 있다.

④ **삼정의 문란을 바로잡기 위해 삼정이정청을 설치한 것은 철종 대의 사실이다. 철종 때 삼정의 문란으로 인하여 임술 농민 봉기가 일어나자 이를 바로잡기 위해 정부는 삼정이정청을 설치(1862)하였으나, 얼마 지나지 않아 폐지되면서 근본적인 해결책을 마련하지는 못하였다.**

오답 분석

① 성종 때 모든 홍문관의 관원이 경연관을 겸하게 하는 등 홍문관의 학술·언론 기능을 강화하였다. 이를 통해 집현전의 기능을 계승한 학술·언론 기관으로서의 홍문관이 성립되었다.
② 영조 때 붕당 정치의 폐단을 없애기 위해 공론의 주재자로 인식되던 산림의 존재를 부정하고, 그들의 근거지였던 서원을 대폭 정리하였다.
③ 정조 때 아버지인 사도 세자의 무덤을 수원으로 옮겨 현륭원이라 하고, 자신의 정치적 이상을 실현하기 위해 화성을 축조하여 정치적·군사적 기능을 부여하였다.

정답 33 ② 34 ③ 35 ⑤ 36 ④

37

2020년 경찰직(2차)

다음 ㉠~㉢의 인물들이 행한 일로 가장 적절한 것은?

> "아! (㉠)은/는 (㉡)의 아들이다. (㉢)께서 종통(宗統)의 중요함을 위하여 나에게 효장 세자(孝章世子)를 이어 받도록 명하신 것이다. 아! 전일에 (㉢)께 올린 글에서 '근본을 둘로 하지 않는 것(不貳本)'에 관한 나의 뜻을 볼 수 있을 것이다. … 이미 이런 분부를 내리고 나서 괴귀(怪鬼)와 같은 나쁜 무리들이 이를 빙자하여 추숭(追崇)하자는 의논을 한다면 (㉢)께서 유언하신 분부가 있으니, 마땅히 해당 형률로 논죄하고 (㉢)의 영령(英靈)께도 고하겠다."

① ㉠은/는 금난전권을 폐지하였다.

② ㉡은/는 『동국문헌비고』와 『속대전』 등을 편찬하였다.

③ ㉢은/는 수원 화성을 건설하였다.

④ ㉠와/과 ㉡은/는 탕평책을 실시하였다.

문제풀이 정조, 사도 세자, 영조 난이도 중

제시문은 정조가 즉위한 당일 신하들에게 공표한 내용이다. ㉠ 정조는 ㉡ 사도 세자의 아들로 태어났으나, 임오화변(사도 세자가 사망한 사건) 이후, ㉢ 영조의 명에 따라 영조의 맏아들이자 사도 세자의 이복 형인 효장 세자의 양자로 입적하여 왕위에 올랐다.

① 정조는 육의전을 제외한 시전 상인의 금난전권을 폐지하는 신해통공을 시행하여 사상들의 자유로운 상업 활동을 보장하였다.

오답 분석

② 『동국문헌비고』와 『속대전』 등을 편찬한 것은 ㉡ 사도 세자가 아닌 ㉢ 영조이다.

③ 정치적 이상을 실현하기 위해 수원 화성을 건설한 것은 ㉢ 영조가 아닌 ㉠ 정조이다.

④ 탕평책을 실시한 것은 ㉢ 영조와 ㉠ 정조로, 영조는 완론 탕평을, 정조는 준론 탕평을 실시하였다. 한편 ㉡ 사도 세자는 탕평책을 실시하지 않았다.

38

2014년 서울시 9급

다음 ㉠, ㉡ 노선을 추구한 각 왕들의 정책으로 올바르게 연결된 것은?

> ㉠ 준론 탕평 – 당파의 옳고 그름을 명백히 가린다.
> ㉡ 완론 탕평 – 어느 당파든 온건하고 타협적인 인물을 등용하여 왕권에 순종시킨다.

① ㉠ – 환국을 시도하였다.

② ㉠ – 서원을 대폭 정리하였다.

③ ㉡ – 신문고 제도를 부활하였다.

④ ㉡ – 초계문신제를 실시하였다.

⑤ ㉡ – 화성 건설에 힘썼다.

문제풀이 영조와 정조의 정책 난이도 중

㉠ 준론 탕평을 추진한 왕은 정조이고, ㉡ 완론 탕평을 추진한 왕은 영조이다. 준론 탕평이란 각 붕당의 입장을 떠나 의리와 명분에 합치되고 능력 있는 사람을 중용하는 적극적인 탕평책이고, 완론 탕평은 붕당의 시비를 가리는 것이 아닌, 탕평파(온건하고 타협적인 인물)를 등용하는 완만한 탕평을 말한다.

③ 영조는 연산군 때 폐지되었던 신문고 제도를 부활시켜 백성들의 억울한 일을 직접 해결하고자 하였다.

오답 분석

① **숙종**: 환국이 발생한 것은 숙종 때의 일이다. 숙종 때에는 경신환국, 기사환국, 갑술환국 등 총 3차례의 환국이 발생하였다.

② **영조**: 서원을 대폭 정리한 왕은 영조이다. 영조는 붕당의 뿌리를 제거하기 위해 산림의 존재를 부정하고, 그들의 근거지였던 서원을 정리하였다.

④ **정조**: 초계문신제를 실시한 왕은 정조이다. 정조는 신진 인물이나 중·하급 관리 중에서 유능한 인사를 재교육시키는 초계문신제를 시행하였다.

⑤ **정조**: 화성 건설에 힘쓴 왕은 정조이다. 정조는 자신의 정치적·군사적 이상을 실현하는 상징적인 도시로 화성을 육성하였다.

39

2012년 서울시 9급

영조와 정조 시대에 대한 다음 설명 중 옳지 않은 것은?

① 영조가 시행한 탕평책은 붕당 간의 세력 균형을 유지하여, 왕권을 강화하고 정국을 안정시키려는 것이다.

② 영조는 『속대전』, 『속오례의』, 『동국문헌비고』 등을 편찬하여 시대의 변화에 맞게 문물 제도를 정비하였다.

③ 정조는 왕의 권력과 정책을 뒷받침하기 위해 규장각을 설립하였다.

④ 정조는 수원 화성의 건설을 통해 개혁의 이상을 과시하고자 하였다.

⑤ 정조는 문물 제도의 정비를 위하여 『동국여지승람』을 편찬하였다.

40

2014년 국가직 9급

다음 글을 남긴 국왕의 재위 기간에 일어난 사실로 옳은 것은?

> 보잘것 없는 나, 소자가 어린 나이로 어렵고 큰 유업을 계승하여 지금 12년이나 되었다. 그러나 나는 덕이 부족하여 위로는 천명(天命)을 두려워하지 못하고 아래로는 민심에 답하지 못하였으므로, 밤낮으로 잊지 못하고 근심하며 두렵게 여기면서 혹시라도 선대왕께서 물려주신 소중한 유업이 잘못되지 않을까 걱정하였다. 그런데 지난번 가산(嘉山)의 토적(土賊)이 변란을 일으켜 청천강 이북의 수많은 생령이 도탄에 빠지고 어육(魚肉)이 되었으니 나의 죄이다. – 『비변사등록』

① 최제우가 동학을 창도하였다.

② 공노비 6만 6천여 명을 양인으로 해방시켰다.

③ 미국 상선 제너럴셔먼호가 격침되었다.

④ 삼정 문제를 해결하기 위해 삼정이정청을 설치하였다.

문제풀이 영·정조 시대 난이도 중

⑤ 『동국여지승람』은 성종 때 편찬된 관찬 인문 지리서이다. 『동국여지승람』은 노사신, 강희맹 등의 주도로 편찬되었으며, 각 군현의 연혁·지세·인물·풍속·교통 등이 자세히 기록되어 있다. 또한, 『동국여지승람』에는 단군 신화가 수록되어 있는 것이 특징이다.

오답 분석

① 영조가 시행한 탕평책은 온건한 탕평파를 등용하여 붕당 간의 세력 균형을 유지하고, 왕권을 강화하여 정국을 안정시키려는 것이었다.

② 영조는 『경국대전』 이후의 법령을 모아 정리한 『속대전』과 『국조오례의』를 보완한 의례집인 『속오례의』, 그리고 우리나라의 제도와 문물을 총정리한 한국학 백과사전인 『동국문헌비고』를 편찬하여 문물 제도를 정비하였다.

③ 정조는 자신의 권력과 정책을 뒷받침할 수 있는 정치적인 기구로 규장각을 설립·육성하였다.

④ 정조는 수원 화성을 세우고, 여기에 정치적·군사적 기능을 부여하고 상공인을 유치하여 자신의 정치적 이상을 실현하는 상징적인 도시로 육성하고자 하였다.

문제풀이 순조 재위 기간에 일어난 사실 난이도 중

제시문에서 가산의 토적이 변란을 일으켜 청천강 이북의 수많은 생령이 도탄에 빠지고 어육(魚肉)이 되었다는 내용을 통해 순조 시기(1800~1834)에 발생한 홍경래의 난(1811)과 관련된 설명임을 알 수 있다.

② 순조 때 중앙 관청의 공노비 6만 6천여 명을 양인으로 해방시켰다(1801). 당시 공노비의 도망과 합법적인 신분 상승으로 신공을 받아낼 수 없게 되자 순조는 중앙 관청의 노비들을 양인으로 해방시켰다.

오답 분석

① **철종**: 최제우가 동학을 창시한 것은 철종 때의 일이다(1860). 특히 동학은 민족적·민중적인 성격의 교리로 인해 많은 민중들의 지지를 받았다.

③ **고종**: 제너럴셔먼호 사건은 고종 때 발생하였다(1866). 제너럴셔먼호 사건은 미국 상선 제너럴셔먼호가 조선에 통상을 요구하며 대동강을 거슬러와 횡포를 부리자, 평안도 관찰사 박규수와 평양 주민들에 의해 상선이 불타고 침몰한 사건이다.

④ **철종**: 삼정 문제를 해결하기 위해 삼정이정청을 설치한 것은 철종 때의 일이다. 임술 농민 봉기 때 농민들은 특히 삼정의 문란을 시정할 것을 요구하였고, 이에 따라 정부는 삼정의 문란을 해결하기 위해 삼정이정청을 설치(1862)하였으나 얼마 지나지 않아 폐지되면서 근본적인 해결책은 마련되지 않았다.

정답 37 ① 38 ③ 39 ⑤ 40 ②

3 | 대외 관계의 변화

01

2018년 서울시 9급(6월 시행)

조선 시대의 대외 관계에 대한 설명으로 가장 옳은 것은?

① 태조는 북방의 여진족을 몰아내고 4군 6진을 개척하였다.

② 왜란이 끝난 후 조선은 일본에 통신사를 파견하여 국교 재개를 요청하였다.

③ 조선 후기 북학 운동의 한계를 느낀 지식인들은 북벌 운동을 전개하였다.

④ 조선 후기 중국과의 외교와 무역에 은이 대거 소비되면서 은광이 활발하게 개발되었다.

문제풀이 조선 시대의 대외 관계 난이도 중

④ 조선 후기에는 청나라와의 활발한 교역으로 은이 대거 소비되면서 은광 개발이 활발해졌다. 조선 후기에는 민영 수공업의 발달로 그 원료인 금, 은 등 광물의 수요가 급증하였고, 청나라와의 무역으로 인한 은의 수요가 증가하였다. 이에 따라 은광 개발이 활기를 띠어 17세기 말에는 약 70여 개소에 이르는 은점이 설치되었다.

오답 분석

① 북방의 여진족을 몰아내고 4군 6진을 개척한 것은 세종 때의 일이다. 세종은 압록강 방면에 최윤덕을, 두만강 방면에 김종서를 파견하여 여진을 토벌하고 4군 6진을 설치하였다.

② 왜란이 끝난 후 국교 재개를 먼저 요청한 것은 일본이다. 임진왜란 이후 성립된 일본의 에도 막부는 대마도주를 통해 조선에 국교를 재개해 줄 것을 요청하였다. 이에 조선과 일본 사이에 강화가 맺어지고 포로 송환이 이루어졌으며, 에도 막부의 사절 파견 요청에 따라 통신사가 파견되었다. 통신사는 1607년부터 1811년까지 12회에 걸쳐 일본에 파견되었다.

③ 호란 이후 북벌 운동이 전개되었으나 점차 쇠퇴하였고, 이후 청의 문화를 보고 온 지식인들에 의해 북학 운동이 전개되었다.

02

2012년 서울시 7급

다음 글의 내용과 거리가 먼 것은?

> 묘시에 시도를 떠나 겨우 5리 정도 나아가 전도를 지났다. 여러 배들이 북과 꽹과리를 두드리며 힘써 노 저어 앞으로 나아가니, 소리가 산과 바다를 울렸다. 겨울 날씨가 따뜻하여 노 젓는 사공들이 땀을 흘릴 정도였다. 30리쯤 가니 바람이 거슬려서 더 나아가기 힘들므로 다전(일명 충해라 한다)에서 정박했다. 잠시 후 바람이 자고 물살이 순해지며 달빛이 바다 가운데 가득하였다. 이어 그들의 청으로 앞으로 나아가, 고기를 지나 삼경쯤에 겸예에 이르렀다.
>
> – 홍우재, 『동사록』

① 일본 막부의 장군이 바뀔 때 축하 사절로 파견되었다.

② 국왕의 외교 문서인 서계를 가지고 갔다.

③ 한 번에 대략 4~5백 명이 파견되었다.

④ 부산에서 오사카까지는 배로, 다음 에도까지는 육로로 갔다.

⑤ 19세기 말까지 12차례 파견되었다.

문제풀이 통신사 난이도 상

제시문이 역관인 홍우재가 쓴 『동사록』을 통해 통신사와 관련 있는 내용임을 알 수 있다. 홍우재는 숙종 때 일본 통신사행을 수행하면서 일본 왕래까지의 여정 및 일본에서의 견문을 기록한 『동사록』을 저술하였다.

⑤ 통신사는 17세기인 1607년부터 19세기 초인 1811년까지 총 12회에 걸쳐 파견되었다. 이들은 외교 사절이면서 조선의 선진 문물을 전파하는 역할을 하였다.

오답 분석

① 통신사는 일본 막부의 장군이 바뀔 때 정치·외교적인 목적에서 축하 사절로 파견되었다.

② 통신사는 국왕의 외교 문서인 서계와 별폭(別幅, 교린 문서로 예물의 종류와 수량을 적은 물품 목록)을 지참하여 갔다.

③ 통신사는 적을 때에는 300여 명, 많게는 400~500명이 파견되었다.

④ 통신사는 부산에서 오사카까지는 배로 이동하였고, 다음 에도까지는 육로를 이용하여 갔다.

03

2016년 지방직 7급

조선 시대의 사행(使行)에 대한 설명으로 옳지 않은 것은?

① 조선 전기 명에 파견된 사신은 조천사, 조선 후기 청에 파견된 사신은 연행사로 불렸다.

② 임진왜란 이후 일본으로 통신사를 매년 파견하여 교류하였다.

③ 북경에 사신으로 다녀온 인물들을 중심으로 북학이 전개되었다.

④ 조선 후기 사행에서 역관들은 팔포 무역 등을 통해 국제 무역의 활성화에 기여하였다.

04

2016년 경찰직(2차)

(가) ~ (라) 시기에 있었던 역사적 사실로 적절하지 않은 것은?

	(가)	(나)	(다)	(라)	

광해군 즉위 → 인조반정 → 정묘호란 → 경신환국 → 이인좌의 난

① (가) – 명나라의 요청으로 강홍립을 도원수로 삼아 약 1만 3천 명의 원병을 파견하였다.

② (나) – 공로 평가에 불만을 품은 이괄이 난을 일으켰다.

③ (다) – 청과 국경을 확정하고 백두산에 정계비를 세웠다.

④ (라) – 안용복이 일본에 가서 울릉도와 우산도가 우리 영토임을 확인 받았다.

문제풀이 조선 시대의 사행(使行)

난이도 상

② 임진왜란 이후 일본으로 파견된 통신사는 비정기적인 사절단으로 매년 파견되지 않았으며, 1607년부터 1811년까지 공식적으로 총 12회 파견되었다.

오답 분석

① 조선 전기 명에 파견된 사행은 천조(天朝)인 중국에 조근(신하가 조정에 나아가 임금을 뵘)하는 사행이라는 뜻의 조천사로 불린 반면에 조선 후기 청에 파견된 사행은 연경(북경)에 간 사행이라는 뜻의 연행사로 불렸다. 각 사행의 이름을 통해 명·청 시대의 대중국 관계에서의 조선의 태도를 확인할 수 있다.

③ 북경에 연행사로 파견된 사행원들은 공적인 활동 이외에 사적으로 중국의 학자들과 문화 교류를 할 수 있었기 때문에 청의 학자들과 교류하면서 새로운 학술 및 학풍을 도입하고, 천주교와 서양 학문에 관한 서적을 들여왔다. 대표적으로 북경에 다녀온 박지원, 홍대용 등의 인물들을 중심으로 북학이 전개되었다.

④ 조선 후기 사행에서 역관을 비롯한 사행원들은 인조 때 인삼 꾸러미를 8개까지 가져갈 수 있게 허용하여 팔포라는 말이 생겨났다. 이에 사행원들이 팔포의 인삼이나 그 값에 해당하는 은을 지참하고 사무역을 하면서 국제 무역이 활성화되었다.

문제풀이 조선 후기의 대외 관계

난이도 중

(가) 광해군 즉위(1608) ~ 인조반정(1623)

(나) 인조반정(1623) ~ 정묘호란(1627)

(다) 정묘호란(1627) ~ 경신환국(1680)

(라) 경신환국(1680) ~ 이인좌의 난(1728)

③ 청과의 국경 분쟁이 발생하자 청과 국경을 확정하고 백두산에 정계비를 세운 시기는 숙종 때인 1712년으로, (라) 시기의 일이다.

오답 분석

① (가) 시기에 광해군은 명과 후금 사이에서 신중하게 행동하며 실리를 추구하는 중립 외교 정책을 실시하였는데, 명이 조선에 원군을 요청하자 강홍립을 도원수로 삼아 명나라에 원군을 파견하면서도 후금과 적대적인 관계를 맺지 않으려 하였다.

② (나) 시기에 이괄은 인조반정 후 논공행상에 대한 불만을 품고 난을 일으켰다(1624). 이괄의 난 실패 이후 그 잔당이 후금과 내통하였고, 이는 정묘호란의 원인이 되었다.

④ (라) 시기에 안용복은 두 차례[1693(1차), 1696(2차)]에 걸쳐 일본에 가서 울릉도와 우산도(독도)가 우리 영토임을 확인받고 돌아왔다.

정답 01 ④ 02 ⑤ 03 ② 04 ③

1 | 수취 체제의 개편

01

2023년 국가직 9급

(가)에 대한 설명으로 옳지 않은 것은?

> 임진왜란 이후에 우의정 유성룡도 역시 미곡을 거두는 것이 편리하다고 주장하였으나, 일이 성취되지 못하였다. 1608년에 이르러 좌의정 이원익의 건의로 [(가)] 을/를 비로소 시행하여, 민결(民結)에서 미곡을 거두어 서울로 옮기게 하였다.
>
> -『만기요람』

① 장시의 확대에 기여하였다.

② 지주에게 결작을 부과하였다.

③ 공납의 폐단을 막기 위해 실시하였다.

④ 공인에게 비용을 지급하고 필요 물품을 조달하였다.

문제풀이 대동법 난이도 하

제시문에서 유성룡이 미곡을 거둘 것을 주장하였으나 성취되지 못하였고, 1608년에 이원익의 건의로 시행하였다는 것을 통해 (가)가 대동법임을 알 수 있다.

② 지주에게 결작을 부과한 것은 영조 때 시행된 균역법에 대한 설명이다. 균역법의 시행으로 군포 징수액이 절반으로 감소하자, 재정 보충책으로 지주(토지 소유자)에게 토지 1결당 미곡 2두의 결작을 부과하였다.

오답 분석

①, ④ 대동법의 시행 이후 국가가 특허 상인인 공인에게 비용을 지급하고 관청에 필요한 물품을 대신 구매하여 조달하게 하였으며, 이러한 공인의 활동은 지방 장시의 확대와 상품 화폐 경제의 발달에 기여하였다.

③ 대동법은 공납의 폐단을 막기 위해 실시되었다. 중앙 관청의 서리나 상인들이 공물을 대신 납부하고 그 대가를 많이 챙기는 방납의 폐단이 나타나자, 이를 해결하기 위해 대동법이 실시되었다. 대동법은 집집마다 토산물을 징수하는 대신 소유한 토지 결수에 따라 쌀, 무명, 삼베 등을 납부하도록 하였다.

02

2019년 서울시 9급(6월 시행)

<보기>와 같은 폐단을 해결하기 위해 실시한 제도에 대한 설명으로 가장 옳지 않은 것은?

> **보기**
>
> 각 고을에서 공물을 상납하려 할 때 각 관청의 사주인들이 여러 가지로 농간을 부려 좋은 것도 불합격 처리를 하기 때문에 바칠 수가 없게 되었습니다. 이리하여 사주인은 자기가 갖고 있는 물품으로 관청에 대신 내고 그 고을 농민들에게는 자기가 낸 물건 값을 턱없이 높게 쳐서 열 배의 이득을 취하니, 이것은 백성의 피와 땀을 짜내는 것입니다. -『선조실록』

① 광해군 시기에 실시하였다.

② 토지 결수를 기준으로 1결당 쌀 12두를 납부하게 하였다.

③ 왕실과 관청에서 필요한 수요품을 구해 납품하는 덕대가 등장하였다.

④ 물품 구매와 상품 수요가 증가하면서 상품 화폐 경제가 한층 발전하였다.

문제풀이 대동법 난이도 중

제시문에서 공물을 상납하려 할 때 각 관청의 사주인들이 자신이 가진 물품을 관청에 대신 내고 농민들에게 물건 값을 높게 받는다는 내용을 통해 방납의 폐단을 비판하는 내용임을 알 수 있으며, 방납의 폐단을 해결하기 위해 실시된 제도는 대동법이다.

③ 대동법의 실시로 왕실과 관청에서 필요한 수요품을 구해 납품하는 공인이 등장하였다. 덕대는 조선 후기에 상인 물주에게 자본을 조달받아 광산을 운영하던 광산 경영 전문가이다.

오답 분석

① 대동법은 광해군 때 경기도 지역에서 처음 실시하였다.

② 대동법의 실시로 기존에 호를 기준으로 토산물이나 특산물을 현물로 납부하던 공물 납부 방식 대신, 토지 결수를 기준으로 1결당 쌀 12두, 혹은 삼베·동전 등으로 납부하게 하였다.

④ 대동법의 실시로 정부의 위탁을 받은 공인이 시장에서 물품을 구매함에 따라 상품 수요가 증가하였고, 농민들도 대동세를 납부하기 위해 시장에 토산물이나 특산물을 내다 팔아 쌀·베·돈을 마련함으로써 상품의 수요와 공급이 증가하여 상품 화폐 경제가 발전하게 되었다.

03

2019년 법원직 9급

밑줄 친 ㉠의 폐단을 시정하고자 실시한 제도와 관련된 설명으로 가장 옳은 것은?

> 정인홍이 아뢰기를 "민생이 곤궁한 것은 공상할 물건은 얼마 되지도 않는데 ㉠ 방납으로 모리하는 무리에게 들어가는 양이 거의 3분의 2가 넘고, 게다가 수령이 욕심을 부리고 아전이 애를 먹여서 그 형세가 마치 삼분오열로 할거하듯 하니 민생이 어찌 곤궁하지 않겠습니까." -『선조실록』

① 공납의 호세화가 촉진되었다.

② 상품 화폐 경제의 발달에 영향을 주었다.

③ 영조 대에 토지 1결당 쌀 4두를 징수하였다.

④ 농민들의 군포 부담이 2필에서 1필로 줄어들었다.

문제풀이 대동법 난이도 하

제시문에서 밑줄 친 ㉠ 방납은 농민들이 공물로 진상(공상)할 물건을 관청의 서리나 상인들이 대신 납부하고, 농민들에게 몇 배의 대가를 요구하여 이익을 챙기던 폐단으로, 이를 시정하고자 실시한 제도는 대동법이다. 대동법은 기존에 가호를 단위로 토산물을 납부하던 방식을, 소유한 토지를 기준으로 쌀·삼베·동전 등으로 납부하게 한 제도로, 광해군 때 경기도에서 처음 실시되었으며 이후 숙종 때 이르러 전국적으로 실시되었다.

② 대동법의 시행으로 관청에서 필요한 물품을 대신 구입하여 납부하는 공인이 등장하였으며, 농민들이 대동세 마련을 위해 토산물을 시장에 내다 판매하면서 조선 후기 상품 화폐 경제의 발달에 영향을 주었다.

오답 분석

① 기존의 공물 납부는 가호 기준으로 부과되었기 때문에 호세(戶稅)의 성격이 강하였지만, 대동법의 실시로 공물의 부과 대상이 호에서 토지로 바뀌면서 공납의 전세화가 촉진되었다.

③ 대동법은 토지 소유자에게 토지 1결당 쌀 12두, 혹은 그에 해당하는 삼베나 무명, 동전 등으로 공물을 징수한 제도이다. 한편 인조 때 토지 1결당 쌀 4두를 징수하는 전세 제도인 영정법이 실시되었으며, 영조 때에는 균역법 시행으로 부족해진 재정을 보충하기 위해 토지 소유자에게 토지 1결당 쌀 2두의 결작을 징수하였다.

④ **균역법**: 농민들의 군포 부담이 2필에서 1필로 줄어든 것은 영조 때 실시된 균역법이다.

04

2022년 서울시 9급(6월 시행)

〈보기 1〉에서 나타나는 폐단을 해결하기 위한 정책과 관련하여 바르게 서술한 것을 〈보기 2〉에서 모두 고른 것은?

> **보기 1**
>
> 여러 도감에 바치는 물품은 각 고을에서 현물로 바치려고 해도 여러 궁방에서 방납하는 것을 이롭게 여겨 각 고을에다 협박을 가하여 손을 쓸 수 없도록 합니다. 그러고는 그들의 사물(私物)로 자신에게 납부하게 하고 억지로 높은 값을 정하는데 거위나 오리 한 마리의 값이 소나 말 한 마리이며 조금만 시일을 지체하면 갑절로 징수합니다. -『선조실록』

> **보기 2**
>
> ㉠ 풍흉에 관계없이 토지 1결당 4~6두의 세금을 징수했다.
>
> ㉡ 공물을 토지의 결수에 따라 쌀, 무명, 동전 등으로 납부하게 했다.
>
> ㉢ 이 정책의 실시로 정부에 관수품을 조달하는 공인이 등장했다.

① ㉠ ② ㉡

③ ㉠, ㉡ ④ ㉡, ㉢

문제풀이 대동법 난이도 하

제시문에서 현물로 바치려고 해도 방납하는 것을 이롭게 여겨 협박을 한다는 것을 통해 방납의 폐단임을 알 수 있으며, 방납의 폐단을 해결하기 위해 실시한 정책은 대동법이다.

④ 옳은 것을 모두 고르면 ㉡, ㉢이다.

㉡ 대동법은 가호를 기준으로 공물을 징수하던 방식 대신 소유한 토지 결수에 따라 쌀(1결당 12두), 삼베, 무명, 동전 등으로 납부하게 한 법이었다.

㉢ 대동법의 실시로 왕실과 관청 등 정부에서 필요한 관수품을 구해 조달하는 공인이 등장하였다.

오답 분석

㉠ **영정법**: 풍흉에 관계없이 토지 1결당 미곡 4~6두의 세금을 징수한 것은 인조 때 실시한 영정법이다.

이것도 알면 **합격!**

공납의 종류

상공	매년 정기적으로 지정된 품목의 토산물을 납부하는 것
별공	상공의 부족분을 메우기 위해 부정기적으로 납부하는 것
진상	각 도의 지방관이 토산물을 국왕에게 바치는 것

정답 01 ② 02 ③ 03 ② 04 ④

05

2020년 서울시 9급(특수 직렬)

〈보기 1〉의 밑줄 친 '이 법'에 대한 옳은 설명을 〈보기 2〉에서 모두 고른 것은?

보기 1

영의정 이원익이 아뢰기를, "각 고을에서 바치는 공물이 각 급 관청의 방납인들에 의해 중간에서 막혀 물건 하나의 가격이 몇 배 또는 몇 십 배, 몇 백 배가 되어 그 폐단이 이미 고질화되었습니다. 그러니 지금 마땅히 별도로 하나의 청을 설치하여 이 법을 시행하도록 하소서."라고 하니 왕이 따랐다.

보기 2

㉠ 이 법이 실시된 뒤 현물 징수가 완전히 없어졌다.
㉡ 처음에는 경기도에서 시험적으로 시행되었다.
㉢ 과세 기준을 가호 단위에서 토지 결수로 바꾸었다.
㉣ 풍흉의 정도에 따라 조세 액수를 조정하였다.

① ㉠, ㉡ ② ㉠, ㉢
③ ㉡, ㉢ ④ ㉢, ㉣

문제풀이 대동법 난이도 하

제시문에서 공물이 방납인들에 의해 막혀 물건 값이 오르는 폐단이 발생하였다는 것을 통해 밑줄 친 '이 법'이 대동법임을 알 수 있다.

③ 옳은 것을 모두 고르면 ㉡, ㉢이 된다.
㉡ 대동법은 광해군 때 처음으로 경기도에서 시험적으로 시행되었다.
㉢ 대동법은 가호를 기준으로 현물을 징수하던 방식에서 소유한 토지 결수에 따라 쌀(1결당 12두), 삼베, 무명, 동전 등으로 납부하도록 한 제도이다.

오답 분석
㉠ 대동법의 실시로 정기적으로 납부하던 상공은 없어졌으나, 부정기적인 별공·진상 등이 여전히 존재하여 현물 징수가 완전히 없어지지 않았다.
㉣ 풍흉의 정도에 따라 조세 액수를 조정한 것은 고려 말 조선 초의 답험 손실법이다.

이것도 알면 **합격!**

대동법의 실시

목적	부족한 국가 재정 보완, 농민의 부담 완화
실시 과정	광해군 때 경기도 지역에 시험 실시한 후 100년에 걸쳐 전국(평안도, 함경도, 제주도 제외)으로 확대 실시
부과 기준	가호 기준에서 토지 결수에 따라 쌀, 삼베, 무명, 동전 등을 납부하는 방식으로 변화

06

2018년 법원직 9급

(가) 세금 제도에 관한 설명으로 옳은 것은?

우의정 김육이 아뢰다. "… (중략) … (가) 는/은 역을 고르게 하여 백성을 편안케 하니 실로 시대를 구할 수 있는 좋은 계책입니다. … (중략) … 다만 교활한 아전은 명목이 간단함을 싫어하고 모리배들은 방납하기 어려움을 원망하여 반드시 헛소문을 퍼뜨려 어지럽게 할 것입니다. 삼남에는 부호가 많은데 이 법의 시행을 부호들이 좋아하지 않으나 국가에서 법령을 시행할 때에는 마땅히 소민들이 원하는 대로 해야 합니다."

① 풍흉에 관계없이 1결당 쌀 4 ~ 6두씩을 내게 하였다.
② (가)의 실시로 공인이라는 특허 상인이 등장하게 되었다.
③ (가) 시행 이후에는 현물 납부가 완전히 사라지게 되었다.
④ (가)의 시행으로 줄어든 재정을 보충하고자 선무군관포가 신설되었다.

문제풀이 대동법 난이도 중

제시문에서 김육이 건의하였으며, 방납하기 어려움을 원망한다는 내용과 부호들이 이 법의 시행을 좋아하지 않는다는 것을 통해 (가)가 대동법임을 알 수 있다. 대동법은 가호를 기준으로 현물(특산물)을 납부하는 방식 대신 토지의 결수를 기준으로 쌀·포(삼베, 무명)·동전 등으로 공납을 납부하도록 한 수취 제도이다. 대동법의 납부 기준이 토지였기 때문에 토지를 많이 가진 양반 지주층은 대동법의 시행을 반대하였다.

② 대동법의 실시로 국가에서 돈을 받아 관청에 필요한 물품을 대신 구매하여 납품하는 특허 상인인 공인이 등장하게 되었다. 공인의 활동이 활발해지면서 지방의 장시와 상품 화폐 경제가 발달하였다.

오답 분석
① **영정법**: 풍흉에 관계없이 전세를 토지 1결당 4~6두로 고정하여 수취하도록 한 제도는 인조 때 실시된 영정법이다.
③ 대동법은 정기적으로 납부하는 상공에만 적용되었기 때문에 대동법이 시행된 이후에도 부정기적으로 납부하는 별공과 진상은 여전히 현물로 납부하였다.
④ **균역법**: 지방의 토호나 일부 부유한 평민에게 선무군관이라는 칭호를 수여하고 1년에 군포 1필을 징수하는 선무군관포는 균역법의 시행으로 신설되었다. 영조는 1년에 2필씩 내던 군포를 1필로 감면하는 균역법을 시행한 뒤 부족한 재정을 보충하기 위해 선무군관포를 신설하고, 지주에게 1결당 2두의 미곡을 부과하는 결작을 시행하였다. 또한 어장세, 염세, 선박세 등의 잡세 수입을 국고로 전환하여 감소한 재정을 보충하였다.

07

2016년 국가직 9급

밑줄 친 '이 법'에 대한 설명으로 옳지 않은 것은?

> 현물로 바칠 벌꿀 한 말의 값은 본래 목면 3필이지만, 모리배들은 이를 먼저 대납하고 4필 이상을 거두어 갑니다. 이런 폐단을 없애기 위해 이 법을 시행하면 부유한 양반 지주가 원망하고 시행하지 않으면 가난한 농민이 원망한다는데, 농민의 원망이 훨씬 더 큽니다. 경기와 강원에서 이미 시행하고 있으니 충청과 호남 지역에도 하루빨리 시행해야 합니다.

① 토지 결수를 과세 기준으로 삼았다.

② 인조 때 처음으로 경기도에서 시행하였다.

③ 이 법이 시행된 후에도 왕실에 대한 진상은 계속되었다.

④ 이 법을 시행하면서 관할 관청으로 선혜청을 설치하였다.

08

2015년 서울시 7급

다음 제도에 대한 설명으로 옳은 것을 〈보기〉에서 모두 고른 것은?

> 공물을 각종 현물 대신 쌀로 통일하여 징수하였고, 과세의 기준도 종전의 가호에서 토지의 결수로 변경하였다. 토지를 가진 농민들은 토지 1결당 쌀 12두만 납부하면 되었기 때문에 공납의 부담이 경감되었고 무전 농민이나 영세 농민은 일단 이 부담에서 해방되었다. 또 쌀을 납부하기 어려운 지방에서는 포목, 동전 등으로 대신하도록 하였다.

보기

㉠ 재정 감소분을 결작 등으로 보충하였다.
㉡ 이를 관리하는 기관으로 선혜청이 설치되었다.
㉢ 인징, 족징 등의 폐단을 해결하기 위해 도입되었다.
㉣ 전국적으로 실시되는 데 100여 년의 시간이 소요되었다.

① ㉠, ㉡　　② ㉠, ㉢

③ ㉡, ㉣　　④ ㉢, ㉣

문제풀이 대동법 난이도 중

제시문의 '현물로 바칠 벌꿀 한 말의 값은 본래 목면 3필이지만, 모리배들은 이를 먼저 대납하고 4필 이상을 거둔다'는 방납의 폐단을 없애기 위해 시행된 밑줄 친 '이 법'은 대동법이다.

② 대동법은 광해군 때 처음으로 경기도에서 시험적으로 실시되었다. 이후 숙종 때 평안도와 함경도, 제주도를 제외한 전국에서 실시되었다.

오답 분석

① 대동법은 토지 결수에 따라 쌀, 삼베나 무명, 동전 등으로 공물을 징수하였기 때문에 토지가 없거나 적은 농민들의 부담이 어느 정도 감소하였다.

③ 대동법 실시 이후에도 별공과 진상이 존속되어 현물에 대한 부담이 잔존하였다.

④ 대동법의 관할 관청으로 선혜청이 설치되었다.

이것도 알면 **합격!**

대동법의 운영 및 확대

운영	• 담당 관청으로 선혜청 설치 • 어용 상인인 공인이 국가에서 거두어들인 대동세를 공가로 미리 받아 필요한 물품을 사서 국가에 납부
확대	경기도(1608, 광해군) → 강원도(인조) → 충청도·전라도(효종) → 함경도·평안도·제주도를 제외한 전국에서 실시(1708, 숙종)

문제풀이 대동법 난이도 중

제시문에서 공물을 현물 대신 쌀로 통일하여 징수하고, 과세의 기준도 가호에서 토지의 결수로 변경하였으며, 토지 1결당 쌀 12두만 납부하면 된다는 내용을 통해 대동법에 대해 설명임을 알 수 있다.

③ 옳은 것을 모두 고르면 ㉡, ㉣이다.

㉡ 광해군은 대동법을 실시하면서 이를 관리하는 관청으로 선혜청을 설치하였다.

㉣ 광해군 때 처음 실시된 대동법은 숙종 때 전국적으로 확대 실시될 때까지 100여 년이 소요되었는데, 이는 양반 지주들의 반대가 심하였기 때문이다.

오답 분석

㉠ **균역법**: 재정 감소분을 결작 등으로 보충한 것은 균역법과 관련 있다. 균역법이 실시되면서 군포 납부액이 절반으로 줄어들자 정부는 이를 보충하기 위해 결작(토지 소유자에게 1결당 미곡 2두 징수), 선무군관포(지방의 토호나 일부 부유한 평민에게 선무군관이라는 명예직을 수여하고 군포 1필 징수) 등을 징수하였다.

㉢ **균역법**: 인징, 족징 등의 폐단을 해결하기 위해 도입된 것은 균역법이다. 군역의 부담이 과중해지자 농민들은 농촌을 떠나 도망하였는데, 이때 도망자의 체납분을 이웃이나 친척이 대신 납부하게 하는 인징·족징 등의 폐단이 자행되었다. 이로 인해 농민의 몰락은 더욱 심화되었고, 이에 영조는 균역법을 시행하였다.

정답 05 ③ 06 ② 07 ② 08 ③

09

2015년 지방직 9급

다음에서 설명하는 밑줄 친 '청(廳)'에 해당하는 것은?

> 영의정 이원익이 의논하기를, "각 고을에서 진상하는 공물이 각 사의 방납인들에 의해 중간에서 막혀 물건 하나의 가격이 몇 배 또는 몇십 배, 몇백 배가 되어 그 폐단이 이미 고질화되었는데, 기전(畿甸)의 경우는 더욱 심합니다. 그러니 지금 마땅히 별도로 하나의 청(廳)을 설치하여 매년 봄·가을에 백성들에게서 쌀을 거두되, 1결당 매번 8말씩 거두어 본청(廳)에 보내면 본청에서는 당시의 물가를 보아 가격을 넉넉하게 헤아려 정해 거두어들인 쌀로 방납인에게 주어 필요한 때에 사들이도록 함으로써 간사한 꾀를 써 물가가 오르게 하는 길을 끊으셔야 합니다. ……"

① 어영청
② 상평청
③ 선혜청
④ 균역청

문제풀이 선혜청 난이도 중

제시문에서 각 고을에서 진상하는 공물이 각 사의 방납인들에 막혀 물건 가격이 몇 배가 되는 폐단을 해결하기 위해 이원익이 매년 봄·가을에 백성들에게 쌀을 거두자는 건의를 하고 있으므로, 밑줄 친 '청'이 대동법을 관리하기 위해 설치된 관서인 선혜청임을 알 수 있다.

③ 선혜청은 대동법을 관리하기 위해 광해군 때 설치된 관서였다. 이후 선혜청은 상평청·진휼청(구제 담당), 균역청(균역법 실시 담당)까지 통합하면서 호조를 능가하는 최대의 재정 기관이 되었다.

오답 분석
① 어영청은 인조 때 설치된 5군영 중 하나로, 수도를 방어하였다.
② 상평청은 조선 시대에 흉년이 들어 굶주린 백성들의 구제를 위한 비축 곡물 및 자금을 관리하던 관서로 이후 선혜청에 흡수되었다.
④ 균역청은 균역법 실시에 따른 업무를 관장하던 관서로 선혜청에 병합되었다.

이것도 알면 **합격!**

선혜청

설치	광해군 즉위년(1608)에 대동법 실시와 함께 설치
역할	대동미·대동포·대동전의 출납을 관장한 관청
발전	상평청, 진휼청, 균역청 등을 통합하며 최대의 재정 기관으로 발전

10

2021년 국회직 9급

다음 자료와 관계가 깊은 정책을 추진한 배경에 대한 설명으로 옳은 것은?

> 현재 10여 만 호로써 50만 호가 져야 할 양역을 감당해야 합니다. 한 집안에 비록 남자가 4, 5명 있어도 모두 군역에서 벗어나지 못합니다. 군포를 마련할 길이 없어 마침내 죽거나 도망을 가게 되고, 이러한 자의 몫을 채우기 위해 황구첨정 등의 폐단이 생겨나는 것입니다.

① 직전법의 시행으로 농민들의 부담이 늘어났다.
② 호포제가 실시되었지만 백성의 부담은 줄지 않았다.
③ 속오군제 실시로 양반이 군역을 면제 받았다.
④ 감영과 병영이 독자적으로 군포를 거두면서 군포 부담이 증가하였다.
⑤ 공물을 서리, 상인 등이 대납하고 더 많은 대가를 농민에게 요구하였다.

문제풀이 균역법의 실시 배경 난이도 중

제시문에서 군포를 마련할 길이 없어 마침내 죽거나 도망을 가게 되고, 이러한 자의 몫을 채우기 위해 황구첨정 등의 폐단이 생겨난다는 내용을 통해 조선 후기 군역의 폐단과 관련한 내용임을 알 수 있다. 조선 후기에 군역의 폐단이 심해지자 이를 시정하자는 양역변통론이 대두하였고, 영조 때 군포를 줄이자는 감필론을 채택하여 균역법이 시행되었다.

④ 균역법은 5군영은 물론 지방의 감영이나 병영이 독자적으로 군포를 징수하면서 장정 한 명에게 이중, 삼중으로 군포를 부담시키는 경우가 많아지자, 이를 시정하기 위해 실시되었다.

오답 분석
① **관수 관급제**: 직전법의 시행으로 농민들의 부담이 늘어나자 실시된 제도는 관수 관급제이다. 직전법의 실시로 퇴직 이후의 생활을 염려한 관리들이 토지 겸병을 통해 농장을 확대하고 수조권을 남용하자, 성종 때 국가에서 직접 조를 거두고, 관리에게 나누어 주는 관수 관급제를 시행하였다(1470).
② 호포제는 고종 때 흥선 대원군이 실시한 것으로, 균역법 시행 이후의 일이다. 호포제는 집집마다 군포를 내도록 함으로써 일반 농민은 물론 양반까지 군포를 납부하도록 한 것이다.
③ 양반은 속오군제 실시 이전부터 군역을 면제 받았기 때문에 균역법 실시 배경과 관련이 없다. 한편, 속오군제는 평상시에는 생업에 종사하다 유사시에 전쟁에 동원되는 지방 군사 제도로, 양반부터 노비까지 전 계층으로 편성되었다.
⑤ **대동법**: 공물을 서리, 상인 등이 대납하고 더 많은 대가를 농민에게 요구하는 방납의 폐단이 배경이 되어 실시된 제도는 대동법이다.

11

2017년 지방직 9급

다음 지시에 따라 실시된 제도로 옳은 것은?

> 왕이 양역을 절반으로 줄이라고 명령했다. "…… 호포(戶布)나 결포(結布) 모두 문제가 있다. 이제 1필을 줄이는 것으로 온전히 돌아갈 것이니 경들은 1필을 줄였을 때 생기는 세입 감소분을 보충할 방법을 강구하라."

① 지조법을 시행하고 호조로 재정을 일원화하였다.
② 토산물로 징수하던 공물을 쌀이나 무명, 동전 등으로 통일하였다.
③ 황폐해진 농지를 개간하도록 권장하고 전국적인 양전 사업을 시행하였다.
④ 일부 양반층에게 선무군관이라는 칭호를 주고 군포 1필을 납부하게 하였다.

문제풀이 균역법 난이도 하

제시문에서 양역을 절반으로 줄이라고 명령한 것을 통해 균역법에 대한 내용임을 알 수 있다. 조선 후기에는 양역의 폐단을 시정하기 위한 감필론(군포의 양을 절감), 호포론(양반에게도 군포 징수), 결포론(토지 기준으로 군포 징수) 등의 양역 변통론이 제기되었다. 이 중 영조 때 실시된 균역법은 감필론을 채택한 군포 수취 제도이다. 또한 균역법 시행으로 감소된 재정을 보충하기 위해 결작을 실시하였으며, 선무군관포를 징수하고 염세·어장세 등의 잡세 수입을 균역청에서 관장하게 하였다.

오답 분석

(해당 문제는 선택지의 오류로 '정답 없음' 처리되었다.)

① 지조법을 시행하고 호조로 재정을 일원화한 것은 갑신정변(1884) 때 발표된 14개조 혁신 정강의 내용이다.
② **대동법**: 토산물로 징수되던 공물을 쌀이나 무명, 동전 등으로 통일한 제도는 대동법이다.
③ 토지 개간과 양전 사업은 균역법과 관련이 없다. 조선 시대에 양전 사업은 20년마다 실시하는 것이 원칙이었으며, 태종, 광해군 시기에 실시된 양전 사업이 대표적이다.
④ 선무군관이란 호칭을 부여받고 군포 1필을 납부한 계층은 양반이 아닌 일부 부유한 평민층이다. 선무군관포는 균역법의 실시로 감소한 재정을 보충하기 위해 징수되었으며, 이외에도 지주에게 토지 1결당 2두를 납부하도록 하는 결작이나 어장세, 염세 등을 균역청에서 관장하도록 하였다.

12

2017년 국회직 9급

다음의 사료를 통해 알 수 있는 조세 제도의 개선책과 그 결과에 대한 설명으로 옳지 않은 것은?

> "백성의 뜻을 알고 싶어 재차 대궐문에 나아갔더니, 몇 사람의 유생이 '전하께서는 백성을 해친 일이 없는데 지금 이 일을 하는 것을 신은 실로 마음 아프게 여깁니다.'라고 말하고, 방민(坊民)들은 입술을 삐쭉거리면서 불평하고 있다고 말하니, 비록 강구(康衢)에 노닌들 어찌 이보다 더하겠는가. 군포(軍布)는 나라의 반쪽이 원망하고 호포는 한 나라가 원망할 것이다. 지금 내가 어탑에 앉지 않는 것은 마음에 미안한 바가 있어서 그러한 것이다. 경 등은 알겠는가? 호포나 결포나 모두 구애되는 단서가 있기 마련이다. … (중략) … 경 등은 대안을 잘 강구하라" 하였다.

① 군포를 12개월마다 1필만 내게 하였다.
② 절감된 군포의 수입을 보충하기 위해 종래 군역이 면제되었던 양반들에게 선무군관이라는 칭호를 주는 대신 군포 1필씩을 내게 하였다.
③ 지주에게는 결작이라고 하여 토지 1결당 미곡 2두를 부담케 하였다.
④ 각 아문이나 궁방에서 받아들이던 어세, 염세, 선세를 균역청에서 관할케 하였다.
⑤ 토지에 부과되는 결작의 부담이 소작 농민에게 돌아가는 경우도 있었다.

문제풀이 균역법 난이도 중

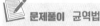

제시문에서 군포(軍布)는 나라의 반쪽이 원망하고 호포는 한 나라가 원망할 것이라는 내용과 호포나 결포나 모두 구애되는 단서가 있기 마련이라는 내용을 통해 양역 변통론과 관련된 사료임을 알 수 있다. 조선 후기에는 군역의 폐단이 심해지자 이를 시정하자는 양역 변통론이 대두하였고, 영조 때 군포를 줄이자는 감필론을 채택하여 균역법이 시행되었다.

② 균역법의 시행 결과 양인들은 2필씩 내던 군포를 1필만 내게 되었고, 절감된 군포의 수입을 보충하기 위해 양반이 아닌 일부 부유한 평민에게 선무군관이라는 칭호를 주고 군포 1필을 내도록 하였다.

오답 분석

① 균역법의 시행으로 12개월마다 2필씩 냈던 군포를 1필만 내게 되었다.
③ 균역법의 시행으로 부족해진 재정을 보충하기 위해 지주에게 결작이라고 하여 1결당 미곡 2두를 부담하게 하였다.
④ 균역법의 시행으로 부족해진 재정을 보충하기 위해 각 아문이나 궁방에서 받아들이던 어세, 염세, 선세를 정부 수입으로 전환하여 균역청에서 관할하게 하였다.
⑤ 균역법의 시행으로 지주에게 부과된 결작의 부담이 소작인에게 돌아가는 경우도 있었다.

정답 09 ③ 10 ④ 11 정답 없음 12 ②

13

2013년 기상직 9급

다음과 같은 문제를 해결하기 위해 영조 때 실시한 정책은?

> 나라의 100년에 걸친 고질 병폐로 가장 심한 것이 양역이다. 호포니 유포니 결포니 구전이니 하는 주장들이 분분하게 나왔으나 적당히 따를 만한 것이 없다. …… 이웃의 이웃이 견책을 당하고 친척의 친척이 징수를 당하고 황구는 젖 밑에서 군정으로 편성되고 백골은 지하에서 징수당하며 …… -『영조실록』

① 군포를 호 단위로 부과하여 양반에게도 군역의 부담을 주었다.

② 토산물을 토지 결수에 따라 거둔 제도로 공납을 전세화하였다.

③ 풍흉에 따라 20~4두까지 9등급으로 나누어 차등 있게 조세를 부과하였다.

④ 농민들에게 1년에 군포 1필만 부담시키고 줄어든 수입은 선무군관포 등으로 보충하였다.

14

2012년 지방직(하) 9급

다음의 폐단을 시정하기 위해 실시한 제도에 대한 설명으로 옳지 않은 것은?

> 나라의 100여 년에 걸친 고질 병폐로서 가장 심한 것은 양역이다. 호포니 구전이니 유포니 결포니 하는 주장들이 분분하게 나왔으나 적당히 따를 만한 것이 없다. 백성은 날로 곤란해지고 폐해는 갈수록 더욱 심해지니, …… 이웃의 이웃이 견책을 당하고 친척의 친척이 징수를 당하고, 황구는 젖 밑에서 군정으로 편성되고 백골은 지하에서 징수를 당하며 ……

① 양반들도 군역을 지는 것으로 개선하였다.

② 군역 부담자의 군포 부담을 1필로 정하였다.

③ 균역청에서 관리하다가 선혜청이 통합하여 관리하였다.

④ 평안도와 함경도를 제외한 6도의 토지 1결당 쌀 2두씩을 부과하였다.

문제풀이 균역법

난이도 중

제시문은 양역의 병폐가 심하며, 군포 수납 과정에서 인징, 족징, 황구첨정, 백골징포의 폐단이 자행되는 모습을 설명하고 있다. 영조는 이러한 폐단을 시정하기 위해 균역법을 실시하였다.

④ 균역법으로 인해 기존의 군포 납부액이 절반으로 줄어들자 부족한 재정을 보충하기 위해 결작(토지 소유자에게 1결당 미곡 2두 부과), 선무군관포(지방의 토호나 일부 부유한 평민에게 선무군관이라는 명예직을 수여하고 군포 1필 징수) 등을 부과하였다.

오답 분석

① **호포법**: 군포를 호 단위로 부과하여 양반에게도 군역의 부담을 준 것은 고종 때 흥선 대원군이 실시한 호포법이다. 흥선 대원군은 군정의 폐단을 시정하기 위해 양반에게도 군포를 징수하는 호포법을 실시하였다.

② **대동법**: 토산물이 아닌 쌀, 삼베, 동전 등을 토지 결수에 따라 납부하도록 한 것은 대동법으로, 대동법 시행 결과 공납의 전세화가 이루어졌다.

③ **연분 9등법**: 풍흉에 따라 9등급으로 나누어 최고 20두~최저 4두까지 차등 있게 조세를 부과한 것은 세종 때 실시한 연분 9등법이다. 세종은 조세의 합리적인 수취를 위해 전분 6등법(토지 비옥도에 따라 조세 징수)과 연분 9등법(풍흉에 따라 조세 징수)을 실시하였다.

문제풀이 균역법

난이도 중

제시문에서 양역의 폐단을 시정하기 위해 호포, 구전, 유포 등의 주장(양역변통론)이 나왔으나 마땅히 따를 것이 없다는 내용을 통해 군역의 폐단과 관련된 내용임을 알 수 있다. 영조는 이에 대한 대안으로 감필론(2필 → 1필)을 채택하고, 결포론의 일부를 수용하여 균역법을 실시하였다.

① 양역의 폐단을 시정하기 위해 균역법을 실시하였으나 이때에도 양반들은 군역을 지지 않았고 군포 또한 납부하지 않았다. 양반에게도 군포를 부과한 것은 고종 때 흥선 대원군이 실시한 호포제이다.

오답 분석

② 균역법에 따라 군포의 부담이 2필에서 1필로 경감되었다.

③ 균역법은 균역청에서 담당하다가 이후 선혜청이 통합하여 관리하였다.

④ 균역법 실시로 부족해진 군포를 채우기 위해 평안도와 함경도, 제주도를 제외한 6도에서 지주에게 토지 1결당 쌀 2두의 결작을 징수하였다.

이것도 알면 **합격!**

양역변통론

- **호포론**: 인정(人丁) 대신 가호(家戶) 단위로 징수하자(양반 포함).
- **구전(포)론**: 신분의 구별 없이 일정한 연령층의 모든 남녀에게서 일정량의 포나 돈을 징수하자.
- **유포론**: 양역에서 면제된 자들에게까지 징수의 대상을 확대하자.
- **결포(전)론**: 부과 대상을 토지로 옮겨서 징수하자.

15

2024년 법원직 9급

밑줄 친 '방법'에 대한 설명으로 가장 옳은 것은?

> 남편은 세상을 떴으나 뱃속에 아기가 있었지요. …… 포대기에 쌓인 갓난아기 장정으로 군적에 올려서 문이 닳도록 찾아와 군포를 바치라고 독촉하고 어제는 아기를 업고 관가에 점호를 받으러 갔다오. …… 점호라고 받고 돌아오니 아기는 이미 죽어 있었지요.

이 시에서 나타낸 조세 제도를 감면한 뒤 발생한 재정 부족 문제를 해결한 <u>방법</u>은 무엇일까요?

① 관료전을 지급하고 녹읍을 폐지하였다.

② 풍흉에 관계없이 일정하게 조세를 거두었다.

③ 부유한 양민에게 선무군관포를 내게 하였다.

④ 토지 소유자에게 공납을 쌀·동전 등으로 내게 하였다.

문제풀이 균역법 시행 이후 재정 보충책 난이도 중

제시문에서 갓난아기 장정으로 군적에 올려서 문이 닳도록 찾아와 군포를 바치라고 독촉하였다는 내용을 통해 군역의 폐단으로 나타난 모습임을 알 수 있다. 조선 후기에 군역의 폐단이 심해지자 영조 때 군포를 2필에서 1필로 줄이는 균역법이 시행되었고, 이에 따라 발생한 재정 부족 문제를 해결하기 위해 결작 부과 등 여러 재정 보충책을 시행하였다.

③ 균역법의 시행 결과 양민들은 2필씩 내던 군포를 1필만 내게 되었고, 줄어든 군포의 수입을 보충하기 위해 일부 부유한 양민에게 선무군관이라는 칭호를 주고 군포 1필을 내도록 하였다.

오답 분석

모두 균역법 시행 이후의 재정 보충책과는 관련이 없다.

① 관료전을 지급하고 녹읍을 폐지한 것은 통일 신라의 신문왕이다. 신문왕은 조세 수취는 물론 노동력 징발까지 가능했던 녹읍을 폐지하여 귀족들의 경제적 기반을 약화시키고, 해마다 관등에 따라 관료전을 차등 있게 지급하였다.

② 풍흉에 관계없이 일정하게 토지 1결당 미곡 4~6두의 조세를 거둔 것은 인조 때 실시한 영정법이다.

④ 토지 소유자에게 공납을 쌀·동전 등으로 내게 한 것은 대동법이다. 대동법은 방납의 폐단을 해결하기 위해 시행된 제도로, 공납을 가호가 아닌 토지를 기준으로 토지 소유자에게 쌀, 포, 동전 등을 내게 한 제도이다.

16

2024년 지방직 9급

(가) ~ (라)를 시기 순으로 바르게 나열한 것은?

> (가) 지주에게 결작이라 하여 토지 1결당 미곡 2두씩을 부담시켰다.
> (나) 전세를 풍흉에 관계없이 토지 1결당 미곡 4~6두로 고정시켰다.
> (다) 조세는 토지 1결당 수확량 300두의 10분의 1 수취를 원칙으로 삼았다.
> (라) 조세를 토지 비옥도와 풍흉의 정도에 따라 1결당 최고 20두에서 최하 4두로 하였다.

① (다) → (라) → (가) → (나)

② (다) → (라) → (나) → (가)

③ (라) → (다) → (가) → (나)

④ (라) → (다) → (나) → (가)

문제풀이 시대별 수취 제도 난이도 중

② 시기 순으로 나열하면 (다) 과전법 시행(1391, 공양왕) **→ (라) 공법 제정**(1444, 세종) **→ (나) 영정법 시행**(1635, 인조) **→ (가) 결작 시행**(1751, 영조)**이 된다.**

(다) **과전법 시행**: 공양왕 때 과전법을 시행하여 토지 1결당 최대 300두의 쌀을 생산할 수 있는 토지의 면적을 1결로 계산하고, 토지 1결당 수확량의 1/10인 30두를 조세로 수취하는 것을 원칙으로 삼았다(1391).

(라) **공법 제정**: 세종 때 합리적인 조세 수취를 위해 토지 비옥도를 기준으로 하는 전분 6등법과 풍흉을 기준으로 하는 연분 9등법의 공법을 제정하였다(1444). 이때 조세 액수는 1결당 최고 20두에서 최저 4두로 정하였다.

(나) **영정법 시행**: 인조 때 전세를 풍흉에 관계없이 토지 1결당 미곡 4~6두로 납부하도록 법제화 한 영정법을 시행하였다(1635).

(가) **결작 시행**: 영조 때 균역법이 시행(1750)되면서 군포 납부액 2필에서 1필로 절반으로 줄어들자, 정부는 이를 보충하기 위해 결작이라 하여 토지 1결당 미곡 2두씩을 부담시켰다(1751).

이것도 알면 **합격!**

영정법 시행

> 마침내 연분 9등법을 파하였다. 삼남 지방은 각 등급으로 결수를 정해 조안에 기록하였다. …… 경기·삼남·해서·관동은 모두 1결에 전세 4두를 징수한다.

사료 분석 | 인조 때 영정법을 실시하여 전세를 풍흉에 관계없이 토지 1결당 4~6두로 고정하였다.

정답 13 ④ 14 ① 15 ③ 16 ②

17

2020년 국가직 7급

다음 정책을 시행한 시기를 시대순으로 바르게 나열한 것은?

(가) 경기도에 처음으로 대동법을 시행하였다.
(나) 종래 상민에게만 거두었던 군포를 양반에게도 징수하였다.
(다) 풍년과 흉년에 관계없이 전세를 고정시키는 영정법을 시행하였다.
(라) 신해통공으로 육의전을 제외한 시전의 금난전권을 폐지하였다.

① (가) → (다) → (라) → (나)
② (가) → (라) → (나) → (다)
③ (다) → (가) → (라) → (나)
④ (다) → (라) → (나) → (가)

18

2015년 기상직 9급

(가) ~ (라)의 제도가 시행된 순서대로 바르게 정리한 것은?

(가) 경기 지방의 토지를 관리에게 지급하였다.
(나) 국가가 농민에게 조세를 수취하여 관리에게 지급하였다.
(다) 풍흉에 관계없이 전세를 토지 1결당 미곡 4두로 고정시켰다.
(라) 농민은 1년에 군포 1필을 부담하고 지주는 결작을 부담하였다.

① (가) → (나) → (다) → (라)
② (가) → (나) → (라) → (다)
③ (나) → (가) → (다) → (라)
④ (나) → (라) → (다) → (가)

문제풀이 조선 시대의 수취 제도

난이도 중

① 순서대로 나열하면 (가) 경기도에서 대동법 시행(1608, 광해군) → (다) 영정법 시행(1635, 인조) → (라) 신해통공 반포(1791, 정조) → (나) 호포법 시행(1871, 고종)이 된다.

오답 분석

(가) **경기도에서 대동법 시행**: 광해군 때 집집마다 토산물을 징수하는 대신, 소유한 토지 결수에 따라 쌀·삼베·무명·동전 등으로 납부하는 대동법이 경기도에서 처음 시행되었다(1608).

(다) **영정법 시행**: 인조 때 전세를 풍흉에 관계없이 토지 1결당 미곡 4~6두로 납부하도록 법제화 한 영정법이 시행되었다(1635).

(라) **신해통공 반포**: 정조 때 육의전을 제외한 시전 상인의 금난전권을 폐지하고 자유로운 상업 활동을 보장하는 신해통공이 반포되었다(1791).

(나) **호포법 시행**: 고종 때 흥선 대원군이 일반 백성에게만 징수하던 군포를 양반에게도 징수하는 호포법을 시행하였다(1871).

문제풀이 수취 제도의 순서

난이도 중

① 순서대로 정리하면 (가) 과전법(1391, 고려 말 공양왕) → (나) 관수 관급제(1470, 조선 전기 성종) → (다) 영정법(1635, 조선 후기 인조) → (라) 균역법(1750, 조선 후기 영조)이 된다.

(가) **과전법**: 고려 말 공양왕 때 신진 사대부들의 경제적 기반을 마련하기 위해 경기 지역에 한정하여 관리들에게 토지를 지급하는 과전법이 실시되었다(1391). 과전법은 전·현직 관리를 18등급으로 나누고, 경기도 지방에 한정하여 관리들에게 과전에 대한 수조권(세금을 수취할 수 있는 권리)을 지급한 제도였다.

(나) **관수 관급제**: 관리의 수조권 남용이 심화되자 조선 전기 성종 때 국가가 농민에게 조세를 거둔 뒤 관리에게 나누어 주는 관수 관급제가 실시되었다(1470). 관수 관급제가 실시되면서 국가의 토지 지배력이 강화되었으나 한편으로는 관리들의 토지 소유 욕구를 자극하여 농장이 확대되었다.

(다) **영정법**: 인조 때 전세를 풍흉에 관계없이 토지 1결당 미곡 4두로 고정시키는 영정법이 실시되었다(1635).

(라) **균역법**: 군역의 폐단을 해결하기 위해 조선 후기 영조 때 농민들의 군포 부담을 2필에서 1필로 줄인 균역법이 실시되었다(1750). 이때 부족한 재정을 보충하기 위해 지주들에게 1결당 미곡 2두를 납부하도록 하는 결작을 부담시켰다.

19

2013년 법원직 9급

(가), (나) 주장에 따라 시행된 제도에 대한 설명으로 옳지 않은 것은?

> (가) 8도 군포는 수량이 90만 필(疋)에 지나지 않는데, 절반인 45만 필의 돈을 내어 놓고 군포 1필을 감해 준다면, 2필을 바치던 무리들이 반드시 힘을 펼 수 있을 것 입니다.
> (나) 호역(戶役)으로써 군역(軍役)을 대신하고 …… 호수(戶數)에 따라 귀천(貴賤)과 존비(尊卑)를 물론하고 일체로 부역(賦役)을 균평하게 한다면 내는 자는 심히 가볍고 거두는 자도 손실이 없을 것입니다.

① (가)는 방납의 폐단을 해결하기 위한 방책이었다.
② (나)는 성리학적 명분론을 바탕으로 양반의 반발이 심하였다.
③ (가)는 영조, (나)는 흥선 대원군 때 법제화되었다.
④ (가), (나) 모두 과세 대상이 확대되는 계기가 되었다.

문제풀이 균역법과 호포법 난이도 중

(가)는 군포를 2필에서 1필로 감해 준다는 내용을 통해 영조 때 시행된 균역법임을 알 수 있다.

(나)는 군역 부과의 기준을 가호 단위로 바꾸고 양반에게도 군포를 징수한다는 내용을 통해 흥선 대원군이 실시한 호포법임을 알 수 있다.

① 방납의 폐단을 해결하기 위해 실시된 것은 대동법이다. 중앙 관청의 서리나 상인들이 공물을 대신 내고 그 대가를 많이 챙기는 방납의 폐단이 나타나 농민의 부담이 증가하자 이를 해결하기 위해 대동법이 실시되었다.

오답 분석

② 호포법은 일반 백성에게만 징수하던 군포를 양반에게도 징수하는 것이었기 때문에 양반들은 성리학적 명분론을 바탕으로 크게 반발하였다.

③ 균역법은 영조 때, 호포법은 고종 때의 집권자인 흥선 대원군에 의해 법제화되었다.

④ 균역법과 호포법 모두 과세 대상이 확대되는 계기가 되었다. 균역법의 시행으로 부족해진 재정분을 보충하기 위해 지주에게 1결당 미곡 2두의 결작을 부과하거나, 지방의 토호나 일부 부유한 평민에게 선무군관의 칭호를 주는 대신 군포를 납부하도록 함으로써 과세를 납부하는 대상이 증가하였다. 한편 호포법의 시행으로 양반도 군포를 납부하게 됨으로써 일반 농민뿐 아니라 양반도 과세 대상이 되었다.

20

2017년 국가직 9급(10월 시행)

19세기 부세 제도인 도결(都結)에 대한 설명으로 옳은 것을 모두 고른 것은?

> ㉠ 군역, 환곡, 잡역 중 일부 또는 전부를 토지에 부과하여 화폐로 징수하였다.
> ㉡ 노비 신공과 결세는 그 해의 작황을 참작하여 중앙에서 일방적으로 도별 총액을 할당하였다.
> ㉢ 양전하는 자[尺]를 통일하였고, 전세율을 1결당 4말~6말로 고정시켰다.
> ㉣ 제도적으로는 신분에 따른 부세의 차별이 거의 남지 않게 되었음을 의미한다.
> ㉤ 수령과 아전이 횡령한 관곡을 민의 토지에 부세로 부과하는 수단이 되었다.

① ㉡, ㉢, ㉣
② ㉢, ㉣, ㉤
③ ㉡, ㉢, ㉤
④ ㉠, ㉣, ㉤

문제풀이 도결 난이도 상

19세기의 부세 제도인 도결(都結)은 삼정의 문란 중 전정의 문란에 해당하는데, 탐관오리들이 정액 이상의 세를 거두는 것을 의미한다.

④ 옳은 것을 모두 고르면 ㉠, ㉣, ㉤이다.
㉠ 도결은 군역이나 환곡, 잡역과 같은 각종 세들의 일부 또는 전부를 토지의 결수 단위로 부과하는 세금의 형태로 매겨 화폐로 징수한 것이다.
㉣ 도결은 토지를 기준으로 세금을 징수하였으므로 신분에 따른 부세의 차별은 거의 남지 않게 되었다고 볼 수 있다.
㉤ 도결은 토지에 모든 세금을 부과하는 방식이었기 때문에 수령과 아전이 횡령한 관곡을 보충하기 위해 백성의 토지에 규정 이상으로 부세를 부과하여 메우는 수단으로 이용되었다.

오답 분석

㉡ **비총법**: 노비 신공과 전세·대동세 등의 결세를 그해의 작황을 참작하여 중앙에서 일방적으로 도별 총액을 할당한 것은 숙종 때부터 실시된 비총법이다. 비총법은 중앙의 호조에서 수취할 세금의 총액을 미리 정해 놓고 지방에 할당하는 부세 방식이다.

㉢ 양전하는 자(양전척, 토지를 측정하는 자)를 통일한 것은 효종 때 시행한 양척동일법이며, 전세율을 1결당 4말에서 6말로 고정시킨 것은 인조 때 시행한 영정법이다.

정답 17 ① 18 ① 19 ① 20 ④

02 조선 후기의 경제

2 | 서민 경제의 발전

01

2018년 법원직 9급

다음 농법의 결과로 나타난 현상으로 옳지 않은 것은?

> 가물 때도 마르지 않는 무논을 가려 2월 하순에서 3월 상순까지에 갈아야 한다. 그 무논의 10분의 1에 모를 기르고 나머지 9분에는 모를 심을 수 있게 준비한다. 먼저, 모를 기를 자리를 갈아 법대로 잘 다듬고 물을 빼고서 부드러운 버드나무 가지를 꺾어다 두텁게 덮은 다음 밟아 주며, 바닥을 볕에 말린 뒤 물을 댄다. …… 모가 4촌(寸) 이상 자라면 옮겨 심을 수 있다.

① 농민 수입의 증가로 농촌 내 빈부 격차가 줄어들었다.
② 농사에 필요한 노동력이 절감되어 광작이 가능해졌다.
③ 벼·보리의 이모작이 가능해져 보리 농사가 성행하였다.
④ 머슴을 고용하여 농토를 직접 경영하는 지주가 생겨났다.

문제풀이 이앙법의 결과 난이도 중

제시문에서 논의 일부에서 모를 기른 후, 모가 자라면 옮겨 심는다는 내용을 통해 이앙법(모내기법)에 대한 설명임을 알 수 있다.

① 이앙법의 시행 결과 농민의 빈부 격차가 심화되었다. 이앙법의 시행으로 노동력 대비 경작할 수 있는 경작지가 넓어지면서 일부 농민은 경영형 부농으로 성장하였다. 반면, 대다수의 농민들은 지주들의 토지 확대, 부세의 부담 등으로 토지를 잃고 소작농이나 임노동자로 전락하였다.

오답 분석
② 이앙법의 시행으로 농사에 필요한 노동력이 절감되면서 넓은 토지를 경영하는 광작이 가능해졌다.
③ 이앙법의 시행으로 볍씨를 키우는 동안 농지에서 보리를 키울 수 있게 되면서 벼와 보리의 이모작이 가능해졌다.
④ 이앙법의 시행으로 농사에 필요한 노동력이 절감되면서 지주들이 소작을 주는 대신 노비를 이용하거나 머슴을 고용하여 농토를 직접 경영하는 경우가 많아졌다.

 이것도 알면 **합격!**

이앙법

방식	못자리에서 일정 기간 모를 키우다가 논에 옮겨 심는 재배 방법
보급	고려 후기에 도입되었으나, 가뭄에 취약하여 일부 지역에서만 시행됨 → 조선 후기에 수리 시설이 확충되면서 전국적으로 널리 보급됨
결과	• 노동력이 절감되면서 경작지의 규모를 확대하는 광작이 성행함 • 벼와 보리의 이모작이 성행함

02

2021년 법원직 9급

자료에 해당하는 시기의 경제 상황에 대한 설명으로 가장 옳은 것은?

> "내 조금 시험해 볼 일이 있어 그대에게 만 금(萬金)을 빌리러 왔소." 하였다. 변씨는 "그러시오."하고 곧 만 금을 내주었다. …… 대추, 밤, 감, 배, 석류, 귤, 유자 등의 과실을 모두 두 배 값으로 사서 저장하였다. 허생이 과실을 몽땅 사들이자 온 나라가 잔치나 제사를 치르지 못하게 되었다. 그런지 얼마 아니 되어서 두 배 값을 받은 장사꾼들이 도리어 열 배의 값을 치렀다.

① 지대 납부 방식이 타조법으로 바뀌었다.
② 상품 작물 재배가 늘면서 쌀에 대한 수요가 줄었다.
③ 상인 자본이 장인에게 돈을 대는 선대제가 성행하였다.
④ 정부에서 덕대를 직접 고용해 광산 개발을 주도하였다.

문제풀이 조선 후기의 경제 상황 난이도 중

제시문은 조선 후기의 실학자인 박지원이 저술한 「허생전」의 일부로, 「허생전」에서는 매점매석으로 부를 축적하는 허생의 모습을 통해 조선 후기에 등장한 도고의 폐단을 비판하였다. 조선 후기에는 일부 공인과 사상이 대규모로 자본을 축적하면서 한 가지 물품을 대량으로 취급하는 독점적 도매 상인(도고)으로 성장하였다.

③ 조선 후기에는 민간 수공업자들이 상인, 공인으로부터 물품 주문과 함께 자금과 원자재를 미리 받아 제품을 생산하는 방식인 선대제 수공업이 성행하였다.

오답 분석
① 조선 후기 지대 납부 방식은 타조법에서 도조법으로 바뀌었다. 타조법은 매년 지주와 소작농이 수확량을 절반씩 나누는 정률 지대 방식이고, 도조법은 소작농이 지주에게 일정 액수의 지대를 납부하는 정액 지대 방식이다.
② 조선 후기에 상품 작물 재배가 늘어난 것은 맞지만, 쌀에 대한 수요는 줄어들지 않고 늘었다. 조선 후기에는 농민 계층의 탈농촌화와 도시의 성장으로 인해 주식인 쌀의 수요가 늘어, 쌀이 장시에서 가장 많이 거래되었다.
④ 조선 후기에는 정부가 광산 경영 전문가인 덕대를 직접 고용하는 것이 아니라, 덕대가 상인 물주의 자본을 바탕으로 혈주(채굴업자), 채굴 노동자, 제련 노동자 등을 고용하여 광물을 채굴하고 제련하였다.

03

2020년 지방직 7급

조선 후기의 농업 변화에 대한 설명으로 옳지 않은 것은?

① 벼농사에서 이앙법이 널리 보급되면서 노동력이 절감되고 수확량이 늘어났다.

② 담배, 인삼, 채소 등 상품 작물을 재배하는 상업적 농업이 발달하였다.

③ 고구마 종자는 청(淸)에 파견된 연행사가 가져왔다.

④ 밭에서의 재배 방식으로 견종법(畎種法)이 보급되었다.

문제풀이 조선 후기의 농업 변화 난이도 중

③ 조선 후기에 고구마 종자는 일본을 통해 유입되었다. 고구마는 1764년 영조 때 일본에 다녀온 조엄을 통해 우리나라에 유입되었고, 이후 『감저보』(1766)와 『감저신보』(1813) 등이 간행되어 고구마의 재배 및 이용 방법 등이 널리 확산되었다.

오답 분석

① 조선 후기의 벼농사에서 이앙법이 널리 보급되면서 김매기 등에 소모되는 노동력이 절감되었으며, 벼와 보리의 이모작이 가능해지면서 수확량이 증가하였다.

② 조선 후기에는 상품의 유통이 활발해지면서 담배, 인삼, 채소 등 높은 소득을 얻을 수 있는 상품 작물을 재배하는 상업적 농업이 발달하였다.

④ 조선 후기 밭농사에서는 밭 이랑과 이랑 사이의 고랑에 거름을 뿌린 후 파종하는 방식인 견종법이 보급되었다.

이것도 알면 **합격!**

조선 후기의 농업 변화

광작 실시	이앙법의 확대(노동력 절감)로 광작이 성행함
견종법의 보급	밭 고랑에 씨를 뿌리는 견종법이 보급
작물의 다양화	• 상품 작물 재배: 면화, 채소, 담배, 인삼 등 • 구황 작물 재배: 고구마, 감자
지대 납부 방식	정률 지대인 타조법 대신 정액 지대인 도조법이 확대

04

2020년 서울시 9급(특수 직렬)

조선 후기 광업에 대한 설명으로 가장 옳지 않은 것은?

① 정부의 통제 정책으로 잠채가 사라졌다.

② 자본과 경영이 분리된 생산 방식이었다.

③ 청과의 무역으로 은의 수요가 증가하였다.

④ 17세기 이후 민간인의 광산 채굴을 허용하였다.

문제풀이 조선 후기의 광업 난이도 중

① 조선 후기에 정부는 설점수세제, 수령수세제 등을 통해 민간에서 광산을 합법적으로 개발할 수 있도록 하였지만, 광산 개발은 이득이 많았기 때문에 몰래 채굴하는 잠채 또한 성행하였다.

오답 분석

② 조선 후기 광업은 자본과 경영이 분리된 방식으로 이루어졌다. 자본은 상인 물주가 제공하였고, 경영은 광산 경영 전문가인 덕대가 담당하여 자본과 경영이 분리되었다.

③ 17세기 이후 청과의 무역으로 은의 수요가 증가하여 은광 개발이 활성화되었다.

④ 조선 초기와 달리 17세기 이후에는 설점수세제, 수령수세제 등의 제도를 통해 민간인의 광산 채굴을 허용하였다.

정답 01 ① 02 ③ 03 ③ 04 ①

3 | 상품 화폐 경제의 발달

01

2018년 지방교행직

다음 상황이 전개되던 시기에 볼 수 있는 모습으로 옳은 것은?

> 사행이 책문을 출입할 때 의주 상인과 개성 상인 등이 은(銀), 삼(蔘)을 몰래 가지고 인부나 마필 속에 섞여 들어 물종을 팔아 이익을 꾀하였다. 되돌아올 때는 걸음을 일부러 늦추어 사신을 먼저 책문으로 나가게 하여 거리낄 것이 없게 한 뒤에 저희 마음대로 매매하고 돌아오는데 이것을 책문 후시라고 한다.
> – 『만기요람』

① 직전법 실시에 반발하는 관리
② 주자소에서 계미자를 주조하는 장인
③ 전민변정도감 설치 소식에 기뻐하는 노비
④ 공가를 받아 물품을 구입해 관청에 납부하는 공인

문제풀이 조선 후기의 모습 난이도 중

제시문에서 의주와 개성의 상인들이 책문을 출입하며 물건을 몰래 팔아 이익을 꾀하였다는 내용을 통해 책문 후시가 성행한 조선 후기의 상황임을 알 수 있다. 조선 후기에는 중강, 책문 등에서 밀무역인 후시가 크게 성행하였다.

④ 조선 후기에는 대동법이 시행되면서 국가에서 공가를 받아 관청에서 필요한 물품을 대신 구입하여 관청에 납부하는 어용 상인인 공인이 등장하였다.

오답 분석

① **조선 전기:** 직전법이 시행된 것은 조선 전기인 세조 때이다. 세조는 직전법을 시행하여 현직 관리에게만 토지의 수조권을 지급하였고, 수신전과 휼양전을 폐지하였다.
② **조선 전기:** 주자소에서 계미자가 주조된 것은 조선 전기인 태종 때이다. 태종은 활자의 주조와 인쇄를 담당하는 기관인 주자소를 설치하고 이곳에서 구리로 만든 활자인 계미자를 제작하였다.
③ **고려 시대:** 전민변정도감은 고려 시대에 권세가들이 빼앗은 토지와 노비를 바로잡기 위해 설치된 임시 관청으로, 원종·충렬왕·공민왕·우왕 재위 시기에 설치되었다.

02

2012년 지방직(상) 9급

조선 시대 시전에 대한 설명으로 옳은 것은?

① 신해통공으로 육의전의 금난전권이 폐지되었다.
② 경시서를 두어 시전과 지방의 장시를 통제하였다.
③ 시전은 보부상을 관장하여 독점 판매의 혜택을 오래 누렸다.
④ 국역의 형태로 궁중과 관청에 필요한 물품을 조달할 의무가 있었다.

문제풀이 조선 시대의 시전 난이도 중

④ 조선 시대에 시전 상인은 특정 상품을 독점적으로 판매할 수 있는 권리를 부여받는 대신 궁중과 관청에서 필요로 하는 물품을 납품해야 했다.

오답 분석

① 정조 때 신해통공의 반포로 육의전을 제외한 시전의 금난전권이 폐지되었다. 이로 인해 사상들의 자유로운 상업 활동이 보장되었다.
② 경시서는 시전의 불법 상행위를 감독·통제하는 관청으로, 지방의 장시를 통제하지는 않았다.
③ 시전은 도성과 주변의 난전을 감독할 수는 있었지만 보부상까지 통제할 수는 없었다.

이것도 알면 **합격!**

신해통공

구분	내용
배경	시전 상인들의 금난전권 행사로 물가 상승, 시전 상인과 사상들의 갈등 심화
내용	정조 때 육의전을 제외한 나머지 시전의 금난전권을 철폐
결과	• 사상들은 자유롭게 경쟁하면서 판매 가능 • 사상들의 자유로운 상업 활동이 가능해지면서, 일부는 도고로 성장

03

2017년 법원직 9급

다음 지도와 같은 상권이 형성되었던 당시에 볼 수 있는 모습으로 가장 적절하지 않은 것은?

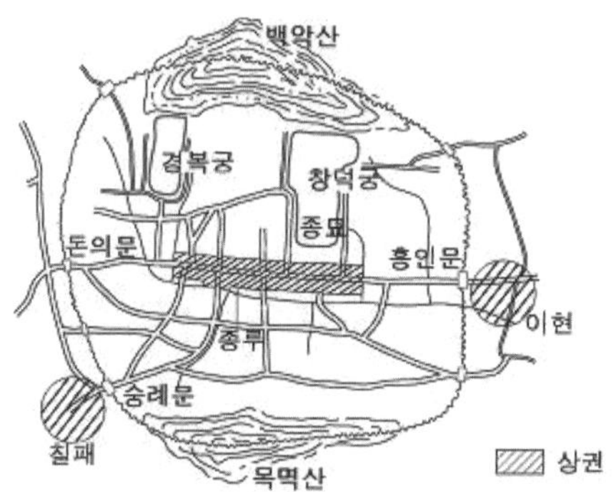

① 그릇을 팔고 건원중보를 받는 보부상

② 쌀의 상품화로 밭을 논으로 만드는 농부

③ 지주의 결작을 대신 내야 한다며 한숨 쉬는 소작농

④ 객주의 물건 독점으로 제사 물품 준비에 한숨 쉬는 아낙네

04

2019년 국가직 9급

밑줄 친 ㉠~㉣과 관련된 임란 이후 경제에 대한 설명으로 옳지 않은 것은?

> ○ ㉠서울 안팎과 번화한 큰 도시에 파·마늘·배추·오이 밭 따위는 10묘의 땅에서 얻은 수확이 돈 수만을 헤아리게 된다. 서도 지방의 ㉡담배 밭, 북도 지방의 삼밭, 한산의 모시밭, 전주의 생강 밭, 강진의 ㉢고구마 밭, 황주의 지황 밭에서의 수확은 모두 상상등전(上上等田)의 논에서 나는 수확보다 그 이익이 10배에 이른다.
>
> ○ 작은 보습으로 이랑에다 고랑을 내는데, 너비 1척, 깊이 1척이다. 이렇게 한 이랑, 즉 1묘 마다 고랑 3개와 두둑 3개를 만들면, 두둑의 높이와 너비는 고랑의 깊이와 너비와 같아진다. 그 뒤 ㉣고랑에 거름 재를 두껍게 펴고, 구멍 뚫린 박에 조를 담고서 파종한다.

① ㉠ – 신해통공을 반포하여 육의전의 금난전권을 폐지하였다.

② ㉡ – 인삼과 더불어 대표적인 상업 작물로 재배되었다.

③ ㉢ –『감저보』,『감저신보』에서 재배법을 기술하였다.

④ ㉣ – 밭농사에서 농업 생산력의 발전을 가져온 농법이었다.

문제풀이 조선 후기의 모습

난이도 상

제시된 지도의 '칠패', '이현' 등에 상권이 형성되어 있으므로, 조선 후기의 상황임을 알 수 있다. 조선 후기에는 한양의 중심 시장인 종로(종루)에서 시전 상인들의 견제로 사상들이 활동하기 어려웠고, 사상들은 종로를 벗어나 도성 주변인 이현, 칠패 등에서 장사를 하였다.

① 건원중보는 조선 후기가 아닌 고려 성종 때 만들어진 화폐이다. 조선 후기에는 교환의 매개로서 상평통보가 주조되어 전국적으로 유통되었다.

오답 분석

② 조선 후기에는 상품의 유통이 활발해짐에 따라 농민들이 쌀, 목화, 채소 등을 재배하여 팔았는데, 특히 쌀의 상품화가 활발해졌고 쌀의 수요가 늘어나자 밭을 논으로 바꾸는 현상이 활발해졌다.

③ 조선 후기 영조 때 균역법이 실시되면서 부족해진 재정을 보충하기 위하여 지주에게 토지 1결당 2두의 결작을 징수하였는데, 지주들은 이를 소작농에게 전가하였다.

④ 조선 후기에는 포구를 중심으로 객주나 여각이 선상이 가져온 상품의 매매·중개·운송 등을 담당하면서 물품을 독점하여 판매하였다.

문제풀이 조선 후기의 경제 상황

난이도 중

① 조선 후기 정조 때 신해통공을 반포하여 시전 상인의 금난전권을 폐지한 것은 맞으나, 그 대상에서 육의전은 제외되었다. 신해통공 반포 이후 사상의 자유로운 상업 활동이 일정 부분 보장되었다.

오답 분석

② 조선 후기인 17세기에 일본에서 전래된 담배는 인삼과 더불어 조선 후기의 대표적인 상업 작물로 재배되었다.

③ 조선 후기인 18세기에 일본에서 전래된 고구마는 구황 작물로 많이 재배되었으며, 고구마의 재배 방법을 기술한『감저보』,『감저신보』등이 간행되기도 하였다.

④ 밭 이랑과 이랑 사이의 고랑에 거름을 뿌린 후 파종하는 방식인 견종법은 조선 후기 밭농사에서 농업 생산력의 발전을 가져온 농법이다.

정답 01 ④ 02 ④ 03 ① 04 ①

05

2015년 사회복지직 9급

조선 후기 대외 무역에 대한 설명으로 옳지 않은 것은?

① 동래의 내상은 일본과의 사무역을 통해 거상으로 성장하기도 하였다.

② 경강 상인은 중강 후시나 책문 후시를 통해 청과의 사무역에 종사하였다.

③ 17세기 이후 일본과의 관계가 정상화되면서 대일 무역이 활발하게 전개되었다.

④ 청에서 수입하는 물품은 비단, 약재, 문방구 등이었고, 청으로 수출하는 물품은 은, 종이, 무명, 인삼 등이었다.

문제풀이 조선 후기의 대외 무역 난이도 중

② 중강 후시나 책문 후시를 통해 청과의 사무역에 종사한 상인은 의주의 만상이다. 경강 상인은 한강을 근거지로 삼아 활동하였다.

오답 분석

① 조선 후기에 동래(부산)의 내상은 대일 무역을 주도하며 거상으로 성장하였다.

③ 임진왜란 이후 경직되었던 일본과의 관계가 17세기 이후 정상화되면서 대일 무역이 활발하게 전개되었다.

④ 조선은 청으로부터 비단, 약재, 문방구 등을 수입하였고, 청에 은, 종이, 무명, 인삼 등을 수출하였다.

 이것도 알면 **합격!**

조선 후기의 대외 무역

대청 무역	• 발달 시기: 17세기 중엽부터 활발하게 전개 • 무역 형태: 공무역인 개시와 사무역인 후시가 전개됨 • 교역품: 은·종이·무명·인삼 등을 수출, 비단·약재·문방구 등을 수입
대일 무역	• 발달 시기: 17세기 이후 관계가 점차 정상화되면서 활발하게 전개 • 무역 형태: 왜관 개시를 통한 대일 무역이 활발하게 전개됨 • 교역품: 인삼, 쌀, 무명 등을 수출, 은·구리·황·후추 등을 수입

06

2021년 국가직 9급

시기별 대외 교류에 관한 설명으로 옳지 않은 것은?

① 백제: 노리사치계가 일본에 불경과 불상을 전하였다.

② 통일 신라: 장보고가 청해진을 설치하여 해상권을 장악하였다.

③ 고려: 예성강 하구의 벽란도가 국제항으로 번성하였다.

④ 조선: 명과의 교류에서 중강 개시와 책문 후시가 전개되었다.

문제풀이 시기별 대외 교류 난이도 하

④ 조선 시대 명과의 교류에서는 중강 개시(공적으로 허용된 무역)와 책문 후시(사적 무역)가 전개되지 않았다. 조선 전기에 명과의 교류는 주로 조선에서 정기적·비정기적 사신을 명으로 보내 인삼·가죽 등을 바치고 서적·약재·비단 등을 받는 조공 무역의 형태로 전개되었으며, 사신을 따라 간 역관을 통한 사무역이 허용되기도 하였다. 이후 조선 후기에는 청나라와의 무역이 활발해지면서 중강과 책문 등 국경 지대를 중심으로 개시와 후시를 통한 교류가 전개되었다.

오답 분석

① 백제는 성왕 때 노리사치계를 일본에 파견하여 불경과 불상 등을 전달하였다.

② 통일 신라 흥덕왕 때 장보고가 완도에 청해진을 설치하고 해적을 소탕함으로써 해상 무역권을 장악하였다.

③ 고려 시대에는 송나라, 요(거란), 금(여진), 일본은 물론 아라비아 상인 등 여러 국가와 교류가 활발해지고, 점차 국내 상업이 안정되면서 개경과 가까운 예성강 하구의 벽란도가 국제 무역항으로 번성하였다.

07

2015년 국가직 9급

다음의 자료에 보이는 시기의 경제 동향에 대한 설명으로 옳지 않은 것은?

> 배에 물건을 싣고 오가면서 장사하는 장사꾼은 반드시 강과 바다가 이어지는 곳에서 이득을 얻는다. 전라도 나주의 영산포, 영광의 법성포, 흥덕의 사진포, 전주의 사탄은 비록 작은 강이나 모두 바닷물이 통하므로 장삿배가 모인다. …… 그리하여 큰 배와 작은 배가 밤낮으로 포구에 줄을 서고 있다.
>
> -『비변사등록』

① 강경, 원산 등이 상업 중심지로 성장하였다.
② 선상은 선박을 이용해서 각 지방의 물품을 거래하였다.
③ 객주나 여각은 상품의 매매를 중개하고, 숙박, 금융 등의 영업도 하였다.
④ 상업 활동이 활발해지면서 삼한통보 등의 동전을 만들어 유통하였다.

08

2015년 법원직 9급

다음 (가), (나)가 모두 보편화 되었던 시기의 모습으로 가장 옳지 않은 것은?

(가)

(나)

① 서당 교육이 보급되어 서민 의식이 성장하였다.
② 현존하는 세계 최초의 금속 활자본이 제작되었다.
③ 민간업자가 광산 경영에 참여하여 부를 누리기도 하였다.
④ 특산물 대신 쌀, 무명, 삼베, 동전 등을 바칠 수 있게 되었다.

문제풀이 조선 후기의 경제 동향

난이도 중

제시문에서 전라도 나주의 영산포, 영광의 법성포 등의 포구에 배가 밤낮으로 줄을 서 있다는 내용을 통해 조선 후기에 대한 설명임을 알 수 있다. 조선 후기에는 상거래가 활발해지면서 포구가 상업의 중심지로 성장하였다.

④ 삼한통보는 고려 시대에 발행된 화폐이다. 조선 후기에는 상평통보가 발행되어 전국적으로 유통되었다.

오답 분석

① 조선 후기에 포구 상업이 활성화되면서 강경포와 원산포 등이 전국적인 유통망을 연결하는 대표적인 상업의 중심지로 성장하였다.
② 조선 후기에 선상은 선박을 이용해 각 지방의 물품을 구입·운송하여 포구에서 거래하였다.
③ 조선 후기에 객주와 여각은 각 지방의 선상이 가져온 상품을 매매·중개하였고, 부수적으로 운송·보관·숙박·금융 등의 영업 활동도 전개하였다.

이것도 알면 **합격!**

조선 후기 포구의 성장

배경	육로 교통이 발달하지 않아 물화의 대부분이 수로를 통해 운송
내용	원래는 세곡이나 소작료를 운송하는 기지의 역할을 하였으나 조선 후기에 상거래가 활발해지면서 장시보다 규모가 큰 상업 중심지로 성장
포구	칠성포, 강경포, 원산포 등

문제풀이 조선 후기의 모습

난이도 중

(가)는 열을 맞추어 모를 심는 모습으로 이앙법(모내기법)과 관련된 그림이고, (나)는 상평통보로, 이앙법과 상평통보가 보편화 되었던 시기는 조선 후기이다.

② 현존하는 세계 최고(最古)의 금속 활자본인 『직지심체요절』은 고려 말 우왕 때 청주 흥덕사에서 제작되었다. 『직지심체요절』은 현재 프랑스 국립 도서관에 보관되어 있다.

오답 분석

① 조선 후기에는 서민들의 경제력이 증대되고 서당 교육이 보급되면서 서민 의식이 성장하였다.
③ 조선 후기인 17세기에 설점수세제를 실시하여 정부의 감독 아래 민간인 채굴(사채)을 허용하고 세금을 징수하면서 민간인의 광업 활동이 활발해졌으며, 민간업자가 광산 경영에 참여하여 부를 누리기도 하였다.
④ 조선 후기에 대동법이 실시되면서 기존에 특산물로 납부하던 공납을 쌀, 무명, 삼베, 동전 등으로 납부할 수 있게 되었다.

정답 05 ② 06 ④ 07 ④ 08 ②

09

2017년 서울시 9급

조선 후기 경제 변화에 대한 설명으로 옳지 않은 것은?

① 소라 불리는 특수 지역에서 수공업이 이루어졌다.

② 도고라 불리는 독점적 도매 상인이 활동하였다.

③ 인삼·담배 등의 상품 작물이 널리 재배되었다.

④ 금광·은광을 몰래 개발하는 잠채가 번창하였다.

문제풀이 조선 후기의 경제 변화 난이도 하

① 소(所)라 불리는 특수 지역에서 수공업이 이루어진 시기는 고려 시대이다. 고려 시대의 소에서는 종이·먹 등의 수공업 제품을 생산한 후 국가에 납부하였다. 한편 소(所)는 조선 전기에 들어와 완전히 소멸되었다.

오답 분석

② 조선 후기에는 일부 공인과 사상들이 대규모로 자본을 축적하면서 한 가지 물품을 대량으로 취급하는 독점적 도매 상인인 도고로 성장하였다.

③ 조선 후기에 장시가 점차 증가하여 상품의 유통이 활발해짐에 따라 인삼, 담배, 목화, 약초, 고추, 호박 등의 상품 작물이 널리 재배되었다.

④ 조선 후기에는 금광·은광을 몰래 채굴하는 잠채가 성행하였다. 17세기에 이르러 설점수세제가 시행되면서 국가에서는 민간인 채굴(사채)을 허용하고 세금을 징수하였으나, 광산의 개발로 얻을 수 있는 이익이 많았기 때문에 국가의 허가 없이 몰래 채굴하는 잠채가 성행하였다.

이것도 알면 **합격!**

조선 후기의 수공업

구분	내용
선대제 수공업	• 민간 수공업자들이 상인·공인으로부터 물품 주문과 함께 자금, 원료를 미리 받아 제품 생산 • 원료의 구입, 제품의 처분에 있어 상업 자본의 지배를 받음
독립 수공업	• 18세기 후반에 이르러 수공업자 가운데서도 독자적으로 제품을 생산·판매하는 독립 수공업자 등장 • 판매를 위한 상품을 생산하는 경우가 증가하면서 수공업자들이 모여 사는 마을인 점촌이 발달

10

2012년 국가직 9급

다음에서 묘사하고 있는 시기의 역사적 사실로 옳지 않은 것은?

> 허생은 안성의 한 주막에 자리 잡고서 밤, 대추, 감, 귤 등의 과일을 모두 값을 배로 주고 사들였다. 그가 과일을 도고하자, 온 나라가 제사나 잔치를 치르지 못할 지경에 이르렀다. 따라서 과일값은 크게 폭등하였다. 그는 이에 10배의 값으로 과일을 되팔았다. 이어서 그는 그 돈으로 곧 호미, 삼베, 명주 등을 사 가지고 제주도로 들어가 말총을 모두 사들였다. 말총은 망건의 재료였다. 얼마 되지 않아 망건 값이 10배나 올랐다. 이렇게 하여 그는 50만 냥에 이르는 큰돈을 벌었다.

① 보부상들을 보호할 목적으로 혜상공국이 설치되었다.

② 특정 상품들을 독점 판매하는 도고 상업이 성행하였다.

③ 상업이 활성화되면서 선박을 이용한 운수업도 발전하였다.

④ 전국적으로 발달한 장시를 토대로 한 사상들이 성장하였다.

문제풀이 조선 후기의 경제 난이도 중

제시문은 박지원이 저술한 「허생전」의 일부로, 매점매석으로 부를 축적하는 허생의 모습을 그렸다. 이는 조선 후기에 등장한 독점적 도매 상인인 도고의 행위를 묘사한 것이다.

① 혜상공국은 전국의 보부상을 총괄 지배하던 정부 기관으로, 개항 이후 자본주의적 시장 침투를 막고, 상업의 자유화에 밀려 위협받는 보부상을 보호하기 위해 설치되었다(1883). 한편 도고 상업이 성행한 것은 개항 이전의 모습이므로, 시기적으로 맞지 않다.

오답 분석

② 조선 후기에는 일부 공인과 사상이 특정 물품을 대량으로 취급하는 독점적 도매 상인(도고)으로 성장하였다.

③ 조선 후기에는 상업이 활성화되면서 선박을 이용한 운수업이 발전하였는데, 대표적인 상인으로 경강 상인이 있다. 경강 상인은 한강을 근거지로 미곡·소금·어물 등의 운송·거래를 장악하면서 거상으로 성장하였으며, 운송업 외에도 선박 건조업 등 생산 분야에도 진출하였다.

④ 조선 후기에는 상업의 발달로 장시가 전국적으로 발달하였고, 이를 토대로 송상, 경강 상인, 만상, 내상 등의 사상들이 성장하였다.

11

2014년 사회복지직 9급

다음 사실이 나타난 시기의 경제 상황에 대한 설명으로 옳은 것은?

> 내가 장단 적소에 있을 때 해서 면포 상인의 왕래가 끊이지 않은 것을 보았는데 길 가는 사람들이 통공 발매의 효과라 하였다. 작년 겨울 서울의 면포 가격이 이 때문에 등귀하지 않아 서울 사람들이 생업을 즐길 수 있게 되었다.

① 포구에 객주나 여각이 크게 발달하였다.

② 벽란도가 국제 무역항으로 크게 발전하였다.

③ 활구의 제작으로 은의 수요가 크게 늘어났다.

④ 주점과 다점 등 관영 상점이 크게 늘어났다.

문제풀이 조선 후기의 경제 상황 난이도 중

제시문에서 면포 상인의 왕래가 끊이지 않는 것이 통공 발매의 효과라 하였다는 내용이 언급되었으므로 조선 후기에 반포된 신해통공과 관련된 내용임을 알 수 있다. 조선 후기 정조 때 신해통공을 반포하여 육의전을 제외한 다른 시전 상인들의 금난전권이 폐지되었고, 이로 인해 사상의 자유로운 상업 활동이 보장되면서 조선 후기 상업이 발달하였다.

① 조선 후기에는 포구에서의 상거래가 활발해지면서 포구가 상업의 중심지로 성장하였고, 객주나 여각이 포구를 거점으로 활발하게 활동하였다. 객주나 여각은 각 지방의 선상들이 물화를 싣고 포구에 들어오면 그 상품의 매매를 중개하였고 부수적으로 운송·숙박·금융 등의 영업도 전개하였다.

오답 분석

모두 고려 시대에 대한 설명이다.

② 예성강 하구에 있었던 벽란도는 고려 시대의 국제 무역항이었다.

③ 활구(은병)는 고려 숙종 때 주조된 고액 화폐로, 지배층 위주로 유통되었다.

④ 주점과 다점 등 관영 상점이 크게 늘어난 것은 고려 시대이다. 고려 시대에는 개경, 서경, 동경 등의 대도시에 서적점, 주점, 다점 등 관영 상점을 두었다.

12

2013년 서울시 9급

다음 자료가 등장하는 시기에 나타난 경제적 변화에 대한 설명 중 옳지 않은 것은?

> "이앙(移秧)을 하는 것은 세 가지 이유다. 김매기 노력을 더는 것이 첫째요, 두 땅의 힘으로 모 하나를 서로 기르는 것이 둘째며, 좋지 않은 것은 솎아내고 싱싱하고 튼튼한 것을 고를 수 있는 것이 셋째다."

① 모내기법이 확산되어 벼와 보리의 이모작이 가능해졌고, 노동력이 크게 절감될 수 있었다.

② 일부 농민은 인삼, 담배, 채소, 면화 등과 같은 상품 작물을 재배해 높은 수익을 올렸다.

③ 지주에 대한 지대 납부 방식이 타조법에서 도조법으로 바뀌어 갔다.

④ 수공업에서 자금과 원자재를 미리 받아 제품을 만드는 선대제가 활발해졌다.

⑤ 교환 경제의 발전은 해동통보를 비롯한 여러 화폐의 사용을 확산시켰다.

문제풀이 조선 후기의 경제적 변화 난이도 중

제시문에서 이앙을 하는 세가지 장점에 대해 설명하고 있는 내용을 통해 조선 후기에 나타난 모습임을 알 수 있다. 이앙법은 조선 후기에 전국적으로 보급되었다.

⑤ 해동통보는 고려 숙종 대에 주조된 화폐이다. 조선 후기에는 상평통보가 널리 유통되었다.

오답 분석

① 조선 후기에는 모내기법(이앙법)이 확산되면서 벼와 보리의 이모작이 가능해졌고, 직파법에 비해 김을 매는 노동력이 크게 절감되었다.

② 조선 후기에는 상품의 유통이 활발해짐에 따라 농민들이 인삼, 담배, 채소, 면화 등과 같은 상품 작물을 재배하여 판매하였다.

③ 조선 후기에는 지대 납부 방식이 정률 지대인 타조법에서 정액 지대인 도조법으로 변화하였다. 타조법은 지주와 소작인이 수확량을 반씩 나누는 방식인 반면, 도조법은 소작농이 일정한 액수(대개 생산량의 1/3)를 지주에게 납부하고 비교적 지주로부터 자율성을 보장받는 방법이었다. 따라서 조선 후기 타조법에서 도조법으로의 전환은 지주와 소작인의 관계가 신분적 예속 관계에서 경제적 계약 관계로 변화하고 있었음을 보여 준다.

④ 조선 후기에는 민간 수공업자들이 상인·공인으로부터 물품 주문과 함께 자금과 원자재를 미리 받아 제품을 만드는 선대제 수공업이 활발해졌다.

정답 09 ① 10 ① 11 ① 12 ⑤

03 조선 후기의 사회

1 | 사회 구조와 향촌 질서의 변화

01

2024년 서울시 9급

〈보기〉의 (가) 시기에 대한 설명으로 가장 옳지 않은 것은?

> **보기**
>
> (가) (이)란 종래의 붕당 정치가 변질된 형태인 일당 전제화마저 거부하고 특정 가문이 권력을 독점하는 정치 형태를 말한다. 순조, 헌종, 철종의 3대 60여 년 동안 왕정과 왕권은 이름뿐이었다. 정권은 안동 김씨 또는 풍양 조씨 등 외척의 사유물이 되었다.

① 인간주의, 평등주의를 부르짖은 동학이 농촌 사회를 중심으로 교세를 확장했다.

② 부유한 농민들은 군포를 피하기 위해 양반 신분을 위조하거나 사들였다.

③ 지방민의 불만이 평안도와 삼남 지방에서 민중 봉기로 표출되었다.

④ 노비 인구를 제도적으로 줄이기 위한 노비종모법이 확정되었다.

문제풀이 세도 정치 시기 난이도 중

제시문에서 특정 가문이 권력을 독점하는 정치 형태를 말한다는 내용과 정권은 안동 김씨 또는 풍양 조씨 등 외척의 사유물이 되었다는 내용을 통해 (가) 시기가 세도 정치 시기임을 알 수 있다. 세도 정치 시기는 정조 사후 순조·헌종·철종의 60여 년 동안 안동 김씨, 풍양 조씨 등 특정 가문이 정권을 장악한 시기이다.

④ 노비 인구를 제도적으로 줄이기 위해 노비종모법을 확정하여 노비의 신분과 소속을 모친에 따라 정해지도록 한 것은 영조 때의 사실이다.

오답 분석

① 세도 정치 시기인 철종 때 최제우에 의해 창시된 동학은 시천주(누구나 천주를 내재적으로 모신다)와 인내천(사람이 곧 하늘이다) 사상을 통해 인간주의, 평등주의 주장하며 농촌 사회를 중심으로 교세를 확장하였다.

② 세도 정치 시기에 군포를 비롯한 삼정의 문란이 심해지자, 부유한 농민들은 이를 피하기 위하여 불법적으로 족보를 위조하거나 양반 신분을 사들였다.

③ 세도 정치 시기에는 평안도 지역에 대한 부당한 차별 대우와 삼정의 문란이 심각해졌다. 이에 평안도에서는 홍경래의 난이 일어나고, 삼남 지방에서는 임술 농민 봉기가 일어나 지방민의 불만이 표출되었다.

02

2017년 지방직 7급

조선 후기 신분 변화와 역할에 대한 설명으로 옳지 않은 것은?

① 양반의 수는 늘어나고 상민과 노비의 수는 줄어들었다.

② 역관은 외래 문화의 수용에서 선구적 역할을 수행하였다.

③ 서얼은 신분 상승 운동에도 불구하고 관직에 진출할 수 없었다.

④ 군공이나 납속책 등을 통해 노비의 신분이 상승되고 공노비는 해방되었다.

문제풀이 조선 후기의 신분 변화 난이도 중

③ 조선 후기에 서얼이 신분 상승 운동을 전개한 결과 영·정조 시기에 서얼 일부가 어느 정도 등용되었고, 특히 정조 때 유득공, 이덕무, 박제가 등의 서얼 출신들이 규장각 검서관으로 등용되었다. 한편, 서얼의 청요직 진출은 철종 때 완전 허용되었다.

오답 분석

① 조선 후기에는 납속책과 공명첩 등의 합법적인 방법과 양반 신분의 매입과 족보 위조 등의 불법적인 방법으로 신분을 상승시켜 양반의 수가 증가한 반면 상민과 노비의 수는 줄어들었다.

② 조선 후기에 역관은 서학을 비롯한 외래 문화의 수용에 있어 선구적인 역할을 하였다.

④ 조선 후기에는 군공이나 납속책 등을 통해 노비의 신분이 상승되고 공노비는 해방되었다.

 이것도 알면 **합격!**

공노비 해방(1801)

구분	내용
배경	• 군공, 납속을 통한 노비의 신분 상승이 허용되고 유지 비용 과다로 공노비의 효율성이 떨어짐 • 도망 후에도 임노동자, 머슴 등으로 생계 유지가 가능해지자 노비들의 도주가 증가
해방	공노비의 도망과 노비의 합법적인 신분 상승으로 신공을 받아낼 수 없게 되자 순조 때 공노비 해방

03

2018년 지방교행직

(가)에 대한 설명으로 옳은 것은?

> 진휼청에서 아뢰기를, "관직을 주는 일과 관직을 높여 주는 일 등의 문서를 올 봄 각 도에 보내 1만여 석의 곡식을 모아 흉년이 든 백성들을 도와주는 데 보탰습니다. 금년 충청, 경상, 전라도의 흉년은 작년보다 심하니 관직에 임명하는 값을 낮추지 않으면 응할 사람이 줄어들 것입니다. 신 등이 여러 번 상의하여 각 항목별로 (가) 의 가격을 줄였습니다."라고 하였다.
>
> -『비변사등록』

① 지계아문에서 발급하였다.

② 대간의 서경을 받아 작성되었다.

③ 승려의 수를 제한하는 데 활용되었다.

④ 부유한 상민의 신분 상승에 이용되었다.

문제풀이 공명첩 난이도 하

제시문의 관직을 주는 일과 관직을 높여 주는 일 등의 문서와 관직에 임명하는 값이라는 내용을 통해 (가)가 공명첩임을 알 수 있다. 공명첩은 임진왜란 이후 재정의 확보를 위해 정부가 발급한 이름을 기재하지 않은 백지 임명장으로, 서얼이나 부농층은 공명첩을 이용해 관직에 진출하거나 자기의 신분을 상승시켰다.

④ 조선 후기 부를 축적한 농민들은 공명첩이나 납속 등을 이용하여 신분을 상승시켰다.

오답 분석

① **지계**: 대한 제국의 지계아문에서 발급한 것은 근대적 토지 소유권 증명서인 지계이다.

② **직첩**: 대간의 서경을 받아 작성된 것은 직첩으로, 조선 시대 관원에게 품계와 관직을 임명할 때 수여하였다.

③ **도첩**: 승려가 출가할 때 국가가 그 신분을 공인해 줌으로써 승려의 수를 제한하는 데 활용된 것은 도첩이다.

이것도 알면 **합격!**

공명첩

> 적의 목을 벤 자, 납속을 한 자, 작은 공이 있는 자에게 모두 관리 임명장을 주거나, 천인 신분 또는 국역을 면하는 증서를 주었다. …… 이름 쓰는 곳만 비워 두었다가 응모자가 있으면 수시로 이름을 써서 주었다.

사료 분석 | 공명첩은 이름을 비워 둔 백지 임명장으로, 임진왜란을 계기로 재정 확보 등을 위해 발행되었다.

04

2020년 법원직 9급

〈표〉와 같은 변화가 나타나게 된 원인에 대한 탐구 활동으로 옳은 것을 〈보기〉에서 모두 고른 것은?

〈표〉 (단위: %)

시기	양반 호	상민 호	노비 호	합계
1729년	26.29	59.78	13.93	100
1765년	40.98	57.01	2.01	100
1804년	53.47	45.61	0.92	100
1867년	65.48	33.96	0.56	100

> **보기**
> ㉠ 납속의 혜택에 대하여 조사해본다.
> ㉡ 공명첩을 구입한 사람들의 신분을 조사해본다.
> ㉢ 선무군관포의 부과 대상에 대하여 조사해본다.
> ㉣ 서원 숫자의 변화를 조사해본다.

① ㉠, ㉡　② ㉠, ㉢

③ ㉡, ㉢　④ ㉡, ㉣

문제풀이 조선 후기 신분제의 동요 난이도 하

제시된 표를 보면 시간이 흐름에 따라 양반 호의 수가 증가하고 상민 호, 노비 호의 수가 감소하는데, 이를 통해 양반의 수가 증가하고, 상민과 노비의 수가 감소하였던 조선 후기의 모습임을 알 수 있다. 조선 후기에는 부농층의 성장과 상품 화폐 경제의 발달, 납속과 공명첩 발급 등이 원인이 되어 양반의 수가 증가하였으며 신분제가 동요되었다.

① 옳은 것을 모두 고르면 ㉠, ㉡이다.

㉠ 조선 후기에는 일정 금액을 국가에 납부하면 노비 신분을 면해주는 납속책이라는 정책으로 인해 노비 호의 수가 감소하게 되었다.

㉡ 조선 후기에는 재물을 받고 형식 상의 관직 임명장인 공명첩이 발급되어 양반 호의 수가 증가하게 되었다.

오답 분석

모두 조선 후기의 신분제 동요와는 관련이 없다.

㉢ 선무군관포는 지방의 토호나 일부 부유한 평민에게 선무군관이라는 명예직을 수여한 후 1년에 군포 1필을 징수하는 것으로, 영조 때에 균역법을 실시하면서 부족한 재정을 보충하기 위하여 시행되었다.

㉣ 서원의 숫자 변화와 신분제의 동요와는 관계가 없다. 서원의 숫자는 조선 후기 영조 때와 흥선 대원군 집권 시기에 큰 폭으로 축소되었다.

정답 01 ④ 02 ③ 03 ④ 04 ①

05

2022년 지방직 9급

밑줄 친 '이들'에 해당하는 것은?

> 이들의 과거 응시와 벼슬을 제한한 것은 우리나라의 옛법이 아니다. 그런데 『경국대전』을 편찬한 뒤부터 이들을 금고(禁錮)하였으니, 아직 백 년이 채 되지 않았다. 또한 다른 나라에 이러한 법이 있다는 말은 듣지 못했다. 경대부(卿大夫)의 자식인데 오직 어머니가 첩이라는 이유만으로 대대로 이들의 벼슬길을 막아, 비록 훌륭한 재주와 쓸만한 자질이 있어도 이를 발휘할 수 없게 하였으니, 참으로 안타깝다.

① 향리
② 노비
③ 서얼
④ 백정

06

2020년 국가직 9급

(가), (나) 신분층에 대한 설명으로 옳지 않은 것은?

> 오래도록 막혀 있으면 반드시 터놓아야 하고, 원한은 쌓이면 반드시 풀어야 하는 것이 하늘의 이치다. (가) 와/과 (나) 에게 벼슬길이 막히게 된 것은 우리나라의 편벽된 일로 이제 몇백 년이 되었다. (가) 은/는 다행히 조정의 큰 성덕을 입어 문관은 승문원, 무관은 선전관에 임명되고 있다. 그런데도 우리들 (나) 은/는 홀로 이 은혜를 함께 입지 못하니 어찌 탄식조차 없겠는가?

① (가)의 신분 상승 운동은 (나)에게 자극을 주었다.
② (가)는 수 차례에 걸친 집단 상소를 통해 관직 진출의 제한을 없애 줄 것을 요구하였다.
③ (나)에 해당하는 인물로는 정조 때 규장각 검서관으로 등용된 유득공, 박제가, 이덕무 등이 있다.
④ (나)는 주로 기술직에 종사하며 축적한 재산과 탄탄한 실무 경력을 바탕으로 신분 상승을 추구하였다.

문제풀이 서얼

난이도 하

제시문에서 경대부의 자식인데 오직 어머니가 첩이라는 이유만으로 대대로 이들의 벼슬길을 막았다는 것을 통해 밑줄 친 '이들'이 서얼임을 알 수 있다.

③ 서얼은 『경국대전』에 따라 문과에 응시하는 것이 금지되었고, 잡과에 응시하거나 간혹 무반직에 급제하여도 한품서용이라 하여 승진이 제한되었다.

오답 분석

① **향리**: 조선 시대의 향리들은 수령을 보좌하고 행정 실무를 담당하였지만, 문과 응시에 제한을 받는 등 신분 상승에 제약이 있었다.
② **노비**: 노비는 천민의 대다수를 구성하였으며, 재산으로 취급되어 매매·상속·증여의 대상이 되었고 법적으로 과거에 응시할 수 없었다.
④ **백정**: 백정은 고려 시대에는 일반 농민을 가리키는 말이었으나, 조선 시대에는 도축업에 종사한 계층으로, 조선 건국 초기에는 천민이 아니었으나 사회적으로 천시되면서 천민화되었다.

이것도 알면 **합격!**

서얼의 신분 상승 운동

> 서얼의 허통을 청하기를 "…… 지금은 법으로 나라 안의 인재를 묶었습니다. 그런데도 그들은 자자손손 영원히 묶여 있습니다. 인재를 버리고 등용하는 것이 너무나 앞뒤가 맞지 않습니다."

사료 분석 | 서얼들은 신분 상승을 위한 집단 상소 운동을 전개하여 허통(과거 응시), 통청(청요직 진출) 등을 요구하였다.

문제풀이 서얼과 중인

난이도 중

제시문에서 (가)는 조정의 큰 성덕을 입어 관직에 임명되고, (나)는 여전히 관직을 얻지 못했다는 내용을 통해 (가)는 서얼, (나)는 기술직 중인임을 알 수 있다. 조선에서는 임진왜란을 거치면서 서얼에 대한 차별이 완화되기 시작하였고, 이에 서얼들은 집단적인 상소 운동을 벌여 19세기 중엽에는 법적으로 허통(과거 응시권), 통청(청요직 진출)의 권리를 획득하였다. 이에 자극을 받은 기술직 중인들도 신분 상승을 추구하며 철종 때 대규모 소청 운동을 전개하였으나 실패하였다.

③ 정조 때 규장각 검서관에 등용된 유득공, 박제가, 이덕무 등은 기술직 중인이 아닌 서얼 출신이었다.

오답 분석

① 서얼의 신분 상승 운동이 성공하자 기술직 중인들도 자극을 받아 소청 운동을 전개하였다.
② 조선 후기에 서얼들은 납속, 공명첩 등을 통해 과거 응시권을 획득한 후 관직에 진출하였고, 이를 계기로 수 차례에 걸친 집단 상소를 통해 관직 진출의 제한을 없애줄 것을 요청하였다.
④ 중인은 주로 기술직에 종사하며 축적한 재산과 탄탄한 실무 경력을 바탕으로 신분 상승을 추구하였다.

07

2015년 국가직 9급

밑줄 친 '우리'에 해당하는 계층의 활동으로 옳은 것은?

> 아! 우리는 본시 모두 사대부였는데 혹은 의(醫)에 들어가고 혹은 역(譯)에 들어가 7, 8대 또는 10여 대를 대대로 전하니 …… 문장과 덕(德)은 비록 사대부에 비길 수 없으나, 명공(名公) 거실(巨室) 외에 우리보다 나은 자는 없다.

① 집단으로 상소하여 청요직(淸要職) 허통(許通)을 요구하였다.
② 형평사를 창립하고, 평등한 대우를 요구하는 형평 운동을 펼쳤다.
③ 관권과 결탁하고 향회를 장악하여, 향촌 사회에서 영향력을 키우려 하였다.
④ 유향소를 복립하여 향리를 감찰하고 향촌 사회의 풍속을 바로잡으려 하였다.

문제풀이 기술직 중인 난이도 중

제시문에서 의(醫)에 들어가거나 혹은 역(譯)에 들어간다는 내용을 통해 밑줄 친 '우리'가 기술직 중인임을 알 수 있다.

① 조선 후기 기술직 중인들은 축적된 재산과 실무 경험을 바탕으로 청요직 허통을 요구하는 신분 상승 운동을 전개하였으나 성공하지는 못하였다. 비록 중인들의 신분 상승 운동은 실패하였지만 이를 통해 전문직으로서의 역할이 부각되었고, 특히 역관은 청과의 외교 업무에 종사하면서 서학을 비롯한 외래의 선진 문화를 수용하는 데에 있어 선구적 역할을 수행하였다.

오답 분석

② **백정**: 일제 강점기에 조선 형평사를 창립하고 형평 운동을 전개한 것은 백정이다.
③ **부농층**: 관권과 결탁하여 향회를 장악하고, 향촌 사회에서 영향력을 키우려 한 것은 조선 후기의 부농층이다. 이들은 정부의 부세 제도 운영에 적극 참여하였으며, 향임직에 진출하거나 수령 또는 기존 향촌 세력과 타협하면서 상당한 지위를 확보해 갔다.
④ **사림**: 유향소를 복립하여 향리를 감찰하고 향촌 사회의 풍속을 바로 잡으려 한 것은 조선 전기의 사림이다.

08

2012년 기상직 9급

다음 밑줄 친 ㉠, ㉡, ㉢에 대한 설명 중 옳은 것은?

> 조선 시대에는 양반과 상민 사이에 있는 중간 계층을 중인이라 하였다. 중인에는 ㉠좁은 의미의 중인과 ㉡넓은 의미의 중인이 있었다. 한편 ㉢양반 첩에게서 태어난 서얼은 중인과 같은 신분적 대우를 받았다.

① ㉠에는 의관, 역관, 천문관과 향리 등이 포함되었다.
② 중앙 관청의 서리는 ㉡에 해당되었다.
③ ㉠, ㉡에게는 문과 응시가 금지되었으나 ㉢에게는 허용되었다.
④ ㉡, ㉢은 조선 후기에 이르러 청요직에도 오를 수 있었다.

문제풀이 중인 난이도 중

② 중앙 관청의 서리는 넓은 의미의 중인에 해당되었다. 넓은 의미의 중인은 양반과 상민의 중간 신분 계층을 의미하였는데, 기술관을 비롯하여 향리, 서리, 토관, 군교, 역리, 서얼 등을 포괄하여 일컬었다. 이들은 조선 후기에 이르러 하나의 독립된 신분층으로 정착하였다.

오답 분석

① 좁은 의미의 중인에는 의관, 역관, 천문관 등 기술관만이 포함되었으며, 향리는 포함되지 않았다. 향리는 넓은 의미의 중인에 속하였다.
③ 조선 시대에 중인에게는 문과 응시가 허용되었고, 서얼에게는 문과 응시가 법적으로 금지되었다.
④ 조선 후기 서얼과 기술직 중인들은 청요직에 오르기 위한 통청 운동을 전개하였는데, 이때 서얼들의 통청 운동은 성공하였지만 기술직 중인들의 통청 운동은 실패하였다.

이것도 알면 **합격!**

중인

좁은 의미의 중인	역관, 의관, 율관, 산관, 화원 등의 기술관원만을 지칭
넓은 의미의 중인	양반과 상민의 중간 신분 계층을 의미, 기술관, 서얼, 서리, 지방 향리, 토관 등의 여러 계층을 포함

정답 05 ③ 06 ③ 07 ① 08 ②

09

2020년 법원직 9급

다음 상소가 작성되었던 시기에 볼 수 있었던 모습으로 가장 옳은 것은?

> 작위의 높고 낮음은 조정에서만 써야 할 것이고 적자와 서자의 구별은 한 집안에서만 통용되어야 할 것입니다. …… 공사천 신분이었다가 면천된 이들은 벼슬을 받기도 하고 아전이었다가 관직을 받은 이들은 높은 자리에 오르기도 하는데 저희들은 한번 낮아진 신분이 대대로 후손에게 이어져 영구히 서족이 되어 훌륭한 임금이 다스리는 세상임에도 그저 버려진 사람들이 되어 있습니다.

① 외래문화 수용에 선구적 역할을 한 역관

② 포구에서 상품 매매를 중개하며 성장한 덕대

③ 왕의 명령으로 혼일강리역대국도지도를 제작하는 관리

④ 대규모 통청 운동으로 중앙 관직 진출이 허락된 기술직 중인

10

2016년 국가직 9급

다음 자료와 같은 현상이 나타난 시기의 사회 모습에 대한 설명으로 옳지 않은 것은?

> 근래 세상의 도리가 점점 썩어가서 돈 있고 힘 있는 백성들이 갖은 방법으로 군역을 회피하고 있다. 간사한 아전과 한통속이 되어 뇌물을 쓰고 호적을 위조하여 유학(幼學)이라 칭하면서 면역하거나 다른 고을로 옮겨 가서 스스로 양반 행세를 하기도 한다. 호적이 밝지 못하고 명분의 문란함이 지금보다 심한 적이 없다.
>
> -『일성록』

① 사족들이 형성한 동족 마을이 증가하였다.

② 향회가 수령의 부세 자문 기구로 변질되었다.

③ 유향소를 통제하기 위하여 경재소가 설치되었다.

④ 부농층이 관권과 결탁하여 향임직에 진출하였다.

문제풀이 조선 후기의 사회 모습

난이도 중

제시된 상소에서 적자와 서자의 구별, 영구히 서족이 되어 훌륭한 임금이 다스리는 세상임에도 버려진 사람들이 되었다는 내용을 통해 조선 후기 서얼들의 신분 상승을 위한 상소문임을 알 수 있다.

① 조선 후기 역관들은 청과의 외교 업무에 종사하면서 서학을 비롯한 외래 문화 수용에 선구적인 역할을 하였다.

오답 분석

② 조선 후기에 포구에서의 상품 매매를 중개하며 성장한 것은 덕대가 아니라 객주와 여각이다. 덕대는 조선 후기에 등장한 광산 경영 전문가이다.

③ 혼일강리역대국도지도는 조선 전기 태종 때에 이회, 이무 등이 제작한 지도로 현존하는 동양에서 가장 오래된 세계지도이다.

④ 서얼들의 신분 상승 운동에 자극을 받은 중인들 역시 조선 후기에 중인에 대한 차별 철폐와 청요직 허통의 요구를 담은 통청 운동을 전개하였으나 실패하였다.

문제풀이 조선 후기의 사회 모습

난이도 중

제시문의 돈 있는 백성들이 갖은 방법으로 군역을 회피하고, 뇌물을 쓰고 호적을 위조하여 양반 행세를 한다는 내용을 통해 조선 후기의 사회 모습에 대한 설명임을 알 수 있다.

③ 유향소를 통제하기 위하여 경재소가 설치된 시기는 조선 전기이다. 경재소는 중앙 정부가 현직 관료로 하여금 연고지의 유향소를 통제하게 하는 제도로 중앙과 지방의 연락 업무를 맡았으나, 1603년 선조 때 폐지되었다.

오답 분석

① 조선 후기에는 양반이 군현 단위로 농민을 지배하기가 어렵게 되자 족적 결합을 강화함으로써 자기들의 지위를 지켜 나가고자 하였으며, 이로 인해 많은 동족 마을이 형성되었다.

② 향회는 재지 사족의 이익을 대변하고 수령을 감찰하는 역할을 담당하였으나, 조선 후기에 부농층이 향회를 장악하여 부세 제도 운영에 적극 참여하면서 수령의 부세 자문 기구로 전락하였다.

④ 조선 후기에 부농층은 사회적 지위를 얻기 위하여 수령을 중심으로 한 관권과 결탁하여 향안에 이름을 올리거나, 향임직에 진출하였다.

11

2016년 지방직 9급

다음 자료에 나타난 시기의 사회 모습에 대한 설명으로 옳은 것은?

> 옷차림은 신분의 귀천을 나타내는 것이다. 그런데 어찌된 까닭인지 근래 이것이 문란해져 상민·천민들이 갓을 쓰고 도포를 입는 것을 마치 조정의 관리나 선비와 같이 한다. 진실로 한심스럽기 짝이 없다. 심지어 시전 상인들이나 군역을 지는 상민들까지도 서로 양반이라 부른다.

① 불교의 신앙 조직인 향도가 널리 확산되었다.
② 서얼의 청요직 진출이 부분적으로 허용되었다.
③ 양민의 대다수를 차지한 농민을 백정(白丁)이라고 하였다.
④ 선현 봉사(奉祀)와 교육을 위한 서원이 설립되기 시작하였다.

문제풀이 조선 후기의 사회 모습 난이도 중

제시문에서 시전 상인들과 상민들이 서로 양반이라 부른다는 내용을 통해 조선 후기의 사회 모습과 관련된 설명임을 알 수 있다. 조선 후기에는 부를 축적한 농민이 자신의 지위를 높이거나 역의 부담을 모면하기 위해 양반 신분을 사거나 족보를 위조하였다. 그 결과 양반의 수는 더욱 늘어나고, 상민과 노비의 수는 감소하였다.

② 조선 후기에는 서얼의 청요직 진출이 부분적으로 허용되었다. 조선 후기 영·정조 때 서얼을 어느 정도 등용하자 이들은 적극적으로 집단 상소 운동을 전개하였다. 그 결과 정조 때 유득공, 이덕무, 박제가 등 서얼 출신들이 규장각 검서관으로 등용되었고, 18세기 후반부터는 점차 청요직의 허통이 이루어졌다.

오답 분석

① **고려 시대:** 불교의 신앙 조직인 향도가 널리 확산된 시기는 고려 시대이다. 향도는 삼국 시대부터 존재하였다.
③ **고려 시대:** 양민의 대다수를 차지한 농민을 백정이라 부른 시기는 고려 시대이다. 조선 시대의 백정은 도축업에 종사한 계층을 지칭하였다.
④ **조선 전기:** 선현 봉사(奉祀)와 교육을 위한 서원이 설립되기 시작한 시기는 조선 전기이다.

12

2014년 경찰직(1차)

조선 후기의 가족 제도와 사회상에 대한 설명으로 가장 적절한 것은?

① 남녀를 구분하지 않고 태어난 순서대로 족보에 기재하였다.
② 동성 마을이 많아지고 부계 중심의 족보가 편찬되었다.
③ 아들이 없으면 양자를 들이는 대신에 딸과 외손자가 제사를 지냈다.
④ 혼인은 친영제에서 남귀여가혼으로 변화되었고, 재산은 균등하게 상속되었다.

문제풀이 조선 후기의 가족 제도와 사회상 난이도 중

② 조선 후기에는 전국적으로 많은 동성(동족) 마을이 만들어졌고, 부계 중심의 가족 제도가 확립되었다.

오답 분석

① **고려~조선 전기:** 남녀를 구분하지 않고 태어난 순서대로 족보에 기재한 것은 고려~조선 전기의 일이다. 조선 후기에는 부계 위주로 족보를 편찬하였다.
③ **고려~조선 전기:** 아들이 없으면 양자 대신 딸과 외손자가 제사를 지낸 것은 고려~조선 전기의 일이다. 조선 후기에는 적장자가 제사를 독점했고, 서자가 있어도 적장자가 없으면 양자를 들였다.
④ 조선 후기에는 남귀여가혼(처가살이) 대신 혼인 후 곧바로 남자 집에서 생활하는 친영제가 정착되었고, 재산 상속에서도 장자가 우대 받았다.

이것도 알면 **합격!**

조선 후기(17세기 이후)의 가족 제도

구분	내용
친영 제도 정착	혼인 후 곧바로 남자 집에서 생활하는 친영 제도 정착
장자 중심의 제사와 재산 상속	• 제사는 반드시 큰아들이 지내야 한다는 의식 확산 • 재산 상속에서도 큰아들 우대
양자 입양 일반화	아들이 없는 집안에서는 양자를 들이는 것이 일반화
동성 마을 형성	• 부계 위주의 족보를 적극적으로 편찬 • 같은 성을 가진 사람끼리 모여 사는 동성 마을 형성

정답 09 ① 10 ③ 11 ② 12 ②

13

2020년 국가직 9급

다음 사실이 있었던 시기의 향촌 사회에 대한 설명으로 옳지 않은 것은?

> 황해도 봉산 사람 이극천이 향전(鄕戰) 때문에 투서하여 그와 알력이 있는 사람들을 무고하였는데, 내용이 감히 말할 수 없는 문제에 저촉되었다.

① 향전의 전개 속에서 수령의 권한이 강화되었다.

② 신향층은 수령과 그를 보좌하는 향리층과 결탁하였다.

③ 수령은 경재소와 유향소를 연결하여 지방 통치를 강화하였다.

④ 재지 사족은 동계와 동약을 통해 향촌 사회에 대한 영향력을 유지하려 하였다.

14

2018년 법원직 9급

다음 사회 현상에 대한 설명으로 옳지 않은 것은?

> 영덕의 오래된 가문은 모두 남인이며, 이른바 신향(新鄕)은 모두 서리와 품관의 자손으로 자칭 서인이라고 하는 자들이다. 근래 신향이 향교를 주관하면서 구향(舊鄕)과 마찰을 빚었다.
>
> -『승정원일기』

① 부농층은 수령과 결탁하여 향안에 이름을 올렸다.

② 수령과 결탁한 부농층은 향촌 사회를 완전히 장악하였다.

③ 향전은 수령과 향리의 권한이 강해지는 결과를 가져왔다.

④ 세도 정치 아래에서 농민 수탈이 극심해지는 배경이 되었다.

문제풀이 조선 후기의 향촌 사회

난이도 중

제시문은 조선 후기 향촌 사회에서 구향과 신향 사이에 향권을 두고 벌어진 향전에 대한 내용이다. 조선 후기에 양반층이 분화하고, 부농층들이 납속, 향임직 매매 등을 통해 신분 상승을 하게 되었다. 이에 따라 향촌 사회에서 기존 양반 세력인 구향, 새롭게 성장한 신향 세력이 대립하는 향전이 전개되었다.

③ 경재소는 조선 전기에 유향소와 정부 사이의 연락을 담당하던 기구로, 선조 때에 폐지되었다. 한편, 수령은 경재소와 유향소를 연결하지 않았다.

오답 분석

① 조선 후기에는 향전의 전개 속에서 수령의 권한이 강화되었다. 향전이 전개되면서 기존 재지 사족의 힘은 약화되고, 새로 성장한 부농층을 수령이 포섭하면서 관권이 강화되었다.

② 조선 후기 향촌 사회에서 신향층은 수령과 그를 보좌하는 향리층과 결탁하였고, 향촌 사회에서 영향력을 확대하고자 하였다.

④ 조선 후기 향촌에서 재지 사족은 동계와 동약을 통해 향촌 사회에 대한 영향력을 유지하려고 하였다. 향촌 지배력이 약화된 재지 사족들은 군현 단위의 향약에서 그 범위를 좁혀 촌락 단위의 동계와 동약을 실시하여 향촌 사회에 대한 영향력을 유지하고자 하였다.

문제풀이 향전

난이도 중

제시문에서 서리와 품관의 자손인 신향(新鄕)이 구향(舊鄕)과 마찰을 빚었다는 내용을 통해 조선 후기에 향촌 사회의 주도권을 놓고 벌어진 향전에 대한 내용임을 알 수 있다. 조선 후기에 향촌 사회의 주도 세력으로 새로이 등장한 신향은 부농층을 비롯한 중인층 등이 포함된 세력으로, 수령과 타협적인 관계를 유지하며 향촌 사회의 운영을 주도하고자 하였다.

② 수령과 결탁한 부농층은 향촌 사회에서 영향력을 확대하였으나, 향촌 사회를 완전히 장악하지는 못하였다.

오답 분석

① 조선 후기에 납속 등 합법적인 방법으로 신분을 상승시킨 부농층(신향)은 수령과 결탁하여 향안에 이름을 올리거나, 향임직에 진출하였다.

③, ④ 향전의 결과 향촌 사회에서 재지 사족의 힘이 약화되고, 수령을 중심으로 한 관권이 강화되면서 향촌에서 관권의 실제 집행을 맡아보고 있던 향리의 권한이 강화되었다. 이는 세도 정치 시기에 수령과 향리의 농민 수탈이 극심해지는 배경이 되었다.

15

2015년 지방직 9급

다음과 같은 현상이 일어나게 된 배경으로 옳지 않은 것은?

> 향회라는 것이 한 마을 사민(士民)의 공론에 따른 것이 아니고, 수령의 손 아래 놀아나는 좌수·별감들이 통문을 돌려 불러 모은 것에 불과합니다. 그 향회에서는 관의 비용이 부족하다는 핑계로 제멋대로 돈을 거두고 법을 만드니, 일의 원통함이 이보다 심한 것이 없습니다.

① 사족의 향촌 지배력이 약화되었다.
② 수령과 향리의 영향력이 약해졌다.
③ 향회는 수령의 부세 자문 기구로 전락하였다.
④ 양반 사족과 부농층이 향촌의 주도권 다툼을 벌였다.

16

2015년 사회복지직 9급

다음 상황이 벌어지던 시기의 사회 모습으로 옳지 않은 것은?

> • 근래 사족들이 향교에 모여 의논하여 수령을 쫓아내는 것이 고질적인 폐단입니다.
> • 영덕의 구향(舊鄕)은 사족이며, 소위 신향(新鄕)은 모두 향리와 서리의 자식입니다. 근래 신향들이 향교를 주관하면서 구향들과 서로 마찰을 빚고 있습니다.

① 부농층이 성장하여 향임직에 진출하였다.
② 농촌 공동체 생활을 주도하는 향도가 등장하였다.
③ 수령이 세금을 부과할 때 향회가 자문 역할을 하였다.
④ 촌락 단위의 동약이 실시되고 동족 마을이 만들어졌다.

문제풀이 조선 후기 향촌의 변화

난이도 중

제시문의 '향회라는 것이 사민(士民)의 공론에 따른 것이 아니고, 수령의 손 아래 놀아나는 좌수·별감들을 불러 모은 것에 불과하다'는 내용을 통해 조선 후기 향촌 사회의 모습임을 알 수 있다. 조선 후기에는 기존에 향촌 사회에서 영향력을 행사하였던 재지 사족 대신에 부농층이 새롭게 등장하여 향촌 지배권에 도전하였으며, 부농층은 수령을 중심으로 한 관권과 결탁하여 향회를 장악하고 향촌 사회에서 영향력을 행사하였다.

② 조선 후기 향촌 사회에서는 수령을 중심으로 한 관권이 강화되고 아울러 관권을 맡아 보고 있던 향리의 역할이 커졌다.

오답 분석

① 조선 후기에는 부농층이 성장하고 사족의 향촌 지배력이 약화되었다.
③ 조선 후기에는 종래에 재지 사족인 양반의 이익을 대변해왔던 향회가 주로 수령이 세금을 부과할 때에 의견을 물어 보는 자문 기구로 전락하였다.
④ 조선 후기에는 향촌 운영을 둘러싼 구향(양반 사족)과 신향(부농층)의 대립이 격화되어 향촌의 주도권을 둘러싸고 향전이 발생하였다.

문제풀이 조선 후기의 사회 모습

난이도 중

제시문의 '구향과 신향이 서로 마찰을 빚고 있다'는 내용을 통해 조선 후기의 사회 모습임을 알 수 있다.

② 향도는 삼국 시대부터 등장하였으며, 고려 시대로 계승되어 널리 확산되었다. 불교 신앙 조직이었던 향도는 고려 초기에 불상·석탑 등을 건립할 때 주도적인 역할을 수행하였으며, 고려 후기에는 점차 마을의 노역·혼례·상장례·제사 등을 주도하는 농민 조직으로 발전하였다.

오답 분석

① 조선 후기에 경제력을 바탕으로 성장한 부농층은 향임직에 진출하거나 기존 향촌 세력과 타협하면서 상당한 지위를 확보하여 갔다.
③ 조선 후기에 부농층이 성장하고 양반의 힘이 약화되자 기존에 재지 사족의 이익을 대변하던 향회가 수령의 부세 자문 기구로 전락하였다.
④ 조선 후기에 양반들은 군현 단위로 농민을 지배하기 어렵게 되자 촌락 단위의 동약을 실시하였고, 족적 결합을 강화함으로써 자신들의 지위를 지켜 나가고자 하였다. 이에 따라 많은 동족(동성) 마을이 만들어졌다.

정답 13 ③ 14 ② 15 ② 16 ②

2 | 사회 변혁의 움직임

01

2012년 지방직(하) 9급

18세기 이후 조선 사회에 대한 설명으로 옳은 것은?

① 서얼에 대한 차별이 더욱 심화되었다.

② 공노비는 사노비보다 더 가혹한 수탈과 사회적 냉대를 받았다.

③ 일반 서민 중에서도 부를 축적하여 지주가 되는 사람이 있었다.

④ 여자의 지위가 상승하여 딸도 아들처럼 부모의 재산을 상속받았다.

문제풀이 조선 후기의 사회 난이도 중

③ 조선 후기에는 일부 서민들 중에서도 농지 확대, 영농 방법 개선 등을 통해 부를 축적한 서민 지주가 출현하였다. 이들은 공명첩을 사거나 족보를 위조하여 양반으로의 신분 상승을 추구하였다.

오답 분석

① 서얼에 대한 차별은 임진왜란 이후 완화되기 시작하였다. 이들은 납속이나 공명첩을 통해 과거 응시권을 획득한 후 관직에 진출할 수 있었다.

② 조선 후기에는 사노비가 공노비에 비해 더 가혹한 수탈과 사회적 냉대를 받았다. 이에 따라 조선 후기에 이르러서는 사노비의 도망이 일상적으로 발생하였다. 한편 18세기 후반에는 공노비의 도망과 노비의 합법적인 신분 상승으로 신공을 받아낼 수 없게 되자, 순조 때 중앙 관청의 노비 66,000여 명을 해방시켰다(1801).

④ 딸도 아들처럼 부모의 재산을 상속받을 수 있었던 것은 고려~조선 전기의 일이다. 조선 후기에는 성리학적 부계 중심의 가족 제도가 확립되어 재산 상속에서 큰아들이 우대를 받았다.

02

2017년 지방직 9급(6월 시행)

우리나라 족보에 대한 설명으로 옳지 않은 것은?

① 조선 후기에 부유한 농민들은 족보를 사거나 위조하기도 하였다.

② 조선 초기의 족보는 친손과 외손을 구별하지 않고 모두 수록하였다.

③ 현존하는 가장 오래된 족보는 성종 7년에 간행된 『문화 류씨 가정보』이다.

④ 조선 시대에는 족보가 배우자를 구하거나 붕당을 구별하는 데 중요한 자료로 활용되기도 하였다.

문제풀이 조선 시대의 족보 난이도 중

③ 현존하는 가장 오래된 족보는 성종 7년(1476)에 간행된 『안동 권씨 성화보』이다. 『문화 류씨 가정보』는 1565년(명종 20)에 간행된 족보로, 『안동 권씨 성화보』가 발견되기 전까지 가장 오래된 족보로 알려져 왔다.

오답 분석

① 조선 후기에 부를 축적한 일부 농민들(부농층)은 신분 상승이나 역의 부담을 없애기 위해 족보를 사거나 위조하기도 하였다.

② 조선 초기의 족보는 친손과 외손을 구별하지 않고 모두 수록하였으나, 조선 후기에는 부계 중심의 가족 제도가 확립되어 외손의 수록 범위를 한정하여 족보에 수록하였다.

④ 조선 시대에는 가문의 내력을 기록한 족보가 배우자를 구하거나 붕당을 구별하는 데 중요한 자료로 활용되었다.

이것도 알면 **합격!**

조선 전기의 족보

『안동 권씨 성화보』(1476, 성종)	• 현존하는 최고(最古)의 족보 • 출생 순서에 따라 기재 • 친손·외손의 가계를 모두 기재 • 자녀가 없는 사람 밑에 무후(無後)라고 기재 • 양자 입양에 대한 기록이 없음
『문화 류씨 가정보』(1565, 명종)	• 출생 순서에 따라 기재 • 자녀가 없는 사람 밑에 무후(無後)라고 기재 • 『안동 권씨 성화보』에 비해 부계 중심적인 경향을 보임

03

2022년 서울시 9급(2월 시행)

〈보기〉의 조선의 천주교 전파 상황을 순서대로 바르게 나열한 것은?

> **보기**
> ㉠ 이승훈이 북경에서 서양 신부에게 영세를 받고 돌아왔다.
> ㉡ 윤지충이 모친상 때 신주를 불사르고 천주교 의식을 행하였다.
> ㉢ 이수광이 『지봉유설』에서 마테오 리치의 『천주실의』를 소개하였다.
> ㉣ 황사영이 북경에 있는 프랑스인 주교에게 군대를 동원하여 조선에서 신앙과 포교의 자유를 보장받을 수 있도록 청하는 서신을 보내려다 발각되었다.

① ㉠ → ㉡ → ㉣ → ㉢

② ㉠ → ㉢ → ㉣ → ㉡

③ ㉢ → ㉠ → ㉡ → ㉣

④ ㉢ → ㉡ → ㉠ → ㉣

04

2016년 서울시 9급

다음 (가)~(다)의 설명에 해당하는 인물을 바르게 연결한 것은?

> (가) 스승 이벽의 권유로 북경에 갔다가 서양인 신부의 세례를 받고 귀국하였다.
> (나) 성리학의 입장에서 천주교를 비판하는 『천학문답』을 저술하였다.
> (다) 신부가 되어 충청도 당진(솔뫼)을 근거로 포교하다가 붙잡혀 처형되었다.

	(가)	(나)	(다)
①	이가환	안정복	황사영
②	이승훈	이기경	황사영
③	이승훈	안정복	김대건
④	이가환	이기경	김대건

문제풀이 천주교 전래와 역사적 사건

난이도 상

③ 순서대로 바르게 나열하면 ㉢ 이수광의 『천주실의』 소개(1614) → ㉠ 이승훈의 세례(1784) → ㉡ 윤지충의 신주 소각 사건(1791, 진산 사건) → ㉣ 황사영 백서 사건(1801)이 된다.

㉢ **이수광의 『천주실의』 소개**: 이수광이 백과사전의 일종인 『지봉유설』에서 처음으로 마테오 리치의 『천주실의』를 소개하였다(1614).

㉠ **이승훈의 세례**: 이승훈이 정조 때 아버지를 따라 북경에 갔다가 서양 신부에게 영세(세례)를 받고 돌아왔다(1784).

㉡ **윤지충의 신주 소각 사건**: 정조 때 천주교 신자였던 윤지충이 모친상에서 조상의 신주를 불사르고 천주교식으로 장례를 치렀다(1791, 진산 사건).

㉣ **황사영 백서 사건**: 천주교 신자 황사영이 신유박해가 일어나자, 북경에 있는 주교에게 군대를 동원하여 조선에서 신앙과 포교의 자유를 보장받을 수 있도록 청하는 서신을 보내려 하다가 발각되었다(1801).

문제풀이 천주교

난이도 상

③ (가)는 이승훈, (나)는 안정복, (다)는 김대건에 해당한다.

(가) 이승훈은 스승인 이벽의 권유로 북경에 갔다가 서양인 신부의 세례를 받고 돌아왔다. 이벽은 이승훈이 북경으로 가게 되었다는 소식을 듣고 이승훈을 찾아가, 북경에 가면 선교사를 찾아가 교리를 배워 세례를 청하고, 많은 천주교 서적을 얻어가지고 돌아오도록 간곡히 권고하였다. 이에 이승훈은 이벽의 말대로 예수회 신부 그라몽에게 세례를 받고, 1784년에 많은 성서와 성물을 가지고 돌아왔다.

(나) 안정복은 이벽, 정약용 등의 남인 소장 학자들이 유교를 공부하였음에도 서학을 가까이 하는 것을 안타깝게 여겨 천주교를 비판하는 서적인 『천학문답』을 저술하였다(1785).

(다) 김대건은 우리나라 최초의 천주교 신부로, 천주교 박해를 무릅쓰고 포교 활동에 전념하던 중 체포되어 처형당하였다(병오박해, 1846).

오답 분석

- 이가환은 남인 계열의 인물로, 신유박해 때 처형당하였다.
- 황사영은 신유박해 당시 베이징 주재 주교에게 도움을 요청하려던 일이 발각되었다.
- 이기경은 조선 후기의 문신으로 천주교를 배격하기 위해 『벽위편』을 편찬하였다.

정답 01 ③ 02 ③ 03 ③ 04 ③

05

2014년 국가직 9급

조선 후기 천주교와 관련된 설명으로 옳지 않은 것은?

① 기해사옥 때 흑산도로 유배를 간 정약전은 그 지역의 어류를 조사한 『자산어보』를 저술하였다.

② 안정복은 성리학의 입장에서 천주교를 비판하는 『천학문답』을 저술하였다.

③ 1791년 윤지충은 어머니 상(喪)에 유교 의식을 거부하여 신주를 없애고 제사를 지내 권상연과 함께 처형을 당하였다.

④ 신유사옥 때 황사영은 군대를 동원하여 조선에서 신앙의 자유를 보장받게 해달라는 서신을 북경에 있는 주교에게 보내려다 발각되었다.

문제풀이 조선 후기의 천주교 난이도 중

① 정약전은 1801년 신유사옥(신유박해) 때 흑산도로 유배되었고, 그곳에서 『자산어보(玆山魚譜)』를 저술하였다(1814). 『자산어보』는 흑산도 연해의 다양한 어종과 해초의 이름을 밝히고 이들의 생태와 습성을 연구한 서적이다.

오답 분석

② 조선 후기의 학자인 안정복은 성리학적 입장에서 천주교를 비판하는 『천학문답』을 저술하여 정약용, 이벽과 같은 남인 소장학자들이 유교를 공부하였음에도 천주교에 빠진 것을 안타까워하며 그들의 미혹을 깨우치고자 하였다.

③ 조선 후기인 1791년 진산에서 천주교 신자였던 윤지충은 모친상에서 신주를 불태우고 천주교 식으로 제사를 지내 그를 따르던 외사촌 권상연과 함께 처형당하였다(신해박해).

④ 조선 후기에 천주교 신자 황사영이 신유사옥(신유박해)이 일어나자 박해의 혹독한 전말과 그 대책(군대를 동원하여 신앙의 자유를 보장받게 해달라는 요구)을 흰 비단에 적어 베이징 주재 주교에게 전달하려다 발각되었다(황사영 백서 사건).

06

2013년 법원직 9급

(가) 종교에 대한 설명으로 옳은 것은?

> 우리나라에서 (가)을/를 금하시는 것은 그 뜻이 정녕 어디에 있습니까? 먼저 그 뜻과 이치가 어떠한지 물어보지도 않고 지극히 죄악이라는 말로 사교(邪敎)라 하여 반역의 법률로 다스려 신유년 앞뒤로 인명이 크게 손상하였으나 한 사람도 그 원인을 알아보지 않았습니다. …… 이 도는 천자로부터 서민에 이르기까지 날마다 사용하고 늘 실행해야 할 도리이니 가히 해가 되고 난(亂)으로 된다고 할 수 없습니다. – 정하상, 『상재전서』

① 시천주와 인내천 사상을 강조하였다.

② 홍경래의 난에 사상적 영향을 끼쳤다.

③ 남인 계열의 실학자들이 신앙으로 받아들였다.

④ 안동 김씨의 세도 정치 시기에 더욱 탄압받았다.

문제풀이 천주교 난이도 중

제시문에서 (가) 종교를 사교라 하여 반역의 법률로 다스려 신유년 앞뒤로 크게 인명이 손상되었다는 내용을 통해 (가) 종교가 천주교임을 알 수 있다.

③ 천주교는 18세기 후반 정치적, 사회적 모순을 해결하기 위해 고심하던 남인 계열의 일부 실학자들에 의해 신앙으로 받아들여졌다.

오답 분석

① **동학**: 시천주(누구나 천주를 내재적으로 모신다)와 인내천(사람이 곧 하늘이다) 사상을 강조한 것은 동학이다.

② 홍경래의 난은 평안도 지역에 대한 차별과 관리들의 탐학에 반발하며 일어난 것으로 천주교와 관련이 없다.

④ 신유박해 이후 집권한 노론 시파인 안동 김씨의 세도 정치 시기에는 천주교에 대한 탄압이 완화되었다. 이후 노론 벽파인 풍양 조씨가 집권하면서 천주교에 대한 탄압이 강화되었다.

이것도 알면 **합격!**

천주교 전파와 탄압

구분	내용
전파	17세기 중국에 다녀온 우리나라 사신들에 의해 학문(서학)으로 유입됨
확산	18세기 후반 남인 계열 실학자(정약용 등)에 의해 신앙으로 수용 → 백성들 사이에서 점차 확산
탄압	신해박해(1791, 정조) → 신유박해(1801, 순조) → 기해박해(1839, 헌종) → 병오박해(1846, 헌종) → 병인박해(1866, 고종)

07

2024년 법원직 9급

(가) ~ (다) 사건을 일어난 순서대로 옳게 나열한 것은?

> (가) 황사영 백서 사건이 일어났다.
> (나) 이승훈이 최창현·홍낙민 등과 함께 서소문 밖에서 참수되었다.
> (다) 윤지충과 권상연을 사형에 처하고, 진산군(珍山郡)은 현(縣)으로 강등하라는 명이 내려졌다.

① (가) - (나) - (다)
② (나) - (가) - (다)
③ (다) - (가) - (나)
④ (다) - (나) - (가)

08

2015년 서울시 9급

밑줄 친 ㉠과 직접 관련된 천주교 박해에 대한 설명으로 옳은 것은?

> 프란치스코 교황은 16일 오전 순교자 124위 시복 미사에 앞서 한국 최대 순교 성지이자 이번에 시복될 124위 복자 중 가장 많은 27위가 순교한 서소문 성지를 참배했다. 이곳은 본래 서문 밖 순교지로 불리는 천주교 성지였다. 한국에 천주교가 들어온 후 박해를 당할 때마다 이곳에서 많은 사람들이 처형당했으니 …… '황사영 백서'로 알려진 ㉠<u>황사영도 이곳에서 처형되었다.</u>
>
> – 한국일보, 2014년 8월 16일

① 모친상을 당해 신주를 불태운 것이 알려지면서 박해가 일어났다.
② 함께 붙잡혀 박해를 받은 정하상은 『상재상서』를 통해 포교의 정당함을 주장하였다.
③ 순조 즉위 후 정권을 장악한 노론 벽파가 반대파를 정계에서 제거하려고 박해를 일으켰다.
④ 대원군 집권기에 발생한 대규모 박해로, 프랑스 선교사를 비롯한 수천 명의 희생자를 낳았다.

문제풀이 천주교 박해

난이도 중

④ 순서대로 나열하면 (다) 진산 사건(1791) → (나) 신유박해(1801. 1.) → (가) 황사영 백서 사건(1801. 9.)이 된다.

(다) **진산 사건**: 정조 때 진산에서 천주교 신자 윤지충이 그의 모친상에서 신주를 불사르고 천주교 식으로 장례를 치른 사건(진산 사건)이 발각되었다. 이에 정조는 윤지충과 권상연을 사형에 처하고, 진산군은 현으로 강등하라는 명을 내렸다(1791).

(나) **신유박해**: 순조 때 정권을 장악한 노론 벽파는 남인 시파를 탄압하기 위해 천주교를 박해하였다. 이 과정에서 청나라 신부인 주문모를 비롯하여 이승훈, 최창현, 홍낙민 등이 서소문 밖에서 참수되었으며, 정약용·정약전 형제를 비롯한 천주교 신자들이 유배를 당하는 신유박해가 일어났다(1801. 1.).

(가) **황사영 백서 사건**: 천주교 신자 황사영이 신유박해가 일어나자, 북경에 있는 주교에게 군대를 동원하여 조선에서 신앙과 포교의 자유를 보장받을 수 있도록 도움을 청하는 서신을 보내려 하다가 발각되었다(1801. 9.).

문제풀이 신유박해

난이도 중

제시문의 '황사영 백서'로 알려진 황사영이 처형된 것과 관련 있는 천주교 박해는 신유박해(1801)이다.

③ 신유박해는 순조가 즉위한 후 정권을 장악한 노론 벽파가 남인 시파 탄압을 목적으로 이승훈, 이가환, 정약종 등의 남인 학자와 청나라 신부 주문모를 사형에 처하고 정약용·정약전 형제를 비롯한 약 400명을 유배보낸 사건이다.

오답 분석

① **신해박해**: 윤지충이 모친상을 당해 신주를 불태우고 천주교식으로 장례를 치른 것이 알려지면서 정조 때 신해박해가 일어났다.
② **기해박해**: 정하상과 관련이 있는 천주교 박해는 헌종 때의 기해박해이다. 헌종 때 벽파인 풍양 조씨가 집권하면서 정하상 등 많은 신도들과 서양인 신부들을 처형한 기해박해가 일어났다.
④ **병인박해**: 흥선 대원군 집권기에 일어난 천주교 박해는 병인박해이다. 이때 남종삼 등 수천 명의 신도들이 순교하였고, 이것이 원인이 되어 병인양요가 일어났다.

정답 05 ① 06 ③ 07 ④ 08 ③

09

2019년 법원직 9급

다음 종교와 관련 있는 것을 〈보기〉에서 고른 것은?

> 사람이 곧 하늘이라, 그러므로 사람은 평등하며 차별이 없나니, 사람이 마음대로 귀천을 나눔은 하늘을 거스르는 것이다. 우리 도인은 차별을 없애고 선사의 뜻을 받들어 생활하기를 바라노라.

보기
㉠ 중광단을 결성하였다.
㉡ 임술 농민 봉기를 주도했다.
㉢ 양반과 상민을 차별하지 않는다.
㉣ 잡지 『신여성』과 『어린이』를 발간하였다.

① ㉠, ㉡　　② ㉠, ㉢
③ ㉡, ㉢　　④ ㉢, ㉣

문제풀이 동학 　난이도 중

제시문에서 사람이 곧 하늘이며, 사람은 평등하며 차별이 없다는 것을 통해 동학의 인내천 사상에 대한 내용임을 알 수 있다. 동학은 철종 때 경주 지역의 잔반 출신인 최제우가 창시한 것으로, 모든 사람이 평등하다는 시천주와 인내천 사상을 강조하였고, 보국안민(반외세)과 후천개벽(반봉건)을 내세웠다.

④ 옳은 것을 모두 고르면 ㉢, ㉣이다.
㉢ 동학은 모든 인간은 곧 하늘이라는 인내천 사상과 모든 사람은 마음에 한울님을 모시고 있다는 시천주 사상을 바탕으로 인간의 평등을 강조하며 양반과 상민을 차별하지 않았다.
㉣ 동학의 제3대 교주인 손병희는 친일 세력과 결별한 후 동학을 천도교로 개칭(1905)하였으며, 일제 강점기인 1920년대에 천도교 계통의 출판 기관인 개벽사에서는 여성 잡지인 『신여성』과 아동 잡지인 『어린이』를 발간하였다(1923).

오답 분석
㉠ **대종교**: 북간도 지역에서 중광단을 결성(1911)한 종교는 단군 신앙을 기반으로 창시된 대종교이다.
㉡ 임술 농민 봉기는 철종 때 삼정의 문란 등에 반발하여 일어난 농민 봉기로 동학과 관련이 없다. 동학 교도들은 고종 때 일어난 동학 농민 운동(1894)을 주도하였다.

10

2017년 지방직 9급(12월 시행)

조선 후기 평안도에 대한 설명으로 옳지 않은 것은?

① 중국과의 무역량이 증가하면서 의주, 평양, 정주 등지의 상인들이 많은 부를 축적하였다.
② 영·정조 대에 들어서 문과 합격자 중 평안도 출신자의 비중이 높아졌다.
③ 두 차례의 호란 직후 사회가 불안정해져 인구가 급감하였다.
④ 평안도 사람들은 서북인이라 하여 차별을 받았다.

문제풀이 조선 후기의 평안도 　난이도 상

③ 조선 후기에 광산의 개발과 대청 무역의 발달 등으로 인해 평안도 지역의 인구는 꾸준히 증가하였다.

오답 분석
① 조선 후기에는 대청 무역의 발달로 평안도의 의주, 평양, 정주 등이 경제적으로 성장하였으며, 이 지역에서 활동하는 상인(평양 유상, 의주 만상)들이 많은 부를 축적하였다.
② 영·정조 대에 들어서 문과 합격자 중 평안도 출신자의 비중이 높아졌다. 특히 영조 이후 시행된 과거 시험에서 서울 다음으로 가장 많은 급제자가 평안도에서 배출되었다. 그러나 지역적 차별 때문에 평안도 출신의 과거 급제자는 중앙 관직으로의 진출과 고관으로의 승진이 어려웠다.
④ 평안도 사람들은 서북인이라 하여 중앙 진출과 고관 승진의 제한 등의 차별을 받았으며, 이는 홍경래의 난(1811)의 원인이 되기도 하였다.

11

2024년 지방직 9급

(가) ~ (라)의 사건을 시기 순으로 바르게 나열한 것은?

> (가) 남쪽 지방에서 반란군이 봉기하였다. 가장 심한 자들은 운문을 거점으로 한 김사미와 초전의 효심이었다. 이들은 유랑민을 불러 모아 주현을 습격하여 노략질하였다.
> (나) 진주의 난민들이 소동을 일으킨 것은 오로지 전 우병사 백낙신이 탐욕을 부려 수탈하였기 때문입니다. …(중략)… 이에 민심이 들끓고 노여움이 일제히 폭발해서 전에 듣지 못하던 변란으로 나타난 것입니다.
> (다) 여러 주·군에서 공물과 조세를 보내지 않아 나라의 씀씀이가 궁핍하게 되었으므로 왕이 사자를 보내 독촉하였다. 이로 인해 도적들이 곳곳에서 벌떼처럼 일어났다. 원종과 애노 등이 사벌주를 근거지로 반란을 일으켰다.
> (라) 평서 대원수는 급히 격문을 띄우노라. …(중략)… 조정에서는 서쪽 땅을 더러운 흙처럼 버렸다. 심지어 권세 있는 집의 노비들도 서쪽 사람을 보면 반드시 평안도 놈이라 일컫는다. 서쪽 땅에 있는 자로서 어찌 억울하고 원통하지 않겠는가.

① (가) → (다) → (나) → (라)
② (가) → (다) → (라) → (나)
③ (다) → (가) → (나) → (라)
④ (다) → (가) → (라) → (나)

문제풀이 시기별 민중 봉기 난이도 중

④ 시기 순으로 나열하면 (다) 원종과 애노의 난(889, 진성 여왕) → (가) 김사미·효심의 난(1193, 고려 명종) → (라) 홍경래의 난(1811, 순조) → (나) 임술 농민 봉기(1862, 철종)가 된다.

(다) **원종과 애노의 난**: 신라 하대 진성 여왕 때 정부의 강압적인 조세 징수와 진골 귀족의 농민 수탈 심화 등으로 농민의 불만이 심화되면서 원종과 애노가 사벌주(상주)를 근거지로 반란을 일으켰다(889).

(가) **김사미·효심의 난**: 고려 명종 때 김사미가 운문(청도), 효심이 초전(울산)에서 신라 부흥을 표방하며 봉기하였다(1193).

(라) **홍경래의 난**: 순조 때 평안도 지역에 대한 차별 대우가 극심해지자 몰락 양반인 홍경래가 평서 대원수라 칭하며 난을 일으켰다(1811). 홍경래 등의 반란 세력은 선천, 정주 등 청천강 이북 지역을 거의 장악하기도 하였으나, 5개월 만에 관군에 의해 진압되었다.

(나) **임술 농민 봉기**: 철종 때 경상 우병사 백낙신이 탐욕을 부려 백성들에 대한 수탈이 심해지자, 이를 견디다 못한 진주 백성들이 임술 농민 봉기를 일으켰다(1862).

12

2024년 법원직 9급

다음 사건이 있었던 시기에 대한 설명으로 가장 옳은 것은?

> 평서 대원수는 급히 격문을 띄우노니 관서 지역의 부로자제와 공사천민은 모두 이 격문을 들으라. …… 조정에서는 관서 지역을 썩은 흙과 같이 버렸다. 심지어 권세 있는 집의 노비들도 서토 사람만 보면 반드시 '평안도 놈'이라고 말한다. 어찌 억울하고 원통하지 않은 자 있겠는가. …… 이제 격문을 띄워 먼저 여러 고을의 군후에게 알리노니, 절대로 동요하지 말고 성문을 활짝 열어 우리 군대를 맞으라.

① 왕실과 혼인을 맺은 일부 가문이 정권을 장악하였다.
② 유득공 등 서얼들을 규장각 검서관으로 임용하였다.
③ 대동법을 처음 실시하여 공납을 토지 기준으로 걷었다.
④ 육의전을 제외한 시전 상인들의 금난전권을 철폐하였다.

문제풀이 홍경래의 난 발생 시기의 사실 난이도 중

제시문에서 평서 대원수(홍경래)가 급히 격문을 띄워 조정이 관서 지역을 썩은 흙과 같이 버렸으며, 서토의 사람을 '평안도 놈'이라고 한다는 내용을 통해 홍경래의 난임을 알 수 있다. 홍경래의 난은 순조 때 평안도 지역에 대한 부당한 차별 대우와 세도 정치의 폐해에 반발하여 일어났다.

① 홍경래의 난이 일어난 순조 때부터 철종 때까지는 왕실과 혼인을 맺은 안동 김씨, 풍양 조씨와 같은 일부 가문이 정권을 장악하는 세도 정치가 이루어졌다

오답 분석

모두 홍경래의 난이 일어나기 이전에 있었던 사실이다.

②,④ **정조**: 유득공, 박제가, 이덕무 등 서얼 출신 학자들을 규장각 검서관으로 임용하고, 육의전을 제외한 시전 상인들의 금난전권을 철폐한 것은 정조 때이다.

③ **광해군**: 대동법을 처음 실시하여 공납을 토지 기준으로 걷은 것은 광해군 때이다. 대동법은 집집마다 토산물을 징수하는 대신 소유한 토지 결수를 기준으로 쌀, 무명, 삼베 등을 납부하도록 한 제도이다.

정답 09 ④ 10 ③ 11 ④ 12 ①

13

2014년 방재안전직 9급

다음 격문과 관련이 있는 역사적 사실에 대한 설명으로 옳은 것은?

> 조정에서는 관서를 버림이 분토(糞土)와 다름없다. …… 지금 임금이 나이가 어린 까닭으로 권세 있는 간신배가 그 세를 날로 떨치고, 김조순·박종경의 무리가 국가 권력을 오로지 갖고 노니, 어진 하늘이 재앙을 내린다.

① 살아 있는 미륵불을 자처하면서 서민을 현혹시켜 끌어 모았다.
② 사회의 모순을 극복하고, 일본과 서양 국가의 침략을 막아내자는 주장을 강하게 폈다.
③ 선천, 정주 등을 별다른 저항 없이 점거하고, 한때 청천강 이북 지역을 거의 장악하였다.
④ 농민들은 탐관오리와 토호의 탐학에 저항하여 진주성을 점령하기도 하였다.

14

2016년 법원직 9급

(가)에 들어갈 내용으로 가장 적절한 것은?

> 백낙신의 폭정을 견디다 못한 진주 백성 수만 명이 무리를 지어 서리들의 가옥 수십 호를 불사르고 부수며, 아전들을 둘러싸고 백성의 재물을 횡령한 일, 환곡을 포탈하거나 강제로 징수한 일들을 면전에서 문책하였다.

↓

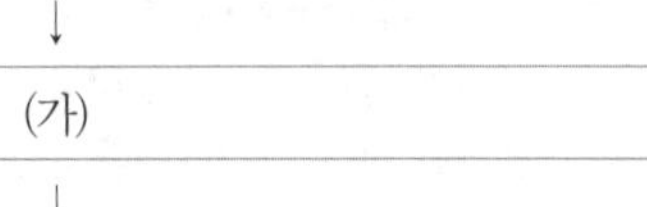

(가)

↓

> 철종이 후사 없이 사망하면서 고종이 어린 나이에 즉위하였다. 그러자 고종의 아버지인 흥선대원군이 실권을 잡았다. 대원군은 삼정의 문란을 진정시키기 위한 각종 정책을 폈다.

① 삼정이정청을 설치하고 수취 제도 개혁을 강구하였다.
② 군정의 문란을 해결하기 위하여 호포제가 실시되었다.
③ 농민들이 집강소를 설치하고 폐정 개혁을 추진하였다.
④ 홍경래를 중심으로 한 세력이 청천강 이북을 점령하였다.

문제풀이 홍경래의 난 　난이도 중

제시문에서 조정에서는 관서를 버림이 분토와 다름 없으며, 임금(순조)이 나이가 어린 까닭에 김조순·박종경 등의 무리가 국가 권력을 가지고 있다는 내용을 통해 순조 때 발생한 홍경래의 난에 대한 설명임을 알 수 있다.

③ 홍경래 등의 봉기 세력은 선천, 정주 등 청천강 이북 지역을 거의 장악하였으나 5개월 만에 관군에 의해 진압되었다.

오답 분석

① 살아 있는 미륵불을 자처하면서 서민을 현혹시킨 인물은 통일 신라 때의 궁예로, 홍경래의 난과 관련 없다.
② 사회의 모순을 극복하고 일본과 서양 국가의 침략을 막아내자는 주장을 강하게 펼친 것은 동학 농민 운동 때의 동학 농민들과 관련 있다.
④ 탐관오리와 토호의 탐학에 저항하여 난을 일으켜 한때 진주성을 점령하기도 한 것은 임술 농민 봉기(1862)와 관련 있다.

이것도 알면 **합격!**

홍경래의 난

원인	• 세도 정치의 폐해 • 평안도 지역에 대한 부당한 차별 대우
중심 세력	몰락 양반, 영세 농민, 중소 상인, 광산 노동자 등
전개	청천강 이북 지역을 거의 장악 → 5개월 만에 관군에 의해 진압
실패 원인	평안도 지역에 한정, 농민층을 포섭할 개혁안의 부재

문제풀이 임술 농민 봉기와 흥선 대원군 섭정 사이의 사실 　난이도 중

첫 번째 제시문은 백낙신의 폭정을 견디다 못한 진주 백성들이 임술 농민 봉기(1862, 철종)를 일으키는 내용이고, 두 번째 제시문은 고종이 어린 나이에 즉위(1863)하자 고종의 아버지인 흥선 대원군이 섭정을 하는 것과 관련된 내용이다. 따라서 임술 농민 봉기와 고종 즉위 사이의 사실을 묻는 문제이다.

① (가) 시기인 임술 농민 봉기 때 농민 봉기가 확산되자 정부는 삼정의 문란을 해결하기 위한 개혁 기구로 삼정이정청을 설치하였다. 그러나 삼정이정청이 얼마 지나지 않아 폐지되면서 근본적 해결책 마련에는 실패하였다.

오답 분석

② 양반도 군포를 부담하는 호포제가 실시되었던 시기는 흥선 대원군 집권기(1863~1873) 때로, 고종 즉위 이후의 사실이다.
③ 농민들이 집강소를 설치하고 폐정 개혁을 추진한 것은 동학 농민 운동(1894) 때로 고종 즉위 이후의 사실이다.
④ 홍경래를 중심으로 한 세력이 청천강 이북을 점령하였던 홍경래의 난(1811)은 순조 때 발생한 것으로 임술 농민 봉기보다 이전의 일이다.

15

2012년 지방직(하) 9급

다음 농민 봉기의 요구 사항으로 옳은 것은?

> 주민 수만 명이 머리에 흰 수건을 두르고 손에 나무 몽둥이를 들고 무리를 지어 진주 읍내에 모여 서리들의 가옥 수십 호를 불사르고 부셔서 그 움직임이 결코 가볍지 않았다.병사가 해산시키고자 하여 장시에 나가니 흰 수건을 두른 백성들이 땅 위에서 그를 빙 둘러싸고는 …… 여러 번 문책했는데, 조금도 거리낌이 없었다. 그리고 병영으로 병사를 잡아 들어가서는 이방 권준범과 포리 김희순을 곤장으로 수십 대 힘껏 때리니 여러 백성들이 두 아전을 그대로 불 속에 던져 넣어 태워버렸다.

① 환곡의 폐단을 없애라.
② 노비 문서를 불태워라.
③ 과부의 재가를 허용하라.
④ 토지를 골고루 나누어 경작하게 하라.

문제풀이 임술 농민 봉기 난이도 중

제시문에서 주민들이 머리에 흰 수건을 두르고 진주 읍내에 모여 난을 일으켰다는 내용을 통해 임술 농민 봉기에 대한 내용임을 알 수 있다.

① 임술 농민 봉기는 삼정의 문란이 원인이 되어 발생한 것으로, 농민들은 삼정 중 하나인 환곡의 폐단을 시정하라는 구호를 내걸고 봉기하였다.

오답 분석
모두 동학 농민 운동 때 농민군이 주장한 폐정 개혁안의 내용이다.
② 노비 문서 소각은 동학 농민군이 주장한 폐정 개혁안의 내용이다.
③ 과부의 재가 허용은 동학 농민군이 주장한 폐정 개혁안의 내용이다.
④ 토지를 골고루 나누어 경작하게 하는 것은 동학 농민군이 주장한 폐정 개혁안의 내용이다.

이것도 알면 **합격!**

임술 농민 봉기(1862, 철종)

구분	내용
원인	삼정의 문란 + 경상 우병사 백낙신의 수탈
전개	• 몰락 양반 출신인 유계춘을 중심으로 봉기 • 진주를 중심으로 전개 → 전국적인 민란으로 확산
정부 대책	• 선무사와 안핵사 파견 → 민심 회유 및 주동자 처벌 • 삼정이정청 설치 → 삼정의 문란 시정 약속
결과	정부 대책에 따라 봉기는 진정되었지만 삼정이정청이 얼마 지나지 않아 폐지되면서 근본적인 해결책 마련에는 실패

16

2022년 소방간부후보생

(가), (나) 봉기에 대한 설명으로 옳은 것은?

> (가) 이때 남적(南賊)이 봉기하였는데 그중 심한 것이 운문에 웅거한 김사미와 초전에 자리 잡은 효심이었다. 이들은 망명한 무리를 불러 모아 주현을 노략질하였다. 왕이 이러한 소식을 듣고 걱정하였다.
> (나) 수만 명이 무리를 지어 읍내에 모여 이서·이방과 하급 관리들의 집 수십 호를 불태웠는데, 그 행동거지가 가볍지 않았다. 당시 병마절도사가 나서 이들을 해산시키고자 하였다. 이에 유계춘의 지휘 아래 흰 수건을 두른 백성들이 자신들의 재물을 횡령한 조목, 그리고 아전들이 세금을 포탈하고 강제로 징수한 일들을 여러 번 문책하였는데, 그 능멸하고 핍박함은 조금도 거리낌이 없었다.

① (가): 후삼국 성립의 배경이 되었다.
② (가): 노비들이 주도한 신분 해방 운동이었다.
③ (나): 교조 신원 운동을 중심으로 전개되었다.
④ (나): 평안도 일부 지역이 봉기 세력에 점령되었다.
⑤ (나): 안핵사 박규수의 삼정이정청 설치 건의로 이어졌다.

문제풀이 김사미·효심의 난과 임술 농민 봉기 난이도 중

(가)는 김사미와 효심이 무리를 불러 모아 주현을 노략질한다는 내용을 통해 김사미와 효심의 난(1193)임을 알 수 있다.
(나)는 유계춘의 지휘 아래 흰 수건을 두른 백성들이 재물을 횡령한 조목, 아전들이 세금을 포탈하고 강제로 징수한 일들을 여러 번 문책하였다는 내용을 통해 임술 농민 봉기(1862)임을 알 수 있다.

⑤ 임술 농민 봉기가 발생하자 진상을 조사하기 위해 안핵사로 파견되었던 박규수는 삼정(전정, 군정, 환정)의 문란을 해결하기 위하여 삼정이정청의 설치를 건의하였다.

오답 분석
① 김사미와 효심의 난은 후삼국이 통일된 이후인 고려 명종 때 발생하였다.
② **만적의 난**: 노비들이 주도한 신분 해방 운동은 최충헌의 사노비인 만적이 주도한 만적의 난이다. 만적의 난은 사람이면 누구나 공경대부가 될 수 있다고 주장하며 신분 차별에 항거하며 정권 탈취를 시도하였으나 사전에 발각되어 실패하였다.
③ 교조 신원 운동은 억울하게 처형된 동학의 교조 최제우의 명예를 회복하기 위하여 전개된 운동으로, 임술 농민 봉기와는 관련이 없다.
④ **홍경래의 난**: 선천, 정주 등 평안도 일부 지역이 봉기 세력에 점령된 것은 홍경래의 난이다.

정답 13 ③ 14 ① 15 ① 16 ⑤

04 조선 후기의 문화

1 | 성리학의 변화와 실학의 발달

01

2022년 서울시 9급(6월 시행)

〈보기〉의 조선 후기 호락 논쟁에 대한 설명 중 성격이 다른 것은?

> **보기**
> ㉠ 조선을 중화로, 청을 오랑캐로 보는 명분론으로 이어진다.
> ㉡ 조선 후기 실학 운동으로 이어지는 사상적 기반이 되었다.
> ㉢ 주로 충청도 지역의 학자들이 중심이 되었다.
> ㉣ 대표적인 학자로는 한원진이 있다.

① ㉠ ② ㉡
③ ㉢ ④ ㉣

문제풀이 호락 논쟁 난이도 상

② 호락 논쟁(호론과 낙론의 논쟁)에 대한 설명 중 성격이 다른 것은 ㉡이다. 낙론은 인간과 사물의 본성이 같다고 보는 인물성동론을 바탕으로 중화와 오랑캐를 구분하는 중국 중심의 이분법적인 화이론을 부정하며 청 문물을 수용할 것을 주장하였고, 이는 조선 후기 실학 운동으로 이어지는 사상적 기반이 되었다.

오답 분석

㉠, ㉢, ㉣ 모두 호론에 대한 설명이다.

㉠ 호론은 인간과 사물의 본성을 다르다고 보는 인물성이론을 주장하였는데, 이는 인간의 본성으로 대변되는 중화와 사물의 본성에 해당되는 청(오랑캐)을 엄격하게 구분하여 조선을 중화로, 청을 오랑캐로 보는 명분론으로 이어졌다.

㉢, ㉣ 호론은 주로 충청도 지역의 노론 학자들이 중심이 되어 주장하였는데, 대표적인 인물로는 권상하, 한원진 등이 있다.

이것도 알면 **합격!**

호론의 주장(인물성이론)

> 물건은 편벽되고 막힌 기운을 받았기 때문에, 이(理)의 전체를 받지 못한 것은 아니지만 기질을 따라 본성 역시 편벽되고 막히게 된다. …… 사람은 바르고 통한 기운을 받았기 때문에 마음이 가장 영묘하여 건순과 오상의 덕을 모두 갖추었으니 …… 이는 사람과 물건의 다른 점이다.

사료 분석 | 호론은 인간과 사물의 본성이 서로 다르다는 인물성이론을 주장하였다.

02

2013년 국가직 9급

조선 후기 호락(湖洛) 논쟁에 대한 설명으로 옳지 않은 것은?

① 18세기 중엽 노론 내부에 주기설과 주리설의 분파가 생겨 일어났다.
② 호론은 인성과 물성이 다르다고 보는 인물성이론을 내세웠다.
③ 낙론은 인성과 물성이 같다는 인물성동론을 주장하였다.
④ 호론은 북학파의 과학 기술 존중과 이용후생 사상으로 이어졌다.

문제풀이 호락 논쟁 난이도 중

④ 호론은 인물성이론을 주장하였기 때문에 오랑캐를 배척하고 북학에 반대하였으며, 이후 호론의 사상은 위정척사 사상으로 계승되었다. 인물성동론을 주장한 낙론이 북학, 이용후생 사상 등으로 이어졌다.

오답 분석

① 호락 논쟁은 18세기 중엽 노론 내부에서 일어난 논쟁으로 호론은 정통 주기설의 입장에 있었고, 낙론은 주리설을 수용한 주기설의 입장에 있었다.

②, ③ 호론은 인간의 본성과 사물의 본성이 다르다는 인물성이론의 입장이었고, 낙론은 인간의 본성과 사물의 본성이 같다는 인물성동론의 입장이었다.

이것도 알면 **합격!**

호락 논쟁

구분	호론	낙론
이론	인물성이론	인물성동론
본성	인간의 본성과 사물의 본성은 다름	인간의 본성은 사물의 본성과 동일함
중심 인물	권상하, 한원진	이간, 이재
지역	호서(충청도) 지역	낙하(서울), 경기 지역
계승	북벌론, 위정척사 사상	북학론, 개화 사상

03

2017년 경찰간부후보생

아래의 지문과 관계 있는 것으로 가장 옳지 않은 것은?

> 본래 사람의 생리 속에는 밝게 깨닫는 능력이 있기 때문에 스스로 두루 잘 통해서 어둡지 않게 된다. 따라서, 불쌍히 여길 줄 알고 부끄러워하거나 미워할 줄 알며 사양할 줄 알고 옳고 그름을 가릴 줄 아는 것 가운데, 어느 한 가지도 못하는 것이 없다. 이것이 본래 가지고 있는 덕이며 이른바 양지(良知)라고 하는 것이니, 또한 인(仁)이라고도 한다.

① 위의 글을 지은 인물은 집권 노론의 자제로 한양을 중심으로 하는 학파를 형성하였다.

② 왕수인의 친민설(親民說)을 적극 지지하였다.

③ 위의 글을 지은 인물은 하곡(霞谷)을 호로 하고 있다.

④ 위의 글을 지은 인물은 일반민을 도덕 실천의 주체로 인정하였다.

문제풀이 정제두의 양명학 난이도 상

제시문에서 본래 가지고 있는 덕을 양지라고 하는 내용을 통해 조선 후기 정제두에 의해 본격적으로 연구된 양명학임을 알 수 있다.

① 정제두는 소론 출신의 인물로, 강화도를 중심으로 하는 강화 학파를 형성하였다.

오답 분석

② 양명학은 왕수인(왕양명)의 친민설을 적극 수용하여 백성을 도덕 실천의 주체로 인식하고, 양반 신분제의 폐지를 주장하였다.

③ 정제두는 강화도 하곡으로 이주하면서 호를 하곡이라 하였다.

④ 양명학은 백성을 가르치고 일깨워야 한다는 주자 성리학의 신민설에 반대하고, 백성이 도덕 실천의 주체라는 친민설을 주장하였다.

이것도 알면 **합격!**

강화 학파

형성	18세기 초 정제두(소론)가 강화도를 중심으로 형성
활동	• 정제두의 주장: 일반민을 도덕 실천의 주체로 인정, 양반 신분제의 폐지 주장, 주자학 비판 • 실학자들과 영향을 주고 받으며 발전
계승	집안의 후손과 인척 중심으로 가학(家學) 형태로 계승
영향	구한말과 일제 강점기에 이건창, 박은식, 정인보 등이 계승

04

2018년 서울시 9급(3월 시행)

〈보기〉는 어느 책의 일부를 발췌한 것이다. 이 책을 저술한 사람은?

> **보기**
>
> 하늘이 재능을 균등하게 부여하는데 관리의 자격을 대대로 벼슬하던 집안과 과거 출신으로만 한정하고 있으니 항상 인재가 모자라 애태우는 것은 당연한 일이다. 어느 시대, 어느 나라에서 노비나 시얼이어서 어진 인재를 버려두고, 어머니가 개가 했으므로 재능을 쓰지 않는다는 것은 듣지 못했다.

① 이황 ② 이이

③ 허균 ④ 유형원

문제풀이 허균 난이도 중

제시문은 허균이 저술한 「유재론」의 내용이다. 허균은 이 글에서 신분 제도에 근거한 불평등한 인재 등용 정책을 비판하고, 능력에 따른 인재 등용을 촉구하였다.

③ 허균은 서얼에 대한 차별 철폐를 강조하였고, 한글 소설인 「홍길동전」을 저술하여 조선의 서얼 차별에 대한 현실을 비판하였다. 또한 그는 경제적으로 여유가 있는 호민(豪民)이 나라의 중심이 되어야 한다는 호민론을 주장하였다.

오답 분석

① **이황**: 조선의 성리학자인 이황은 이언적을 계승하여 주리론을 집대성하였으며, 성리학의 원리를 10개의 도식으로 설명한 『성학십도』를 만들어 군주가 스스로 성학을 따를 것을 주장하였다. 또한 이황이 『주자대전』의 일부를 추려 만든 『주자서절요』는 일본에 전해져 일본 성리학 발전에 영향을 주었다.

② **이이**: 조선의 성리학자인 이이는 서경덕의 사상을 계승하여 주기론을 집대성하였으며, 『성학집요』를 저술하여 현명한 신하가 군주에게 성학을 가르쳐 그 기질을 변화시켜야 한다고 주장하였다. 또한 이이는 『동호문답』에서 공납을 현물 대신 쌀로 징수하자는 수미법을 주장하였다.

④ **유형원**: 유형원은 조선 후기의 중농주의 실학자로, 『반계수록』을 저술하여 신분에 따라서 토지를 차등 있게 재분배하자는 균전론을 주장하였다.

정답 01 ② 02 ④ 03 ① 04 ③

05

2016년 서울시 7급

조선 후기 토지 개혁론에 대한 설명으로 옳은 것을 〈보기〉에서 모두 고르면?

보기

㉠ 연암 박지원은 한전론(限田論)을 제안하였는데, 토지 소유의 상한선을 정하면 토지 소유의 양극화를 해소할 수 있다고 생각하였다.

㉡ 풍석 서유구는 둔전론(屯田論)을 주장하였는데, 소농 생활의 안정을 위해서는 세금을 줄일 뿐만 아니라 지주제도 철폐해야 한다고 생각하였다.

㉢ 다산 정약용은 정전론(井田論)을 제시하였는데, 구획이 가능한 곳은 정자(井字)로, 불가능한 곳은 계산상으로 구획한 뒤 노동력의 양과 질에 따라 토지를 차등적으로 분급할 것을 주장하였다.

㉣ 성호 이익은 농가를 안정시키는 방법으로 매 호마다 영업전(永業田)을 갖게 하고, 그 이외의 토지는 매매를 허락하여 점진적으로 토지 균등을 이루어 나가자고 주장하였다.

① ㉠, ㉡, ㉢　　② ㉠, ㉡, ㉣

③ ㉠, ㉢, ㉣　　④ ㉡, ㉢, ㉣

문제풀이 조선 후기 토지 개혁론 난이도 상

③ 옳은 설명을 모두 고르면 ㉠, ㉢, ㉣이다.

㉠ 연암 박지원은 『한민명전의』에서 토지 소유의 상한선을 설정한 후, 그 이상의 토지 소유를 금하는 한전론을 제안하였다. 그는 토지의 상한선을 설정하고 그 이상의 토지 소유를 금한다면 수십 년 후 매매와 상속을 통해 균등한 토지 소유가 가능해 질 것으로 보았다.

㉢ 다산 정약용은 『경세유표』에서 농지 구획이 가능한 곳은 정(井)자로, 불가능한 곳은 계산상으로 구획한 뒤 노동력의 양과 질에 따라 토지를 나누는 정전론을 주장하였다. 또한 정약용은 정전론에 따라 전체 농지의 1/9은 공동으로 경작하여 그 수확물을 국가에 조세로 바치도록 하는 방안을 제시하였다.

㉣ 성호 이익은 『곽우록』에서 한전론을 주장하였다. 이익의 한전론은 매 호마다 생활을 유지하는 데 필요한 최소한의 토지를 영업전으로 설정하여 매매를 금지하고, 영업전 이외의 토지만 매매가 가능하도록 해야 한다고 주장하였다.

오답 분석

㉡ 풍석 서유구의 둔전론은 부농층과의 유대를 통해 토지 제도를 개혁하고자 한 것으로, 지주제 폐지와는 관련이 없다. 서유구는 국가가 주도하는 국영 농장인 둔전을 설치하고 부농층에게 관리 및 경영을 맡기는 둔전론을 주장하였는데, 국영 농장에 경영형 부농층으로 하여금 무전농민을 고용하도록 하여 그들에게 수확물을 충분히 분배하는 방식을 통해 농민 경제와 국가 재정의 파탄을 사전에 막을 수 있다고 보았다.

06

2018년 법원직 9급

(가) 정책에 대한 설명으로 옳은 것은?

> 중농 학파인 유형원은 토지 개혁을 주장하였는데, 『반계수록』에서 자영농을 육성하는 방법으로 (가) 을/를 주장하였다.

① 영업전을 설정하여 최소한의 농민 생활을 보장하고자 하였다.

② 신분 차별 없이 모든 사람에게 균등한 토지 분배를 강조하였다.

③ 관리, 선비, 농민 등에게 차등을 두어 토지를 분배할 것을 주장하였다.

④ 한 마을을 단위로 토지를 공동 소유하고 공동 경작할 것을 강조하였다.

문제풀이 균전론 난이도 하

제시된 자료에서 중농 학파인 유형원이 『반계수록』에서 주장한 토지 개혁론은 (가) 균전론이다.

③ 유형원이 주장한 균전론은 자영농의 육성을 위해 관리, 선비, 농민 등의 신분에 따라 차등을 두어 토지를 분배하는 것이었다.

오답 분석

① **한전론**: 생활에 필요한 최소한의 토지를 영업전으로 설정하고 영업전 이외의 토지의 매매만을 허용한 것은 이익의 한전론이다.

② 유형원이 주장한 균전론은 신분에 따라 차등 있게 토지를 분배하자는 토지 개혁론이다.

④ **여전제**: 한 마을을 단위로 토지를 공동으로 소유하고, 공동으로 경작할 것을 강조한 것은 정약용이 주장한 여전제이다. 정약용은 한 마을을 1여로 편성하고 여장의 감독하에 공동으로 경작한 뒤 노동량에 따라 수확물을 분배하자는 여전제를 주장하였다.

 이것도 알면 **합격!**

유형원

균전론 주장	신분에 따라 토지를 차등 있게 지급하는 균전론 주장
경무법 주장	토지 측량법으로 결부법(수확량 단위)이 아닌 경무법(면적 단위) 사용 주장
모순 비판	양반 문벌 제도, 과거 제도, 노비 제도의 모순 비판

07
2023년 법원직 9급

다음 주장을 펼친 인물에 대한 설명으로 가장 옳은 것은?

> 국가는 마땅히 한 집의 생활에 맞추어 재산을 계산해서 토지 몇 부(負)를 1호의 영업전으로 한다. 땅이 많은 자는 빼앗아 줄이지 않고 미치지 못하는 자도 더 주지 않으며, 돈이 있어 사고자 하는 자는 비록 천백 결이라도 허락하여 주고, 땅이 많아서 팔고자 하는 자는 다만 영업전 몇 부 이외에는 허락하여 준다.

① 한국사의 독자적인 정통론을 체계화하였다.
② 『목민심서』와 『경세유표』 등의 저술을 남겼다.
③ 나라를 좀먹는 여섯 가지의 폐단을 지적하였다.
④ 신분에 따라 차등 있게 토지를 분배하는 균전론을 내세웠다.

08
2019년 법원직 9급

다음 개혁안을 주장한 인물에 대한 설명으로 가장 옳은 것은?

> 국가는 마땅히 한 집의 재산을 헤아려서 토지 몇 부를 한 집의 영업전으로 하여 당나라의 제도처럼 한다. 땅이 많은 자는 빼앗아 줄이지 않고 모자라는 자도 더 주지 않는다. 돈이 있어 사고자 하는 자는 비록 1,000결이라도 허락해 준다. …… 오직 영업전 몇 부 안에서 사고파는 것만을 철저히 살핀다. …… 사는 자는 다른 사람의 영업전을 빼앗은 죄로 다스리고, 구입한 자는 값을 따지지 않고 그 땅을 다시 돌려준다.

① 여전론을 제안하였다.
② 노론 계열의 실학자이다.
③ 성호 학파를 형성하였다.
④ 『열하일기』를 저술하였다.

문제풀이 이익
난이도 중

제시문에서 토지 몇 부를 1호의 영업전으로 한다는 내용과, 땅이 많아서 팔고자 하는 자는 영업전 몇 부 이외에는 허락하여 준다는 것을 통해 토지 소유의 하한선을 정하도록 한 한전론에 대한 내용임을 알 수 있으며, 한전론을 주장한 인물은 이익이다.

③ 이익은 나라를 좀먹는 여섯 가지 폐단으로 노비 제도, 과거 제도, 양반 문벌 제도, 사치와 미신 숭배, 승려, 게으름을 지적하였다.

오답 분석

① **안정복**: 중국 중심의 역사 인식에서 탈피하여 한국사의 독자적인 정통론을 체계화한 인물은 안정복이다. 안정복은 단군 조선부터 고려 말까지의 역사를 정리한 『동사강목』을 저술하여 삼국을 무통으로 보고, 단군 조선 → 기자 조선 → 마한 → 통일 신라 → 고려로 이어지는 독자적인 정통론을 세웠다.

② **정약용**: 『목민심서』와 『경세유표』 등의 저술을 남긴 인물은 정약용이다. 『목민심서』는 지방 행정 개혁 방안 및 수령이 지켜야 할 지침에 대해 정리한 책이며, 『경세유표』는 중앙과 지방의 정치 제도를 개혁할 것을 주장하며 저술한 책이다.

④ **유형원**: 신분에 따라 차등 있게 토지를 분배하는 균전론을 내세운 인물은 유형원이다. 또한, 유형원은 면적을 단위로 한 경무법의 사용과 자영농을 바탕으로 한 병농 일치의 군대 조직을 주장하였다.

문제풀이 이익
난이도 하

제시문에서 토지 몇 부를 한 집의 영업전으로 하고 오직 영업전의 사고파는 것만을 철저히 살핀다는 내용을 통해 성호 이익이 주장한 토지 개혁론인 한전론에 대한 설명임을 알 수 있다.

③ 성호 이익의 사상과 학문은 후학들에게 이어졌는데, 그의 학맥을 계승한 권철신, 이벽 등의 제자들은 성호 학파를 형성하였으며, 경기 지역의 남인들이 학파의 주류를 이루었다.

오답 분석

① **정약용**: 한 마을을 단위로 하여 토지를 공동으로 소유·경작하고 그 수확량을 노동량에 따라 분배하자는 여전론을 제안한 인물은 정약용이다.

② 이익은 남인 계열의 실학자이다. 이익, 정약용 등의 경기 남인은 중농학파의 주류를 이루었으며, 홍대용, 박지원 등의 노론 계열 인물들은 중상학파의 주류를 이루었다.

④ **박지원**: 청에 다녀온 후 『열하일기』를 저술한 인물은 박지원이다. 박지원은 이 책에서 청의 문물을 소개하고, 수레와 선박의 이용 및 화폐 유통의 필요성 등을 주장하였다.

이것도 알면 **합격!**

이익
- 『성호사설』 저술, 제자를 양성하여 성호 학파 형성, 중국 중심의 역사관에서 벗어나 우리 역사를 체계화할 것을 주장
- 한전론(영업전 이외의 토지 매매 허용) 주장
- 6가지 폐단(노비제, 과거제, 양반 문벌제, 사치와 미신, 승려, 게으름) 비판

정답 05 ③ 06 ③ 07 ③ 08 ③

09

2018년 서울시 9급(3월 시행)

〈보기〉의 내용을 주장한 인물에 대한 설명으로 가장 옳은 것은?

> **보기**
>
> 국가는 마땅히 한 집의 생활에 맞추어 재산을 계산해서 토지 몇 부(負)를 한 호의 영업전으로 한다. 그러나 땅이 많은 자는 빼앗아 줄이지 않고 미치지 못하는 자도 더 주지 않으며, 돈이 있어 사고자 하는 자는 비록 천백 결이라도 허락해 주고, 땅이 많아서 팔고자 하는 자는 다만 영업전 몇 부 이외에는 허락한다.

① 『목민심서』를 저술하는 등 실학을 집대성하였다.

② 발해사를 우리나라 역사로 체계화 할 목적으로 『발해고』를 저술하였다.

③ 전국의 자연 환경과 인물, 풍속 등을 정리한 『택리지』를 저술하였다.

④ 천지·인사·만물·경사·시문 등 5개 부문으로 나누어 우리나라와 중국의 문화를 백과사전식으로 소개·비판한 『성호사설』을 저술하였다.

문제풀이 이익 난이도 중

제시문에서 한 집의 토지 몇 부(負)를 한 호의 영업전으로 하고, 영업전을 제외한 땅의 매매만 허락한다는 내용을 통해 한전론에 대한 내용임을 알 수 있고, 이는 조선 후기 실학자 이익이 주장한 것이다.

④ 이익은 『성호사설』을 저술하여 천지·인사·만물·경사·시문 등 5개 부분의 우리나라와 중국 문화를 백과사전식으로 정리하였다.

오답 분석

① **정약용**: 『목민심서』와 『경세유표』 등을 저술하면서 실학을 집대성한 인물은 정약용이다. 정약용은 농민의 생활 안정을 위한 여전제와 정전제 등의 토지 개혁론을 제시하는 한편, 과학 기술에 대한 관심이 많아 거중기(화성 축조)와 주교(배다리) 등을 제작하였다.

② **유득공**: 발해사를 우리나라 역사로 체계화 할 목적으로 『발해고』를 저술한 인물은 유득공이다. 유득공은 『발해고』를 통해 '남북국'이란 용어를 처음으로 사용하였으며, 우리나라 고대사 연구의 시야를 만주 지방까지 확대시켰다.

③ **이중환**: 전국의 자연 환경과 인물, 풍속, 물산, 인심 등을 분석하여 정리한 인문 지리서인 『택리지』를 저술한 인물은 이중환이다.

10

2023년 서울시 9급

〈보기〉의 밑줄 친 '나'에 대한 설명으로 가장 옳은 것은?

> **보기**
>
> 지금 농사를 하고자 하는 사람은 토지를 얻고, 농사를 하지 않는 사람은 토지를 얻지 못하도록 한다. 즉 여전(閭田)의 법을 시행하면 나의 뜻을 이룰 수 있을 것이다. …… 무릇 1여의 토지는 1여의 사람들로 하여금 공동으로 경작하게 하고, 내 땅 네 땅의 구분 없이 오직 여장의 명령만을 따른다. 매 사람마다의 노동량은 매일 여장이 장부에 기록한다. 가을이 되면 무릇 오곡의 수확물을 모두 여장의 집으로 보내어 그 식량을 분배한다. 먼저 국가에 바치는 공세를 제하고, 다음으로 여장의 녹봉을 제하며, 그 나머지를 날마다 일한 것을 기록한 장부에 의거하여 여민들에게 분배한다.

① 『북학의』를 저술하였다.

② 『성호사설』을 저술하였다.

③ 『반계수록』을 저술하였다.

④ 『목민심서』를 저술하였다.

문제풀이 정약용 난이도 하

제시문에서 1여의 토지는 1여의 사람들이 공동으로 경작하고, 수확물은 일한 것을 기록한 장부에 의거하여 여민들에게 분배한다는 내용을 통해 밑줄 친 '나'가 여전론을 주장한 정약용임을 알 수 있다.

④ 정약용은 지방 행정의 개혁 방안 및 목민관(수령)이 지켜야 할 지침에 대해 정리한 『목민심서』를 저술하였다.

오답 분석

① **박제가**: 『북학의』를 저술한 인물은 박제가이다. 박제가는 『북학의』에서 청과의 통상을 확대하고 수레나 선박의 사용을 늘릴 것을 주장하였으며, 생산과 소비의 관계를 우물에 비유하여 소비를 권장하였다.

② **이익**: 『성호사설』을 저술한 인물은 이익이다. 이익은 『성호사설』에서 천지·인사·만물·경사·시문 등 5개 부문의 우리나라와 중국 문화를 백과사전식으로 정리하였다.

③ **유형원**: 『반계수록』을 저술한 인물은 유형원이다. 유형원은 『반계수록』에서 국가 제도의 개혁 방향을 제시하였으며, 토지의 국유화를 전제로 신분에 따라 차등 있게 토지를 분배하자는 균전론을 주장하였다.

11

2017년 지방직 9급

다음 글을 쓴 사람에 대한 설명으로 옳은 것은?

> 오늘날 백성을 다스리는 자는 백성에게서 걷어들이는 데만 급급하고 백성을 부양하는 방법은 알지 못한다. …… '심서(心書)'라고 이름 붙인 까닭은 무엇인가? 백성을 다스릴 마음은 있지만 몸소 실행할 수 없기 때문에 그렇게 이름 붙인 것이다.

① 우리나라에서 처음으로 지전설을 주장하였다.
② 『농가집성』을 펴내 이앙법 보급에 공헌하였다.
③ 홍역 관련 의서를 종합해 『마과회통』을 저술하였다.
④ 조선 시대의 역사를 서술한 『열조통기』를 편찬하였다.

12

2017년 사회복지직 9급

다음은 정약용의 토지 제도 개혁안의 일부이다. ㉠과 ㉡에 들어갈 말로 옳은 것은?

> (㉠)법은 시행할 수 없다. (㉠)은 모두 한전이었는데, 수리 시설이 갖춰지고 메벼와 찰벼가 맛이 좋으니 수전을 버리겠는가. (㉠)이란 평평한 농지인데 나무를 베어 내노라 힘을 들였고 산과 골짜기가 이미 개간되었으니, 이러한 밭을 버리겠는가. (㉡)법은 시행할 수 없다. (㉡)은 농지와 인구를 계산 하여 분배해 주는 것인데, 호구의 증감이 달미다 다르고 해마다 다르다. 금년에는 갑의 비율로 분배하였다가 명년에는 을의 비율로 분배해야 하므로 조그마한 차이는 산수에 능한 자라도 살필 수 없고 토지의 비옥도가 경마다 묘마다 달라 한정이 없으니, 어떻게 균등하게 하겠는가.

	㉠	㉡
①	한전	균전
②	정전	여전
③	여전	한전
④	정전	균전

V. 조선의 변화

04 조선 후기의 문화 해커스공무원 단원별 기출문제집 한국사

문제풀이 정약용

난이도 중

제시문에서 백성을 부양하는 방법, 심서 등의 표현과 백성을 다스릴 마음은 있지만 몸소 실행할 수 없다는 내용을 통해 정약용이 저술한 『목민심서』임을 알 수 있다. 강진으로 유배된 정약용은 『목민심서』를 저술하여 관리들의 폭정을 비판하고, 목민관(수령)이 지켜야 할 덕목들을 제시하였다.

③ 정약용은 홍역(마진)에 대한 의서를 종합하여 『마과회통』을 저술하였는데, 이 책에서 천연두 치료법인 종두법(우두법)을 최초로 조선에 소개하였다.

오답 분석

① **김석문**: 우리나라에서 최초로 지구가 자전한다는 지전설을 주장한 인물은 『역학도해』를 저술한 김석문이다.

② **신속**: 『농사직설』, 『금양잡록』 등 조선의 농서들을 집대성한 『농가집성』을 저술하여 이앙법 보급에 공헌한 인물은 신속이다.

④ **안정복**: 조선 태조에서 영조까지의 역사를 편년체로 서술한 역사서인 『열조통기』를 저술한 인물은 안정복이다.

문제풀이 정약용의 토지 제도 개혁안

난이도 상

제시된 자료는 정약용이 저술한 「전론」 중 일부 내용으로, 정약용은 「전론」에서 정전제, 균전제, 한전제에 대한 한계점을 지적하였다.

④ 옳은 것은 ㉠ 정전, ㉡ 균전이다.

㉠ 정전제는 토지를 정(井)자 모양으로 구획한 뒤 8호가 각각 한 구역씩 경작하게 하고, 가운데 구역은 공동으로 경작하여 조세로 납부하게 하는 제도였다. 그러나 정약용은 우리나라가 산과 골짜기가 많은 지형이기 때문에 현실적으로 시행되기 어렵다고 하였다.

㉡ 정약용은 균전제를 시행하려면 토지와 인구가 일정해야 하는데, 조선에서는 호구의 증감이 수시로 변하고 토지의 비옥도가 일정하지 않아 해마다 변동하는 인구와 토지의 비옥도를 정확히 측정하기 힘들다는 이유로 균전제를 비현실적인 토지 개혁안이라고 비판하였다.

오답 분석

· **한전제**: 한전제는 토지의 소유를 제한하자는 것으로, 정약용은 토지 소유욕과 지주들의 토지 겸병으로 법을 어기는 자가 나타날 수 있다고 보아 한전제를 부정적으로 보았다.

· **여전제**: 여전제란 30호 정도를 단위로 여(閭)라는 행정 조직을 만들고 여(閭) 안의 토지는 여민들이 공동으로 경작한 후 수확량을 노동량에 비례하여 분배하는 제도로, 정약용이 초기에 주장한 토지 제도 개혁안이다.

정답 09 ④ 10 ④ 11 ③ 12 ④

13

2017년 지방직 7급

㉠~㉢에 들어갈 책의 이름이 옳은 것은?

> ○ (㉠)에서는 『주례』에 나타난 주나라 제도를 모범으로 하여 중앙과 지방의 정치 제도를 개혁할 것을 제안했다.
> ○ (㉡)는 수령들이 백성을 수탈하는 도적으로 변한 현실을 바로잡기 위해 백성을 기르는 목민관으로서 지켜야 할 규범을 제시한 일종의 수신 교과서이다.
> ○ (㉢)는 백성들이 억울한 벌을 받지 않도록 형법을 신중하게 집행하기 위해 지은 책이다.

	㉠	㉡	㉢
①	『경세유표』	『목민심서』	『흠흠신서』
②	『목민심서』	『경세유표』	『흠흠신서』
③	『흠흠신서』	『목민심서』	『경세유표』
④	『경세유표』	『흠흠신서』	『목민심서』

문제풀이 정약용의 저술 난이도 중

① ㉠은 『경세유표』, ㉡은 『목민심서』, ㉢은 『흠흠신서』이다.

㉠ 정약용이 주나라의 제도를 모범으로 하여 중앙과 지방의 정치 제도를 개혁할 것을 주장하며 지은 책은 『경세유표』이다. 정약용은 『경세유표』에서 관직 체제의 개편과 토지 제도 개혁(정전제), 인재 등용, 지방 행정 조직 재편 등에 대해 저술하였다.

㉡ 정약용이 백성을 기르는 목민관으로서 수령들이 지켜야 할 규범을 제시하며 지은 책은 『목민심서』이다. 정약용은 고을 수령이 지켜야 할 지침을 제시하면서 지방 행정의 개혁을 논하였다.

㉢ 정약용이 백성들이 억울한 벌을 받지 않도록 형법을 신중하게 집행하기 위해 지은 책은 『흠흠신서』이다. 『흠흠신서』는 죄수에 대한 재판 방법과 『경국대전』의 형벌 규정 및 판례를 정리한 일종의 형옥 지침서이다.

이것도 알면 **합격!**

정약용의 저술

저술	내용
『목민심서』	지방 행정 조직 개혁, 목민관(지방관)의 자세 제시
『흠흠신서』	형옥 관련 법률 제시
『경세유표』	중앙과 지방의 통치 체제 개혁, 정전제 주장
『기예론』	기술 교육과 기술 진흥 강조(북학파의 주장 지지)
『마과회통』	홍역에 관한 의서, 제너의 종두법 소개

14

2019년 서울시 9급(6월 시행)

〈보기〉의 토지 개혁안을 주장한 조선 후기 실학자를 옳게 짝지은 것은?

> **보기**
> ㉠ 지금 농사를 하고자 하는 사람은 토지를 얻고, 농사를 하지 않는 사람은 토지를 얻지 못하도록 한다. 즉 여전(閭田)의 법을 시행하면 나의 뜻을 이룰 수 있을 것이다. …… 무릇 1여의 토지는 1여의 사람들로 하여금 공동으로 경작하게 하고, 내 땅 네 땅의 구분 없이 오직 여장의 명령만을 따른다. 매 사람마다의 노동량은 매일 여장이 장부에 기록한다. 가을이 되면 무릇 오곡의 수확물을 모두 여장의 집으로 보내어 그 식량을 분배한다. 먼저 국가에 바치는 공세를 제하고, 다음으로 여장의 녹봉을 제하며, 그 나머지를 날마다 일한 것을 기록한 장부에 의거하여 여민들에게 분배한다.
> ㉡ 국가는 마땅히 한 집의 재산을 헤아려 전(田) 몇 부(負)를 한정하여 1호(戶)의 영업전(永業田)을 삼기를 당나라의 조제(租制)처럼 해야 한다. 그렇다고 해서 많이 소유한 자의 것을 줄이거나 빼앗지 않고, 모자라게 소유한 자라고 해서 더 주지 않는다. 돈이 있어 사고자 하는 자는 비록 천백 결(結)이라도 모두 허가하고, 토지가 많아 팔고자 하는 자도 단지 영업전 몇 부 이외에는 역시 허가한다.

	㉠	㉡
①	정약용	이익
②	박지원	유형원
③	정약용	유형원
④	이익	박지원

문제풀이 정약용과 이익 난이도 중

㉠은 1여의 토지를 공동으로 경작하게 하는 여전(閭田)의 법을 실시한다는 내용을 통해 정약용이 주장한 여전론의 내용임을 알 수 있다. 한편 ㉡은 토지 몇 부(負)를 한정하여 1호(戶)의 영업전으로 삼고 영업전 이외의 토지를 파는 것을 허가한다는 내용을 통해 이익이 주장한 한전론의 내용임을 알 수 있다.

① 옳게 짝지으면 ㉠ 정약용, ㉡ 이익이 된다.

㉠ 정약용은 토지 개혁안으로 1여의 토지를 주민이 공동으로 소유하고, 여장의 감독하에 공동으로 경작한 뒤 노동량에 따라 수확물을 여민에게 분배하자는 여전제를 주장하였다. 또한 그는 토지를 정(井)자 모양으로 구획한 뒤 각 호(戶)마다 한 구역씩 경작하게 하고, 가운데 구역은 공동으로 경작하여 조세로 납부하게 하는 정전제를 제안하기도 하였다.

㉡ 이익은 호(戶)마다 생활을 유지하는 데 필요한 최소한의 토지를 영업전으로 설정하고, 영업전 이외의 토지만 매매가 가능하도록 한 한전제를 주장하였다.

오답 분석

- **박지원:** 박지원은 토지 개혁안으로 토지 소유의 상한선을 설정하자는 한전론을 제안하였다. 그는 토지 보유의 상한선 이상의 토지는 매매·상속 등을 통해 자연스럽게 분배되어 점진적으로 균등한 토지 소유가 가능해질 것이라고 주장하였다.
- **유형원:** 유형원은 토지를 국유화하자는 공전제와 신분에 따라 토지를 차등 있게 분배하자는 균전론을 제안하였다.

15

2022년 국회직 9급

다음과 같은 주장을 편 인물에 대한 설명으로 옳은 것은?

> 하늘에 가득한 별들이 각기 계(界) 아닌 것이 없다. 성계(星界)로부터 본다면, 지구 역시 하나의 별에 불과할 것이다. 헤아릴 수 없이 수많은 계(界)들이 공중에 흩어져 있는데, 오직 이 지구만이 공교롭게 중앙에 위치해 있다는 것은 이럴 이치가 없다. 이렇기 때문에 계 아닌 것이 없고 자전하지 않는 것이 없다고 하는 것이다. 다른 계에서 보는 것도 역시 지구에서 보는 것과 같을 것이니, 다른 계에서 각기 저마다 중앙이라 한다면 각 성계(星界)가 모두 중계(中界)일 것이다.

① 「양반전」을 지어 양반의 허례와 무능을 풍자하였다.
② 지전설을 바탕으로 중국 중심의 세계관을 비판하였다.
③ 『우서』에서 사농공상의 평등과 전문화를 주장하였다.
④ 북한산 신라 진흥왕 순수비를 처음으로 고증하였다.
⑤ 『곽우록』에서 토지 매매를 제한하는 한전제를 제시하였다.

16

2019년 기상직 9급

다음 자료의 주장을 전개한 인물의 활동으로 옳은 것은?

> 아홉 도의 전답(田畓)을 고루 나누어 3분의 1을 취해서 아내가 있는 남자에 한해서는 각각 2결(結)을 받도록 한다. (그 자신에 한하며 죽으면 8년 후에 다른 사람에게 옮겨 준다.) 전원(田園) 울타리 밑에 뽕나무와 삼[麻]을 심도록 하며, 심지 않는 자에게는 벌로 베[布]를 받는데 부인이 3명이면 베[布] 1필, 부인이 5명이면 명주[帛] 1필을 상례(常例)로 정한다.

① 『역학도해』에서 지전설을 주장하였다.
② 동·서양 수학을 정리하여 『주해수용』을 저술하였다.
③ 우주 현상과 지리, 문화 현상을 상술한 『지구전요』를 편찬하였다.
④ 『곽우록』을 저술하여 국가적 문제의 해결책을 제시하고자 하였다.

15 문제풀이 홍대용

난이도 상

제시문에서 성계(星界, 우주)로부터 본다면 지구 역시 하나의 별에 불과할 것이라는 내용 등을 통해 지구가 자전한다는 지전설을 주장한 홍대용임을 알 수 있다.

② 홍대용은 『의산문답』에서 지구가 자전한다는 지전설과 지구가 우주의 중심이 아니라 무수한 별 중 하나라는 무한 우주론을 바탕으로 중국 중심의 세계관을 비판하였다.

오답 분석

① **박지원**: 「양반전」, 「호질」 등의 한문 소설을 지어 양반의 허례와 무능을 풍자한 인물은 박지원이다.
③ **유수원**: 『우서』에서 사농공상의 진흥을 위한 사농공상의 평등과 전문화를 주장한 인물은 유수원이다.
④ **김정희**: 북한산 신라 진흥왕 순수비를 처음으로 고증한 인물은 김정희이다. 김정희는 『금석과안록』에서 북한산비와 황초령비를 판독하고 이 비석들이 진흥왕 순수비임을 처음으로 고증하였다.
⑤ **이익**: 『곽우록』에서 토지 매매를 제한하는 한전제를 제시한 인물은 이익이다. 이익은 호(戶)마다 생활을 유지하는 데 필요한 최소한의 토지를 영업전으로 설정하고, 영업전 이외의 토지만 매매가 가능하도록 한 한전제를 주장하였다.

16 문제풀이 홍대용

난이도 중

제시문에서 아홉 도의 전답을 고루 나누어 3분의 1을 취해 아내가 있는 남자에게 2결을 지급한다는 내용을 통해 홍대용의 균전제임을 알 수 있다. 홍대용은 『임하경륜』에서 성인 남자들에게 2결의 토지를 지급할 것과 병농일치의 군대를 조직할 것을 제안하였다.

② 홍대용은 서양 과학의 본질이 수학에 있다고 보고, 우리나라·중국·서양 수학을 정리하여 『주해수용』을 저술하였다.

오답 분석

① **김석문**: 『역학도해』에서 우리나라 최초로 지전설을 주장한 인물은 김석문이다.
③ **최한기**: 천문과 세계 각국의 지리·문화 등을 설명한 『지구전요』를 편찬한 인물은 최한기이다. 또한 최한기는 이 책을 통해 코페르니쿠스의 지구 자전설과 공전설 등을 소개하기도 하였다.
④ **이익**: 『곽우록』을 저술하여 인사, 군제, 학교, 과거 등 국가적 당면 문제의 해결책을 제시하고자 한 인물은 이익이다.

정답 13 ① 14 ① 15 ② 16 ②

17

2017년 국가직 9급(4월 시행)

다음과 같이 주장한 조선 후기의 실학자에 대한 설명으로 옳은 것은?

> 천체가 운행하는 것이나 지구가 자전하는 것은 그 세가 동일하니, 분리해서 설명할 필요가 없다. 생각건대 9만 리의 둘레를 한 바퀴 도는 데 이처럼 빠르며, 저 별들과 지구와의 거리는 겨우 반경(半徑)밖에 되지 않는데도 오히려 몇 천만 억의 별들이 있는지 알 수가 없다. 하물며 은하계 밖에도 또 다른 별들이 있지 않겠는가!

① 『우서』에서 상업적 경영을 통해 농업 생산성을 높여야 한다고 주장하였다.

② 『반계수록』에서 신분에 따라 토지를 차등 있게 재분배하자고 주장하였다.

③ 『임하경륜』에서 성인 남자에게 2결의 토지를 나누어 주자고 주장하였다.

④ 『북학의』에서 소비를 권장하여 생산을 촉진하자고 주장하였다.

문제풀이 홍대용 난이도 중

제시문은 조선 후기의 실학자인 홍대용이 주장한 지전설과 무한 우주론에 대한 내용이다. 홍대용은 『의산문답』에서 지구가 자전한다는 지전설과 지구가 우주의 중심이 아니라 무수한 별 중 하나라는 무한 우주론을 주장하며 중국 중심의 세계관에서 벗어나고자 하였다.

③ 홍대용은 『임하경륜』에서 성인 남자에게 2결의 토지를 지급하자는 균전제를 주장하였다. 이외에도 양반의 생산 활동과 병농일치의 군사 제도 등에 대해 논하였다.

오답 분석

① **유수원**: 『우서』에서 상업적 경영을 통해 농업 생산성을 높여야 한다고 주장한 인물은 중상학파 실학자 유수원이다. 유수원은 상공업을 중시하여 상인 간의 합자를 통한 경영 규모 확대, 상인의 생산자 고용을 통한 생산과 판매의 결합 등을 주장하였다.

② **유형원**: 『반계수록』에서 신분에 따라 토지를 차등 있게 재분배하자는 균전론을 주장한 인물은 중농학파 실학자 유형원이다. 그 밖에도 유형원은 양반 문벌 제도와 과거 제도, 노비 제도의 모순 등을 비판하였다.

④ **박제가**: 『북학의』에서 소비를 권장하여 생산을 촉진하자고 주장한 인물은 중상학파 실학자 박제가이다. 박제가는 생산과 소비의 관계를 우물에 비유하며 절약보다 소비를 권장하였다.

18

2014년 국가직 9급

다음과 같은 내용을 주장한 실학자에 대한 설명으로 옳은 것은?

> 중국은 서양과 180도 정도 차이가 난다. 중국인은 중국을 중심으로 삼고 서양을 변두리로 삼으며, 서양인은 서양을 중심으로 삼고 중국을 변두리로 삼는다. 그러나 실제는 하늘을 이고 땅을 밟는 사람은 땅에 따라서 모두 그러한 것이니 중심도 변두리도 없이 모두가 중심이다.

① 『동국지리지』를 저술하여 역사지리 연구의 단서를 열어 놓았다.

② 『임하경륜』을 통해서 성인 남자들에게 2결의 토지를 나누어 줄 것을 주장하였다.

③ 『동사』에서 조선의 자연 환경과 풍속, 인성의 독자성을 강조하였다.

④ 동국지도를 만들어 지도 제작의 과학화에 기여하였다.

문제풀이 홍대용 난이도 중

제시문에서 '중심도 변두리도 없이 모두가 중심이다'라는 내용이 언급되었으므로 중국 중심의 세계관을 비판한 조선 후기 실학자인 홍대용의 주장임을 알 수 있다. 조선 후기 중상학파 실학자인 홍대용은 부국강병을 위한 기술 혁신, 문벌 제도 철폐, 성리학 극복 등을 강조하였고, 『의산문답』을 통해 지전설, 우주 무한론을 주장하며 중국 중심의 세계관을 거부하였다.

② 홍대용은 『임하경륜』에서 나라를 경영하고 백성을 돕기 위한 여러 가지 개혁안을 제시하였는데, 성인 남성에게 2결의 토지를 분배할 것과 병농일치제, 기술의 혁신과 문벌 제도의 철폐 등을 주장하였다.

오답 분석

① **한백겸**: 역사 지리서인 『동국지리지』를 저술한 인물은 한백겸이다. 한백겸은 한국 지리에 관한 여러 사항을 다양한 고서(古書)에서 뽑아 낸 『동국지리지』를 통해 우리나라의 역사 지리를 치밀하게 고증하였다.

③ **허목**: 『동사』에서 조선의 자연 환경과 풍속, 인성의 독자성을 강조한 인물은 허목이다.

④ 동국지도는 세조 때 양성지와 정척이 제작한 것과 영조 때 정상기가 제작한 것이 있다. 세조 때 양성지와 정척이 제작한 동국지도는 최초의 실측 지도이다. 이후 영조 때 정상기가 제작한 동국지도는 최초로 100리 척을 사용하였는데, 이를 통해 정확하고 과학적인 지도 제작에 공헌하였다.

19

2021년 서울시 9급(특수 직렬)

〈보기〉와 같은 주장을 편 인물에 대한 설명으로 가장 옳은 것은?

> **보기**
>
> 토지 소유를 제한하는 법령을 세우십시오. 모년 모월 이후부터 제한된 토지보다 많은 자는 더 가질 수 없고, 그 법령 이전부터 소유한 것은 비록 광대한 면적이라 해도 불문에 부치며, 그 자손에게 분급해 주는 것은 허락하고, 혹시 사실대로 하지 않고 숨기거나 법령 이후에 제한을 넘어 더 점유한 자는 백성이 적발하면 백성에게 주고, 관아에서 적발하면 관아에서 몰수하십시오. 이렇게 한다면 수십 년이 못 가서 전국의 토지는 균등하게 될 것입니다. – 「한민명전의」

① 『북학의』를 저술하여 청 문물의 수용을 역설하였다.
② 「양반전」, 「호질」 등을 지어 놀고먹는 양반을 비판하였다.
③ 화폐 제도의 문제점을 지적하며 폐전론을 주장하였다.
④ 마을 단위로 토지를 공동 경작하여 분배할 것을 제안하였다.

20

2022년 국가직 9급

다음 주장을 한 실학자가 쓴 책은?

> 토지를 겸병하는 자라고 해서 어찌 진정으로 빈민을 못살게 굴고 나라의 정치를 해치려고 했겠습니까? 근본을 다스리고자 하는 자라면 역시 부호를 심하게 책망할 것이 아니라 관련 법제가 세워지지 않은 것을 걱정해야 할 것입니다. …(중략)… 진실로 토지의 소유를 제한하는 법령을 세워, "어느 해 어느 달 이후로는 제한된 면적을 초과해 소유한 자는 더는 토지를 점하지 못한다. 이 법령이 시행되기 이전부터 소유한 것에 대해서는 아무리 광대한 면적이라 해도 불문에 부친다. 자손에게 분급해 주는 것은 허락한다. 만약에 사실대로 고하지 않고 숨기거나 법령을 공포한 이후에 제한을 넘어 더 점한 자는 백성이 적발하면 백성에게 주고, 관(官)에서 적발하면 몰수한다."라고 하면, 수십 년이 못 가서 전국의 토지 소유는 균등하게 될 것입니다.

① 『반계수록』　　② 『성호사설』
③ 『열하일기』　　④ 『목민심서』

문제풀이 박지원 난이도 하

제시문에서 제한된 토지보다 많은 자는 더 가질 수 없게 하고, 법령 이후에 제한을 넘어 더 점유한 자는 적발한 자에게 주거나 관에서 몰수한다는 내용을 통해 박지원이 주장한 한전론임을 알 수 있다. 박지원은 토지 소유의 상한선을 설정하면, 상한선을 초과하는 토지는 자연스럽게 분배될 것이라고 주장하였다.

② 박지원은 「양반전」, 「호질」 등의 소설을 통해 놀고먹는 양반 계급의 허위 의식과 부정부패를 비판하였다.

오답 분석

① **박제가**: 『북학의』에서 청 문물의 수용을 역설한 인물은 중상학파 실학자인 박제가이다. 박제가는 『북학의』에서 청과의 통상 강화, 수레와 선박의 이용 등을 주장하였다.
③ **이익**: 화폐 제도의 문제점을 지적하며 폐전론을 주장한 인물은 중농학파 실학자인 이익이다. 이익은 『곽우록』에서 화폐 유통으로 농민의 파산이 가속화되고 풍속이 각박해졌으므로 화폐 유통을 금지해야 한다는 폐전론을 주장하였다.
④ **정약용**: 마을 단위로 토지를 공동 경작하여 분배할 것을 제안한 인물은 중농학파 실학자인 정약용이다. 정약용은 한 마을을 단위로 하여 토지를 공동으로 소유·경작하고 그 수확량을 노동량에 따라 분배하는 일종의 공동 농장 제도인 여전제를 주장하였다.

문제풀이 박지원이 저술한 책 난이도 상

제시문에서 토지의 소유를 제한하는 법령을 세워 제한된 면적을 초과해 소유한 자는 더는 토지를 점하지 못하게 하고, 법령을 공포한 이후에 제한을 넘어 더 점한 자는 적발한 자에게 주거나 관에서 몰수한다는 내용을 통해 박지원이 주장한 한전론임을 알 수 있다. 박지원은 토지 소유의 상한선을 설정하면, 상한선을 초과하는 토지는 자연스럽게 분배될 것이라고 주장하였다.

③ 『열하일기』는 박지원이 청나라에 다녀온 후 작성한 기행문이다. 박지원은 『열하일기』에서 청나라의 선진 문물을 소개하고 상공업의 진흥을 강조하며, 수레와 선박 등을 이용할 것을 주장하였다.

오답 분석

① **유형원**: 『반계수록』을 저술한 인물은 유형원이다. 유형원은 『반계수록』에서 토지 국유를 전제로 관리, 선비, 농민 등에게 신분에 따라 차등 있게 토지를 지급하는 균전론을 내세워 자영농 육성을 주장하였다.
② **이익**: 『성호사설』을 저술한 인물은 이익이다. 이익은 『성호사설』에서 화폐 사용을 중지할 것을 주장하였다. 한편, 이익은 한전론을 주장하여 한 가정의 생활 유지에 필요한 최소한의 토지를 영업전으로 설정하고 매매를 금지하여, 점진적으로 토지 소유의 평등을 이루고자 하였다.
④ **정약용**: 『목민심서』를 저술한 인물은 정약용이다. 정약용은 『목민심서』에서 지방 행정의 개혁 및 수령이 지켜야 할 규범을 제시하였다.

정답 17 ③ 18 ② 19 ② 20 ③

21

2020년 지방직 9급

밑줄 친 '그'의 저술로 옳은 것은?

> 서울의 노론 집안에서 태어난 그는 「양반전」을 지어 양반 사회의 허위를 고발하였다. 그는 또한 한전론을 주장하였으며, 상공업 진흥에도 관심을 기울여 수레와 선박의 이용 등에 대해서도 주목하였다.

① 『북학의』

② 『과농소초』

③ 『의산문답』

④ 『지봉유설』

문제풀이 박지원의 저술 난이도 중

제시문에서 서울의 노론 집안에서 태어나 「양반전」을 짓고, 한전론을 주장했으며, 상공업 진흥에도 관심을 가지고 수레와 선박의 이용 등에 대해서도 주장하였다는 것을 통해 밑줄 친 '그'가 박지원임을 알 수 있다.

② 박지원의 저술인 『과농소초』는 농법과 농기구의 개량, 상업적 농업 장려와 농업 정책에 관련된 내용을 다룬 농서이다. 『과농소초』는 신속의 『농가집성』과 유중림의 『증보산림경제』를 바탕으로 중국의 농서인 『농정전서』를 참고하여 저술되었다.

오답 분석

① **박제가**: 『북학의』를 저술한 인물은 박제가이다. 박제가는 『북학의』를 통해 청의 문물을 적극적으로 수용할 것을 주장하였다.

③ **홍대용**: 『의산문답』을 저술한 인물은 홍대용이다. 홍대용은 실옹과 허자의 대화 형식을 빌려 『의산문답』을 저술하였으며, 성리학적 고정관념을 상대주의 논법으로 비판하였다.

④ **이수광**: 『지봉유설』을 저술한 인물은 이수광이다. 이수광은 백과사전의 일종인 『지봉유설』을 통해 서구 문화를 폭넓게 다루었으며, 마테오 리치의 『천주실의』를 소개하였다.

22

2020년 경찰직(2차)

다음 내용을 주장한 사람에 대한 설명으로 가장 적절한 것은?

> 옛날에 백성에는 네 가지 부류가 있었습니다. 이는 사농공상입니다. 사의 업은 오래되었습니다. 농공상의 일은 처음에 역시 성인의 견문과 생각에서 나왔고, 대대로 익힌 것을 전승하여 각기 자신의 학문이 있었습니다. …… 그러나 사의 학문은 실제로 농공상의 이치를 포괄하는 것이므로 세 가지 업은 반드시 사를 기다린 뒤에 완성됩니다. 일반적으로 이른바 농업에 힘쓰는 것이나, 상업을 유통시켜 공업에 혜택을 준다고 했을 때 그 힘쓰는 것이나, 상업을 유통시켜 공업에 혜택을 준다고 했을 때 그 힘쓰게 하고 유통시키고 혜택을 주게 하는 것은 사가 아니라면 누가 하겠습니까?

① 지구가 둥글다는 것을 인정하고, 중국이 세계의 중심이라는 생각을 비판했다.

② 토지를 공동으로 소유 경작하여, 노동량에 따라 수확량을 배분하자고 제안했다.

③ 양반의 상업 종사를 강조하였고, 절약보다는 소비를 권장해야 한다고 주장했다.

④ 농업 생산력을 높이는 데 관심을 기울였으며, 화폐 유통의 필요성을 주장했다.

문제풀이 박지원 난이도 상

제시문은 『과농소초』의 일부분으로, 사(士)의 학문은 농·공·상의 이치를 포괄하는 것이며 농·공·상의 업은 반드시 사(士)가 있어야 완성된다는 내용을 통해 박지원의 주장임을 알 수 있다. 박지원은 사(士)의 자각을 통해 농업 생산량을 증대시키고 생산을 발전시켜야 한다고 주장하였다.

④ 박지원은 상업적 농업의 장려, 농기구의 개량, 영농 방법의 혁신 등 농업 경영과 기술 개선을 통한 농업 생산력 향상에 관심을 기울였다. 또한 상공업 진흥에도 관심을 가져 수레와 선박의 이용 및 화폐 유통의 필요성을 주장하였다.

오답 분석

① **홍대용**: 지구가 둥글다는 것과 지구가 우주의 중심이 아니라는 무한 우주론을 주장하며 중국 중심의 세계관을 비판한 인물은 홍대용이다.

② **정약용**: 마을 단위로 토지를 공동으로 소유·경작하여 노동량에 따라 수확량을 분배하자는 여전제를 주장한 인물은 정약용이다.

③ **박제가**: 양반도 생업에 종사해야 한다고 주장하였고, 생산을 촉진시키기 위해서는 절약보다는 소비를 권장해야 한다고 주장한 인물은 박제가이다.

23

2023년 국회직 9급

다음 (가)와 (나)에 대한 설명으로 옳은 것은?

> (가) 국가는 마땅히 한 집의 재산을 헤아리고 전(田) 몇 부(負)를 한정하여 1호(戶)의 영업전(永業田)으로 삼는다. …… 가난한 백성이 만약 현재 남아 있는 토지를 가지고 항구적으로 생업을 영위할 토대로 삼는다면 어찌 조금은 도움이 되는 방법이 아니겠는가.
>
> (나) 토지 소유를 제한하는 법령을 세우십시오. …… 토지 소유를 제한하면 겸병한 자가 없어지고, 겸병한 자가 없어지면 산업이 균등하게 될 것입니다. 산업이 균등하게 된 후에야 백성이 모두 안정되어 각기 제 토지를 경작하게 되고, 근면한 사람과 나태한 사람의 구별이 드러나게 될 것입니다.

① (가)를 주장한 인물은 천주교를 수용했다.

② (가)를 주장한 인물은 유배지에서 실학을 집대성했다.

③ (나)를 주장한 인물은 중국에 다녀온 경험이 있다.

④ (나)를 주장한 인물은 문답 형식의 과학사상서를 저술했다.

⑤ (가)와 (나)를 주장한 두 인물은 서로 교류하면서 개혁안을 발전시켰다.

문제풀이 이익과 박지원의 한전론

난이도 중

(가)는 전(토지) 몇 부를 한정하여 1호의 영업전으로 삼는다는 내용을 통해 토지 소유의 하한선을 설정하자는 이익의 한전론임을 알 수 있다.

(나)는 토지 소유를 제한하는 법령을 세우고, 토지 소유를 제한하면 겸병한 자가 없어질 것이라는 내용을 통해 토지 소유의 상한선을 설정하자는 박지원의 한전론임을 알 수 있다.

③ 박지원은 사절단의 일원으로 중국에 다녀온 경험이 있다. 박지원은 중국에 다녀온 후 『열하일기』를 저술하여 중국의 선진 문물을 소개하고, 상공업의 진흥을 위해 수레와 선박의 이용을 확대해야 한다고 주장하였다.

오답 분석

① 이익은 천주교를 수용하지 않았다. 이익은 천주교의 천당지옥설, 야소부활설(예수부활설) 등을 허황된 내용으로 간주하여 비판하였다.

② **정약용**: 유배지에서 실학을 집대성한 인물은 정약용이다. 정약용은 황사영 백서 사건으로 전라도 강진에서 유배 생활을 시작하였으며, 그곳에서 연구와 저술 활동에 전념하여 실학을 집대성하였다.

④ **홍대용**: 문답 형식의 과학사상서를 저술한 인물은 홍대용이다. 홍대용은 실옹과 허자의 문답 형식으로 저술한 『의산문답』에서 지구가 하루에 한번씩 회전한다는 지전설과 지구가 우주의 중심이 아니라 무수한 별 중 하나라는 무한 우주론을 주장하였다.

⑤ 이익은 숙종 재위 시기에 활동하였으며, 박지원은 정조 재위 시기에 주로 활동하였기 때문에 서로 교류를 하면서 개혁안을 발전시킬 수 없었다.

24

2024년 지방직 9급

다음과 같이 주장한 인물에 대한 설명으로 옳은 것은?

> 이용할 줄 모르니 생산할 줄 모르고, 생산할 줄 모르니 백성은 나날이 궁핍해지는 것이다. 비유하건대, 대체로 재물은 우물과 같다. 퍼내면 가득 차고, 버려두면 말라 버린다. 그러므로 비단을 입지 않아서 나라에 비단 짜는 사람이 없게 되면, 여공이 쇠퇴한다. 쭈그러진 그릇을 싫어하지 않고 기교를 숭상하지 않아서 공장이 숙련되지 못하면 기예가 망하게 된다.

① 청과의 통상과 수레의 이용을 주장하였다.

② 양명학을 연구하여 강화 학파를 형성하였다.

③ 토지의 매매를 제한하는 한전론을 주장하였다.

④ 지전설을 주장하여 중국 중심의 세계관을 비판하였다.

문제풀이 박제가

난이도 중

제시문에서 대체로 재물은 우물과 같다는 내용을 통해 박제가의 주장임을 알 수 있다. 박제가는 『북학의』에서 생산과 소비의 관계를 우물에 비유하며 소비를 권장하였다.

① 박제가는 중상학파 실학자로 청과의 통상을 통해 청의 문물을 적극적으로 수용할 것을 주장하였으며, 상공업 발달을 위해 수레와 선박의 이용를 확대할 것을 주장하였다.

오답 분석

② **정제두**: 양명학을 연구하여 강화 학파를 형성한 인물은 정제두이다. 정제두는 양명학을 본격적으로 연구하여 학문적으로 체계화하였으며, 강화도에서 후학을 양성하면서 강화 학파를 형성하였다.

③ **이익**: 토지의 매매를 제한하는 한전론을 주장한 인물은 이익이다. 이익은 한전론을 통해 한 가정의 생활에 필요한 최소한의 토지를 영업전으로 설정하여 매매를 금지하고, 영업전 이외의 토지의 매매만을 허용할 것을 주장하였다.

④ **홍대용**: 지전설을 주장하여 중국 중심의 세계관을 비판한 인물은 홍대용이다. 홍대용은 『의산문답』에서 지구가 자전한다는 지전설과 지구가 우주의 중심이 아니라 무수한 별 중 하나라는 무한 우주론을 바탕으로 중국 중심의 세계관을 비판하였다.

정답 21 ② 22 ④ 23 ③ 24 ①

25

2020년 법원직 9급

다음과 관련된 인물의 주장으로 옳은 것을 〈보기〉에서 모두 고른 것은?

> 비유컨대, 재물은 대체로 우물과 같은 것이다. 퍼내면 차고, 버려두면 말라 버린다. 그러므로 비단옷을 입지 않아서 나라에 비단을 짜는 사람이 없게 되면 여공이 쇠퇴하고, 찌그러진 그릇을 싫어하지 않고 기교를 숭상하지 않아서 장인이 작업하는 일이 없게 되면 기예가 망하게 된다.

보기

㉠ 수레와 선박의 이용을 확대해야 한다.
㉡ 사농공상은 직업적으로 평등해야 한다.
㉢ 청에서 행해지는 국제 무역에 참여해야 한다.
㉣ 자영농을 중심으로 군사와 교육 제도를 재정비해야 한다.

① ㉠, ㉡　　② ㉠, ㉢
③ ㉡, ㉢　　④ ㉢, ㉣

문제풀이 박제가 난이도 하

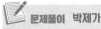

제시문에서 재물을 우물에 비유하고 있는 것을 통해 박제가의 주장임을 알 수 있다. 박제가는 중상학파 실학자로 상공업의 발달, 수레와 선박의 이용 등을 강조하였으며 특히 청에 다녀온 후 청의 문물을 적극적으로 수용할 것을 주장하였다.

② 옳은 것을 모두 고르면 ㉠, ㉢이다.
㉠ 박제가는 상공업의 발달을 위해 수레와 선박의 이용 확대를 주장하였다.
㉢ 박제가는 청과의 통상 강화를 주장하였고, 특히 조선이 무역선을 파견하여 청에서 행해지는 국제 무역에도 참여해야 한다고 주장하였다.

오답 분석
㉡ **유수원**: 사농공상의 직업적 평등을 주장한 사람은 유수원이다.
㉣ **유형원**: 자영농을 육성하여 이들을 바탕으로 농병 일치의 군사 조직과 사농 일치의 교육 제도를 확립해야 한다고 주장한 사람은 유형원이다.

이것도 알면 **합격!**

박제가

상공업 중시	• 수레, 선박의 이용 주장 • 절약보다 소비 중시, 생산과 소비의 관계를 우물에 비유
대표 저서	• 『북학의』: 청의 문물 수용 주장, 소비 권장 • 『종두방서』: 정약용과 함께 종두법 연구

26

2020년 서울시 9급(특수 직렬)

〈보기〉의 글을 쓴 학자의 주장에 대한 설명으로 가장 옳은 것은?

보기

검소하다는 것은 물건이 있어도 남용하지 않는 것을 말하는 것이지 자신에게 물건이 없다 하여 스스로 단념하는 것을 말하는 것이 아니다. 지금 우리나라 안에는 구슬을 캐는 집이 없고 시장에 산호 따위의 보배가 없다. 또 금과 은을 가지고 가게에 들어가도 떡을 살 수 없는 형편이다. …… 이것은 물건을 이용하는 방법을 모르기 때문이다. 이용할 줄 모르니 생산할 줄 모르고, 생산할 줄 모르니 백성은 나날이 궁핍해지는 것이다.

① 균전론을 내세워 사농공상 직업에 따라 토지를 분배하여 자영농을 육성할 것을 주장하였다.
② 상공업을 육성하고 선박, 수레, 벽돌 등 발달된 청의 기술을 적극적으로 수용하자고 제안하였다.
③ 처음에는 여전론, 이후에는 정전제를 내세워 자영농 육성을 위한 토지 제도 개혁을 주장하였다.
④ 통일 신라와 발해가 병립한 시기를 남북국 시대로 설정하여 발해를 우리 역사의 체계 속에 적극적으로 포용하였다.

문제풀이 박제가 난이도 중

제시문에서 '검소하다는 것은 물건이 있어도 남용하지 않는 것을 말하는 것이지 자신에게 물건이 없다 하여 스스로 단념하는 것을 말하는 것이 아니다'라는 내용을 통해서 소비를 강조하는 박제가의 주장임을 알 수 있다.

② 박제가는 상공업을 육성하고 선박, 수레, 벽돌 등 발달된 청의 기술을 적극적으로 수용하자고 제안하였다. 또한 청에 무역선을 파견하여 청에서 행해지는 국제 무역에도 참여해야 한다고 주장하였다.

오답 분석
① **유형원**: 토지 국유를 전제로 관리, 선비, 농민 등에게 신분에 따라 차등 있게 토지를 지급하자는 균전론을 내세워 토지를 분배하여 자영농을 육성할 것을 주장한 인물은 유형원이다.
③ **정약용**: 초기에는 여전론을 제시하였으나, 이후에는 현실적인 정전제를 주장하여 자영농 육성을 위한 토지 제도 개혁을 주장한 인물은 정약용이다.
④ **유득공**: 통일 신라와 발해가 함께 존재한 시기를 남북국 시대로 설정하여 발해를 한국사의 체계 속으로 포용한 인물은 유득공이다.

27

2021년 지방직 9급

(가), (나)에 들어갈 이름을 바르게 연결한 것은?

> (가) 는/은 『북학의』를 저술하여 청의 선진 기술을 적극적으로 수용할 것과 상공업 육성 등을 역설하였다. 한편, (나) 는/은 중국 및 일본의 방대한 자료를 참고하여 『해동역사』를 편찬함으로써, 한·중·일 간의 문화 교류를 잘 보여주었다.

	(가)	(나)
①	박지원	한치윤
②	박지원	안정복
③	박제가	한치윤
④	박제가	안정복

28

2024년 서울시 9급(2월 시행)

〈보기〉에서 조선 후기 실학과 북학에 관한 설명으로 옳은 것을 모두 고른 것은?

> 보기
> ㉠ 유형원은 농촌 사회의 안정을 위해 토지 재분배가 필요하다고 주장했다.
> ㉡ 이익은 전라도 부안의 우반동에서 제자들을 양성했다.
> ㉢ 18세기 중엽 이후 청나라를 배우자는 학풍을 '북학'이라 한다.
> ㉣ 박지원은 농업 관계 저술인 『과농소초』를 펴내기도 했다.
> ㉤ 홍대용은 『우서』에서 지구 자전설을 주장하고, 다른 별들에도 우주인이 있을 수 있다는 것을 피력했다.

① ㉠, ㉡, ㉤

② ㉠, ㉢, ㉣

③ ㉡, ㉢, ㉣

④ ㉡, ㉢, ㉤

문제풀이 박제가와 한치윤

난이도 하

③ (가), (나)에 들어갈 인물을 바르게 연결하면 (가) 박제가, (나) 한치윤이다.

(가) 박제가는 청에 다녀온 경험을 토대로 『북학의』를 저술하여 청의 선진 기술을 적극적으로 수용하고 상공업을 육성할 것 등을 주장하였다. 또한 『북학의』에서 청과의 통상을 확대하고 수레나 선박의 사용을 늘릴 것을 주장하였으며, 생산과 소비의 관계를 우물에 비유하여 소비를 권장하였다.

(나) 한치윤은 500여 종의 중국 및 일본의 방대한 자료를 참고하여 고조선부터 고려 말까지의 역사를 고증하고 이를 기전체로 저술한 『해동역사』를 편찬하였다. 『해동역사』는 풍부한 자료를 참고하여 실증주의적 방법으로 새로운 통사의 체계를 세우려고 했다는 데 의의가 있다.

오답 분석

- **박지원**: 조선 후기 실학자인 박지원은 청에 다녀온 후 『열하일기』를 저술하여 청의 문물을 소개하고, 수레와 선박의 이용 및 화폐 유통의 필요성 등을 주장하였다.
- **안정복**: 조선 후기 실학자인 안정복은 『동사강목』을 편찬하여 단군 조선에서 고려 말까지의 역사를 편년체와 강목체로 서술하였으며, 중국 서적 17종 등 광범위한 자료들을 참고, 비교, 검토하는 고증학적인 연구 방법을 사용하여 편찬하였다.

문제풀이 조선 후기의 실학과 북학

난이도 중

② 옳은 것을 모두 고르면 ㉠, ㉢, ㉣이다.

㉠ 유형원은 『반계수록』에서 농촌 사회의 안정을 위해 신분에 따라 토지를 차등 있게 재분배하자는 균전론을 주장하였다.

㉢ 18세기 중엽 이후 조선에서는 청을 무조건 배척하기보다는 우리에게 이로운 것은 적극적으로 청나라에게서 배우자는 '북학'이라는 학풍이 제기되었다. 한편, 북학은 북경에 다녀온 박지원, 홍대용 등의 인물들을 중심으로 전개되었다.

㉣ 박지원은 농업 관계 저술인 『과농소초』를 펴내 농기구의 개량과 상업적 농업 장려 및 농업 정책 등을 주장하며 농업 생산력을 증대시키기 위한 여러 가지 방안을 제시하였다.

오답 분석

㉡ **유형원**: 전라도 부안의 우반동에서 제자들을 양성한 인물은 유형원이다. 유형원은 일찍부터 과거 응시에는 뜻이 없었고, 문과 시험에 낙방한 뒤로 전라도 부안군 우반동에 '반계서당'을 짓고 은거하여 제자들을 양성하고 『반계수록』을 집필하기 시작하였다.

㉤ 홍대용은 『우서』가 아닌 『의산문답』에서 지구 자전설을 주장하고, 다른 별에도 우주인이 있을 수 있다는 무한 우주론을 피력했다. 한편, 『우서』는 유수원이 저술한 책으로 중국과 우리나라의 문물을 비교하면서 여러 가지 개혁안의 내용을 담고 있다.

정답 25 ② 26 ② 27 ③ 28 ②

29

2018년 서울시 9급(3월 시행)

조선 시대에 편찬된 서적과 관련된 설명으로 옳은 것을 〈보기〉에서 모두 고른 것은?

> **보기**
> ㉠『경국대전』: 조선의 통치 규범과 법을 정리하였다.
> ㉡『동문선』: 우리 풍토에 맞는 약재와 치료법을 정리하였다.
> ㉢『동의수세보원』: 중국과 일본의 자료를 참고하여 민족사 인식을 확대하였다.
> ㉣『금석과안록』: 북한산비가 진흥왕 순수비임을 밝혔다.

① ㉠, ㉡　　② ㉡, ㉢

③ ㉠, ㉣　　④ ㉡, ㉣

30

2018년 지방직 9급

다음과 같은 특징을 가진 조선 후기 역사서는?

> • 단군으로부터 고려에 이르기까지의 우리 역사를 치밀한 고증에 입각하여 엮은 통사이다.
> • 마한을 중시하고 삼국을 무통(無統)으로 보는 입장에서 우리 역사를 체계화하였다.

① 안정복의『동사강목』

② 한치윤의『해동역사』

③ 유계의『여사제강』

④ 허목의『동사』

문제풀이 조선 시대의 서적 난이도 중

③ 조선 시대의 서적과 관련된 설명으로 옳은 것을 모두 고르면 ㉠, ㉣이다.

㉠『경국대전』은 조선 세조 때 편찬되기 시작하여 성종 때 완성·반포된 조선 시대의 법전으로, 조선의 기본적인 통치 규범과 법을 정리하였다.

㉣『금석과안록』은 김정희가 금석문에 대한 분석과 검토 해설을 덧붙여서 편찬한 책으로, 북한산비가 진흥왕 순수비임을 고증하였다.

오답 분석

㉡ 우리 풍토에 맞는 약재와 치료법을 정리한 서적은 세종 때 간행된 의서인『향약집성방』이다.『동문선』은 조선 성종 때 서거정과 노사신 등이 중심이 되어 삼국 시대부터 조선 초까지의 뛰어난 시와 산문을 모아 편찬한 시문집이다.

㉢ 중국과 일본의 자료를 참고하여 민족사 인식을 확대한 서적은『해동역사』이다.『동의수세보원』은 조선 고종 때 이제마가 사람의 체질이 각기 다르며 이 체질에 맞는 치료법을 선택해야 한다는 사상 의학을 바탕으로 편찬한 의서이다.

문제풀이 조선 후기의 역사서 난이도 중

제시된 자료에서 단군으로부터 고려에 이르기까지의 우리 역사를 다룬 통사이며, 마한을 중시하고 삼국을 무통으로 보았다는 것을 통해 안정복의『동사강목』임을 알 수 있다.

① 안정복의『동사강목』은 강목체 형식의 편년체 통사로 서술된 조선 후기의 역사서이다. 안정복은 우리 역사를 연구하고 치밀한 고증을 거쳐 단군 조선부터 고려 말까지의 역사를 정리한『동사강목』을 저술하였다. 그는 이 책에서 삼국은 무통으로 보고, 단군 조선 → 기자 조선 → 마한 → 통일 신라 → 고려로 이어지는 독자적인 정통론을 세워 우리 역사를 체계화 하였다.

오답 분석

② 한치윤의『해동역사』는 고증학적인 방법으로 고조선부터 고려 시대까지의 역사를 다룬 조선 후기의 역사서이다. 한치윤은 국내와 중국의 서적 500여 종과 일본의 서적 20여 종 등 다양한 외국 자료를 참고하여『해동역사』를 집필하였으며 민족사 인식의 폭을 넓히는 데 기여하였다.

③ 유계의『여사제강』은 강목체 형식의 편년체로 고려사를 정리한 조선 후기의 역사서이다. 유계는『여사제강』에서 고려가 북방 민족에게 강력히 항전한 것을 강조하여 병자호란 이후 대두된 북벌 운동을 고취시켰다.

④ 허목의『동사』는 단군 조선에서 삼국 시대까지 서술한 조선 후기의 기전체 역사서이다. 허목은『동사』에서 단군을 중심으로 한 조선의 유구한 역사를 강조하여 우리 역사의 독자성을 강조하였다.

31

2015년 지방직 9급

다음은 조선 후기 집필된 역사서의 일부이다. 이 책에 대한 설명으로 옳은 것은?

> 삼국사에서 신라를 으뜸으로 한 것은 신라가 가장 먼저 건국했고, 뒤에 고구려와 백제를 통합하였으며, 또 고려는 신라를 계승하였으므로 편찬한 것이 모두 신라의 남은 문적(文籍)을 근거로 했기 때문이다. …… 고구려의 강대하고 현저함은 백제에 비할 바가 아니며, 신라가 차지한 땅은 남쪽의 일부에 불과할 뿐이다. 그러므로 김씨는 신라사에 쓰여진 고구려 땅을 근거로 했을 뿐이다.

① 우리 역사의 독자적 정통론을 세워 이를 체계화하였다.
② 단군 – 부여 – 고구려의 흐름에 중점을 두어 만주 수복을 희구하였다.
③ 중국 및 일본의 자료를 망라한 기전체 사서로 민족사 인식의 폭을 넓혔다.
④ 여러 영역을 항목별로 나눈 백과사전적 서술로 문화 인식의 폭을 확대하였다.

문제풀이 『동사강목』 난이도 중

제시문에서 신라가 차지한 땅은 남쪽의 일부에 불과할 뿐이라는 내용이 언급되었으므로 안정복의 『동사강목』임을 알 수 있다. 안정복의 『동사강목』은 고조선에서 고려까지의 역사를 강목체 형식의 편년체 통사로 서술한 역사서이다.

① 안정복의 『동사강목』에서는 우리 역사의 독자적인 삼한(마한) 정통론(단군 조선 → 기자 조선 → 마한 → 통일 신라 → 고려)을 제시하였다.

오답 분석

② **『동사』**(이종휘): 단군 – 부여 – 고구려의 흐름에 중점을 두고 만주 수복을 희구(바라고 구함)한 역사서는 이종휘의 『동사』이다. 이종휘는 『동사』에서 고구려의 전통을 강조하였고, 고대사의 연구 범위를 만주까지 확대하였다.
③ **『해동역사』**(한치윤): 중국 및 일본의 자료를 망라하여 고조선부터 고려까지의 역사를 기전체로 서술한 역사서는 한치윤의 『해동역사』이다.
④ **『지봉유설』**(이수광)·**『성호사설』**(이익)·**『임원경제지』**(서유구) **등**: 여러 영역을 항목별로 나눈 백과사전적 서술로 문화 인식의 폭을 확대한 저서로는 이수광의 『지봉유설』, 이익의 『성호사설』, 서유구의 『임원경제지』 등이 있다.

32

2022년 국가직 9급

(가), (나)에 대한 설명으로 옳은 것은?

> (가) 역사서의 저자는 다음과 같은 글을 지어 왕에게 바쳤다. "성상 전하께서 옛 사서를 널리 열람하시고, '지금의 학사 대부는 모두 오경과 제자의 책과 진한(秦漢) 역대의 사서에는 널리 통하여 상세히 말하는 이는 있으나, 도리어 우리나라의 사실에 대하여서는 망연하고 그 시말(始末)을 알지 못하니 심히 통탄할 일이다. 하물며 신라·고구려·백제가 나라를 세우고 정립하여 능히 예의로써 중국과 통교한 까닭으로 범엽의 『한서』나 송기의 『당서』에는 모두 열전이 있으나 국내는 상세하고 국외는 소략하게 써서 자세히 실리지 않았다. …(중략)… 일관된 역사를 완성하고 만대에 물려주어 해와 별처럼 빛나게 해야 하겠다.'라고 하셨다."
>
> (나) 역사서에는 다음과 같은 서문이 실려 있다. "부여씨와 고씨가 망한 다음에 김씨의 신라가 남에 있고, 대씨의 발해가 북에 있으니 이것이 남북국이다. 여기에는 마땅히 남북국사가 있어야 할 터인데, 고려가 그것을 편찬하지 않은 것은 잘못이다."

① (가)는 동명왕의 업적을 칭송한 영웅 서사시이다.
② (가)는 불교를 중심으로 고대 설화를 수록하였다.
③ (나)는 만주 지역까지 우리 역사의 범위를 확장하였다.
④ (나)는 고조선부터 고려에 이르는 역사를 체계적으로 정리하였다.

문제풀이 『삼국사기』와 『발해고』 난이도 중

(가)는 고려 인종 때 김부식이 쓴 『삼국사기』의 서문이다. 김부식은 인종의 명으로 『삼국사기』를 편찬하여 우리의 역사를 제대로 알리고 정치적 교훈으로 삼고자 하였다.

(나)는 김씨의 신라가 남에 있고, 대씨의 발해가 북에 있으니 이것이 남북국이라는 내용을 통해 유득공이 저술한 『발해고』임을 알 수 있다.

③ 조선 후기에 유득공이 저술한 『발해고』는 한반도 중심 사관을 극복하여 만주 지방까지 우리 역사의 범위를 확장하였으며, 통일 신라와 발해의 역사를 남북국의 역사로 체계화하면서 남북국 시대라는 용어를 처음으로 사용하였다.

오답 분석

① **『동명왕편』**: 동명왕(주몽)의 업적을 칭송하고, 고구려 건국 설화를 5언 시체로 재구성한 영웅 서사시는 이규보가 저술한 『동명왕편』이다.
② **『삼국유사』**: 불교를 중심으로 고대 설화와 신화를 수록한 역사서는 일연이 저술한 『삼국유사』이다.
④ **『동국통감』 등**: 고조선부터 고려 말까지의 역사를 정리한 역사서로는 조선 시대에 편찬된 『동국통감』, 『동사강목』 등이 있다.

정답 29 ③ 30 ① 31 ① 32 ③

33

2023년 국회직 9급

다음 역사가 및 역사서에 대한 설명으로 옳지 않은 것은?

① 한백겸은 『동국지리지』에서 고대사의 지명을 새롭게 고증하였다.

② 홍여하는 『휘찬여사』에서 기자-마한-신라를 정통 국가로 내세웠다.

③ 조정은 『동사보유』를 저술하면서 옛 기록의 신화와 전설 등을 다수 수록하였다.

④ 한치윤은 『해동역사』를 저술하면서 500여 종의 중국, 일본 자료를 참고하였다.

⑤ 이종휘는 『동사』에서 의병 경험을 살려 역대 애국 명장들의 활약을 비중 있게 다루었다.

문제풀이 조선 후기의 역사가와 역사서 난이도 상

⑤ 의병 경험을 살려 역대 애국 명장들의 활약을 비중 있게 다룬 역사서는 오운이 편찬한 『동사찬요』이다. 한편, 이종휘는 『동사』에서 고구려의 전통을 강조하였고, 발해를 고구려 계승 국가로 파악하는 등 고대사 연구의 시야를 만주 지방까지 확대하였다.

오답 분석

① 한백겸은 『동국지리지』에서 고대사의 지명을 새롭게 고증하였으며, 삼한의 위치와 고구려의 발상지가 만주 지방임을 최초로 밝혔다.

② 홍여하는 『휘찬여사』에서 기자의 전통이 마한을 거쳐 신라로 이어졌다고 주장하며, 기자-마한-신라를 정통 국가로 내세웠다.

③ 조정은 『동사보유』를 저술하면서 단군 신화·해모수 신화·김알지 설화 등 옛 기록의 신화와 전설을 다수 수록하였다.

④ 한치윤은 『해동역사』를 저술하면서 500여 종의 중국, 일본 자료를 참고하여 고조선부터 고려 말까지의 역사를 고증하였다.

34

2022년 지방직 9급

역사서에 대한 설명으로 옳은 것만을 모두 고르면?

> ㉠ 김부식의 『삼국사기』에는 단군 신화가 수록되어 있다.
> ㉡ 이규보의 『동명왕편』은 고구려 계승 의식을 강조하였다.
> ㉢ 안정복의 『동사강목』은 기사본말체로 역사를 서술하였다.
> ㉣ 유득공의 『발해고』에는 남북국이라는 용어가 사용되었다.

① ㉠, ㉡　② ㉠, ㉢
③ ㉡, ㉣　④ ㉢, ㉣

문제풀이 우리나라의 역사서 난이도 하

③ 옳은 것을 모두 고르면 ㉡, ㉣이다.

㉡ 이규보의 『동명왕편』은 고구려 건국 시조인 동명왕의 업적을 칭송한 일종의 영웅 서사시로, 고구려 계승 의식을 강조하였다.

㉣ 유득공의 『발해고』에는 남북국이라는 용어가 사용되었다. 유득공은 통일 신라와 발해가 공존한 시기를 남북국 시대로 설정하여 발해를 우리 역사에 포함시켰다.

오답 분석

㉠ 김부식의 『삼국사기』에는 단군 신화가 수록되어 있지 않다. 단군 신화가 수록되어 있는 역사서는 이승휴의 『제왕운기』, 일연의 『삼국유사』 등이 있다.

㉢ 안정복의 『동사강목』은 기사본말체가 아닌 강목체 형식의 편년체로 역사를 서술하였다. 한편, 기사본말체로 서술된 역사서는 이긍익의 『연려실기술』 등이 있다.

35

2022년 서울시 9급(6월 시행)

〈보기〉에서 설명하는 기록물에 해당하는 것은?

> **보기**
> • 조선 후기 국정 운영 내용을 매일 정리한 기록이다.
> • 국왕의 일기 형식으로 작성되었다.
> • 유네스코 세계 기록유산으로 등재되었다.

① 『승정원일기』

② 『비변사등록』

③ 『조선왕조실록』

④ 『일성록』

문제풀이 『일성록』 난이도 하

제시된 자료에서 조선 후기 국정 운영 내용을 국왕의 일기 형식으로 작성하였다는 것과, 유네스코 세계 기록유산으로 등재되었다는 것을 통해 『일성록』에 대한 설명임을 알 수 있다.

④ 『일성록』은 정조가 세손 시절부터 쓰던 개인 일기가 즉위 이후 공식 국정 운영 내용을 정리한 일기로 전환된 것으로, 2011년에 유네스코 세계 기록유산으로 등재되었다.

오답 분석

① **『승정원일기』**: 『승정원일기』는 국왕의 비서 기관인 승정원에서 왕과 신하 간에 오고 간 문서는 물론 왕의 일상과 업무 내용을 일지 형식으로 기록한 것으로, 2001년에 유네스코 세계 기록유산으로 등재되었다.

② **『비변사등록』**: 『비변사등록』은 조선 후기에 최고 국정 기관이었던 비변사에서 논의 및 결정된 사항을 기록한 것으로, 유네스코 세계 기록유산에는 등재되지 않았다.

③ **『조선왕조실록』**: 『조선왕조실록』은 태조에서 철종 때까지의 통치 내용을 기록한 편년체 역사서로, 1997년에 유네스코 세계 기록유산으로 등재되었다.

36

2019년 서울시 9급(6월 시행)

조선 후기 지도 편찬에 대한 설명으로 가장 옳지 않은 것은?

① 김정호는 대동여지도를 편찬하기 이전에 이미 청구도 등을 제작하였다.

② 정상기는 백리척을 이용하여 동국지도를 제작하였다.

③ 모눈 종이를 이용한 정밀한 지도도 제작되었다.

④ 대동여지도가 완성되자 나라의 기밀을 누설시킬 우려가 있다고 하여 판목은 압수·소각되었다.

문제풀이 조선 후기의 지도 편찬 난이도 중

④ 김정호의 대동여지도가 나라의 기밀을 누설시킬 우려가 있어 조선 정부에서 판목을 압수·소각하였다는 일설은 일제 강점기에 조작된 사실로, 이후 대동여지도의 판목이 숭실대학교 박물관과 국립 중앙 박물관에서 발견되면서 판목 소각설은 잘못된 것임이 밝혀졌다.

오답 분석

① 김정호는 대동여지도를 편찬하기 앞서 지도책 형태의 전국 지도인 청구도를 제작하였다(1834, 순조). 이후 김정호는 분첩절첩식(병풍식) 형태의 대동여지도를 제작하였다(1861, 철종).

② 정상기는 영조 때 우리나라 최초로 백리척을 사용한 동국지도를 제작하였다.

③ 조선 후기에는 거리 및 위치 파악에 용이한 모눈 종이(방안·격자)를 이용한 정밀한 지도가 제작되었다. 모눈 종이를 이용한 대표적인 지도로는 18~19세기에 조선 정부에서 제작한 조선지도와 해동여지도, 김정호가 제작한 청구도와 대동여지도 등이 있다.

이것도 알면 **합격!**

조선 후기에 제작된 지도

동국지도	정상기, 우리나라 최초로 백리척을 사용
동국여지도	신경준, 모눈을 활용하여 정밀성을 높임
대동여지도	• 김정호, 산맥·하천·포구·도로망을 정밀하게 표시 • 거리를 알 수 있도록 10리마다 눈금을 표시함

정답 33 ⑤ 34 ③ 35 ④ 36 ④

37

2017년 국회직 9급

조선 시대의 지도에 대한 설명으로 옳지 않은 것은?

① 세계 지도인 혼일강리역대국도지도는 중국과 조선을 크게 그렸다는 특징이 있다.

② 요계관방지도에는 우리나라 북방 지역과 만주, 만리장성을 포함하여 중국 동북 지방의 군사 요새지가 상세히 그려져 있다.

③ 정상기의 동국지도는 최초로 100리 척을 사용한 과학적인 지도이다.

④ 팔도도는 양성지 등이 세조 때 완성하였으며, 북방 영토를 실측하여 만들었다.

⑤ 대동여지도는 산맥, 하천, 포구, 도로망을 정밀하게 표시하고 거리를 알 수 있도록 10리마다 눈금을 표시하였으며, 목판으로 인쇄하였다.

문제풀이 조선 시대의 지도 난이도 중

④ 양성지 등이 북방 영토를 실측하여 세조 때 완성한 지도는 동국지도이다. 동국지도에는 압록강 이북 지역까지 상세하게 기록되어 있어 당시의 북방에 대한 관심을 반영하고 있다. 팔도도는 조선 태종 때 이회가 제작한 것으로 추정되는 전국 지도이다.

오답 분석

① 혼일강리역대국도지도는 조선 태종 때 왕명으로 김사형과 이회, 이무가 제작한 현존하는 동양 최고(最古)의 세계 지도이다(1402). 이 지도에는 유럽·아프리카·일본 등이 그려져 있고, 중화 사관에 입각하여 중국과 우리나라의 크기를 실제보다 크게 그렸다.

② 요계관방지도는 조선 숙종 때 이이명이 군사적 목적으로 제작한 대형 관방 지도이다. 이 지도에는 우리나라 북방 지역과 만주, 만리장성을 포함하여 중국 동북 지방의 성책(城柵)과 장성(長城) 등이 자세하게 그려져 있다.

③ 정상기의 동국지도는 조선 후기 영조 때 제작된 지도로, 이 지도는 최초로 100리를 1척으로 정하여 지도를 제작하는 방식인 100리 척을 사용하여 이전에 비하여 정확하고 과학적인 지도를 제작할 수 있었다.

⑤ 대동여지도는 조선 후기 철종 때 김정호가 제작한 전국 지도이다. 이 지도는 산맥, 하천, 포구, 도로망의 표시가 정밀하고, 거리를 알 수 있도록 10리마다 눈금이 표시되어 있다. 또한 지도를 목판에 새겨 많은 사람들이 편리하게 이용할 수 있도록 하였다.

38

2023년 계리직 9급

다음 내용이 실린 책에 대한 설명으로 옳은 것은?

> 대저 살 곳(可居地)을 잡는 데는 지리(地理)가 첫째이고, 생리(生利)가 다음이다. 그다음은 인심(人心)이며, 다음은 아름다운 산수(山水)가 있어야 한다. 이 네 가지 중 하나라도 모자라면 살기 좋은 땅이 아니다.

① 최초로 100리 척을 이용한 지도를 수록하였다.

② 우리나라 각 지역의 인문 지리적 특성을 제시하였다.

③ 중국의 역사서 등을 참고하여 지리적 관점에서 우리 역사를 체계화하였다.

④ 군현별로 채색 읍지도를 첨부하여 읍의 형편을 일목요연하게 파악할 수 있게 하였다.

문제풀이 『택리지』 난이도 상

제시문에서 살 곳을 잡는 데는 지리가 첫째이고, 생리(경제적 이익)가 다음이고, 그다음은 인심이며 다음은 아름다운 산수가 있어야 한다는 내용을 통해 조선 후기 이중환이 지은 『택리지』임을 알 수 있다.

② 『택리지』는 우리나라 각 지역의 자연환경과 물산, 풍속, 인심 등 인문 지리적 특성을 분석하여 제시한 인문 지리서로, 어느 지역이 살기 좋은 곳인가를 정리한 책이다.

오답 분석

① 최초로 100리 척을 이용한 지도는 동국지도로, 『택리지』에는 수록되어 있지 않다. 동국지도는 조선 후기 영조 때 정상기가 100리를 1척으로 정하여 이전에 비하여 정확하고 과학적으로 제작한 지도이다.

③ **『동국지리지』**: 중국의 역사서 등을 참고하여 지리적 관점에서 우리 역사를 체계화한 책은 『동국지리지』이다. 『동국지리지』는 조선 후기 한백겸이 저술한 역사 지리서로, 중국의 역사서 등 여러 고서를 참고하여 삼한의 위치와 고구려의 발상지가 만주 지방임을 최초로 고증하는 등 지리적 관점에서 우리 역사를 체계화하였다.

④ **『여지도서』**: 군현별로 채색 읍지도를 첨부하여 읍의 형편을 일목요연하게 파악할 수 있게 한 것은 『여지도서』이다. 『여지도서』는 영조 때 각 읍에서 편찬한 채색 읍지도를 모아 읍의 방리·도로·부세에 관한 조항 등을 정리하여 읍의 형편을 파악할 수 있게 만든 책이다.

39

2022년 서울시 9급(2월 시행)

〈보기〉의 내용 중 옳은 것을 모두 고른 것은?

> **보기**
> ㉠ 정상기는 최초로 백 리를 한 자로 축소한 동국여지도를 만들어 우리나라의 지도 제작 수준을 한 단계 높였다.
> ㉡ 국어에 대한 연구도 활발하여 신경준의 『고금석림』과 유희의 『언문지』가 나왔다.
> ㉢ 유득공은 『동사강목』을 지어 고조선부터 고려 말까지의 우리 역사를 체계적으로 정리하였다.
> ㉣ 이중환의 『택리지』는 각 지역의 경제 생활까지 포함하여 집필되었다.
> ㉤ 허준의 『동의보감』은 우리나라뿐 아니라 중국 및 일본의 의학 발전에 큰 영향을 끼쳤는데, 예방 의학에 중점을 둔 것이다.

① ㉠, ㉡ ② ㉡, ㉤
③ ㉢, ㉣ ④ ㉣, ㉤

40

2017년 서울시 9급

조선 후기에 전개된 국학 연구에 대한 설명으로 옳지 않은 것은?

① 유희는 『언문지』를 지어 우리말의 음운을 연구하였다.
② 이의봉은 『고금석림』을 편찬하여 우리의 어휘를 정리하였다.
③ 한치윤은 『기언』을 지어 토지 제도의 개혁을 주장하였다.
④ 이종휘는 『동사』를 지어 고구려사에 대한 관심을 고조시켰다.

문제풀이 조선 후기의 문화 난이도 상

④ 옳은 것을 모두 고르면 ㉣, ㉤이다.
㉣ 이중환의 『택리지』는 전국의 자연환경과 인물, 풍속, 물산, 인심 등을 분석하여 정리한 인문 지리서로, 각 지역의 경제 생활까지 포함하여 집필되었다.
㉤ 허준의 『동의보감』은 광해군 때 편찬된 의학 서적으로, 예방 의학에 중점을 두고 우리의 전통 한의학을 체계적으로 정리하였고, 우리나라뿐 아니라 중국 및 일본의 의학 발전에 큰 영향을 끼쳤다.

오답 분석
㉠ 정상기가 최초로 백 리를 한 자로 축소하여 만든 지도는 동국여지도가 아닌 동국지도이다. 한편, 동국여지도는 영조 때 신경준이 제작한 지도로, 모눈을 활용하여 지도의 정밀성을 높였다.
㉡ 조선 후기에 국어 연구의 발달로 유희가 우리말의 음운을 연구한 『언문지』를 지은 것은 맞지만, 『고금석림』을 저술한 인물은 신경준이 아닌 이의봉이다. 이의봉은 『고금석림』을 편찬하여 우리나라 문헌에 기록된 어휘를 비롯한 중국어·몽골어·일본어 등의 해외 언어를 정리하였다.
㉢ 『동사강목』을 지어 고조선부터 고려 말까지의 우리 역사를 체계적으로 정리한 인물은 유득공이 아닌 안정복이다. 한편, 유득공은 발해사를 우리나라의 역사로 체계화할 목적으로 『발해고』를 편찬하였으며, 남북국 시대라는 용어를 처음으로 사용하였다.

문제풀이 조선 후기의 국학 연구 난이도 중

③ 『기언』을 지은 인물은 허목이다. 『기언』은 조선 후기 실학자인 허목의 시문집이다. 한편 한치윤은 고조선부터 고려 말까지의 통사를 담은 역사서인 『해동역사』를 저술하였다.

오답 분석
① 조선 후기에 유희는 『언문지』를 지어 훈민정음의 음운을 연구하였다. 유희의 『언문지』는 한글 및 한자음 관계 연구서로, 한자음 위주의 연구 방법에서 벗어나 우리말의 음운 체계를 연구하여 당시 음운의 실제 발음을 명확히 표기하고자 하였다.
② 조선 후기에 이의봉은 『고금석림』을 편찬하여 우리나라 문헌에 기록된 어휘를 비롯한 중국어·몽골어·일본어 등의 해외 언어를 정리하였다.
④ 조선 후기에 이종휘는 『동사』를 지어 고구려사에 대한 관심을 고조시켰으며 발해를 고구려 계승 국가로 파악하는 등 고대사 연구의 시야를 만주 지방까지 확대시켰다.

이것도 알면 **합격!**

조선 후기의 국어 연구

구분	특징
어휘집	『경세정운』(최석정), 『훈민정음운해』(신경준), 『언문지』(유희) → 훈민정음 연구
음운 연구서	『고금석림』(이의봉, 우리나라의 방언과 해외 언어 정리), 『아언각비』(정약용, 한국어의 속어 중 어원이 모호한 것을 고증)

정답 37 ④ 38 ② 39 ④ 40 ③

2 | 문화의 새 경향

01

2012년 국가직 9급

조선 후기 과학 문화에 대한 설명으로 옳지 않은 것은?

① 유클리드 기하학을 중국어로 번역한 『기하원본』이 도입되기도 하였다.

② 지석영은 서양 의학의 성과를 토대로 서구의 종두법을 최초로 소개하였다.

③ 곤여만국전도 같은 세계 지도가 전해짐으로써 보다 과학적이고 정밀한 지리학의 지식을 가지게 되었다.

④ 서호수는 우리 고유의 농학을 중심에 두고 중국 농학을 선별적으로 수용하여 한국 농학의 새로운 체계화를 시도하였다.

문제풀이 조선 후기의 과학 문화 난이도 중

② 영국인 제너가 발견한 종두법이 우리나라에 처음 알려진 것은 정약용의 『마과회통』을 통해서이다. 지석영은 우리나라 최초로 종두법을 실시(1879)하여 성공한 인물이다.

오답 분석

① 조선 후기에는 마테오 리치가 유클리드의 『기하학서』를 한문으로 번역한 『기하원본』이 청으로부터 도입되었다.

③ 조선 후기에는 곤여만국전도와 같은 세계 지도가 중국을 통해 전해짐으로써 보다 정확하고 과학적인 지도 제작이 가능해졌다.

④ 조선 후기에 서호수는 『해동농서』를 편찬하여 우리 고유의 농학을 중심에 두고 중국 농학을 선별적으로 수용해 한국 농학의 체계화를 시도하였다.

이것도 알면 **합격!**

조선 후기의 과학 발달

구분	내용
천문학	• 김석문(최초로 지전설 주장), 홍대용(지전설, 무한 우주론), 최한기(뉴턴의 만유인력, 코페르니쿠스의 지구 자전설과 공전설 소개) • 근대적 우주관 형성, 성리학적 세계관에 대한 비판 제공
역법	• 김육 등의 노력으로 효종 때 시헌력 채용 • 정조 때 우리나라의 사정에 맞는 천세력 간행
수학	『기하원본』(마테오 리치가 유클리드의 『기하학서』를 한문으로 번역), 『구수략』(최석정이 전통 수학 집대성), 『이수신편』(황윤석), 『주해수용』(홍대용이 우리나라·중국·서양 수학의 연구 성과 정리)

02

2022년 법원직 9급

다음 사실을 시기 순으로 바르게 나열한 것은?

(가) 강희맹이 경기 지역의 농사 경험을 토대로 『금양잡록』을 편찬하였다.
(나) 신속이 벼농사 중심의 수전 농법을 소개한 『농가집성』을 편찬하였다.
(다) 이암이 중국 화북 지역의 농사법을 반영한 『농상집요』를 도입하였다.
(라) 정초, 변효문 등이 왕명에 의해 우리나라 풍토에 맞는 농법을 정리한 『농사직설』을 편찬하였다.

① (가) → (다) → (나) → (라)
② (나) → (다) → (라) → (가)
③ (다) → (라) → (가) → (나)
④ (다) → (라) → (나) → (가)

문제풀이 우리나라의 농서 난이도 중

③ 시기 순으로 바르게 나열하면 (다) 『농상집요』 도입(고려 충정왕) → (라) 『농사직설』 편찬(조선 세종) → (가) 『금양잡록』 편찬(조선 성종) → (나) 『농가집성』 편찬(조선 효종)이 된다.

(다) **『농상집요』 도입**: 고려 충정왕 때 이암이 원에서 중국 화북 지역의 농사법을 반영한 『농상집요』를 도입하였다.

(라) **『농사직설』 편찬**: 조선 세종 때 정초, 변효문 등이 왕명에 의해 농민들의 실제 경험을 토대로 우리나라 풍토에 맞는 독자적인 농법을 정리한 『농사직설』을 편찬하였다.

(가) **『금양잡록』 편찬**: 조선 성종 때 강희맹이 경기 금양(경기도 시흥 일대) 지역에서 직접 농사지은 경험을 토대로 『금양잡록』을 편찬하였다. 강희맹은 『금양잡록』에서 80여 종의 작물이 가진 특성과 재배법 등을 논하였다.

(나) **『농가집성』 편찬**: 조선 효종 때 신속이 왕명으로 『농사직설』, 『금양잡록』 등 조선의 농서들을 집대성한 『농가집성』을 편찬하였다. 신속은 『농가집성』에서 벼농사 중심의 수전 농법을 소개하여 이앙법의 보급에 공헌하였다.

03

2017년 사회복지직 9급

다음 저서에 대한 설명으로 옳지 않은 것은?

(가) 『산림경제』	(나) 『색경』
(다) 『과농소초』	(라) 『농가집성』

① (가): 홍만선의 저술로 농업, 임업, 축산업, 식품 가공 등을 망라하였다.

② (나): 박세당의 저술로 과수, 축산, 기후 등에 중점을 두었다.

③ (다): 정약용의 저술로 농업 기술과 농업 정책에 관하여 논하였다.

④ (라): 신속의 저술로 이앙법을 언급하였다.

04

2018년 지방직 9급

다음에서 설명하는 인물의 저술로 옳은 것은?

> ○ 종래의 조선 농학과 박물학을 집대성하였다.
> ○ 전국 주요 지역에 국가 시범 농장인 둔전을 설치하여 혁신적 농법과 경영 방법으로 수익을 올려서 국가 재정을 보충할 것을 제안했다.

① 『색경』

② 『산림경제』

③ 『과농소초』

④ 『임원경제지』

문제풀이 조선 후기의 농서

난이도 하

③ 『과농소초』는 정약용이 아닌 박지원의 저서이다. 『과농소초』는 신속의 『농가집성』과 유중림의 『증보산림경제』를 바탕으로 중국의 농서인 『농정전서』를 참고하여 저술되었는데, 농법과 농기구의 개량, 상업적 농업 장려와 농업 정책에 관련된 내용으로 구성되어 있다.

오답 분석

① 『산림경제』는 홍만선의 저서로, 농업·임업·축산업·식품 가공 등을 망라한 일종의 농촌 생활 백과사전이었다.

② 『색경』은 박세당의 저서로, 상권과 하권으로 구성되어 과수·축산·기후 등에 중점을 두었다.

④ 『농가집성』은 신속이 왕명을 받아서 작성한 농서로, 벼농사 중심의 수전 농법을 소개하며 이앙법의 보급에 큰 영향을 미쳤다.

이것도 알면 **합격!**

조선의 농서

구분	농서
조선 전기	• 『농서집요』(태종·중종 때 편찬) • 『농사직설』(세종 때 정초·변효문 등이 편찬) • 『금양잡록』(성종 때 강희맹이 편찬)
조선 후기	• 『농가집성』(효종 때 신속이 편찬, 벼농사 중심의 농법 소개) • 『색경』(숙종 때 박세당이 편찬) • 『산림경제』(숙종 때 홍만선이 편찬) • 『해동농서』(서호수가 편찬) • 『임원경제지』(서유구가 편찬, 농촌 생활 백과사전)

문제풀이 서유구

난이도 중

제시된 자료에서 조선 농학과 박물학을 집대성하고, 전국 주요 지역에 국가 시범 농장인 둔전을 설치하였다는 내용을 통해 서유구임을 알 수 있다. 서유구는 조선 후기의 실학자로 주요 도시에 국가가 운영하는 시범 농장인 둔전을 설치하여 혁신적 농업 기술과 농장 경영으로 수익을 올려서 국가 재정을 보충하고, 부민의 참여를 유도하는 둔전제를 주장하였다.

④ 서유구는 농촌 생활 백과사전인 『임원경제지』를 저술하였다. 그는 이 책에서 토지 제도, 수리, 토질, 농사 시기 등의 농업과 관계된 내용을 정리하였다.

오답 분석

① **『색경』**: 『색경』은 박세당이 토질에 따른 재배 품종과 가축 사육의 방법 등 농가에서 필요한 상식들을 정리한 책이다. 박세당은 『색경』을 통해 작물의 종류에 따른 토질의 특징, 화초와 약초의 재배법, 과수의 접붙이는 법 등을 정리하였다.

② **『산림경제』**: 『산림경제』는 홍만선이 농업과 임업, 축산, 식품 가공과 저장 등 농촌 생활에 필요한 지식들을 체계적으로 정리한 책이다. 홍만선은 『산림경제』를 통해 주택의 선정과 건축, 곡식과 목화 등의 경작법, 채소류·화초류·담배·약초류의 재배법, 양잠법, 흉년에 대비하는 구황법 등을 설명하였다.

③ **『과농소초』**: 『과농소초』는 박지원이 농업 기술과 농업 정책 등을 정리한 책이다. 박지원은 『과농소초』를 통해 농업 생산력의 증대를 위한 영농 방법의 혁신, 상업적 농업의 장려, 수리 시설의 확충 등을 주장하였다.

정답 01 ② 02 ③ 03 ③ 04 ④

05

2018년 서울시 9급(3월 시행)

〈보기〉의 백과사전(유서)을 편찬한 순서대로 바르게 나열한 것은?

보기

㉠『대동운부군옥』 ㉡『지봉유설』
㉢『성호사설』 ㉣『오주연문장전산고』

① ㉠ → ㉡ → ㉢ → ㉣

② ㉡ → ㉢ → ㉣ → ㉠

③ ㉠ → ㉢ → ㉡ → ㉣

④ ㉠ → ㉣ → ㉢ → ㉡

문제풀이 백과사전류 서적의 편찬 순서 난이도 상

① 순서대로 나열하면 ㉠『대동운부군옥』(선조) → ㉡『지봉유설』(광해군) → ㉢『성호사설』(영조) → ㉣『오주연문장전산고』(헌종)가 된다.

㉠ **『대동운부군옥』**: 『대동운부군옥』은 조선 선조 때 권문해가 저술한 백과사전식 저서이다. 『대동운부군옥』은 우리나라의 지리·역사·인물·문학·식물·동물 등을 총 망라하여 운별로 분류해 놓았다.

㉡ **『지봉유설』**: 『지봉유설』은 조선 광해군 때 이수광이 저술한 백과사전식 저서이다. 이수광은 『지봉유설』에서 우리나라와 중국의 문화를 포괄적으로 비교하여 천문·지리·군사 등의 내용을 서술하였고, 마테오 리치의 『천주실의』를 소개하였다.

㉢ **『성호사설』**: 『성호사설』은 조선 영조 때 이익이 편찬한 백과사전식 저서로 우리나라와 중국의 문화를 천지·만물·경사·인사·시문의 5개 부분으로 분류하여 정리하였다.

㉣ **『오주연문장전산고』**: 『오주연문장전산고』는 조선 헌종 때 이규경이 저술한 백과사전식 저서이다. 이규경은 『오주연문장전산고』에서 우리나라와 중국 등 외국의 역사·사물·예술·종교 등에 대하여 고증학적인 방법으로 소개하였다.

06

2018년 국가직 9급

다음 해외 견문 기록을 시기 순으로 바르게 나열한 것은?

㉠『표해록』 ㉡『열하일기』
㉢『서유견문』 ㉣『해동제국기』

① ㉠ → ㉡ → ㉣ → ㉢

② ㉠ → ㉣ → ㉢ → ㉡

③ ㉣ → ㉠ → ㉡ → ㉢

④ ㉣ → ㉢ → ㉠ → ㉡

문제풀이 해외 견문 기록 난이도 상

③ 순서대로 나열하면 ㉣『해동제국기』(성종, 1471) → ㉠『표해록』(성종, 1488) → ㉡『열하일기』(정조, 1780) → ㉢『서유견문』(고종, 1895)이 된다.

㉣ **『해동제국기』**: 『해동제국기』는 세종 때 일본에 다녀온 신숙주가 성종의 명을 받아 저술한 서적으로, 일본의 정치, 외교, 사회, 풍속, 지리 등에 대해 종합적으로 정리한 책이다(1471).

㉠ **『표해록』**: 『표해록』은 성종 때 최부가 저술한 서적이다. 제주도에 파견되었던 최부는 부친상을 당해 고향으로 돌아오던 중 풍랑을 맞아 표류하였으며, 중국 남부에 도착하여 육로를 통해 조선으로 귀국하였다. 이후 성종의 명으로 귀국 과정을 정리한 『표해록』을 저술하였다(1488).

㉡ **『열하일기』**: 『열하일기』는 정조 때 중상학파 실학자인 박지원이 청나라에 다녀온 후 작성한 서적으로, 청나라의 선진 문물을 소개하고 상공업의 진흥을 강조하며, 수레와 선박 등을 이용할 것을 주장하였다(1780).

㉢ **『서유견문』**: 『서유견문』은 고종 때 보빙사로 파견되었던 유길준이 서양에 다녀온 뒤 저술한 것으로, 서양 각국의 지리, 역사, 정치와 교육, 행정, 문화 등을 일목요연하게 정리한 책이다. 한편 『서유견문』은 갑신정변에 연루된 유길준이 연금 생활을 하던 1889년에 완성되었으나 이때 출판되지 못하고, 이후 1895년에 출간되었다.

07

2019년 서울시 9급(6월 시행)

〈보기〉의 의서(醫書)를 편찬된 순서대로 바르게 나열한 것은?

> **보기**
> ㉠ 『동의보감(東醫寶鑑)』
> ㉡ 『마과회통(麻科會通)』
> ㉢ 『의방유취(醫方類聚)』
> ㉣ 『향약구급방(鄕藥救急方)』

① ㉠ - ㉡ - ㉢ - ㉣
② ㉢ - ㉣ - ㉡ - ㉠
③ ㉣ - ㉢ - ㉠ - ㉡
④ ㉣ - ㉢ - ㉡ - ㉠

문제풀이 우리나라의 의서 난이도 중

③ 편찬된 순서대로 나열하면 ㉣ 『향약구급방』(고려 고종, 13세기) **→ ㉢ 『의방유취』**(조선 세종, 15세기) **→ ㉠ 『동의보감』**(조선 광해군, 17세기) **→ ㉡ 『마과회통』**(조선 정조, 18세기)**이 된다.**

㉣ **『향약구급방』**: 『향약구급방』은 고려 무신 집권 시기인 고종 때 편찬된 의서로, 현존하는 우리나라 최고(最古)의 의서이다.

㉢ **『의방유취』**: 『의방유취』(1445)는 조선 전기 세종 때 편찬된 의서로, 중국과 국내 의서들을 참고하여 동양 의학을 집대성한 의학 백과사전이다.

㉠ **『동의보감』**: 『동의보감』(1610)은 허준이 선조의 명을 받아 저술한 의서로, 광해군 때 완성하였다. 『동의보감』은 우리나라의 전통 한의학을 체계적으로 정리한 의서이다.

㉡ **『마과회통』**: 『마과회통』(1798)은 조선 후기 정조 때 정약용이 홍역(마진)에 대한 의서를 종합하여 편찬한 서적이다. 정약용은 이 책에서 천연두 치료법인 종두법(우두법)을 소개하기도 하였다.

이것도 알면 **합격!**

조선 후기의 의서

17세기	『동의보감』(허준): 우리의 전통 한의학을 체계적으로 정리
18세기	『마과회통』(정약용): 마진(홍역)에 대한 연구를 진전시키고 이 분야의 의서를 종합하여 편찬
19세기	• 『방약합편』(황필수): 한의학의 각종 한약 처방을 간략하게 기술 • 『동의수세보원』(이제마): 사상 의학 확립

08

2023년 법원직 9급

다음 주장이 제기된 시기의 문화적 특징으로 옳은 것을 〈보기〉에서 모두 고른 것은?

> 폐를 끼치는 것으로는 담배만한 것이 없습니다. 추위를 막지도 못하고 요깃거리도 못 되면서 심는 땅은 반드시 기름져야 하고 흙을 덮고 김매는 수고는 대단히 많이 드니 어찌 낭비가 아니겠습니까? 그리고 장사치들이 왕래하며 팔고 있어 이에 쓰는 돈이 적지 않습니다. 조정에서 전황(錢荒)에 대해 걱정하고 있는데, 그 근원을 따져 보면 여기에서 비롯된 것이 아니라고는 장담할 수 없습니다. 만약 담배 재배를 철저히 금한다면 곡물을 산출하는 땅이 더욱 늘어나고 농사에 힘쓰는 백성들이 더욱 많아질 것입니다.

> **보기**
> ㉠ 문화 인식의 폭이 확대되어 백과사전류의 저서가 편찬되었다.
> ㉡ 격식에 구애받지 않고 감정을 표현하는 사설시조가 유행하였다.
> ㉢ 주자소가 설치되어 계미자를 비롯한 다양한 활자를 주조하였다.

① ㉠ ② ㉠, ㉡
③ ㉡ ④ ㉡, ㉢

문제풀이 조선 후기의 문화 난이도 중

제시문에서 조정에서 전황에 대해 걱정하고 있으며, 담배 재배를 철저히 금하여야 한다는 내용을 통해 조선 후기에 대한 내용임을 알 수 있다. 조선 후기에는 지주나 대상인들이 화폐를 고리대나 재산 축적에 이용하면서 화폐가 제대로 유통되지 않아 시중에 동전이 부족해지는 현상인 전황이 발생하였다. 또한, 상품의 유통이 활발해지면서 담배, 인삼 등 높은 소득을 얻을 수 있는 상품 작물을 재배하는 상업적 농업이 발달하였다.

② 옳은 것을 모두 고르면 ㉠, ㉡이다.

㉠ 조선 후기에는 문화 인식의 폭이 확대되어 백과사전류의 저서가 많이 편찬되었다. 대표적인 서적으로는 이수광의 『지봉유설』, 이익의 『성호사설』, 서유구의 『임원경제지』 등이 있다.

㉡ 조선 후기에는 격식에 구애받지 않고 서민들의 감정을 솔직하게 표현하는 사설시조가 유행하였다.

오답 분석

㉢ **조선 전기**: 활자의 주조를 담당하는 관청인 주자소가 설치되어 계미자를 비롯한 다양한 활자를 주조한 것은 태종 때로, 조선 전기의 사실이다.

정답 05 ① 06 ③ 07 ③ 08 ②

09

2019년 법원직 9급

밑줄 친 '이 시기'에 관한 다음 설명 중 가장 옳지 않은 것은?

청화 백자
까치호랑이문 항아리

이 시기에는 형태가 단순하고 꾸밈이 거의 없는 것이 특색인 백자가 유행하였고, 흰 바탕에 푸른 색깔로 그림을 그린 청화 백자도 많이 만들어졌다. 특히, 청화 백자는 문방구, 생활 용품 등의 용도로 많이 제작되었다.

① 판소리, 잡가, 가면극이 유행하였다.
② 위선적인 양반의 생활을 풍자하는 「양반전」, 「허생전」 등의 한문 소설이 유행하였다.
③ 서얼이나 노비 출신의 문인들이 등장하였고, 황진이와 같은 여류 작가들도 활동하였다.
④ 김제 금산사 미륵전, 보은 법주사 팔상전, 논산 쌍계사 등이 이 시기를 대표하는 불교 건축물이다.

10

2015년 기상직 9급

(가) 그림과 (나) 그림이 그려진 시기의 문화에 대한 설명으로 옳지 않은 것은?

(가)

(나)

① (가) – 무위사 극락전, 화엄사 각황전, 법주사 팔상전 등의 건축물이 만들어졌다.
② (가) – 소박한 무늬와 자유로운 양식의 분청사기가 유행하였다.
③ (나) – 평민의 감정을 솔직하게 표현한 사설시조가 유행하였다.
④ (나) – 양반의 위선을 풍자한 탈춤이 유행하였다.

문제풀이 조선 후기의 문화

난이도 중

제시문과 사진의 청화 백자는 조선 후기에 유행한 자기 공예품이다. 조선 후기에는 백자가 민간에까지 널리 사용되었으며, 안료를 사용하여 무늬를 넣은 청화 백자·철화 백자 등이 많이 제작되었다.

③ 조선 후기에 서얼이나 노비 출신의 문인들이 등장한 것은 맞지만, 여류 작가 황진이는 조선 전기인 중종 때 활동한 것으로 전해지는 여류 시조 작가이다.

오답 분석

① 조선 후기에는 서민의 감정을 그대로 드러낸 판소리, 잡가, 가면극 등이 유행하였다.
② 조선 후기에 실학자인 박지원은 위선적인 양반의 생활을 풍자하는 「양반전」, 「허생전」 등의 한문 소설을 저술하여 양반 사회의 허구성을 지적하였다.
④ 조선 후기의 대표적인 불교 건축물인 김제 금산사 미륵전, 보은 법주사 팔상전, 논산 쌍계사는 화려함과 강한 장식성을 특징으로 한다. 조선 후기에는 양반 지주 및 부농, 상인 등의 경제적 지원으로 화려한 사원 건축물이 많이 건립되었다.

문제풀이 조선 시대의 문화

난이도 중

(가)는 강희안의 고사관수도로, 조선 전기(15세기)의 그림이다.
(나)는 정선의 인왕제색도로, 조선 후기의 그림이다.

① 무위사 극락전은 조선 전기인 15세기의 건축물이 맞으나, 화엄사 각황전과 법주사 팔상전은 조선 후기에 건립된 건축물이다. 조선 전기에는 경복궁, 창덕궁 등의 궁궐, 관아, 성문, 학교 등이 주로 건축되었다.

오답 분석

② 조선 전기에는 청자에 백토의 분을 칠하여 푸른색이 흐려진 회청색 도자기인 분청사기가 유행하였다. 분청사기는 안정된 그릇 모양과 소박하고 천진스런 무늬가 어우러져 우리의 멋을 잘 표현하였다.
③ 조선 후기에는 서민의 감정을 솔직하게 표현하는 사설시조가 유행하였다.
④ 조선 후기에는 승려들의 부패, 양반들의 허구 등 사회적 모순에 대해 해학적이고 솔직하게 표현하는 탈춤이 유행하였다.

 이것도 알면 **합격!**

조선 후기의 건축

시기	내용
17세기	• 금산사 미륵전, 법주사 팔상전 등 • 불교의 사회적 지위 향상과 양반 지주층의 경제적 성장 반영
18세기	• 수원 화성: 방어와 공격을 겸한 성곽 시설 • 논산 쌍계사, 부안 개암사: 부농과 상인의 지원을 받은 사원 건축
19세기	흥선 대원군이 왕실의 권위 과시를 위해 경복궁 중건

11

2017년 지방직 9급(12월 시행)

조선 후기의 사상 동향에 대한 설명으로 옳은 것만을 모두 고른 것은?

> **보기**
> ㉠ 서울 부근의 일부 남인 학자는 천주교를 수용하였다.
> ㉡ 정조는 기존의 문체에 얽매이지 않는 신문체를 장려하였다.
> ㉢ 복상 기간에 대한 견해차로 인해 예송(禮訟)이 전개되었다.
> ㉣ 노론과 남인 간에 인성(人性)·물성(物性) 논쟁이 전개되었다.

① ㉠, ㉡

② ㉠, ㉢

③ ㉡, ㉣

④ ㉢, ㉣

문제풀이 조선 후기의 사상 동향 난이도 중

② 조선 후기 사상 동향에 대한 옳은 설명을 모두 고르면 ㉠, ㉢이다.

㉠ 천주교는 17세기에 청에서 귀국한 사신들에 의해 서학으로 소개되었으나, 18세기 후반에 정치와 사회의 모순을 해결하고자 하였던 권철신, 이벽, 이가환, 정약종 등의 서울 부근 일부 남인 학자들에 의해 신앙으로 수용되었다.

㉢ 조선 현종 때 효종과 효종비 사후에 자의 대비(인조의 계비)의 복상 기간을 두고 서인과 남인이 두 차례에 걸친 예송 논쟁을 전개하였다.

오답 분석

㉡ 정조는 기존의 문체에 얽매이지 않는 신문체의 사용을 금지하였다. 정조는 당시 유행하던 신문체가 지나치게 품위가 없다는 이유로 사용을 금지하고, 이를 정통 고문(古文)으로 바로잡고자 하는 문체반정(文體反正)을 전개하였다.

㉣ 인성(人性)·물성(物性)에 대한 논쟁은 노론 내부에서 전개되었다. 18세기에 노론은 인간과 사물의 본성을 어떻게 볼 것인가라는 문제를 둘러싸고, '인물성이론'을 주장하는 호론(충청도 노론)과 '인물성동론'을 주장하는 낙론(서울·경기 노론)으로 나뉘어 호락 논쟁을 전개하였다.

12

2024년 지방직 9급

(가), (나)에 해당하는 건축물을 옳게 짝지은 것은?

> [(가)] 은 고려 시대 건축물이며 배흘림 기둥과 주심포 양식으로 단아하면서도 세련된 아름다움을 담고 있다.
> [(나)] 은 우리나라에 남아 있는 조선 시대 건축물 중 유일한 5층 목탑이다.

	(가)	(나)
①	영주 부석사 무량수전	김제 금산사 미륵전
②	영주 부석사 무량수전	보은 법주사 팔상전
③	합천 해인사 장경판전	김제 금산사 미륵전
④	합천 해인사 장경판전	보은 법주사 팔상전

문제풀이 영주 부석사 무량수전과 보은 법주사 팔상전 난이도 상

② 옳게 짝지은 것은 (가) 영주 부석사 무량수전, (나) 보은 법주사 팔상전이다.

(가) 영주 부석사 무량수전은 고려 시대의 대표적인 불교 건축물로, 배흘림 기둥(기둥의 중간이 가장 굵고 위·아래로 갈수록 점차 얇아지는 양식)과 주심포 양식(공포가 기둥 위에만 짜여져 있는 양식)으로 단아하면서도 세련된 아름다움을 담고 있다.

(나) 보은 법주사 팔상전은 우리나라에 남아 있는 조선 시대 건축물 중 유일한 5층 목탑으로, 조선 후기를 대표하는 불교 건축물이다.

오답 분석

- **합천 해인사 장경판전**: 합천 해인사 장경판전은 고려 시대 때 제작된 팔만대장경(재조대장경)을 보관하기 위해 조선 전기에 만들어진 건축물이다.
- **김제 금산사 미륵전**: 김제 금산사 미륵전은 조선 후기인 17세기에 지어진 건축물로, 팔작 지붕과 다포 양식이 사용되었으며 내부는 3층의 통층 구조로 되어있다.

정답 09 ③ 10 ① 11 ② 12 ②

13

2021년 국회직 9급

(가), (나)에 대한 설명으로 옳지 않은 것은?

> (가) 조선 시대에 유사시 임시 수도로 기능할 수 있도록 험준한 산세를 이용하여 축성한 것이다.
> (나) 정조가 아버지 사도(장헌) 세자의 무덤을 화산으로 옮기면서 팔달산 아래 축성한 것이다.

① (가) – 조선 후기에 5군영 가운데 수어청을 이곳에 설치하였다.
② (가) – 병자호란 때 인조가 이곳으로 피난하여 대항하였다.
③ (나) – 거중기, 녹로 등을 사용하여 축성하였다.
④ (나) – 중국의 축성 기술을 도입하여 벽돌로만 성벽을 쌓았다.
⑤ (가), (나) – 유네스코 세계 문화유산으로 등재되었다.

문제풀이 남한산성과 수원 화성 난이도 중

(가) 조선 시대에 유사시 임시 수도의 기능을 하기 위해 험준한 산세를 이용하여 축성한 것은 남한산성이다.

(나) 정조가 사도 세자의 무덤을 옮기면서 팔달산 아래에 축성한 것은 수원 화성이다.

④ 수원 화성은 벽돌로만 성벽을 쌓은 것이 아니라 벽돌과 돌을 적절하게 교차시켜 성벽을 쌓았다. 수원 화성은 화포의 공격에도 쉽게 허물어지지 않는 벽돌과 화강암 등으로 성벽을 쌓았으며, 우리나라, 중국, 일본, 서양 등의 축성 기술을 활용하여 축조되었다.

오답 분석

① 조선 후기 남한산성에는 5군영 중에 하나인 수어청이 설치되었다. 수어청은 경기 속오군을 중심으로 편제되었으며 남한산성과 경기 남부 일대를 방어하였다.

② 병자호란의 발발 이후 인조는 남한산성으로 피난하여 약 47일 동안 대항하였으나, 1637년 1월에 삼전도(현재 서울 송파구 부근)로 나아가 청 태종 앞에 무릎을 꿇고 굴욕적인 항복을 하였다.

③ 수원 화성은 거중기, 녹로 등을 사용하여 축성되었다. 거중기와 녹로는 수원 화성 축성 당시 무거운 물건을 들어 올리는 용도로 사용되어, 공사 기간을 단축하고 공사비를 줄이는 데 크게 공헌하였다.

⑤ 남한산성은 2014년, 수원 화성은 1997년에 유네스코 세계 문화유산으로 등재되었다.

14

2017년 지방직 9급(12월 시행)

조선 시대 『의궤』에 대한 설명으로 옳지 않은 것은?

① 『가례도감의궤』는 임진왜란 이후부터 편찬되기 시작하였다.
② 조선 왕조 『의궤』는 유네스코 세계 기록유산으로 등재되었다.
③ 정조 때 화성 행차 일정, 참가자 명단, 행차 그림 등을 수록한 『의궤』가 편찬되었다.
④ 『가례도감의궤』의 말미에 그려진 반차도에는 당시 왕실 혼례의 행렬 모습이 담겨 있다.

문제풀이 『의궤』 난이도 중

① 『의궤』는 조선 초기부터 편찬되었다. 그러나 임진왜란으로 모두 소실되었고, 현재는 임진왜란 이후에 제작된 『의궤』만 남아있다. 『의궤』는 길례·가례·빈례·군례·흉례 등 국가의 오례 절차와 관련된 사항을 그림과 설명으로 정리한 기록물로, 유사한 행사가 있을 때 참고하고자 제작되었다. 이때 『의궤』의 이름은 해당 행사를 주관하는 임시 관서의 명칭과 함께 표기하는 것이 일반적이었다.

오답 분석

② 조선 왕조의 『의궤』는 2007년에 유네스코 세계 기록유산으로 등재되었다.

③ 정조 때 어머니인 혜경궁 홍씨를 모시고 사도 세자의 무덤이 있는 화성으로의 행차 일정과 참가자 명단, 행차 모습의 그림 등이 수록된 『원행을묘정리의궤』가 편찬되었다.

④ 반차도는 의례나 의례 행렬을 글자나 그림으로 묘사한 것으로, 『가례도감의궤』의 반차도에는 왕실 혼례 행렬이 그려져 있다.

15

2017년 국가직 7급(8월 시행)

유네스코 '세계 기록유산'에 등재된 것만을 모두 고른 것은?

㉠『일성록』	㉡『난중일기』
㉢『비변사등록』	㉣『승정원일기』
㉤ 한국의 유교 책판	

① ㉠, ㉡

② ㉠, ㉡, ㉣

③ ㉠, ㉡, ㉣, ㉤

④ ㉠, ㉡, ㉢, ㉣, ㉤

문제풀이 우리나라의 유네스코 세계 기록유산 난이도 중

③ 등재된 것을 모두 고르면 ㉠, ㉡, ㉣, ㉤이다.

㉠『일성록』은 2011년에 유네스코 세계 기록유산에 등재되었다. 『일성록』은 정조가 세손 시절부터 쓰던 개인 일기가 즉위 이후 공식 국정 일기로 전환된 것으로, 영조 시기부터 순종 때까지 151년간 기록된 일종의 국정 일기이다.

㉡『난중일기』는 2013년에 유네스코 세계 기록유산에 등재되었다. 『난중일기』는 이순신이 임진왜란 때 쓴 친필 일기로, 전투 양상과 이순신 개인의 소회는 물론 당시의 날씨와 백성의 생활 모습도 기록되어 있다.

㉣『승정원일기』는 2001년에 유네스코 세계 기록유산에 등재되었다. 『승정원일기』는 국왕의 비서 기관인 승정원에서 왕과 신하 간에 오고 간 문서는 물론 왕의 일상과 업무 내용을 일지 형식으로 기록한 것이다.

㉤ 한국의 유교 책판은 2015년에 유네스코 세계 기록유산에 등재되었다. 한국의 유교 책판은 조선 시대에 718종의 유교 서책을 간행하기 위해 판각한 64,000여 장의 책판이다.

오답 분석

㉢『비변사등록』은 조선 후기에 최고 국정 기관이었던 비변사의 활동을 일기체로 기록한 것으로, 유네스코 세계 기록유산에 등재되지 않았다.

16

2015년 서울시 9급

다음 중 유네스코(UNESCO)에 등재된 우리나라의 세계 기록유산이 아닌 것은?

①『난중일기』　　②『일성록』

③『동의보감』　　④『비변사등록』

문제풀이 우리나라의 유네스코 세계 기록유산 난이도 중

④『비변사등록』은 조선 후기에 국정을 실질적으로 총괄했던 비변사의 회의 내용과 관련된 기록을 모은 『등록』으로, 유네스코 세계 기록유산에 등재되지 않았다.

오답 분석

①『**난중일기**』: 『난중일기』는 이순신이 임진왜란 때 작성한 친필 일기로, 2013년에 유네스코 세계 기록유산에 등재되었다.

②『**일성록**』: 『일성록』은 정조가 세손 시절부터 일기 형식으로 기록하기 시작하여 1910년까지 국왕의 동정과 국정을 기록한 일기로, 2011년에 유네스코 세계 기록유산에 등재되었다.

③『**동의보감**』: 『동의보감』은 허준이 편찬한 의서로, 2009년에 유네스코 세계 기록유산에 등재되었다. 『동의보감』은 우리의 전통 한의학을 체계적으로 정리한 의서로, 우리나라뿐만 아니라 중국과 일본에서도 간행되어 뛰어난 의학서로 인정받았다.

정답 13 ④ 14 ① 15 ③ 16 ④

최빈출 다지선다 문제로 단원 마무리

01 조선 후기의 정치 (1)

다음과 같이 주장한 붕당에 대한 설명으로 옳은 것을 모두 고른 것은? 2016년 지방직 9급

> 기해년의 일은 생각할수록 망극합니다. 그때 저들이 효종 대왕을 서자처럼 여겨 대왕대비의 상복을 기년복(1년 상복)으로 낮추어 입도록 하자고 청했으니, 지금이라도 잘못된 일은 바로잡아야 하지 않겠습니까?

① 인조반정으로 몰락하였다. 16. 지방직 9급

② 노론과 소론으로 분화되었다. 24. 법원직 9급

③ 인목 대비의 폐위를 주장하였다. 23. 법원직 9급

④ 기사환국으로 다시 집권하였다. 16. 지방직 9급

⑤ 조식 학파를 중심으로 형성되었다. 22. 법원직 9급

⑥ 경신환국을 통해 정국을 주도하였다. 16. 지방직 9급

⑦ 정조 시기에 탕평 정치의 한 축을 이루었다. 23. 국가직 9급

⑧ 정제두 등이 양명학을 본격적으로 수용하였다. 16. 지방직 9급

⑨ 정여립 모반 사건에 연루되어 많은 사람들이 실각하였다. 20. 국회직 9급

⑩ 송시열을 중심으로 세력을 확대하였다. 24. 법원직 9급

정답 및 해설

정답

④, ⑦

자료분석

기해년(기해예송) 때 대왕대비의 상복을 기년복으로 낮추어 입도록 한 것을 바로잡아야 함 → 남인

선택지 체크

① 북인 ② 서인 ③ 북인 **④ 남인** ⑤ 북인 ⑥ 서인 **⑦ 남인** ⑧ 소론 ⑨ 동인 ⑩ 노론

01 조선 후기의 정치 (2)

〈보기〉의 정책이 실시된 왕대에 대한 설명으로 옳은 것을 모두 고른 것은? 2018년 서울시 7급(6월 시행)

> **보기**
>
> 백성들이 2필의 응역(應役)에 괴로워하였기 때문에 … 그 폐단을 줄이려 하였으나 오래도록 결말이 나지 않았다. 이에 1필을 감하고 어(漁)·염(鹽)·선(船)에 세를 거두어 그 감액을 보충하려 하였다. 아! 예부터 민역(民役)을 줄이는 방도는 경비를 절약하여 백성을 넉넉하게 해주는 것보다 나은 방도가 없는 것이다.

① 장용영이 창설되었다. 22. 지방직 9급

② 초계문신제를 실시하였다. 22. 간호직 8급

③ 홍경래의 난이 발생하였다. 22. 지방직 9급

④ 『동국문헌비고』가 편찬되었다. 22. 지방직 9급

⑤ 이조 전랑의 권한을 약화시켰다. 14. 법원직 9급

⑥ 나선 정벌에 조총 부대가 파견되었다. 19. 기상직 9급

⑦ 『속대전』, 『속오례의』 등을 편찬하였다. 22. 간호직 8급

⑧ 명의 요청을 수용하여 중국에 원병을 파병하였다. 18. 서울시 7급(6월)

⑨ 붕당의 폐단을 제거하기 위해 서원을 대폭 정리하였다. 16. 지방직 9급

⑩ 청계천 준설 사업으로 일자리를 만들어주고 홍수에 대비하게 하였다. 19. 서울시 9급(2월)

정답 및 해설

정답

④, ⑤, ⑦, ⑨, ⑩

자료분석

백성들이 2필의 응역(병역이나 부역 등에 응하는 것)에 괴로워함 + 1필을 감하고 어·염·선세를 거두어 그 감액을 보충하려 함 → 균역법 → 영조

선택지 체크

① 정조 ② 정조 ③ 순조 **④ 영조 ⑤ 영조** ⑥ 효종 **⑦ 영조** ⑧ 광해군 **⑨ 영조 ⑩ 영조**

02 조선 후기의 경제

밑줄 친 '이 법'에 대한 설명으로 옳지 않은 것을 모두 고른 것은?

2016년 국가직 9급

> 현물로 바칠 벌꿀 한 말의 값은 본래 목면 3필이지만, 모리배들은 이를 먼저 대납하고 4필 이상을 거두어 갑니다. 이런 폐단을 없애기 위해 이 법을 시행하면 부유한 양반 지주가 원망하고 시행하지 않으면 가난한 농민이 원망한다는데, 농민의 원망이 훨씬 더 큽니다. 경기와 강원에서 이미 시행하고 있으니 충청과 호남 지역에도 하루빨리 시행해야 합니다.

① 영조에 의해 실시되었다. 17. 기상직 9급

② 상품 화폐 경제의 발달에 영향을 주었다. 19. 법원직 9급

③ 이를 관리하는 기관으로 선혜청이 설치되었다. 15. 서울시 7급

④ 지주에게 토지 1결당 2두의 결작미를 징수하였다. 16. 지방직 9급

⑤ 공인에게 비용을 지급하고 필요 물품을 조달하였다. 23. 국가직 9급

⑥ 부과 기준이 가호에서 토지로 바뀌는 결과를 가져왔다. 15. 서울시 9급

⑦ 전국적으로 실시되는 데 100여 년의 시간이 소요되었다. 15. 서울시 7급

⑧ 양인들이 지던 군포의 부담을 줄여주기 위해 시행되었다. 15. 서울시 9급

⑨ 연분 9등법에 의해 복잡하게 적용되던 전세율을 고정시켰다. 15. 서울시 9급

⑩ 답험 손실의 폐단을 줄이려는 제도로, 백성들의 여론 조사까지 거쳤다. 15. 서울시 9급

정답 및 해설

정답

①, ④, ⑧, ⑨, ⑩

자료분석

모리배들은 이를 먼저 대납하고 4필 이상을 거두어 감 + 이런 폐단을 없애기 위해 시행 → 대동법

선택지 체크

① 균역법 ② 대동법 ③ 대동법 **④ 균역법** ⑤ 대동법 ⑥ 대동법 ⑦ 대동법
⑧ 균역법 ⑨ 영정법 ⑩ 공법

04 조선 후기의 문화

다음 주장을 펼친 인물에 대한 설명으로 옳은 것을 모두 고른 것은?

2021년 경찰직(1차)

> 지금 우리나라 안에는 구슬을 캐는 집이 없고 시장에 산호 따위의 보배가 없다. 또 금과 은을 가지고 가게에 들어가도 떡을 살 수가 없는 형편이다. …… 이것은 물건을 이용하는 방법을 모르기 때문이다. 이용할 줄 모르고, 생산할 줄 모르니 백성은 나날이 궁핍해지는 것이다. 대저 재물은 우물과 같다. 퍼 쓸수록 자꾸 가득 차고 이용하지 않으면 말라 버린다. 그러므로 비단을 입지 않아 나라 안에 비단 짜는 사람이 없다.

① 『열하일기』를 저술하였다. 21. 경찰직(1차)

② 『반계수록』을 저술하였다. 23. 서울시 9급

③ 청과의 통상과 수레의 이용을 주장하였다. 24. 지방직 9급

④ 양명학을 연구하여 강화 학파를 형성하였다. 24. 지방직 9급

⑤ 토지의 매매를 제한하는 한전론을 주장하였다. 24. 지방직 9급

⑥ 우리나라에서 처음으로 지전설을 주장하였다. 17. 지방직 9급

⑦ 나라를 좀먹는 여섯 가지의 폐단을 지적하였다. 23. 법원직 9급

⑧ 『북학의』를 저술하여 청 문물의 수용을 역설하였다. 21. 서울시 9급(특수)

⑨ 『우서』에서 사농공상의 평등과 전문화를 주장하였다. 22. 국회직 9급

⑩ 마을 단위로 토지를 공동 경작하여 분배할 것을 제안하였다. 21. 서울시 9급(특수)

정답 및 해설

정답

③, ⑧

자료분석

재물은 우물과 같음 → 우물론 → 박제가

선택지 체크

① 박지원 ② 유형원 **③ 박제가** ④ 정제두 ⑤ 이익 ⑥ 김석문
⑦ 이익 **⑧ 박제가** ⑨ 유수원 ⑩ 정약용

해커스공무원 단원별 기출문제집
한국사

회독용 답안지

답안지 활용 방법

1. 회독 차수에 따라 본 답안지에 문제 풀이를 진행해 주세요. 추가 회독을 할 때는 해커스공무원(gosi.Hackers.com) ▶ 사이트 상단의 [교재·서점 ▶ 무료 학습 자료]에서 답안지를 다운받아 진행하실 수 있습니다.
2. 채점 시 O, △, X로 구분하여 채점해주세요. O: 정확하게 맞음 △: 찍었는데 맞음 X: 틀림

회독 차수:　　　　　　　진행 날짜:

I. 우리 역사의 형성

01-1 역사의 의미와 한국사

01	①	②	③	④	⑤
02	①	②	③	④	⑤
03	①	②	③	④	⑤
04	①	②	③	④	⑤
05	①	②	③	④	⑤
06	①	②	③	④	⑤
07	①	②	③	④	⑤
08	①	②	③	④	⑤

O: 개　△: 개　X: 개

02-1 구석기·신석기 시대

01	①	②	③	④	⑤
02	①	②	③	④	⑤
03	①	②	③	④	⑤
04	①	②	③	④	⑤
05	①	②	③	④	⑤
06	①	②	③	④	⑤
07	①	②	③	④	⑤
08	①	②	③	④	⑤
09	①	②	③	④	⑤
10	①	②	③	④	⑤
11	①	②	③	④	⑤
12	①	②	③	④	⑤
13	①	②	③	④	⑤
14	①	②	③	④	⑤
15	①	②	③	④	⑤
16	①	②	③	④	⑤
17	①	②	③	④	⑤
18	①	②	③	④	⑤
19	①	②	③	④	⑤
20	①	②	③	④	⑤

O: 개　△: 개　X: 개

02-2 청동기·철기 시대

01	①	②	③	④	⑤
02	①	②	③	④	⑤
03	①	②	③	④	⑤
04	①	②	③	④	⑤
05	①	②	③	④	⑤
06	①	②	③	④	⑤
07	①	②	③	④	⑤
08	①	②	③	④	⑤
09	①	②	③	④	⑤
10	①	②	③	④	⑤
11	①	②	③	④	⑤
12	①	②	③	④	⑤
13	①	②	③	④	⑤
14	①	②	③	④	⑤
15	①	②	③	④	⑤
16	①	②	③	④	⑤

O: 개　△: 개　X: 개

03-1 고조선의 성장

01	①	②	③	④	⑤
02	①	②	③	④	⑤
03	①	②	③	④	⑤
04	①	②	③	④	⑤
05	①	②	③	④	⑤
06	①	②	③	④	⑤
07	①	②	③	④	⑤
08	①	②	③	④	⑤
09	①	②	③	④	⑤
10	①	②	③	④	⑤
11	①	②	③	④	⑤
12	①	②	③	④	⑤

O: 개　△: 개　X: 개

03-2 여러 나라의 성장

01	①	②	③	④	⑤
02	①	②	③	④	⑤
03	①	②	③	④	⑤
04	①	②	③	④	⑤
05	①	②	③	④	⑤
06	①	②	③	④	⑤
07	①	②	③	④	⑤
08	①	②	③	④	⑤
09	①	②	③	④	⑤
10	①	②	③	④	⑤
11	①	②	③	④	⑤
12	①	②	③	④	⑤
13	①	②	③	④	⑤
14	①	②	③	④	⑤
15	①	②	③	④	⑤
16	①	②	③	④	⑤
17	①	②	③	④	⑤
18	①	②	③	④	⑤
19	①	②	③	④	⑤
20	①	②	③	④	⑤
21	①	②	③	④	⑤
22	①	②	③	④	⑤
23	①	②	③	④	⑤
24	①	②	③	④	⑤

O: 개　△: 개　X: 개

해커스공무원 단원별 기출문제집
한국사

회독용 답안지

답안지 활용 방법

1. 회독 차수에 따라 본 답안지에 문제 풀이를 진행해 주세요. 추가 회독을 할 때는 해커스공무원(gosi.Hackers.com)
   ▶ 사이트 상단의 [교재·서점 ▶ 무료 학습 자료]에서 답안지를 다운받아 진행하실 수 있습니다.
2. 채점 시 O, △, X로 구분하여 채점해주세요. O: 정확하게 맞음 △: 찍었는데 맞음 X: 틀림

회독 차수: 진행 날짜:

II 고대의 발전

01-1 고대의 성립

번호					
01	①	②	③	④	⑤
02	①	②	③	④	⑤
03	①	②	③	④	⑤
04	①	②	③	④	⑤
05	①	②	③	④	⑤
06	①	②	③	④	⑤
07	①	②	③	④	⑤
08	①	②	③	④	⑤
09	①	②	③	④	⑤
10	①	②	③	④	⑤
11	①	②	③	④	⑤
12	①	②	③	④	⑤
13	①	②	③	④	⑤
14	①	②	③	④	⑤
15	①	②	③	④	⑤
16	①	②	③	④	⑤
O: 개	△: 개	X: 개			

01-2 삼국의 발전과 통치 체제

번호					
01	①	②	③	④	⑤
02	①	②	③	④	⑤
03	①	②	③	④	⑤
04	①	②	③	④	⑤
05	①	②	③	④	⑤
06	①	②	③	④	⑤
07	①	②	③	④	⑤
08	①	②	③	④	⑤
09	①	②	③	④	⑤
10	①	②	③	④	⑤
11	①	②	③	④	⑤
12	①	②	③	④	⑤
13	①	②	③	④	⑤
14	①	②	③	④	⑤
15	①	②	③	④	⑤
16	①	②	③	④	⑤
17	①	②	③	④	⑤
18	①	②	③	④	⑤
19	①	②	③	④	⑤
20	①	②	③	④	⑤
21	①	②	③	④	⑤
22	①	②	③	④	⑤
23	①	②	③	④	⑤
24	①	②	③	④	⑤
25	①	②	③	④	⑤
26	①	②	③	④	⑤
27	①	②	③	④	⑤
28	①	②	③	④	⑤
29	①	②	③	④	⑤
30	①	②	③	④	⑤
31	①	②	③	④	⑤
32	①	②	③	④	⑤
33	①	②	③	④	⑤
34	①	②	③	④	⑤
35	①	②	③	④	⑤
36	①	②	③	④	⑤
37	①	②	③	④	⑤
38	①	②	③	④	⑤
39	①	②	③	④	⑤
40	①	②	③	④	⑤
41	①	②	③	④	⑤
42	①	②	③	④	⑤
43	①	②	③	④	⑤
44	①	②	③	④	⑤
45	①	②	③	④	⑤
46	①	②	③	④	⑤
47	①	②	③	④	⑤
48	①	②	③	④	⑤
49	①	②	③	④	⑤
50	①	②	③	④	⑤
51	①	②	③	④	⑤
52	①	②	③	④	⑤
53	①	②	③	④	⑤
54	①	②	③	④	⑤
55	①	②	③	④	⑤
56	①	②	③	④	⑤
57	①	②	③	④	⑤
58	①	②	③	④	⑤
59	①	②	③	④	⑤
60	①	②	③	④	⑤
61	①	②	③	④	⑤
62	①	②	③	④	⑤
63	①	②	③	④	⑤
64	①	②	③	④	⑤
65	①	②	③	④	⑤
66	①	②	③	④	⑤
67	①	②	③	④	⑤
68	①	②	③	④	⑤
O: 개	△: 개	X: 개			

01-3 대외 항쟁과 신라의 삼국 통일

번호					
01	①	②	③	④	⑤
02	①	②	③	④	⑤
03	①	②	③	④	⑤
04	①	②	③	④	⑤
05	①	②	③	④	⑤
06	①	②	③	④	⑤
07	①	②	③	④	⑤
08	①	②	③	④	⑤
09	①	②	③	④	⑤
10	①	②	③	④	⑤
11	①	②	③	④	⑤
12	①	②	③	④	⑤
13	①	②	③	④	⑤
14	①	②	③	④	⑤
15	①	②	③	④	⑤
16	①	②	③	④	⑤
O: 개	△: 개	X: 개			

01-4 남북국의 발전과 변화

번호					
01	①	②	③	④	⑤
02	①	②	③	④	⑤
03	①	②	③	④	⑤
04	①	②	③	④	⑤
05	①	②	③	④	⑤
06	①	②	③	④	⑤
07	①	②	③	④	⑤
08	①	②	③	④	⑤
09	①	②	③	④	⑤
10	①	②	③	④	⑤
11	①	②	③	④	⑤
12	①	②	③	④	⑤
13	①	②	③	④	⑤
14	①	②	③	④	⑤
15	①	②	③	④	⑤
16	①	②	③	④	⑤
17	①	②	③	④	⑤
18	①	②	③	④	⑤
19	①	②	③	④	⑤
20	①	②	③	④	⑤
21	①	②	③	④	⑤
22	①	②	③	④	⑤
23	①	②	③	④	⑤
24	①	②	③	④	⑤
25	①	②	③	④	⑤
26	①	②	③	④	⑤
27	①	②	③	④	⑤
28	①	②	③	④	⑤
29	①	②	③	④	⑤
30	①	②	③	④	⑤
31	①	②	③	④	⑤
32	①	②	③	④	⑤
33	①	②	③	④	⑤
34	①	②	③	④	⑤
35	①	②	③	④	⑤
36	①	②	③	④	⑤
37	①	②	③	④	⑤
38	①	②	③	④	⑤
39	①	②	③	④	⑤
40	①	②	③	④	⑤
41	①	②	③	④	⑤
42	①	②	③	④	⑤
43	①	②	③	④	⑤
44	①	②	③	④	⑤
○: 개 △: 개 X: 개					

02-1 고대의 경제

번호					
01	①	②	③	④	⑤
02	①	②	③	④	⑤
03	①	②	③	④	⑤
04	①	②	③	④	⑤
05	①	②	③	④	⑤
06	①	②	③	④	⑤
07	①	②	③	④	⑤
08	①	②	③	④	⑤
09	①	②	③	④	⑤
10	①	②	③	④	⑤
11	①	②	③	④	⑤
12	①	②	③	④	⑤
13	①	②	③	④	⑤
14	①	②	③	④	⑤
15	①	②	③	④	⑤
16	①	②	③	④	⑤
○: 개 △: 개 X: 개					

02-2 고대의 사회

번호					
01	①	②	③	④	⑤
02	①	②	③	④	⑤
03	①	②	③	④	⑤
04	①	②	③	④	⑤
05	①	②	③	④	⑤
06	①	②	③	④	⑤
07	①	②	③	④	⑤
08	①	②	③	④	⑤
09	①	②	③	④	⑤
10	①	②	③	④	⑤
11	①	②	③	④	⑤
12	①	②	③	④	⑤
○: 개 △: 개 X: 개					

03-1 학문의 발달

01	①	②	③	④	⑤
02	①	②	③	④	⑤
03	①	②	③	④	⑤
04	①	②	③	④	⑤
05	①	②	③	④	⑤
06	①	②	③	④	⑤
07	①	②	③	④	⑤
08	①	②	③	④	⑤
O: 개		△: 개		X: 개	

03-2 사상과 과학 기술의 발달

01	①	②	③	④	⑤
02	①	②	③	④	⑤
03	①	②	③	④	⑤
04	①	②	③	④	⑤
05	①	②	③	④	⑤
06	①	②	③	④	⑤
07	①	②	③	④	⑤
08	①	②	③	④	⑤
09	①	②	③	④	⑤
10	①	②	③	④	⑤
11	①	②	③	④	⑤
12	①	②	③	④	⑤
13	①	②	③	④	⑤
14	①	②	③	④	⑤
15	①	②	③	④	⑤
16	①	②	③	④	⑤
O: 개		△: 개		X: 개	

03-3 고분과 예술의 발달

01	①	②	③	④	⑤
02	①	②	③	④	⑤
03	①	②	③	④	⑤
04	①	②	③	④	⑤
05	①	②	③	④	⑤
06	①	②	③	④	⑤
07	①	②	③	④	⑤
08	①	②	③	④	⑤
09	①	②	③	④	⑤
10	①	②	③	④	⑤
11	①	②	③	④	⑤
12	①	②	③	④	⑤
13	①	②	③	④	⑤
14	①	②	③	④	⑤
15	①	②	③	④	⑤
16	①	②	③	④	⑤
17	①	②	③	④	⑤
18	①	②	③	④	⑤
19	①	②	③	④	⑤
20	①	②	③	④	⑤
21	①	②	③	④	⑤
22	①	②	③	④	⑤
23	①	②	③	④	⑤
24	①	②	③	④	⑤
O: 개		△: 개		X: 개	

해커스공무원 단원별 기출문제집
한국사

회독용 답안지

답안지 활용 방법

1. 회독 차수에 따라 본 답안지에 문제 풀이를 진행해 주세요. 추가 회독을 할 때는 해커스공무원(gosi.Hackers.com)
   ▶ 사이트 상단의 [교재·서점 ▶ 무료 학습 자료]에서 답안지를 다운받아 진행하실 수 있습니다.
2. 채점 시 ○, △, X로 구분하여 채점해주세요. ○: 정확하게 맞음 △: 찍었는데 맞음 X: 틀림

회독 차수: 진행 날짜:

III 고려의 발전

01-1 고려의 성립과 성장

01	①	②	③	④	⑤
02	①	②	③	④	⑤
03	①	②	③	④	⑤
04	①	②	③	④	⑤
05	①	②	③	④	⑤
06	①	②	③	④	⑤
07	①	②	③	④	⑤
08	①	②	③	④	⑤
09	①	②	③	④	⑤
10	①	②	③	④	⑤
11	①	②	③	④	⑤
12	①	②	③	④	⑤
13	①	②	③	④	⑤
14	①	②	③	④	⑤
15	①	②	③	④	⑤
16	①	②	③	④	⑤
17	①	②	③	④	⑤
18	①	②	③	④	⑤
19	①	②	③	④	⑤
20	①	②	③	④	⑤
21	①	②	③	④	⑤
22	①	②	③	④	⑤
23	①	②	③	④	⑤
24	①	②	③	④	⑤
25	①	②	③	④	⑤
26	①	②	③	④	⑤
27	①	②	③	④	⑤
28	①	②	③	④	⑤
29	①	②	③	④	⑤
30	①	②	③	④	⑤
31	①	②	③	④	⑤
32	①	②	③	④	⑤
33	①	②	③	④	⑤
34	①	②	③	④	⑤
35	①	②	③	④	⑤
36	①	②	③	④	⑤
37	①	②	③	④	⑤
38	①	②	③	④	⑤
39	①	②	③	④	⑤
40	①	②	③	④	⑤
41	①	②	③	④	⑤
42	①	②	③	④	⑤
43	①	②	③	④	⑤
44	①	②	③	④	⑤
45	①	②	③	④	⑤
46	①	②	③	④	⑤
47	①	②	③	④	⑤
48	①	②	③	④	⑤
49	①	②	③	④	⑤
50	①	②	③	④	⑤
51	①	②	③	④	⑤
52	①	②	③	④	⑤
○: 개	△: 개	X: 개			

01-2 문벌 귀족 사회의 성립과 동요

01	①	②	③	④	⑤
02	①	②	③	④	⑤
03	①	②	③	④	⑤
04	①	②	③	④	⑤
05	①	②	③	④	⑤
06	①	②	③	④	⑤
07	①	②	③	④	⑤
08	①	②	③	④	⑤
09	①	②	③	④	⑤
10	①	②	③	④	⑤
11	①	②	③	④	⑤
12	①	②	③	④	⑤
13	①	②	③	④	⑤
14	①	②	③	④	⑤
15	①	②	③	④	⑤
16	①	②	③	④	⑤
17	①	②	③	④	⑤
18	①	②	③	④	⑤
19	①	②	③	④	⑤
20	①	②	③	④	⑤
21	①	②	③	④	⑤
22	①	②	③	④	⑤
23	①	②	③	④	⑤
24	①	②	③	④	⑤
25	①	②	③	④	⑤
26	①	②	③	④	⑤
27	①	②	③	④	⑤
28	①	②	③	④	⑤
29	①	②	③	④	⑤
30	①	②	③	④	⑤
31	①	②	③	④	⑤
32	①	②	③	④	⑤
○: 개	△: 개	X: 개			

01-3 대외 관계의 전개

01	①	②	③	④	⑤
02	①	②	③	④	⑤
03	①	②	③	④	⑤
04	①	②	③	④	⑤
05	①	②	③	④	⑤
06	①	②	③	④	⑤
07	①	②	③	④	⑤
08	①	②	③	④	⑤
09	①	②	③	④	⑤
10	①	②	③	④	⑤
11	①	②	③	④	⑤
12	①	②	③	④	⑤
13	①	②	③	④	⑤
14	①	②	③	④	⑤
15	①	②	③	④	⑤
16	①	②	③	④	⑤
○: 개	△: 개	X: 개			

01-4 고려 후기의 정치 변동과 개혁

01	①	②	③	④	⑤
02	①	②	③	④	⑤
03	①	②	③	④	⑤
04	①	②	③	④	⑤
05	①	②	③	④	⑤
06	①	②	③	④	⑤
07	①	②	③	④	⑤
08	①	②	③	④	⑤
09	①	②	③	④	⑤
10	①	②	③	④	⑤
11	①	②	③	④	⑤
12	①	②	③	④	⑤
13	①	②	③	④	⑤
14	①	②	③	④	⑤
15	①	②	③	④	⑤
16	①	②	③	④	⑤
17	①	②	③	④	⑤
18	①	②	③	④	⑤
19	①	②	③	④	⑤
20	①	②	③	④	⑤
21	①	②	③	④	⑤
22	①	②	③	④	⑤
23	①	②	③	④	⑤
24	①	②	③	④	⑤
○: 개		△: 개		X: 개	

02-1 고려의 경제

01	①	②	③	④	⑤
02	①	②	③	④	⑤
03	①	②	③	④	⑤
04	①	②	③	④	⑤
05	①	②	③	④	⑤
06	①	②	③	④	⑤
07	①	②	③	④	⑤
08	①	②	③	④	⑤
09	①	②	③	④	⑤
10	①	②	③	④	⑤
11	①	②	③	④	⑤
12	①	②	③	④	⑤
13	①	②	③	④	⑤
14	①	②	③	④	⑤
15	①	②	③	④	⑤
16	①	②	③	④	⑤
17	①	②	③	④	⑤
18	①	②	③	④	⑤
19	①	②	③	④	⑤
20	①	②	③	④	⑤
21	①	②	③	④	⑤
22	①	②	③	④	⑤
23	①	②	③	④	⑤
24	①	②	③	④	⑤
○: 개		△: 개		X: 개	

02-2 고려의 사회

01	①	②	③	④	⑤
02	①	②	③	④	⑤
03	①	②	③	④	⑤
04	①	②	③	④	⑤
05	①	②	③	④	⑤
06	①	②	③	④	⑤
07	①	②	③	④	⑤
08	①	②	③	④	⑤
09	①	②	③	④	⑤
10	①	②	③	④	⑤
11	①	②	③	④	⑤
12	①	②	③	④	⑤
13	①	②	③	④	⑤
14	①	②	③	④	⑤
15	①	②	③	④	⑤
16	①	②	③	④	⑤
17	①	②	③	④	⑤
18	①	②	③	④	⑤
19	①	②	③	④	⑤
20	①	②	③	④	⑤
○: 개		△: 개		X: 개	

03-1 유학의 발달과 역사서의 편찬

01	①	②	③	④	⑤
02	①	②	③	④	⑤
03	①	②	③	④	⑤
04	①	②	③	④	⑤
05	①	②	③	④	⑤
06	①	②	③	④	⑤
07	①	②	③	④	⑤
08	①	②	③	④	⑤
09	①	②	③	④	⑤
10	①	②	③	④	⑤
11	①	②	③	④	⑤
12	①	②	③	④	⑤
13	①	②	③	④	⑤
14	①	②	③	④	⑤
15	①	②	③	④	⑤
16	①	②	③	④	⑤
17	①	②	③	④	⑤
18	①	②	③	④	⑤
19	①	②	③	④	⑤
20	①	②	③	④	⑤
○: 개 △: 개 X: 개					

03-2 불교 사상과 신앙의 발전

01	①	②	③	④	⑤
02	①	②	③	④	⑤
03	①	②	③	④	⑤
04	①	②	③	④	⑤
05	①	②	③	④	⑤
06	①	②	③	④	⑤
07	①	②	③	④	⑤
08	①	②	③	④	⑤
09	①	②	③	④	⑤
10	①	②	③	④	⑤
11	①	②	③	④	⑤
12	①	②	③	④	⑤
13	①	②	③	④	⑤
14	①	②	③	④	⑤
15	①	②	③	④	⑤
16	①	②	③	④	⑤
17	①	②	③	④	⑤
18	①	②	③	④	⑤
19	①	②	③	④	⑤
20	①	②	③	④	⑤
○: 개 △: 개 X: 개					

03-3 과학 기술과 문학의 발달

01	①	②	③	④	⑤
02	①	②	③	④	⑤
03	①	②	③	④	⑤
04	①	②	③	④	⑤
05	①	②	③	④	⑤
06	①	②	③	④	⑤
07	①	②	③	④	⑤
08	①	②	③	④	⑤
○: 개 △: 개 X: 개					

03-4 귀족 문화의 발달

01	①	②	③	④	⑤
02	①	②	③	④	⑤
03	①	②	③	④	⑤
04	①	②	③	④	⑤
05	①	②	③	④	⑤
06	①	②	③	④	⑤
07	①	②	③	④	⑤
08	①	②	③	④	⑤
09	①	②	③	④	⑤
10	①	②	③	④	⑤
11	①	②	③	④	⑤
12	①	②	③	④	⑤
13	①	②	③	④	⑤
14	①	②	③	④	⑤
15	①	②	③	④	⑤
16	①	②	③	④	⑤
○: 개 △: 개 X: 개					

해커스공무원 단원별 기출문제집
한국사

회독용 답안지

답안지 활용 방법

1. 회독 차수에 따라 본 답안지에 문제 풀이를 진행해 주세요. 추가 회독을 할 때는 해커스공무원(gosi.Hackers.com) ▶ 사이트 상단의 [교재·서점 ▶ 무료 학습 자료]에서 답안지를 다운받아 진행하실 수 있습니다.
2. 채점 시 O, △, X로 구분하여 채점해주세요. O: 정확하게 맞음 △: 찍었는데 맞음 X: 틀림

회독 차수:　　　　　　　진행 날짜:

Ⅳ 조선의 발전

01-1 조선의 건국과 발전

01	①	②	③	④	⑤
02	①	②	③	④	⑤
03	①	②	③	④	⑤
04	①	②	③	④	⑤
05	①	②	③	④	⑤
06	①	②	③	④	⑤
07	①	②	③	④	⑤
08	①	②	③	④	⑤
09	①	②	③	④	⑤
10	①	②	③	④	⑤
11	①	②	③	④	⑤
12	①	②	③	④	⑤
13	①	②	③	④	⑤
14	①	②	③	④	⑤
15	①	②	③	④	⑤
16	①	②	③	④	⑤
17	①	②	③	④	⑤
18	①	②	③	④	⑤
19	①	②	③	④	⑤
20	①	②	③	④	⑤
21	①	②	③	④	⑤
22	①	②	③	④	⑤
23	①	②	③	④	⑤
24	①	②	③	④	⑤
O: 개	△: 개	X: 개			

01-2 통치 체제의 정비

01	①	②	③	④	⑤
02	①	②	③	④	⑤
03	①	②	③	④	⑤
04	①	②	③	④	⑤
05	①	②	③	④	⑤
06	①	②	③	④	⑤
07	①	②	③	④	⑤
08	①	②	③	④	⑤
09	①	②	③	④	⑤
10	①	②	③	④	⑤
11	①	②	③	④	⑤
12	①	②	③	④	⑤
13	①	②	③	④	⑤
14	①	②	③	④	⑤
15	①	②	③	④	⑤
16	①	②	③	④	⑤
O: 개	△: 개	X: 개			

01-3 사림의 대두와 붕당 정치의 전개

01	①	②	③	④	⑤
02	①	②	③	④	⑤
03	①	②	③	④	⑤
04	①	②	③	④	⑤
05	①	②	③	④	⑤
06	①	②	③	④	⑤
07	①	②	③	④	⑤
08	①	②	③	④	⑤
09	①	②	③	④	⑤
10	①	②	③	④	⑤
11	①	②	③	④	⑤
12	①	②	③	④	⑤
13	①	②	③	④	⑤
14	①	②	③	④	⑤
15	①	②	③	④	⑤
16	①	②	③	④	⑤
O: 개	△: 개	X: 개			

01-4 대외 관계의 전개와 양난의 극복

01	①	②	③	④	⑤
02	①	②	③	④	⑤
03	①	②	③	④	⑤
04	①	②	③	④	⑤
05	①	②	③	④	⑤
06	①	②	③	④	⑤
07	①	②	③	④	⑤
08	①	②	③	④	⑤
09	①	②	③	④	⑤
10	①	②	③	④	⑤
11	①	②	③	④	⑤
12	①	②	③	④	⑤
13	①	②	③	④	⑤
14	①	②	③	④	⑤
15	①	②	③	④	⑤
16	①	②	③	④	⑤
17	①	②	③	④	⑤
18	①	②	③	④	⑤
19	①	②	③	④	⑤
20	①	②	③	④	⑤
O: 개	△: 개	X: 개			

02-1 조선 전기의 경제

01	①	②	③	④	⑤
02	①	②	③	④	⑤
03	①	②	③	④	⑤
04	①	②	③	④	⑤
05	①	②	③	④	⑤
06	①	②	③	④	⑤
07	①	②	③	④	⑤
08	①	②	③	④	⑤
09	①	②	③	④	⑤
10	①	②	③	④	⑤
11	①	②	③	④	⑤
12	①	②	③	④	⑤
13	①	②	③	④	⑤
14	①	②	③	④	⑤
15	①	②	③	④	⑤
16	①	②	③	④	⑤
○: 개	△: 개	X: 개			

02-2 조선 전기의 사회

01	①	②	③	④	⑤
02	①	②	③	④	⑤
03	①	②	③	④	⑤
04	①	②	③	④	⑤
05	①	②	③	④	⑤
06	①	②	③	④	⑤
07	①	②	③	④	⑤
08	①	②	③	④	⑤
09	①	②	③	④	⑤
10	①	②	③	④	⑤
11	①	②	③	④	⑤
12	①	②	③	④	⑤
○: 개	△: 개	X: 개			

03-1 민족 문화의 융성

01	①	②	③	④	⑤
02	①	②	③	④	⑤
03	①	②	③	④	⑤
04	①	②	③	④	⑤
05	①	②	③	④	⑤
06	①	②	③	④	⑤
07	①	②	③	④	⑤
08	①	②	③	④	⑤
09	①	②	③	④	⑤
10	①	②	③	④	⑤
11	①	②	③	④	⑤
12	①	②	③	④	⑤
13	①	②	③	④	⑤
14	①	②	③	④	⑤
15	①	②	③	④	⑤
16	①	②	③	④	⑤
17	①	②	③	④	⑤
18	①	②	③	④	⑤
19	①	②	③	④	⑤
20	①	②	③	④	⑤
○: 개	△: 개	X: 개			

03-2 성리학의 발달

01	①	②	③	④	⑤
02	①	②	③	④	⑤
03	①	②	③	④	⑤
04	①	②	③	④	⑤
05	①	②	③	④	⑤
06	①	②	③	④	⑤
07	①	②	③	④	⑤
08	①	②	③	④	⑤
09	①	②	③	④	⑤
10	①	②	③	④	⑤
11	①	②	③	④	⑤
12	①	②	③	④	⑤
○: 개	△: 개	X: 개			

03-3 신앙 · 과학 · 예술의 발달

01	①	②	③	④	⑤
02	①	②	③	④	⑤
03	①	②	③	④	⑤
04	①	②	③	④	⑤
05	①	②	③	④	⑤
06	①	②	③	④	⑤
07	①	②	③	④	⑤
08	①	②	③	④	⑤
09	①	②	③	④	⑤
10	①	②	③	④	⑤
11	①	②	③	④	⑤
12	①	②	③	④	⑤
13	①	②	③	④	⑤
14	①	②	③	④	⑤
15	①	②	③	④	⑤
16	①	②	③	④	⑤
17	①	②	③	④	⑤
18	①	②	③	④	⑤
19	①	②	③	④	⑤
20	①	②	③	④	⑤
21	①	②	③	④	⑤
22	①	②	③	④	⑤
23	①	②	③	④	⑤
24	①	②	③	④	⑤
○: 개	△: 개	X: 개			

해커스공무원 단원별 기출문제집
한국사

회독용 답안지

답안지 활용 방법

1. 회독 차수에 따라 본 답안지에 문제 풀이를 진행해 주세요. 추가 회독을 할 때는 해커스공무원(gosi.Hackers.com) ▶ 사이트 상단의 [교재·서점 ▶ 무료 학습 자료]에서 답안지를 다운받아 진행하실 수 있습니다.
2. 채점 시 O, △, X로 구분하여 채점해주세요. O: 정확하게 맞음 △: 찍었는데 맞음 X: 틀림

회독 차수: 진행 날짜:

V 조선의 변화

01-1 통치 체제의 변화

01	①	②	③	④	⑤
02	①	②	③	④	⑤
03	①	②	③	④	⑤
04	①	②	③	④	⑤
05	①	②	③	④	⑤
06	①	②	③	④	⑤
07	①	②	③	④	⑤
08	①	②	③	④	⑤
09	①	②	③	④	⑤
10	①	②	③	④	⑤
11	①	②	③	④	⑤
12	①	②	③	④	⑤

O: 개 △: 개 X: 개

01-2 정쟁의 격화와 탕평·세도 정치

01	①	②	③	④	⑤
02	①	②	③	④	⑤
03	①	②	③	④	⑤
04	①	②	③	④	⑤
05	①	②	③	④	⑤
06	①	②	③	④	⑤
07	①	②	③	④	⑤
08	①	②	③	④	⑤
09	①	②	③	④	⑤
10	①	②	③	④	⑤
11	①	②	③	④	⑤
12	①	②	③	④	⑤
13	①	②	③	④	⑤
14	①	②	③	④	⑤
15	①	②	③	④	⑤
16	①	②	③	④	⑤
17	①	②	③	④	⑤
18	①	②	③	④	⑤
19	①	②	③	④	⑤
20	①	②	③	④	⑤
21	①	②	③	④	⑤
22	①	②	③	④	⑤
23	①	②	③	④	⑤
24	①	②	③	④	⑤
25	①	②	③	④	⑤
26	①	②	③	④	⑤
27	①	②	③	④	⑤
28	①	②	③	④	⑤
29	①	②	③	④	⑤
30	①	②	③	④	⑤
31	①	②	③	④	⑤
32	①	②	③	④	⑤
33	①	②	③	④	⑤
34	①	②	③	④	⑤
35	①	②	③	④	⑤
36	①	②	③	④	⑤
37	①	②	③	④	⑤
38	①	②	③	④	⑤
39	①	②	③	④	⑤
40	①	②	③	④	⑤

O: 개 △: 개 X: 개

01-3 대외 관계의 변화

01	①	②	③	④	⑤
02	①	②	③	④	⑤
03	①	②	③	④	⑤
04	①	②	③	④	⑤

O: 개 △: 개 X: 개

02-1 수취 체제의 개편

01	①	②	③	④	⑤
02	①	②	③	④	⑤
03	①	②	③	④	⑤
04	①	②	③	④	⑤
05	①	②	③	④	⑤
06	①	②	③	④	⑤
07	①	②	③	④	⑤
08	①	②	③	④	⑤
09	①	②	③	④	⑤
10	①	②	③	④	⑤
11	①	②	③	④	⑤
12	①	②	③	④	⑤
13	①	②	③	④	⑤
14	①	②	③	④	⑤
15	①	②	③	④	⑤
16	①	②	③	④	⑤
17	①	②	③	④	⑤
18	①	②	③	④	⑤
19	①	②	③	④	⑤
20	①	②	③	④	⑤

O: 개 △: 개 X: 개

02-2 서민 경제의 발전

01	①	②	③	④	⑤
02	①	②	③	④	⑤
03	①	②	③	④	⑤
04	①	②	③	④	⑤

O: 개 △: 개 X: 개

02-3 상품 화폐 경제의 발달

01	①	②	③	④	⑤
02	①	②	③	④	⑤
03	①	②	③	④	⑤
04	①	②	③	④	⑤
05	①	②	③	④	⑤
06	①	②	③	④	⑤
07	①	②	③	④	⑤
08	①	②	③	④	⑤
09	①	②	③	④	⑤
10	①	②	③	④	⑤
11	①	②	③	④	⑤
12	①	②	③	④	⑤
○: 개		△: 개		X: 개	

03-1 사회 구조와 향촌 질서의 변화

01	①	②	③	④	⑤
02	①	②	③	④	⑤
03	①	②	③	④	⑤
04	①	②	③	④	⑤
05	①	②	③	④	⑤
06	①	②	③	④	⑤
07	①	②	③	④	⑤
08	①	②	③	④	⑤
09	①	②	③	④	⑤
10	①	②	③	④	⑤
11	①	②	③	④	⑤
12	①	②	③	④	⑤
13	①	②	③	④	⑤
14	①	②	③	④	⑤
15	①	②	③	④	⑤
16	①	②	③	④	⑤
○: 개		△: 개		X: 개	

03-2 사회 변혁의 움직임

01	①	②	③	④	⑤
02	①	②	③	④	⑤
03	①	②	③	④	⑤
04	①	②	③	④	⑤
05	①	②	③	④	⑤
06	①	②	③	④	⑤
07	①	②	③	④	⑤
08	①	②	③	④	⑤
09	①	②	③	④	⑤
10	①	②	③	④	⑤
11	①	②	③	④	⑤
12	①	②	③	④	⑤
13	①	②	③	④	⑤
14	①	②	③	④	⑤
15	①	②	③	④	⑤
16	①	②	③	④	⑤
○: 개		△: 개		X: 개	

04-1 성리학의 변화와 실학의 발달

01	①	②	③	④	⑤
02	①	②	③	④	⑤
03	①	②	③	④	⑤
04	①	②	③	④	⑤
05	①	②	③	④	⑤
06	①	②	③	④	⑤
07	①	②	③	④	⑤
08	①	②	③	④	⑤
09	①	②	③	④	⑤
10	①	②	③	④	⑤
11	①	②	③	④	⑤
12	①	②	③	④	⑤
13	①	②	③	④	⑤
14	①	②	③	④	⑤
15	①	②	③	④	⑤
16	①	②	③	④	⑤
17	①	②	③	④	⑤
18	①	②	③	④	⑤
19	①	②	③	④	⑤
20	①	②	③	④	⑤
21	①	②	③	④	⑤
22	①	②	③	④	⑤
23	①	②	③	④	⑤
24	①	②	③	④	⑤
25	①	②	③	④	⑤
26	①	②	③	④	⑤
27	①	②	③	④	⑤
28	①	②	③	④	⑤
29	①	②	③	④	⑤
30	①	②	③	④	⑤
31	①	②	③	④	⑤
32	①	②	③	④	⑤
33	①	②	③	④	⑤
34	①	②	③	④	⑤
35	①	②	③	④	⑤
36	①	②	③	④	⑤
37	①	②	③	④	⑤
38	①	②	③	④	⑤
39	①	②	③	④	⑤
40	①	②	③	④	⑤
○: 개	△: 개	X: 개			

04-2 문화의 새 경향

01	①	②	③	④	⑤
02	①	②	③	④	⑤
03	①	②	③	④	⑤
04	①	②	③	④	⑤
05	①	②	③	④	⑤
06	①	②	③	④	⑤
07	①	②	③	④	⑤
08	①	②	③	④	⑤
09	①	②	③	④	⑤
10	①	②	③	④	⑤
11	①	②	③	④	⑤
12	①	②	③	④	⑤
13	①	②	③	④	⑤
14	①	②	③	④	⑤
15	①	②	③	④	⑤
16	①	②	③	④	⑤
○: 개	△: 개	X: 개			

2025 대비 최신개정판

해커스공무원

단원별 기출문제집 한국사

1권 | 전근대사

개정 9판 2쇄 발행 2025년 2월 3일
개정 9판 1쇄 발행 2024년 9월 2일

지은이	해커스 공무원시험연구소
펴낸곳	해커스패스
펴낸이	해커스공무원 출판팀
주소	서울특별시 강남구 강남대로 428 해커스공무원
고객센터	1588-4055
교재 관련 문의	gosi@hackerspass.com 해커스공무원 사이트(gosi.Hackers.com) 교재 Q&A 게시판 카카오톡 플러스 친구 [해커스공무원 노량진캠퍼스]
학원 강의 및 동영상강의	gosi.Hackers.com
ISBN	1권: 979-11-7244-256-9 (14910) 세트: 979-11-7244-255-2 (14910)
Serial Number	09-02-01

저작권자 © 2024, 해커스공무원
이 책의 모든 내용, 이미지, 디자인, 편집 형태에 대한 저작권은 저자에게 있습니다.
서면에 의한 저자와 출판사의 허락 없이 내용의 일부 혹은 전부를 인용, 발췌하거나 복제, 배포할 수 없습니다.

공무원 교육 1위,
해커스공무원 **gosi.Hackers.com**

해커스공무원

· 다회독에 최적화된 **회독용 답안지**
· 해커스 스타강사의 **공무원 한국사 무료 특강**
· **해커스공무원 학원 및 인강**(교재 내 인강 할인쿠폰 수록)

한경비즈니스 2024 한국품질만족도 교육(온·오프라인 공무원학원) 1위

5천 개가 넘는

해커스토익 무료 자료!

대한민국에서 공짜로 토익 공부하고 싶으면 해커스영어 Hackers.co.kr 검색

강의도 무료

베스트셀러 1위 토익 강의 150강 무료 서비스,
누적 시청 1,900만 돌파!

문제도 무료

토익 RC/LC 풀기, 모의토익 등
실전토익 대비 문제 3,730제 무료!

최신 특강도 무료

2,400만뷰 스타강사의
압도적 적중예상특강 매달 업데이트!

공부법도 무료

토익 고득점 달성팁, 비법노트,
점수대별 공부법 무료 확인

*미션 달성 시

가장 빠른 정답까지!

615만이 선택한 해커스 토익 정답!
시험 직후 가장 빠른 정답 확인

[5천여 개] 해커스토익(Hackers.co.kr) 제공 총 무료 콘텐츠 수(~2017.08.30)
[베스트셀러 1위] 교보문고 종합 베스트셀러 토익/토플 분야 토익 RC 기준 1위(2005~2023년 연간 베스트셀러)
[1,900만] 해커스토익 리딩 무료강의 및 해커스토익 스타트 리딩 무료강의의 누적 조회수(중복 포함, 2008.01.01~2018.03.09 기준)
[2,400만] 해커스토익 최신경향 토익적중예상특강 누적 조회수(2013-2021, 중복 포함)
[615만] 해커스영어 해커스토익 정답 실시간 확인서비스 PC/MO 방문자 수 총합/누적, 중복 포함(2016.05.01~2023.02.22)

더 많은
토익무료자료 보기 ▶